Historisches Wörterbuch
der Elektrotechnik,
Informationstechnik
und Elektrophysik

Alfred Warner
Prof. Dr.-Ing.

Historisches Wörterbuch der Elektrotechnik, Informationstechnik und Elektrophysik

Zur Herkunft ihrer Begriffe, Benennungen und Zeichen

Im Einvernehmen mit der
Gesellschaft für deutsche Sprache (GfdS) e. V.
und dem
VDE-Ausschuss „Geschichte der Elektrotechnik"

Verlag
Harri
Deutsch

Prof. Dr.-Ing. Alfred Warner war bis zu seinem Eintritt in den Ruhestand 1997 Leiter des VDE Prüf- und Zertifizierungsinstituts, Offenbach a.M., und Geschäftsführer des VDE Verband Deutscher Elektrotechniker e.V. Seine Veröffentlichungen betrafen Funk-Entstörung, Prüf- und Zertifizierungswesen, Terminologiefragen und Technikgeschichte sowie das VDE-Vorschriftenwerk. Von 1980 bis 2000 hatte er an der TU Darmstadt den Lehrauftrag „Europäisches Normen-, Prüf- und Zulassungswesen in der Elektrotechnik“. 1986 wurde er zum Honorarprofessor ernannt.

Verlag Harri Deutsch
Gräfstraße 47
60486 Frankfurt am Main
Fax: 069 / 77 01 58 69
E-Mail: verlag@harri-deutsch.de
http://www.harri-deutsch.de

Bibliographische Information der Deutschen Nationalbibliothek
Die Deutsche Nationalbibliothek verzeichnet diese Publikation in der Deutschen Nationalbibliographie; detaillierte bibliographische Informationen sind im Internet über <http://dnb.d-nb.de> abrufbar.

ISBN 978-3-8171-1789-5

1. Auflage 2007

Lektorat und Herstellung: Birgit Cirksena
Umschlaggestaltung: Claudia Holz
Druck: fgb • freiburger graphische betriebe <www.fgb.de>

Printed in Germany

Ein sorgfältig bearbeitetes
„Etymologicum magnum physicae artis linguae"
zu verfassen, wäre eine große und, wie mir
scheinen will, lohnende Aufgabe.
Walther Gerlach 1962

Vorwort oder „Ein Wort zuvor"

Wer sich über Erfinder und Forscher informieren möchte, findet eine umfangreiche Bibliothek von Nachschlagewerken über bedeutende, berühmte und große Ingenieure, Techniker, Physiker, Chemiker, Mathematiker usw. vor. Wer dagegen erfahren möchte, wann und von wem ein gängiger Fachausdruck geprägt und eingeführt worden ist, hat es nicht leicht, eine Antwort zu bekommen. Das ist um so erstaunlicher, als es doch die Fachausdrücke erst ermöglichen, über die Erfindung oder Entdeckung zu sprechen und sie also nutzbringend einzusetzen.

Diese Lücke soll das vorliegende „**Historische Wörterbuch der Elektrotechnik, Informationstechnik und Elektrophysik.** Zur Herkunft ihrer Begriffe, Benennungen und Zeichen" ausfüllen.

- Es ist **historisch**, weil es den Zeitpunkt der Entstehung des Gedankens (Begriff) und seiner Konkretisierung in einer Benennung oder in einem Zeichen (meistens Formelzeichen) dokumentiert und weil es auch Begriffe und Benennungen behandelt, denen man bei der Lektüre älterer Veröffentlichungen begegnet.
- Es ist ein **Wörterbuch** im Sinne eines *Sprach*wörterbuchs und weniger eines *Sach*wörterbuchs (Lexikon), da hier „Worte über Wörter" ausgebreitet werden und keine Beschreibungen von Erfindungen und Einrichtungen.
- Es umfasst die Sachgebiete der **Elektrotechnik, Informationstechnik und Elektrophysik**, weil sie zu den Schlüsseltechnologien von heute führen.

Die Einträge des Wörterbuchs haben in der Regel folgenden Aufbau:
Dem **Stichwort** (Lemma) ist der entsprechende englische Fachausdruck dazu gesetzt, damit sich englischsprachige Benutzer besser orientieren können.
Die **Eintragsinformation** beginnt mit einer

- **Worterklärung**, d. h. Definition oder auch nur Begriffserklärung.
- Es folgt die eigentliche **Wortgeschichte**.
- Mit Belegen aus der Fachliteratur und anderen Textsorten soll die **Wortbenutzung** des Stichwortes und seiner Wortfamilie registriert werden.
- Der Abschnitt **Wortfamilie** soll die Produktivität des Stichwortes in Wortzusammensetzungen als Bestimmungs- und Grundwort sowie in Wortableitungen veranschaulichen.
- **Fremdsprachige Entsprechungen** sollen aufzeigen, in welcher Schriftform oder Lautform das Stichwort in anderen Sprachen vorkommt, wobei nur eine Auswahl von Sprachen betrachtet wird.

- In der Zeile **Siehe auch** soll auf im Zusammenhang stehende Stichwörter hingewiesen werden.
- Zum Abschluss werden die herangezogenen **Literaturquellen** aufgeführt, deren vollständige bibliographische Titelangaben im Literaturverzeichnis zu finden sind.

Das Wörterbuch wird durch **Anhänge** abgerundet:
- Ein Literaturverzeichnis,
- ein Verzeichnis der Wortschöpfer oder frühen Wortbenutzer (unter Angabe der Lebensdaten und der im Wörterbuch behandelten zugehörigen Stichwörter) sowie
- eine Zeittafel der Wortschöpfungen oder der frühen Wortbenutzungen.

Die produktiven Stichwörter dieses Nachschlagewerks führen über die Abschnitte „Wortfamilie“ und „Fremdsprachige Entsprechungen“ zu etwa 10 000 Benennungen, in denen die Stichwörter entweder Bestimmungswort, Grundwort oder Stammwort einer Wortableitung sind.

Zur Quellenlage

Die Fachsprache meines Studienfaches begann mich zu interessieren, als ich im fünften Semester (1953/54) nur rein elektrotechnische Vorlesungen an der Technischen Hochschule Hannover (jetzt Universität Hannover) hörte. Dabei stellte ich mir die Frage, woher ein bestimmter Fachausdruck abstamme oder warum er so gebildet worden sei. Das führte dazu, dass ich Hinweise und sonstige Anmerkungen zu Fachausdrücken (mit Quellenangabe) sammelte und auf Karteikarten notierte.
Besonders ergiebig waren und sind Biographien von Physikern und Ingenieuren sowie Geburtstags-Grußadressen und Nachrufe für diesen Personenkreis. Fachsprachlich interessierte Fachautoren pflegten im Vorwort oder in Fußnoten ihrer Veröffentlichungen zu Fachausdrücken Stellung zu nehmen. Auf diese Weise erhielt ich ein umfangreiches Quellenmaterial.

In meiner aktiven beruflichen Phase griff ich auf diese Quellen zurück, wenn ich einen Beitrag zu einem bestimmten Thema zu schreiben hatte. Diese Quellen in Buchform zu verwerten, musste ich auf später zurückstellen, da ich vorrangig die aktuellen technischen Sachverhalte meines Fachgebiets der Fachöffentlichkeit mitteilen wollte.

Mit Beginn meines Ruhestandes konnte ich mich meiner terminologisch-historischen Datei widmen. Unter Verwendung der Kenntnisse, die ich durch die ehrenamtliche Mitarbeit im Normenausschuss Terminologie im DIN Deutsches Institut für Normung e.V. und durch die Mitwirkung in der Gesellschaft für deutsche Sprache e.V. erlangt habe, konnte ich die oben skizzierte Gliederung für die einzelnen Artikel festlegen.

Als das Manuskript einen vorzeigbaren Umfang angenommen hatte, schaute ich mich nach einem geeigneten Verlag um, den ich schließlich im Wissenschaftlichen Verlag Harri Deutsch GmbH, Frankfurt am Main, fand, weil sein Verlagsprogramm auch eine wissenschafts- und kulturhistorische Komponente enthält: „OSTWALDS Klassiker der exakten Wissenschaften", „Kulturgeschichte der Physik" von K. SIMONYI, „Fachlexikon abc Forscher und Erfinder" von H.-L. WUSSING (Hrsg.) usw.

Dank

Es obliegt mir, zum Schluss all denen zu danken, die zum Gelingen dieses Werkes beigetragen haben: zu allererst meiner Frau, die meiner „Arbeit" im Ruhestand viel Verständnis und Nachsicht entgegen brachte.
Ferner den vielen Damen und Herren, die mir direkt oder indirekt im Laufe von vielen Jahren wertvolle Hinweise, Fotokopien und Bücher zur Verfügung stellten und die ich weiter unten nenne.

Ich danke der Gesellschaft für deutsche Sprache e.V. (Vorsitzender: Prof. Dr. phil. Rudolf HOBERG) und dem VDE-Ausschuss „Geschichte der Elektrotechnik" (Vorsitzender: Prof. Dr. phil. Horst A. WESSEL), dass sie mich ermunterten, meine terminologisch-historische Datei der Elektrotechnik in Buchform herauszubringen.

Dem Lektorat des Verlages, Frau Birgit CIRKSENA, M.A., und Herrn Dipl.-Phys. Klaus HORN, schulde ich Dank für die sorgfältige Umsetzung meiner Vorstellungen zur Darstellung der fachsprachlichen Materie.

Zu guter Letzt

Autor und Verlag heißen Anregungen, Anmerkungen, Ergänzungen und Erweiterungen zu dieser neuen Art von Wörterbuch willkommen.

Darmstadt, im März 2007 A. Warner

Dank für die Unterstützung an diesem Wörterbuch

BAITINGER, Utz G., Prof. Dr.-Ing., Institut für Parallele und Verteilte Systeme, Lehrstuhl Integrierter Systementwurf, Universität Stuttgart

BALOSSI RESTELLI, Alessandro, Dr.-Ing., Generaldirektor i. R., Istituto Italiano del Marchio di Qualità (IMQ), Mailand, Italien

BAMOPOULOS, George, Dr., Director, ELOT Laboratories, Hellenic Organization for Standardization, Athen, Griechenland

BAUER, Frederick, P.E. (= Professional Engineer), amerikanischer Experte für die elektromagnetische Verträglichkeit (EMV/EMC) von Kraftfahrzeugen, Ford Motor Company, Dearborn, Michigan, USA

BECKER, Norbert, Dr., Leiter, Universitätsarchiv, Universitätsbibliothek Stuttgart

BECKMANN, Olof, Prof., Uppsala Universitet, Uppsala, Schweden

BENOIST, Jean, Directeur Général i. R., Union Technique de l'Électricité (UTE), Paris, Frankreich

BIEGELMEYER, Gottfried, Prof. Dr. phil. Dipl.-Ing., Gründer des „Elektroschutz" Gemeinnützige Privatstiftung, Wien, Österreich

BRASELMANN, Petra, Dr. phil., o. Univ. Prof., Institut für Romanistik, Leopold-Franzens-Universität Innsbruck, Österreich

BRAUN, Hans-Jürgen, Dipl.-Phys., Max-Planck-Institut für Aeronomie (jetzt: für Sonnensystemforschung), Katlenburg-Lindau bei Göttingen

BRINKMANN, Burghart, Dipl.-Ing., Fachbereich A „Einheiten und Formelgrößen" im Normenausschuss Technische Grundlagen (NATG) im DIN, Berlin

BURKHARDT, Armin, Dr. phil. Dr. phil. h. c. Univ.-Prof., Institut für Germanistik, Otto-von-Guericke-Universität Magdeburg

DE CLERCQ, Gunter, Ir., Europäisches Komitee für Elektrotechnische Normung (CENELEC), Brüssel, Belgien

DORIAT, Clemens, Dr., Redakteur der Zeitschrift „Kunststoffe" im Carl Hanser Verlag GmbH & Co. Kg., München

DÖRING, Peter, Museum Strom und Leben, Umspannwerk Recklinghausen

DOMJAN, Marion, Deutsches Nationales Komitee der IEC, c/o DKE Deutsche Kommission Elektrotechnik Elektronik Informationstechnik im DIN und VDE, Frankfurt am Main

FAY, Eberhard, Dipl.-Phys., Leiter i. R., Akkreditierungsstelle des Deutschen Kalibrierdienstes bei der Physikalisch-Technischen Bundesanstalt (PTR), Braunschweig

FELDMANN, Jörg, Diplom-Biologe, Bundesanstalt für Arbeitsschutz und Arbeitsmedizin (BAUA), Dortmund-Derne

FELLMANN, Emil Alfred, Dr. h. c., Mitglied der EULER-Kommission der Schweizerischen Akademie der Naturwissenschaften und Chefredaktor der vierten Serie von EULERS *Opera omnia*, Basel, Schweiz

Förster, Hans Christian, Berlin-Mitte, Mitglied der Technisch-Literarischen Gesellschaft e.V. (TELI)

Fredrickson, Gösta, President, Semko, Testing and Certification Institute, Kista, Stockholm, Schweden

Hentschel, Klaus, Dr. habil., Institut für Wissenschaftsgeschichte, Universität Göttingen

Hoberg, Rudolf, Dr. phil., Univ.-Prof., Institut für Sprach- und Literaturwissenschaft, Technische Universität Darmstadt

German, Sigmar, Dr., Prof., Vizepräsident i. R., Physikalisch-Technische Bundesanstalt (PTB), Braunschweig

Hauser, Joachim, Dipl.-Ing., RAL Deutsches Institut für Gütesicherung und Kennzeichnung e.V., Sankt Augustin

Hussy, Heinz, Dr. rer. nat. Dipl.-Phys., Schweinfurt

Imgrund, Gerhard, Dr.-Ing., DKE Deutsche Kommission Elektrotechnik Elektronik Informationstechnik im DIN und VDE, Frankfurt am Main

Jacottet, Paul, Dr.-Ing., Geschäftsführer i. R., Deutsches Nationales Komitee der IEC, Chefredakteur i. R. der Elektrotechnischen Zeitschrift (etz), Technischer Geschäftsführer i. R. der VDE-Verlag GmbH, Berlin

Jäger, Kurt, Dipl.-Ing., Herausgeber und Autor des „Lexikons der Elektrotechniker", Träger der Karl-Joachim-Euler-Medaille des VDE-Ausschusses Geschichte der Elektrotechnik

Jeszenszky, Sándor, Dr., Dir., Ungarisches Elektrotechnisches Museum, Budapest, Dozent der Eötvös Universität, Ungarn

Jordans, J. Peter, Dipl.-Ing., DKE Deutsche Kommission Elektrotechnik Elektronik Informationstechnik im DIN und VDE, Frankfurt am Main

Knieling, Richard, Dipl.-Ing., Techn. Fernmelde-Oberamtsrat i. R., Seeheim-Jugenheim

Lauster, Franz, Dr. phil. nat., Generalsekretär i. R. des VDE, Frankfurt am Main

Lazur, Lajos, Dr., Dir. i R., Hungarian Institut for Testing and Certification of Electrical Equipment (MEEI) Ltd., Budapest, Ungarn

Locker, Anne, Archivist, IEE Archives, The Institution of Electrical Engineers, London, England

Mayes, Victor, britischer Elektroing. u. Messsystemexperte i. R., Rochdale, England

Mettler, Albert J., Mitbegründer und Secretary der Canadian Metric Association (CMA), Fonthill, Ontario, Kanada

Möcker, Hermann, Oberstudienrat Prof. Mag., Institut für Österreichkunde und Mitarbeiter am Österreichischen Wörterbuch (38. u. 39. Aufl.), Wien, Österreich

Müller, Georg, Dr. rer. nat. Dipl.-Phys., Opfikon, Schweiz

Müller, Gerhard, Dr. phil., Leiter der Sprachberatung der Gesellschaft für deutsche Sprache e.V., Wiesbaden

NEIDHÖFER, Gerhard, Dr. ès. sc. Dipl.-Ing., Honorarprof. TU Darmstadt, Elektromaschinenexperte, Hausen bei Brugg, Schweiz

ORTH, Karl-Ludwig, Dipl.-Ing., Geschäftsführer i. R., Deutsche Elektrotechnische Kommission im DIN und VDE (DKE), Frankfurt am Main

SALFFNER, Reinhard, Dr.-Ing., Deutsches Nationales Komitee der IEC, c/o DKE Deutsche Kommission Elektrotechnik Elektronik Informationstechnik im DIN und VDE, Frankfurt am Main

SCHMIDT, Herbert Kurt, Dr. rer. nat., Studiendirektor, Darmstadt-Eberstadt

SCHMIDT, Werner, Dipl.-Phys., Patentanwalt, Firma Alcatel SEL AG, Stuttgart, Zentralbereich Patente und Lizenzen

SEIDEL, Manfred, Dr.-Ing., Ausschuss „Geschichte der Elektrotechnik", Geschäftsbereich Wissenschaft, Bildung, Beruf; VDE Verband der Elektrotechnik Elektronik Informationstechnik e.V., Frankfurt am Main

SKORA, Michael, Dipl.-Ing., Sozietät Patentanwälte Hofstetter, Schurack & Skora, Köln

STÄRKER, Helmut, Dipl.-Ing. Dr. techn., Baurat h. c., Universitätslektor, Generalsekretär i. R., Österreichischer Verband für Elektrotechnik (ÖVE), Wien, Österreich

STIPP, Marion, VDE Prüf- und Zertifizierungsinstitut, Offenbach am Main

TAKAHASHI, Yuzo, Dr. Engineering, Prof., Dept. Electrical Engineering, Tokyo University of Agriculture & Technology, Tokyo, Japan

WEIHER, Sigfrid von, Dr. phil., Technikhistoriker, Leiter i. R. des Siemens-Archivs (Berlin/München), Lehrbeauftragter für Industriegeschichte an der Universität Erlangen-Nürnberg, Träger der Karl-Joachim-Euler-Medaille des VDE-Ausschusses „Geschichte der Elektrotechnik"

WESSEL, Horst A., Prof. Dr. phil., Leiter, Mannesmann-Archiv, Mühlheim

WETZEL, Peter R., Dr. phil. Dipl.-Ing., Weinheim a. d. Bergstraße

WIEGAND, Hans, Studiendirektor i. R., Darmstadt

WÜSTER, Eugen, Prof. Dr. techn., Begründer der Terminologielehre, Wieselburg, Österreich

Hinweise zur Benutzung des Wörterbuchs

- Wer es eilig hat, informiert sich im „Verzeichnis der Stichwörter“, ob das interessierende Wort überhaupt im Wörterbuch behandelt ist.
- Wer die Geruhsamkeit liebt, arbeitet sich im Hauptteil zum gesuchten Stichwort durch, wobei er oder sie sich gern von den Hinweispfeilen (↑) ablenken lässt.
- Wer biographisch vorbelastet ist, schaut im Anhang „Wortschöpfer oder frühe Wortbenutzer“ nach, welche Begriffe und Benennungen der betreffenden Person zugeordnet sind, die dann im Hauptteil nachzuschlagen sind.
- Wer chronologisch vorgeht, informiert sich im Anhang „Zeittafel der Wortschöpfungen oder der frühen Wortbenutzungen“. Bei Erfolg sind die betreffenden Begriffe und Benennungen im Hauptteil nachzuschlagen.
- Wer die anschließenden „Kennzeichnungen“, „Sprachenzeichen“ und „Abkürzungen“ beachtet, schöpft das Lesevergnügen voll aus.
- Die benutzte Literatur wird am Ende jedes Eintrages dann nur gekürzt angegeben, wenn sie auch an anderer Stelle verwendet wird. Die vollständige Titelangabe befindet sich im Anhang „Literaturverzeichnis“.

Kennzeichnungen

In diesem Wörterbuch werden folgende typographische Kennzeichnungen verwendet:

kursiv	Benennungen (ggf. mit vorangestelltem Sprachenzeichen), auch wenn die Textvorlage keine Kennzeichnung aufweist.
›aaa‹	wörtliche Bedeutung, Grundbedeutung, Sinnform
»aaa«	Begriff im Sinne von DIN 2342-1 „Begriffe der Terminologielehre“: „Begriff: Denkeinheit, die aus einer Menge von Gegenständen unter Ermittlung der diesen Gegenständen gemeinsamen Eigenschaften mittels Abstraktion gebildet wird.“ (Okt. 1992)
„aaa“	Zitate und Titelangaben im laufenden Text
/aaa/	Transliterierte oder transkribierte Form, auch wenn die Textvorlage keine Kennzeichnung aufweist.
aaa^{I}, aaa^{II}	Kennzeichnung von Benennungen oder Zeichen mit gleicher Form und mit mehreren unterschiedlichen Bedeutungen (Homonymie, Polysemie)
AAA*	bei Personennamen Hinweis auf Kurzbiographie im Anhang „Wortschöpfer oder frühe Wortbenutzer“
[aaaaa]	Ergänzung durch den Autor
[…]	Auslassung durch den Autor
[ç]	Phonetische Umschrift der International Phonetic Association (IPA)

Sprachenzeichen (in Anlehnung an DIN 2335 „Sprachenzeichen“, Okt. 1986)

Ⓐr	Arabisch	It	Italienisch
Bg	Bulgarisch	Ja	Japanisch
Cs	Tschechisch	La	Lateinisch

(Da)	Dänisch	(nLa)	Neulateinisch
(Dt)	Deutsch	(Nl)	Niederländisch
(En)	Englisch	(No)	Norwegisch
(Es)	Spanisch	(pers.)	Persisch
(Fi)	Finnisch	(Pl)	Polnisch
(Fr)	Französisch	(Pt)	Portugiesisch
(Gr)	Griechisch	(Ru)	Russisch
(nGr)	Neugriechisch	(Sk)	Slowakisch
(hebr.)	Hebräisch	(Sv)	Schwedisch
(Hu)	Ungarisch	(Tr)	Türkisch
(Is)	Isländisch	(Zh)	Chinesisch

Im Abschnitt „Fremdsprachige Entsprechungen“ richtet sich die Reihenfolge der Sprachen nach den Sprachfamilien der „Internationalen Dezimalklassifikation“: (En), (Nl), (Sv); (Es), (Fr), (It); (La), (nLa), (Gr); (Ru), (Pl), (Cs).

Verzeichnis der Abkürzungen

ADB	Allgemeine Deutsche Biographie
AEF	Normenausschuss für Einheiten und Formelgrößen im DIN; ↑AEF.
BGBl. I	Bundesgesetzblatt Teil I
CGPM	Generalkonferenz für Maß und Gewicht; ↑CGPM.
DGD	Die großen Deutschen; siehe Literaturverzeichnis
DGW	Die Großen der Weltgeschichte; siehe Literaturverzeichnis
DKE	DKE Deutsche Kommission Elektrotechnik Elektronik Informationstechnik im ↑DIN und ↑VDE (ehemals: Deutsche Elektrotechnische Kommission im DIN und VDE (DKE))
DIN	DIN Deutsches Institut für Normung e.V.; ↑DIN
Encycl. Brit.	Encyclopædia Britannica
etz	Elektrotechnische Zeitschrift
FAZ	Frankfurter Allgemeine Zeitung
IEC	Internationale Elektrotechnische Kommission; ↑IEC
NTG	Nachrichtentechnischen Gesellschaft im ↑VDE (NTG), jetzt: Informationstechnische Gesellschaft im VDE (ITG)
TH	↑Technische Hochschule
TU	↑Technische Universität
VDE	VDE Verband der Elektrotechnik Elektronik Informationstechnik e.V. (ehemals: VDE Verband Deutscher Elektrotechniker e.V.); ↑VDE
vgl.	vergleiche
Zit.	Zitat, zitiert.

Verzeichnis der Stichwörter

Einheiten und dezimale Vorsätze

Mathematische Zeichen und andere nicht-lateinische Schriftzeichen

A

B

C

D

E

F

G

H

I

J

K

L

M

N

O

P

Q

R

S

T

U

V

W

X

Y

Z

A

Abonnenten-Fernsehen
Admittanz • AEF
AEF-Einheitensystem • aichen
Akkumulator • Aluminium • Amper
Ampere • Anion • Anlasser
Anode • Arbeit
Arbeitsmittel, technisches
Archimed • Atommeiler • Atto-
Automat • Automation

Abonnenten-Fernsehen pay-TV

Worterklärung „Abnahme eines vollen Programms über einen speziellen Fernsehkanal gegen gesonderte Bezahlung." Auch: *Abonnement-Fernsehen*, ↑*Bezahlfernsehen*.

Wortgeschichte Dieser Definition aus dem Telekommunikationsbericht 1976 der KtK (Komminssion für den Ausbau des technischen Kommunikationssystems) [1] kommt die KtK-Benennung *Abonnement-Fernsehen* oder die in der Presse anzutreffende Benennung *Abo-Fernsehen* am nächsten. Dennoch wird *Bezahlfernsehen* bevorzugt, obwohl es der in Deutschland geltenden Rundfunk-Gebührenordnung nicht gerecht wird.

Wortbenutzung 1999: Abo-TV fest in Kirch-Hand. Das Abonnenten-Fernsehen in Deutschland ist künftig fest in der Hand des Münchener Medienunternehmers Leo Kirch. […] Zwar sei die Kirch-Gruppe mit den nun beiden Pay-TV-Plattformen Monopolist auf dem derzeit noch kleinen Markt für Bezahl-Fernsehen (dpa, in: Darmstädter Echo, 05.04.1999, S. 8); 2002: Abo-Fernsehen bleibt erneut hinter den Erwartungen zurück (dpa, in: Darmstädter Echo, 12.01.2002, S. 8).

Literatur [1] Vertrieb durch Verlag Dr. Hans Heger, Bonn-Bad Godesberg.

Admittanz admittance

Worterklärung Physikalische Größe (↑Wechselstromgröße) als Quotient der Effektivwerte von ↑Strom und ↑Spannung in einem Wechselstromkreis. Formelzeichen: ↑*Y*; SI-Einheit: ↑Siemens; Einheitenzeichen: S. Alternativbenennung zu *Scheinleitwert* (↑*Schein-*). Kehrwert des *Scheinwiderstandes* bzw. der ↑*Impedanz*.

Wortgeschichte Das Wort ~ stammt von (En) *admittance*, das 1887 der englische Telegraphen-Theoretiker Oliver HEAVISIDE* aus der Allgemeinsprache ›Einlass, Zutritt‹ in die Fachsprache mit folgenden Worten einführte:

„[…] *I* and *J* are also reciprocal. The former, *I*, being the ratio of the force to the flux (amplitudes), is the impedance of the combination. It is naturally suggested to call *J* the *‚admittance'* of the combination. But it is not to be anticipated that this will meet with so favourable a reception as *impedance*, which term is now considerably used […]" [1]

Wortbenutzung 1944: Man erhält also ähnlich dem Scheinwiderstand der Serienschaltung einen *Scheinleitwert* oder *Admittanz* […], die sich wieder aus Wirk- und Blindleitwert zusammensetzt (OBERDORFER-1944, Bd. 1, S. 400); 1994: Admittanz (komplexer Leitwert), Winkel der Admittanz (DIN 40110-1: 1994-03, S. 9); 1998: Streng genommen wird nach diesem Meßverfahren die Admittanz des Kondensators und nicht seine Kapazität ermittelt (DIN EN 137100 [VDE 0560 Teil 810]: 1998-03, S. 9).

Wortfamilie

1 Zusammensetzungen mit *Admittanz-* als Bestimmungswort: *Admittanz(kreis)diagramm, ~matrix, ~relais;*

2 Zusammensetzungen mit *-admittanz* als Grundwort: *Ausgangsadmittanz, Eingangs~, Kurzschluss~, Übertragungs~, Längs~, Netz~, Quer~, Rückwirkungs~, Übertragungs~.*

Fremdsprachige Entsprechungen (En) *admittance;* (Nl) *admittantie;* (Es) *admitancia;* (Fr) *admittance* (1926, ROBERT-1994); (It) *ammettenza;* (Ru) адмиттанц */admittanc/;* (Cs) *admitance;* (Ja) */adomitansu/.*

Literatur [1] In: Phil. Mag. (Dez. 1887) S. 479, zit. nach HEAVISIDE-1892, Bd. 2, S. 357.

AEF

AEF

Abkürzung für „Ausschuss für Einheiten und Formelgrößen" (AEF). Der ursprünglich selbständige Ausschuss erarbeitet jetzt als Fachbereich A „Einheiten und Formelgrößen des Normenausschusses Technische Grundlagen (NATG) im ↑DIN" Normen über einheitliche Begriffsbestimmungen, Benennungen und Formelzeichen für physikalische Größen sowie über Einheiten und Einheitenzeichen (vgl. AEF* im Verzeichnis der Wortschöpfer oder frühen Wortbenutzer). Seine Normen sind abgestimmt mit den internationalen Festlegungen der Organe der Meterkonvention (↑CGPM), der Internationalen Organisation für Normung (ISO), der Internationalen Elektrotechnischen Kommission (↑IEC), der Internationalen Union für Reine und Angewandte Physik (IUPAP) bzw. Chemie (IUPAC).

Gegründet wurde der AEF am 1. Februar 1907 in Berlin auf Vorschlag des Elektrotechnischen Vereins* (Berlin) als Folge einer bei ↑elektrotechnischen und technisch-wissenschaftlichen Vereinen des In- und Auslandes 1906 durchgeführten Umfrage zur Vereinheitlichung von Formelzeichen (↑Formelzeichen-Normung). Die „Satzungen des AEF" des Gründungstages waren von zehn Vereinen unterzeichnet worden. [1] Am 11. Dez. 1996 ist der AEF in den NATG integriert worden. [2]

Literatur [1] STRECKER-1906; WALLOT-1928; DIN-Taschenbuch 22 (AEF-Taschenbuch 1); WÜSTER-1931; 50 Jahre AEF, in: Sonderheft etz-A Bd. 78 (1957) H. 8, S. 273-295; in: etz Bd. 28 (1907) S. 614–615; [2] In: DIN-Mitt. Bd. 76 (1997) S. 217.

AEF-Einheitensystem

AEF system of units

Der im Jahre 1923 vom ↑AEF* veröffentlichte „Entwurf XXVII: Einheiten für mechanische Größen" (DIN E 528) [1] sollte dem Anliegen sowohl der Physiker als auch der Ingenieure gerecht werden. Er stellt daher das physikalische und das technische Einheitensystem als gleichberechtigt nebeneineinander und enthält einige neue Einheitennamen. Dieser Entwurf wurde nicht zu einer Norm umgesetzt. [2]

	Physikalisches Einheitensystem	**Technisches Einheitensystem**
Basisgrößen	**Basiseinheiten**	**Basiseinheiten**
Zeit	Sekunde (s)	Sekunde (s)
Länge	Zentimeter (cm)	Meter (m)
Masse	Gramm (g)	(keine Basiseinheit)
Kraft	(keine Basiseinheit)	Kil (= Kilogrammkraft)
Größe	**Einheiten**	**Einheiten**
Masse	das Kilogramm (kg) die Tonne (t)	das Newton (New) [Aussprache: nef]
Kraft	das Dyn (dyn) der Stein (sn) = 10^8 dyn	das Kil (Kil) das Ton (Ton) = 1000 Kil
Arbeit, Energie	das Erg (erg) das Joule (J) = Wattsekunde (Ws)	das Mayer (May) = 1 Kil·m Pferdestärkenstunde (PSh)

	Physikalisches Einheitensystem	**Technisches Einheitensystem**
Arbeit, Energie	das Helmholtz (Helm) = 1 kWs die Kilowattstunde = 3600 Helm	
Leistung	das Watt (W) das Kilowatt (kW) = 1 Helm/s	das Prony (Pron) = 1 May/s die Pferdestärke = 75 Pron
Drehmoment	das Lionard (L) = 1 dyn cm	das Archimed (Arch) = 1 Kil·m
Spannung	das Bar (bar) = 1 dyn cm^2 das Pez (pez) = 10.000 bar physikalische Atmosphäre (Atm) das Toricelli (tor) = 1 Atm/760	das Atmo (at) = 1 Kil/cm^2

Für die neu vorgeschlagenen Einheitennamen brachten M. WEBER und K. STRECKER* folgende Begründung:

Archimed (*Arch*): ARCHIMEDES (287–212 v.Chr.) hat den Satz von der Gleichheit der Drehmomente am ungleicharmigen, lotrecht belasteten Hebel bewiesen.

Helmholtz (*Helm*): Hermann von HELMHOLTZ* hat die umfassende Bedeutung des Prinzips von der Erhaltung der Energie erkannt.

Lionard (*L*) [so in der Vorlage]: LEONARDO da Vinci (1452–1519) hat den Satz von der Gleichheit der Drehmomente auf schief am Hebel wirkende Kräfte erweitert. LIONARDO ist sein Vorname nach der Faksimile-„Notariatsurkunde P. 389, letzte Seite, die im Archiv zu Florenz aufbewahrt wird und in welcher die Geburt LEONARDOs eingetragen ist". [3]

Kil (*Kil*): Aus *Kilogrammkraft* gebildete Benennung.

Mayer (*May*): Julius Robert MAYER* (1814–1878) hat als Erster die Äquivalenz von Wärme und Arbeit erkannt.

Newton (*New*): Isaac NEWTON*, Schöpfer der klassischen Mechanik und des Begriffes »Masse«.

Pez (*pez*): Aus dem neuen französischen Gesetz über Einheiten übernommener Einheitenname *pièze* nach Ⓖⓡ πιέζειν /*piézein*/ ›drücken‹. Das im Deutschen schlecht zu sprechende Wort ist in *Pez* umgewandelt worden.

Prony (*Pron*): Marie Riche, Baron von PRONY (1755–1839), franz. Kanalingenieur, hat als Erster die Leistung von Maschinen mittels eines Bremszaums bestimmt.

Stein (*sn*): Aus dem neuen französischen Gesetz über Einheiten übernommener Einheitenname *sthène* (nach Ⓖⓡ σθένω /*sthĕnō*/ ›stark‹). Es wurde das gleich klingende Wort *Stein* gewählt, das auch einen vorstellbaren Zusammenhang mit dem Begriff »Kraft« hat.

Toricelli (*tor*) [so in der Vorlage]: Evangelista TORRICELI (1608–1647) hat als Erster den Druck der Atmosphäre mit einer Quecksilbersäule gemessen. [1]

Siehe auch ↑Dyn, ↑Erg, ↑Joule, ↑Meter, ↑Newton, ↑Pferdestärke, ↑Sekunde, ↑Watt.

Literatur [1] In: etz Bd. 44 (1923) S. 529–531; [2] In den Jahrgängen 1923 bis 1935 der etz ist kein Hinweis auf diesen Entwurf erschienen, daraus lässt sich schließen, dass er zurückgezogen worden ist; [3] PIANTANIDA, Sandro (Hrsg.): Leonardo da Vinci; Das Lebensbild eines Genies. Wiesbaden; Berlin: Vollmer, 1955. 516 S., hier S. 6–7.

aichen ↑eichen

Akkumulator accumulator

Worterklärung Wiederaufladbarer elektrochemischer Energiespeicher.
Wortgeschichte Auch wenn der deutsche Physiker Johann Wilhelm RITTER* als Erfinder [1] des ~ gilt, den er 1801 ↑*Ladungssäule* nannte, so wird erst 1860 durch den französischen Physiker Gaston PLANTÉ (1834–1889) der Bleiakkumulator den Siegeszug antreten. PLANTÉ beschreibt ihn in seiner Akademieabhandlung „Nouvelle pile secondaire d'une grande puissance" ›Neue Sekundärsäule großer Leistung‹. [2] Seine Apparatur nennt er weiterhin (Fr) *pile secondaire*. Im Titel seiner Abhandlung von 1872 „Sur emploi des courants secondaires pour accumuler ou transformer les effets de la pile voltaïque" ›Zur Anwendung von Sekundärströmen, um die Wirkungen der voltaischen Säule zu speichern oder umzuformen‹ kommt (Fr) *accumuler* ›anhäufen, speichern‹ vor. [3] Dieses Verb führte schließlich zum (Fr) *accumulateur*. [4]
Wortbenutzung 1887: Ein Beitrag zur Kenntniß der Akkumulatoren (KOHLRAUSCH, W. [5]); 1922: Die Sammler oder Akkumulatoren enthalten Bleiplatten, zwischen denen verdünnte Schwefelsäure zersetzt wird (THOMÄLEN-1922, S. 23); 1986: Eine Belüftung ist erforderlich, es sei denn, es kommen gasdichte Akkumulatoren [...] zum Einsatz (HÖSL-1986, S. 477).
Wortfamilie
1 Zusammensetzungen mit *Akkumulator(en)* als Bestimmungswort: *Akkumulatoranlage, ~gefäß, ~glas, ~platte, ~spannung, ~triebfahrzeug, ~wagen, ~zelle, Akkumulatorenanlage, ~aufladung, ~batterie, ~elektrode, ~element, ~fahrzeug, ~gebäude, ~gestell, ~gitter, ~gleichrichter, ~kasten, ~ladung, ~platte, ~raum, ~säure, ~schalttafel, ~schaltung, ~station, ~unterstation, ~unterwerk, ~zelle;*
2 Zusammensetzungen mit *-akkumulator* als Grundwort: *Blei~, Edison~, Hilfs~, Klein~;*
3 Fachjargon: *Akku;*
4 Verdeutschung: ↑*Sammler*.
Fremdsprachige Entsprechungen (En) *accumulator* (1877, Oxford Dictionary), *storage cell, secondary cell;* (Nl) *accumulator, accu;* (Es) *acumulador, elemento secundario;* (Fr) *accumulateur, élément secondaire*, Fachjargon: *accus* (1930, ROBERT-1994); (It) *accumulatore, elemento secondario;* (Ru) аккумулятор /*akkumuljator*/; (Pl) *akumulator, zasobnik;* (Cs) *akumulátor, střádač.*
Literatur [1] EULER-1994, S. 15; [2] In: Comptes rendus; Bd. 50 (1860) S. 640–642; zit. nach EULER-1994, S. 221; [3] In: Comptes rendus; Bd. 74 (1872) S. 592–597; zit. nach EULER-1994, S. 221; [4] JECKEL, Alfred: 100 Jahre Bleiakkumulator. In: Elektro-Technik, Bd. 41 (1959) S. 311–313, hier S. 312; [5] In: etz Bd. 8 (1887) S. 228–229, hier S. 228.

Aluminium aluminium (GB), aluminum (US)

Worterklärung Metallisches Element. Chemisches Symbol: Al. Ordnungszahl: 13. Relative Atommasse (früher: Atomgewicht): 26,9815; natürliche ↑Isotope: 25, 26, 28 und 30. [1] Elektrische ↑Leitfähigkeit 34,15 Sm/mm^2 (bei 20 °C, S ↑Siemens, m ↑Meter). [2]
Wortgeschichte
1 Obwohl ~ das am weitesten verbreitete Metall der Erdrinde ist und im Zusammenhang mit Ton, Lehm und Alaun seit den ältesten Zeiten bekannt, wurde das chemische

Element ~ erst 1827 vom deutschen Chemiker Friedrich WÖHLER* entdeckt. Es hatten sich schon andere Forscher mit der Alaunerde beschäftigt, so auch der Däne ØRSTEDT*, der seine eigenen Resultate nicht für ausreichend hielt und daher den ihm bekannten WÖHLER aufforderte, seine Versuche fortzusetzen [3], die dieser mit eigenen Verbesserungen erfolgreich zu Ende brachte und 1827 unter dem Titel „Ueber das Aluminium" veröffentlichte. [4] An ØRSTEDT schickte WÖHLER am 18. Febr. 1828 aus Berlin einen Dankesbrief:

„[...] Vielleicht haben Sie das vorletzte Heft von Poggend[orffs] Annalen schon zugeschickt bekommen. Sie werden darin gelesen haben, dass Ihre gütige Erlaubniss, die von Ihnen begonnene Aluminium-Arbeit fortsetzen zu dürfen, Früchte getragen hat, wiewohl noch bei weitem nicht in dem Grade gereift wie man verlangen kann und wie es vielleicht der Fall gewesen wäre, wenn ich solche Arbeiten, wenigstens für diesen Winter, wegen Zeit-Mangel, nicht bloss als Nebenbeschäftigung vornehmen könnte. [...]" [5]

2 Das Wort ~ stammt vom nachklassischen (La) *alumen, aluminis* ›Alaun‹, der schon den alten Römern als Gewebe zusammenziehendes Mittel der Heilkunde und als Hilfsmittel beim Färben der Wolle bekannt war. [6] Der englische Chemiker Sir Humphry DAVY* nennt 1808 das Metall *alumium*, ändert 1812 den Namen in *aluminum*, wie er bis heute in den USA üblich ist. In Angleichung an Benennungen anderer chemischer Elemente mit der Endung *-ium* kommt noch im selben Jahr in einer anonymen Rezension der Veröffentlichung DAVYS der Name *aluminium* auf [7], den WÖHLER 1827 für seinen deutschsprachigen Aufsatz benutzt. [8]

Wortbenutzung 1922: Neuerdings ist man vielfach genötigt, Aluminium statt des Kupfers zu verwenden (THOMÄLEN-1922, S. 6); 1950: Die Herstellung reinen Aluminiums gelang demnach durch Zerlegung reinen Aluminiumoxyds in einem Bad geschmolzenen Kryoliths mit reinen Elektroden (PILGRIM-1950, S. 215); 1983: Besonders für die großen Leiterquerschnitte der Energie-Versorgungskabel werden in großem Umfang Aluminiumleiter verwendet (RETZLAFF [9]).

Wortfamilie

1 Zusammensetzungen mit *Aluminium-* als Bestimmungswort: *Aluminiumband, ~becher, ~blatt-Elektroskop, ~blech, ~-Breitbandkabel, ~draht, ~drahtgeflecht, ~folie, ~gleichrichter, ~hütte, ~kabel, ~kathode, ~kontakt, ~legierung, ~leiter, ~leitung, ~mantel, ~muffe, ~seil, ~stab, ~verbindungsmuffe, ~zellenableiter, ~zellengleichrichter;*

2 Zusammensetzungen mit *-alumium* als Grundwort: *Leitaluminium, Rein~, Reinst~;*

3 Fachjargon: *Alu.*

Fremdsprachige Entsprechungen (En) *aluminium* (GB), *aluminum* (US); (Es) *aluminio;* (Fr) *aluminium* (1819, en angl[ais] 1812, ROBERT-1994); (It) *alluminio;* (Ru) алюминий */aljuminij/;* (Pl) *aluminium;* (Cs) *hliník;* (Ja) */aruminiumu/.*

Literatur [1] ÜHLEIN-1969, S. 37; [2] WARNER-1987, S. 703; [3] PILGRIM-1950, S. 210–212; [4] WÖHLER, Friedrich: Ueber das Aluminium. In: Poggendorffs Annalen, Bd. 11 (1827) S. 146; [5] HARDING-1920, Bd. 2, S. 609–610; [6] PILGRIM-1950, S. 211; MENGE-1916, S. 41; [7] PFEIFER-1995, S. 32; [8] Aluminium-Zentrale (Hrsg.): Aluminium-Taschenbuch. 10. Aufl., Düsseldorf: Al.-Zentrale, 1951. 628 S. [Geschichte S. 1–3]; [9] RETZLAFF, Ewald, in: WARNER-1983, S. 55.

Amper
ampere

Worterklärung Versuchsweise für ↑*Ampere*.

Wortgeschichte Im Entwurf von 1893 zum deutschen Gesetz von 1898 sagte das Kuratorium der Physikalisch-Technischen Reichsanstalt: „Die Einheit der elektrischen Stromstärke ist das Amper," wobei in der Einleitung das *Amper* als „an deutsche Schreibweise angepasst" bezeichnet wird. [1] Im Artikel zu ↑*Ampere* ist zu sehen, dass einige Sprachen die Schriftform *amper* gewählt haben.

Wortbenutzung 1902: Ebenso wie diese magnetische Scheibe wird sich also ein geschlossener Strom von $i\,10^{-1} = S/Q$ Dekaamper verhalten. [...] Ein elektrischer Strom von *i* Amper [...] Eine Stromschleife von *i* Amper, die *F* Kraftlinien umspannt [...] (Emde, F. [2]).

Literatur [1] Vorschläge zu gesetzlichen Bestimmungen über elektrische Maasseinheiten. In: etz Bd. 14 (1893) S. 245–248, hier S. 245–246; [2] Emde, Fritz: Die Arbeitsweise der Wechselstrommaschinen. Berlin: Springer, 1902, hier S. 10.

Ampere
ampere

Worterklärung

1 Gesetzliche Einheit der »elektrischen ↑Stromstärke« im Internationalen ↑Einheitensystem (SI) als 4. Basiseinheit; Einheitenzeichen: A. Schreibweise in Deutschland und Österreich: *Ampere*, in der Schweiz: wahlweise *Ampere* oder *Ampère*.

2 Durch das „Gesetz über Einheiten im Meßwesen" vom 22. Feb. 1985 in Verbindung mit der „Einheitenverordnung" vom 13. Dez. 1985 gilt die in DIN 1301 Teil 1, Ausg. Dez. 1993, wiedergegebene Definition:

> „Das Ampere ist die Stärke eines konstanten elektrischen Stromes, der, durch zwei parallele, geradlinige, unendlich lange und im Vakuum im Abstand von 1 Meter voneinander angeordnete Leiter von vernachlässigbar kleinem, kreisförmigem Querschnitt fließend, zwischen diesen Leitern je 1 Meter Leiterlänge die Kraft $2 \cdot 10^{-7}$ Newton hervorrufen würde." [1]

Es ist dies der Wortlaut der von der 9. Generalkonferenz für Maß und Gewicht (↑CGPM) 1948 festgelegten Definition. Aufgrund der Ratsrichtlinie 80/181/EWG vom 20. Dez. 1979 gilt sie auch in der Europäischen Union.

3 Während die drei mechanischen Basiseinheiten ↑Meter, ↑Sekunde und ↑Kilogramm unabhängig voneinander sind, ist das ~ durch die obige Definition auf die mechanischen Basiseinheiten zurückgeführt. Diese Definition entspricht formal einem Vorschlag von Wilhelm E. Weber (↑Weber), der damit den Vorrang des ~ unter den elektrischen Einheiten begründete. [2]

Wortgeschichte

1 Laut Sir William Thomson* (dem späteren Lord Kelvin) verdankt das elektrische Einheitensystem seine Struktur und das Prinzip der Einheitennamen nach Forscherpersönlichkeiten den englischen Telegraphen-Ingenieuren Latimer Clark* und Sir Charles Bright, das sie 1861 der ↑British Association* for the Advancement of Science vorschlugen. Die Einheiten der ↑Spannung, der Elektrizitätsmenge, des ↑Stromes und des ↑Widerstandes benötigten sie, um die Eigenschaften von Telegraphiekabeln kurz beschreiben zu können. [3] In ihrem Vorschlag hatten sie als Einheitennamen des elektrischen Stromes das *Galvat* (!) [nach L. Galvani, ↑Galvanismus] vorgesehen.

2 Zum Studium des ↑„Einheitensystems nach L. CLARK und C. BRIGHT“ wurde ein Komitee der British Association eingesetzt, das sich nicht nur mit physikalischen Fragen, sondern auch mit den Einheitennamen befasste und diese nach den Verdiensten der jeweiligen Forscher neu festlegte: so bekam die Einheit des Stromes den Einheitennamen *Weber*.
3 Auf dem 1. Internationalen ↑Elektrizitäts-Kongress in Paris 1881 schlägt die britische Delegation im Auftrag der British Association vor:

„1 Weber ist gleich ein Zehntel der absoluten Einheit der Stromstärke“. [4]

Sir William THOMSON schlägt des Weiteren das *Ampère* als Einheit der Elektrizitätsmenge (!) vor. Später bringen die Herren SPOTTISWOODE, W. THOMSON und MOULTON sechs Thesen („Sätze“) ein, von denen Nr. 6 lautet:

„Die Einheit des Stromes (C.-G.-S.) wird die Benennung ‚Ampère‘ erhalten“. [5]

4 Dazu äußert sich Hermann HELMHOLTZ* wie folgt:

„Um die Zweideutigkeiten zu vermeiden, welche der verschiedene Gebrauch des Wortes *Weber* (als Maßeinheit) in Deutschland und England veranlassen könne, hat man eine neue Stromeinheit, den Ampère, einführen und dieser Einheit, um dieselbe mit der C.-G.-S.-Einheit übereinstimmen zu lassen, einen zehn mal größeren Werth geben wollen, wie der der in England wirklich eingeführten Einheit ist.“ [6]

Vgl. die Stellungnahme des Zeitzeugen E. HOPPE unter ↑Weber.
5 In der vierten und letzten Kommissionssitzung werden nach kurzer Diskussion zwei Thesen von W. THOMSON und H. HELMHOLTZ angenommen, die nach dem Bericht der vierten Plenarsitzung folgende sind:

„1. Ampère wird der durch einen Volt in einem Ohm hervorgerufene Strom genannt.
2. Coulomb wird die Elektrizitätsmenge genannt, definirt durch die Bedingung, daß ein Ampère einen Coulomb in einer Sekunde giebt.“ [7]

Die französische Fassung lautet:

„1° On appelle ampère le courant produit par un volt dans un ohm.
2° On appelle coulomb la quantité d'électricité défini par la condition qu'un ampère donne un coulomb par seconde.“ [8]

6 In Deutschland wurde das ~ durch das „Gesetz betreffend die elektrischen Maßeinheiten“ vom 1. Juni 1898 wie folgt festgelegt:

„Das Ampere ist die Einheit der elektrischen Stromstärke. Es wird dargestellt durch den unveränderlichen elektrischen Strom, welcher bei dem Durchgange durch eine wässerige Lösung von Silbernitrat in einer Sekunde 0,001118 Gramm Silber niederschlägt.“ [9]

Diese Definition galt bis zum Inkrafttreten des oben genannten „Gesetzes über Einheiten im Meßwesen“ vom 2. Juli 1969, zuletzt geändert durch Gesetz vom 21. Feb. 1985.

Wortfamilie

1 Zusammensetzungen mit *Ampere-* als Bestimmungswort: *Amperemeter* »Strommesser«, *~sekunde, ~stunde, ~stundenzähler, ~windung, ~windungszahl* (↑*Durchflutung*), *~zahl;*
2 Zusammensetzungen mit *-ampere* als Grundwort: *Pikoampere, Nano~, Mikro~, Milli~, Kilo~, Mega~.*

Fremdsprachige Entsprechungen Sprachen mit lateinischer Schrift: (En) *ampere;* (Nl) *ampère;* (Es) *amperio, ampere;* (Fr) *ampère;* (Pl) *amper;* (Cs) *ampér;* mit anderer Schrift: (nGr) αμπέρ /*ampér*/; (Ru) ампер /*amper*/; (pers) /*āmper*/; (Zh) /*ānpéi*/, mit ↑Vorsatz jedoch /*ān*/: /*hàoān*/ »mA = Milliampere«, /*wēi'ān*/ »μA = Mikroampere«; (Ja) /*anpea*/.
Zur Person Der Einheitenname ~ wurde zu Ehren des französischen Physikers André Marie AMPÈRE* (1775–1836) gewählt. Er war als Autodidakt ursprünglich Mathematiker. Aufgrund seiner mathematischen Untersuchungen wurde er Mitglied des Institut de France. Nach Bekanntwerden der Entdeckung des Elektromagnetismus durch H.-C. ØRSTEDT* (↑ØRSTEDT) beschäftigte sich AMPÈRE hiermit. Dabei schuf er begriffliche Klarheit, indem er den Unterschied zwischen ↑Spannung und dem von ihm gewählten Begriff ↑»Strom« herausarbeitete. Er stellte eine Beziehung über die Anziehungskraft zwischen zwei unendlich kleinen stromführenden (↑*I*) Leitungselementen auf, die die Grundformel der ↑Elektrodynamik genannt wird.
Biographien SCHIMANK, Hans: A.M. AMPÈRE, in: etz Bd. 57 (1936) S. 679–680; HOYER, Ulrich: AMPÈRE, A.M., in: HERMANN-1987, S. 12–13; SCHREIER, Wolfgang: AMPÈRE, A.M., in: WUSSING-1992, S. 19–20; SEGRÈ-1998, S. 206–214; WIEDERKEHR, K.H.: AMPÈRE, A.M., in: KRAFFT-2003, S. 11–12.
Siehe auch ↑Amper, ↑Einheitennamen-Kritik von O. HEAVISIDE und F. KOHLRAUSCH.
Literatur [1] DIN 1301-1:1985-12, Anhang A; VOLKMANN-1998, S. 162–167; SACKLOWSKI/DRATH-1986, 63–90; [2] KOSE-1977, S. 247; [3] THOMSON (KELVIN)-1884, S. 608; [4] NEESEN-1881, S. 401; [5] Ebenda, S. 403; [6] Ebenda, S. 404–405; [7] Ebenda, S. 406; [8] SARTRE-1956, S. 322; [9] In: Reichs-Gesetzblatt 1898 Nr. 26 vom 14. Juni 1898.

Anion ↑Ion

Anlasser

starter

Worterklärung Schaltgerät mit ↑Widerständen, die während des Anlassens in die Stromkreise von Motoren geschaltet werden.
Wortgeschichte Laut M. KLOSS wurde das Wort ~ vom Dresdener Elektroingenieur Hans GÖRGES* geprägt. [1]
Wortbenutzung 1928: Regeln für die Bewertung und Prüfung von Anlassern und Steuergeräten (VDE: REA/1928; ab 1933: VDE 0660); 1943: Um den hohen Anlaufstrom zu vermindern, kann man vor den Ständer des Induktionsmotors einen dreiteiligen Anlaßwiderstand legen [...]. Mit der Anwendung eines derartigen Ständeranlassers ist jedoch der Nachteil einer sehr erheblich verringerten Anzugskraft verbunden (KOSACK-1943, S. 176); 1984: Ein Widerstands-Läuferanlasser mit drei Einschaltstellungen hat zwei Widerstandsstufen, die zum Anlassen verwendet werden (WARNER/ORTH-1984, S. 731).
Wortfamilie Zusammensetzungen mit *-anlasser* als Grundwort: *Feld-Regelanlasser, Fliehkraft~, Flüssigkeits~, Gleichstrom~, Hand~, Hauptstrom-Regel~, Klein~, Läufer~, Luft~, Metall~, Öl~, Platten~, Regel~, Schaltwalzen~, Schubanker~, Schubtrieb~, Schützen~, Selbst~, Ständer~, Trommel~, Walzen~, Wechselstrom~, Widerstands~, Widerstands-Läufer~.*
Fremdsprachige Entsprechungen (En) *starter;* (Nl) *aanzetter, starter;* (Es) *arrancador;* (Fr) *démarreur, starter;* (It) *avviatore;* (Ru) пускатель /*puskatel'*/; (Pl) *rozrusznik, starter;* (Cs) *spouštěč.*
Literatur [1] KLOSS-1939, S. 1105.

Anode

anode

Worterklärung Alternativbenennung für ↑*positive* ↑*Elektrode*, d.h. Bauteil, durch das elektrischer ↑Strom in ein anderes Medium eingeleitet wird.

Wortgeschichte Das Wort ~ geht in der Schriftform (En) *anode* auf den englischen Chemiker und Physiker Michael FARADAY* zurück, der 1834 ein elektrochemisches Begriffssystem aufbaute. Dazu schreibt er:

„663. Die Flächen, an denen, der gewöhnlichen Ausdrucksweise gemäss, der elektrische Strom in den in Zersetzung begriffenen Körper eintritt und ihn verlässt, sind die wichtigsten Orte der Action und müssen wohl unterschieden werden von den Polen sowohl, mit denen sie meistentheils, als auch von den Elektroden, mit denen sie immer in Berührung stehen. Indem ich nach einer natürlichen Norm für die elektrische Richtung suchte,[ ] glaubte ich sie in der Erde zu finden. Wenn der Magnetismus der Erde von elektrischen Strömen herrührt, die sie umkreisen, so müssen dieselben eine constante Richtung haben, welche nach dem gegenwärtigen Sprachgebrauch von Ost nach West oder, um dem Gedächtnis mehr zu Hilfe zu kommen, mit dem scheinbaren Laufe der Sonne gehen würde. [...] Auf Grund dieser Vorstellung schlagen wir nun vor, die östliche Fläche als *Anode*[2] und die westliche als *Kathode*[3] zu bezeichnen. [...] Die *Anode* ist also die Fläche, an welcher, unserer gegenwärtigen Ausdrucksweise gemäss, der elektrische Strom eintritt; sie bildet das *negative* Ende des zu zersetzenden Körpers, dasjenige, wo Sauerstoff, Chlor, Säuren u.s.w. abgeschieden werden, und sie stösst an die positive Elektrode. [2] ἄνω /ánō/ ›aufwärts‹, und ὁδός /hodós/ ›Weg‹; der Weg vom Sonnenaufgang. [3] κατα /kata/ ›abwärts‹, und ὁδός /hodós/ ›Weg‹; der Weg zum Sonnenuntergang." [1]

Ursprünglich benutzte FARADAY die Benennung *Cisode*, bevor er zu *Anode* wechselte. [2] Von ↑„FARADAYS terminologischer Genauigkeit", die für die Elektrochemie zugeschnitten war, profitierten später insbesondere die Technik der Elektronenröhren (↑Röhre, ↑-ode), was aus der Liste der Wortfamilie zu ersehen ist.

Wortbenutzung 1909: Das aus dem Hahn über der Anode ausströmende Gas entzündet sich durch eine Flamme nicht, ein glimmender Holzspan dagegen glüht hell in ihm auf und verbrennt lebhaft (WAEBER-1909; S. 2); 1922: Sie [die Anionen] wandern gegen den Strom zur Anode, wo sie ihre negative Ladung abgeben (THOMÄLEN-1922, S. 18); 1944: Die Anode einer Verstärkerröhre wird durch die auf sie prallenden Elektronen nicht nur erhitzt; es werden aus ihr auch ‚sekundäre' Elektronen herausgeschlagen (WALLOT-1944, S. 285, § 315).

Wortfamilie

1 Zusammensetzungen mit *Anoden-* als Bestimmungswort: *Anodenabstand, ~abstimmung, ~anschluss, ~arbeitswiderstand, ~aufnahme, ~basisschaltung, ~basisverstärker, ~batterie, ~belastung, ~beutel, ~blende, ~block, ~brennspannung, ~brücke, ~brumm, ~bügel, ~charakteristik, ~detektion, ~drossel, ~dunkelraum, ~durchführung, ~durchgriff, ~effekt, ~-Entkopplungswiderstand, ~fall, ~fläche, ~flügel, ~gebiet, ~gitter, ~-Gitter-Kapazität, ~gleichrichter, ~gleichrichtung, ~gleichspannung, ~gleichstrom, ~gleichstromleistung, ~glimmlicht, ~halter, ~impuls, ~kanal, ~kapazität, ~kappe, ~-Kathoden-Kapazität, ~kennlinie, ~klemme, ~kompensation, ~kondensator, ~körper, ~kreis, ~kreisabstimmung, ~kreisspule, ~kreistastung, ~kühlrippe, ~kunstkühlung, ~licht, ~luftkühlung, ~mantel, ~modulation, ~modulator, ~neutralisation, ~neutralisationskreis, ~neutralisierung, ~platte, ~potenzial, ~raum, ~rauschen, ~resonator, ~rückkopplung, ~rückleitung, ~rückwirkung, ~ruhestrom, ~sack, ~-Sättigungsbegrenzung, ~schlamm, ~schutz, ~schutzgitter, ~schutznetz, ~schutzwiderstand, ~schwärzung, ~segment, ~sekundäremission,*

~selbstkühlung, ~selbstmodulation, ~siebkette, ~spannung, ~spannungsänderung, ~spannungsgleichrichter, ~spannungsgleichrichtung, ~spannungsmodulation, ~spannungsquelle, ~spannungsregler, ~spannungsrückkopplung, ~spannungsschwankung, ~spannungstastung, ~spannungsteiler, ~sparhalter, ~speisespannung, ~speisung, ~sperrspannung, ~spitzenstrom, ~spule, ~stange, ~stecker, ~stift, ~strahl, ~strom, ~stromänderung, ~stromkennlinie, ~stromkompensation, ~stromkreis, ~strommodulation, ~stromrückkopplung, ~stromsicherung, ~stromversorgung, ~stromzuführung, ~stütze, ~tastung, ~verlust(leistung), ~vorwiderstand, ~wärme, ~wasserkühlung, ~wechselspannung, ~wechselstrom, ~widerstand, ~wirkungsgrad, ~zerstäubung, ~zündspannung;

2 Zusammensetzungen mit *-anode* als Grundwort: *Äquivalentanode, Außen~, Beschleunigungs~, Doppel~, Erreger~, Grafit~, Guss~, Haupt~, Hilfs~, Kugel~, Lösungs~, Nachbeschleunigungs~, Netz~, Null~, Saug~, Schlitz~, Walz~, Zünd~, Zusatz~;*

3 Wortableitung: *anodennahe, anodisch, anodisieren* »eloxieren«.

Fremdsprachige Entsprechungen (En)(Nl) *anode;* (Sv) *anod;* (Es) *ánodo;* (Fr) *anode* (1838, ROBERT-1994); (It) *anodo;* (Ru) анод */anod/;* (Pl)(Cs) *anoda;* (Zh) */yángjí/;* (Ja) */anōde, yōkyoku/.*

Literatur [1] FARADAY (KALISCHER)-1889, Bd. 1, S. 178–179, § 663; [2] LEMMERICH-1991, S. 142.

Arbeit

work

Worterklärung Physikalische Größe, definiert als Produkt von Kraft und Weg, wenn der Angriffspunkt der Kraft in Richtung der Kraft um eine bestimmte Wegstrecke verschoben wird. Formelzeichen: *W*. SI-Einheit: ↑Joule.

Wortgeschichte Der Begriff »Arbeit« wurde 1829 vom französischen Ingenieur J.V. PONCELET* durch sein Werk „Introduction à la mécanique industrielle" mit der Benennung (Fr) *travail* eingeführt:

„Arbeit leisten bedeutet vom Standpunkte der technischen Anwendung aus, Widerstände überwinden oder vernichten, wie die Kraft der Adhäsion, Spannkräfte, die Schwerkraft und die Massenträgheit sie darstellen [...]. Unter einer mechanischen Arbeit hat man nicht sowohl die einmalige Überwindung eines Widerstandes oder einen Gleichgewichtszustand zwischen ihm und einer bewegenden Kraft zu verstehen, als vielmehr die dauernde Überwindung eines solchen längs des von der Kraft zurückgelegten Weges und in der Richtung dieses Weges." [1] [2]

Fremdsprachige Entsprechungen (En) *work;* (Nl) *arbeid;* (Sv) *arbeite;* (Es) *trabajo;* (Fr) *travail;* (It) *lavoro;* (nGr) ἔργο */érgo/;* (Ru) работа */rabota/;* (Pl) *praca;* (Cs) *práce;* (Ja) */sigotoryō/.*

Literatur [1] Zit. nach SCHIMANK-1930, S. 289. [2] Max von LAUE gibt das Jahr 1826 an. LAUE-1959, S. 95.

Arbeitsmittel, technisches

technical equipment

Worterklärung Durch das „Gesetz über technische Arbeitsmittel" vom 24. Juni 1968 eingeführter Begriff (als Denkeinheit) mit Benennung und der Definition:

„Technische Arbeitsmittel im Sinne dieses Gesetzes sind verwendungsfertige Arbeitseinrichtungen, vor allem Werkzeuge, Arbeitsgeräte, Arbeits- und Kraftmaschinen, Hebe- und Fördereinrichtungen sowie Beförderungsmittel." [1]

Wortgeschichte Die erste Beratung des von der Bundesregierung eingebrachten Entwurfs eines Gesetzes über technische Arbeitsmittel (Drucksache V/834) fand am 14.

Okt. 1966 im Deutschen Bundestag statt, wo zur Begründung des Entwurfs der damalige Bundesminister für Arbeit und Sozialordnung, Hans KATZER (CDU), und der Abgeordnete STEPHAN (SPD), Berichterstatter des Ausschusses für Arbeit, sprachen. [2]
Wortbenutzung 1972: Die VDE-Prüfstelle als vom Bundesminister für Arbeit und Sozialordnung bezeichnete Prüfstelle[für technische Arbeitsmittel] (WARNER, A. [3]); 1979: Technische Arbeitsmittel (ZIMMERMANN, N. [4]); 1986: Gesetz über technische Arbeitsmittel (PEINE, F.-J. [5]).
Literatur [1] In: Bundesgesetzblatt Teil I, Nr. 42 vom 28.06.1968, S. 717; [2] Deutscher Bundestag. 5. Wahlperiode. 66. Sitzung. S. 3144–3149; [3] In: Arbeitsschutz (1972) S. 93–98; [4] München 1979; [5] Köln 1986.

Archimed (Arch) ↑AEF-Einheitensystem

Atommeiler — nuclear reactor

Worterklärung Alltagssprachliche Ersatzbenennung für *Kernreaktor*, *Atomkraftwerk* (*AKW*) und *Kernkraftwerk*, entstanden durch Begriffsübertragung vom *Meiler*, einer Einrichtung, in der Holz zu Holzkohle verglimmt.
Wortgeschichte Da 1977 „Duden; Das große Wörterbuch der deutschen Sprache in sechs Bänden" das Wort ~ als „selten" bezeichnet, stellte im März 1978 die Gesellschaft für deutsche Sprache (GfdS) e.V. folgende Preisfrage:

„Wann war im Deutschen zum erstenmal von *Atommeiler* die Rede? Gesucht werden möglichst frühe Belege für den Ausdruck (mit Textzusammenhang und Angabe der Fundstelle)." [1]

Bereits im Juni konnte als Ergebnis bekanntgegeben werden, dass der früheste Beleg für ~ im Artikel „Möglichkeiten der Atomforschung" von Ritchie CALDER (Die Welt, 11. Okt. 1947) zu finden ist, wo es heißt:

„[...] beschrieb, wie der Atommeiler, in dem die Kernreaktionen hervorgerufen werden, eines Tages der Industrie dienstbar gemacht werden könnte." Offenbar handelt es sich um eine Übersetzung aus „New Statesman and Nation" [2]

Wortbenutzung 1953: [...] einen Atommeiler mit einer Energieleistung von 1500 kW (Neues Deutschland, [3]); 2000: Ob die zum Teil bereits 30-jährigen Atommeiler nun 40, 50 oder noch mehr Jahre laufen dürfen [...](MAISE, F. [4]); Atommeiler Temelin wird geprüft [5]; 2001: Volle Haftpflicht für Atommeiler [6]; 2003: Konsequenz war [...], die deutschen Meiler daraufhin zu überprüfen (NIESWANDT, J. [7]); 2004: Vom Atommeiler zum Windrad [8].
Literatur [1] In: Sprachdienst Bd. 22 (1978) Nr. 3, S. 48; [2] Nr. 6, S. 99; [3] In: Ausgabe A, 27. Mai 1953, S. 2; [4] In: Tages-Anzeiger, Zürich, 7. März 2000, S. 9; [5] dpa, in: Darmstädter Echo, 14. Dez. 2000; [6] In: Vorarlberger Nachrichten, 14. Aug. 2001, S. A5; [7] In: Darmstädter Echo, 2. Mai 2003, S. 2; [8] In: Süddeutsche Zeitung, 1. März 2004.

Atto- — atto-

Worterklärung ↑Vorsatz (Präfixoid) [1] zum Bezeichnen des Trillionstels (10^{-18} oder 0,000 000 000 000 000 001) einer ↑SI-Einheit. ↑Vorsatzzeichen: a.
Wortgeschichte
1 Die 10. General Assembly der IUPAP (Internationale Union für Reine und Ange-

wandte Physik) hatte 1960 *atto-* mit dem Vorsatzzeichen „a" angenommen und als Vorschlag an das Büro der Generalkonferenz für Maß und Gewicht (↑CGPM/BIPM) weitergeleitet. [2] Im Jahre 1964 nahm die 12. CGPM diesen Vorschlag an, der durch das „Gesetz über Einheiten im Meßwesen" vom 2. Juli 1969 (BGBl. I S. 707) in deutsches Recht eingeführt wurde.
2 Das Wort ~ für den Exponenten „Minus 18" leitet sich von den nordischsprachigen Zahlwörtern für 18 ab: (Da)(No) *atten*, (Is) *átján*.
Fremdsprachige Entsprechungen Sprachen mit lateinischer Schrift: *atto-*; mit anderer Schrift: (nGr) αττο /*atto*/; (Ja) /*ato*/.
Literatur [1] SACKLOWSKI/DRATH-1986; VOLKMANN-1998, S. 150; [2] STILLE-1961, S. 329.

Automat automatic (machine)

Worterklärung Technische Einrichtung, die ihre Arbeitsvorgänge ohne Zutun von Menschen leistet.
Wortgeschichte Das Wort ~ stammt vom (Gr) αὐτόματος /*autómatos*/ ›selbst etwas wollend, beabsichtigend‹. In einem deutschen Text kommt 1575 die latinisierte Form vor: „Kleine, sinnreiche automata, das ist, selbs bewegliche kunstwercklin" (FISCHART, zit. nach PFEIFER-1995, S. 82).
Wortbenutzung 1814: Die Automate: Wirklich war auch die ganze Einrichtung des Automats von der Art, daß jeder das Kunstwerk von allen ähnlichen Tändeleien, wie sie wohl öfters auf Messen und Märkten gezeigt werden, gar sehr unterscheiden und sich davon angezogen fühlen mußte (HOFFMANN, E.T.A. [1]); 1836: Aber eigentlich wollte ich einer hohen und geehrten Gesellschaft verkündigen, daß hiemit die zwei weltberühmten Automaten angekommen sind [...] (BÜCHNER, Georg: Leonce und Lena: Valerio [2]); 1863: Die Uhr ist der erste zu praktischen Zwecken angewandte Automat und die ganze Theorie über Produktion gleichmäßiger Bewegung an ihr entwickelt (Karl MARX an Friedrich ENGELS [3]); 1965: Automaten von morgen (STEINBUCH, K. [4]).
Wortfamilie
1 Zusammensetzungen mit *-automat* als Grundwort: *Bahnhofsautomat, Fahrkarten~, Fernsprech~, Formdreh~, Gas~, Geld~, Halb~, Musik~, Langdreh~, Räderfräs~, Rechen~, Schrauben~, Vierspindel~, Wasch~, Waschvoll~, Zahnfräs-Universal~, Zahnradstoß~, Ziffernrechen~.*
2 Wortableitungen: *Automatik, ↑Automation, automatisch, automatisieren, Automatisierung, Automatismus.*
Fremdsprachige Entsprechungen (En) *automatic (machine)*; (Es) *autómata*; (Fr) *automate* (1532, ROBERT-1994); (It) *automa*; (Ru) АВТОМАТ /*avtomat*/; (Pl)(Cs) *automat*.
Literatur [1] HOFFMANN, E.T.A.: Werke. Bd. 2, Frankfurt: Insel, 1967, hier S. 352; [2] Dritter Akt, 3. Szene, S. 115 in: BÜCHNER, G.: Werke und Briefe. 6. Aufl., München: dtv, 1985. 533 S. (dtv 2065); [3] MARX-1982, S. [209]; [4] Bild der Wissenschaft Bd. 2 (1965) S. 820–831.

Automation
automation

Worterklärung Verbalsubstantiv zu *automatisieren*, d.h. mit ↑*Automaten* ausrüsten.

Wortgeschichte Es handelt sich um eine 1940 gebildete Zusammenziehung des Ⓔⓝ *automatization* durch Dell S. HARDER*, Engineering Manager in der Ford Motor Company, Dearborn, Michigan, USA. Als Modewort breitete sich ~ durch das Buch „Automation. The advent of the automatic factory" von John DIEBOLD (1952) aus. [1] In einem sprachkritischen Beitrag zitiert W. FRIEDERICH Artikel aus „Reader's Digest" „The era of ‚automation' is upon us" (D. SARNOFF, March 1955, S. 9ff.) und der „Times" vom 27.07.1955 und folgert:

„Das Wort *automation* hat sich nun aber schon so eingebürgert, daß kaum damit zu rechnen ist, daß sich irgend eine andere Form noch durchsetzen kann. [...] Deutsche Entsprechungen: *Automatisierung* (der Produktion); (völlig) *automatische* Produktion, (völlig *automatischer* Betrieb; heute auch schon: *Automation.*" [2]

Wortbenutzung 1957: The human side of automation [3]; 1989: etz Elektrotechnische Zeitschrift: seit Bd. 110 (1989) bis heute fester Bestandteil des Untertitels „Elektrotechnik + Automation".

Fremdsprachige Entsprechungen Ⓔⓝ *automation;* Ⓔⓢ *automatización;* Ⓕⓡ *automation* (1955, ROBERT-1994); Ⓘⓣ *automazione;* Ⓡⓤ автоматизация /*avtomatizacija*/; Ⓒⓢ *automatizace;* Ⓙⓐ /*ōtomēsyon*/.

Literatur [1] BALKE, Siegfried (Bundesminister f. Atomkernenergie u. Wasserwirtschaft): Die Automatisierung als Aufgabe in Technik u. Wirtschaft. In: VDI-Z. Bd. 99 (1957) S. 2–7, hier S. 3; PFEIFER-1995, S. 82, [2] Fri [FRIEDERICH, Wolf]: Automation. In: Lebende Sprachen, Bd. 1 (956) Nr. 1, S. 12; [3] COWAN, G.R., in: Electr. Engng. Bd. 76 (1957) Nr. 9, S. 768–771, hier S. 768.

B

B • … • Barkhausen
Bel • … • Bernkraft
Bernsteinkraft • Bernstrom • …
binäres Zahlensystem • bis • bit
Bleimantelkabel • Blind-
Blindwiderstand • Blitzableiter
… • Boltzmann-Konstante
British Association for the
Advancement of Science
Buchstabenrechnung • Bürde

B — *B* (magnetic flux density)

Worterklärung Formelzeichen für ↑»magnetische Flussdichte«, die gleichbedeutend mit der älteren Benennung *magnetische* ↑*Induktion*II ist, nach DIN 1304-1:1994-03 entsprechend IEC 60027-1:1992-12.

Wortgeschichte

1 Zuerst 1873 vom schottischen Physiker James C. MAXWELL* in seinem Werk „A treatise on electricity and magnetism" (Oxford, 1. Auflage), jedoch als Frakturbuchstabe benutzt [1] (↑Vektorschreibweise). Im Zuge der durch Ed. HOSPITALIER* 1891 eingeleiteten ↑Formelzeichen-Normung wurde dieser Buchstabe von allen beteiligten Organisationen gebilligt und in deren Verzeichnisse aufgenommen. Dieses Formelzeichen lässt sich keiner Sprache zuordnen.

2 Da bei MAXWELL ursprünglich das magnetische Vektorpotenzial eines Stromes die Ausgangsgröße sein sollte, wählte er den Buchstaben A als Formelzeichen. Die aus A abgeleitete magnetische Induktion bezeichnete er mit dem benachbarten Buchstaben B. Mit $B = \mathrm{rot}\, A$ beschreibt er folglich die Beziehung: Induktion (Flussdichte) = Rotation des magnetischen Vektorpotenzials [2]. Es ist bei ihm also eine Vorliebe für im Alphabet benachbarte Buchstaben festzustellen. Er folgte damit der damaligen Gepflogenheit der Physiker; vgl. ↑*L*.

Literatur [1] MAXWELL-1954, Bd. 2, S. 25 u. 53; [2] OBERDORFER-1944, S. 357; SIMONYI-1995, S. 347; FRAUNBERGER-1985, S. 638.

Bark ↑Barkhausen

Barkhausen — unit of transconductance

Worterklärung Ehemals vorgeschlagene Einheit der ↑*Steilheit* einer Elektronenröhre (↑Röhre). Einheitenzeichen: Bh oder Bn.

Wortgeschichte

1 Zu Ehren von Heinrich Georg BARKHAUSEN*, dem Pionier der Elektronenröhren-Physik, schlug 1956 der durch seine Röhrenbücher bekannte österreichische Ing. Ludwig RATHEISER* in dessen Sterbejahr vor, als Einheit der Steilheit statt „mA/V" die Benennung *Barkhausen* mit dem Einheitenzeichen Bh zu wählen, so dass mA/V = mBh zu setzen ist. In der BARKHAUSEN'schen Röhrenformel „$S\, D\, R_i = 1$" entsprechend „Steilheit × ↑Durchgriff × Innenwiderstand = 1" ist die *Steilheit* ein Maß für die Verstärkerwirkung einer Röhre ausgedrückt als das Verhältnis von Anodenstromänderung (mA) zur Gitterspannungsänderung (V). [1]

2 Die Auswertung der Stellungnahmen zur vorgeschlagenen Ehrung ergab, dass die ablehnenden Äußerungen überwogen. Es wurde aber auch daran erinnert, dass sich bei nennenswerter Vorbenutzung der Einheit ~ die zuständige Normungsorganisation mit der Frage der Festlegung befassen müsste. [2]

3 Dennoch wurde BARKHAUSEN in einer Einheit auf dem Gebiet der Hörakustik geehrt, und zwar in:

Bark (Ⓔⓝ *Bark*): „Einheit der Tonheit (Hinweiszeichen: Bark). Eine Frequenzgruppe hat die Frequenzbandbreite 1 Bark." [3]

Zur Person Im Jahre 1911 wurde der kaum 30-jährige Entwicklungs-Ingenieur für Fernsprechtechnik und promovierte Physiker Heinrich Georg BARKHAUSEN (1881–1956) auf den ersten deutschen Lehrstuhl für ↑Schwachstromtechnik an der TH Dresden berufen, wo er bis zum Ende seiner aktiven Zeit wirkte. Seine Hauptarbeitsgebiete sind durch seinen Namen verbunden: BARKHAUSEN-KURZ-*Schwingungen* (Elektronenröhren), BARKHAUSEN-*Sprünge* (Magnetisierung) und BARKHAUSEN-*Geräuschmesser* (Akustik, ↑Phon)

Biographien TH Dresden, in: Deutsche Elektrotechnik, Bd. 10 (1956) S. 155–156; WOLMANN, in: Nachrichtechn. Z., (1956) S. 137; WUSSING-1992, S. 42; KIRPAL, Alfred, in: JÄGER-1996, S. 34–35.

Literatur [1] RATHEISER, Ludwig: Eine Verpflichtung, die wir erfüllen sollten. In: Funkschau Bd. 28 (Nov. 1956) S. 929; [2] K.T. [Karl TETZNER]: mBh, mBn, mS oder mA/V? In: Funkschau Bd. 29 (Mai 1957) S. 217 (365); [3] DIN 1320:1997-06: Akustik; Begriffe, Abschn. 10.3.

Bel ↑Dezibel

Bemessungs- rated

Worterklärung Bestimmungswort in Benennungen für Messgrößen und -werte (z. B. *Bemessungsspannung, ~drehzahl, ~daten, ~wert, ~wanddicke*), die Grundlage für die Herstellung und Bemessung von elektrischen Anlagen, Geräten und Bauteilen sind.

Wortgeschichte

1 Dieses Bestimmungswort wurde notwendig, um die Normen der ↑IEC sachgerecht übersetzen zu können, da dort zwischen (En) *nominal value* und (En) *rated value* unterschieden wird. Beide Benennungen wurden früher mit *Nennwert* wiedergegeben. Mit der Inkraftsetzung der Norm DIN 40200 „Nennwert, Grenzwert, Bemessungswert, Bemessungsdaten" (Okt. 1981) konnte jedoch die Unterscheidung besonders beachtet werden, was Korrekturen in bestehenden Normen des ↑DIN und ↑VDE zur Folge hatte. Beispiel: Die Nennspannung eines elektrischen Netzes ist ein Wert (z. B. 10 kV), der der Bezeichnung dieses Netzes dient. Eine Spannung, die etwa 20 % über der Nennspannung liegt (hier 12 kV), ist Grundlage für die Bemessung bestimmter Betriebsmittel im Netz. Dieser Wert ist also jetzt die Bemessungsspannung (früher Obere Nennspannung).

2 Nenn- und Bemessungswert können dem Wert nach gleich sein. Dann ist jedoch aus dem Zusammenhang zu klären, welche Benennung zu wählen ist. Bei unterschiedlichen Werten für die Bezeichnung und die Bemessung kann die Wahl der unzutreffenden Benennung zu Missverständnissen führen. Man darf also das Bestimmungswort *Nenn-* oder *Bemessungs-* nicht fortlassen.

Literatur BURKERT, H.-H.: In: DIN-Mitt. Bd. 60 (1981) S. 707.

Bern(e) electricity

Worterklärung Verdeutschende Ersatzbenennung für ↑*Elektrizität*.

Wortgeschichte Das Wort ~ wurde 1929 von Karl AMMON* in seiner Kritik zum Scheitern des Preisausschreibens über die „elektrische Lokomotive" vorgeschlagen. Danach bildet er:

Bernbahn • *Bernschalter* • *Bernstahl* • *Bernlicht* • *Bernlampe* • *bernen* • *verbernen* • *Bernling* »elektrische Lokomotive«. [1]

Im Jahre 1933 begründet er in der „Muttersprache" ausführlich seinen Wechsel von ↑*Elt* und sein Eintreten für *die Bern* mit der Wortfamilie *bernig, bernen, verbernen, entbernen* »spannungslos machen«. [2] Unerwartet unterstützt er schließlich das von E. SCHÖLL* vorgeschlagene ↑*Glitz*. [3]

Literatur [1] In: Politisches Tageblatt (Aachen) Nr. 334 vom 20.07.1929, zit. nach Muttersprache Bd. 44 (1929) Spalte 441; [2] AMMON, Karl: Die Elektrizität. In: Muttersprache Bd. 48 (1933) Spalte 245–249; [3] AMMON, Karl: Erwiderung. In: Muttersprache Bd. 48 (1933) Spalte 361–362.

Bernkraft

electricity

Worterklärung Verdeutschende Ersatzbenennung für ↑*Elektrizität*.

Wortgeschichte

1 Das Wort ~ wurde 1918 neben *Bernstrom* vorgeschlagen und näher begründet von Justizrat Dr. Karl FRIEDRICH, Ilmenau, in der Zeitschrift „Elektrische Kraftbetriebe und Bahnen" Bd. 14 (1918) S. 128. Er berichtet 1925, dass sein Vorschlag „von einigen Blättern, darunter einem französischem, beachtet, aber mehr bespöttelt worden und nicht durchgedrungen" ist. [1]

2 Der Heidelberger Psychologieprofessor Willy HELLPACH (1877–1955) brachte in der 4. Auflage seines Werkes „Geopsyche; Die Menschenseele unter dem Einfluß von Wetter und Klima, Boden und Landschaft" statt *Elektrizität* die Verdeutschung *Bernkraft*. Im Nachwort zur 5. Auflage berichtet er, dass die „wissenschaftliche Fachwelt und die Behörden [...] kaltes Unverstehen, ja zum Teil heftige Ablehnung entgegengesetzt" haben; darauf „verzichtet [er], den Kampf für ‚*Bern*' und gegen ‚*Elektrizität*' fortzusetzen". [2]

3 Im Jahre 1930 greift der Wiener Oskar NEUDEGG *Bernkraft, Bernstrom,* abgekürzt *Bern* auf, vermutlich ohne die schon 1918 gemachten Vorschläge zu kennen, und bildet folgende Fachausdrücke:

Berner »Elektriker« • *Bernströmer* »Elektriker« • *Bernkraft-Ersinner* »Elektroingenieur« • *Bernkraft-Zugsbeweger* »elektrische Lokomotive« • *verbernstromen* »elektrisieren«. [3]

Literatur [1] FRIEDRICH, Karl: Eine Verdeutschung für Elektrizität. In: Muttersprache Bd. 40 (1925) Nr. 6, Spalte 176–177; [2] NEESSE, Karl G.: Elektrizität? In: Muttersprache [Bd. 60] (1950) S. 304; [3] NEUDEGG, Oskar: Wie verbessert man die Sprache der Technik und die Technik der Sprache? Wien: [Selbstverlag] Neudegg, 1930. 28 S.

Bernsteinkraft

electricity

Worterklärung Verdeutschende Ersatzbenennung für ↑*Elektrizität*.

Wortgeschichte

1 Der Magdeburger Sprachforscher Joh. Chr. Aug. HEYSE* widmete 1829 in der 5. Auflage seines Werks „Allgemeines Fremdwörterbuch oder Handbuch zum Verstehen und Vermeiden der in unserer Sprache mehr oder minder gebräuchlichen fremden Ausdrücke, mit Bezeichnung der Aussprache, der Betonung und der nöthigsten Erklärung" einen umfangreichen Artikel dem Stichwort *Elektricität*, in dem er 20 Ausdrücke mit

Erläuterungen vorstellt, darunter „*Elektricität,* f. Bernsteinkraft, Blitzfeuer- od[er] Reibfeuerkraft, Zitterkraft". [1] In der 15. Aufl. von 1873 übernahm der nachfolgende Bearbeiter die Verdeutschungen ~ und *Reibfeuerkraft* unverändert, kürzte *Blitzfeuerkraft* zu ↑*Blitzkraft* und strich *Zitterkraft* und gab folgende Erklärung: „eine in verschiedenen Stoffen auf verschiedene Weise (durch Reibung z.B. beim Bernstein, durch Berührung, Erwärmung etc.) hervorgerufene Kraft, deren Wirkung sich in Anziehung und Abstoßung und unter mancherlei andern Formen zeigt". [2]

2 Auch wenn HEYSE in der 5. Aufl. keine Anwendungsbeispiele mit *Bernsteinkraft* oder ähnlich angibt, so hat doch sein Vorschlag später weitere Sprachschöpfer zu ↑*Berne* und ↑*Bernkraft* angeregt. Anders verhält es sich mit ↑*Blitzfeuerkraft,* ↑*Reibfeuerkraft* und ↑*Zitterkraft.*

Wortbenutzung 1898: Als wörtliche Übersetzung des Stichwortes *Elektrizität,* d.h. zwischen spitzen Anführungsstrichen: »Bernsteinkraft« (DUDEN). Ebenso im DUDEN-1929.

Literatur [1] Fünfte rechtmäßige, sehr vermehrte und verbesserte Ausgabe. Hannover: Hahn'sche Hof-Buchhandlung, 1829; [2] Joh. Christ. Aug. Heyses allgemeines verdeutschendes und erklärendes Fremdwörterbuch [...] 15. Aufl., neu bearbeitet von Gustav HEYSE. Hannover: Hahn, 1873.

Bernstrom ↑Bernkraft

bes

unit of mass

Worterklärung In Italien ehemals gültige Ersatzbenennung für ↑*Kilogramm.*

Wortgeschichte

1 Die Commissione Italiana di Metrologia (CIM) hatte ~ mit dem Einheitenzeichen „b" vorgeschlagen (bes = b = kg) und in den italienischen Normen UNI-CIM 0001 und 0005 vom Okt. 1953 festgelegt, da die Basiseinheit der Masse eigentlich keine Vorsatzsilbe haben sollte. [1]

2 Das Wort ~ stammt aus dem Lateinischen und bedeutet ›binae partes assis‹, d.h. 2/3 der alten römischen Masseneinheit (La) *as* oder *libra.*

Literatur [1] STILLE-1961, S. 44.

Bezahlfernsehen

pay TV

Worterklärung Ersatzbenennung für (En) *Pay TV* ›Bezahl-TV‹.

Wortgeschichte Das Wort ~ wurde von Hanno HITZ in seinem Kommentar „Hoffnung im Haifischbecken" (Darmstädter Echo, 30. Aug. 1997, S. 2) benutzt:

„Das Geschäft mit Breitbandfernsehern, mit flimmerfreien 100-Hertz-Geräten, Decodern für digitalen Empfang oder auch Bezahlfernsehen (Pay-TV) soll für Wachstum sorgen."

In den Printmedien, die das amerikanische *Pay-TV* mit ›Bezahlfernsehen‹ übersetzen, wird davon ausgegangen, was philologisch richtig ist, auch sachlich richtig sein muss. Das trifft hier aber nicht zu, denn in den USA ist das Fernsehen im Allgemeinen gebührenfrei, daher „Free-TV". In Deutschland ist das Fernsehen schon seit jeher gebührenpflichtig: zurzeit 51,09 Euro im Quartal pro Haushalt, ausgenommen Haushalte unterhalb der Sozialhilfegrenze. Wir haben somit immer „Bezahlfernsehen". Die neuen deutschen Programme sind dagegen im Rahmen eines Sondervertrages zusätzlich zu vergüten. Hierfür bietet sich das bereits gelegentlich vorkommende Wort „Abofernsehen" (↑Abonnenten-Fernsehen) an.

Wortbenutzung 1999: Schub fürs Bezahl-Fernsehen. Mit dem Start von Premiere World am 1. Oktober will die Kirch-Gruppe dem Bezahl-Fernsehen (Pay-TV) in Deutschland einen neuen Schub geben (dpa, in: Darmstädter Echo, 21.08.1999, S. 7); 2000: Demnach dürfen Großereignisse nicht allein im Bezahlfernsehen übertragen werden (C. MORHART, in: Darmstädter Echo, 31.03.2000, S. 10); 2002: Trotzdem will Kirch das Bezahlfernsehen nicht aufgeben (Walsroder Ztg., 25.02.2002).

Bildschirm screen

Worterklärung Die Fläche einer Elektronenstrahlröhre (↑Röhre), auf der durch ↑Elektronen das Bild erzeugt wird.

Wortgeschichte

1 Der Bildschirm ist für den Betrachter der Fernsehbildröhre der wichtigste Teil, deren Urform, die Elektronenstrahlröhre, von Ferdinand BRAUN (1850–1918), Physikprofessor in Straßburg, erfunden und 1897 in einem Aufsatz unter der Überschrift „Ueber ein Verfahren zur Demonstration und zum Studium des zeitlichen Verlaufes variabler Ströme" [1] der Fachöffentlichkeit vorgestellt worden ist. Darin beschreibt er die Röhre wie folgt (in der Rechtschreibung des Originals):

„K ist die Kathode aus Aluminiumblech, A Anode, C ein Aluminiumdiaphragma; Oeffnung des Loches = 2 mm. D ein mit phosphorescirender Farbe überzogener Glimmerschirm. E Die Glaswand E muss möglichst gleichmässig und ohne Knoten, der phosphorescirende Schirm […]."

2 Vom *Schirm* spricht auch Wilhelm Conrad RÖNTGEN* in seiner ersten Mitteilung „Ueber eine neue Art von Strahlen" vom Dezember 1895, womit er den Grundstein für die Anwendung der später ihm zu Ehren genannten ↑*Röntgenstrahlen* in Medizin und Technik legte. Seine Textstellen lauten (in der Rechtschreibung des Originals):

„Lässt man durch eine HITTORF'sche Vacuumröhre […] Entladungen […] gehen […], so sieht man in dem vollständig verdunkelten Zimmer einen in die Nähe des Apparates gebrachten mit Bariumplatincyanür angestrichenen Papierschirm bei jeder Entladung hell aufleuchten, fluoresciren, gleichgültig, ob die angestrichene oder die andere Seite des Schirmes dem Entladungsapparat zugewendet ist. Die Fluorescenz ist noch in 2 m Entfernung vom Apparat bemerkbar."
- „Fluorescenzschirm" [mehrmals]
- „[…] wenn man zwischen den Apparat und den fluorescirenden Schirm (oder die photographische Platte) mehr oder weniger durchlässige Körper bringt." [2]

Während also bei RÖNTGEN der Schirm *außerhalb* der Vakuumröhre gewissermaßen eine Schutzfunktion hatte, ist der Schirm bei BRAUN *innerhalb* der Vakuumröhre ohne Schutzfunktion untergebracht. Die Erfindungen beider Physiker brachten ihnen den Nobelpreis für Physik ein: RÖNTGEN erhielt ihn 1901, BRAUN (zusammen mit MARCONI) im Jahre 1909.

Wortbenutzung 1989: Die Bildröhre eines Fernsehgerätes mit einem größten Bildschirmmaß über 16 cm muß […] implosionssicher sein […] (DIN VDE [3]); 1999: Flachbildschirme setzen sich immer stärker durch [4].

Fremdsprachige Entsprechungen (En) *screen;* (Da) *skærm;* (Is) ↑*skjár,* veraltet: *skermur;* (No) *skjerm;* (Sv) *skärm;* (Es) *pantalla;* (Fr) *écran;* (It) *schermo;* (Ru) экран */êkran/;* (Pl) *ekran (telewizyjny);* (Cs) *stínítko obrazovky.*

Literatur [1] In: Annalen der Physik u. Chemie. Bd. 60 (1897) S. 552 ff.; [2] In: Sitzungsbericht der Würzburger Physikalisch-medicinischen Gesellschaft 1895, Faksimile-Nachdruck in Otremba-1970; [3] DIN VDE 0860 (HD 195 S6):1989-05, S. 34; [4] In: etz Bd. 120 (1999) H. 17, S. 61.

binäres Zahlensystem

binary system

Worterklärung Zahlensystem, in dem nur die Ziffern 0 und 1 vorkommen, so dass jede Zahl als Potenz von 2 ausgedrückt wird: Beispiel: $4 = 1 \cdot 2^2 + 0 \cdot 2^1 + 0 \cdot 2^0$ = binär 100.

Wortgeschichte

1 Das ~ wurde vom deutschen Mathematiker und Philosophen Gottfried Wilhelm Leibniz* 1679 erfunden und erst 1705 unter dem Titel „Explication de l'arithmètique binaire" in der wissenschaftlichen Zeitschrift „Histoire de l'Académie Royale des Sciences" in Paris im Jahrgang 1703 (!) veröffentlicht. [1] Das Wort (Fr) *binaire* »binär« wird im Titel und einmal im Text zusammen mit dem Synonym (Fr) *dyadique* »dyadisch« verwendet:

„L'Arithmetique Binaire ou Dyadique est en effet fort aisée aujourd'huy [...]" ›Die binäre oder dyadische Arithmetik ist in der Tat heute sehr leicht‹ [2]

2 Ursprünglich benutzte Leibniz nur (nLa) *dyadica,* so im handschriftlichen Entwurf von 1679, wo die Überschrift lautet: „De Progressione Dyadica" ›Von der dyadischen Reihenentwicklung‹ [3]; außerdem im lateinisch verfassten Brief vom 17. Mai 1698 an den Bremer Kandidaten des Rechts Sander mit der Textstelle:

„Mentem meam circa progressionem dyadicam optime assecutus es [...]" ›Meine Vorstellung bezüglich der dyadischen Progression haben Sie sehr gut erfasst‹ [4].

Wortbenutzung In den mathematischen Handbüchern, z. B. Bronstein, Stöcker u. a. werden die Benennungen *duales Zahlensystem, Dualsystem* bevorzugt, auch wenn als Zeichen des ↑Logarithmus zur Basis 2 neben $\log_2$ auch lb verwendet wird. Im technischen Schrifttum überwiegen dagegen Wortverbindungen mit *binär,* z. B. *Binärcode, Binärdarstellung, Binärsignal, Binärzahl, Binärzeichen, Binärziffer,* besonders aufgrund der Empfehlungen der Informationstechnischen Gesellschaft im ↑VDE (ITG) [vormals: Nachrichtentechnische Gesellschaft im VDE (NTG)]. [5]

Literatur [1] Faksimile S. 85–89, in: Leibniz-1966, zwischen S. 32 und 33; [2] Ebenda, S. 89; [3] Faksimile 3 Blätter, in: Leibniz-1966, zwischen S. 20 und 21; [4] enthalten in *Opera omnia* Bd. 3, Genf 1768, S. 183–190 als Faksimile in Leibniz-1966, zwischen S. 40 und 41; Übersetzungen aller Faksimiles befinden sich im Anhang S. 42–59; [5] Dietrich/Endres-1986; Hoffmann, Hellmut W.: Binäres Zahlensystem; Das Rechnen mit Nullen und Einsen – ganz ohne Haken und Ösen. In: P.M. Computerheft (1986) Nr. 4, S. 100–102.

bis

bis

Worterklärung Kennzeichnung eines Pegels oder Maßes unter Anwendung des ↑Logarithmus zur Basis 2 (binärer Logarithmus, Zweierlogarithmus; ↑binäres Zahlensystem).

Wortgeschichte

1 Vom ↑AEF wurde ~ 1966 als Ersatz für die in der Informationstheorie übliche Einheit ↑*Bit* (Einheitenzeichen: bit) vorgeschlagen und 1972 genormt. [1] Das Wort ~ bedeutet Ⓛⓐ ›*zweimal*‹. Die Angabe eines Pegels mit „8 bis" erinnert daran, dass die Bezugsfeldgröße achtmal verdoppelt werden muss, um die durch den Pegel gekennzeichnete Feldgröße zu erhalten. Zwischen ↑Neper (Np) und ~ besteht die Beziehung:
1 Np = (1/ln 2) bis = 1,443 bis.

2 In der Folgeausgabe von DIN 5493 ist ~ nicht mehr enthalten. [2]

Literatur [1] DIN 5493:1966-09, Erläuterungen zu 2.2.5, DIN 5493:1972-08, Anmerkung zu 2.2.5; [2] DIN 5493-2:1994-09 „Logarithmische Größen und Einheiten; Logarithmierte Größenverhältnisse; Maße, Pegel in Neper und Dezibel".

Bit, das bit

Worterklärung In der ↑Informationstechnik verwendete Einheit für die Anzahl von Binärzeichen, d.h. Zeichen aus einem Vorrat von zwei Zeichen, z.B. 0 und 1, ja und nein, O und L. Einheitenzeichen: bit. Alle logarithmisch definierten Größen der Informationstheorie, wie Entscheidungsgehalt, Informationsgehalt, Redundanz usw. erhält man in bit, wenn der ↑Logarithmus zur Basis 2 genommen wird, Beispiel: 1 bit, 2 bit. [1] (↑binäres Zahlensystem).

Wortgeschichte

1 Das Wort Ⓔⓝ *bit* wurde vom Mitbegründer der Informationstheorie, dem amerikanischen Mathematiker Claude E. SHANNON (1916–2001), in seine Theorie einbezogen, indem er einer Anregung seines Mitarbeiters J.W. TUKEY* folgte. In seinem Beitrag „A mathematical theorie of communication" von 1948 schreibt SHANNON:

„If the base 2 is used the resulting units may be called *binary digits*, or more briefly *bits*, a word suggested by J.W. TUKEY." [2]

Das Ⓔⓝ *binary digit*, wörtlich ›Zweierziffer‹, wurde zu *bit* zusammengezogen und ergibt somit eine sinnfällige Merkhilfe in »Biss, bisschen«.

2 Hinweis des ↑AEF: Im Beiblatt 1 zu DIN 1301 Teil 1 wird bei Verwendung des binären Logarithmus als Einheit das ~ (Einheitenzeichen bit) genannt. In Übereinstimmung mit ISO 2382-16:1978 wird jedoch empfohlen, innerhalb der Informationstheorie als binäre Einheit nur noch das *Shannon* zu verwenden. Das Wort ~ wird in der Informationsverarbeitung in der Bedeutung Binärzeichen verwendet. (DIN 5493-1:1993-02)

Wortbenutzung 1959: Eine einzelne Ja-Nein-Aussage nennen die Angelsachsen heute ein ‚bit of information'. ‚Bit' soll eine Abkürzung für ‚binary digit' sein. Aber das Wort für ‚Bissen' hat man gern für diese Abkürzung gewählt. Man kann die Menge von Information messen, wenn man weiß, wie viele einzelne Bissen man wenigstens schlucken muß, wenn man sie sich einverleiben will (WEIZSÄCKER, C.F. v. [3]); 1964: Die Maßeinheit der Information, das Bit, ist also ein *Unwahrscheinlichkeitsmaß*. Anders ausgedrückt: ein ganz bestimmtes Symbol weist einen ganz bestimmten Informationsinhalt in bit auf (KEIDEL [4]); 2001: In den USA ist es beispielsweise illegal, Verschlüsselungstechniken zu exportieren, die mit mehr als 40 Bits arbeiten (KURZWEIL 2001, S. 184).

Wortfamilie [5]

1 Zusammensetzungen mit *Bit-* als Bestimmungswort: *Bitabbildmodus, ~anzeigelampe,*

~bündelübertragung, ~dichte, ~ebene, ~flusswechsel, ~folge, ~folgenunabhängigkeit, ~funktion, ~gruppe, ~kombination, ~längenangabe, ~längenmodifizierer, ~menge, ~muster, bitparallel, ~position, bitseriell, ~service, ~stelle, ~struktur, ~übertragungsdienst, ~übertragungsprotokoll, ~übertragungsschicht, ~verarbeitung, ~versatz, ~vollgruppe, ~zahl, ~zahlfehler, ~zellenzeit, ~zuordnung, Ein-~-Verzögerungsglied, 6-~-Daten, 7-~-Modus, 8-~-Modus;
2 Zusammensetzungen mit *-bit* als Grundwort: *Änderungsbit, Ausgabeanschlusspunkt~, Auslese-Erlaubnis-~, Datenmodus~, Final~, Gültigkeits~, Hilfs~, Hilfsübertragungs~, Hintergrund~, Leseschutz~, Maschinenfehlermeldungs~, Masken~, Paritäts~, Programmregister~, Prüf~, Referenz~, Seiten~, Start~, Status~, Statusveränderungs~, Stopf~, Stopp~, Summenstatus~, Synchronisations~, Übertrags~, Ungültigkeits~, Untermasken~, Verzögerungs~, Vordergrund~, Vorzeichen-~, Zonen~.*

Fremdsprachige Entsprechungen Sprachen mit lateinischer Schrift: *bit*, Ⓕⓡ *bit* (1959, ROBERT-1994); mit anderer Schrift: Ⓡⓤ бит */bit/*; Ⓙⓐ */bitto/*.

Literatur [1] NTG 1203 „Daten- und Textkommunikation; Begriffe" (Empfehlung 1983), in: DIETRICH/ENDRES-1986, S. 351–373, hier S. 352; [2] SHANNON, Claude: A mathematical theory of communication. In: Bell Syst. Tech. J., Bd. 27 (1948) S. 379–423, 623–656, hier S. 380; gleichlautend in: SHANNON, Claude E.; WEAVER, Warren: The mathematical theory of communication. Urbana: Univ. of Illinois Press, 1949. 117 S., hier S. 4; [3] WEIZSÄCKER; C. F. v.: Sprache als Information. In: Sprache und Wirklichkeit. Essays. München: dtv, 1967. 261 S. (dtv Bd. 432) S. 174–198, hier S. 181–182; [4] KEIDEL, Wolf Dieter: Kybernetische Leistungen des menschlichen Organismus. In: etz-A Bd. 85 (1964) S. 769–777, hier S. 770; [5] Im Wesentlichen nach: IBM (Hrsg.): Fachausdrücke der Informationsverarbeitung. Wörterbuch und Glossar. En-Dt, Dt-En. IBM Deutschland, 1985. 1045 + 642 S.

Bleimantelkabel

lead-sheathed cable

Worterklärung Ersatzbenennung für *Bleikabel*.

Wortgeschichte Das Wort ~ wurde 1954 vom Fernmeldeingenieur Hilmar WÖHNER* vorgeschlagen, damit die Benennung selbstbeschreibend ist. [1]

Wortbenutzung 1976: Bleimantelkabel [2].

Fremdsprachige Entsprechungen [2] Ⓔⓝ *lead-sheathed cable, lead-covered cable;* Ⓕⓡ *câble sous gaine de plomb.*

Literatur [1] WÖHNER-1954, S. 293; [2] RICHLING, Christel; DREWITZ, Ingeburg: Wörterbuch der Kabeltechnik. Wiesbaden: Brandstetter, 1976. 610 S., hier S. 26.

Blind-

reactive (quantity)

Worterklärung Bestimmungswort zur Angabe der unwirksamen, d. h. keine Energie tragenden, Komponente einer ↑Wechselstromgröße. Ersatz für *wattlos* in Wortverbindungen wie ↑*wattloser Strom* und *wattlose Spannung.*

Wortgeschichte Es bedurfte zweier Anläufe, bis der ↑AEF die Mehrheit der Mitgliedsvereine für seinen Vorschlag eines Bestimmungswortes gewann. Im ersten Entwurf (1909) war *Quer-* vorgeschlagen worden, was folgende Benennungen ermöglichte: *Querwiderstand, Querstrom, Querspannung,* was aber Widerspruch auslöste:

„Gegen *Quer* wurde eingewandt, daß mit diesem Worte keine physikalische Vorstellung verknüpft werden könne, sondern daß es lediglich auf die bekannte Darstellung der Wechselstromgröße zurückzuführen sei, bei der der ‚Querstrom' (jetzt Blindstrom) quer zum ‚Leistungsstrom' (jetzt Werkstrom) [endgültig *Wirkstrom*] aufgetragen wird. Außerdem habe das Wort ‚*Querwiderstand*', im Gegensatze zu *Längswiderstand*, in der Technik eine andere ganz bestimmte Bedeutung." [1]

Der überarbeitete Entwurf von 1913 brachte das Wort ~:

„‚Blind-' wurde in Erinnerung an seine längst übliche Verwendung in der technischen und der Umgangssprache in der Bedeutung von ‚nicht wirksam' oder auch ‚nicht eigentlich' oder auch ‚nicht im eigentlichen Sinne wirksam', wie in ‚Blindmutter', ‚blindes Fenster' oder ‚blinder Schuß' u.a. gewählt. Ein ‚blinder Passagier' ist auch ein Passagier wie die anderen; aber er trägt zu den Kosten der Fahrt nichts bei, er ist sozusagen ein ‚wattloser' Passagier." [2]

Dieses Bestimmungswort wurde endgültig angenommen und ist bis heute in Gebrauch, auch im übertragenen Sinn, z.B. *Blindleistung*.

Wortbenutzung 1922: Sie ist ebenfalls eine Blindspannung, die im Unterschied von der induktiven Spannung als *kapazitive Spannung* bezeichnet wird (THOMÄLEN-1922, S. 183); 1944: Schaltet man dagegen dem Wirkteil *r'* einen Blindteil *X'* parallel, so läuft der auf der reellen Achse liegende Punkt *r'* auf einem Blindkreis in den Punkt *R* hinein (WALLOT-1944, S. 89); 1997: Nur mit engagierten und informierten Mitarbeitern können Sie ‚Blindleistungen' verringern und die Effizienz in Unternehmen steigern (FAZ Nr. 117, 23.05.1997, S. 16, Anzeige); 1998: Berechnen Sie anhand des Phasendiagramms die Schein-, Wirk- und Blindleistung (GREHN/KRAUSE-1998, S. 267).

Wortfamilie *Blindabgabe, ~anteil, ~aufnahme, ~komponente, ~last, ~leistung, ~leistungserzeuger, ~leistungsmaschine, ~leistungsmesser, ~leitwert, ~spannung, ~strom, ~stromerzeugung, ~stromkompensation, ~stromzähler, ~verbrauchszähler, ~widerstand (induktiver ~widerstand, kapazitiver ~widerstand)*.

Fremdsprachige Entsprechungen (En) *reactive*; (Nl) *reactief, blind-*; (Sv) *reaktiv*; (Es) *reactivo*; (Fr) *réactif*; (It) *reattivo*; (Ru) **реактивный** */reaktivnyj/*; (Pl) *reaktancyjny, bierny* ›passiv‹; (Cs) *jalový* ›unfruchtbar‹.

Literatur [1] AEF: Wechselstromgrößen. Entwurf V. Erläuterungen von J. TEICHMÜLLER und R. RICHTER. In: etz Bd. 34 (1913) S. 956; [2] AEF: Entwurf V. Wechselstromgrößen. [3. Fassung]. Mit Bericht und Erläuterungen von J. TEICHMÜLLER und R. RICHTER. In: etz Bd. 41 (1920) S. 660–663, hier S. 662; WALLOT-1928, S. 39.

Blindwiderstand ↑Reaktanz

Blitzableiter lightning rod

Worterklärung Gesamtheit der metallenen Bauteile auf, oberhalb, seitlich oder neben der baulichen Anlage, die als Einschlagpunkte für den Blitz dienen und die zur Ableitung des Blitzstromes in die Erde mit der Erdungsanlage elektrisch leitend verbunden sind. [1]

Wortgeschichte Als Ergebnis seiner Drachenversuche vom Mai 1752, um den Blitz als elektrische Erscheinung nachzuweisen, erfand der nordamerikanische Physiker und Politiker Benjamin FRANKLIN (1706–1790) den ~ ((En) *iron rod, lightning rod*). In Deutschland errichtete 1769 der Hamburger Arzt und Naturforscher Johann A.H. REIMARUS* den ersten ~ auf dem Jakobikirchturm seiner Heimatstadt. [2] Das Wort ~ benutzt er in seiner 1778 veröffentlichten Arbeit „Vorschriften zur Anlegung einer Blitzableitung an allerlei Gebäuden". Hierauf bezieht sich der Göttinger Physiker und Aphoristiker Georg Christoph LICHTENBERG* in einem Brief vom 2. Sept. 1779 an REIMARUS, wo er von dessen „Werk über die Blitz-Ableitung" und vom „stumpfen Ableiter" spricht. [3] Ein umfangreicher Brief LICHTENBERGS vom 13. Sept. 1779 an den Kriegssekretär und Kommerzienrat Johann Daniel RAMBERG in Hannover liest sich wie eine Bauanleitung für Blitzschutz und beginnt:

„Wohlgeborner Herr, Hochzuehrender Herr Kriegssekretär,
Mit außerordentlichem Vergnügen beantworte ich Ew. [= Euere] Wohlgeboren Anfragen über die beste Form und Einrichtung der Blitz-Ableiter." [4]

In einem Gutachten zum Schutze der Göttinger Universitäts-Bibliothek vor Blitzschlag aus dem Jahre 1794 beschreibt LICHTENBERG die Blitzschutzanlage als einen „eisernen Käfig", der die zu schützenden Gebäude umschließt. Er schreibt u.a.:

„Bey den jetzt gewöhnlichen Blitzableiter[n] behalten wir aus Ökonomie von dem ganzen Käfig nur einen oder ein Paar Dräthe bey und hoffen der Blitz werde diese bey seinem herabstoßen zu unserem Vortheil wohl zu finden wissen." [5]

Es sind in der damaligen Zeit auch noch Ersatzbenennungen von ~ benutzt worden, wobei *Gewitterableiter* lange Zeit dem ~ bevorzugt wurde; weitere: *Gewitterstange, Wetterableiter, Wetterleiter, Wetterstange.* [6]

Wortbenutzung 1782: Anleitung Wetterableiter anzulegen (HEMMER [7]); 1793: Der Blitzableiter, [...] eine Anstalt, entweder den entstandenen Blitz ohne Schaden in die Erde zu leiten, oder auch die Elektricität der Wolken ohne Schlag und Entzündung zur Erde zu führen (ADELUNG-2001, S. 8992); 1860: Grundsätze der Blitzableitung (GRASZ [8]).

Wortfamilie *Blitzableiter, Blitzableiteranlage, Blitzableiterei* (LICHTENBERG [8]), *Blitzableiter-Erdleitung, Blitzableiterisolator, Blitzableiterspindel, Blitzableiterspitze, Blitzableiterstange, Blitzableitung.*

Fremdsprachige Entsprechungen (En) *lightning rod, lightning conductor;* (Nl) *bliksemafleider;* (Es) *pararrayos;* (Fr) *paratonnerre;* (It) *parafulmine;* (La) *conductor fulminis* [8]; (Ru) громоотвод */gromootvod/;* (Pl) *piorunochron;* (Cs) *bleskosvod.*

Literatur [1] WARNER/ORTH-1984, S. 139 (VDE 0185); [2] FELDHAUS-1970, Spalte 108–110; WEBER, Otto: Lichtenbergs Gutachten zum Schutze der Göttinger Universitäts-Bibliothek. In: Mitt. Gauß-Ges. Göttingen, Bd. 11 (1974) S. 49–50, hier S. 49, Faksimile-Seite S. 48; [3] LICHTENBERG-1994, Bd. 4, S. 362; [4] Ebenda, S. 363–368, hier S. 363; [5] WEBER, Otto, ebenda, S. 50; [6] GRIMM-1991; [7] LICHTENBERG-1994, Bd. 4, S. 1277: HEMMER, Johann Jakob (1733–1790), Physiker, Hofkaplan in Mannheim; Anleitung: Offenbach 1782; [8] GRIMM-1991, Bd. 2, Spalte 131.

Blitzfeuerkraft

electricity

Worterklärung Verdeutschende Ersatzbenennung für ↑*Elektrizität.*

Wortgeschichte In der 5. Auflage seines „Allgemeinen Fremdwörterbuchs [...]" stellte 1829 der Sprachwissenschaftler Joh. Chr. Aug. HEYSE* die Ersatzbenennungen in alphabetischer Reihenfolge dar: ↑*Bernsteinkraft, Blitzfeuerkraft,* ↑*Reibfeuerkraft,* ↑*Zitterkraft.* Aus ~ bildete er folgende Ableitungen:

blitzend »elektrisch« • *Blitzstoff* »Elektrogen, das« • *Blitzstoffmesser* »Elektrometer«.

In der 15. Aufl. von 1873 kürzte der nachfolgende Bearbeiter ~ zu ↑*Blitzkraft*.
Literatur ↑Bernsteinkraft.

Blitzkraft
electricity

Worterklärung Verdeutschende Ersatzbenennung für ↑*Elektrizität*.
Wortgeschichte In der 15. Aufl. von 1873 des *Allgemeinen Fremdwörterbuchs* von Joh. Chr. Aug. HEYSE* kürzte der Bearbeiter ↑*Blitzfeuerkraft* zu ~, hielt jedoch ↑*Bernsteinkraft* und ↑*Reibfeuerkraft* unverändert bei.
Literatur ↑Bernsteinkraft

Boltzmann-Konstante
Boltzmann constant

Worterklärung Naturkonstante der Molekularphysik, physikalischen Chemie und Thermodynamik. Formelzeichen: ↑*k*.
Wortgeschichte In seinem grundlegenden Beitrag „Zur Theorie des Gesetzes der Energieverteilung im Normalspektrum“ aus dem Jahre 1900 [1] rechnet Max PLANCK* zwar mit den Konstanten *k* und ↑*h*, ohne sie jedoch zu benennen, außer dass er am Ende seines Beitrages die „BOLTZMANN-DRUDEsche Konstante α, d.h. die mittlere lebendige Kraft eines Atomes bei der absoluten Temperatur 1“ mit (3/2)*k* anführt. [1]
Aus Anlass der Verleihung des NOBEL-Preises, gehalten am 2. Juni 1920 vor der Königlich Schwedischen Akademie der Wissenschaften zu Stockholm, äußert sich PLANCK in seinem NOBEL-Vortrag hierzu:

> „Häufig wird diese Konstante auch als BOLTZMANNsche Konstante bezeichnet, obwohl BOLTZMANN selber sie meines Wissens niemals eingeführt hat – ein eigentümlicher Umstand, der wohl dadurch zu erklären ist, daß BOLTZMANN, wie aus gelegentlichen Äußerungen von ihm hervorzugehen scheint [...], gar nicht an die Ausführbarkeit einer genauen Messung der Konstante dachte.“ [2]

Der Herausgeber der Reihe „Selected Readings in Physics“ und Autor des Bandes „The Old Quantum Theory“ (Oxford 1967), D. ter HAAR, nimmt dazu Stellung:

> „PLANCK führte als erster *k* ein, so daß der Name BOLTZMANN-Konstante eine (verständliche) Fehlbezeichnung ist. Es war auch PLANCK, der den Zahlenwert zuerst angab. MEISSNER (1951) schlägt die Bezeichnung PLANCK-BOLTZMANN-Konstante für *k* vor, während LORENTZ oft einfach PLANCKsche Konstante dafür verwendet. PLANCK selbst nannte (3/2) *k* (die mittlere kinetische Energie bei der absoluten Temperatur 1 °K) die BOLTZMANN-DRUDEsche-Konstante“. [3]

Wortbenutzung 1965: Die innerhalb eines Frequenzbandes von der Breite Δf an einem Widerstand verfügbare Rauschleistung p_v erhält man mit der Boltzmannkonstante *k* und der absoluten Temperatur *T* des Widerstandes (Telefunken-1965, S. 208).
Fremdsprachige Entsprechungen (En) *Boltzmann constant, Boltzmann's constant*; (Fr) *constante de Boltzmann*; (Ru) постоянная Больцмана /*postojannaja Bol'cmana*/.
Zur Person Ludwig Eduard BOLTZMANN* (1844–1906), österreichischer Physiker, wirkte als Professor an den Universitäten Graz, Wien, Leipzig und München mit dem Hauptarbeitsgebiet Thermodynamik. Sein Ehrengrab auf dem Wiener Zentralfriedhof schmückt die Formel „$S = k \ln W$“, wo *S* dic ↑Entropie, ↑*k*, ln den natürlichen ↑Logarithmus und *W* die Zustandswahrscheinlichkeit bedeuten.
Biographie HOYER, Ulrich: BOLTZMANN, Ludwig. In: HERMANN-1987, S. 35–37.

Literatur [1] In: Verh. Deutsch. phys. Ges. Berlin, Bd. 2 (1900) S. 237, zit. nach HAAR-1969, S. 107–117; [2] PLANCK, Max: Die Entstehung und bisherige Entwicklung der Quantentheorie. In: PLANCK-1922, S. 148–168, hier S. 156; [3] HAAR-1969, S. 25.

British Association for the Advancement of Science

Britische Gesellschaft zur Förderung der Naturwissenschaften, gegründet 1831. Sie spielte eine große Rolle bei der Aufstellung der elektrischen Maßeinheiten, insbes. 1861 und um 1880. Anschrift: Fortress House, 23 Saville Row, London W1.
Mitglieder des 1861 eingesetzten Committee on Standards of Electrical Resistance waren: WHEATSTONE*, WILLIAMSON, VARLEY, THOMSON*, STEWART, [William] SIEMENS*, MATTHIESEN, MAXWELL*, MILLER, JOULE (↑Joule), JENKIN, ESSELBACH und Sir Charles BRIGHT* [1]; (↑Einheitensystem nach L. CLARK und C. BRIGHT).
Dem Committee for the Selection and Nomenclature of Dynamical and Electrical Units gehörten an: Sir William THOMSON*, G.C. FOSTER, J.C. MAXWELL*, G.J. STONEY*, FLEEMING, JENKIN, [William] SIEMENS*, F.J. BRAMWELL und EVERETT* (Reporter) [2]; (↑Dyn, ↑Erg).
Literatur [1] STILLE-1961, S. 207; [2] In: Brit. Ass.-1873, S. 222.

Buchstabenrechnung algebra

Worterklärung Das Rechnen mit Größen, die durch Buchstaben dargestellt werden.
Wortgeschichte
1 Die Benutzung kleiner lateinischer Buchstaben zur Wiedergabe von Zahlen, auf deren numerischen Wert es nicht ankommt, geht auf den englischen Mathematiker Thomas HARRIOT* zurück, der sie in seinem lateinisch verfassten Werk „Artis analyticae praxis" (London, 1631) anwendet, das erst nach seinem Tod erschienen ist. [1]
2 Einen Schritt weiter geht der französische Mathematiker René DESCARTES*, der in seiner 1637 erschienenen „Géométrie" „bekannte Zahlen mit den ersten Buchstaben des Alphabets (*a*, *b*, *c*, …), unbekannte Zahlen mit den letzten Buchstaben (*x*, *y*, *z*)" darstellt. [2] Hierauf hat schon 1730 Claude RABUEL in seinen „Commentaires sur la Géométrie de M. Descartes" (Lyons, 1730) hingewiesen: „[…] *a*, *b*, *c*, … for known, and *x*, *y*, *z*, … for unknown quantities (p. 20)." [3]
Literatur [1] KROPP-1994, S. 81; CAJORI-1993, Bd. 1, S. 199–201, Bild 87 u. 88 sind Faksimile-Seiten; [2] KROPP-1994, S. 93; [3] DESCARTES-1954, S. 2, Fußnote 1, S. 6, Fußnote 10.

Bürde burden

Worterklärung Der durch Betrag und Bürdenleistungsfaktor $\cos\beta$ ausgedrückte Scheinwiderstand (↑Schein-) des Sekundärkreises (bei ↑Stromwandlern), Scheinleitwert des Sekundärkreises (bei ↑Spannungswandlern). [1]
Wortgeschichte Im Jahre 1921 ist der Fachausdruck ~ in den ersten „Entwurf zu Regeln für die Bewertung und Prüfung von ↑Meßwandlern" des ↑VDE eingesetzt worden. Dazu schreibt A. MATTHIAS im Auftrage der zuständigen VDE-Kommission:

„Diese in Amerika bereits übliche Angabe [des Scheinwiderstandes der angeschlossenen Meßinstrumente] ist für den praktischen Gebrauch zweckmäßiger und ergibt auch eine klarere Formulierung der Bedingungen. Das Wort ‚*Bürde*' ist in Anlehnung an einen amerikanischen Ausdruck [*burden*] gewählt; Worte wie ‚*Nennscheinwiderstand*' würden schlecht klingen und könnten auch irrtümlich auf die Kurzschlußimpedanz des Wandlers selbst bezogen werden." [2]

Wortfamilie *Bürdenleistungsfaktor; Auslösebürde, Innenbürde, Nennbürde.*
Fremdsprachige Entsprechungen Ⓔⓝ *burden;* Ⓔⓢ *carga;* Ⓕⓡ *charge;* Ⓘⓣ *carico;* Ⓡⓤ нагрузка /*nagruzka*/; Ⓒⓢ *břemeno.*
Siehe auch ↑cos.
Literatur [1] VDE 0414. Bestimmungen für Meßwandler; zit. nach WARNER/ORTH-1984, S. 254, 258; [2] MATTHIAS, A., in: etz Bd. 42 (1921) S. 212–213, hier S. 212; Entwurf: S. 209–212.

C

cal/Cal • Calorie
Candela • capacitance
CE-Kennzeichnung • Centi-
CGPM • CGS-Einheit
CGS-Einheitensystem
chaschmal • Chymia
cos • Coulomb
Coulombzähler

cal/Cal calorie

Einheitenzeichen für ↑*Kalorie*: cal für »kleine Kalorie«, Cal für »große Kalorie« = 1000 cal.

Calorie ↑Kalorie

Candela candela

Worterklärung Gesetzliche Einheit der Lichtstärke im Internationalen ↑Einheitensystem (SI) als 7. Basiseinheit; Einheitenzeichen: cd.
Durch das „Gesetz über Einheiten im Meßwesen" vom 22. Feb. 1985 in Verbindung mit der „Einheitenverordnung" vom 13. Dez. 1985 gilt die in DIN 1301 Teil 1, Ausg. Dez. 1993, wiedergegebene Definition:

„Die Candela ist die Lichtstärke in einer bestimmten Richtung einer Strahlungsquelle, die monochromatische Strahlung der Frequenz $540 \cdot 10^{12}$ Hertz aussendet und deren Strahlstärke in dieser Richtung (1/683) Watt durch Steradiant beträgt." [1]

Es handelt sich hierbei um die Übernahme der von der 16. Generalkonferenz für Maß und Gewicht (↑CGPM) 1979 festgelegten Definition. Aufgrund der Ratsrichtlinie 80/181/EWG vom 20. Dez. 1979 gilt sie auch in der Europäischen Union.
Wortgeschichte Bisher war weder die ~ noch eine andere Lichtstärkeeinheit gesetzlich festgelegt. Früher war eine Flammenlichtquelle definierendes Normal der Lichtstärkeeinheit. In Deutschland wurde zunächst die „Vereins-Parafinkerze" (V.K.) hergestellt und seit 1868 vom DVGW (Deutscher Verein von Gas- und Wasserfachmännern, jetzt: Deutscher Verein des Gas- und Wasserfaches) kontrolliert. Dieser ersetzte gemeinsam mit dem Elektrotechnischen Verein* zu Berlin und dem ↑VDE 1896 die V.K. durch die *„Hefner-Kerze"* (HK). Parallel hierzu wurde angestrebt, die Lichtstärkeeinheit von einer Glühkörper-Einheitslichtquelle abzuleiten. 1921 wurde eine *„Internationale Kerze"* (IK) angenommen, die sich von einem 1 cm^2 großen Stück glühender Platinoberfäche herleitet. 1929 sollte als Normal ein Schwarzer Strahler dienen, der eine seiner Temperatur entsprechende „schwarze" Strahlung aussendet und für den wahre Temperatur und Farbtemperatur identisch sind. 1948 wurden die früheren Festlegungen und deren Ergänzungen von der 9. Generalkonferenz (↑CGPM) bestätigt bei gleichzeitiger Annahme des Namens *Candela* für die neue Lichtstärkeeinheit. [2] In deutschen Texten wurde sie 1948 von B. Lohse und U. Stille zuerst benutzt. [3]
Candela mit der Betonung auf der vorletzten Silbe ist (La) ›Kerze‹.
Fremdsprachige Entsprechungen Sprachen mit lateinischer Schrift: *candela*, außer (Pl) (Cs) *kandela*; mit anderer Schrift: (nGr) καντέλα */kantéla/*; (Ru) кандела */kandela/* (Einheitenzeichen: кд /kd/); (Ja) */kandera/*.
Literatur [1] DIN 1301-1:1993-12, Anhang A; Volkmann-1998, S. 162–167; Sacklowski/Draht-1986, S. 63–90; [2] Bundestagsdrucksache BT-Drucks. V/1074-Anlage 1, zu § 3; zit. nach Meyer, Timm R., 0101, S. 17–18; [3] In: Z. Phys. Bd. 125 (1948) S. 158; in: etz Bd. 70 (1949) S. 262.

capacitance

Worterklärung Englische Benennung für ↑»Kapazität eines ↑Kondensators«. Ursprünglich: *capacity of a condenser*, jetzt: ~ *of a capacitor*.

Wortgeschichte Laut E. WEBER schlug der englische Telegrafeningenieur Oliver HEAVISIDE* vor, in Analogie zu (En) *resistance* die übrigen drei Leitungsparameter ↑*Kapazität*, ↑*Induktivität* und *Ableitung* systematisch mit der Wortbildungsendung (Suffixoid) *-ance* zu versehen anstelle von *capacity, self-induction, leakage*:

„He proposed a uniform scheme calling in analogy to *resistance* the other three line parameters respectively *capacitance, inductance, and leakance*". [1]

Die Ersatzbennenung (En) *capacitor* für *condenser* ist von anderen Experten vorgeschlagen worden.

Siehe auch ↑Impedanz, ↑HEAVISIDE-Matrix, ↑Widerstand.

Literatur [1] WEBER, Ernst, in HEAVISIDE-1950, S. XXI.

CE-Kennzeichnung CE marking

Worterklärung Durch den Rechtsakt der Richtlinie der Europäischen Gemeinschaft (EG) eingeführter Begriff und Benennung für ein stilisiertes „CE", das auf industriellen Erzeugnissen angebracht die Übereinstimmung mit den Grundlegenden Anforderungen der jeweiligen Richtlinie dokumentiert.

Wortgeschichte Ursprünglich (1988) *EG-Zeichen*, zuweilen *CE-Zeichen* (1992), schließlich und endgültig ~ genannt, nachdem die Richtlinie 93/68/EWG vom 22. Juli 1993 [1] zur einheitlichen Verwendung der Benennung ~ in 12 EG-Richtlinien verkündet worden ist. *CE* ist die Abkürzung für »Europäische Gemeinschaft« (EG) in den romanischen Sprachen: (Es) *Comunidade Europea*, (Fr) *Communauté Europeénne*, (It) *Comunità Europea*, (Pt) *Comunidade Europeia*.

Fremdsprachige Entsprechungen (En) *CE marking*, (Fr) *marquage CE*, (It) *marchiatura CE*.

Literatur WARNER-1994 (Jahrbuch) S. 511.

Centi- ↑Zenti-

CGPM CGPM

Abkürzung für *Conférence Générale des Poids et Mesures* »Generalkonferenz für Maß und Gewicht«. Die ~ wird aus den Delegierten der Mitgliedstaaten der Meterkonvention gebildet, die 1875 von zunächst 17 Staaten abgeschlossen wurde, um die internationale Einigung und die Vervollkommnung des metrischen Systems zu sichern. Heute mit mehr als 40 Mitgliedstaaten obliegt es der CGPM, die Ausbreitung und Vervollkommnung des Internationalen ↑Einheitensystems (SI), der modernen Version des metrischen Systems, zu fördern, wissenschaftliche Entscheidungen von internationaler Tragweite zu fällen und wichtige Beschlüsse über die Arbeitsweise und Organisation des Internationalen Büros für Maß und Gewicht (BIPM, Pavillon de Breteuil, F-92312 Sèvres) zu fassen. Hinsichtlich der Einbeziehung vom abgeleiteten Einheiten und deren Einheitennamen [1] in das SI stützt sich die CGPM auf die Empfehlungen der fachlich zuständigen internationalen Organisationen, z. B. ↑IEC. [2]

Literatur [1] WARNER-2003; [2] SACKLOWSKI/DRATH-1986, S. 28.

CGS-Einheit — CGS unit

Einheit im ehemals international vereinbarten Einheitensystem mit den drei Basiseinheiten cm, g und s (↑CGS-System) und den von diesen abgeleiteten Einheiten.

CGS-System — C. G. S. system

Worterklärung Einheitensystem bestehend aus den drei Basiseinheiten
- Zentimeter (cm) für die Länge,
- Gramm (g) für die Masse,
- Sekunde (s) für die Zeit.

Wortgeschichte Es wurde 1873 von der ↑British Association* durch Veränderung eines 1832 von C.F. Gauss* gemachten Vorschlages aufgestellt. Dieser beruhte auf den Basiseinheiten Millimeter (mm), Milligramm (mg) und Sekunde (s). [1] Auf dem 1. Internationalen ↑Elektrizitäts-Kongress Paris 1881 wurde als 1. Satz folgender Wortlaut verlesen und später unverändert gebilligt:

„1. Für die elektrischen Messungen werden die Fundamental-Einheiten: Centimeter, Gramm-Masse, Sekunde (C.G.S.) angenommen." [2]

Literatur [1] W.E. Weber, in: Poggendorffs Annalen Bd. 82 (1851) S. 337; Rep. Brit. Assoc. (1873) S. 222, zit. nach Jerrard/McNeill-1994, S. 283; [2] Neesen-1881, S. 405.

/chaschmal/ — electricity

Worterklärung Neuhebräische Entsprechung von ↑*Elektrizität.*

Wortgeschichte Der hebräische Dichter Jehuda Leb Gordon* führte ~ im Sinne von »Elektrizität« in die neuhebräische Literatur im 19. Jahrhundert ein. Bei allen Bemühungen, das Hebräische – einst nur sakrale Sprache der Gottesdienstes – den Anforderungen der modernen Zeit anzupassen, griff man auf das Wortgut des Alten Testaments (AT) zurück. [1] Nach W. Gesenius kommt ~ nur ein einziges Mal im AT vor, nämlich beim Propheten Hesekiel (Kapitel 1, Vers 27). [2] Dort lautet Luthers Übersetzung in der revidierten Fassung von 1984:

„Und ich sah, und es war wie *blinkendes Kupfer* aufwärts von dem, was aussah wie seine Hüften; [...]" [In der Vorlage nicht hervorgehoben].

Andere Übertragungen lauten: *glänzendes Gold* (Einheitsübersetzung 1980), *helles Gold* (Gute Nachricht Bibel 1997), *glänzendes Metall* (Revidierte Elberfelder Bibel 1992). [3] Der Zusammenhang mit »Elektrizität« ist dadurch gegeben, dass in der Septuaginta, der griechischen Übersetzung des AT aus dem 3. und 2. vorchristlichen Jahrhundert, */chaschmal/* mit ἤλεκτρον */'ēlektron/* übersetzt wird. Desgleichen bringt die Vulgata, die lateinische Übersetzung des Hieronymus aus dem 4. Jahrhundert n. Chr., hier *electrum.* Dabei muss man berücksichtigen, dass (Gr) ἤλεκτρον/(La) *electrum* nicht nur »Bernstein«, sondern auch eine »Gold-Silber-Legierung von 80 % Gold und 20 % Silber« bedeutet. Dieser Doppelbedeutung hat es ~ eigentlich zu verdanken, dass es im Neuhebräischen für »Elektrizität« verwendet wird. [4]

Wortfamilie */or-chaschmal/* »elektrisches Licht«; */norat-chaschmal/* »elektrische Lampe«; */chonat-chaschmal/* »elektrische Maschine«; */chaschmali, chaschmalit/* »elektrisch« (Adjektiv, maskulin, feminin); */chaschmalit/* »Straßenbahn, die ↑Elektrische« [1].

Literatur [1] Persönliche Mitteilung von GINZ, Ota aus Kirjat Jam (Israel); [2] Hebräisches und chaldäisches Handwörterbuch über das Alte Testament. Leipzig 1828; persönliche Mitteilung von Pastor Schomerus, Walsrode; [3] Quadro-Bibel plus 2000; HAACKER, Klaus: Kirchliche Bibelübersetzungen im deutschen Sprachraum. In: Muttersprache Bd. 111 (2001) S. 320–329; [4] WARNER-1959.

Chymia — chemistry

Auch: *chymica*. Frühere Schriftform von *Chemie*, die schon 1708 und 1716 vom deutschen Mathematiker und Philosophen Gottfried W. LEIBNIZ* in seinen Denkschriften an den russischen Zaren Peter den Großen benutzt worden ist.
Belege mit Literatur: ↑Physik.

cos — cos

Worterklärung Mathematisches Zeichen für die trigonometrische Funktion ↑Kosinus nach DIN 1302:1994-04.
Wortgeschichte Das Wort *cosinus* (Ⓔⓝ *cosine*) ist 1620 vom englischen Mathematiker E. GUNTER*geprägt worden. [1] Danach kamen verschiedene Kurzformen, wie „s co" (W. OUGHTRED, 1632, 1677 [2]), „cs" (W. LEYBOURN, 1704), „Cos." (J. KEILL, 1726) [3], auf. Erst der Schweizer Leonhard EULER* wendet 1729 *cos* an, ab 1748 konsequent im Zusammenhang mit *sin., cos., tang., cot., sec., cosec.* als mathematische Zeichen in seiner „Introductio in analysin infinitorum" (Berlin 1748) und ist damit Wegbereiter für die noch heute gültige Notation. [3]
Wortbenutzung 1922: Mit den Effektivwerten [...] erhalten wir die mittlere Leistung zu $P = U\,I \cos \varphi$ (THOMÄLEN-1922, S. 166, Formelzeichen ↑N und E geändert in ↑P und ↑U); 1986: Der Betrieb von Entladungslampen mit den üblichen Vorschaltgeräten hat einen Leistungsfaktor $\cos \varphi \approx 0{,}4$ bis 0,6 (HÖSL [4]); 1995: Je kleiner der $\cos \varphi$ wird, desto höher werden die Leistungsverluste im Kabel- und Leitungsnetz (HOPPMANN [5]).
Literatur [1] ↑Kosinus; [2] CAJORI-1993, § 184, Bd. 1, S. 193; [3] Ebenda, § 525, Bd. 2, S. 166; [4] HÖSL-1986, S. 290; [5] HOPPMANN, Winfried: Die bestimmungsgerechte Elektroinstallations-Praxis. München: Pflaum, 1995. 422 S., hier S. 314.

Coulomb — coulomb

Worterklärung
1 Gesetzliche abgeleitete ↑SI-Einheit der »Elektrizitätsmenge« oder »elektrischen Ladung«; Einheitenzeichen: C.
2 Ein ~ ist gleich der Elektrizitätsmenge oder elektrischen Ladung, die während der Zeit von 1 ↑Sekunde bei einem zeitlich unveränderlichen elektrischen Strom der Stärke von 1 ↑Ampere durch den Querschnitt eines Leiters fließt. [1] $1\ \mathrm{C} = 1\ \mathrm{A \cdot s}$.
Wortgeschichte
1 Laut Lord KELVIN* verdankt das elektrische Einheitensystem seine Struktur und das Prinzip der Einheitennamen nach Forscherpersönlichkeiten den englischen Telegraphen-Ingenieuren Latimer CLARK* und Sir Charles BRIGHT, das sie 1861 der ↑British Association for the Advancement of Science vorschlugen. Die Einheiten der ↑Spannung, der Elektrizitätsmenge, des ↑Stromes und des ↑Widerstandes benötigten sie, um

die Eigenschaften von Telegraphenkabeln kurz beschreiben zu können. [2] In ihrem Vorschlag hatten sie als Einheit der Elektrizitätsmenge das *Farad* (!) vorgesehen.

2 Zum Studium des ↑„Einheitensystems nach L. CLARK und C. BRIGHT" wurde ein Komitee der British Association eingesetzt, das sich nicht nur mit physikalischen Fragen, sondern auch mit den Einheitennamen befasste und diese nach den Verdiensten der jeweiligen Forscher neu festlegte: so bekam die Einheit der Elektrizitätsmenge den Einheitennamen *Ampère*.

3 Auf dem 1. Internationalen ↑Elektrizitäts-Kongress in Paris 1881, auf dem die britische Delegation Arbeitsergebnisse der British Association einbrachte, schlug Sir William THOMSON (der spätere Lord KELVIN) als Einheit der Elektrizitätsmenge das *Ampère* vor. Später wird das ↑*Ampère* jedoch für die Einheit der Stromstärke beschlossen. In der vierten und letzten Kommissionssitzung werden nach kurzer Diskussion zwei Thesen von W. THOMSON und H. HELMHOLTZ* angenommen, die nach dem Bericht der vierten Plenarsitzung folgende sind:

„1. Ampère wird der durch einen Volt in einem Ohm hervorgerufene Strom genannt.
2. Coulomb wird die Elektrizitätsmenge genannt, definirt durch die Bedingung, daß ein Ampère einen Coulomb in einer Sekunde giebt." [3] Die französische Fassung lautet: „1° On appelle ampère le courant produit par un volt dans un ohm. 2° On appelle coulomb la quantité d'électricité défini par la condition qu'un ampère donne un coulomb par seconde." [4]

Sir William THOMSON schilderte dies später wie folgt:

„Es wurde das *Coulomb* hinzugefügt und es erscheint sehr befriedigend, auch den Namen Coulomb's – einer der Väter der elektrischen Wissenschaften – gewonnen zu haben." [5]

4 Die erste gesetzliche deutsche Festlegung stammt von 1901:

„Die Elektrizitätsmenge, welche bei einem Ampere in einer Sekunde durch den Querschnitt der Leitung fließt, heißt eine Amperesekunde (Coulomb), die in einer Stunde hindurchfließende Elektrizitätsmenge heißt eine Amperestunde." [6]

Wortfamilie *Coulombmesser, Coulo(mb)meter,* ↑*Coulombzähler; Pikocoulomb, Nanocoulomb, Mikrocoulomb, Millicoulomb, Kilocoulomb, Megacoulomb.*

Fremdsprachige Entsprechungen Sprachen mit lateinischer Schrift: *coulomb*; außer (Pl) *kulomb*; mit anderer Schrift: (nGr) κουλόμπ */koylómp/*, Einheitenzeichen: C; (Ru) кулон */kulon/*, Einheitenzeichen: Кл /Kl/; (Zh) */kùlún/*; (Ja) */kūron/*.

Zur Person Die Einheit der Elektrizitätsmenge wurde zu Ehren des französischen Ingenieurs und Physikers Charles Augustin de COULOMB (1736–1806) gewählt. Als Ingenieuroffizier befasste er sich mit Festungsbau und mit Baustatik. Diese Erfahrungen übertrug er auf die ↑Elektrophysik, indem er ein dem NEWTON'schen Gravitationsgesetz analoges Gesetz für die Elektro- und Magnetostatik aufstellte, wodurch er zu den Begründern dieser Fachgebiete zählt. Nach seinem Gesetz wurde die absolute Einheit der Elektrizitätsmenge definiert.

Biographie MACHOLD, Adolf: Coulomb, C.A., in: HERMANN-1987, S. 58–59, 428; GELIUS, Rolf: Coulomb, C.A., in: WUSSING-1992, S. 135–136; VOLKMANN-1994, S. 41–44; JÄGER-1996, S. 83–84; WIEDERKEHR, Karl Heinreich: Coulomb, C.A., in: KRAFFT-2003, S. 105–106.

Siehe auch ↑Einheitennamen-Kritik von O. HEAVISIDE und F. KOHLRAUSCH.

Literatur [1] Ausführungsverordnung z. Gesetz üb. Einheiten i.d.F. v. 08.05.1981. In: BGBl. I S. 422. § 28; [2] THOMSON (KELVIN)-1884, S. 608; [3] NEESEN-1881, S. 406; [4] SARTRE-1956, S. 322; [5] THOMSON (KELVIN)-1884, S. 606; [6] Bestimmungen zur Ausführung des Gesetzes betr. die elektrischen Maßeinheiten. In: Reichs-Gesetzblatt Nr. 16 vom 9. Mai 1901, S. 128.

Coulombzähler — coulomb meter

Worterklärung ↑Elektrizitätszähler, der die Elektrizitätsmenge in ↑Coulomb, Amperesekunden oder Amperestunden misst.

Wortgeschichte Das Wort ~ geht auf den deutschen Fabrikanten Hermann ARON* zurück, der es 1884 in einem Übersichtsvortrag über Elektrizitätszähler wie folgt einführte:

„Es stellten sich somit die meisten Zählapparate bisher die Aufgabe, die Elektrizitätsmenge zu messen, welche durch die Leitung ging; nun hat der Pariser Kongreß [die] Einheit der Elektrizitätsmenge […] ein Coulomb benannt, daher kann man passend solche Zähler ‚Coulomb-Zähler' nennen." [1]

Fremdsprachige Entsprechungen (En) *coulometer, coulomb meter*; (Sv) *coulometer*; (Es) *culombímetro*; (Fr) *coulombmètre*; (Ru) кулонметр /*kulonmetr*/; (Pl) *kulometr, woltametr*; (Cs) *coulometr*.

Literatur [1] In: etz Bd. 5 (1884) S. 425 u. 480–489.

D

D • daraf • Dauermagnet
Dauerschlussmotor • Deka-
Dezi- • Dezibel • Dielektrikum
Dielektrizitätskonstante
Differenzialrechnung • DIN
Diode • Diplom-Ingenieur • …
Drehfeld • Drehstrom
duales Zahlensystem
Durchflutung • Durchgriff
-dyn/-dyne • Dyn

D *D* (electric flux density)

Worterklärung Formelzeichen für »elektrische Flussdichte« nach DIN 1304-1:1994-03 entsprechend IEC 60027-1:1992-12; vormals *Verschiebung* oder *Verschiebungsdichte* genannt. SI-Einheit: C/m^2 = ↑Coulomb durch Quadratmeter (↑Meter).

Wortgeschichte

1 Zuerst 1873 vom schottischen Physiker James C. MAXWELL* in seinem Werk „A treatise on electricity and magnetism" (Oxford, 1. Auflage) jedoch als Frakturbuchstabe benutzt. Im deutschsprachigen Schrifttum finden wir *D* (Fraktur) bei MAXWELL (WEINSTEIN, deutsche Übersetzung 1883), H.A. LORENTZ (Leipzig 1904), M. ABRAHAM* (Leipzig 1904) [1], SOMMERFELD [2] usw.

2 Erst durch die ↑IEC wurde *D* (jedoch nicht in Fraktur) in die Normung eingebracht: 1913 wird *D* in die „Tafeln der festgesetzten Zeichen" der IEC aufgenommen [3], 1914 erscheint *D* im „Entwurf XV. Formelzeichen des ↑AEF", 1925 in DIN 1304 „Allgemeine Formelzeichen", jedoch in Frakturschreibweise.

3 Die Frakturbuchstaben für die Vektoreigenschaft wurden bis zur Ausgabe 1964 von DIN 1324 „Elektrisches Feld; Begriffe" beibehalten. ↑Vektorschreibweise.

4 Dieses Formelzeichen hat MAXWELL von (En) *displacement* ›Verschiebung‹ abgeleitet. Da die IEC jedoch *displacement* als „obsolete" bezeichnet und nur noch *electric flux density* empfielt, geht die Merkhilfe für das Formelzeichen verloren.

Literatur [1] EMDE-1906; [2] STRECKER-1906, S. 462; [3] STRECKER-1914; DETTMAR-1914.

daraf daraf

Worterklärung Ehemals vorgeschlagene Einheit der reziproken ↑»Kapazität«. Das ~ bietet einen Vorteil bei der rechnerischen Behandlung einer ↑Reihenschaltung von ↑Kondensatoren, weil die Summe der reziproken Einzelkapazitäten die reziproke Gesamtkapazität ergibt.

Wortgeschichte Das Wort ~ wurde 1936 vom amerikanischen Elektroingenieur A.E. KENNELLY* geprägt, indem er den Namen der Kapazitätseinheit ↑*Farad* rückwärts las. [1] Dabei nahm er als Vorbild das ↑*Mho*. Wie es die Wortbenutzungsbelege jedoch aufzeigen, kommt ~ nur in Nachschlagewerken vor.

Wortbenutzung 1949: daraf: Elastance (Amerik. Norm ASA Z 10.5-1949); 1957: daraf: дараф [...] */daraf/* (GERMAN-PROSOROVA [2]); 1967: daraf : 1/Farad = Ω/s (SCHWENKHAGEN-1967, S. 503); 1975: daraf (Elec[tricity]): Unit of elastance, the reciprocal of capacitance in farads (*Farad* backwards) (CHAMBERS-1975, S. 309); 1988: Daraf [...] in den USA verwendete Einheit für den Kehrwert der Kapazität: 1 Daraf = 1/Farad (Brockhaus Enzyklopädie, 19. Aufl., Bd. 5, S. 134).

Literatur [1] KENNELLY, A.E., in: J. Inst. Elect. Engineers (GB), Bd. 78 (1936) S. 241, zit. nach JERRARD/MCNEILL-1994, S. 49; [2] GERMAN-PROSOROVA, L.P.; VINOGRADOVA, N.I. : English-Russian radiotechnical dictionary. Moskau 1957. 524 S., hier S. 129.

Dauermagnet permanent magnet

Worterklärung Metallisches Gebilde, das ständig ↑Magnetismus hervorruft (↑Magnet), während eine Drahtspule mit Eisenkern diese Eigenschaft nur zeigt, wenn sie vom Strom durchflossen wird (Elektromagnet).

Wortgeschichte Das Wort ~ geht auf den Telegrapheningenieur und Fachübersetzer Carl GRAWINKEL* zurück, der 1888 dazu Folgendes sagte:

„Ein transversaler Magnet kann ebensogut ein Quermagnet sein, wie ihn schon KITTLER (Handbuch, S. 482) genannt hat; gegen *Dauermagnet* statt *permanenter Magnet* ließe sich wohl auch Nichts einwenden.“ [1]

Wortbenutzung 1922: Die Gesamtarbeit ist im Feld eines Dauermagneten von dem Wege unabhängig und nur von der Lage der Endpunkte der Bewegung abhängig (THOMÄLEN-1922, S. 32); 1943: Für das Magnetgestell können Dauermagnete aus Stahl verwendet werden (KOSACK-1943, S. 88).

Wortfamilie *dauermagnetisch, Dauermagnetläufer, Dauermagnetmotor, Dauermagnet-Synchronmotor, Dauermagnetwerkstoff.*

Fremdsprachige Entsprechungen (En) *permanent magnet;* (Nl) *permanente magneet;* (Sv) *permanentmagnet;* (Es) *imán permanente;* (Fr) *aimant permanent;* (It) *magnete permanente;* (Ru) постоянный магнит */postojannyj magnit/;* (Pl) *magnes trwały;* (Cs) *permanentní magnet, trvalý magnet.*

Literatur [1] GRAWINKEL-1888, S. 405.

Dauerschlussmotor

squirrel cage motor

Worterklärung Ehemals vorgeschlagene Ersatzbenennung für *Kurzschluss(läufer)motor,* d. h. Motor mit dauernd und unveränderlich in sich geschlossenen Sekundärwicklungen. Benennung des Oberbegriffs von Käfigmotoren einerseits und anderen Bauarten andererseits.

Wortgeschichte Das Wort ~ geht auf den Motorenfachmann Leo SCHÜLER* zurück, der es 1927 der Maschinenkommission des ↑VDE zusammen mit ↑*Schaltschlussmotor* vorschlug. Seine Begründung lautet:

„In Laienkreisen, besonders in der Landwirtschaft, bedeutet ‚Kurzschluß‘ den Inbegriff der Feuersgefahr und sonstiger lebensgefährlicher Ereignisse. Es soll sich deshalb bei der Akquisition auf dem Lande gezeigt haben, daß die Kunden keine Kurzschlußmotoren kaufen wollen, weil sie annehmen, daß diese Motoren zwar billiger sind als Schleifringmotoren, dafür aber gefährlicher. Da bekanntlich eher das Gegenteil zutrifft, so erscheint eine harmlosere Bezeichnung erwünscht. Es ist der schon gebräuchliche Ausdruck *‚Käfigmotor‘* statt *Kurzschlußmotor* vorgeschlagen worden; hiergegen spricht, daß es auch Kurzschlußmotoren gibt, die keine Käfigwicklung besitzen, z. B. solche mit mehreren in sich geschlossenen Phasen.“ [1]

Literatur [1] SCHÜLER-1927, S. 1176.

Deka-

deca

Worterklärung ↑Vorsatz (Präfixoid) zum Bezeichnen des Zehnfachen (10^1 oder 10) einer ↑SI-Einheit. ↑Vorsatzzeichen: da.

Wortgeschichte

1 ~ leitet sich von (Gr) δέκα */déka/* ›10‹ ab.

2 Zur gemeinsamen Wortgeschichte mit ↑*Hekto* und ↑*Myria-* vgl. ↑*Kilo-.*

3 Als Vorsatzzeichen wurde im Jahre 1889 für *Deka-* „da“ festgelegt, eigentlich nur für die Einheit Liter: *décalitre.* In anderen Ländern waren davon abweichende Vorsatzzeichen üblich: in Österreich: „dk“, z. B. *Dekagramm,* beim Kaufmann umgangssprachlich

Deka, in Russland früher und noch heute дк /dk/, in Deutschland der Großbuchstabe „D", was sinnvoll ist, da ja alle übrigen Vorsatzzeichen auch nur aus einem einzigen Buchstaben bestanden. Das deutsche „Maß- und Gewichtsgesetz" vom 13. Dez. 1935 (Reichsgesetzblatt I S. 1499) hatte für den öffentlichen und amtlichen Verkehr Einheiten- und Vorsatzzeichen festgelegt, aber kein Vorsatzzeichen für *Deka-*. Ein Antrag, alle Vielfachen mit Großbuchstaben zu schreiben, ist 1935 im Internationalen Komitee des CGPM ohne große Diskussion abgelehnt worden [1].
Fremdsprachige Entsprechungen Sprachen mit lateinischer Schrift: *deca-*, außer Ⓔⓝ *deka-* neben *deca-*; Ⓕⓡ *déca-*; mit anderer Schrift: ⓝⒼⓡ δεκα */deka/*; Ⓡⓤ дека */deka/* (Vorsatzzeichen: дк /dk/); Ⓙⓐ */deka/*.
Literatur [1] BOER-1966, S. 165.

Dezi- deci-

Worterklärung ↑Vorsatz (Präfixoid) zum Bezeichnen des Zehntels (10^{-1} oder 0,1) einer Einheit im Messwesen, insbesondere einer ↑SI-Einheit. ↑Vorsatzzeichen: d.
Wortgeschichte
1 ~ leitet sich von Ⓛⓐ *decima* ›Zehntel‹ ab.
2 Mit der Einführung des dezimalen metrischen Systems in Frankreich wurde ein weiteres Anliegen der Französischen Revolution von 1789 erfüllt: das bisherige Durcheinander der Maße und Gewichte zu beseitigen. Es wurde erreicht durch das ↑*Meter* als ein universelles und natürliches Grundmaß der Länge, von dem die Flächen- und Raummaße sowie Gewichte abgeleitet werden konnten, und durch die Anwendung von dezimalen Unterteilungen *deci-*, ↑*centi-* und ↑*milli-*, die im Tabellenanhang zum französischen Gesetz vom 1. Aug. 1793 verankert worden sind. Ihre Aufnahme in die internationale Meterkonvention wurde 1889 von der 1. Generalkonferenz (↑CGPM) beschlossen und 1960 von der 11. Generalkonferenz erneuert (Internationales ↑Einheitensystem – SI).
3 Die Benennungen dieser Vorsätze gehen auf Claude Antoine PRIEUR-DUVERNOIS zurück, der sein Manuskript eines Memorandums am 9. Feb. 1790 bei der Assemblée Constituante eingereicht hatte. [1]
Fremdsprachige Entsprechungen Sprachen mit lateinischer Schrift: *deci-*, außer Ⓕⓡ *déci-*; Ⓟⓛ *decy-*; mit anderer Schrift: ⓝⒼⓡ δεκατο */dekato/* ›zehntel‹; Ⓡⓤ деци */deci/* (Vorsatzzeichen: д /d/); Ⓙⓐ */deshi/*.
Literatur [1] FIGHIERA-1930, S. 25; MARQUET-1989. S. 16.

Dezibel decibel

Worterklärung Einheit für die Dämpfung und Verstärkung als ein in der elektrischen Nachrichtentechnik häufig benutztes Maß. Es ist ein logarithmiertes Verhältnis (mit dekadischem ↑Logarithmus) von Größen zur Kennzeichnung von physikalischen Eigenschaften. Einheitenzeichen: dB.

Spannungsdämpfungsmaß $= 20 \lg (U_1/U_2)$ dB,
Stromdämpfungsmaß $= 20 \lg (I_1/I_2)$ dB,
Leistungsdämpfungsmaß $= 10 \lg (P_1/P_2)$ dB,

wobei der Index 1 die Eingangsgröße, der Index 2 die Ausgangsgröße bedeutet.
Bei Verstärkungsmaßen sind die Indizes zu vertauschen.

Wortgeschichte

1 Im Jahre 1923 ersetzte die amerikanische Telephonfirma Bell System die „Verkörperung" des Dämpfungsmaßes „mile of standard cable" ›Meile eines Normalkabels‹ durch ein Messverfahren mit nahezu den gleichen Ergebnissen, das sie *transmission unit* (TU) nannte; es beruhte auf dem dekadisch-logarithmischen (lg) Leistungsverhältnis. Als Bell System mit europäischen Telekommunikations-Verwaltungen die weltweite Anwendung des TU-Verfahrens erreichen wollte, stellte es sich heraus, dass einige Verwaltungen ihr Messverfahren auf der Grundlage der natürlichen Logarithmen (ln) durchführten, z. B. in Deutschland. Im 1924 gegründeten „International Advisory Committee on Long Distance Telephony in Europe" einigte man sich 1928 in der Weise, dass die Einheit nach dem dekadischen Logarithmus *Decibel,* die nach dem natürlichen Logarithmus ↑*Neper* genannt wurde. [1][2]

2 Im technischen Schrifttum setzte sich international das ~ gegenüber dem *Neper* durch, besonders seit die Internationale Fernmeldeunion (ITU/UIT) 1968 die ausschließliche Verwendung des ~ in ihren Empfehlungen beschlossen hat. [3] ↑Telekommunikation.

Wortbenutzung 1965: Für Werte >20 dB ist je 20 dB bei Spannungsverhältnissen ein Zehnerfaktor zu berücksichtigen (Warner-1965, S. 152); 2004: Die Dezibelstärke eines Husters ist der eines Trompetenstoßes vergleichbar [4].

Fremdsprachige Entsprechungen Sprachen mit lateinischer Schrift: *decibel;* außer (Pl) *decybel;* mit anderer Schrift: (Ru) децибел /*decibel*/; (Zh) /*fēnbèi*/; (Ja) /*deshiberu*/.

Zur Person Das ~, eigentlich das *Bel,* wurde zu Ehren des schottisch-amerikanischen Erfinders des ↑Telephons, Alexander Graham Bell (1847–1922) gewählt. Er stammte aus einer Familie, die sich seit seinem Großvater Alexander Bell mit Sprechtechnik, Phonetik und Taubstummenunterricht befasste. Zur Erholung nach einer schweren Lungenentzündung wanderte seine Familie nach Kanada aus. Nach seiner Genesung wurde Alexander Graham Bell Prof. für Stimmenphysiologie und Sprechtechnik an der Univ. Boston. 1876 meldete er seine Erfindung zum Patent an (↑Erste Übertragungen von Nachrichten) und gründete 1879 die New England Telephone Comp., die spätere Bell Telephone Company.

Biographien Pollard, Michael: Alexander Graham Bell. Watford: Exlex Publ., 1990. Auch poln. Übersetzung: Aleksander Graham Bell. Warschau: Czytelnik, 1992. 64 S.; Ketting, Michael: Bell, Alexander Graham. In: Wussing-1992, S. 52; Langille, Jacqueline: Alexander Graham Bell. Tantallon (Nova Scotia, Kanada): Four East Publications, 2003. 48 S.

Literatur [1] Martin, W. H.: Decibel. The name for the transmission unit. In: Bell System Techn. J. Bd. 8 (1929) Nr. 1, S. 1–2; [2] Stille-1961, S. 240; [3] DIN 5493-2:1994-09, § 3.3, Anmerkung 1; [4] Rheingau-Musik-Festival, Programm, Kurhaus Wiesbaden, 26.08.2004, S. 2.

Dielektrikum dielectric

Worterklärung Substanz, die sich zwischen zwei Metallplatten befindet und elektrisch nichtleitend ist, z. B. Paraffinöl, Luft, jedoch bei Anlegen einer elektrischen Spannung an die Platten zwischen ihnen ein elektrisches Feld aufbaut, gewissermaßen ›*Elektrizität durch*‹-lässt.

Wortgeschichte Der englische Physiker Michael FARADAY* nannte 1838 diese Substanz (En) *dielectric* in folgendem Zusammenhang:

„Aus diesem und anderen Gründen erscheint es mir wünschenswerth, die Bemerkungen über absolute Ladung an die Spitze der Reihe von Beweisen und Argumenten zu stellen, welche ich zu Gunsten meiner Ansicht, dass elektrische Induction eine Wirkung der aneinander grenzenden Theilchen des isolirenden Mediums oder des *Dielektricums* sei, anzuführen vermag.[1])" „[1]) Ich bediene mich des Wortes *Dielektricum* zur Bezeichnung derjenigen Substanz, durch welche hindurch die elektrischen Kräfte wirken. – Dec. 1838." [1]

Wortbenutzung 1902: Da die Belegungen *A* und *B* des Condensators [...] durch ein isolirendes Diaphragma (Dielëctricum) getrennt sind, kann von einem Durchgange eines Stromes wie durch einen Leiter keine Rede sein (WALTENHOFEN-1902, S. 253); 1922: Der leitende Körper [einer Hohlkugel] ist dabei schließlich nichts anderes als ein Hohlraum im Dielektrikum (THOMÄLEN-1922, S. 75); 1944: [...] die wechselnden Energieansammlungen in den Dielektriken sind jedoch häufig ebenso unerwünscht wie Energieverluste (WALLOT-1944, S. 33).
Wortfamilie *Dielektrikheizung, dielektrisch,* ↑*Dielektrizitätskonstante, Dielektrizitätsverlustwinkel, Dielektrizitätszahl, Glimmerdielektrikum, Luftdielektrikum.*
Fremdsprachige Entsprechungen (En) *dielectric;* (Nl) *diëlektricum;* (Es) *diélectrico;* (Fr) *diélectrique* (1862, ROBERT-1994); (It) *dielettrico;* (Ru) диэлектрик /*dièlektrik*/; (Pl) *dielektryk;* (Cs) *dielektrikum;* (Ja) /*yūdentai*/.
Siehe auch ↑Elektret.
Literatur [1] FARADAY (Kalischer)-1889, Bd. 1, § 1168, S. 329.

Dielektrizitätskonstante, (relative) dielectric constant

Worterklärung Quotient der ↑Kapazität eines ↑Kondensators mit stofflichem ↑Dielektrikum zur Kapazität mit Luftdielektrikum, genauer: Vakuumdielektrikum. Formelzeichen: ε_r (↑ε).
Wortgeschichte Der englische Physiker Michael FARADAY* nannte diesen Quotienten (En) *specific inductive capacity*. Sein schottischer Kollege James C. MAXWELL* folgte dieser Ausdrucksweise 1873, benutzte gelegentlich auch (En) *dielectric inductive capacity, dielectric capacity,* aber auch *dielectric constant* und gab ihm das Formelzeichen *K*. [1] Der Übersetzer B. WEINSTEIN hielt sich an die Wortmuster, für *dielectric constant* prägte er 1883 *Dielectricitätsconstante* [2], obwohl *dielectrische Constante* sich hätte leichter aussprechen lassen. Der Zungenbrecher ~ wurde daher oft mit *DK* abgekürzt. Jetzt *Permittivitätszahl,* auch: *relative* ↑*Permittivität.*
Wortbenutzung 1890: Dies meinen wir, wenn wir sagen, Dielektricitäts- und Magnetisirungsconstante seien keine inneren Constanten eines Stoffes (HERTZ-1894, S. 213); 1894: Über den Einfluß des Druckes auf die Dielectricitätskonstante des Wassers und des Äthylalkohols (RÖNTGEN [3]); 1904: ε nennt man Dielektricitätskonstante (EMDE-1904, S. 433); 1944: In Tabellen gibt man gewöhnlich die ‚relative Dielektrizitätskonstante' $\varepsilon/\varepsilon_0$ an (WALLOT-1944, S. 29).
Fremdsprachige Entsprechungen (veraltet) (En) *dielectric constant;* (Es) *constante dieléctrica;* (Fr) *constante diélectrique;* (It) *costante dielettrica;* (Ru) диэктрическая постоянна /*dièlektričeskaja postojannaja*/; (Cs) *dielektrická konstanta.*

Literatur [1] MAXWELL-1954, Bd. 1, S. 55, Bd. 2, S. 252; [2] MAXWELL (WEINSTEIN)-1883, Bd. 1, S. 55; [3] In: Ann. Phys. Bd. 52 (1894) S. 593–603, zit. nach FÖLSING-2002, S. 340.

Differenzialrechnung differential calculus

Worterklärung Zweig der höheren Mathematik, der sich mit unendlich kleinen Größen befasst (↑Infinitesimalrechnung) und der die Umkehrung der ↑Integralrechnung ist. Der Hauptzweck der ~ besteht darin, durch *Differenzieren*, d.h. mit Hilfe von *Differenzialen* und *Differenzialquotienten*, die Steigung von gegebenen Kurven zu berechnen und daraus die Maxima und Minima zu ermitteln.

Wortgeschichte Am 11. Nov. 1675 führt der deutsche Mathematiker Gottfried Wilhelm LEIBNIZ* in sein Manuskript die Zeichen dx und dy als die Differenziale von x und y ein und auch die Form des Differenzialquotienten dx/dy [als waagerechter Bruchstrich]. Im Druck erscheinen sie 1684 in der Zeitschrift „Acta eruditorum". [1] Zur Rolle von NEWTON* vgl. ↑Infinitesimalrechnung.

Fremdsprachige Entsprechungen (En) *differential calculus;* (Es) *cálculo diferencial;* (Fr) *calcul différentiel;* (Ru) дифференциальное исчисление */differencial'noe isčislenie/;* (Pl) *rachunek różniczkowy* ›Differenzrechnung‹; (Cs) *diferenciální počet.*

Literatur [1] CAJORI-1993, § 571, Bd. 2, S. 204.

DIN DIN

Erster Bestandteil des Namens „DIN Deutsches Institut für Normung e.V." seit dem 1. Okt. 1975. Am 22. Dez. 1917 wurde das Institut in Berlin unter dem Namen „Normenausschuß der Deutschen Industrie (NDI)" gegründet und hieß von 1926 bis 1975 „Deutscher Normenausschuß (DNA) e.V." [1][2][3][4]. Die Arbeitsergebnisse werden als *Deutsche Normen* mit dem Reihentitel DIN (mit Normennummer) veröffentlicht, weil DIN ursprünglich *Deutsche Industrie-Norm* bedeutete, um sich von Rechtsnormen zu unterscheiden. Das Kurzwort DIN ist auch als Wortmarke gesetzlich geschützt.

Zu den Hauptaufgaben gehört die Herausgabe des DIN-Normenwerks (↑Norm). Veröffentlichungen: DIN-Mitteilungen (Organ), DIN-Taschenbücher, DIN-Normenkunde; „Einführung in die DIN-Normen" (13. Aufl., 2001).

Zusammenarbeit u.a. mit ↑IEC und ↑VDE.

Anschrift: Burggrafenstr. 6, D-10787 Berlin. Internet: www.din.de.

Siehe auch ↑AEF.

Literatur [1] NDI-Mitt. Bd. 9 (1926) S. N177–N178; 50 Jahre Deutscher Normenausschuß. Hrsg.: DNA, Verf.: Bruno HOLM. Berlin; Köln: Beuth, 1967. 117 + 128 S.; [2] DIN-Mitt. Bd. 57 (1975) S. 417–419; [3] GEUTHER, Albrecht: 75 Jahre DIN; 1917 bis 1992. Berlin; Köln: Beuth, 1993. 183 S. (DIN-Normungskunde, Bd. 31); [4] WÖLKER, Thomas: Entstehung und Entwicklung des Deutschen Normenaussschusses. Dr.-phil.-Diss. FU Berlin, 1991. 246 S.; siehe auch: DIN-Mitt. Bd. 70 (1991) S. 553–557.

Diode diode

Worterklärung Bauelement der ↑Elektronik, das a) in einem evakuierten Gefäß als ↑Elektroden eine ↑Kathode und eine ↑Anode enthält (↑Röhre), Alternativbenennung

(Synonym) zu *Zweipolröhre;* b) in einem Halbleiter eine Anordnung mit Sperrschicht und deshalb mit richtungsabhängigem Widerstand enthält.
Wortgeschichte Das Wort ~ wurde 1919 vom englischen Radioingenieur W.H. ECCLES* gebildet [1], und zwar nach (Gr) δι */di/* ›doppelt‹ und ὁδός */hodós/* ›Weg‹. Zur Wortgeschichte vgl. ↑*Triode.*
Wortbenutzung 1953: Für Sonderzwecke kann die Diode aber auch statt zur Gleichrichtung als steuerbarer Widerstand verwendet werden (VILBIG-1953, S. 831); 1998: Der negative Temperaturkoeffizient hat zur Folge, daß man Dioden zur Erhöhung des zulässigen Gleichrichtstromes nicht parallelschalten darf (KORIES-1998, S. 283).
Wortfamilie
1 Zusammensetzungen mit *Dioden-* als Bestimmungswort: *Diodenanlaufspannung, ~anode, ~anschluss, ~auskopplung, ~begrenzer, ~charakteristik, ~frequenzwandler, ~gleichrichter, ~gleichrichtung, ~gleichung, ~kathode, ~kennlinie, ~mischer, ~modulator, ~-Röhrenvoltmeter, ~spannung, ~strom, ~stromeinsatzpunkt.*
2 Zusammensetzungen mit *-diode* als Grundwort: *Begrenzungs~, Collector~, Dämpfungs~, Doppel~, Doppelbasis~, Duo~, Emitter~, Esaki~, Flach~, Frequenzvervielfacher~, Gleichrichter~, Golddraht~, Halbleiter~, Kapazitäts-Variations~, Kompensations~, Kristall~, Misch~, Rausch~, Referenz~, Regel~, Rückwärts~, Schalt~, Signal~, Spannungsreferenz~, Spannungsstabilisator~, Spitzendiode, Stabilisator~, Tunnel~, Unitunnel~, Video~, Vierschicht~, Zener~.*
Fremdsprachige Entsprechungen (En) *diode, two-electrode valve;* (Nl) *diode;* (Sv) *diod;* (Es)(It) *diodo;* (Fr) *diode* (1932, ROBERT-1994); (Ru) *диод /diod/;* (Pl)(Cs) *dioda.*
Literatur [1] ECCLES-1919, S. 475.

Diplom-Ingenieur

Worterklärung Absolvent einer ↑Technischen Hochschule, ↑Technischen Universität, Universität oder – seit den 1970er Jahren – einer Fachhochschule, der eine Diplomprüfung erfolgreich bestanden hat.
Wortgeschichte Aus Anlass der 100-Jahrfeier der Technischen Hochschule Berlin-Charlottenburg am 11. Okt. 1899 verlieh der Deutsche Kaiser, Wilhelm II., als König von Preußen, den drei preußischen Technischen Hochschulen (Berlin-Charlottenburg, Hannover und Aachen) das Recht, Absolventen den Grad ~ zu erteilen. (Wortlaut der Verleihungsurkunde ↑Doktor-Ingenieur). Auch die anderen Länder des Deutschen Reiches folgten nacheinander dem Beispiel Preußens, so z.B. das Großherzogtum Darmstadt am 25. Nov. 1899 aus Anlass des Geburtstages des Großherzogs Ernst Ludwig von Hessen (1868–1937).
Literatur ↑Doktor-Ingenieur.

Doktor-Ingenieur

Worterklärung ↑Diplom-Ingenieur oder ein Absolvent einer ↑Technischen Hochschule, ↑Technischen Universität oder Universität, der die Bedingungen der Promotionsordnung für Doktor-Ingenieure erfüllt hat.
Wortgeschichte Aus Anlass der 100-Jahrfeier der Technischen Hochschule Berlin-Charlottenburg am 11. Okt. 1899 verlieh der Deutsche Kaiser, Wilhelm II., als König

von Preußen, den drei preußischen Technischen Hochschulen (Berlin-Charlottenburg, Hannover und Aachen) das Recht, den Grad ~ zu erteilen. Die Verleihungsurkunde hatte folgenden Wortlaut (in der Rechtschreibung des Originals):

„Auf den Bericht vom 6. d. Mts. will Ich den Technischen Hochschulen in Anerkennung der wissenschaftlichen Bedeutung, welche sie in den letzten Jahrzehnten neben der Erfüllung ihrer praktischen Aufgaben erlangt haben, das Recht einräumen: 1. auf Grund der Diplom-Prüfung den Grad eines Diplom-Ingenieurs (abgekürzte Schreibweise, und zwar in deutscher Schrift: Dipl.-Ing.) zu ertheilen, 2. Diplom-Ingenieure auf Grund einer weiteren Prüfung zu Doktor-Ingenieuren (abgekürzte Schreibweise, und zwar in deutscher Schrift: Dr.-Ing.) zu promovieren, und 3. die Würde eines Doktor-Ingenieurs auch Ehren halber als seltene Auszeichnung an Männer, die sich um die Förderung der technischen Wissenschaften hervorragende Verdienste erworben haben, nach Maßgabe der in der Promotions-Ordnung festzusetzenden Bedingungen zu verleihen.
Neues Palais, den 11. Oktober 1899
gez. Wilhelm R." [1]

Auch die anderen Länder des Deutschen Reiches folgten nacheinander dem Beispiel Preußens, so z.B. das Großherzogtum Darmstadt am 25. Nov. 1899 aus Anlass des Geburtstages des Großherzogs Ernst Ludwig von Hessen (1868–1937). Der Wortlaut der „Verordnung, Verleihung des Rechts der Doktorpromotion an die Technische Hochschule zu Darmstadt betr." „Vom 25. November 1899" ist mit Ausnahme der Einleitung und des Schlusses gleichlautend in den Punkten 1 bis 3. [2] Mit der Verleihung des Promotionsrechtes war ein jahrelanger Streit mit den Universitäten zu Ende gegangen. Um den Bedenken der Universitäten Rechnung zu tragen, mussten die Kurztitel in Frakturbuchstaben geschrieben werden – eine Forderung, die in den 1930er Jahren aufgehoben wurde. [3]

Literatur [1] Zit. nach dem Faksimile der Verleihungsurkunde, abgebildet in König-1999, S. 49; [2] Gesetz-Sammlung für das Grossherzogtum Hessen. 1819 bis 1905. Bd. 3 (1899–1904). Mainz: Diemer, 1905. 1087 S., insbes. S. 348; [3] König-1999, S. 49; Viefhaus, Marianne: Gegen den Widerstand der Universitäten. TUD intern (TU Darmstadt) Bd. 20 (1999) Nr. 8, S. 9.

Dol var

Worterklärung Ehemals vorgeschlagene Einheit der elektrischen Blindleistung (↑Blind-).

Wortgeschichte Bei der Aussprache über den Entwurf V „Wechselstromgrößen" des ↑AEF am 22. März 1921 im Elektrotechnischen Verein* zu Berlin erwähnte der Berichter H. Schering* einen Vorschlag, ohne den Autor zu nennen,

„daß man zum Andenken an den, der zunächst die Bedeutung des wattlosen Stromes erkannt hat, Dolivo-Dobrowolsky, die Einheit der Blindleistung ein ‚Dol' nennen solle. Aber diese Namensverstümmelung ist auch nicht zweckmäßig. Zuletzt ist vorgeschlagen, die Einheit ein ‚Sin' zu nennen [...] Der Vorschlag scheint mir aber zweckmäßig zu sein. Gut wäre es ja, die Wahl so zu treffen, daß der Name zu einer etwaigen internationalen Annahme geeignet ist, was bei ‚Dol' kaum der Fall sein dürfte." [1]

Die ↑IEC nahm 1930 das *var* (↑Var) als Einheit der Blindleistung an. [2]

Zur Person Bis 1907 gehörte Michael von Dolivo-Dobrowolsky* dem russischen Adel an und benutzte in deutschen Texten das Adelsprädikat *von*. Im Brief vom 24.04.1911 an die „Schriftleitung der Quellenforschungen zur Geschichte der Technik und Naturwissenschaften" schreibt er: „Seit 1907 bin ich durch Uebergang zum Schweizer Bürgerthum des Adelsprädikats nicht mehr theilhaft." [3]

Biographien MÖBUS, W.: M. D. D. In: etz-B Bd. 6 (1954) S. 76; HOSEMANN, Gerhard: M. D. D. – Leben und Bedeutung. In: etz-A Bd. 91 (1970) Nr. 1, S. 1–5; KRÓLIKOWSKI, Lech: M. D. D.'s „Nationalität". In: etz Bd. 108 (1987) S. 826–827; SCHUBERT, Peter, in: WUSSING-1992; JÄGER-1996; NEIDHÖFER-2004.

Literatur [1] In: etz Bd. 42 (1921) S. 985–986; [2] IEC 164:1964, S. 26/27; [3] NEIDHÖFER-2004, Zeitdokument 9, S. 289.

Dr.-Ing., Dr.-Ing. E. h. ↑Doktor-Ingenieur

Drehfeld rotating field

Worterklärung Durch ↑Drehstrom erzeugtes magnetisches Feld, dessen Achse rotiert und einen Motorläufer in Drehung versetzt.

Wortgeschichte Das Wort ~ wurde 1891 gleichzeitig mit *Drehstrom* von Michael v. DOLIVO-DOBROWOLSKY* der Fachöffentlichkeit bekanntgegeben:

„Wie Fig[ur] 1 schematisch zeigt, entsteht dabei im Innern des Magnetsystemes ein rotirendes magnetisches Feld (sogenanntes Ferrarissches oder ‚Dreh'feld)." [1]

Auf diese Stelle bezieht sich 1917 VON DOLIVO-DOBROWOLSKY, wenn er sagt:

„Das Wort ‚Drehfeld' ist von mir in einem Aufsatze in der ‚ETZ' 1891, S. 150 angewendet worden." [2]

Wortbenutzung 1920: Fließt durch den mit einer Dreiphasenwicklung versehenen Ständer (Stator) ein Strom, so wird ein Drehfeld erzeugt (KYSER, S. 53); 1943: Um das Drehfeld für motorische Zwecke nutzbar zu machen, bringt man in das Innere des den Ständer bildenden Hohlzylinders […] den zylindrisch aus Eisenblechen aufgebauten, drehbar gelagerten Läufer (KOSACK-1943, S. 173).

Wortfamilie Zusammensetzungen mit *Drehfeld-* als Bestimmungswort: *~anzeiger, ~generator, ~hysteresis, ~instrument, ~leistungsmesser, ~maschine, ~motor, ~phasenschieber, ~richtung, ~richtungsanzeiger, ~system, ~umformer, ~ummagnetisierung, ~wattmeter*. [3]

Fremdsprachige Entsprechungen (En) *rotating field, revolving field, rotary field, Ferraris field;* (Fr) *champ tournant, champ Ferraris;* (Es) *campo rotatorio, campo giratorio;* (It) *campo rotante, campo girante, campo Ferraris;* (Ru) трехфазное поле, вращающееся поле */trehfaznoe pole, vraščajuščesja pole/*. [3]

Literatur [1] DOLIVO-DOBROWOLSKY-1891, S. 150; [2] In: etz Bd. 38 (1917) S. 342; [3] SCHLOMANN-1928, SCHWENKHAGEN-1967.

Drehstrom three-phase current

Worterklärung Verdeutschende Ersatzbenennung für „Mehrphasenstrom-System". Am bekanntesten ist das Dreiphasenstrom-System, bei dem drei Wechselströme gleicher Frequenz um 120° gegeneinander in ihrer Phase verschoben sind.

Wortgeschichte

1 Das Wort ~ wurde 1891 von Michael VON DOLIVO-DOBROWOLSKY* geprägt, als er bei dem epochemachenden Versuch einer Energieübertragung von Lauffen am Ne-

ckar nach Frankfurt am Main für Motoren und Transformatoren verantwortlich war. In seinem Aufsatz „Kraftübertragung mittels Wechselströmen von verschiedener Phase (Drehstrom)" in der etz vom 20. März 1891 benutzte er die Neubildung bereits im Titel und erläuterte sie im Text wie folgt:

„Obwohl nun das Dreiphasenstromsystem, wie es jetzt von der A.E.G. angewendet wird, sich wesentlich von dem ursprünglich in Aussicht genommenen unterscheidet (also auch von demjenigen obiger Elektriker [Ferraris, Schallenberger, Tesla, Bradley, Haselwander und Wenström], so glaubt der Verfasser doch im Interesse des ‚Drehstromes' (so möchte [der] Verfasser den Mehrphasenstrom zu nennen vorschlagen) diese Episoden aus seinem Entwickelungsgange mittheilen zu müssen." [1]

In einer Rückschau im Jahre 1917 schreibt Dolivo-Dobrowolsky hierzu:

„So entstand der Gedanke, einen ganz besonderen Namen zu geben: erst *Wechseldrehstrom*, dann einfach *„Drehstrom"*. (Später schwankte ich wieder allerdings eine Zeit lang, ob man nicht auch jedes Bündel phasenverschobener Ströme mit diesem Namen bezeichnen sollte.)" [2]

2 Innerhalb der folgenden sechs Monate bewegte das deutsche Wort ~ die Gemüter, bis es schließlich auf dem ↑Internationalen Elektrizitätskongress, der vom 7. bis 12. Sept. 1891 in Frankfurt a.M. stattfand, diskutiert wurde. Angefangen hat damit der französische Delegierte Ed. Hospitalier* im Anschluss an seinen Vortrag über ↑Formelzeichen-Normung, als er u.a. den Wunsch vorbrachte, dass neue Benennungen nur bei strenger Beachtung der zu Grunde liegenden Definition gebildet werden sollten; er begründete dies:

„Ce vœu m'est inspiré par le mot en vogue ‚Drehstrom' (courant tournant), mot qui ne correspond à aucune réalité physique, car le courant ne tourne pas. L'expression exacte correspondante est: courants alternatifs polyphasés (diphasés ou triphasés, suivant qu'il s'agit de deux ou de trois courants)." [3]

Als einziger Diskussionsredner nahm Alfred Heisler (Iglau) an zwei Sitzungstagen weitschweifig zu den Benennungen *Drehstrom, Mehrphasenstrom, Gleichstrom* und *Wechselstrom* Stellung und empfahl für *Drehstrom* den von dritter Seite gemachten Vorschlag *Wellenstrom*. Sein Antrag wurde jedoch nicht unterstützt, da andere Vortragende den neuen Terminus, wenn nicht schon im Titel ihres Beitrages (Förderreuther: Über Drehstromanlagen; Lahmeyer: Neuere Konstruktionen auf dem Gebiete des Gleichstroms und Drehstroms [4]), so doch im Text benutzten. Noch vor der Abstimmung hatte der britische Delegierte Silvanus P. Thomson nach dem Sinn der Diskussion nationaler Benennungen gefragt und veranschaulicht:

„Ein Gleichstrom ist nicht immer gleich, ein Wechselstrom wechselt sich nicht, er wechselt seine Direction, nicht sich selbst, ein Drehstrom dreht sich nicht. Alle diese Namen sind aber populär." [5]

Wortfamilie Zusammensetzungen mit *Drehstrom-* als Bestimmungswort: *~dynamo, ~kabel, ~-Hochspannungs-Übertragung (DHÜ), ~maschine, ~motor, ~patent, ~transformator* (geprägt von Dolivo-Dobrowolsky-1891); *~anker, ~anlage, ~anlasser, ~asynchronmotor, ~generator, ~induktionsmotor, ~käfigläufermotor, ~kommutatormotor, ~kurzschlußankermotor, ~leistung, ~leitung, ~magnet, ~netz, ~schalter, ~synchronmotor, ~system, ~triduktor, ~turbogenerator, ~vierleitersystem, ~wicklung, ~zähler*. [6]

Fremdsprachige Entsprechungen Sinnform ›Dreiphasenstrom‹: (En) *three-phase current*; (Es) *corriente trifásica*; (Fr) *courant triphasé*; (It) *corrente trifase*; (Ru) трехфазный

TOK */trehfaznyj tok/*. [6]; Sinnform ›Drehstrom‹: Ⓔⓝ *rotary current*; Ⓕⓡ *courrent rotaroire* (beide veraltet).

Literatur [1] DOLIVO-DOBROWOLSKY-1891, S. 150; [2] Ders., in: etz Bd. 38 (1917) S. 355; [3] HOSPITALIER-1891, S. 66; [4] Internationaler Elektrotechniker-Kongress-1891, Sections-Sitzungen S. 138, 199; [5] Internationaler Elektrotechniker-Kongress-1891, Hauptversammlungen S. 66, 93–96; [6] GOEDECKE-1964/1967, SCHLOMANN-1928, SCHWENKHAGEN-1967.

duales Zahlensystem ↑binäres Zahlensystem

Durchflutung ↑Θ (Formelzeichen)

Durchgriff penetration factor

Worterklärung Verhältnis der Teilkapazitäten des Steuergitters zur ↑Kathode bzw. der ↑Anode zur Kathode einer Elektronenröhre (↑Röhre). Auch: Kehrwert des Verstärkungsfaktors.

Wortgeschichte Laut J. WALLOT* wurde das Wort ~ vom deutschen Physiker Heinrich BARKHAUSEN* [1] geprägt. In einer Arbeit, die er „im Sommer 1917 als Dienstschrift für die Inspektion des Torpedowesens in Kiel verfaßt" hat und die nach dem Krieg auf Wunsch der Schriftleitung des „Jahrbuches der drahtlosen Telegraphie und Telephonie" 1919 zusammen mit anderen Arbeiten im Jahrbuch veröffentlicht wurde, drückt er es wie folgt aus:

„Der ‚Durchgriff' *D* ist dabei eine praktisch nur von den Röhrenabmessungen abhängige Konstante. Er stellt ein Maß dafür dar, wie weit die Anodenspannung im Verhältnis zur Gitterspannung auf die Emission einwirkt. […] Der Name ist gewählt, weil bei der üblichen Anordnung, bei der das Gitter zwischen Anode und Glühdraht liegt, die Anodenspannung gewissermaßen durch die Gitterlöcher durchgreift." [2]

Vermutlich kam die Anregung vom deutschen Physiker Philip LENARD (1862–1947), der die Benennung *Durchgreifen* schon früher gebrauchte. In der Verstärkertheorie ist sie wohl seit 1916. [3]

Wortbenutzung 1953: Bei engmaschigem Steuergitter in geringer Entfernung von der Kathode wird der Durchgriff sehr klein (VILBIG, Fritz [4]); 1967: Eine dritte kennzeichnende Größe ist der Durchgriff. Durch ihn wird der Verlauf der Kennlinien für verschiedene Anodenspannungen festgelegt (LIMANN-1967, S. 143); 1974: Diese für den Durchgriff gegensätzlichen Forderungen führen zu einer Röhrenkonstruktion, die zwischen Steuergitter und Anode ein weiteres positives Gitter, das Schirmgitter, besitzt (ZINKE/BRUNSWIG-1974, S. 31).

Wortfamilie *Durchgriffskapazität, Durchgriffsverzerrung, Kathodendurchgriff.*

Fremdsprachige Entsprechungen Ⓔⓝ *penetration factor, grid transparency*, im englischen Schrifttum ist anstelle des ~ der Kehrwert üblich: *amplification factor*; Ⓝⓛ *doordringing*; Ⓔⓢ *transparencia de rejilla*; Ⓕⓡ *transparence de grille*; Ⓘⓣ *inverso del fattore di amplificazione*; Ⓒⓢ *průnik*.

Literatur [1] WALLOT-1944, S. 263, Fußnote 2; [2] BARKHAUSEN-1919, S. 31, fast gleichlautend mit: BARKHAUSEN, Elektronen-Röhren. Leipzig: Hirzel, 1923. 124 S., hier

S. 36–37; [3] SCHOTTKY,W.: Über Hochvakuumröhren. In: Arch. f. Elektrotechn., Bd. 8 (1919) S. 24; [4] VILBIG-1953, S. 833–844.

-dyn/-dyne

-dyn/-dyne

Worterklärung Wortbildungsendung (Suffixoid) im Wesentlichen zur Bildung von Benennungen für

- Verstärker(maschinen): *Amplidyne, Eladyn, Eurodyn, Metadyne, Rapidyne*
- Elektronenröhren: *Anodyn, Negadyne, Vapodyn*
- Rundfunkempfänger: *Fremodyn, Superheterodyn*
- Hubschrauber: *Gyrodyne, Rotodyne*

Dieses Suffixoid war besonders in den 1950/60er Jahren beliebt.

Dyn

dyne

Worterklärung Bis zum Inkrafttreten des Internationalen ↑Einheitensystems (SI) praktizierte abgeleitete Einheit der ↑Kraft im ↑CGS-Einheitensystem. Einheitenzeichen: dyn. 1 dyn = 1 g · cm · s^{-2}.

Ein ~ ist die Kraft, die nötig ist, um eine Masse von 1 g mit 1 cm/s^2 zu beschleunigen. Die Gewichtskraft von 1 g beträgt auf der Erde etwa 980 dyn.

Wortgeschichte

Das ~ (En *dyne*) nach Gr δύναμις */dýnamis/* ›Kraft, Macht‹ wurde 1873 vom „Komitee für die Auswahl und Terminologie dynamischer und elektrischer Einheiten" der ↑British Association* mit folgenden Worten empfohlen:

„As regards the name to be given to the C. G. S. unit of force, we recommend that it be a derivative of the Greek δύναμις /dýnamis/. The form *dynamy* appears to be the most satisfactory to etymologists. *Dynam* is equally intellegible, but awkward in sound to English ears. The shorter form, *dyne*, though not fashioned according to strict rules of etymology, will probably be generally preferred in this country. Bearing in mind that it is desirable to construct a system with a view to its becoming international, we think that the termination of the word should be left an open question." [1]

Nach JERRARD/MCNEILL soll die Benennung ~ von Prof. EVERETT* vom Queen's College in Belfast vorgeschlagen worden sein, der im Komitee als Berichter mitwirkte. [2] Im 19. Jahrhundert hieß diese Einheit *die Dyne* in der Einzahl und *die Dynen* in der Mehrzahl. Der ↑AEF empfahl 1910 in Analogie mit *„das Erg"* den Gebrauch von *„das Dyn"* an Stelle von *„die Dyne"*. [3]

Bis zum 31. Dez. 1977 war das ~ (neben dem ↑Pond) eine zugelassene Einheit der Kraft. Es gilt jetzt das ↑Newton, wobei 1 dyn = 10^{-5} N = 0,01 Millinewton ist.

Fremdsprachige Entsprechungen Sprachen mit lateinischer Schrift: En Fr *dyne*, Einheitenzeichen: dyn; Es It *dina*; Pl *dyna*; mit anderer Schrift: nGr δύνη */dýnē/*; Ru дина */dina/*; Zh */dáyīn/*; Ja */dain/*.

Siehe auch ↑Großdyn, ↑Kilogramm, ↑Sekunde.

Literatur [1] Brit. Ass.-1873, S. 224; [2] JERRARD/MCNEILL-1994, S. 62; [3] In: etz Bd. 31 (1910) S. 623.

E

e

e (base of natural logarithms)

Worterklärung Mathematisches Zeichen für die Basis der natürlichen ↑Logarithmen, e = 2,71828, nach DIN 1302:1994-04 entsprechend IEC 60027-1:1992-12.

Wortgeschichte

1 Das Zeichen e verwendete der in St. Petersburg wirkende Schweizer Mathematiker Leonhard EULER* in Briefen schon ab 1729, jedoch erstmals 1735 in seinem Werk „Mechanica sive motus scientia analytice exposita" [1], das 1736 erschienen ist; später in Artikeln von 1747 und 1751. Weitere Benutzer der Anfangszeit waren: Daniell BERNOULLI 1760, J.A. SEGNER 1763, J.H. LAMBERT 1764, N.C. de CONDORCET 1771, J.A. FAS 1775 usw. [2]

2 Abweichend davon benutzte 1842 Auguste de MORGAN in den „Transactions of the Cambridge Philosophical Society" den griechischen Buchstaben ε (Epsilon). [3] Dies erklärt vermutlich, warum die ↑IEC das ε als Ausweichzeichen (reserve symbol) genormt hat.

3 Von den vielen mathematischen Beziehungen und Formeln, die EULER erarbeitet hat, ist $e^{ix} = \cos x + i \sin x$ – genannt EULERsche Formel – am bekanntesten. Sie ziert übrigens die schweizerische EULER-Jubiläumsbriefmarke von 1957. Aus dieser Beziehung lässt sich als Spezialfall ($x = \pi$) sehr leicht eine „schöne" Formel finden, nämlich $e^{i\pi} + 1 = 0$, schön, weil sie lediglich aus den Hauptsymbolen e, ↑π, ↑i und den Fundamentalziffern 0 und 1 besteht und sich zudem durch größtmögliche Einfachheit auszeichnet. [4]

Literatur [1] Persönliche Mitteilung von Dr. Emil A. FELLMANN, Chefredaktor der EULER-Edition, Basel; [2] CAJORI-1993, § 400, Bd. 2, S. 13–15; [3] Ebenda, S. 14. [4] FELLMANN, E.A., in: EULER-1983, S. 45–46.

ε

ε (permittivity)

Worterklärung Kleinbuchstabe *Epsilon* des griechischen Alphabets als Formelzeichen für ↑»Permittivität« (früher: ↑»Dielektrizitätskonstante«) nach DIN 1304-1:1994-03 entsprechend IEC 60027-1:1992-12. SI-Einheit: F/m = ↑Farad durch ↑Meter.

Wortgeschichte

1 Das Zeichen ε wurde 1890 vom deutschen Physiker Heinrich HERTZ* in seinem Aufsatz „Ueber die Grundgleichungen der Elektrodynamik für ruhende Körper" mit folgenden Worten eingeführt:

> „Die neu eingeführten Constanten ε und μ sind nothwendig positive reine Zahlen. Wir nennen ε die Dielektricitätsconstante, μ die Magnetisirungsconstante des Stoffes. Offenbar sind ε und μ Verhältniszahlen, durch welche wir die Energie eines Stoffes vergleichen mit der Energie eines anderen Stoffes. Aus der Natur eines Stoffes allein geht ein bestimmter Werth derselben nicht hervor. Dies meinen wir, wenn wir sagen, Dielektricitäts- und Magnetisirungsconstante seien keine inneren Constanten eines Stoffes. Es ist nicht unrichtig, wenn wir sagen, diese Constanten seien gleich Eins für den Aether, aber es enthält diese Behauptung keine Thatsache der Erfahrung, sondern eine willkürliche Festsetzung unsererseits." [1]

Dies bestätigte Fritz EMDE* in einer Gegenüberstellung von Formelzeichen, die er zur Vorbereitung einer ↑Formelzeichen-Normung erstellte. [2] Hiernach verwendeten J.C. MAXWELL* (1873) das Zeichen *K*, Oliver HEAVISIDE* (1893, 1899) das Zeichen *c*, die deutsch schreibenden Autoren E. COHN (1900), H.A. LORENTZ (1904) und M. ABRAHAM* (1901, 1905) schon das Zeichen ε. Ebenfalls A. SOMMERFELD (1906) [3] Die ↑IEC nahm das Zeichen ε (constante diélectrique; dielectric constant) 1914 in ihre erste Formelzeichenliste auf [4]. Der ↑AEF brachte das ε gleichzeitig im „Entwurf XV. Formelzeichen des AEF. Liste C" heraus [5], deren vollständige endgültige Fassung 1923 erschien [6], als DIN-Norm 1304 im Juli 1925.

2 Mit dem Zeichen ε als Grundzeichen werden außerdem gebildet:
ε_r = *Permittivitätszahl, relative Permittivität* (früher: *Dielektrizitätszahl*);
ε_0 = ↑*elektrische Feldkonstante* (früher: ↑*Influenzkonstante*).
Somit $\varepsilon = \varepsilon_r \varepsilon_0$.
Der Index 0 (Null) wurde 1891 von O. Heaviside mit folgenden Worten eingeführt, wobei c für ε steht:

„Keeping to the case of isotropy, the ratios c/c_0 and μ/μ_0 of the permittivity and inductivity [permeability] of a body to that of the standard ether are the specific inductive capacities, electric and magnetic respectively." [7]

Im Jahre 1904 übernahm Fritz Emde* diesen Index:

„Wir wollen die Konstanten für den leeren Raum mit ε_0 und μ_0 bezeichnen." [8]

3 Die Merkhilfe für ε ist durch den Anfangsbuchstaben des Wurzelwortes *-elektr-* in *Di<u>e</u>lektrizitätskonstante* gegeben.

Wortbenutzung 1904: ε nennt man Dielektricitätskonstante, μ magnetische Permeabilität (Emde, F. [8]).

Siehe auch ↑μ, ↑Permeabilität.

Literatur [1] Hertz, Heinrich: Ueber die Grundgleichungen der Elektrodynamik für ruhende Körper". In: Göttinger Nachr. v. 19. März 1890 und Wiedemanns Annalen, Bd. 40 (1890) S. 577–624; zit. nach Hertz-1894, S. 213; [2] Emde-1906. S. 510; [3] Strecker-1906, S. 462; [4] Strecker-1914, S. 18; [5] In: etz Bd. 35 (1914) S. 281; Dettmar-1914, S. 689; [6] In: etz Bd. 44 (1923) S. 114; [7] Heaviside-1951, S. 6, § 23; [8] Emde-1904, S. 433.

eichen

calibrate

Worterklärung Im amtlichen Sinne umfasst das *Eichen* die von der zuständigen Eichbehörde nach den Eichvorschriften vorzunehmenden Prüfungen und Stempelungen. Damit wird bestätigt, dass das Messgerät bei der messtechnischen Prüfung die vorgeschriebenen Fehlergrenzen eingehalten hat und dass seine Ausführung der zugelassenen Bauart entspricht. Im allgemeinen Sprachgebrauch der Technik wird ~ vielfach im Sinne von *Justieren* oder *Kalibrieren* verwendet.

Wortgeschichte Ein sehr früher Nachweis für ~ befindet sich an dem vom deutschen Astronomen J. Kepler* 1627 im Auftrag des Ulmer Magistrats entworfenen Eichkessel – auch genannt Ulmer Kessel oder Ulmer Stantner. Die Fraktur-Umschrift lautet:

„Zwen schuch mein tieffe, ein eln mein quer, ein geeichter aimer macht mich lehr [...]".

Der Eichkessel enthält in seinem zylindrischen Innenraum die damals üblichen und festgesetzten Längen-, Hohl- und Gewichtsmaße [1].

Wortbenutzung 1765: Verordnung wegen einzuführender Gleichheit der Ellen und Längenmaaße, vom 29. Nov. 1765: „[...] Eich-Städte Hannover, Hameln, Göttingen [...]

Eichung" [2]; 1868: Maß- und Gewichtsordnung für den Norddeutschen Bund vom 17. Aug. 1868, Art. 14: „Zur Eichung und Stempelung sind nur diejenigen Maße und Gewichte zuzulassen, welche den in Artikel 3 und 6 dieser Maß- und Gewichtsordnung benannten Größen [...] entsprechen" [3]; 1887: Über einem Seiteneingang des 1884 bis 1887 erbauten Rathauses von Wiesbaden befindet sich die in Sandstein gemeißelte Inschrift: „Aichamt". Das lässt den Schluss zu, dass zuweilen auch von *aichen* die Rede war; 1889: Mit „ai" schrieb sich die „Kaiserliche Normal-Aichungs-Kommission" noch im Dez. 1889 in ihren „Mittheilungen ..."; ebenfalls Aichordnung; 1904: In O. LUEGERs *Lexikon der gesamten Technik* (2. Aufl., Stuttgart 1904/1910) wird bei den Stichwörtern „Aichmarke, Aichordnung, Aichung usw." auf „Eichmarke, Eichordnung, Eichung usw." verwiesen. Das gleiche gilt für den DUDEN-1880: aichen s. eichen; eichen (das gesetzliche Maßgeben); 1935: Maß- u. Gewichtsgesetz v. 13. Dez. 1935: „Als geeicht dürfen nur Gegenstände bezeichnet werden, die von der Eichbehörde geprüft und gestempelt worden sind. (§ 25)".

Fremdsprachige Entsprechungen (En) *calibrate*; (Nl) *ijken*; (Es) *calibrar*; (Fr) *calibrer, étalonner*; (It) *calibrare, tarare*; (Ru) **клеймить** */klejmit'/*; (Cs) *cejchovati, kalibrovati*.

Literatur [1] ALBERTI-1957, S. 59; HOPPE-1987, S. 79; LEMMERICH-1987, S. 164; im Okt. 2000 von A. WARNER an der im Kepler-Museum in Weil der Stadt befindlichen Nachbildung verglichen; [2] Als Faksimile enthalten in: LEMMERICH-1987, S. 3–4; [3] ALBERTI-1957, S. 85.

Eichet, das

calibrated measuring device

Worterklärung Verdeutschende Ersatzbenennung für *Normalinstrument*, d. h. für einen Messgegenstand, der von der Eichbehörde geprüft und gestempelt worden ist; ↑eichen.

Wortgeschichte

1 Auf Wunsch der Schriftleitung der etz hat 1916 der Vorsitzende des ↑AEF, K. STRECKER*, einen „Vorschlag zur Verdeutschung des unschönen Wortes *Normalinstrument*" unterbreitet. Unter Bezugnahme auf die bekannten Wörter *„Eichelle, Eichfaß, Eichgewicht, Eichmaß, Eichstab, Eichleitung*" folgert er:

„Außerdem aber wird man ein allgemeines Wort brauchen, das alle diese Eichgeräte zusammenfaßt oder ein beliebiges davon bezeichnet. Ich schlage dafür *‚das Eichet‘* vor (gesprochen wie in: ihr *weichet*); man hat ähnliche Bildungen in: *nähen, die Naht* (*das genähte*); *drehen, Draht* (*das gedrehte*); *säen, die Saat* (*das gesäte*); *mähen, die Mahd* (*das gemähte*). Ein *Stromeichet, Spannungseichet, Zählereichet* ist danach ein geeichter und beglaubigter Strommesser, Spannungsmesser, Elektrizitätszähler." [1]

2 Diese Neubildung hat sich nicht durchgesetzt. Vielleicht hätte man mit *Eichling* ähnlich *Messling* »Messobjekt« und Prüfling »Prüfobjekt« Erfolg gehabt.

Literatur [1] STRECKER, K.: In: etz Bd. 37 (1916) S. 416–417.

Einheitennamen-Kritik von O. Heaviside

criticism of unit names by O. Heaviside

Der englische Telegraphen-Theoretiker Oliver HEAVISIDE* kritisierte die 1881 auf dem 1. Internationalen ↑Elektrizitäts-Kongress in Paris angenommenen Einheitennamen 1886 wie folgt:

„But what about those remarkable results of the Paris Congress, the *ampère* and the *coulomb*? Speaking entirely for myself, they are unpractical. *Coulomb* may be turned into *coul*, and is then endurable; this unit is, however, little used. But *ampère* shortened to *am* or *amp* is not nice. Better make it *père*; then it will do. [...] the awkward thing is that the *père* is one tenth of the c.g.s. unit of current." [1]

Literatur [1] In: Electrician (Jan. 1886) S. 227, zit. nach HEAVISIDE-1892, Bd. 2, S. 26.

Einheitennamen-Kritik von F. Kohlrausch

criticism of unit names by F. Kohlrausch

In seinem Beitrag „Ueber die absolute Messung starker elektrischer Ströme [...]", erschienen im Januar 1884, verwendet der deutsche Physiker Friedrich KOHLRAUSCH* durchgängig den Einheitennamen ↑*Amper* statt ↑*Ampere*, der 1881 auf dem Internationalen ↑Elektrizitätskongress in Paris festgelegt worden ist. Seine Meinung dazu lautet:

„Der Grundsatz, welchen die alte französische Meter-Kommission ausspricht, welchen auch die British Association so geschickt befolgt hat, daß nämlich ein internationales Maß auch einen internationalen, d.h. in allen Zungen leicht schreibbaren und sprechbaren Namen haben müsse, ist bei der raschen Namengebung durch den elektrischen Kongreß nicht beachtet worden. Wenn Namen wie *Chiliometer*, *Hekatometer*, wie *Volta* und *Faraday* sprachgerecht gemacht wurden, so hätte dies nicht weniger mit ‚*Ampère*' und ‚*Coulomb*' geschehen müssen, deren Sprech- und Schreibweise höchst ungeeignet sind. Entweder müßten wir *Amper* und *Culom* schreiben und sprechen oder auch vielleicht nach englischem Vorgang *Am* und *Cul* oder wohl lieber *Kul*. Die Frage der elektrotechnischen Bezeichnungen, in welche nach und nach die größten Geschmacksverirrungen sich einschleichen, scheint überhaupt eine sehr dringende und von solcher Bedeutung zu sein, daß vielleicht die großen Vereine sie vor ihr Forum ziehen sollten. Ich erinnere an Bezeichnungen wie ein ‚*Dynamo*', was aber im Vergleich mit ein ‚*Elektro*' (nämlich *Magnet*) noch wenig bedeuten will. Auch Wörter wie ‚Ampèremeter', ‚Voltmeter' erscheinen sehr gewagt. Man nennt ja eine Waage auch nicht ein ‚*Grammmeter*' oder einen Maßstab ein ‚Metermeter'". [1]

Die großen Vereine hatten das Problem der Terminologie-Normung erkannt und entsprechend gehandelt, was zur Gründung der ↑IEC und des ↑AEF führte.

Siehe auch ↑British Association*; ↑Coulomb; ↑Hekto-; ↑Kilo-.

Literatur [1] In: etz Bd. 5 (1884) S. 13–20, hier S. 14–15.

Einheitennamen-Kritik von W. von Siemens

criticism of unit names by W. von Siemens

In seinem Vortrag „Ueber elektrische und Lichteinheiten nach den Beschlüssen der Pariser internationalen Konferenz" am 27. Mai 1884 vor dem Elektrotechnischen Verein* zu Berlin führte Werner SIEMENS* u.a. Folgendes ausgeführt:

„In ähnlicher Weise wie der Widerstandseinheit hat der Kongreß und nach ihm die Schlußkonferenz den Einheiten der elektrischen Spannung, der Stromstärke, der Elektrizitätsmenge, der elektrostatischen Kapazität besondere Namen, Volt, Ampère, Coulomb, Farad, gegeben. [...] Genau genommen, sind übrigens diese Benennungen nur für die Uebergangszeit von Bedeutung, so lange eine Verwechselung mit anderen, bisher gebräuchlichen Maßeinheiten ohne besondere Bezeichnung zu befürchten ist. Ist das C.G.S.-Maßsystem einmal überall gesetzlich feststehend und in Uebung, so ist eine besondere Benennung der Einheiten ganz überflüssig. Es genügt dann die einfache Zahlangabe, da es selbstverständlich ist, daß man z.B. Stromstärken nicht mit Widerstands- oder Kapazitätseinheiten messen kann." [1]

Der erfolgreiche Industrielle und vier Jahre später geadelte W. von SIEMENS konnte nicht ahnen, welche Einheiten auch aus praktischen Gründen künftig noch festgelegt werden.
Siehe auch ↑Internationale Elektrizitäts-Kongresse; Internationales ↑Einheitensystem; zur Entwicklung der dezimalen Vorsätze vgl. ↑Vorsatz (Präfixoid).
Literatur [1] In: etz Bd. 5 (1884) S. 244–246, hier S. 244.

Einheitennamen-System nach O. Linders

system of unit names by O. Linders

Im Jahre 1904 trat Olof LINDERS* dafür ein, die Einheitennamen entweder nur nach Personennamen, wie schon bei ↑Ampere, ↑Ohm, ↑Volt, oder gar nach der Benennung der jeweiligen physikalischen Größe zu bilden, wobei er sich von romanischen Sprachen leiten ließ, was zu einem Esperanto-ähnlichen Plansprachenmodell führt, wie es die nachstehende Tabelle zeigt. Die Entwicklung gab den Personennamen den Vorzug.

Einheit	**Physikalische Größe**
pressio	elektrische Spannung
corrento	elektrische Stromstärke
resisto	elektrischer Widerstand
conducto	elektrischer Leitwert
forzaro	mechanische Kraft
laboro	Arbeit
effecto	Leistung
quantito	Elektrizitätsmenge
capaco	elektrische Kapazität

Literatur LINDERS-1904, S. 366–371.

Einheitensystem (SI), Internationales

International system of units (SI)

Das Internationale Einheitensystem der Meterkonvention (abgekürzt für alle Sprachen durch *SI* nach dem französischen Namen *Système International d'Unités*) ist eine Gesamtheit von sieben Basisgrößen und zugehörigen Basiseinheiten [1]

1	Länge:	das ↑Meter	Zeichen: m
2	Masse:	das ↑Kilogramm	kg
3	Zeit:	die ↑Sekunde	s
4	elektrische Stromstärke:	das ↑Ampere	A
5	thermodynamische Temperatur:	das ↑Kelvin	K
6	Stoffmenge:	das ↑Mol	mol
7	Lichtstärke	die ↑Candela	cd

Zum SI gehören neben den SI-Basiseinheiten auch die abgeleiteten SI-Einheiten und die SI-Vorsätze. Abgeleitete SI-Einheiten werden durch Produkte und/oder Quotienten von SI-Basiseinheiten gebildet und erhalten aus Gründen der Sprachökonomie häufig „besondere Namen".
Beispiele:

Größe	**Ausgedrückt in SI-Basiseinheiten**	**Besonderer Name**
Fläche	Meter × Meter	*Quadratmeter*
Rauminhalt	Meter × Meter × Meter	*Kubikmeter*
Geschwindigkeit	Meter durch Sekunde	[nicht festgelegt]
Kraft	Meter-Kilogramm durch Quadratsekunde	↑*Newton*
elektrischer Widerstand	Quadratmeter-Kilogramm durch Kubiksekunde-Quadratampere	↑*Ohm*
elektrischer Leitwert	Kubiksekunde-Quadratampere durch Quadratmeter-Kilogramm	↑*Siemens*
Frequenz	1 durch Sekunde	↑*Hertz*
magnetischer Fluss	Quadratmeter-Kilogramm durch Quadratsekunde-Ampere	↑*Weber*

Weitere abgeleitete SI-Einheiten „mit besonderem Namen" in diesem Wörterbuch: ↑*Coulomb*, ↑*Farad*, ↑*Henry*, ↑*Joule*, ↑*Tesla*, ↑*Watt*.
Mit SI-Vorsätzen (↑Vorsatz) soll die Anzahl der Wörter für die unterschiedlichen Werte der Einheiten begrenzt werden. Dazu enthält das SI einen Vorrat von 20 Vorsilben, die als Bestimmungswort der SI-Einheit den Wert angeben. Sie dienen also zur Kennzeichnung von dezimalen Vielfachen oder dezimalen Teilen von SI-Einheiten (d.h. SI-Basiseinheiten und abgeleiteten SI-Einheiten). Eine Übersicht der heute gültigen Vorsätze ↑*Milli-* usw. bis ↑*Yotta-* (ausgenommen ↑*Myria-*) und deren ↑Vorsatzzeichen zeigt Tabelle 1 des Artikels *Vorsatz*, wo auch die zeitliche Entwicklung veranschaulicht wird.
Die Steuerung und die Verwaltung des SI obliegt der ↑CGPM, die das SI anlässlich ihrer 11. Generalkonferenz im Jahre 1960 zur allgemeinen Anwendung verabschiedet hat. Das SI ist im Wesentlichen die Grundlage des deutschen „Gesetzes über Einheiten im Meßwesen" vom 2. Juli 1969 [2] (zuletzt geändert durch Gesetz vom 21. Feb. 1985), der zugehörigen Ausführungsverordnung [3] und der entsprechenden EG-Richtlinie [4] der Europäischen Union.
Literatur [1] Sacklowski/Drath-1986, S. 30–32; Kind-1977; [2] In: Bundesgesetzblatt I (1969) S. 707; Änderungen 06.07.1973 (BGBl. I S. 720); 25.07.1978 (BGBl. I S. 1110); 21.02.1985 (BGBl. I S. 401); Neufassung 22.02.1985 (BGBl. I. S. 408); [3] Vom 26. Juni 1970 (BGBl. I S. 981); Änderung 27.11.1973 (BGBl. I S. 1761); 12.12.1977 (BGBl. I S. 2537); 08.05.1981 (BGBl. I S. 422, ber. S. 661); Neufassung ohne Definitionen: 13.12.1985 (BGBl. I S. 2272); [4] Richtlinie 80/181/EWG vom 20.12.1979; Text in [1].

Einheitensystem nach L. Clark und C. Bright

system of units according to L. Clark and C. Bright

Worterklärung Das 1861 von den englischen Telegrapheningenieuren Latimer CLARK* und Sir Charles BRIGHT vorgeschlagene System von vier elektrischen Maßeinheiten beruhte auf der Erkenntnis, dass die Einheit der ↑Spannung, der Elektrizitätsmenge, des ↑Stromes und des elektrischen ↑Widerstandes zusammenhängen und daher endlich für die Praxis eindeutig festgelegt werden sollten.

Wortgeschichte

1 In ihrem Vortrag „Measurement of electrical quantities and resistance“ vor der ↑British Association* for the Advancement of Science im September 1861 in Manchester führten die Redner u. a. Folgendes aus:

„Four electrical standards or units are in reality required; these are mutually dependent on each other, and by their aid every conceivable form of electrical manifestation, whether static or dynamic, and whatever its origin and quantity, can be precisely and definitely stated. They are as follows:

A. An unit of electrical tension, potential or electromotive force.
B. An unit of electrical quantity, as applied to static electricity.
C. An unit of electric current, or quantity, as applied to dynamic electricity.
D. An unit of electrical resistance.“ [1]

2 Der Vortrag schließt mit einer Tabelle von heute bekannten Einheitennamen, jedoch mit abweichender Bedeutung:

zu A.: Einheit der Spannung: *Ohma*, heute: ↑*Volt*; aus *Ohma* wurde ↑*Ohm*;
zu B.: Einheit der Elektrizitätsmenge: *Farad*, heute: ↑*Coulomb*; ↑*Farad* ist heute Einheit der Kapazität;
zu C.: Einheit der Stromstärke: *Galvat* [nach L. GALVANI, ↑Galvanismus], heute: ↑*Ampere*; *Galvat* wurde aufgegeben;
zu D.: Einheit des Widerstandes: *Volt*, heute: ↑*Ohm*.

Im redaktionellen Vorspann zum veröffentlichten Vortrag wird u. a. hingewiesen:

„The application of the French system of notation in the table, is evidently faulty, the thousandth part of a *volt* being one *milivolt*, and not one kilovolt, as stated.“ [2]

Mit „French system of notation“ ist das System der dezimalen ↑Vorsätze gemeint, das bekanntlich in Frankreich geschaffen und 1875 in die Internationale Meterkonvention (↑CGPM) übernommen worden ist. Daher fehlt hier der Vorsatz für *Million*, der ersatzweise durch *Millio-* ausgedrückt wird. Entsprechendes gilt für *Billio-* aus *Billion*.

3 Da es sich um den ersten Versuch eines Einheitensystems handelt, wird die Tabelle als Zeitdokument vollständig und in der Schreibweise des Originals wiedergegeben:

„The value of this mutual relationship and dependence will be seen more clearly if we assume a nomenclature for these units, and for this temporary purpose let us derive terms from the names of some of our most eminent philosophers [Naturwissenschaftler], neglecting for the all etymological rules. We shall then have the following table:

A. Tension	
1 Daniell's Element	= 1 Ohma, or unit of tension.
1,000 Ohmas	= 1 Kilohma.
1,000 Kilohmas	= 1 Milliohma.
B. Quantity	
1 Ohma, by one metre square at one milliometre distance	= 1 Farad or unit of quantity.
1,000 Farads	= 1 Kilofarad.
1,000 Kilofarads	= 1 Milliofarad.
C. Current	
1 Farad per second	= 1 Galvat, or unit of current.
1,000 Galvats	= 1 Kilogalvat.
1,000 Kilogalvats	= 1 Milliogalvat.
D. Resistance	
[1 Ohma per] 1 Farad per second	= 1 Volt, or unit of resistance.
1/1000 Volt	= 1 Kilovolt.
1/1000 Kilovolt	= 1 Milliovolt.
1/1000 Milliovolt	= 1 Billiovolt." [3]

4 Auf Grund des Vortrages und eines entsprechenden Antrages setzte die British Association eine Kommission ein, die bestimmte elektrische Maßeinheiten für die praktische Verwendung durch elektrische Fachleute festlegen sollte. [2]

Literatur [1] Clark/Bright-1861, S. 3; [2] [Redaktion]: Standards of electrical measurement. In: The Electrician, Bd. 1 (Nov. 1861) S. 3; [3] Clark/Bright-1861, S. 4, mit freundlicher Genehmigung des Archives der Institution of Electrical Engineers, London.

Einheitenzeichen mit Blitzpfeil — unit symbol with lightning stroke

Worterklärung Ehemals praktizierte zusätzliche Kennzeichnung der Einheitenzeichen für ↑*Ampere*, ↑*Ohm* und ↑*Volt* mittels eines eingesetzten Blitzpfeils.

Wortgeschichte Die Kennzeichnung mit Blitzpfeil wurde vor 1910 vom Direktor im Reichsamt des Innern, Hopf, bei einer Sitzung von Vertretern der Elektrotechnik vorgeschlagen und von Friedrich Kohlrausch* in dessen „Lehrbuch der Praktischen Physik" eingeführt und dadurch weiten Kreisen bekannt gemacht. Der ↑AEF bezog sich hierauf bei der Festlegung eines Einheitenzeichens für *Ohm* in seinem Entwurf VII (1910) „Einheitsbezeichnungen", wo zum Abschnitt 14 ausgesagt wird:

„Die zwischen O und 0 (Null) mögliche Verwechslung wird vermieden durch Annahme der von Kohlrausch eingeführten Bezeichnungsweise für Ohm, nämlich Ø […]); beim Schreiben läßt man die Pfeilspitze weg: Ø. [1]

Da die ↑IEC jedoch das ↑Ω bevorzugte, schloss sich der AEF dem an.

Wortbenutzung 1924: Steilheit $1{,}7 \cdot 10^{-4}$ A↯/V↯ Innerer Widerstand $7{,}4 \cdot 10^{3}$ Ø↯ (Riepka [2]).

Literatur [1] Scheel, K. und Strecker; K., in: etz Bd. 31 (1910) S. 622–624; [2] Riepka, Hellmuth C.: Die Röhre und ihre Anwendung. Berlin: Springer, 1924. 76 S., hier S. 29 (Bibliothek des Radio-Amateurs, Bd. 4).

Eisenbahn (Definition) — railway (definition)

Das ehemalige Reichsgericht in Leipzig formulierte im Urteil vom 17.03.1879 für ~ folgende berühmt gewordene Definition:

„Ein Unternehmen, gerichtet auf wiederholte Fortbewegung von Personen oder Sachen über nicht ganz unbedeutende Raumstrecken auf metallener Grundlage, welche durch ihre Konsistenz, Konstruktion und Glätte den Transport großer Gewichtsmassen bzw. die Erzielung einer verhältnismäßig bedeutenden Schnelligkeit der Transportbewegung zu ermöglichen bestimmt ist und durch diese Eigenart in Verbindung mit den außerdem zur Erzeugung der Transportbewegung benutzten Naturkräften (Dampf, Elektrizität, tierischer oder menschlicher Muskeltätigkeit, bei geneigter Ebene der Bahn auch schon der eigenen Schwere der Transportgefäße und deren Ladung) bei dem Betriebe des Unternehmens auch derselben eine verhältnismäßig gewaltige (je nach den Umständen nur in bezweckter Weise nützliche oder auch Menschenleben vernichtende und die menschliche Gesundheit verletzende) Wirkung zu erzeugen fähig ist." [1]

Literatur [1] Gritschneder, O.: Juristisches Lexikon. Frankfurt: Ullstein,1967. 292 S.

electrion — electrion

Worterklärung Ehemals vorgeschlagen für *Atom der Elektrizität.*

Wortgeschichte Das Wort Ⓔⓝ ~ wurde 1902 von Lord Kelvin* in einem Diskussionsbeitrag zu Bequerel-Strahlen und zur ↑Radioaktivität auf der Sitzung der Physical Society benutzt:

„If the electrions, or atoms of electricity, succeeded in getting out of the atoms of matter, they proceeded with velocities which might exceed the velocity of light, and the body was radioactive." [1]

In einem weiteren Beitrag äußert sich Kelvin wie folgt:

„The ‚β rays' seem certainly to be atoms of resinous electricity – *electrions*, as I have called them (to specialise Johnstone Stoney's *‚electron'*, which might be either a vitreous or resinous atom of electricity, or an atom of matter deprived of its natural quantum of electricity)." [2]

Wortbenutzung 1903: „How are we to explain this enormous radioactivity of radium? I venture to suggest that it may be because it is exceedingly poly-electrionic; that the saturating quantum of electrions in an atom of radium may be hundreds, or thousands, or millions of times as many as those of atoms of ‚ordinary material'." [3]

Literatur [1] Baron Kelvin, Sir William Thomson: Mathematical and physical papers. Bd. 6. Voltaic theory, radioactivity, electrions, navigation and tides, miscellanous. Hrsg. von Sir Joseph Larmor. Cambridge: University Press, 1911. 378 S., hier S. 205; [2] Ebenda, S. 206; [3] Ebenda, S. 208.

elektern

electrify

Worterklärung Ehemals vorgeschlagene Ersatzbenennung für *elektrisieren* und *elektrifizieren*.

Wortgeschichte

1 Im Jahre 1918 wurde das Wort ~ von Eduard ENGEL* 1918 in seinem „Verdeutschungswörterbuch" neben *elektrisch betreiben* empfohlen, und es wurde dabei vermerkt:

„Ist die deutsche Endung *-ern* schlechter als das griechisch-altfranzösisch-deutsche *-isieren*?" [1]

2 Im Jahre 1957 wurde ~ als Ersatzbenennung für *elektrifizieren* von A. WARNER* in einem Leserbrief unter der Überschrift *Elekterung* ohne Kenntnis der Wortprägung von E. ENGEL vorgeschlagen; darin hieß es:

„[...] Eine Verdeutschung kann sich nur dann durchsetzen wenn die ursprüngliche Form gut erkennbar ist. Man streiche also den fremden Ballast und füge eine deutsche Endung an: *elektrifizieren – elektrieren – elektern,* so daß man von der „Elekterung der hessischen Bahnen" reden kann." [2]

Siehe auch ↑Elektrisierung der Eisenbahn.

Literatur [1] ENGEL-1918; [2] In: Frankfurter Neue Presse, Jhg. 12 (1957) Nr. 86, S. 8, vom 11.04.1957.

Elektret

electret

Worterklärung Aus Isolierstoff bestehendes Gebilde, das nach Beaufschlagung mit elektrischer Feldstärke seinen elektrischen Zustand aufrecht erhält.

Wortgeschichte

1 Begriff und Benennung (En) *electret* wurden 1885 vom englischen Telegrapheningenieur Oliver HEAVISIDE* gebildet durch Zusammenziehen von ***electr-*** und *magn-**et***. Er begründete das wie folgt:

„A word is evidently wanted to describe a body which is naturally permanently electrized by internal causes. Noticing that ‚magnet' is got from ‚magnetism' by curtailment at the third joint from the end, it is suggested that we may get what we want by performing the same operation upon electricity ... [Es wird erläutert, warum *electric* doch nicht geeignet ist.] ... Another word that suggests itself is *electret,* against which there is nothing to be said except that it sounds strange. [...] we may then say that certain crystals, if no other bodies, are natural electrets; that solid insulating substances may be made electrets artificially, with a greater or less amount of permanency; that liquid insulators can only be electrets for a minute interval of time, if at all; whilst gases, whose particles are always wandering about, are never electrets." [1]

2 Die systematische Erforschung der Elektret-Eigenschaften begann 1919 durch den japanischen Physiker M. EGUCHI, später durch P. SELENYI (1928) und C.F. CARLSON (1940) [2]. In den Bell Laboratories in Murray Hill, New Jersey, USA, entwickelten 1962 Gerhard M. SESSLER (jetzt Prof., TU Darmstadt) und James E. WEST das Elektretmikrophon und erwarben 1964 das US-Patent Nr. 3118022. Dieses ↑Mikrophon ist außerordentlich klein, leicht und hat gute elektroakustische Eigenschaften (flacher Frequenzgang, geringe Verzerrungen und geringe Empfindlichkeit gegenüber Erschütterungen). Beide Erfinder wurden 1999 in die National Hall of Fame in Akron, Ohio, USA, aufgenommen. [3]

Wortbenutzung 1936: Wärmeleitfähigkeit der Elektrete (GROETZINGER, G. [4]); 1952: Wärmeleitvermögen von Elektreten (J. van CALKER [5]); 1958: Entstehungsmechanismus der Elektrete (BÖNING, P. [6]); 1959: Harz-Elektrete (EULER J. [7]); 1985: 5th International Symposium on Electrets (SESSLER, G.M. [8]); 1999: Electrets (GERHARDT-MULTHAUPT, R. [9]).

Literatur [1] In: The Electrician, (7. August 1885) S. 148, zit. nach HEAVISIDE-1892, Bd. 1, S. 488–489; [2] SESSLER, G.M.(Hrsg.): Electrets. Berlin: Springer, 1980. 404 S., hier S. 3; [3] In: TUD intern, Bd. 20 (1999) Nr. 5, S. 2; [4] In: Phys. Z., Bd. 37 (1936) S. 589–592; [5] In: Z. Phys., Bd. 132 (1952) S. 318–329; [6] In: Deutsche Elektrotechnik (Berlin-Ost), Bd. 12 (1958) S. 138–139; [7] In: etz-B Bd. 11 (1959) S. 359–364; [8] In: Proceedings IEEE, Piscataway, New Jersey, USA; [9] 2 Bde., 3. Aufl., Morgan Hill: Laplacian Press.

Elektricum

Worterklärung Eine kleine Menge der elektrischen Ladung, die von einer Elektrisiermaschine abgeleitet werden kann.

Wortgeschichte Begriff (als Denkeinheit) und Benennung ~ gehen auf den deutschen Physiker August KURZ* zurück, der 1884 in seinem Aufsatz „Absolute Messung des Elektricums" [1] nach Beschreibung des Messaufbaus dazu Folgendes ausführt:

„Man hat also das *Elektricum*, wie ich die durch Berührung vom Conductor weggenommene Elektricitätsmenge nennen will, e^1 Gramm.$^{1/2}$ Centim.$^{3/2}$ Sec.$^{-1}$ nach der Berührung der beiden Scheiben auf diese in gleichen Mengen vertheilt ...". (S. 457) „Nennt man die respectiven Mengen von *Elektricum* ..." (S. 458)

Es handelt sich hierbei um eine Dimensionsangabe im elektrostatischem ↑CGS-System, nach dem die Elementarladung $e = 4{,}806 \cdot 10^{-10}$ $cm^{3/2}$ $g^{1/2}$ s^{-1} beträgt. Die Messung von A. KURZ ergab 37 CGS-Einheiten, was $12{,}333 \cdot 10^{-9}$ C (↑Coulomb) entspricht.

Literatur [1] EXNER-1884, S. 457–458.

Elektrie electricity

Worterklärung Verdeutschende Ersatzbenennung für ↑*Elektrizität*.

Wortgeschichte

1 In einer vierseitigen undatierten Flugschrift mit dem Titel „Elektrie oder Elektrizität" und mit einem dreiseitigen Nachtrag „Die These der Elektrie" (April 1951) [1] analysierte der Elektroingenieur Oscar KOHNLE* die „Schwächen des Wortes Elektrizität" und erläuterte einen „Vorschlag durch Abwandlung, zu einer zeitgemäßeren Form zu kommen" wie folgt:

„Die klassische Wortwurzel sicherte den Hinweis auf das Spezifikum und der Schlußlaut ‚ie' brächte die Integrität des Begriffes sowie gleichzeitig die Verwandtschaft mit der ‚Energie' zum Ausdruck. Das Wort starker Potenz wäre organisch und in sich geschlossen, es würde stimulierend und gegenwartsnahe wirken und es bringt eine, eigentlich auf der Hand liegende, sprachliche Erleichterung. [...] Denn das Wort ‚Elektrizität' schwingt mit den Silben ‚elek' an sich gut an, es ladet sich gewissermaßen sprachlich auf. Anstatt nun aber den klanglichen Rhythmus glatt ablaufen und ausschwingen zu lassen, bremsen die folgenden drei Silben ‚trizität' in scharfer Weise wieder ab."

KOHNLE stellt seine Beispiele *Elektriezähler*, *Elektriewerk* und *Reibungselektrie* den Zusammensetzungen mit ↑*Elt* gegenüber, was er in seiner zweiten Flugschrift nachhaltig begründet. Dies ist eine Antwort auf das Referat „Die Elt?" in der Elektrotechnischen Zeitschrift [2].

2 Der Wissenschaftliche Ausschuss und der Vorstand des ↑VDE nahmen 1953 in einem „Gutachten zu Bestrebungen Stellung, das Wort ‚Elektrizität' durch das Wort ‚Elektrie' zu ersetzen" [3]. Es besagt auszugsweise:

„Das Wort ‚Elektrie' ist sprachlich nicht wesentlich besser [als ‚Elektrizität'], hat aber den Vorteil, 4 Buchstaben weniger zu besitzen. Es fragt sich, ob es sinnvoll ist, [...] das Wort ‚Elektrie' in sprachlicher Hinsicht als einen Fortschritt anzusehen. [...] Die Einführung des Wortes ‚Elektrie' zur Bezeichnung des Begriffes Elektrizität ist bei der nahen Verwandtschaft und dem ähnlichen Schriftbild der Worte Elektrik und Elektrie nur geeignet, sprachliche Verwirrung zu schaffen. [...] Es wird jedoch kein Anlaß gesehen, dem Wort ‚Elektrizität' zur Zeit eine besondere Sorge zuzuwenden. Insbesondere hat das Wort ‚Elektrie' mehr bedenkliche als gute Seiten."

3 In einem Sprachkurs „Gutes Deutsch in der Verwaltung", der 1953 für die Beamten und Angestellten des Darmstädter Regierungspräsidiums stattfand, wurde zuweilen abgestimmt, so auch zur Frage „Elektrie":

„Die Frage: ‚Elt oder Elektrie' (statt Elektrizität) wurde einhellig so gelöst: Es müsse ‚Elektrie' heißen und in Zusammensetzungen ‚Elektro' [4]". Die Gesellschaft für deutsche Sprache (GfdS) hat ebenfalls die Bedenken des VDE nicht geteilt. [5]

4 Nach diesen Stellungnahmen war es um *Elektrie* still geworden, bis 1959 für die Ostberliner Fachzeitschrift „Deutsche Elektrotechnik", herausgegeben von der Kammer der Technik (KdT) der Deutschen Demokratischen Republik im VEB Verlag Technik (Berlin), ein neuer Titel gesucht werden musste:

„Da in Deutschland bisher zwei Zeitschriften in ihrem Titel das Wort ‚Elektrotechnik' führten, was zu Verwechslungen Anlaß geben konnte, wurde durch gerichtliche Entscheidung verfügt, daß die ‚Deutsche Elektrotechnik' ab sofort nur unter einem anderen Zeitschriftentitel erscheinen kann. [...] ELEKTRIE [...] hat den Vorteil, daß er unseres Wissens von keiner anderen Zeitschrift angefochten werden kann, einprägsam ist und in sich den Wortstamm der Begriffe Elektrizität, Elektroenergie und Elektroindustrie enthält." [6]

In dieser Redaktionsmitteilung blieb der Wortschöpfer von *Elektrie*, O. KOHNLE, unerwähnt. Jedoch wurden die Leser aufgefordert, zum neuen Namen Stellung zu nehmen. Nach sechs Monaten konnte die Redaktion mitteilen, dass die Diskussionsbeiträge – wenig schriftliche, meistens mündliche – kontrovers waren, was sie bewog, beim neuen Titel in der Schreibweise mit Großbuchstaben zu bleiben. Es wurde auch „über einen der ausführlichsten Diskussionsbeiträge berichtet": den von O. KOHNLE aus Überlingen, der u. a. geschrieben hat, „daß das Wort Elektrizität in Fachkreisen bereits seit einigen Jahren Anlaß zu Betrachtungen über seinen Begriffsinhalt und die sprachliche Form gab. Von Herrn KOHNLE wurde vorgeschlagen, es durch ‚Elektrie' zu ersetzen." [7] Mit der ausführlichen Wiedergabe des Briefes wurde seine wortschöpferische Leistung gewürdigt.

5 Die Zeitschrift, die das Verfahren vor dem Bundesgerichtshof gewonnen hatte, hieß ↑„Elektrotechnik" und ist 1959 als 41. Jahrgang im Vogel-Verlag KG Würzburg erschienen. Die Bundesgerichtsentscheidung vom 17.03.1959 (Akt.-Z. IZR 21/58) enthielt als Fazit den Leitsatz „Die Zeitschriftentitel ‚Elektrotechnik' und ‚Deutsche Elektrotechnik' sind verwechslungsfähig". [8] Die Umbenennung in *Elektrie* wurde natürlich nicht vom Bundesgerichtshof verfügt. Die Wahl eines neuen Namens stand den Herausgebern selbstverständlich frei, wobei aber andererseits wettbewerbsgesetzliche Gesichtspunkte bei der Wahl eines Namens mit berücksichtigt werden müssen.

6 Die Zeitschrift „Elektrie" wird im Eigenverlag des letzten Chefredakteurs Dr. Heide fortgeführt: im Jahre 2004 im 58. Jahrgang. [9]

Literatur [1] Selbstverlag des Autors, Überlingen 1951; [2] In: etz Bd. 72 (1951) S. 216. Referat nach G. GREMMINGER: Lebensfähige Verdeutschungen. In: Muttersprache Bd. 60 (1950) S. 371-373; [3] LEBRECHT, L.: Zur Umbildung des Wortes „Elektrizität". In: etz-A Bd. 74 (1953) S. 719; [4] GEYL, Günther-Ernst: Gutes Deutsch in der Verwaltung. In: Muttersprache [Bd. 63] (1953) S. 374–376, insbes. S. 375; [5] In: Sprachdienst Bd. 1 (1957) S. 31–32; [6] In: Elektrie (früher Deutsche Elektrotechnik), Bd. 13 (Juni 1959) Nr. 6, S. U 66; [7] In: Elektrie Bd. 13 (Dez. 1959) Nr. 12, S. U 124; [8] In: Blatt für Patent-, Muster- und Zeichenwesen, Bd. 61 (1959) Nr. 7, S. 229–231; persönliche Mitteilung von Dipl.-Phys. Helmut DRUBBA, Essen; [9] WARNER, Alfred: Zur Geschichte des Wortes ‚Elektrie'. In: Elektrie Bd. 58 (2004) Heft 1–12, S. 4–5.

Elektrifizierung — electrification

Worterklärung Verbalsubstantiv von *elektrifizieren* »auf elektrischen Betrieb umstellen, mit elektrischer ↑Energie betreiben«.

Wortgeschichte Berühmtes Zitat: Im Jahre 1920 griff W. I. LENIN den „Plan der Elektrifizierung Rußlands (GOELRO)" auf, der auf dem VIII. Gesamtrussischen Sowjetkongreß (22. bis 29. Dezember 1920) angenommen wurde. Dabei stellte LENIN die berühmte Losung auf:

„Коммунизм – это есть советская власть плюс электрификация всей страны"
/„Kommunizm – ėto est' sovetskaja vlast' pljus ėlektrifikacija vsej strany"/.
›Kommunismus – das ist Sowjetmacht plus Elektrifizierung des ganzen Landes‹ [1],

die im folgenden Redekontext vorkam:

„Wenn wir Rußland nicht eine andere, höhere Technik geben als früher, so kann keine Rede sein von der Wiederherstellung der Volkswirtschaft und vom Kommunismus. Kommunismus ist Sowjetmacht plus Elektrifizierung des ganzen Landes, denn ohne Elektrifizierung kann man die Industrie nicht in die Höhe bringen." [2]

Sie wurde die Losung der russischen Fachzeitschrift „Электричество" /Električestvo/ ›Elektrizität‹ und auch auf elektrotechnischen Fachtagungen in der Sowjetunion zitiert.

Literatur [1] REISBERG, A.: W. I. LENIN, Dokumente seines Lebens 1870–1924. 2 Bde. Frankfurt/M.: Röderberg, 1977; hier: Bd. 2, S. 245; [2] LENIN, W. I.: Sämtliche Werke. Bd. 25, Wien 1930, S. 613, zit. nach WETZEL-2001, S. 82.

Elektrifizierung der Eisenbahn ↑Elektrisierung der Eisenbahn

elektrisch — electric(al)

Worterklärung Eigenschaftswort (Adjektiv) für Erscheinungen, die sich auf die Anziehung oder Abstoßung leichter nichtmetallischer Teilchen zurückführen lassen.

Wortgeschichte

1 Als Pionier der experimentellen Naturwissenschaft untersuchte William GILBERT*, Physiker und Leibarzt der englischen Königin Elisabeth I., in den 1590er Jahren systematisch die Anziehungserscheinungen verschiedener Materialien. Dabei fand er, dass die von geriebenen Stoffen, wie Bernstein, Glas, Schwefel, Siegellack, entwickelten An-

ziehungskräfte sich nicht auf ↑Magnetismus zurückführen lassen. Da bereits die alten Griechen dies am geriebenen Bernstein Gr ἤλεκτρον /'ēlektron/, La *electrum* bemerkt hatten, entschied er sich für diesen Wortstamm und schreibt 1600 in seinem berühmt gewordenen lateinisch verfassten Werk „De Magnete" [1]: „Vim illam electricam nobis placet appellare" ›Es gefällt uns, diese Kraft die elektrische zu nennen‹.

2 Dieser oft zitierte Satz steht im folgenden Zusammenhang:

„Ob eamque causam nec metalla, marmora, silices, ligna, herbae, carnes, aliaque plurima, nec magneticè, nec electricè (vim illam electricam nobis placet appellare quae ab humore provenit) quoduis corpus allicere, aut provocare possunt: [...]. [2]

3 Die englische Übersetzung dieser Textstelle lautet:

„For this reason it is that neither metals, marbles, flints, woods, grasses, flesh, nor various other substances can attract or solicit a body, whether magnetically or electrically (for it pleases us to call electric force that force which has its origin in humors)." [3]

4 Die dem Hauptteil vorausgeschickten Worterklärungen führen u.a. auf: 1600: Electrica, quae attrahunt eadem ratione ut electrum. 1991: Electrics. Bodies that attract in the same way as amber.

5 Weitere Belege von Gilbert und seinem Übersetzer P.F. Mottelay: 1600: [...] & electrica firmius indurescunt (S. 48); 1991: [...] and electric bodies are harder (S. 78). 1600: Magnes tantum provocat magnetica: Ad electrica feruntur omnia (S. 53); 1991: A loadstone attracts only magnetic bodies; electrics attract everything (S. 86). 1600: Electricum minima tantum attrahit pondera (S. 53); Electrics attract only light weights (S. 86).

6 Ein Vertreter der „alten" Griechen, die sich mit dem Bernstein befasst haben, ist der Philosoph Platon (427–347 v.Chr.). In seinem Alterswerk „Timaios" (entstanden Anfang der 340er Jahre) heißt es:

„das Wunderbare des Bernsteins (τῶν ἠλέκτρων /tōn ēlektrōn/) wegen seiner Anziehungskraft wie das der Herakleischen [= magnetischen] Steine". [4]

Für eine philosophisch orientierte Naturwissenschaft bleibt der „Timaios" das Modell eines methodischen Grundansatzes der einen der tiefgründigsten Entwürfe darstellt, den die Antike hervorgebracht hat. [5]

Wortbenutzung Frühe Belege deutscher Autoren [6]: 1711: Physica des Magneten und anderer electrischen Cörpern Anzeuch-Krafft (Scheuchzer); 1734: Joh. Jac. Schillingii observationes et experimenta de vi electrica vitri aliorumque corporum [Beobachtungen und Versuche über die elektrische Kraft des Glases und anderer Körper]; ↑Elektrische Krafft (Zedler); 1744: Die elektrischen Versuche wurden eigentlich in Deutschland erst im Jahre 1734 durch die *Miscellanea Berolinensium* bekannt. In dieser war eine von Joh. Jac. Schilling verfertigte Abhandlung von der Electricität eingerücket (Winkler: Philosoph. Untersuchungen); Wir nennen einen Cörper electrisch, der entweder durch reiben [...] (Krüger).

Wortfamilie *elektrifizieren,* ↑*Elektrifizierung, elektrisieren,* ↑*Elektrisierung (der Bahn),* ↑*Elektrizität,* sowie Mehrwortbenennungen mit ~ und Zusammensetzungen mit *Elektro-*.

Fremdsprachige Entsprechungen En *electric(al),* Nl *elektrisch;* Es *eléctrico;* Fr *électrique;* It *elettrico;* Ru **электрический** /*ėlektričeskij*/; Pl *elektryczny;* Cs *elektrický;* weitere Beispiele siehe ↑Elektrizitäts-Sinnformen.

Literatur [1] GILBERT-1600; [2] Ebenda, II. Buch II Kapitel, S. 52; [3] GILBERT-1991, S. 85; [4] GERLACH-1962, S. 52; [5] Kindlers Neues Literatur-Lexikon, Hrsg.: Walter JENS, Bd. 13, 1996, S. 416–418; [6] SCHULZ-1913, S. 168.

Elektrische, die — tramway

Worterklärung Inzwischen veraltete umgangssprachliche Benennung für *elektrische* ↑*Straßenbahn.*

Wortgeschichte Laut E. WÜSTER handelt es sich hierbei um eine „Obergliedellipse". *Elektrische* ist eigentlich das adjektivische Unterglied (Bestimmungswort) der substantivischen Gruppe *elektrische Straßenbahn;* das Oberglied (Grundwort) wurde fortgelassen, und so bezeichnet das Adjektiv jetzt einen Substantivbegriff. [1]

Wortbenutzung 1907: Du wolltest jetzt in die Elektrische steigen (KAFKA [2]); 1910: Die Elektrische rennt ganz erregt heran (RILKE [3]); 1913: Hatten die [Straßen] sich aber verändert, jetzt fuhr hier sogar die Elektrische (HEYM [4]); 1915 (Erste Nennung im DUDEN, 9. Aufl.); 1929, 1955, 1968 (DUDEN Bd. 1), 1990, 1996 (veraltet, DUDEN); 2001/2002: 75 Jahre Elektrische in Griesheim (Titel einer Ausstellung im Heimatmuseum Griesheim bei Darmstadt; Darmstädter Echo, 28.12.2001); 2002: Die Elektrische nahm in Darmstadt am 23. Nov. 1897 ihren Betrieb auf (Darmst. Echo, 20.03.2002, S. 13).

Fremdsprachige Entsprechungen (Ru) электричка /*električka*/; (Sk) *električka;* neu-(hebr.) /*chaschmalit*/ »die Elektrische«, ↑/*chaschmal*/; (Hu) *villamos.*

Literatur [1] WÜSTER-1931, S. 17–18; BLANKE, Wera: Plansprachliche Anregungen für Terminologen; WÜSTER, DREZEN, WARNER – eine Skizze. In: MÜLLER, Ina (Hrsg.): Und sie bewegt sich doch ... Festschrift für Heidemarie SALEVSKY zum 60. Geburtstag. Frankfurt a.M.: Peter Lang, 2004., S. 71–85; [2] Hochzeitsvorbereitungen auf dem Lande, S. 13, in: BERTRAM-1998, S. 56772; [3] Aufzeichnungen des Malte L. Brigge, S. 3, in: BERTRAM-1998, S. 81350; [4] Der Dieb, S. 33, in: BERTRAM-1998, S. 43443.

elektrische Feldkonstante — electrical constant

Worterklärung

1 Naturkonstante, definiert als Quotient der »elektrischen Flussdichte« ↑*D* zur »elektrischen Feldstärke« *E* im materiefreien Raum. Formelzeichen: ε_0 (↑ε). SI-Einheit: F/m = ↑Farad durch ↑Meter. Somit ist $\varepsilon_0 = D/E = 1/(\mu_0 c_0^2)$ = 8,854 187 817 pF/m. Darin bedeuten: μ_0 die ↑»magnetische Feldkonstante« und c_0 die Lichtgeschwindigkeit (beides im materiefreien Raum); deren Zahlenwerte sind im Internationalen ↑Einheitensystem mit den Basiseinheiten ↑Meter, ↑Sekunde und ↑Ampere verknüpft. [1][2]

2 Ersatzbenennung für ↑*Dielelektrizitätskonstante des leeren Raums,* ↑*Influenzkonstante* und ↑*Verschiebungskonstante.*

Wortgeschichte Als Antwort auf einen Beschluss der 9. Generalkonferenz für Maß und Gewicht (↑CGPM) von 1948 erstellte im Auftrage des ↑VDE und der VDEW (Vereinigung Deutscher Elektrizitätswerke, jetzt: Verband der Elektrizitätswirtschaft) 1951 O. LÖBL* ein „Memorandum über elektrische und magnetische Einheiten", in dem er u.a. aussagt:

„Weiter wollen wir ε_0 und μ_0 neu bezeichnen und neu benennen. Sie sollen [...] hinfort nicht mehr Vakuumdielektrizitätskonstante und Vakuumpermeabilität heißen, sondern *elektrische* und *magnetische Feldkonstante*, welche Namen ohnehin schon mehrfach für sie gebraucht wurden. An ihrem Wert ändert sich dadurch nichts." [3]

Im Jahre 1964 ist ~ in das Deutsche Normenwerk eingeführt worden.

Wortbenutzung 1955: Dann haben wir [...] die skalare Größe b gleich der elektrischen Feldkonstanten ε_0 oder der magnetischen Feldkonstanten μ_0 und $c = 1$ zu setzen (STILLE-1955, S. 146); 1964: Die universelle Konstante ε_0 heißt *elektrische Feldkonstante* oder *Verschiebungskonstante* (DIN 1324:1964-01); 1977: Es bedeutet [in dieser Gleichung] ε_0 die elektrische Feldkonstante (KOSE, V. [2]); 1998: Bestimmen Sie damit den Wert der elektrischen Feldkonstanten ε_0 (GREHN/KRAUSE-1998, S. 195).

Fremdsprachige Entsprechungen (En) *electric constant*; (Nl) *elektrische constante*; (Sv) *elektriska konstanten*; (Es) *constante electrica*; (Fr) *constante électrique*; (It) *costante dielettrica del vuoto*; (Ru) электрическая постоянная */ėlektričeskaja postojannaja/*; (Pl) *stała elektryczna*.

Literatur [1] DIN 1324-1:1988-05; [2] KOSE-1977: Die Bedeutung von Naturkonstanten [...], S. 249; [3] In: etz Bd. 72 (1951) S. 455–462, hier S. 458.

elektrische Kraft

electrical field-strength

Worterklärung Von Heinrich HERTZ* benutzte Alternativbenennung (Synonym) zu ↑*elektrischer Feldstärke*.

Wortgeschichte Hierzu äußert sich HERTZ in der „Einleitenden Uebersicht" in Bd. 2 seiner „Gesammelten Werke":

„Der Ausdruck ‚elektrische Kraft' in diesen Abhandlungen ist nur ein Name für einen Polarisationszustand des Raumes. Um Missverständnissen vorzubeugen, hätte ich vielleicht besser gethan, ihn durch ein anderes Wort zu ersetzen, etwa das Wort ‚elektrische Feldintensität', wie es Herr E. COHN vorschlägt in seiner gleiche Ziele verfolgenden Abhandlung: ‚Zur Systematik der Elektrizitätslehre', Wiedem. Ann. 40. p. 625, 1890." [1]

Wortbenutzung 1890: Der elektrische Energievorrath eines Körpervolumens, in welchem die elektrische Kraft einen constanten Werth hat, ist eine homogene, quadratische Function der drei elektrischen Kraftcomponenten. Die entsprechende Aussage gilt für den Vorrath an magnetischer Energie. Den gesammten Energievorrath bezeichnen wir als den elektromagnetischen, er ist die Summe des elektrischen und des magnetischen. [...] Die Dimension der elektrischen Kraft wird dieselbe wie die der magnetischen, beide werden von solcher Art, dass ihr Quadrat die Dimension einer Energie in der Volumeneinheit hat, sie werden also in der üblichen Bezeichnungsweise gleich: $M^{\frac{1}{2}} L^{-\frac{1}{2}} T^{-1}$. (HERTZ [2]).

Literatur [1] HERTZ-1894, S. 30, Fußnote 2; [2] Ebenda, S. 212–213.

elektrisches Teleskop

electrical telescope

Worterklärung Titel der Patentschrift Nr. 30105 vom 6. Jan. 1884 des vom deutschen Ingenieur Paul NIPKOW* beschriebenen Fernsehsystems (↑Fernsehen).

Wortgeschichte

1 Die Patentschrift beginnt mit folgenden Worten:

„Der hier zu beschreibende Apparat hat den Zweck, ein am Orte *A* befindliches Objekt an einem beliebigen anderen Orte *B* sichtbar zu machen." [1]

Das wichtigste Merkmal dieses Apparates ist „die rotierende Spirallochscheibe zur Rasterung eines ebenen viereckigen Bildfeldes“ [1], die sich in der Fernsehtechnik bis in die 1950er Jahre hat behaupten können.

2 Ein Jahr nach Ausstellung der Patentschrift veröffentlicht NIPKOW einen umfangreichen Aufsatz in der Oktober-Ausgabe der etz unter dem Titel „Der Telephotograph und das elektrische Teleskop“, in dem er seine Erfindung mit früheren Entwürfen anderer Forscher vergleicht, z. B. mit dem *Telephotographen* des Engländers Shelford BIDWELL. [2] Auf NIPKOWS Aufsatz bezieht sich 1890 der Schöpfer der Benennung *elektrischer Fernseher* Walther STEPHAN.

Literatur [1] Faksimile der Patentschrift in GOEBEL-1953, S. 267–268; [2] NIPKOW-1885.

Elektrisierung der Eisenbahn — electrification of railways

Worterklärung In der Fachsprache des Bahnwesens ehemals übliche Ausdrucksweise für »Umstellung auf elektrischen Betrieb« oder »Einführung des elektrischen Betriebs«.

Wortgeschichte

1 Der früheste Beleg dieser bahnspezifischen Verwendung geht auf das Jahr 1910 zurück, als Theodor KOEHN in seinem Aufsatz „Die Ausnutzung der Wasserkräfte Bayerns“ Folgendes aussagt:

„Von den ermittelten Wasserkräften hat sich die [Bayerische] Verkehrsverwaltung für die Elektrisierung des Staatsbahnbetriebes acht Stufen in Südbayern vorbehalten“. [1]

Bei der Durchsicht der etz-Jahrgänge 1910 bis 1950 ergab es sich, dass ~ bis 1950 durchgängig, ab 1944 gelegentlich *Elektrifizierung* – je nach Autor – benutzt wurde.

2 Für die Beibehaltung von *Elektrisieren* setzte sich noch 1953 Bundesbahn-Abteilungspräsident a. D. Otto MICHEL in einem sprachgeschichtlichen Beitrag „Elektrisieren – Elektrifizieren“ ein, in dem er u. a. ausführte:

„Da aber schon damals die ‚Elektrifikation‘ als Konkurrent auftrat, entschied auf Grund eines besonderen Gutachtens des Deutschen Sprachvereins aus dem Jahre 1912 die Hauptverwaltung der Reichsbahn, in der als Sachreferent Ministerialdirigent Prof. Dr.-Ing. E. h. WECHMANN [*] tätig war, daß im amtlichen Schriftverkehr nur von der ‚Elektrisierung‘ zu sprechen sei. So blieb es bis zum Jahre 1945.“ [2]

Der Deutsche Sprachverein wurde nach dem Krieg unter dem Namen „Gesellschaft für deutsche Sprache e.V.“ neu gegründet.

3 Mit Datum vom 6. Aug. 1955 erließ die Hauptverwaltung der Deutschen Bundesbahn die Verfügung 2.821 Ovs 8:

„Betreff: Verwendung des Wortes ‚*Elektrifizierung*‘. In letzter Zeit ist häufig auch im amtlichen Schriftverkehr die Umstellung einer Strecke auf den elektrischen Betrieb mit ‚*Elektrisierung*‘ bezeichnet worden. Nach einem von uns eingeholten Gutachten der Gesellschaft für deutsche Sprache muß es in diesem Falle *Elektrifizierung* und *elektrifizieren* heißen. (*Elektrifizieren* = mit elektrischen Kraft- und Antriebsanlagen versehen, für elektrischen Betrieb einrichten; *elektrisieren* = der Einwirkung der Elektrizität aussetzen, etwas mit ihr behandeln, elektrische Ladungen erzeugen). Künftig ist daher im amtlichen Schriftverkehr einheitlich die Umstellung von Strecken auf elektrischen Betrieb usw. als *Elektrifizierung* (*elektrifizieren*) zu bezeichnen, wie dies auch internationalem Brauch entspricht.“ [3]

Wortbenutzung 1913: Die Elektrisierung der norwegischen Bahnen. Es sind Kostenanschläge aufgestellt worden [...], je nachdem ein kleiner oder ein größerer Teil der Bahnen im südöstlichen Norwegen elektrisiert wird (N.-Sch. [4]); 1914: Die Elektrisierung der bayerischen Staatseisenbahnen, die Fortführung der Elektrisierung der Staatseisenbahnen, allgemeine Elektrisierung des Landes, Elektrisierung der allgemeinen Landesversorgung [5]; 1928: Die Elektrisierung der Deutschen Reichsbahn [...] (WECHMANN, W. [6]); 1939: Elektrisierung der Bahnen in Frankreich [7]; 1950: Die Elektrisierung von Vollbahnen wird in europäischen und außereuropäischen Ländern mit Eifer betrieben (KNIFFLER, A. [8]); 1958: Die Elektrisierung der Vorortstrecke Hamburg Hbf.–Bergedorf (KOTZOTT, Karl [9]).

Wortfamilie *Bahnelektrisierung, elektrisierte Strecke, Elektrisierungsbereich, Elektrisierungsplan, Elektrisierungsprogramm, elektrisierungsreif, Weiterelektrisierung.*

Literatur [1] In: etz Bd. 31 (1910) S. 593; [2] In: Elektrische Bahnen Bd. 24 (1953) S. 233; [3] Persönliche Mitteilung der Hauptverwaltung der Deutschen Bundesbahn an den Autor vom 16.04.1957 unter Beifügung des Wortlauts und Hinweis auf die gleichlautende Bekanntmachung in „Bundesbahn" (1955) Heft 17, S. 728; [4] In: etz Bd. 34 (1913) S. 1290; [5] In: etz Bd. 35 (1914) Nr. 1, S. 19; [6] In: etz Bd. 49 (1928) S. 887–902; [7] In: etz Bd. 60 (1939) S. 958–959; [8] In: etz Bd. 71 (1950) S. 649–653, hier S. 653; [9] In: Elektrische Bahnen Bd. 29 (1958) S. 275–283.

Elektrizität

electricity

Worterklärung Gesamtheit aller Erscheinungen, die sich auf die Ansammlung, Fortbewegung und Trennung von Elementarladungen zurückführen lassen.

Wortgeschichte Die diesen Begriff abbildende Benennung wurde 1646 als Ⓔⓝ *electricity* von Sir Thomas BROWNE* geprägt und in seinem Buch „Pseudodoxia Epidemica" (London 1646) verwendet: „Crystal will cafely [?] in electricity". [1] In deutschen Texten kommt ~ (mit *elektrisieren*) laut E. MEHL erst 1744 durch Joh. Heinrich WINKLERS „Gedanken von den Eigenschaften, Wirkungen und Ursachen der Electricität, nebst einer Beschreibung zwo neuer electrischen Maschinen" auf:

„Indem nun das Glas und viele andere Körper mit dem Elektro (Bernstein) darinnen übereinkommen, daß sich durch das Reiben eine Wirkung an ihnen erregen lässet, wodurch leichte Sachen sowohl an sie anfliegen, als auch von ihnen weggestoßen werden: so hat man diese Bewegung (!) *Electricität*, und einen Körper, an welchem dieselbe entstehet, *electrisiert* genennet". [2]

Wortbenutzung 1650: *electricity* in „A Ternary of Paradoxis" (CARLTON, W. [2]); 1675: On the mechanical origine or production of electricity (BOYLES, Rob. [3]); 1809: Das Kapitel von der Elektrizität ist noch das, was in neuerer Zeit nach meinem Sinne am vorzüglichsten bearbeitet ist (GOETHE am 28. Feb. 1809 im Brief an J. D. FALK [4]); 1898: „Elektrotechnik, die; – (gr.); technische Anwendung der Elektricität" (DUDEN-1898).

Fremdsprachige Entsprechungen ↑Elektrizitäts-Sinnformen

Literatur [1] DIBNER, Bern: Early electrical machines. In: Electr. Engng. Bd. 76 (1957) Nr. 5, S. 367–369; Oxford Engl. Dict. Bd. 3 (1939); KIRBY, R. S.: Engineering in history. New York 1956; [2] MEHL-1965, S. 49; [3] SÜSSKIND-1966, S. 77; [4] dtv-Lexikon der Goethe-Zitate.

Elektrizitäts-Sinnformen

literal translations of electricity

Eine Untersuchung [1] der Benennungen des Begriffs »Elektrizität« in rund 40 Sprachen hat ergeben, dass die Benennungen fünf verschiedenen Sinnformen (wörtlichen Bedeutungen) zugeordnet werden können. Die meisten Sprachen (Tabelle 1) knüpfen an ›Bernstein‹ (La) *electrum* an, sei es durch Übernahme des Wortstammes (Angleichung der Schriftform und Sinnform), sei es durch wörtliche Übersetzung (Angleichung nur der Sinnform). Die Verwendung von ›Bernstein‹ ist nur aus der Geschichte der Naturwissenschaften zu verstehen. Eine zweite Gruppe von Sprachen (Tabelle 2) macht sich die Sinnform ›Blitz‹ zu eigen, um solche Tatbestände zu beschreiben, die mit der im Blitz innewohnenden Energieform physikalisch zusammenhängen (Angleichung der Sinnform). In einer dritten Gruppe sind drei Sprachen (Tabelle 3) vertreten: Tagalu mit der Sinnform ›elektrischer Strom‹, das Neuhebräische mit ›blinkendem Kupfer‹ und das Finnische mit ↑*sähkö.*

Tabelle 1: Benennungen von »Elektrizität« der Sinnform ›Bernstein‹

deutsch	*Elektrizität*; siehe ↑Elektrizitäts-Verdeutschungen
englisch	*electricity*
niederländisch	*elektriciteit*, (veraltet:) *barnsteenkracht* ›Bernsteinkraft‹
isländisch	***rafmagn***, wo ***raf*** ›Bernstein‹, ***magn*** ›Kraft‹
norwegisch	*elektricitet*
schwedisch	*elektricitet*
dänisch	*elektricitet*
französisch	*électricité*
katalanisch	*electricitat*
italienisch	*elettricità*, (veraltet:) *elettricismo*
rumänisch	*electricitate*
spanisch	*electricidad*
portugiesisch	*electricidade*, (in Brasilien:) *eletricidade*
lateinisch	*electricitas*; in der Latinitas des Vaticans jedoch: *electris, electridis*
neugriechisch	ηλεκτρισμός /*ēlektrismós*/
russisch	электричество /*ėlektričestvo*/
ukrainisch	електрика /*elektrika*/
polnisch	*elektryczność*, (veraltet:) *elektryka*
tschechisch	*elektřina*
slowakisch	*elektrika, elektrina*
serbisch	електрицитет /*elektricitet*/; siehe Tabelle 2
kroatisch	*elektricitet*; siehe Tabelle 2
slowenisch	*elektrika*
bulgarisch	електричество /*električestvo*/

litauisch	*elektrà*
lettisch	*elektriba*
persisch	*/electrisite/*
irisch	***leictreachas*** ›Bernstein‹; siehe Tabelle 2
albanisch	*elektricitet*
arabisch	***/kahraba/*** ›Bernstein‹
äthiopisch	*/elektrik/*; siehe Tabelle 2
türkisch	*elektrik*
ungarisch	*elektromosság*; zur Vorzugsbenennung siehe Tabelle 2
estnisch	*elekter*
indonesisch	***listrik***, entwickelt aus dem niederländischen *elektriciteit*

Reihenfolge nach den Sprachfamilien der Internationalen Dezimalklassifikation [2].
Von *electr-/elektr-* abweichende Schriftformen sind halbfett hervorgehoben.

Tabelle 2: Bennenungen von »Elektrizität« der Sinnform ›Blitz‹

serbisch	муњина /munjina/; siehe Tabelle 1
kroatisch	(veraltet:) *munjina* mit *munja* ›Blitz‹
Hindi	*/bidschli/*
Urdu	*/bark/*
irisch	*aibhléis* mit *aibhle* ›Feuerfunke, Blitzstrahl‹
äthiopisch	*/mebrhat/*; siehe Tabelle 1
ungarisch	*villamosság* mit *villám* ›Blitz‹
chinesisch	*/diàn/*
japanisch	*/denki/*, wo */den/* ›Blitz‹ und */ki/* ›Luft‹
vietnamesisch	*điên luc*, wo *điên* (Fremdwort Ⓩⓗ *Blitz*) und *luc* ›Kraft‹

Reihenfolge nach den Sprachfamilien der Internationalen Dezimalklassifikation [2]

Tabelle 3: Benennungen von »Elektrizität« sonstiger Sinnformen

3.1 Sinnform ›Strom‹	
Tagalu	*corriente*, aus dem Spanischen entlehnt
kurdisch	*lê*, mit *sûlav* »Kaskade, Wasserfall« auch »Strom«
3.2 Sinnform ›blinkendes Kupfer‹	
neuhebräisch	*chaschmal*; vgl. Stichwort ↑*chaschmal*
3.3 Sinnform (nicht vorhanden)	
finnisch	*sähkö*; vgl. Stichwort ↑*sähkö*

Literatur [1] WARNER-1959; Wortliste nach gängigen Wörterbüchern teilweise unter Mithilfe von Fachleuten aus dem betreffenden Sprachgebiet erstellt; [2] DK-Handausgabe. Internationale Mittlere Ausgabe der Universellen Dezimalklassifikation. Berlin: Beuth, 1967; WARNER-1967, S. 167–169.

Elektrizitäts-Verdeutschungen Germanisation of electricity

Es hat im Deutschen nicht an Versuchen gefehlt, das Fremdwort ↑*Elektrizität* zu verdrängen. Schon 1794 fordert der Sprachforscher und Schulrat J.H. CAMPE* dazu auf:

„Electricität – wer schaft uns für dieses, schon an sich mangelhafte, fremde Wort, ein Deutsches, das der Sache angemessener wäre?" [1]

Der Fremdwortbekämpfer Eduard ENGEL* meint 1918 dazu:

„Die Fachmänner müssen es schaffen, und sie könnten es leicht; meist genügt: Strom". [2]

In einem umfangreichen Beitrag „Vorschläge des Elektrotechnischen Vereins zur Verdeutschung fremdsprachlicher Ausdrücke auf dem Gebiete der drahtlosen Telegraphie" heißt es:

„Eine nicht geringe Zahl Fremdwörter eignet sich überhaupt nicht zur Verdeutschung, angefangen mit den Wörtern ‚Elektrizität' und ‚Elektrotechnik'. [3]

Dennoch gab es in der Folgezeit viele Verdeutschungsversuche zu *Elektrizität*. Von denen, die zuletzt aufgetreten sind, ist der Elektroingenieur Oscar KOHNLE* zu nennen, der 1951 sagt:

„Bei objektiver Beurteilung kann der Ausdruck ‚Elektrizität' wirklich nicht als leicht aussprechbares Wort bezeichnet werden. [...] Der Fünfsilber ‚Elektrizität' hemmt den sprachlichen Rhythmus und stellt sich dem glatten Ablauf eines Satzes sperrend in den Weg. [4]"

Die Verdeutschungsversuche [5] lassen sich wie folgt klassifizieren: Bezugnahme auf:

- *Elektrizität*: ↑*Elektrie*, ↑*Elt*, *Eltät*, *Elte*;
- »Bernstein«: ↑*Bern(e)*, ↑*Bernkraft*, ↑*Bernsteinkraft*, *Bernstrom*; ↑*Glees*;
- »Blitz«: ↑*Blitzfeuerkraft*, ↑*Blitzkraft*, ↑*Glitz*;
- »Elmsfeuer«: ↑*Elm*, *Elmkraft*, *Elmung*, *Elmwirkung*;
- »elektrischen Strom«: *Strom*, *Stromkraft*.
- »Reibungselektrizität«: ↑*Reibfeuerkraft*
- »tierische Elektrizität«: ↑*Zitterkraft*.

[Terminologische Anmerkung des Verfassers: Es fällt auf, dass bei aller Kritik gegen *Elektrizität* bisher niemand auf das Wort *Magnetismus* geschaut hat, das von übertriebenen Verdeutschungsversuchen verschont geblieben ist. Hätte der Wortschöpfer von *electricity*, Th. BROWN, 1646 statt dessen *electrism* geprägt, wären wir alle mit *Elektrismus* zufrieden. Selbst die jetzt lebenden Griechen nennen es ηλεκτρισμός /*ēlektrismós*/. Somit ergäben sich folgende Wortzusammensetzungen:

Elektrismuswerk Elektrizitätswerk • *Elektrismuswirtschaft* Elektrizitätswirtschaft • *Elektrismuszähler* Elektrizitätszähler • *Kontaktelektrismus* Kontaktelektrizität • *Reibungselektrismus* Reibungselektrizität A. Warner]

Literatur [1] CAMPE, J.H.: Über die Reinigung und Bereicherung der Deutschen Sprache. Braunschweig: Schulbuchhandlung, 1794. 232 S., hier S. 86; [2] ENGEL-1918; [3] SCHÜLER-1916, S. 524; [4] ↑Elektrie; [5] WARNER-1959, S. 636.

Elektrizitätswerk

power plant

Worterklärung Unternehmen zur Versorgung industrieller und privater Verbraucher mit elektrischer ↑Energie, die durch Umsetzung von fossilen Stoffen, Wasser-, Wind- und Atomkernenergie gewonnen wird.

Wortgeschichte Die Benennung ~ kommt 1884 im Zusammenhang mit den „Städtischen Elektrizitätswerken in Berlin" auf.

Wortbenutzung Dez. 1884: [...] also nach dem Preise der Berliner städtischen Elektrizitätswerke [1]; Mai 1885: Die Räumlichkeiten für die Zentralstation auf dem Gendarmenmarkt sind in der Hauptsache vollendet [2]; Juli 1885: [...], welche beabsichtigen, von der in ihrem Direktionshause, Markgrafenstraße 44, gelegenen Zentrale aus einen Theil der inneren Stadt mit elektrischem Lichte zu versehen, haben [...] die nötigen Leitungen gelegt [3]; Sept. 1885: Die Eröffnung der ersten Zentralstation der städtischen Elektrizitätswerke in Berlin. [...] Von der neuen Zentrale aus wird auch das Königliche Schauspielhaus seit seiner Wiedereröffnung am 15. August [...] mit Glühlicht versorgt [4]; 1915: Elektrizitätswerk, -zentrale (Erste Nennung im DUDEN, 9. Aufl.).

Literatur [1] In: etz Bd. 5 (1884) S. 487; [2] In: etz Bd. 6 (1885), S. 219; [3] Ebenda, S. 309; [4] Ebenda, S. 399–400.

Elektrizitätszähler

electricity meter

Worterklärung Einrichtung zur summierenden Messung der elektrischen Arbeit als Produkt der elektrischen ↑Stromstärke und der jeweiligen Dauer bei gegebener Netzspannung. Anzeige in Wattstunden (↑Watt), Kilowattstunden, Megawattstunden oder in Varstunden (↑Var), Kilovarstunden, Megavarstunden.

Wortgeschichte Die Benennung ~ geht auf Hermann ARON* zurück, der am 28. Okt. 1884 vor dem Elektrotechnischen Verein* zu Berlin einen Vortrag „Über einen neuen Elektrizitätszähler" hielt und ihn mit folgenden Worten einleitete:

„Ich will zunächst damit beginnen, den Namen, welchen ich dem Gegenstande meines heutigen Vortrages gegeben habe, zu motiviren: Ich glaube, Sie werden Alle, als Sie das Wort *Elektrizitätszähler* auf der Tagesordnung lasen, verstanden haben, was damit gemeint ist, und das allein genügt schon, die Benennung zu rechtfertigen. Sie werden sich gedacht haben, daß er ein Apparat sein soll, der für die elektrische Beleuchtung dieselben Dienste leisten soll, wie der Gaszähler für die Gasbeleuchtung. Es giebt kein zweites Wort, das in gleicher Weise sogleich verstanden worden wäre. Ich hätte, wie man *Gasmesser* oder auch *Gasometer* sagt, auch von *Elektrometer* oder *Galvanometer* oder auch von *Elektrizitätsmesser* reden können, aber alle diese Worte haben bereits eine bekannte und von meinem Gegenstande verschiedene Bedeutung. Mein Apparat soll eine Summe der Produkte der Stromintensitäten mit ihrer Dauer bilden [...]; aber Zählen ist in gewissem Sinne Summiren; denn wenn ich zähle 0, 1, 2, 3 u.s.w., so ist jede Zahl zwar nicht die Summe der vorangehenden Zahlen, aber doch der Stellen, die vorangingen; außerdem ist das Wort *Meter* schon in so vielen Verbindungen gebraucht, daß es ganz gut ist, einmal ein anderes Wort dafür einzuführen, und *Zähler*, welches ja auch schon Andere in gleichem Sinne gebraucht haben, scheint mir für den vorliegenden Gegenstand sehr passend." [1]

Wortbenutzung 1927: Regeln für Elektrizitätszähler (VDE: REZ/1927); 1982: Elektrizitätszähler (Reihentitel von DIN VDE 0418 [2]); 1999: Elektrizitätszähler (DIN VDE-Normen der Klassifikation VDE 0418 [3]).

Wortfamilie
1 Zusammensetzungen mit *Zähler-* als Bestimmungswort: *Zählerablesung, ~gehäuse, ~grundplatte, ~kappe, ~konstante, ~läufer, ~merkmal, ~nummer, ~spannungspfad, ~stand, ~strompfad;*
2 Zusammensetzungen mit *-zähler* als Grundwort (kurz für *Elektrizitätszähler*) [2]: *Amperestunden~, Basis~, Blindverbrauchs~, Doppeltarif~, Einzeltarif~, Gleichstrom~, Impulsgeber~, Induktions~, kWh-~, Mehrfunktions~, Mehrtarif~, Mehrverbrauchs~, Strom~, Varstunden~* (↑*Var*), *Wirkverbrauchs~.*
Fremdsprachige Entsprechungen (En) *electricity meter;* (Nl) *elektriciteitsmeter;* (Es) *contador de electricidad;* (Fr) *compteur d'électricité;* (It) *contatore elettrico;* (Ru) **счётчик** /*sčëtčik*/; (Pl) *licznik elektryczności;* (Cs) *elektroměr.*
Literatur [1] In: etz Bd. 5 (1884) S. 425 und 480–489, [2] WARNER/ORTH-1984, S. 261–274; [3] Katalog der Normen des VDE-Vorschriftenwerks. Berlin: VDE-Verlag 2004.

Elektrode electrode

Worterklärung Elektrisch leitendes Bauteil, das elektrischen ↑Strom (↑Elektron, ↑Ion) in ein mit Flüssigkeit oder ↑Gas gefülltes oder luftleeres Gefäß (↑Röhre) einführt oder ausführt. Positive ~: ↑Anode. Negative ~: ↑Kathode.
Wortgeschichte Das Wort ~ geht in der Schriftform (En) *electrode* auf den englischen Chemiker und Physiker Michael FARADAY* zurück, der 1834 mit der damals üblichen Benennung *Pol* nicht zufrieden war. Dazu schreibt er:

„Dieser Art ist der Ausdruck *Pol* mit seinen Bezeichnungen *positiv* und *negativ* und den damit verknüpften Vorstellungen von Anziehung und Abstossung. In der allgemeinen Ausdrucksweise heisst es, der positive Pol *ziehe* Sauerstoff, Säure u. s. w. *an*, oder vorsichtiger gesprochen, er *bestimme* deren Abscheidung auf seiner Oberfläche, und der negative Pol wirke in gleicher Weise auf Wasserstoff, brennbare Körper, Metalle und Basen. Nach meiner Ansicht jedoch liegt die bestimmende Kraft *nicht* an den Polen, sondern *innerhalb* des in Zersetzung begriffenen Körpers, und Sauerstoff und Säuren werden am *negativen* Ende dieses Körpers frei, während Wasserstoff, Metalle u. s. w. an dem *positiven* Ende desselben abgeschieden werden [...] Die *Pole*, wie sie gewöhnlich genannt werden, sind bloss die Pforten oder Wege, durch welche der elektrische Strom in den der Zersetzung unterworfenen Körper eintritt und aus demselben austritt [...] An Stelle des Ausdruckes *Pol* schlage ich nun vor, *Elektrode*[1]) zu gebrauchen, und ich verstehe hierunter die Substanz oder vielmehr die Fläche, bestehe sie aus Luft, Wasser, Metall oder irgend einem anderen Körper, welche die Ausdehnung der zu zersetzenden Substanz in Richtung des elektrischen Stromes begrenzt. [1]) ἤλεκτρον, und ὁδός Weg". [1] /*'ēlektron, hodós*/.

Von ↑„FARADAYS terminologischer Genauigkeit", die für die Elektrochemie zugeschnitten war, profitierten später insbesondere die Technik der Elektronenröhren (↑-ode), was aus der Liste der Wortfamilie zu ersehen ist.
Wortbenutzung 1909: Leitet man aber durch Wasser, das mit etwas Schwefelsäure versetzt ist, mit Hilfe von zwei Platinblechen einen elektrischen Strom [...], so erfolgt an den beiden Platinblechen, den Elektroden, eine Gasentwicklung (WAEBER-1909, S. 1); 1922: Sie [die Spannung] bleibt sogar auch dann angenähert dieselbe, wenn wir den Abstand der beiden Elektroden, also den Widerstand der Flüssigkeit, verändern (THOMÄLEN-1922, S. 21); 1975: Als Elektroden (für Lichtbogenöfen) gelten die Teile der Elek-

trowärmeeinrichtung, an denen der Lichtbogen ansetzt und durch die dem Lichtbogen bzw. der Schmelze die elektrische Energie zugeführt wird (VDE 0721 Teil 1/11.75 [2]).

Wortfamilie

1 Zusammensetzungen mit *Elektroden-* als Bestimmungswort: *Elektrodenabstand, ~anordnung, ~arm, ~backe, ~belastung, ~dampfkessel, ~druckbehälter, ~durchlauferhitzer, ~entfernung, ~fassung, ~fläche, ~form, ~gerät, ~halter, ~induktivität, ~kapazität, ~kennlinie, ~kessel, ~kette, ~kohle, ~kolben, ~metall, ~oberfläche, ~polarisation, ~potenzial, ~salzbad, ~schluss, ~spannung, ~strom, ~system, ~überspannung, ~verbrauch, ~verkleidung, ~verlustleistung, ~vorgang, ~werkstoff;*

2 Zusammensetzungen mit *-elektrode* als Grundwort: *Abbrennelektrode, Ablenk~, Abschirm~, Amalgam~, Antimon~, Arbeits~, Auffang~, Außen~, Beschleunigungs~, Bezugs~, Brems~, Bündel~, Bündelungs~, Deckel~, Depolarisations~, Eisen~, Emissions~, Emitter~, Erd~, Fang~, Flach~, Flächen~, Flüssigkeits~, Fokussier~, Glas~, Glüh~, Grafit~, Grund~, Gusseisen~, Halogen~, Haupt~, Hilfs~, Kalt~, Kohle~, Kollektor~, Korrektions~, Kugel~, Kunst~, Kupfer~, Mantel~, Masse~, Mess~, Metall~, Minus~, Mittel~, Mosaik~, Nachbeschleunigungs~, Nackt~, Niederschlags~, Nichteisenmetall~, Nickel~, Normal~, Normalwasserstoff~, Oxid~, Platin~, Platten~, Prall~, Pressmantel~, Punkt~, Punktschweiß~, Quecksilber~, Quecksilbermess~, Quecksilbertropf~, Reflektor~, Röhren~, Rollen~, Scheiben~, Schirm~, Schlauch~, Schweiß~, Sekundäremissions~, Signal~, Silber~, Speicher~, Spitzen~, Spreiz~, Sprüh~, Stab~, Stahl~, Standard~, Starter~, Steuer~, Tauch~, Teller~, Tropf~, Vergleichs~, Wasserstoff~, Wehnelt~, Wolfram~, Zink~, Zünd~, Zylinder~.*

Fremdsprachige Entsprechungen Ⓔⓝ *electrode;* Ⓝⓛ *elektrode;* Ⓢⓥ *elektrod;* Ⓔⓢ *electrodo;* Ⓕⓡ *électrode* (1836, ROBERT-1994); Ⓘⓣ *elettrodo;* Ⓡⓤ электрод */ėlektrod/;* Ⓟⓛ Ⓒⓢ *elektroda;* Ⓙⓐ */denkyoku/.*

Siehe auch ↑-ode, ↑positiv, ↑negativ.

Literatur [1] FARADAY (KALISCHER)-1889, Bd. 1, S. 177–178, § 661 u. 662; [2] WARNER/ORTH-1984, S. 891.

Elektrodynamik electrodynamics

Worterklärung Zweig der ↑Elektrophysik, der sich mit den Wirkungen bewegter elektrischer Ladungen befasst, insbesondere Elektromagnetismus und elektromagnetische Felder.

Wortgeschichte Das Wort ~ prägte 1822 der französische Physiker und Mathematiker André Marie AMPÈRE* für den Titel seines Buches „Mémoires sur l'électromagnétisme et l'électrodynamique" [1], in dem u.a. den Unterschied zwischen ↑Spannung und ↑Strom herausarbeitete. Als Adjektiv benutzte er Ⓕⓡ *électrodynamique* in folgendem Zusammenhang:

> „[…] aus diesen Gesetzen, unabhängig von jeder Hypothese über die Natur der Kräfte, welche die Phänomene erzeugen, den mathematischen Ausdruck dieser Kräfte, das heißt die Formel, die sie darstellt, zu deduzieren – war der Weg, den Newton beschritt. Dies Verfahren […] [hat mir] als Richtlinie gedient bei allen meinen Forschungen über die elektrodynamischen Phänomene." [2]

Die Wortbestandteile sind *electro-* und Ⓖⓡ δύναμις */dýnamis/* ›Kraft, Macht‹; vgl. ↑Dyn.

Wortbenutzung 1956: Das hierfür gültige Gesetz wollen wir das *elektrodynamische Elementargesetz* nennen. Es birgt in sich tatsächlich die Gesamtheit aller elektromag-

netischen Wechselwirkungen, die gesamte Elektrodynamik (WESTPHAL-1956, S. 371); 1966: […] Theorie der elektrischen und magnetischen Eigenschaften der Elektronen […], die den anspruchsvollen Namen Quantenelektrodynamik trägt (FORD-1966, S. 161); 1983: Klassische Elektrodynamik (JACKSON, J. D. [3]); 1998: Elektrodynamischer Wandler: Schalldruck verformt eine Membran. Die Membran bewegt eine Spule im Feld eines Permanentmagneten. Dadurch wird in der Spule ein Strom induziert. Anwendung in handlichen, kleinen Mikrophonen und Kopfhörern (STÖCKER-1998, S. 299).
Wortfamilie *Elektrodynamik, elektrodynamisch, Quantenelektrodynamik* (*QED*).
Fremdsprachige Entsprechungen (En) *electrodynamics;* (Nl) *elektrodynamica;* (Es) *electrodinámica;* (Fr) *électrodynamique* (1823, ROBERT-1994); (It) *elettrodinamica;* (Ru) электродинамика */ėlektrodinamika/;* (Pl) *elektrodynamika.*
Literatur [1] Zit. nach SAMBURSKY-1978, S. 744; [2] Ebenda, S. 503–504; [3] JACKSON, John David: Klassische Elektrodynamik. 2. Aufl., Berlin, New York: de Gruyter, 1983. 1020 S. (Aus dem Englischen von Kurt MÜLLER).

Elektrolyt electrolyte

Worterklärung Substanz, deren wässerige Lösung den elektrischen ↑Strom leitet.
Wortgeschichte Das Wort ~ geht in der Schriftform (En) *electrolyte* auf den englischen Chemiker und Physiker Michael FARADAY* zurück, der 1834 ein elektrochemisches Begriffssystem aufbaute. Dazu schreibt er:

„Manche Körper werden direct durch den elektrischen Strom zersetzt, so dass ihre Elemente frei werden; diese schlage ich vor, *Elektrolyte*¹) zu nennen. Wasser ist also ein Elektrolyt. ¹) ἤλεκτρον /'ēlektron/ und λύω /lýo/, *solvo*, wovon das Hauptwort *Elektrolyt* und das Zeitwort *elektrolysiren*" [1]

Vgl. ↑„FARADAYS terminologische Genauigkeit".
Wortbenutzung 1909: Man nennt *Säuren* alle diejenigen Elektrolyte, die in wäßriger Lösung Wasserstoffionen enthalten (WAEBER-1909, S. 58); 1969: Bestehen die E[lektrolyte] bereits im festen Zustand aus Ionengittern, so nennt man sie *echte E[lektrolyte]*, (z. B. Kochsalz = NaCl) (ÜHLEIN-1969, S. 212); 1983: Die Anoden werden in den Elektrolyten (Erdboden) eingebracht und mit der zu schützenden Anlage verbunden (VDE 0150/04.83 [2]).
Wortfamilie
1 Zusammensetzungen mit *Elektrolyt-* als Bestimmungswort: *Elektrolytableiter, ~behälter, ~blech, ~bleiche, ~bleichanlage, ~blitzableiter, ~bogenlampe, ~detektor, ~eisen, ~gleichrichter, ~gold, ~kondensator, ~kupfer, ~kupferblech, ~kupferdraht, ~maschine, ~silber, ~unterbrecher, ~ventil, ~volumen, ~zähler, ~zelle, ~zusatz;*
2 Zusammensetzungen mit *-elektrolyt* als Grundwort: *Grundelektrolyt, Trocken~;*
3 Wortableitung: *elektrolytisch;*
4 Fachjargon: *Elko* (*Elektrolytkondensator*).
Fremdsprachige Entsprechungen (En) *electrolyte;* (Nl) *elektrolyt;* (Es) *electrólito;* (Fr) *électrolyte* (1838, ROBERT-1994); (It) *elettrolito;* (Ru) электролит */ėlektrolit/;* (Pl) *elektrolit;* (Cs) *elektrolyt;* (Ja) */denkaisitu/.*
Literatur [1] FARADAY (KALISCHER)-1889, Bd. 1, S. 179, § 664; [2] WARNER/ORTH-1984, S. 118.

Elektrometer
electrometer

Worterklärung Physikalisches Instrument zur Messung einer elektrischen Ladung, indem zwei an Fäden hängende elektrisch geladene Holundermarkkügelchen durch Abstoßung auseinander streben und dabei einen Winkel bilden, der ein Maß für den Grad der Elektrisierung ist. [1]

Wortgeschichte

1 Laut Ed. HOPPE baute der Londoner Uhrmacher ELLICOT* 1747 ein ~, bei dem die Schwerkraft kompensiert wird, und berichtete darüber in den „Philosophical Transactions" (1747–1748). Th.H. SAVORY gibt 1749 als das Jahr seines Aufkommens an. Das französische Großwörterbuch nennt dasselbe Jahr. [2]

2 Ein anderer Erfinder dieses Instruments, der französische Physiker Jean-Antoine NOLLET*, schrieb 1752 in einem Brief an seinen amerikanischen Kollegen Benjamin FRANKLIN von seiner Erfindung und schlug vor,

„das Instrument *Elektroskop* zu nennen oder *Elektrometer*, falls es imstande ist, die verschiedenen Grade der Elektrizität hinreichend zu messen". [1]

Wortfamilie

1 Zusammensetzung mit *Elektrometer* als Bestimmungswort: *Elektrometerröhre;*

2 Zusammensetzungen mit *-elektrometer* als Grundwort: *Einfaden~, Faden~, Mikro~, Nadel~, Quadranten~, Quarzfaden~, Saiten~, Schutzring~, Zweifaden~.*

Fremdsprachige Entsprechungen (En) *electrometer;* (Sv) *elektrometer;* (Es) *electrómetro;* (Fr) *électromètre* (1749, ROBERT-1994); (Ru) электрометр /*èlektrometr*/; (Pl)(Cs) *elektrometr.*

Literatur [1] FRAUNBERGER-1985, S. 63; [2] HOPPE-1884, S. 43; SAVORY-1953, S. 130; ROBERT-1994, S. 730.

Elektromotor
primary cell

Worterklärung Ursprüngliche Benennung für ↑»Aneinanderreihung von Primärelementen, senkrecht oder waagerecht« oder VOLTA*ische Säule.*

Wortgeschichte Der Begriff »~« stammt in der Schriftform (Fr) *électro-moteur* vom italienischen Physiker Alessandro VOLTA*, der im Dezember 1799 auf der Grundlage der Folgerungen aus den Froschschenkel-Experimenten seines Landsmannes Luigi GALVANI (↑Galvanismus) eine aus übereinander geschichteten Primärelementen bestehende Säule ((Fr) *pile électrique*) baute. VOLTA erläutert seine Entdeckung wie folgt:

„La preuve la plus frappant du développement de l'électricité par le simple contact de deux métaux, c'est que, dans une de mes expériences où je me servais de plusieurs couples métalliques, j'obtins une tension électrique deux, trois ou quatre fois plus grande, selon que j'employais deux, trois ou quatres couples de zinc ou d'argent. C'est ce grand résultat qui, à la fin de l'année 1799, m'amena à la construction du nouvel appareil que je nommai *électro-moteur*, et que mes anciennes expériences ne m'avaient pas encore permis de découvrir." [1]

Wortbenutzung 1877: *Electromotoren* [...], Electricitätserreger, werden Körper genannt, welche, in gegenseitige Berührung gebracht, Electricität erregen, z.B. Kupfer und Zink. Neuerster Electromotor von M. Egger S.J. zu Mariaschein in Böhmen construirt (HERDER [2]).

Literatur [1] Zit. nach FIGUIER-1985, S. 393; [2] HERDERS Conversations-Lexikon. 2. Aufl., Bd. 2, Freiburg i.B.: Herder, 1877. 800 S., hier S. 280.

elektromotorische Kraft (EMK) electromotive force (e. m. f.)

Worterklärung Physikalische Größe, die den Zustand einer offenen Zweipolquelle als Leerlaufspannung angibt.

Wortgeschichte

1 Im Zusammenhang mit seiner Erfindung des *électro-moteur* (↑Elektromotor) bezeichnete A. VOLTA* die Wirkung aus dem Kontakt zweier verschiedener Substanzen als (Fr) *force électromotrice* ›die Elektrizität treibende Kraft‹ [1], etwa um das Jahr 1800.

2 Zu den ersten Aufgaben, die sich der 1907 gegründete ↑AEF stellte, gehörte der 1908 veröffentlichte Entwurf von „Begriffsbestimmungen für Potential, Potentialdifferenz, Elektromotorische Kraft, Spannung, Spannungsdifferenz". [2] Auf Grund der eingegangenen Einsprüche musste der Entwurf neu gefasst werden, was sich wegen schwierigen Materie einerseits und des Ersten Weltkriegs (1914–1918) andrerseits bis zum Jahre 1920 hinzog. Die hier zutreffende Neuerung war die Aufspaltung der ~ in eine *eingeprägte EMK* und in eine *induzierte EMK*. Aus den umfangreichen und lesenswerten „Erläuterungen" von K.W. WAGNER* sei hier auszugsweise Folgendes wiedergegeben:

„Zu 5. Die wichtigsten eingeprägten elektromotorischen Kräfte sind die der galvanischen und der Thermoelemente. Ganz allgemein kann man sagen, daß eingeprägte elektromotorische Kräfte immer nur in solchen Leitern auftreten, die in physikalischer oder chemischer Hinsicht nicht homogen sind. [...] Der Name *‚elektromotorische Kraft'* ist im Laufe der Zeit in verschiedener Bedeutung gebraucht worden. Früher wurde er vielfach für das »Linienintegral der Feldstärke« benutzt, das wir jetzt als *Spannung* bezeichnen. Bei MAXWELL und anderen englischen Autoren bedeutet *electromotive force* meist die »elektrische Feldstärke«. Dagegen definiert MAXWELL in Art. 233 des 1. Bandes seines Lehrbuches der Elektrizität und des Magnetismus [= MAXWELL-1954, Bd. 1, S. 356] die EMK der Danielzelle als Potentialdifferenz bei offener Zelle. Dieser Definition hat sich der vorliegende Entwurf in Übereinstimmung mit neueren Autoren (COHN, ABRAHAM u.a.) im wesentlichen angeschlossen. [...] Gedanklich kann man freilich mit einer eingeprägten EMK auch dort arbeiten, wo eine solche nach der Definition nicht vorliegt. [...] Eine derartige Hilfsvorstellung liegt besonders nahe, wenn die Stromquelle (tatsächlich oder gedanklich) unzugänglich ist, also etwa in einem Kasten eingeschlossen ist, aus dem nur die Klemmen hervorragen. Dann kann man die Klemmenspannung bei Leerlauf und Belastung messen und daraus ‚EMK' und ‚inneren Widerstand' als reine Rechengrößen bestimmen. [...] Der Hauptunterschied zwischen der früheren und der jetzigen Fassung der Definition der EMK ist der folgende. Früher war beabsichtigt, einen allgemeinen Begriff zu definieren, der sowohl die eingeprägten als auch die induzierten EMKe [Ke = Kräfte] enthält. Es hat sich aber gezeigt, daß ein solcher Oberbegriff nicht physikalisch definiert werden kann, weil die beiden Größen verschiedene physikalische Dinge sind, die nicht viel mehr als den Namen gemeinsam haben. Der Oberbegriff hat also wesentlich sprachliche Bedeutung. In dem früheren Entwurf hat man versucht, diesen Schwierigkeiten dadurch zu entgehen, daß eine metaphysische Definition der EMK gegeben wurde: ‚Elektromotorische Kraft ist die Fähigkeit eines Systems, Spannungen zu erzeugen.' Da aber die EMKe physikalische Größen sein sollen, sollte man sie auch physikalisch definieren. Dies war jedoch aus den angegebenen Gründen nur durch getrennte Definition der eingeprägten und der induzierten EMKe möglich. [...] Zu 9. [...] dadurch, daß die Definition der induzierten EMK auf lineare Leiterkreise beschränkt wird und namentlich durch ihre besonderen Fassung ist zum Ausdruck gebracht, daß die induzierte EMK nur eine Rechengröße von beschränktem Anwendungsbereich ist. Die vorstehenden Definitionen der EMKe werden der geschichtlichen Entwicklung gerecht und decken sich mit der Auffassung namhafter Autoren. [Es folgen Zitate von: G.S. OHM, H. HELMHOLTZ, J.C. MAXWELL, E. MASCART/J. JOUBERT, E. COHN und M.

ABRAHAM]. Die allgemeine Auffassung geht demnach dahin, daß die EMK schlechthin mit der eingeprägten EMK identisch ist. Die Größe $-d\Phi/dt$ [= Abnahme des magnetischen Flusses in der Zeiteinheit] ist streng genommen keine elektromotorische Kraft. Nur insofern, als sie in linearen Leiterkreisen formal dieselbe Rolle spielt wie die eingeprägten Kräfte, kann man mit ihr wie mit den eingeprägten elektromotorischen Kräften rechnen; in diesem besonderen Zusammenhange wird sie als induzierte EMK bezeichnet." [3]

Gegen diesen Entwurf sind nur wenige Einwendungen formaler Art erhoben worden, so dass der AEF ihn am 13. Feb. 1926 als Satz V endgültig feststellte und unter der Nummer DIN 1323 mit Ausgabe Datum „Februar 1926" veröffentlichte, wobei auf dem Normblatt auf die „Erläuterungen von K.W. WAGNER" von 1920 hingewiesen wurde. [4]

3 In der Folgezeit ist DIN 1323 zwar mehrmals überarbeitet worden, doch wurden bei der Erstellung des Norm-Entwurfs DIN 1344 „Formelzeichen der elektrischen Nachrichtentechnik" (Okt. 1955) auch die Schwierigkeiten deutlich, die sich um den Begriff »~« aufbauten. Aus den einführenden Erläuterungen von H. MEINKE sei hierzu Folgendes wiedergegeben:

„Hinsichtlich der ‚Elektromotorischen Kraft' (EMK) wird nicht nur der Name als unschön empfunden, so daß der für diesen Zweck bereits mehrfach vorgeschlagene Name ‚Urspannung' auch keine Lösung der eigentlichen Schwierigkeiten darstellt. Das grundlegende Problem liegt darin, daß der Begriff der EMK ebenso wie die Urspannung im Schrifttum überhaupt noch keine eindeutige Definition gefunden hat. Die bestehenden Unterschiede betreffen formelmäßig das Vorzeichen der EMK, das bisher nicht eindeutig festliegt. Nicht nur im AEF, sondern auch in anderen kompetenten Gremien ist das Problem der EMK wegen seiner besonderen Bedeutung in ungewöhnlich großem Umfang diskutiert worden, ohne daß eine Einigung erzielt werden konnte oder in absehbarer Zeit zu erwarten ist. Da es die Aufgabe eines Normblatts ist, eine Eindeutigkeit der Begriffe und Formeln sicherzustellen, mußte daher von der Verwendung des Begriffs der EMK abgeraten werden. In der Nachrichtentechnik ist es ohne weiteres möglich, das Verhalten der Spannungsquellen mit Hilfe ihrer Leerlaufspannung und ihres Innenwiderstandes Z_i vollständig zu beschreiben, wobei ausdrücklich vermerkt sei, daß EMK und Leerlaufspannung nicht als identisch aufzufassen sind. Die Leerlaufspannung ist eine eindeutig definierte Spannung, die außerhalb der Quelle [...] zwischen den Ausgangsklemmen der Quelle im Leerlauffall gemessen und von der innerhalb der Quelle befindlichen EMK erzeugt wird. [...] Bedeutsam könnte die Verwendung der EMK überhaupt erst werden, wenn mehrere Quellen in der Schaltung wirksam sind, weil die bekannte Maschenregel fast immer mit Hilfe der elektromotorischen Kräfte definiert wird. [5]

4 Die ursprüngliche Norm DIN 1323 wurde ersetzt durch DIN 1324 „Elektromagnetisches Feld" (Mai 1988). Darin kommt die ~ nicht mehr vor, sondern Definitionen von »Spannung«, »Potential« und »induzierte Spannung«. Auch das „moderne" Lehrbuch „Metzler Physik" der Herausgeber J. GREHN und J. KRAUSE (3. Aufl., 1998) für Schüler des Leistungskurses Physik arbeitet nicht mit dem Begriff »~«. Das „Taschenbuch der Physik" von H. STÖCKER (3. Aufl., 1998) nennt zwar die *Quellenspannung* neben der ~ als „die Spannung einer idealen Spannungsquelle," verwendet aber im Text nur *Spannung*. Im „Taschenbuch der Elektrotechnik" von R. KORIES und H. SCHMIDT-WALTER (3. Aufl., 1998) heißt es:

„Die ideale Spannungsquelle hat eine eingeprägte Spannung U_q, die unabhängig vom Strom I ist." [6]

Wortbenutzung 1829: [...] wiewohl ich erwähntermaßen auch hier bei Zinn-Kupfer Übereinstimmung gefunden habe, so daß die Beschaffenheit der Flüssigkeit höchstens disponieren kann, verschiedene Werte der elektromotorischen Kraft hervorzubringen (FECHNER [7]); 1847: Bei diesen constanten Ketten ist also die electromotorische Kraft unabhängig von dem negativen Metall (S. 47) [...] Wir können die Größe 1 dV/(a dt) als eine neue electromotorische Kraft bezeichnen, als die des Inductionsstromes (S. 56) (HELMHOLTZ, Hermann [8]); 1922: Die elektromotorische Kraft ist gleich der Klemmenspannung bei offenem äußeren Kreis. [...] Wir müssen sie aber als die im ganzen Stromkreise wirkende Spannung ansehen und führen dafür die Bezeichnung *‚erzeugte Spannung'* ein (THOMÄLEN-1922, S. 2); 1944: Diese Gleichung [...] sagt, daß in einem Drahtkreis, der einen zeitlich veränderlichen magnetischen Fluß umschlingt, eine Art elektromotorischer Kraft entsteht (WALLOT-1944, S. 51).
Wortfamilie *Gegen-EMK.*
Fremdsprachige Entsprechungen Ⓔⓝ *electromotive force (e.m.f.)*; Ⓝⓛ *elektromotorische kracht (emk)*; Ⓢⓥ *elektromotorisk kraft (emk)*; Ⓔⓢ *fuerza electromotriz (fem)*; Ⓕⓡ *force électromotrice (f.é.m.)*; Ⓘⓣ *forza elettromotrice (f.e.m.)*; Ⓡⓤ электродвижущая сила (э.д.с.) */ėlektrodvižuščaja sila (ė.d.s.)/*; Ⓟⓛ *siła elektromotoryczna (SEM)*; Ⓒⓢ *elektromotorická síla (e.m.s.)*; Ⓙⓐ */kidenryoku/.*
Siehe auch ↑Urspannung.
Literatur [1] FIGUIER-1985, S. 466; [2] In: etz Bd. 29 (1908) S. 745–746, mit „Erläuterungen" (S. 746) von GÖRGES* und H. RUBENS; [3] In: etz Bd. 41 (1920) S. 641, mit „Erläuterungen" (S. 641–643 u. 660) von K.W. WAGNER; [4] DIN 1323: Satz V. Elektrische Größen. Spannung, Potential, Potentialdifferenz und elektromotorische Kraft. Feb. 1926. AEF. In: etz Bd. 48 (1927) S. 552; [5] In: ntz Nachrichtentechn. Z., Bd. 9 (1956) Nr. 1, S. 39–46, hier S. 40; [6] GREHN/KRAUSE-1998, S. 204; STÖCKER-1998, S. 464; KORIES/SCHMIDT-WALTER-1998, S. 5; [7] FECHNER, Gustav Theodor: Drei Versuchsreihen, welche die elektromotorische Kraft [...] betreffen. In: OHM-1996, S. 30–38, hier S. 34, [8] HELMHOLTZ-1982, S. 47 ist im Abschnitt Galvanismus, S. 56 ist im Abschnitt Electromagnetismus.

Elektron electron

Worterklärung Eines der fundamentalen Bausteine der Materie und Träger einer negativen elektrischen Elementarladung $e = 1{,}602 \times 10^{-19}$ C (↑Coulomb) und Ruhemasse $m_e = 9{,}109 \times 19^{-31}$ kg (↑Kilogramm). [1]
Wortgeschichte
1 Das Wort ~ geht auf den britischen Physiker George Johnstone STONEY* zurück, der es 1891 für das elektrische Elementarquantum vorschlug. [2] Bereits 1874 hatte er in einem Vortrag „On the physical units of nature" vor der ↑British Association in Belfast eine „single definite quantity of electricity" gefordert, die er *electromagnetic electrine* nannte. Erst im Mai 1881 konnte der Vortragstext im Druck erscheinen. [3] Im Jahre 1891 gab STONEY die Benennung *electrine* zu Gunsten von *electron* auf. [4] Das ~ selbst wurde erst 1897 experimentell an der Ablenkung von ↑Kathodenstrahlen vom britischen Physiker Joseph John THOMSON (1856–1940) nachgewiesen. [5] Mit dem aus dem Griechischen stammenden ἤλεκτρον */'ēlektron/* ›Bernstein‹ wird daran erinnert, dass im Altertum an diesem Material zuerst elektrische Erscheinungen beobachtet worden sind; ↑*elektrisch.*

2 Der Entdecker und Wortschöpfer des ↑Positrons, Carl D. ANDERSON*, machte auch den Vorschlag, das ~ entsprechend in ↑*Negatron* umzubenennen. Doch dies fand keine Befürworter. [6]

Wortbenutzung 1905: In einem von vollkommen reflektierenden Wänden eingeschlossenen Raume befinde sich eine Anzahl Gasmoleküle und Elektronen, welche freibeweglich sind und aufeinander konservative Kräfte ausüben, wenn sie einander sehr nahe kommen (EINSTEIN [7]); 1921: Röntgenstrahlen entstehen, wenn bewegte Elektronen (Kathodenstrahlen) auf Materie fallen (GERLACH [8]); 1966: Da das Elektron Wahrscheinlichkeitsgesetze befolgt, ist man geneigt, diese als fundamental anzusehen und nicht nur als Ausdruck dafür, daß dem Elektron komplizierte, bisher unbekannte Strukturen innewohnen (FORD-1966, S. 58).

Wortfamilie

1 Zusammensetzungen mit *Elektronen-* als Bestimmungswort: *Elektronenabbildung, ~abgabe, ~ablenkung, ~abtaststrahl, ~austritt, ~bahn, ~befreiung, ~beschleuniger, ~beugung, ~beweglichkeit, ~bewegung, ~bild, ~blitz, ~bombardment, ~bremsung, ~bündel, ~bündelung, ~dichte, ~einfang, ~emission, ~energie, ~familie, ~fluss, ~gas* (↑Gas), *~gastheorie, ~gehirn, ~geschwindigkeit, ~hülle, ~kanone, ~kaskade, ~konfiguration, ~konzentration, ~kopplung, ~laufzeit, ~lawine, ~leitung, ~linse, ~mikroskop, ~optik, ~physik, ~plasma* (↑Plasma), *~quelle, ~radius, ~rastermikroskop, ~rechner, ~reibung, ~relais, ~röhre* (↑Röhre), *~röhrentechnik, ~-Ruhemasse, ~schale, ~schalter, ~schicht, ~schleuder, ~schwingung, ~spiegel, ~spin* (↑Spin), *~spinresonanz, ~stoß, ~strahl, ~strahler, ~strahlfräsen, ~strahlgenerator, ~strahlkonzentration, ~strahloszillograph, ~strahlröhre, ~strahlschweißen, ~strahlung, ~streuversuch, ~strom, ~strömung, ~tanz,* ↑*~technik, ~term, ~theorie, ~verteilung, ~vervielfacher, ~vervielfacherröhre, ~volt* (↑Volt), *~wanderung, ~welle, ~wellen-Magnetron, ~wolke, ~zahl, ~zähler, ~zerfall, ~zwilling, ~zyklotron, Photo~vervielfacher;*

2 Zusammensetzungen mit *-elektron* als Grundwort: *Außenelektron, Defekt~, Einzel~, Exo~, Glüh~, Hüllen~, Konversions~, Leitfähigkeits~, Leitungs~, Leucht~, Photo~, Primär~, Resonator~, Rückstoß~, Sekundär~, Valenz~.*

3 Wortableitungen: ↑*Elektronik, elektronisch.*

Fremdsprachige Entsprechungen (En) *electron;* (Nl)(Sv) *elektron;* (Es) *electrón;* (Fr) *électron* (1902, ROBERT-1994); (It) *elettrone;* (Ru) электрон */élektron/;* (Pl)(Cs) *elektron;* (Ar) */iliktirun/;* (Zh) */diàn zi/;* (Ja) */densi/.*

Literatur [1] STÖCKER-1998, S. 774, Dezimalstellen gekürzt; [2] SÜSSKIND-1966, S. 77; [3] STONEY, G. J.: On the physical units of nature. In: Phil. Mag., Ser. 2, Bd. 11 (Mai 1881) S. 381–390, zit. nach SÜSSKIND-1966, S. 79, Quelle 13; [4] STONEY, G. J.: On the cause of double lines and of equidistant satellites in the spectra of gases. In: Sci. Trans. Royal Dublin Soc., Sec. 2, Bd. 4 (1891) S. 563–608, hier S. 583; STONEY, G. J.: Of the ‚electron', or atom of electricity. In: Phil. Mag., Ser. 5, Bd. 38 (1894) S. 418–420, beide zit. nach SÜSSKIND-1966, S. 79, Quelle 15 u. 16; [5] FÖLSING-2002, S. 213–214; [6] JORDAN/LENZ-1994, S. 6–7; [7] EINSTEIN, A.: Über einen die Erzeugung und Verwandlung des Lichtes betreffenden heuristischen Gesichtspunkt. In: Ann. Phys. Bd. 17 (1905) S. 132–148, zit. nach HAAR-1969, S. 118–138, hier S. 119–120; [8] GERLACH, Walther: Die experimentellen Grundlagen der Quantentheorie. Braunschweig: Vieweg, 1921. 143 S., hier S. 53.

Elektronentechnik

electronics

Worterklärung Alternativbenennung (Synonym) zu ↑*Elektronik.*

Wortgeschichte Unter der Überschrift „Amerikanische Fortschritte auf dem Gebiet der ~“ berichtet Curt Borchardt 1950 aus Toronto in „Fortschritte der Funktechnik“ [1]. Der Herausgeber Heinz Richter* vermerkt dazu in einer Fußnote:

„Der treffende englische Ausdruck ‚*electronics*‘ umreißt ein Wissensgebiet, für das es im Deutschen nur den Ausdruck ‚Elektronentechnik‘ gibt, eine Bezeichnung, der leider die Prägnanz des englischen Wortes fehlt.“ [2]

Daraus sei die Vermutung erlaubt, dass H. Richter das Wort ~ geprägt und es den Autoren seines Werkes nahegelegt hat. Im Vorwort der Folgeausgabe der „Fortschritte“, jetzt unter dem neuen Titel „Fortschritte der Radiotechnik – Archiv für radiotechnische Neuerungen“ [3] spricht er von „der noch recht jungen ~ oder Elektronik“. Er schwankt also zwischen beiden Benennungen. Ja, er läßt im Beitrag von O. Macek im Titel noch ~, im Text finden wir nur noch *Elektronik.*

Wortbenutzung 1950: Die Elektronentechnik hat ihren Einzug in viele Gebiete gehalten, die an sich gar nichts mit Verstärkern zu tun haben (Borchardt [2]); 1951: Einführung in die Elektronentechnik. Die Elektronentechnik oder Elektronik erobert sich laufend neue Anwendungsgebiete [...] Von ‚Elektronik‘ oder ‚Elektronentechnik‘ spricht man aber [...] (Macek, O. [4]).

Literatur [1] Richter, Heinz (Hrsg.): Fortschritte der Funktechnik und ihrer Grenzgebiete. Bd. 7/8. Stuttgart: Franckh, 1950. 386 S.; [2] Borchardt, Curt, in: [1] S. 270–284, hier S. 276; [3] Neue Folge, Jahrgang 1950/51. Stuttgart: Franckh, 1951. 388 S.; [4] Macek, O.: Einführung in die Elektronentechnik. In: [3] S. 69–94, hier S. 69.

Elektronik

electronics

Worterklärung Eine heute noch moderne Definition von ~ lautet:

„Elektronik ist derjenige Zweig der Technik, in dem die Gesetze der Elektronenbewegung im Vakuum, in Gasen, in Leitern und Halbleitern und die Gesetze des Zusammenwirkens von Elektronen mit elektrischen, magnetischen und elektromagnetischen Feldern, mit Strahlung jeder Frequenz [...] und mit den anderen Atombestandteilen praktisch angewendet werden. [...] Im praktischen Sprachgebrauch meint man mit ‚Elektronik‘ im wesentlichen die Technik der Elektronenröhren im weitesten Sinn, die Technik der ‚Elektronengeräte‘ und die Technik der Halbleiter.“ [1]

Wortgeschichte

1 Laut W. Gerlach* wurde das Wort ~ vom deutschen Experimentalphysiker Johannes Stark* geprägt [2], der 1904 das „Jahrbuch der Radioaktivität und Elektronik“ begründete und als Herausgeber fungierte. [3] Damals wurde mit ~ der Zweig der ↑Physik gemeint, der sich mit der Erzeugung freier ↑Elektronen und ihrer Bewegung mittels elektromagnetischer ↑Felder befasst. Jedoch die zunehmende Anwendung der durch freie Elektronen gebildeten Ströme, besonders in Elektronenröhren (↑Röhre) führte zu einer Zweitbedeutung als Zweig der ↑Elektrotechnik. Die „etz Elektrotechnische Zeitschrift“ war Schrittmacherin für die Wortverbindung „technische ~“, indem die Redaktion 1921 F.W. Meyers Aufsatz „Die freiströmende Elektrizität der technischen Elektronik [...]“ [4] im Titel unverändert ließ, während das englische Referateorgan „Science Abstracts“ (1922) recht vorsichtig war und die betreffende Wortverbindung einfach umstellte: *elec-*

tronic technology. Erst 1930 fand im Englischen das Wort *electronics* im Sinn von »technischer ~« als Name einer Fachzeitschrift des Verlages McGraw-Hill in die Fachsprache Eingang. [5] In den 1950er Jahren wurde über die zutreffende Benennung des Zweiges der Elektrotechnik diskutiert, in dem *elektronische Bauelemente* und *Bauteile* die Grundlage bilden. Zur Auswahl standen *angewandte ~*, *industrielle ~* und *technische ~* sowie ↑*Elektronentechnik*. Herausgebildet hat sich schließlich ~ nach der obigen Definition. [6]
2 Im Deutschen erlangte ~ eine weitere Bedeutung als »elektronische Einrichtung«. Diese von den maßgebenden Fachkreisen als Fachjargon abgelehnte Sprachverwendung ist zuweilen in Fachveröffentlichungen anzutreffen. Doch muss darauf hingewiesen werden, dass der Dualismus „Fachgebiet / (Einrichtung, Gerät, Eigenschaft)" woanders auch anzutreffen ist: *Optik, Mechanik, Hydraulik, Elektrik, Akustik, Statik*.
Wortbenutzung zu Wortgeschichte 1: 1921: Technische Elektronik. Vorlesung durch F.W. Meyer (1876–1932) an der TH Braunschweig (Kloss-1990, S. 191); 1955: Elektronik des Einzelelektrons (Ollendorff, F., Wien); 1968: Wörterbuch Bausteine der Elektronik (Pils-1968); 1990: Auf den Spuren der Leistungselektronik (Kloss-1990); 1998: VDE Verband der Elektrotechnik Elektronik Informationstechnik e.V. (↑VDE); zu Wortgeschichte 2: 1960: Ein Multivibrator und ein Sperrschwinger bilden die Elektronik (In: etz-A Bd. 81, S. 481); 1987: Ob es sich um einen Mono- oder Polysynthesizer handelt, hängt primär von der Elektronik der Tastatur ab (S. 238). Außerdem speichert die Elektronik gemäß einem bestimmten Algorithmus die zeitliche Abfolge der Anschläge (Enders-1987, S. 240).
Wortfamilie
1 Zusammensetzungen mit *-elektronik* als Grundwort: *Abfrageelektronik, Antriebs~, Bahn~, Energie~, Fernseh~, Hochleistungs~, Industrie~, Kristall~, Leistungs~, Molekular~, Musik~, Satelliten~, Tastatur~;*
2 Wortableitungen: *Elektroniker, Elektronikerin, elektronisch.*
Fremdsprachige Entsprechungen (En) *electronics;* (Nl) *elektronica;* (No) *elektronikk;* (Sv) *elektronik;* (Es) *electrónica;* (Fr) *électronique* (1930, Robert-1994); (It) *elettronica;* (Ru) электроника /*èlektronika*/; (Pl)(Cs) *elektronika.*

Literatur [1] Macek, O.: Einführung in die Elektronentechnik. In: Fortschritte der Radiotechnik. Neue Folge, Jahrgang 1950/51. (Hrsg.: Richter, Heinz). S. 69–94, hier S. 69; [2] Gerlach-1970, S. 48; [3] Kloss-1990, S. 151 (Faksimile des Titelblattes); [4] Meyer, F.W.: Die freiströmende Elektrizität der technischen Elektronik und die Entwicklung der Starkstromtechnik und des Maschinenbaues. In: etz Bd. 42 (1921) S. 689–693 u. 725–728; [5] Süsskind-1966, S. 78; [6] Bergtold, F[ritz]: Gedanken zum Begriff der Elektronik. In: Funktechnik Bd. 18 (1959) S. 655–657.

Elektrophor

electrophor

Worterklärung Vorläufer des elektrischen ↑Kondensators mit veränderbarer ↑Kapazität.
Wortgeschichte Diese Einrichtung wurde 1758 zwar vom deutschstämmigen Professor der Physik an der Universität Stockholm, Johann Carl Wilke (1732–1796), erfunden, 1762 in den Abhandlungen der Schwedischen Akademie erwähnt [1], aber erst durch den italienischen Physiker Alessandro Volta* ab 1775 bekannt gemacht, wobei

er sie (It) *elettroforo* nannte – eine Benennung, die sich bald einbürgerte. Sie geht zurück auf (nGr) ηλεκτροφορ */ēlektrofor/* ›Elektrizitätsträger‹. Der deutsche Physiker und Aphoristiker LICHTENBERG* arbeitete mit dem ~ und entdeckte dabei die später nach ihm benannten (Staub-)Figuren. Er erkannte auch schon, dass man sie zum Drucken [2] einsetzen kann, was nach etwa 150 Jahren in der Xerographie verwirklicht worden ist.
Wortbenutzung 1778: Das Verfahren, wodurch ich diesen Elektrophor elektrisiere, ist ebenso einfach als wirksam, und der Aufmerksamkeit der Physiker nicht unwürdig (LICHTENBERG-1983, S. 161).
Wortfamilie *Elektrophorese.*
Fremdsprachige Entsprechungen (En) *electrophor(us);* (Nl) *elektrofoor;* (Es) *electroforo;* (Fr) *électrophore;* (It) *elettroforo;* (Ru) электрофор */ėlektrofor/;* (Cs) *elektrofor.*
Siehe auch ↑positive/negative Elektrizität.
Literatur [1] FRAUNBERGER-1985, S. 149 u. 198; [2] LICHTENBERG-1983, S. 160.

Elektrophysik electrophysics

Worterklärung Zweig der ↑Physik, der sich mit den Gesetzmäßigkeiten bewegter elektrischer Ladungen und der mit ihnen zusammenhängenden Erscheinungen befasst. Alternativbenennung: *Elektrizitätslehre.*
Wortgeschichte Das Wort ~ wird 1894 im BROCKHAUS Konversations-Lexikon verwendet, woraus gefolgert werden kann, dass es geläufig ist. Die Stelle lautet:

„Darum haben sich auch die Technischen Hochschulen [...] Laboratorien eingerichtet, in denen Gelegenheit gegeben wird, sich die nötige Übung im Beobachten und im Messen anzueignen und die vorgetragenen Lehren der Elektrophysik und Elektrochemie sich durch Anwendung derselben sicherer anzueignen." [1]

Wortbenutzung 1928: Elektrizitätslehre, Elektrophysik [in (En), (Es), (Fr), (It), (Ru)] (SCHLOMANN-1928, Nr. 38.5); 1996: Da man von der Kontinuität in der Elektrophysik ausgehen kann, werden die im ‚elektrischen' Kreis gewonnenen Erkenntnisse auf den ‚magnetischen' Kreis angewandt (RÜCKL-1996, S. 31).
Wortfamilie *elektrophysikalisch* (RÜCKL-1996, S. 28).
Fremdsprachige Entsprechungen (En) *electrophysics, theory of electricity;* (Es) *electrofísica;* (Fr) *électrophysique;* (It) *elettrofisica;* (Ru) электро-физика */ėlektro-fizika/.*
Siehe auch ↑*Technische Hochschule.*
Literatur [1] BROCKHAUS Konversations-Lexikon. 14. Aufl. in 16 Bänden. Leipzig, Berlin, Wien: Brockhaus, Bd. 6: 1894, hier S. 11.

Elektroskop electroscope

Worterklärung Physikalisches Instrument zur Anzeige einer elektrischen Ladung, indem zwei an Fäden hängende elektrisch geladene Holundermarkkügelchen auseinander streben.
Wortgeschichte Der Erfinder dieses Instruments, der französische Physiker Jean-Antoine NOLLET*, berichtete 1752 in einem Brief an den amerikanischen Kollegen Benjamin FRANKLIN von seiner Erfindung und schlug vor, „das Instrument *Elektroskop* zu nennen". [1]
Wortfamilie Zusammensetzungen mit *-elektroskop* als Grundwort: *Goldblattelektroskop, Goldblättchen~, Holundermark~, Korkkugel~.*

Fremdsprachige Entsprechungen (En) *electroscope;* (Sv) *elektroskop;* (Es) *electroscopio;* (Fr) *électroscope* (1753, Robert-1994); (Ru) электроскоп */èlektroskop/;* (Pl)(Cs) *elektroskop.*
Literatur [1] Fraunberger-1985, S. 63.

Elektrotechnik

electrical engineering

Worterklärung Zweig der ↑Technik, der sich mit der Anwendung der ↑Elektrizität und allen ihren Erscheinungsformen befasst.

Wortgeschichte Begriff und Benennung ~ gehen auf Werner Siemens* (1888 geadelt) zurück, der sie in einem Brief vom 5. Feb. 1879 an den General-Postmeister Dr. Heinrich Stephan* (1885 geadelt) zum ersten Mal verwendet:

„Ew Excellenz, Erlaube ich mir beifolgend einen ‚Statutenentwurf für einen deutschen Verein für Elektrotechnik' zur geneigten Kenntnisnahme zu unterbreiten. Es hat sich mir doch die Erkenntnis aufgedrängt, daß ein Telegraphenverein nicht genügend Material und tätige Kräfte bei uns finden würde, um den bestehenden englischen Vereinen sich gleich würdig zur Seite stellen zu können. Ich erlaube mir daher in Vorschlag zu bringen, Ew Excellenz wolle das Protektorat über einen das ganze Gebiet der Elektrotechnik umfassenden Verein übernehmen. [...]" [1]

Der Verein wurde am 20. Dez. 1879 unter dem Namen *Elektrotechnischer Verein* gegründet (↑elektrotechnisch).

Wortbenutzung 1898: Elektrotechnik (Duden-1898); 1944: Lehrbuch der Elektrotechnik[4] (Oberdorfer, Günther); 1945: Österreichischer Verband für Elektrotechnik (ÖVE); 1993: Elektrotechnikgesetz – ETG [2]; 1998: Taschenbuch der Elektrotechnik[3] (Kories, R.); 2001: „DKE Deutsche Kommission Elektrotechnik Elektronik Informationstechnik im ↑DIN und ↑VDE".

Wortfamilie *Elektrotechnik,* ↑*Elektrotechniker,* ↑*elektrotechnisch.*

Fremdsprachige Entsprechungen (En) *electrotechnology, electrical engineering;* (Es) *electrotécnica;* (Fr) *éléctrotechnique;* (It) *elettrotecnica;* (Ru) электротехника */èlektrotehnika/;* (Pl)(Cs) *elektrotechnika.*

Literatur [1] Festschrift zum 100jährigen Bestehen des Elektrotechnischen Vereins 1879–1979. Berlin: VDE-Verlag, 1979 (Ohne Seitenangaben); [2] In: Bundesgesetzblatt für die Republik Österreich (1993) Nr. 106, S. 1199–1208.

Elektrotechniker

electrical engineer

Worterklärung Fachkraft auf dem Gebiet der ↑Elektrotechnik.

Wortgeschichte Mit der Gründung des ↑VDE 1893 wurde ~ Bestandteil des Verbandsnamens. Damals verstand man darunter einen Absolventen einer ↑Technischen Hochschule, also einen Elektroingenieur. Durch das Zweite Gesetz zur Änderung der Handwerksordnung vom 25.03.1998 wurden die Gewerbe Elektroinstallateure, Elektromechaniker und Fernmeldeanlagenelektroniker zum neuen Gewerbe „Elektrotechniker" zusammengefasst. Laut Auffassung des Zentralverbandes der Deutschen Elektrohandwerke (ZVEH) ermöglicht diese neue attraktive Gewerbebezeichnung einerseits mehr Flexibilität bei der Bildung von Ausübungsschwerpunkten und gestattet andererseits breitbandige Betätigungsfelder [1].

Literatur [1] In: etz Bd. 120 (1999) H. 11/12, S. 49.

elektrotechnisch

electrotechnical

Worterklärung Die ↑Elektrotechnik betreffend.
Wortgeschichte Das Einladungsschreiben zur Gründungssitzung des Elektrotechnischen Vereins am 20. Dez. 1879 in Berlin ist vom Kaiserlichen General-Postmeister Dr. Heinrich STEPHAN* unterzeichnet worden. Ursprünglich sollte der Verein „Deutscher Verein für Elektrotechnik" heißen.
Wortbenutzung Wiener elektrotechnischer Verein; Schweizerischer Elektrotechnischer Verein (SEV); Internationale Elektrotechnische Kommission (↑IEC).
Fremdsprachige Wortbenutzung (En) *International Electrotechnical Commission (IEC)*; (Fr) *Commission Internationale Éléctrotechnique (CIE)*; (Ru) **Международная Электротехническая Комиссия (МЭК)** /*Meždunarodnaja Ėlektrotehničeskaja Komissija (MĖK)*/.
Literatur ↑Elektrotechnik

Ellipse

ellipse

Worterklärung Geometrischer Ort aller Punkte, deren Summe der Abstände zu zwei festen Punkten (Brennpunkte) konstant ist; die ~ entsteht als Kegelschnitt an einem Kegel, wenn eine Ebene die Kegelachse schräg durchschneidet.
Wortgeschichte Die Benennung ~ geht auf den griechischen Mathematiker APPOLONIOS VON PERGE* zurück, der ca. 220 v. Chr. im Buch I seines Hauptwerkes „Κονικα" /Konika/ ~, ↑Hyperbel, ↑Parabel und Kreis als Kegelschnitte verstand und etwa Folgendes definierte: Wenn durch Zusammenfügen von Teilflächen eines Kegelschnitts eine Verminderung entsteht, so ist dies eine (Gr) ἔλλειψις /*élleipsis*/ ›Mangel, Auslassen‹. [1]
Wortbenutzung
1 1525: Die Elipsis will ich ein eyerlini nennen / darumb das sie schyer einem ey gleich ist (DÜRER-1983, S. C iij verso); 1734: *Ellipsis*, heisset eine in sich selbst lauffende krumme Linie. [...] Die Eigenschaften dieser krummen Linien hat unter den Alten *Apollonius* in *Libris Conicorum* erwiesen, daher sie auch *Ellipsis Apollonii*, ingleichen *Apolloniana*, genennet wird (GLEDISCHEN-1734, Spalte 419); 1734: weiterer Beleg vgl. ↑Vektor.
2 Wortbenutzung in der Elektrotechnik: 1965: Das Meßgelände für Störfeldstärke-Messungen sollte die Form einer Ellipse haben, deren große Achse doppelt so groß wie die Meßentfernung ist (WARNER-1965, S. 119); 1998: Ein Strahlungsmeßplatz [für die Feldstärke] erfüllt diese Forderungen, wenn er sich innerhalb einer Ellipse befindet, deren großer Durchmesser doppelt so groß ist wie der Abstand der Brennpunkte und deren kleiner Durchmesser dem $\sqrt{3}$-fachen dieses Abstandes entspricht. Der Prüfling wird in einem Brennpunkt, die Meßeinrichtung im anderen aufgestellt. [2]
Literatur [1] GERICKE-1996, Bd. 1, S. 130-135, 226-227; KROPP-1994, S. 41-46; BALL-1960, S. 77-83; [2] DIN EN 55011 (VDE 0875 Teil 11):1998-12, S. 18.

Elm

electricity

Worterklärung Wortstamm für verdeutschende Ersatzbenennungen für »Elektrizität« und damit zusammenhängende Begriffe, dem »Sankt Elmsfeuer« entlehnt, einer büschelförmigen elektrischen Lichterscheinung an hochstehenden spitzen Gegenständen wie Masten bei hohen elektrischen Feldstärken, die sich vor Gewittern einstellt.
Vgl. ↑Elektrizitäts-Verdeutschungen.

Wortgeschichte

1 Unter Berufung auf die allgemein bekannte Bedeutung des St. Elmsfeuers hat 1928 der Österreicher Erich HEYSSL (Heyßl) in einem Aufsatz vorgeschlagen, *Elektrizität* durch *Elm* zu ersetzen und diesen Wortstamm für weitere Fachausdrücke zu verwenden,

„da es sich um eine einfache Silbe handelt, die in unserer Sprache in keiner anderen Bedeutung mehr vorkommt; dazu tritt noch der Umstand, dass ‚Elm', bekannt vom St. Elmsfeuer, von jedermann leicht mit der Elektrizität in Zusammenhang zu bringen ist." [1]

Auswahl von E. HEYSSL vorgeschlagener Ableitungen mit *Elm*:

Elm Elektrizität • *Elmiker* Elektriker • *Elming* Elektroingenieur • *Elminger* Elektrotechniker • *elmisch* elektrisch • *Elmkraft* Elektrizität • *Elmner* Elektromonteur • *Elmoter* Elektromotor • *elmoterische Kraft* elektromotorische Kraft • *Elmscheidung* Elektrolyse • *Elmtrenner* Dielektrikum • *Elmwerk* Elektrizitätswerk • *Elmwirtschaft* Elektrizitätswirtschaft • *Elmzähler* Elektrizitätszähler • *Elmzerleger* Elektrolyt • *beelmen* elektrifizieren • *verelmen* elektrisieren

Seinen Aufsatz sandte er mit Schreiben vom 8. März 1928 dem ↑VDE und dem Deutschen Sprachverein. Die zuständige „VDE-Kommission für Benennungen" lehnte diesen Vorschlag ab. Von der Rechtsnachfolgerin des Deutschen Sprachvereins, der Gesellschaft für deutsche Sprache (GfdS) e.V., Wiesbaden, war zu erfahren, dass keine Akte von 1928 vorliegt und dass bis 1945 in der Zeitschrift „Muttersprache" kein Beitrag von E. HEYSSL erschienen ist.

2 Drei Jahre danach hat ein anderer Österreicher, Heinrich RUPPERT, ~ ebenfalls für verdeutschende Ersatzbenennungen vorgeschlagen, und zwar in der „Deutschösterreichischen Tageszeitung" (4. Jan. 1931). Er

„lehnt die vorgeschlagenen Ersatzwörter ‚Berne' oder ‚Blitzkraft' ab, […] sucht dafür ein sachlich und naturkundlich treffendes Wort und glaubt es im ‚Elmsfeuer' zu finden, das in vielen Beziehungen mit dem natürlichen Vorgang inniger zusammenhängt als jene beiden. Auch beginnt es mit E und paßt also für bisherige Abkürzungen." [2]

RUPPERTS Vorschläge:

Elme Elektronen • *elmisch* elektrisch • *Elm-Geblaufwerk* dynamoelektrische Maschine • *Elmkraft* elektromotorische Kraft • *Elmung* Elektrizität • *Elmwirkung* Elektrizität • *Geläufe* elektrische Maschine • *Laufwerk* elektrische Maschine • *Roller* Motor. [2]

Es bürgerte sich kein Vorschlag ein.

Literatur [1] HEYSSL, Erich: Elektrizität oder Bernkraft? (5 Blätter), Typoskript. Archivalien der VDE-Kommission für Benennungen; [2] Das Wort Elektrizität und andere Zungenkunststücke. Zit. nach Muttersprache Bd. 46 (1931) Spalte 232.

Elt

electricity

Worterklärung Wortstamm für verdeutschende Ersatzbenennungen für ↑»Elektrizität« und damit zusammenhängende Begriffe, dem Wort *Elektrizität* durch Zusammenziehung (<u>El</u>ektrizitä<u>t</u>) entlehnt.

Wortgeschichte

1 Auch wenn vor 1917 „das schon hier und da verwendete Wort *Elt*" [1] angesprochen wird, so verdanken wir die erste Aufstellung der Wortfamilie *Elt*- dem terminologisch

vorgehenden Eisenbahningenieur Otto SARRAZIN*, der 1918 in der 5. Auflage seines „Verdeutschungs-Wörterbuchs" Folgendes bringt:

Elt, die Elektrizität • *eltisch* elektrisch • *Eltel* Elektron • *elten* elektrisieren • *Eltung* Elektrisierung. [2]

In der April/Mai-Ausgabe von 1918 der „Zeitschrift des Allg. Deutschen Sprachvereins" lesen wir:

„Zu dem Worte *Elt* für Elektrizität schreibt uns ein namhafter Fachmann [es dürfte O. SARRAZIN gemeint sein, der auch Vorsitzender des Sprachvereins ist]: Von allen deutschen Ersatzvorschlägen für Elektrizität ist die als gutes Lehnwort gebildete ‚Elt' zweifellos der allerbeste. Besonders dürfte das Eigenschaftswort *eltisch* für elektrisch in der Öffentlichkeit bald Wurzel fassen: man fährt mit der *‚Eltischen'* statt mit der Elektrischen. Dann hätten wir also folgende ebenso kurze wie deutsche Ausdrücke: [zusätzlich zu den vorgenannten]

- *Eltner* Elektriker, Elektrotechniker
- *Eltingner* Elektroingenieur
- *eltigen* elektrifizieren; mit Elt, Eltkraft oder eltisch betreiben.

Dichterisch kann daneben wie Dampfroß für Lokomotive auch Blitzkraft u. dgl. für Elektrizität Anwendung finden. J. R." [3]

2 Der Fremdwortbekämpfer Eduard ENGEL* vermerkt 1918 in seinem „Verdeutschungswörterbuch":

„Hier und da taucht neuerdings *Eltwerk* für Elektrizitätswerk [...] auf". [4]

In der Zeitschrift „Der Werbeleiter" wird 1929 berichtet:

„Das Wort ‚Elt' erfreut sich vielfach besonderer Beliebtheit, wird auch schon im Dienstgebrauch hier und da verwendet. Kein geringerer als Prof. E. ENGEL, unser größter Sprachkünstler, hat sich einmal (in einem Brief an [...] den Herausgeber der ‚Elektrizitätsverwertung') für dieses Kunstwort eingesetzt." [5]

3 Im seinem „Verdeutschungsheft für Handel, Gewerbe und Amtsstellen" von 1931 führt Max PREITZ* folgende Vorschläge mit dem Wortstamm *elt* auf:

eltisch elektrisch • *elten* elektrisieren • *eltigen* elektrifizieren • *Eltigung* Elektrifizierung • *Eltner* Elektriker, Elektrotechniker • *Elte, die* die Elektrizität • *Eltwerk* Elektrizitätswerk • *Eltingner* Elektroingenieur • *Eltmotor* Elektromotor • *Eltrichtmeister* Elektromontagemeister • *Eltleitungsleger* Elektroinstallateur • *Eltel* Elektron. [6]

4 Im Jahrgang 1933 der „Muttersprache" ließ die Schriftleitung einen Gedankenaustausch über die beste Verdeutschung von „Elektrizität" zu, in dem neben ↑*Bern* und ↑*Glitz* auch *Elt* erörtert worden sind. Als Verfechter für *das Elt* trat Leopold SAUTTER (Berlin-Frohnau) auf, der darauf hinweist, dass die „Bauwelt – Zeitschrift für das gesamte Bauwesen" die Wörter *elten* ›elektrisieren‹, *beelten* ›elektrifizieren‹ und *eltisch* ›elektrisch‹ „im Hauptblatt wie in ihren Beiheften" verwendet. Darüber hinaus empfiehlt er die Zusammensetzungen *Eltwärme, Eltzug* sowie die Neubildungen *Eltling* oder *Elting* ›elektrische Lokomotive‹. [7]

5 Vermutlich ohne Kenntnis der oben genannten Vorschläge greift 1950 der Ingenieur Günther GREMMINGER den Wortstamm *elt* auf und kommt so zu teilweise anderen Vorschlägen:

die Elt Elektrizität • *elten* elektrisieren • *verelten* elektrifizieren • *Elter* Elektriker • *Eltleger* Elektro-Installateur • *eltisch* elektrisch • *Eltlok* Elektrolok • *Eltrode* Elektrode • *Eltrolyse* Elektrolyse • *Eltron* Elektron • *Eltsynthese* Elektrosynthese • *Eltwerk* Elektrizitätswerk • *Dieltrum* Dielektrikum [8].

Dabei stellt GREMMINGER fest, dass *Elt* die sechs Forderungen für die Verdeutschung erfüllt:
Eine Verdeutschung muss eine ganze Wortsippe umfassen.
Das neue Wort muss kürzer als das alte sein.
Das neue Wort soll das Geschlecht des alten haben.
Das neue Wort soll den gleichen Anfangsbuchstaben haben.
Das neue Wort soll einem anderen deutschen Wort entsprechend gebaut sein, z. B. Welt, Zelt.
Das neue Wort sollte auch in anderen Sprachen möglich sein.

6 Der Sprachwissenschaftler und Schulmann Guido HOLZ greift 1954 in seinem Beitrag „Sprache – Helferin oder Sklavin" den Gesprächsfaden zu *Elt* auf und meint:

„Auch die Form ‚die Elt' befriedigt nicht. Entweder versteht man Elektrizität als eine Naturkraft oder -erscheinung wie *Wärme, Schwere, Dichte, Feuchte* und spricht dann von ‚*Elte*' (vgl. auch *elté, elty, eltà*) oder man faßt sie als Ansammlung kleinster Teilchen auf wie *das Feuer, das Wasser, das Licht, das Gas* – dann muß man eben *das Elt* sagen. Falsch ist auch die Ableitung *eltisch*, eine sklavische Nachbildung von *elektrisch*; man muß einerseits von einem *Eltschalter*, einer *Eltleitung*, anderseits von einer *eltigen* (d. h. eltgeladenen) Spule und dergleichen reden (vgl. *wässrig, ölig, mehlig u. a.*" [9]

Wortbenutzung 1929: Die ‚Eltfabriken', Fabriken für Elektro-Installationsgegenstände [10]; 1957: Es waren u. a. Vertreter folgender Organisationen beteiligt: [...] der Energiewirtschaft: Elt, Gas und Kohle (JENSEN, Ingeborg [11]); 1969: Weiterentwicklung der Begriffsstruktur der Elektrotechnik mit besonderer Betonung der Informations- und Fernwirktechnik in der Eltversorgung (DENNHARDT, A[lfred] [12]).

Literatur [1] Elektr. Kraftbetrieb u. Bahnen, Heft 30 vom 24.10.1917, S. 296 (Dr. THIERBACH), zit. nach Zeitschrift Allg. Dt. Sprachverein, Bd. 33 (1918) Spalte 50; [2] SARRAZIN-1918, S. 66; [3] In: Zeitschrift Allg. Dt. Sprachverein, Bd. 33 (1918) Spalte 81; [4] ENGEL-1918, S. 111; [5] Der deutsche Strom. In: Der Werbeleiter Bd. 4 (1929) Nr. 5, Hrsg.: Vereinigung der Elektrizitätswerke; [6] PREITZ-1931, S. 34; [7] SAUTTER, Leopold: Das Elt. In: Muttersprache Bd. 48 (1933) Spalte 360–361; [8] GREMMINGER, Günther: Lebensfähige Verdeutschungen. Muttersprache [Bd. 60] (1950) S. 371-373; Referat darüber in: etz Bd. 72 (1951) S. 216; siehe auch: Sprachdienst Bd. 1 (1957) S. 31–32; [9] In: Muttersprache (1954) S. 424–426, hier S. 425; [10] In: Licht und Lampe Bd. 18 (1929) S. 383; [11] In: DIN-Mitt. Bd. 36 (1957) S. 577–582, hier S. 578; [12] In: Energie Bd. 21 (1969) S. 332–337, hier S. 332.

E. M. F.

E. M. F.

Worterklärung Abkürzung von (En) *electromotive force*. Die deutsche Entsprechung ist *EMK* für ↑*elektromotorische Kraft*.

Wortgeschichte Laut O. HEAVISIDE* stammt sie von Fleeming JENKIN:

„The line-integral of the electric force from one point to another along a stated path is the electromotive force along that path; this was abbreviated by Fleeming Jenkin to E.M.F. He was a practical man, as well as a practician."

Literatur HEAVISIDE-1951, § 27.

Energie

energy

Worterklärung Physikalische Größe über die Fähigkeit eines Systems, ↑Arbeit zu leisten. Man unterscheidet. mechanische ~, elektrische ~, magnetische~ und chemische ~ sowie Gravitations~, Wärme~, Kern~ und Strahlungs~. Formelzeichen: *E*, *W*. ↑SI-Einheit: ↑Joule. Veraltet: ↑Erg.

Wortgeschichte

1 Laut C.F. v. WEIZSÄCKER „erfand" der griechische Naturforscher und Philosoph ARISTOTELES* das Wort Ⓖⓡ ἐνέργεια /*enérgeia*/ ›Wirklichkeit‹ für den Gegensatz Ⓖⓡ δύναμις /*dýnamis*/ ›Möglichkeit‹ [1], vermutlich etwa nach Gründung seiner Schule in Athen im Jahre 334 v.Chr. In seiner „Metaphysik" heißt es hierzu:

„Das Wort *Energie*, das ›Verwirklichung‹ zur Entelechie, der Wesensvollendung hin bedeutet, ist von der Bewegung, wovon es vorzugsweise gilt, auf das übrige übertragen worden. Denn als Energie wird vor allem die Bewegung aufgefaßt." [2]

Das Wort ~ besteht aus Ⓖⓡ ἐν /*en*/ ›in‹ und ἔργον /*érgon*/ ›Arbeit, Werk‹ und wird meistens übersetzt »Wirksamkeit, Kraft«. In diesem Bedeutungsfeld wurde es im 18. und 19. Jahrhundert auch von deutschen von Philosophen und Dichtern benutzt, d.h. von HEGEL bis SCHOPENHAUER, von GOETHE und SCHILLER.

2 Als Fachausdruck im physikalischen Sinn wird Ⓔⓝ *energy* seit 1807 durch den englischen Physiker Thomas YOUNG* in vielen Sprachen in der Wortwurzel *energ*- sesshaft. [3]

Wortbenutzung 1887: Das Prinzip der Erhaltung der Energie (PLANCK [4]); 1905: Die einfachste Vorstellung ist die, daß ein Lichtquant seine ganze Energie an ein einziges Elektron abgibt (EINSTEIN [5]); 1944: Die in Kondensatoren normaler Größe enthaltene Energie ist auch bei hohen Spannungen nicht sehr groß [1 μF bei 1000 V hat 0,5 Joule] (WALLOT-1944, S. 32); 1966: In der Welt der Elementarteilchen kommt Energie hauptsächlich in zweierlei Gestalt vor, nämlich in Form von Masse und in Form von Bewegung (FORD-1966, S. 38); 1998: Die Physik kann als die Wissenschaft von der Energie bezeichnet werden. Denn Energie ist ein für die gesamte Physik fundamentaler Begriff (GREHN/KRAUSE-1998, S. 60).

Wortfamilie

1 Zusammensetzungen mit *Energie*- als Bestimmungswort: *Energieabgabe, ~äquivalent, energiearm, ~art, ~aufnahme, ~aufspeicherung, ~aufwand, ~ausgleich, ~ausstrahlung, ~austausch, ~band, ~bedarf, ~begriff, energiebewusst, ~bilanz, ~block, ~bündel, ~dach, ~dichte, ~einheit,* ↑*~element, ~entwicklung, ~erhaltung, ~erzeugung, ~fluss, ~form, ~gehalt, energiegeladen, ~gewinn, ~gleichung, ~haltung, ~haushalt, ~inhalt, energieintensiv, ~krise, ~leistung, ~leitung, ~lieferant, energielos, ~mangel, ~markt, ~niveau, ~politik, ~prinzip, ~projekt,* ↑*~quant, ~quantelung, ~quantum, ~quelle, ~rechnung, energiereich, ~reichtum, ~reserve, ~rückgewinnung, ~satz, ~schwelle, energiesparend, ~sparprogramm, ~speicher, ~speicherung, ~spender, ~spektrum, ~strahler, ~strahlung, ~stufe, ~tensor, ~term, ~träger, ~transport, ~überschuss, ~übertragung, ~umformer, ~umformung, ~umwandlung, ~verband, ~verbrauch, ~vergeudung,*

~verlust, ~vernichtung, ~verschwendung, ~versorgung, ~verteilung, ~verteilungskurve, energievoll, ~vorrat, ~wandler, ~wandlung, ~wirtschaft, ~zerstreuung, ~zufuhr, ~zustand;
2 Zusammensetzungen mit *-energie* als Grundwort: *Aktivierungsenergie, Anregungs~, Austausch~, Austritts~, Bewegungs~, Bindungs~, Blind~, Dissoziations~, Elektro~, Feld~, Gas~, Gesamt~, Gravitations~, Hilfs~, Hochfrequenz~, Impuls~, Ionisations~, Ionisierungs~, Kern~, Licht~, Lösch~, Nullpunkt~, Nutz~, Schall~, Schwellen~, Sonnen~, Spaltungs~, Stoß~, Strahlungs~, Wärme~, Wind~;*
3 Wortableitungen: *Energetik, Energetiker, energetisch, Energetismus, energisch;*
4 Verdeutschung: ↑*Spannkraft.*
Fremdsprachige Entsprechungen (En) *energy;* (Nl) *energie;* (Sv) *energi;* (Is) *orka;* (Es) *energía;* (Fr) *énergie* (1807, 1875, ROBERT-1994); (It) *energia;* (nLa) *energia;* (nGr) ενέργεια /*enérgeia*/; (Ru) энергия /*ėnergija*/; (Pl) *energia;* (Cs) *energie;* (Hu) *energia;* (Fi) *energia, voima;* (Zh) /*néngliàng*/; (Ja) /*enerugī*/.
Literatur [1] WEIZSÄCKER-1960, S. 143; [2] HANSEN-2000, CD-ROM, S. 4365; [3] WESTPHAL-1956, S. 48; LAUE-1959, S. 95; PFEIFER-1995, S. 284; Encycl. Brit.-2001, CD-ROM; [4] Von der Philosophischen Facultät Göttingen preisgekrönt. Leipzig 1887. Ergebnis eines Preisausschreibens der Philosophischen Facultät der Universität Göttingen von 1884. Zit. nach SCHIMANK, Hans, in: VDI-Nachr. (1958) Nr. 9, S. 10; [5] EINSTEIN, A., Ann. Phys. Bd. 17 (1905) S. 132–148, zit. nach HAAR-1969, S. 118–138, hier S. 134.

Energieelement energy element

Worterklärung Alternativbenennung (Synonym) von *Energiequant* (↑Quant).
Wortgeschichte Das Wort ~ wurde 1900 von Max PLANCK* in seinem Beitrag „Zur Theorie des Gesetzes der Energieverteilung im Normalspektrum" [1] für das Produkt Konstante ↑*h* mal Frequenz ν benutzt:

„Diese Konstante mit der gemeinsamen Schwingungszahl ν der Resonatoren multipliziert ergibt das Energieelement ε in erg, und durch Division von *E* durch ε erhalten wir die Anzahl *P* der Energieelemente, welche unter die *N* Resonatoren zu verteilen sind. […] Nun ist einleuchtend, daß die Verteilung der *P* Energieelemente auf die *N* Resonatoren nur auf eine endliche ganz bestimmte Anzahl von Arten erfolgen kann." [2] „Daß das für eine Resonatorgattung angenommene Energieelement ε proportional sein muß der Schwingungszahl ν, läßt sich unmittelbar aus dem höchst wichtigen WIENschen sogenannten Verschiebungsgesetz folgern." [3]

Literatur [1] In: Verh. Deutsch. phys. Ges. Berlin, Bd. 2 (1900) S. 237, zit. nach HAAR-1969, S. 107–117; [2] Ebenda, S. 110; [3] Ebenda, S. 113.

Energiequant ↑Quant

Entohmung

Worterklärung Ehemals vorgeschlagener Begriff zur Bewertung der Blindleistung (↑*Blind-*), besonders von nicht-sinusförmigen Wechselströmen.
Wortgeschichte Das Wort ~ prägte 1930 der Elektromaschinentheoretiker Fritz EMDE*, der auf eine mit der Blindleistung eng verwandte Größe aufmerksam machte, die aus den Augenblickswerten von Strömen und Spannungen gebildet ist und sich daher auch auf ohne Weiteres auf nicht-sinusförmige Wechselströme anwenden lässt.

Zur Wortbildung äußerte er sich wie folgt:

„Die Größe *M* muß immer dann gleich Null sein, wenn *I*/*U* [Strom/Spannung] eine Konstante, also der Strom proportional der Spannung ist, wenn also wenigstens formal das Ohmsche Gesetz gilt. Wir wollen deshalb die Größe *M* die ‚*Entohmung*' nennen. Sie hat die Dimension W/s." [1]

Wortbenutzung 1930: Die Entohmung eines beliebigen Wechselstromes ist die Summe der Entohmungen der einzelnen Sinusströme, in die der Wechselstrom zerlegt werden kann. Entohmungen von Sinusströmen verschiedener Frequenz dürfen addiert werden. [2]

Literatur [1] Emde, Fritz: „Entohmung". In: etz Bd. 51 (1930) S. 533–535, hier S. 533; [2] Ebenda, S. 533–534.

Entropie entropy

Worterklärung Physikalische Größe der Thermodynamik als Quotient einer Wärmemenge d*Q* und der absoluten Temperatur *T*. ↑SI-Einheit: J/K = ↑Joule/↑Kelvin

Bei einer Wärmezufuhr d*Q* ist es von Wichtigkeit, wie groß der Quotient d*Q*/*T* = d*S* ist. Beim Carnotschen Kreisprozess vermehrt sich *S* bei dem einen isothermen Vorgang um genau so viel, als es beim anderen abnimmt. Bei reversiblen Vorgängen: Entropievermehrung; bei irreversiblen Vorgängen: Entropieerzeugung. [1]

Wortgeschichte Der deutsche Physiker Rudolf Clausius* hatte die Bedeutung der Austauschgröße bei reversiblen thermischen Energieänderungen erkannt, die durch den Quotienten aus der reversibel zu- oder abgeführten Wärmemenge und der absoluten Temperatur gegeben ist. Er nannte sie zunächst *Äquivalenzwert*, dann *Verwandlungswert* und 1865 schließlich *Entropie*. [2] In seinem Vorlesungsmanuskript „Mechanische Wärmetheorie. 3stündiges Colleg Sommer 1866" findet sich folgende Textstelle: „Nun *Entropie* von τροπη /*tropē*/ ganz entsprechend *Energie*" und das von ihm eingeführte Formelzeichen *S*, vermutlich in Anlehnung an das ↑Integralzeichen. [3] Das Gr τροπη gehört zur Wurzel τρέπειν /*trépein*/ ›wenden‹, somit bedeutet es ›Wendung, Umdrehung, Veränderung‹.

Wortbenutzung

1 1958: Ein von ihm [Clausius] im Jahre 1865 gehaltener Vortrag schließt mit den Worten: „[...] 1. Die Energie des Weltalls ist konstant. 2. Die Entropie der Welt strebt einem Maximum zu (Tank, F. [4]); 1978: Der Entropiebegriff hat sich nicht nur in der Thermodynamik, sondern neuerdings auch in der Informationstheorie als außerordentlich fruchtbar erwiesen [3, S. 96];

2 Wortbenutzung im übertragenen Sinn: 1993/1994: Entropie und Pathogenese (Becker [5]); 1996: Soziale Entropie (Wöhlcke, M., dtv 4687).

3 In jüngster Zeit wurde der Entropiebegriff mit Hilfe der Informationstheorie durch den Begriff »Informationsmangel« neu gedeutet und vertieft. (Hermann [6])

Fremdsprachige Entsprechungen En *entropy*; Fr *entropie* (Robert-1994: 1877, formé en all[emand] (Clausius), du Gr *entropia* „retour en arrière"); Ru энтропия /*entropija*/; Pl *entropia*; Cs *entropie*; Ja /*entoropi*/.

Literatur [1] Hund-1996, Teil 2, S. 110; [2] Leicht-1994, S. 39; [3] Zit. nach dem Faksimile in: Deutsches Museum-1978, S. 96–97; [4] Hohe Schulen der Technik: Die ETH. In: VDI-Nachr. (1958) Nr. 15, S. 5–6; [5] Sitzungsberichte d. Heidelberger Akademie d. Wissenschaften, Math.-Naturwiss. Klasse, 4. Abh.; [6] Hermann-1987, S. 94.

erden

to earth, to ground

Worterklärung Verb, das aus den ↑Fachwendungen
- *an Erde legen*
- *mit der Erde verbinden*
- *mit der Erde leitend verbinden*
- *zur Erde ableiten*

gegen Ende des 19. Jahrhunderts entstanden ist.

Wortgeschichte Bei A. v. WALTENHOFEN* kommen 1902 nur die angeführten Wendungen vor. [1] Im Vorschriftenwerk des ↑VDE wird ~ schon 1906 verwendet. Laut M. KLOSS wurde das Wort ~ vom Dresdener Elektroingenieur Hans GÖRGES* geprägt. [2]

Wortbenutzung 1906: Alle der zufälligen Berührung ausgesetzten [...] metallischen Konstruktionsteile [...] müssen geerdet werden; erdende Sicherungen (VDE-Errichtungsvorschriften, § 3 bzw. § 4); 1906: Einen Gegenstand erden, heißt, ihn mit der Erde derart leitend verbinden [...]; erdende Sicherungen (VDE-Bahnvorschriften § 2 bzw. § 4); 1909: Fig. 1 zeigt die directe Schaltung; der Sender ist dabei geerdet (BRAUN-1909, S. 3, NOBEL-Vortrag); 1943: (Seil), das an möglichst vielen Stellen geerdet wird und daher auch Erdseil heißt. (KOSACK-1943, S. 310); 1965: Im Falle a) ist der Prüfling über die Netznachbildung geerdet (WARNER-1965, S. 105); 1976: Erden heißt, einen elektrisch leitfähigen Teil über eine Erdungsanlage mit der Erde zu verbinden (DIN VDE 0141, WARNER-1984, S. 105).

Wortfamilie

1 Zusammensetzungen mit *Erd-* als Bestimmungswort: *~ableitung, ~anschluss, ~antenne, ~buchse, ~draht, ~frei, ~geräusch, ~induktion, ~induktor, ~kabel, ~kapazität, ~klemme, ~kontakt, ~leiter, ~leitfähigkeit, ~leitung, ~platte, ~potenzial, ~prüfer, ~rückleitung, ~sammelschiene, ~schleife, ~schluss, ~seil, ~strom, ~(un)symmetrie, ~verbindung, ~verlegung, ~widerstand;*

2 Wortableitungen: *geerdet, ↑Erdung, Erder, erdend.*

Fremdsprachige Entsprechungen Ⓔⓝ *to earth* (GB), *to ground* (US); Ⓝⓛ *aarden;* Ⓔⓢ *poner a tierra;* Ⓕⓡ *mettre à la terre;* Ⓘⓣ *mettere a terra;* Ⓡⓤ заземлять /*zazemljat'*/ ← земля /*zemlja* / ›Erde‹; Ⓟⓛ *uziemić* ← *ziemia* ›Erde‹; Ⓒⓢ *(u)zemniti.*

Literatur [1] WALTENHOFEN-1902: S. 75, 166, 167, 178, 184, 193; [2] KLOSS-1939, S. 1105.

Erdung

earthing (GB), grounding (US)

Worterklärung Verbalsubstantiv von ↑*erden*. Nach der DIN-VDE-Definition: „Erdung ist die Gesamtheit aller Mittel und Maßnahmen zum Erden." [1]

Wortgeschichte Laut M. KLOSS wurde das Wort ~ vom Dresdener Elektroingenieur Hans GÖRGES* geprägt. [2]

Wortbenutzung 1943: Eine gute Erdung erzielt man meistens durch den Anschluß an das Wasserleitungsnetz (KOSACK-1943, S. 321). Im übertragenen Sinne: 2003: Eine große Diskussionsrunde der Akademie [für Sprache und Dichtung, Darmstadt], die der theoretischen Erörterung die praktische Erdung verleihen sollte, lieferte indes wenig Belege (BRECKNER, J. [3]).

Wortfamilie

1 Zusammensetzungen mit *Erdungs-* als Bestimmungswort: *~anlage, ~draht, ~fahne, ~klemme, ~leiter, ~leitung, ~netz, ~platte, ~schalter, ~schleifstück, ~schutz, ~spule, ~stange, ~stift, ~stromabnehmer, ~system, ~taste, ~trennschalter, ~wandler, ~widerstand, ~zeichen;*

2 Zusammensetzungen mit *-erdung* als Grundwort: *Arbeits~, Betriebs~, Kunst~, Schutz~, Zusatz~*.
Fremdsprachige Entsprechungen Ⓔⓝ *earthing* (GB), *grounding* (US); Ⓝⓛ *aardin*; Ⓔⓢ *puesta a tierra*; Ⓕⓡ *mise à la terre*; Ⓘⓣ *mess a terra*; Ⓡⓤ заземление */zazemlenie/*, wo земля */zemlja/* ›Erde‹; Ⓟⓛ *uziemienie*, wo *ziemie* ›Erde‹; Ⓒⓢ *(u)zemnění*.
Literatur [1] DIN VDE 0141, in: WARNER/ORTH-1984, S. 105; [2] KLOSS-1939, S. 1105; [3] Darmstädter Echo, 12.05.2003, S. 5.

Erg

erg

Worterklärung Bis zum Inkrafttreten der Internationalen ↑Einheitensystems (SI) praktizierte abgeleitete Einheit der ↑Energie, ↑Arbeit und Wärmemenge im ↑CGS-Einheitensystem. Einheitenzeichen: erg. $1\ \text{erg} = 1\ \text{dyn} \cdot \text{cm} = 1\ \text{g} \cdot \text{cm}^2 \cdot \text{s}^{-2}$.
Ein ~ ist gleich der Arbeit, die verrichtet wird, wenn der Angriffspunkt der Kraft 1 dyn (↑Dyn) in Richtung der Kraft um 1 cm (↑Meter) verschoben wird.
Wortgeschichte Das ~ (Ⓔⓝ *erg*) nach Ⓖⓡ ἔργον */érgon/* ›Arbeit‹ wurde 1873 vom „Komitee für die Auswahl und Terminologie dynamischer und elektrischer Einheiten" der ↑British Association* mit folgenden Worten empfohlen:

„The C.G.S. unit of work is the work done by this force working through a centimetre; and we propose to denote it by some derivative of the Greek ἔργον */érgon/*. The forms *ergon, ergal*, and *erg* have been suggested; but the second of these has been used in a different sense by CLAUSIUS. In this case also we propose, for the present, to leave the termination unsettled; and we request that the word *ergon*, or *erg*, be strictly limited to the C.G.S. unit of work, or what it is, for purposes of measurement, equivalent to this, the C.G.S. unit of energy, energy being measured by the amount of work which it represents." [1]

Nach JERRARD/MCNEILL soll die Benennung ~ von Prof. EVERETT* vom Queen's College in Belfast vorgeschlagen worden sein, der im Komitee als Berichter mitwirkte. [2]
Bis zum 31. Dez. 1977 war das ~ (neben der ↑Kalorie) eine zugelassene Einheit der Energie. Es gilt jetzt das ↑Joule, wobei $1\ \text{erg} = 10^{-7}\ \text{J} = 0{,}1$ Mikrojoule ist.
Fremdsprachige Entsprechungen Sprachen mit lateinischer Schrift: *erg*; außer Ⓔⓢ *ergio*; mit anderer Schrift: ⓝⒼⓡ εργ */erg/*; Ⓡⓤ эрг */èrg/*; Ⓩⓗ */ĕrgé/*; Ⓙⓐ */erugu/*.
Siehe auch ↑Kilogramm, ↑Sekunde.
Literatur [1] Brit. Ass.-1873, S. 224; [2] JERRARD/MCNEILL-1994, S. 69.

Ergonomie

ergonomics

Worterklärung Interdisplinäre Wissenschaft von Mensch, Arbeit und ↑Technik mit dem Ziel der Erforschung der Eigenschaften und Fähigkeiten des Menschen, um Arbeitsplatz, Arbeitsaufgabe, Arbeitsablauf und Werkzeuge ebenso wie seine Verkehrsmittel, Behausung, Kleidung, Sportgeräte usw. für ihn zu gestalten.
Wortgeschichte
1 Während einer Tagung zum Thema „Mensch – Maschine – Umgebung – Aufgabe", die im Januar 1950 in Cambridge (England) stattfand, waren sich die Teilnehmer einig, dass keine der bisher gebräuchlichen Benennungen wissenschaftlicher Disziplinen auf ihr spezielles Arbeitsgebiet angewendet werden konnte, das gerade auf der Zusammenarbeit vieler Disziplinen ruhte: Biomechanik, Psychotechnik, Arbeitspsychologie,

Arbeitsphysiologie und Arbeitswissenschaften. Einer der Teilnehmer, K.F.H. MURRELL, schlug (En) *ergonomics* vor, die am 16. Januar 1950 von der Mitgliederversammlung [1] gutgeheißen wurde. Dem entspricht *Ergonomie*. Es enthält die Bestandteile (Gr) έϱγον /*érgon*/ ›Arbeit, Leistung, Kraft‹ und (Gr) νόμος /*nómos*/ ›Gesetz, Regel‹.

2 Um der historischen Wahrheit gerecht zu werden, muss zugegeben werden, dass schon 1857 Begriff und Benennung *ergonomija* aufgekommen sind, und zwar durch den polnischen Biowissenschaftler Wojciech JASTRZEBOWSKY* in seiner Abhandlung „Rys Ergonomiji czyli Nauki o Pracy [...]" ›Grundriss der Ergonomie, das heißt der Wissenschaft von der Arbeit‹, erschienen in der Wochenzeitschrift „Przyroda i Przemysł" ›Natur und Industrie‹. [2]

Wortbenutzung 1965: Ergonomics (MURRELL, K.F.H., London: Chapman); 1970: Normenausschuss ~ im DIN gegründet [1]; 1971: Praktische ~ (MURRELL, K.F.H., Düsseldorf: Econ); 1975: Kleine ergonomische Datensammlung (Bundesanstalt für Arbeitsschutz, Dortmund); 1992: Grundzüge der ~ (LAURIG, W., Berlin: Beuth); 1997: Die Richtlinie umfaßt ferner Gesundheitsaspekte wie Lärm und Erschütterungen und ergonomische Aspekte, sofern ergonomische Anforderungen erforderlich sind, um einen Schutz gegen Gefahren im Sinne der Richtlinie zu gewährleisten (EU-Kommission [3]); 2002: Trumpf-Ass in puncto Ergonomie: Tragarmsysteme [4].

Literatur [1] SÄLZER, Hans J.: Ergonomie. Vorgeschaltete Phase. In: Arbeitsschutz (1975) Nr. 9, S. 332–334; [2] Bd. 2 (1857) Nr. 29, zit. nach S. 1 der Faksimileseite in: ROHMERT, Walter; LUCZAK, H.: Geschichte und Probleme der Ergonomie; in: Handbuch der Ergonomie, Steinebach: Luftfahrt-Verlag, 1978; vom poln. Originalbeitrag gibt es einen Reprint vom Centralny Instytut Ochorny Pracy, Warschau 1998: ISBN: 83-901740-9-X; [3] Leitfaden zur Anwendung der Richtlinie 73/23/EWG des Rates [Niederspannungs-Richtlinie] Juli 1997; [4] In: etz Bd. 123 (2002) Nr. 5, S. 34.

Erregungsstrom ↑wattloser Strom

Erste Übertragungen von Nachrichten — First transmissions of messages

1794, 22. November: Mit Hilfe des optischen ↑Telegraphen übermittelt der Karlsruher Physikprofessor Johann Lorenz BOECKMANN (1741–1802) seinem Landesvater, dem Markgrafen Carl Friedrich von Baden, ein Glückwunsch-Telegramm von Durlach nach Karlsruhe zum Schloss über eine Entfernung von 8 km. Das war das erste ↑Telegramm in Deutschland. Sein Wortlaut ist in [1] wiedergegeben.

1833, Ostern: Mit Hilfe des von den beiden Göttinger Universitätsprofessoren Johann Carl Friedrich GAUSS* (1777–1855)(↑Gauß) und Wilhelm Eduard WEBER (1804–1891)(↑Weber) gemeinsam erfundenen elektromagnetischen Telegraphen wurde angeblich folgende Nachricht als erste übertragen: „MICHELMANN kömmt". Laut W. GRESKY [2] zitieren die Göttinger in lokalpatriotischem Stolz [3] gern diesen Satz, der jedoch in das Reich der Legende gehört, weil Wilhem Samuel MICHELMANN (1812–1892) erst ab 1847 bis 1888 als Wärter und Castellan am Physikalischen Institut angestellt war. Wahr ist, dass die Sternwarte von GAUSS in der Geismarer Landstraße und das „Physikalische Kabinett" von WEBER Am Papendiek mit einem Doppeldraht verbunden waren, der über das Accouchierhaus [Geburtsklinik], die Universitätsapo-

theke und die Johanniskirche verlegt wurde. Man könnte folgende Worte GAUSS', die er auf einem Zettel unter sein Telegraphie-Alphabet schrieb, als das erste Telegramm der Welt deuten: „Wissen vor Meinen / Sein vor Scheinen". [2]
1837, 5. September: Samuel F.B. MORSE (1791–1872), Erfinder eines Telegraphiecodes, führte seinen Telegraphen zum ersten Mal öffentlich über eine Entfernung von 1/3 Meile mit folgender Meldung vor:

„Successful experiment with Telegraph. September 4th, 1837." [4]

1844 installierte MORSE eine erste Linie zwischen Baltimore und Washington. Sein erstes Signal war eine biblische Botschaft:

„What hath God wrought!".

Es handelt sich dabei um den Ausruf im zweiten Satz aus dem 4. Buch Mose, (Numbers), Kapitel 23, Vers 23:

„According to this time it shall be said of Jacob and of Israel: ‚What hath God wrought'".

Die Lutherbibel von 1984 sagt hierzu:

„Zu rechter Zeit wird Jakob und Israel gesagt, welche Wunder Gott tut."

1860: Der deutsche Erfinder des ↑Telephons, Philip REIS*, führte ein internes Telephongespräch vor der ersten öffentlichen Vorführung im Okt. 1861 mit seinem Freund: „Die Pferde fressen keinen Gurkensalat". Erwiderung des Freundes: „Das weiß ich schon längst, Sie alter Schafskopf". [5]
1876, 10. März: Der schottisch-amerikanische Erfinder des Telephones, Alexander Graham BELL (↑Dezibel) sprach zu seinem Mitarbeiter in den Nebenraum: „Mr. WATSON, come here; I want you." [6]
1896, März: Der russische Physiker und Funkpionier Aleksandr S. POPOV (1859–1905) übertrug das erste Funktelegramm über eine Entfernung von 250 m bei einer Vorführung vor der Russischen Physikalisch-Chemischen Gesellschaft in St. Petersburg. Es bestand aus den Worten „Генрих Герц /*Genrih Gerc*/" (= Heinrich HERTZ, ↑Hertz), womit die Arbeit und die Verdienste von HERTZ gewürdigt werden sollten. [7]
1897, 10. Mai: Erste erfolgreiche drahtlose Übertragung des Italieners G. MARCONI (1874–1937) im Bristol-Kanal (England) zwischen Flat Holm (Sender) und Lavernock-Point (Empfänger) bei einer Entfernung von 5,3 km. Gesendet wurde das Morsezeichen ••• – (Buchstabe V). [8]

Literatur [1] ASCHOFF-1984, S. 181–186; [2] GRESKY, Wolfgang: Die Gauß-Webersche Telegraphenleitung [...]. In: Gauß-Mitt. Jhg. 23/24 (1986/87) S. 31–38, hier S. 34; [3] So noch im Jahre 2000 im Göttinger Tagebblatt (09.09.2000) S. 22; [4] SCHENKEL, E.: Liebe und Tod im viktorianischen Internet. In: FAZ (11.05.2000) Nr. 109, S. 56; [5] FELDHAUS-1970, Spalte 1159; [6] KETTING, Michael: BELL, Alexander Graham. In: WUSSING-1992, S. 52; [7] /KLJACKIN, I.G./, in: /Električestvo/(1957) Nr. 3, S. 70–73, insbes. S. 73; MÜLLER-FISCHER, Erwin: Zeittafel zur Geschichte des Funkwesens, Berlin: Telefunken, 1958 (Sonderdruck); JÄGER-1996; [8] NESPER-1950, S. 22–23.

Erzgrundzahl
base

Worterklärung Verdeutschende Ersatzbenennung für die *Basis* der natürlichen ↑*Logarithmen.*

Wortgeschichte Zur Wortgeschichte vgl. ↑*Logert.*

Erzlogert
natural logarithm

Worterklärung Verdeutschende Ersatzbenennung für *natürlichen* ↑*Logarithmus.*

Wortgeschichte Zur Wortgeschichte vgl. ↑*Logert.*

Ester, der
ester

Worterklärung Zusammengesetzte, meist flüssige oder feste organische Verbindung, die man formell mit den Salzen der anorganischen Chemie vergleichen kann: Ein Ester entsteht unter Austritt von Wasser durch Verbindung von Alkohol mit einer organischen Säure.

Wortgeschichte Benennung und Begriff ~ wurden 1850 vom deutschen Chemiker Leopold GMELIN* vorgeschlagen: Die Benennung entstand aus *Äther* und *Säure* (laut RÖMPP [1]) oder aus *Essigäther* (laut DUDEN). Man könnte sich auch vorstellen, dass der biblische Frauenname *Esther* (Das Buch Esther), in der Schreibweise der revidierten Bibelfassungen seit 1980 [2] nur noch *Ester*, als Vorbild gedient hat.

Wortbenutzung 1965: [...] Mechanismus der säurekatalysierten Veresterung (ZIMMERMANN, H. [3]); 1995: Synthetische organische Ester für elektrotechnische Zwecke (DIN EN 61203 /VDE 0375 Teil 2: Juni 1995); 1999: Dazu wird freies Cholesterin [...] mit einem Acylrest von Lezithin verestert (PSCHYREMBEL).

Wortfamilie

1 Zusammensetzungen: *Esterbindung, Esterflüssigkeit, Esterverseifung, Estersturz, Esterzahl, Esterzustand; Essigssäureäthylester, Polyester, Transformator-Ester;*

2 Ableitungen: *Esterase, Umesterung* (Beispiel: nicht-umgeesterte Pflanzenmargarine).

Fremdsprachige Entsprechungen (En)(Nl)(Sv) *ester;* (Fr) *ester* (1857, ROBERT-1994); (Pl)(Cs) *ester;* (Ru) эстер /*ėster*/; (Ja) /*esuteru*/.

Literatur [1] RÖMPP-1966; [2] Quadro-Bibel plus 2000; [3] ÜHLEIN-1969, S. 237.

et/ip
T reversed / Π reversed

Worterklärung Exponenten zur Kennzeichnung von Wirk- bzw. Blindkomponenten. Zeichen: ⊥, ⊥⊥.

Wortgeschichte Wenn noch keine besonderen Formelzeichen festgelegt worden sind, werden die Wirk- und Blindkomponenten (↑Blind-, ↑Wirk-), z.B. bei Widerständen, vorzugsweise durch die Indizes p und q oder durch hochgestellte Striche ' und " gekennzeichnet. Da diese Striche jedoch in der ↑Differenzialrechnung »erste bzw. zweite Ableitung der ↑Funktion« bedeuten, kann dies zu Missverständnissen führen. Um dies zu vermeiden, führte der ↑AEF in seiner Norm DIN 1344 „Formelzeichen der elektrischen Nachrichtentechnik" (Juni 1959) die Zeichen ⊥ und ⊥⊥ ein, die als unterstrichene Striche erscheinen. Hinsichtlich der Form können sie als die Umkehrung des lateinischen Großbuchstabens T und des griechischen Großbuchstabens Π (Pi) gedeutet werden, so dass sie rückläufig ausgesprochen werden können und somit *„et"* aus *„te"* und *„ip"* aus *„pi"* ergeben – ein Verfahren wie bei ↑*Daraf* und ↑*Mho.*

Beispiel: $\underline{W} = W^{\perp} + W^{\perp\perp}$
In der Ausgabe Dez. 1973 dieser Norm sind *et*/*ip* nicht mehr enthalten.

Exa- exa-

Worterklärung ↑Vorsatz (Präfixoid) [1] zum Bezeichnen des Trillionenfaches (10^{18} oder 1 000 000 000 000 000 000) einer ↑SI-Einheit. ↑Vorsatzzeichen: E.

Wortgeschichte

1 ~ wurde 1975 von der 15. Generalkonferenz (↑CGPM) beschlossen und durch das „Gesetz über die Zeitbestimmung (Zeitgesetz – ZGesetz)" vom 25. Juli 1978 (BGBl. I S. 1110) in deutsches Recht eingeführt. Es ist gerade für die Anwendung beim ↑*Joule* geschaffen worden. In volkswirtschaftlichen Energiebilanzen kann statt der bisherigen Einheit „Tonne Steinkohleneinheiten (tSKE)" die Einheit *Exajoule* (EJ) zu einer Vereinfachung der vorkommenden Zahlenwerte führen. Beispiel: Der Primärenergiebedarf betrug 1976 nach Schätzungen für die gesamte Erde 268 EJ, für die Bundesrepublik Deutschland etwa 10,8 EJ. [2]

2 Im Entwurf DIN 1301 (Mai 1969) „Einheiten; Einheitennamen, Einheitenzeichen" war für 10^{18} der Vorsatz *Atta-* mit dem Vorsatzzeichen „A" in Analogie zu ↑*Atto-* (a) für 10^{-18} vorgeschlagen worden. Wegen der allzu leichten Verwechselbarkeit wurde *Atta-* zugunsten des Vorsatzes *Exa-* (E) aufgegeben, der im überarbeiteten Entwurf DIN 1301 (Okt. 1970) aufgrund eines Vorschlags [3] des kanadischen Metrologen A. J. Mettler* (Canadian Metric Association) von 1969 neben *Hexa-* (H) zur Diskussion gestellt war und den der ↑AEF 1971 über das ↑DIN dem Büro des CGPM (BIPM) unterbreitete. [4] Nach der Entscheidung von 1975 durch die 15. Generalkonferenz wurde *Exa-* (E) in die Tabelle 3 „International festgelegte Vorsätze" des Entwurfs DIN 1301 Teil 1 (Juli 1976) aufgenommen, die unverändert in die Norm DIN 1301 Teil 1 (Feb. 1978) übernommen worden ist.

3 ~ leitet sich vom Zahlwort Ⓖⓡ ἕξ /*héx*/ ›sechs‹ ab, da $3 \times 6 = 18$ und somit $(1000)^6 = (10^3)^6 = 10^{18}$ ist. [1] Ursprünglich [3] hatte Mettler die Schriftform *Hexa* mit dem Vorsatzzeichen „H" gewählt. Da er aber eine Irreführung durch *Hexameter* ›Versmaß‹ und somit eine Ablehnung seines Vorschlags befürchtete und da der Kleinbuchstabe „h" bereits für *Hekto-* (= 10^2) festgelegt war, sollte ein zweites „H/h" nicht für ein dezimales Vielfaches genommen werden. [4] Ähnliches könnte gegen *Hexagramm* ›sechsstrahliger Stern‹ angeführt werden.

Fremdsprachige Entsprechungen Sprachen mit lateinischer Schrift: *exa-*; mit anderer Schrift: (nGr) εξα /*exa*/; (Ja) /*ekusa*/.

Literatur [1] Sacklowski/Drath-1986, S. 21 u. 27; [2] PTB-Mitt. Bd. 88 (1978) S. 131; [3] SI units and prefixes – Comments and proposal (Outline of the need of two additional high-order prefixes […]), CMA Publication Nr. 8 (Dez. 1969), zit. nach Mettler-1975; [4] Ich danke Herrn Dipl.-Ing. B. Brinkmann (DIN-AEF) für den Einblick in die Archivalien des AEF.

Expedanz

expedance

Worterklärung Physikalische Größe als Summe der Quotienten aus ↑Spannung und ↑Strom der Drosselspule, des OHMschen ↑Widerstands, des ↑Kondensators und der ↑Exzitanz.

Wortgeschichte

1 Begriff und Benennung ~ führte der Schweizer Elektroingenieur A. v. BRUNN* 1935 in seinem Aufsatz „Die Expedanz als Ursache der Selbsterregung und der allgemeinen Resonanz“ [1] ein und erklärt sie in [2] wie folgt:

„Den resultierenden ‚Widerstand‘ aller in Serie geschalteten Objekte nennen wir die ‚Expedanz Z‘.“ Fußnote 23: „Der Ausdruck ‚Expedanz‘ leitet sich vom lateinischen Worte ‚expedire‘ ab, welches ‚fördern, anfachen‘ bedeutet“.

2 Im Vergleich zur ↑Impedanz ist von einer ~ zu sprechen, wenn die Exzitanz größer als der OHMsche Widerstand ist. [2]

Literatur [1] In: Bull. SEV Bd. (1935) S. 137, zit. nach BRUNN-1964, S. 496; [2] BRUNN-1964, S. 55–56.

Exponent

exponent

Worterklärung Kennzeichnung des Potenzierens, indem die rechts von der Grundzahl oder vom Grundzeichen hochgesetzte Zahl (Hochzahl, ↑Hochzeiger) oder der Buchstabe angibt, wie oft die Grundzahl mit sich zu multiplizieren ist.
Beispiele: $2^3 = 2 \times 2 \times 2$; $a^2 = a \times a$; $e^{jx} = \cos x + j \sin x$.

Wortgeschichte

1 Das Wort ~ verwendet der deutsche Mathematiker Michael STIFEL* bereits in seiner „Arithmetica integra“ von 1544. [1]

2 Vom französischen Mathematiker und Philosophen René DESCARTES* stammt die heutige Schreibweise mit ~: a^3, a^4, a^5, wobei er statt a^2 jedoch immer „aa“ schrieb (wie auch später noch GAUSS*). Dies geht aus dem 1637 erschienenen Werk „Discours de la méthode“ hervor, in dem seine Grundlegung der analytischen Geometrie einen Anhang unter dem Titel „La géometrie“ bildet. [2] Die Schreibweise mit ~ wurde von NEWTON*, LEIBNIZ*, EULER* u.a. übernommen und dadurch endgültig heimisch gemacht. [3]

Wortbenutzung 1637: Mesme il est a remarquer touchant la derniere somme, qu'on prent a discretion, pour remplir le nombre des dimensions de l'autre somme, lorsqu'il y en manque, comme nous auons pris tantost $y^4 + fy^3 + ggyy + h^3y + k^4$ (DESCARTES-1954, S. 110 = S. 350 des Faksimile), [Übersetzung: It should be observed regarding the expression taken arbitrarily to raise the original product to the required degree, as we just now took $y^4 + fy^3 + g^2y^2 + h^3y + k^4$ (Ebenda, S. 111)]; 1944: Wir werden die Funktion $e^{j\varphi}$, also die Exponentialfunktion mit ‚imaginärem‘ Exponenten, immer durch das Zeichen $/\underline{\varphi}$ abkürzen (WALLOT-1944, S. 69).

Wortfamilie Zusammensetzungen mit *Exponential-*: *Exponentialcharakteristik, ~funktion, ~gleichung, ~hornstrahler, ~kennlinie, ~kurve, ~leitung, ~pentode, ~reihe, ~röhre, ~trichter, ~verteilung.*

Fremdsprachige Entsprechungen (En) *exponent;* (Fr) *exposant;* (It) *esponente;* (Ru) показатель */pokazatel'/;* (Pl) *wykładnik;* (Cs) *exponent, mocnitel.*

Siehe auch ↑Hochnehmen, ↑Hochwert.

Literatur [1] KROPP-1994, S. 65 u. 83; [2] DESCARTES-1954; [3] KROPP-1994, S. 81 u. 93; STRUIK-1987, S. 99.

Exzitanz

excitance

Worterklärung Physikalische Größe mit der Dimension eines negativen ↑Widerstandes, die das fünfte Grundelement in einem Wechselstromkreis bildet, und zwar neben (1) dem OHMschen ↑Widerstand, (2) der verlustfreien Drosselspule, (3) dem verlustfreien ↑Kondensator, (4) der elektrischen Maschine, in der eine völlig stromunabhängige ↑Spannung induziert wird, deren Frequenz und Effektivwert konstant sind. Die ~ könnte in der ↑Elektrotechnik eine Rolle spielen, nämlich in der Verstärkertechnik und bei der Entstehung von selbsterregten Gleich- und Wechselströmen und ihren Spannungen. [1]

Wortgeschichte

1 Begriff und Benennung ~ führte der Schweizer Elektroingenieur A. v. BRUNN* 1938 in der ersten Auflage seines Buches „Graphische Methoden zur Lösung von Wechselstromproblemen" ein und erklärte sie wie folgt:

„Es existiert wirklich ein fünftes Grundelement, dem wir den Namen ‚Exzitanz A' geben, aus dem sich […] alle Selbsterregungserscheinungen auch in ihren seltsamsten Formen restlos erklären und berechnen lassen". (Wortlaut nach der 2. Auflage, S. 40) „Der Ausdruck ‚Exzitanz' leitet sich vom lateinischen Worte ‚excitare' = ‚erregen' ab." (S. 54).

2 In gründlichen Rezensionen beider Auflagen wird herausgestellt:

„Man kann wohl sagen, daß Darstellungen, die von den gewohnten abweichen, dadurch ihren Wert erweisen, daß sie erneut zum Nachdenken anregen und so das Bild unserer Wissenschaft abzurunden helfen – den deutschen Jungingenieuren, die im Interesse einer Vereinheitlichung an die DI-Normen [heute DIN-Normen, ↑DIN] gebunden sind, wird man jedoch das vorliegende Buch vielleicht besser erst dann empfehlen, wenn ihnen die uns übliche Darstellung geläufig geworden ist und sie Interesse an abweichenden Darstellungen und deren besondere Leistungsfähigkeit bekunden." (HAUFFE, G. [2])

Der Verfasser beschreitet Wege,

„die sich von denjenigen der üblichen Darstellungsarten oft sehr beachtlich unterscheiden. Kennzeichnend dafür ist die Einführung der Begriffe ‚Exzitanz' und ‚dynamische Klemmenspannung'. […] Allerdings kann die Begründung der allgemeinen Notwendigkeit einer Einführung dieser Begriffe nicht völlig überzeugen" (WEISS, Alexander von [3][4]).

Siehe auch ↑*Expedanz.*

Literatur [1] BRUNN-1964, S. 27–28, 40, 54; [2] In: etz Bd. 60 (1939) S. 351; [3] In: etz-A Bd. 87 (1966) S. 184; [4] In: etz Bd. 107 (1986) S. 1141.

F

f(x) • … • Farad
Faradays terminologische Genauigkeit
Feld • … • Fernmeldetechnik
… • Fernsehen • Fernsprecher
… • Fokus • fonen
Formelzeichen-Normung • …
Funkentelegraphie • Funker
Funkschutzzeichen • Funkspruch
Funktion

f(x) — f(x), (function of x)

Mathematisches Zeichen für ↑»Funktion von *x*« nach DIN 1302:1994-04, das der Schweizer Mathematiker Leonhard EULER* 1734 zum ersten Mal verwendet.

Fachwendung — technical verbal phrase

Worterklärung „Auch: *fachsprachliche Wendung*. Ein Verb enthaltende festgefügte Gruppe von Wörtern zur Bezeichnung eines Sachverhaltes in einer Fachsprache. Beispiele: *einen Wechsel ziehen; den Hochofen abstechen; in Phase sein; eine Spannung anlegen.*" [1]

Wortgeschichte Von A. WARNER* in die Terminologielehre eingeführter Begriff mit Benennung, versuchsweise 1958, 1961, 1965. Systematisch begründet 1966 in seiner Arbeit „Internationale Angleichung fachsprachlicher Wendungen der Elektrotechnik", wo es heißt:

> „Für diese eben aufgeführten in fachlichen Texten vorkommenden Verbalgruppen soll die zusammenfassende Benennung ‚fachsprachliche Wendung' oder kurz ‚Fachwendung' fortan verwendet werden. Es könnte eingewendet werden, daß es genauso gut ‚fachsprachliche Verbalgruppe' statt ‚fachsprachliche Wendung' heißen könnte. Da jedoch vorgesehen ist, in fachlichen Texten vorkommende Sätze […] auch mit den Verbalgruppen zusammen zu behandeln, soll der Begriff »fachsprachliche Wendung« die Begriffe »fachsprachliche Verbalgruppe« und »fachsprachlicher Satz« umfassen. Fachwendung ist in Anlehnung an D *Fachwort* aus D *fachsprachliche Wendung* gebildet worden." [2]

Wortbenutzung 1958: Das sieht man daran, daß sie in keiner zeitwörtlichen Fachwendung vorkommen [3]; 1961: […] sein Wörterbuch bietet sehr viele Fach-wendungen (fachsprachliche Wendungen), z. B. ‚das Relais zieht an' [4]; 1965: Fachwendungen (fachsprachliche Wendungen) in Form von Verbalgruppen oder Sätzen werden hier nicht aufgeführt, denn sie würden den gesteckten Rahmen sprengen [5]; 1973: Die terminologische Wertigkeit ist nicht nur einem Terminus, sondern auch einer Fachwendung eigen (DROZD, L. [6]); 1982: Die fachsprachliche Wendung (oder kürzer: Fachwendung) hat erstmals Warner zum Thema einer systematischen Untersuchung gemacht (HOHNHOLD, I. [7]).

Literatur [1] DIN 2342-1:1992-10. Begriffe der Terminologielehre; Grundbegriffe. S. 3, Abschn. 3.11; [2] Beihefte der etz, (VDE-Verlag Berlin 1966), Heft 4, 55 S., insbes. S. 23; [3] WARNER-1958, S. 322; [4] In: etz-B Bd. 13 (1961) S. 352; [5] WARNER-1965, S. 174; [6] DROZD, L.; SEIBICKE, W.: Deutsche Fach- und Wissenschaftssprache. Wiesbaden: Brandstetter, 1973. 207 S., insbes. S. 55; [7] HOHNHOLD, I., in: Lebende Sprachen, Bd. 27 (1982) Nr. 1, S. 1–5, insbes. S. 2, Bd. 28 (1983) S. 2–6, 102–105 u. 145–148.

Farad — farad

Worterklärung Gesetzliche abgeleitete ↑SI-Einheit der elektrischen ↑Kapazität. Einheitenzeichen: F.

Ein ~ ist gleich der elektrischen Kapazität eines ↑Kondensators, der durch die Elektrizitätsmenge von 1 ↑Coulomb auf die elektrische ↑Spannung von 1 ↑Volt aufgeladen wird. [1] $1\ \mathrm{F} = 1\ \mathrm{C/V} = 1\ \mathrm{m}^{-2} \cdot \mathrm{kg}^{-1} \cdot \mathrm{s}^{4} \cdot \mathrm{A}^{2}$.

Wortgeschichte

1 Laut Sir William THOMSON* (dem späteren Lord KELVIN) verdankt das elektrische Einheitensystem seine Struktur und das Prinzip der Einheitennamen nach Forscher-

persönlichkeiten den englischen Telegraphen-Ingenieuren Latimer Clark* und Sir Charles Bright*, das sie 1861 der ↑British Association* for the Advancement of Science vorschlugen. Die Einheiten der ↑Spannung, der Elektrizitätsmenge, des ↑Stromes und des ↑Widerstandes benötigten sie, um die Eigenschaften von Telegraphiekabeln kurz beschreiben zu können. [2] In ihrem Vorschlag hatten sie als Einheit der Elektrizitätsmenge das *Farad* (!) vorgesehen, eine Einheit der ↑Kapazität kam darin nicht vor.
2 Zum Studium des ↑„Einheitensystems nach L. Clark und C. Bright" wurde ein Komitee der British Association eingesetzt, das sich nicht nur mit physikalischen Fragen, sondern auch mit den Einheitennamen befasste und diese nach den Verdiensten der jeweiligen Forscher neu festlegte: so bekam die Einheit der Kapazität den Einheitennamen „*Mikrofarad* = 10^{-15} absolute Einheit der Kapazität." [3]
3 Diesen Namen brachte die British Association auf dem 1. ↑Internationalen Elektrizitäts-Kongress zu Paris 1881 ein, der nach gründlichlicher und ausführlicher Diskussion zuerst die vier Einheiten ↑*Ampere*, ↑*Coulomb*, ↑*Ohm* und ↑*Volt* annahm. In der vierten und letzten Kommissionssitzung wurden nach kurzer Erörterung zwei Thesen von Sir William Thomson und H. Helmholtz gebilligt, die danach auf der Plenarsitzung bestätigt worden sind. Die hier zutreffende These lautet:

„Farad wird die Kapazität genannt, welche durch die Bedingung [bestimmt ist], daß ein Coulomb in einem Farad einen Volt giebt." [4]

4 Die erste deutsche gesetzliche Festlegung stammt von 1901:

„Die Kapazität eines Kondensators, welcher durch eine Amperesekunde auf ein Volt geladen wird, heißt ein Farad." [5]

5 Wortkritik: Für K. Fischer [6] ist die „unberechtigte Abkürzung des Namens Faraday auch eine sprachliche Unschönheit [...], und er beantragt die „Rückverwandlung von *Farad* in *Faraday*". Sollte dies nicht möglich sein, dann sieht er die Lösung darin, dass „man einfach das bisherige ~ als eine Abkürzung ansieht und *Faraday* liest". Er beruft sich dabei auf Vorbilder wie ↑*Amper* zu *Ampere* und ↑*Mho* zu ↑*Siemens*.

Wortfamilie

1 *Attofarad, Pikofarad, Nanofarad, Mikrofarad, Millifarad.*
2 Fachjargon [7]: *Faräder* (Mehrzahl von ~); *Fahradfabrik* (Kondensator besonders hoher Kapazität); *Mif/Pif* (gesprochene Abkürzung für Mikrofarad bzw. Pikofarad).

Fremdsprachige Entsprechungen Sprachen mit lateinischer Schrift: *farad*, außer (Es) *faradio, farad;* mit anderer Schrift: (nGr) φαράντ /*fаránt*/; (Ru) фарад /*farad*/, Einheitenzeichen Ф /F/; (Zh) /*fălā*/, mit ↑Vorsatz: /*wēifălā*/ »µF = Mikrofarad«, /*wēiwēifălā*/ »pF = Pikofarad«; (Ja) /*farado*/.

Zur Person Die Einheit ~ wurde zu Ehren des englischen Physikers und Chemikers Michael Faraday* (1791–1867) gewählt. Als Autodidakt beschäftigte er sich während einer Lehre als Buchbinder mit elektrischen und magnetischen Erscheinungen. 1813 wurde er Laborgehilfe des Chemikers Humphry Davy (1778–1829) an der Royal Institution in London, 1824 Mitglied der Royal Society und 1825 Direktor des Laboratoriums der Royal Institution. 1827 wurde er zum Professor der Chemie berufen. Er war Mitglied, Ehrenmitglied, korrespondierendes Mitglied und Senator von 72 wissenschaftlichen Gesellschaften und Akademien des In- und Auslandes.

Biographien SCHULZE-1917: M. FARADAY, S. 62–79; HERMANN-1987: FARADAY, M., S. 103–105; LEMMERICH-1991; KIRPAL, Alfred: FARADAY, M., in: JÄGER-1996, S. 115–116; WIEDERKEHR, Karl Heinrich: FARADAY, M., in: KRAFFT-2003, S. 146–148.

Literatur [1] Ausführungsverordnung z. Gesetz üb. Einheiten i.d.F. v. 26.06.1970. BGBl. I S. 981 § 29; [2] THOMSON (KELVIN)-1884, S. 537; [3] NEESEN-1881, S. 400; [4] Ebenda, S. 406; [5] Bestimmungen zur Ausführung des Gesetzes betr. die elektrischen Maßeinheiten. In: Reichs-Gesetzblatt Nr. 16 vom 9. Mai 1901, S. 128; [6] Die Einheit der Kapazität. In: etz Bd. 33 (1912) S. 899; [7] GRAETZ-1965.

Faradays terminologische Genauigkeit — Faraday's terminological exactness

In der Einleitung des Kapitels „Ueber elektrochemische Zersetzung" beschreibt 1834 der englische Experimentalwissenschaftler Michael FARADAY* seine Bemühungen, eine klare und genaue Fachsprache zu pflegen, indem er neue Fachausdrücke bildet:

„661. Die Theorie, welche ich für den wahren Ausdruck der Thatsachen der elektrochemischen Zersetzung halte, und die ich daher in einer früheren Reihe dieser Untersuchungen ausführlich dargelegt habe, steht so sehr in Widerspruch mit den bisher aufgestellten, dass ich die grösste Schwierigkeit finde, die Resultate, wie ich sie auffasse, correct anzugeben, so lange ich mich auf den Gebrauch der Kunstausdrücke beschränke, die in einer anerkannten Bedeutung üblich sind. […]

662. Um daher Verwirrung und Umschreibung zu vermeiden, und im Interessee einer grösseren Präcision der Ausdrucksweise, als mir sonst möglich wäre, habe ich die Sache mit zwei Freunden reiflich überlegt und mit ihrem Beistande und ihrer Zustimmung gewisse andere Kunstausdrücke gebildet, die ich zu künftigem Gebrauch vorschlage […]". [1]

Die beiden Freunde, die ihm bei seinen terminologischen Bemühungen halfen, waren sein Hausarzt, Dr. NICHOLL, und der Cambridger Professor für Philosophie (moral philosophy), Mathematik und Naturwissenschaften William WHEWELL (1794–1866), zeitweise Rektor des Trinity College. Das Ergebnis waren: ↑Anode, ↑Kathode, ↑Elektrode, ↑Ion, ↑Anion, ↑Kation, Elektrolyse und andere. [2]

Literatur [1] FARADAY (KALISCHER)-1889, Bd. 1, S. 177–178; GERLACH-1962, S. 45–48; [2] LEMMERICH-1991, S. 141; SEGRÈ-1998, S. 236; SAVORY-1953, S. 44.

Feld — field

Worterklärung Freier oder materiegefüllter Raum, in dem sich elektrische und magnetische Erscheinungen abspielen. Allgemein: *elektromagnetisches ~*; im Besonderen: *elektrisches ~*, *magnetisches ~*.

Wortgeschichte Der Begriff »~« wurde mit den Benennungen (En) *field* und *field of force* 1851 vom englischen Physiker Michael FARADAY* zur Beschreibung der Verteilung magnetischer ↑*Kraftlinien* benutzt, und zwar im Brief vom 4. Feb. 1851 an den Genfer Hochschullehrer und Physiker Arthur-August de la RIVE (1801–1873). Darin heißt es:

„Sie wissen, dass ich den Ausdruck *magnetische Kraftlinie* gebrauche, um die magnetische Kraft und den Sinn (der Polarität), in dem sie sich äussert, darzustellen. In der That erhält man, wie ich glaube, hierdurch eine fehlerfreie und zuverlässige Vorstellung von der Vertheilung der Kräfte um einen Magnetstab oder zwischen einander benachbarten flachen Polen, die ein gleichförmiges magnetisches Feld liefern, oder in irgend einem anderen Falle. Wenn nun in ein solches gleichförmiges magnetisches Feld, das sich, wie ich gezeigt habe, mittels eines Elektromagnets leicht herstellen lässt, eine Kugel von Eisen oder Nickel gebracht wird, so stört dieselbe die Richtung der Kraftlinien, indem sie sie auf sich selbst lenkt. [...] überall in dem magnetischen Kraftfelde." [1]

Die von FARADAY begründete Feldbetrachtung wurde später übertragen auf mechanische Kräfte und mechanische Spannungen und bewährte sich dort, z.B. *Gravitationsfeld, Schwerefeld.* [2]

Wortbenutzung 1873: The Electric Field is the portion of space in the neighbourhood of electrified bodies, considered with reference to electric phenomena (MAXWELL-1954, Bd. 1, S. 47, § 44); 1911: In einem homogenen Schwerefeld [...] befinde sich ein ruhendes Koordinatensystem *K*, das so orientiert ist, daß die Kraftlinien des Schwerefeldes in Richtung der negativen *z*-Achse verlaufen (EINSTEIN, Albert, zit. nach [2] S. 637); 1922: Das Feld ist bei den üblichen Gleichstromspannungen allerdings sehr schwach gegenüber dem Feld der statischen Elektrizität (THOMÄLEN-1922, S. 65); 1943: Die Gesamtheit aller von dem Magneten ausgehenden Kraftlinien, deren es unendlich viele gibt, [...] bezeichnet man als ein *magnetisches Feld* (KOSACK-1943, S. 27); 1965: Betrachtet man das Verhälnis d/λ [Entfernung / Wellenlänge], so lassen sich je nach Größe drei verschiedenen Zonen, nämlich das Nahfeld, Übergangsfeld und Fernfeld, unterscheiden (WARNER-1965, S. 40).

ÜbertrageneWortbenutzung: 1950: Ein sprachliches Feld ist ein Ausschnitt aus der sprachlichen Zwischenwelt [...]. J. TRIER, dem die Feldbetrachtung die stärksten Anstöße verdankt, ist beim Durchsetzen des Ausdruckes *Feld* wohl mehr von der Vorstellung des Kraftfeldes ausgegangen (WEISGERBER [3]); 1998: Das Kraftfeld der Mythen (BISCHOF, N., München); 2003: Kraftfelder der Kunst (LIPP [4]).

Wortfamilie

1 Zusammensetzungen mit *Feld-* als Bestimmungswort: *Feldausmessung, ~bild, ~diagramm, ~dichte, ~effekt, ~elektron, ~empfindlichkeit, ~energie, ~erregung, felderzeugend, feldfrei, ↑~formant, ~gleichungen, ~gradient, ~größe, ~impedanz, ~induktion, ~intensität, ~komponente, ~konstante, ~linie, ~quantelung, ~quanten, ~richtung, ~sonde, ~stärke, ~stärkemessgerät, ~stärkemessung, ~stärkeregistrierung, ~stärkeschwankung, ~tensor, ~theorie, ~typ, ~vektor, ~verdrängung, ~verlauf, ~verschiebung, ~verteilung, ~verzerrung, ~welle, ~wellenwiderstand, ~widerstand, ~zerfall;*

2 Zusammensetzungen mit *-feld* als Grundwort: *Drehfeld, Erd~, Fern~, Fokussierungs~, Funkstör~, Gegen~, Gleich~, Gravitations~, Hochfrequenz~, ↑Kraft~, Magnet~, Nah~, Nutenquer~, Quer~, Querstreu~, Raumladungs~, Schall~, Schwere~, Skalar~, Spannungs~, Spulen~, Ständer~, Ständerdreh~, Stör~, Strahlungs~, Streu~, Vektor~, Wechsel~, Wirbel~.*

Fremdsprachige Entsprechungen (En) *field;* (Nl) *veld;* (Sv) *fält;* (Es)(It) *campo;* (Fr) *champ;* (Ru) поле */pole/;* (Pl)(Cs) *pole;* (Ja) */denkai/, /zikai/.*

Siehe auch ↑magnetische Feldkonstante, ↑magnetische Feldstärke, ↑Kraftlinie.

Literatur [1] FARADAY (KALISCHER)-1891, Bd. 3, S. 566–567; [2] SAMBURSKY-1978, S. 617; [3] WEISGERBER, Leo: Vom Weltbild der deutschen Sprache. Düsseldorf: Schwann, 1950. 231 S., hier S. 64; [4] LIPP, Elke, in: Darmstädter Echo, 11.02.2003, S. 13.

Feldformant field formerer

Worterklärung Ehemals vorgeschlagene Ersatzbenennung für *elektrische Verschiebung* (Formelzeichen↑*D*) als *elektrischer* ~ und für ↑»*magnetische Feldstärke*« ↑*H* als *magnetischer* ~.

Wortgeschichte Das Wort ~ wurde 1950 vom deutschen Elektroakustiker Heinrich HECHT* für die zweite Auflage seines Buches „Schaltschemata und Differentialgleichungen elektrischer und mechanischer Schwingungsgebilde" [1] geprägt. Abweichend vom Begriffssystem des ↑AEF hinsichtlich der Feldgrößen *D, H, E,* ↑*B* sieht HECHT eine Analogie zwischen *D* und *H* einerseits und *E* und *B* andrerseits, weil *D* und *H* allein durch die Geometrie des Modells bestimmt sind, in dem sie gelten sollen, dagegen *E* und *B* durch die im Vakuum mit den ↑elektrischen und ↑magnetischen Feldkonstanten ε_0 und μ_0 zutage tretenden physikalischen Eigenschaften des betreffenden Feldraumes. Hierzu schreibt HECHT Folgendes:

„Wenn der Name einer Größe charakteristisch für ihr Wesen sein soll, dann müßte man wohl für die Größe *D* und für die Größe *H* einen Namen wählen, der die Tatsache zum Ausdruck bringt, daß beide in der Lage sind, ein elektrisches bzw. magnetisches Feld aufzubauen, vorausgesetzt, daß der betreffende Raum die dazu notwendige physikalische Eigenschaft hat. Der beste Name, der dies zum Ausdruck bringt, würde elektrisches Feld*potential* für die Größe *D* und magnetisches Feld*potential* für die Größe *H* sein. Doch ist der Name *Potential* bereits des öfteren vergeben und scheidet deshalb von vornherein aus, um nicht zu Mißverständnissen Anlaß zu geben. Ich wüßte dann keinen besseren Namen anzugeben als Formant, und zwar *elektrischer Feldformant* für die Größe *D* und *magnetischer Feldformant* für die Größe *H*. Die Größe *E* würde als einzige ihren Namen *elektrische Feldstärke,* den sie mit Recht führt, behalten und *B* würde die *magnetische Feldstärke* genannt werden müssen, … wenn ich die Aufgabe hätte, diesen 4 Größen charakteristische Namen zu geben." [2]

In der 3. Auflage (1954) gab HECHT jedoch ~ auf und sprach nur noch von der *elektrischen Erregung D* und *magnetischen Erregung H.*

Literatur [1] 2. Aufl.: Leipzig: Barth, 1950; [2] Ebenda, S. 14–15.

Feldlinie ↑Kraftlinie

Femto- femto-

Worterklärung ↑Vorsatz (Präfixoid) [1] zum Bezeichnen des Billiardstels (10^{-15} oder 0,000 000 000 000 001) einer ↑SI-Einheit. ↑Vorsatzzeichen: f.

Wortgeschichte

1 Die 10. General Assembly der IUPAP (Internationale Union für Reine und Angewandte Physik) hatte 1960 *femto-* mit dem Vorsatzzeichen „f" angenommen und als Vorschlag an das Büro der Generalkonferenz für Maß und Gewicht (↑CGPM/BIPM) weitergeleitet. [2] Im Jahre 1964 hat die 12. CGPM diesen Vorschlag angenommen.

2 ~ leitet sich von den nordischsprachigen Zahlwörtern für 15 ab: (Da)(No) *femten,* (Is) *fimmtán,* (Sv) *femton.*

Fremdsprachige Entsprechungen Sprachen mit lateinischer Schrift: *femto-;* mit anderer Schrift: (nGr) φεμτο /*femto*/; (Ja) /*femuto*/.

Literatur [1] SACKLOWSKI/DRATH-1986; VOLKMANN-1998, S. 150; [2] STILLE-1961, S. 329.

Fernmeldeanlage telecommunication equipment

Worterklärung Anlage zur Übertragung und Verarbeitung von Nachrichten und Fernwirkinformationen mit elektrischen Betriebsmitteln. [1] Ersatzbenennung für *Schwachstromanlage.*

Wortgeschichte Laut A. MOLLY* wurden Begriff und Benennung ~ von R. FRANKE*, der in der 1912 auf der Jahresversammlung des ↑VDE eingesetzten „Kommission für Schwachstromanlagen" mitwirkte, in den „Leitsätzen für die Errichtung von Fernmeldeanlagen (Schwachstromanlagen)" von 1913 eingeführt. Darin wird zur Begründung der Benennung ~ in einer „Bemerkung" ausgesagt:

„Der Ausdruck ‚Schwachstrom' gestattet keine klare Abgrenzung gegenüber dem Begriff ‚Starkstrom', da eine Grenze zwischen den beiden Begriffen auf Grund von Spannungs- oder Stromangaben festzustellen unmöglich ist. Es ist daher beschlossen worden, den Begriff ‚Schwachstromanlagen' durch das Wort ‚Fernmeldeanlagen' auszudrücken, da durch dieses Wort eine nicht auf Spannungs- oder Stromangaben beruhende Begriffserklärung möglich ist. ‚Fernmeldeanlagen' sind in allen Fällen solche Anlagen, bei welchen es sich um die elektrische Fernmeldung (Übertragung) von Vorgängen, Wahrnehmungen, Willens- oder Gedankenäußerungen handelt. Das Wort ‚Fern' drückt hierbei nicht ein bestimmtes Maß aus, da die elektrische Fernmeldung auch auf ganz geringe Entfernung stattfinden kann." [2]

Wortbenutzung 1928: Gesetz über Fernmeldeanlagen vom 14. Jan. 1928 [3]; Titel blieb unverändert bei den Fassungen vom 17.03.1977, 27.06.1986, 03.07.1989 und 25.10.1994; 1970: Bestimmungen für Errichtung und Betrieb von Fernmeldeanlagen [...] (VDE [1]); 1986: Verteiler von Fernmeldeanlagen können mit Verteilern von Starkstromanlagen zusammengebaut werden (HÖSL/AYX-1986, S. 367).

Wortfamilie ↑*Fernmeldetechnik.*

Fremdsprachige Entsprechungen (En) *communication equipment;* (Es) *instalación de telecomunicación;* (Fr) *installation de télécommunication;* (Ru) установка связи */ustanovka svjazi/.*

Siehe auch ↑*Fernmeldetechnik, Schwachstromtechnik,* ↑*Starkstrom/Schwachstrom,* ↑*Telekommunikation.*

Literatur [1] VDE 0800 Teil 1/05.1970, zit. nach WARNER/ORTH-1984, S. 995; [2] In: etz Bd. 34 (1913) S. 1069–1070, hier S. 1069; ebenda S. 282, gleichlautende Entwurfsfassung; in späteren Fassungen wurde die Bemerkung zur Begriffserklärung umgestaltet: Vorschriftenbuch des VDE 1931, S. 817; VDE 0800/XII.1937, Vorschriftenbuch des VDE 1939, S. 1135; [3] In: Reichsgesetzblatt Teil I 1928 S. 8; WARNER-1965, S. 96; in: BGBl. I 1989 S. 1455.

Fernmeldetechnik telecommunication engineering

Worterklärung Teilgebiet der ↑Elektrotechnik, das sich mit der elektrischen Übertragung und Verarbeitung von Nachrichten befasst; Ersatzbenennung für ↑*Schwachstromtechnik;* heute ist es im erweiterten Sinne die ↑*Informationstechnik.*

Wortgeschichte

1 Als weitblickender Unternehmer verfasste Rudolf FRANKE* 1909 eine „Denkschrift betr. die Einrichtung eines Lehrplans für Schwachstromtechnik an der Kgl. [= Königlich] Technischen Hochschule zu Charlottenburg", die er über den ↑VDE dem Preußischen Kultusminister zuleiten ließ und in der er die Notwendigkeit überzeugend darlegte. Auf

Grund dieser Denkschrift wurde FRANKE ein Lehrstuhl angeboten, den er am 1. Juli 1911 übernahm. Hierzu berichtet G. GOEBEL:

„Geheimrat STRECKER* hatte FRANKE zu Beginn des Sommersemesters höchstens 5 Hörer prophezeit. FRANKE lud deshalb die Studentenschaft zu einem öffentlichen Werbevortrag ‚Über die technische, wissenschaftliche und wirtschaftliche Bedeutung der Schwachstromtechnik' mit Vorführungen, in dem er zum ersten Male den Begriff ‚Fernmeldetechnik' prägte. Er konnte seine erste Vorlesung mit 30 Hörern beginnen." [1]

In diesem neuen Wort fasste er zusammen:

„die Fernsprechtechnik, die Telegraphentechnik, die Signaltechnik, die Fernsteuerungen, den feinmechnischen Werk- und Gerätebau und sogar die mechanische Schnellnachrichten-Übermittlung." [2]

2 Anläßlich des 50-jährigen Bestehens des VDE im Jahre 1943 berichtete R. FRANKE im Rückblick über die Wahl des Wortes ~:

„Auch mußte das geringgeschätzte Wort ‚Schwachstromtechnik', das tatsächlich auch nicht mehr den wirklichen Inhalt des Gebietes kennzeichnete, fallen und durch ‚Fernmeldetechnik' ersetzt werden. Glücklicherweise bot sich gleichzeitig Gelegenheit durch die vom VDE 1912 ins Leben gerufenene Schwachstromkommission, diese neue Bezeichnung in den ‚Leitsätzen für die Errichtung elektrischer Fernmeldeanlagen' allgemein in die Technik einzuführen." [3]

Wortbenutzung (mit dem Bestimmungswort *Fernmelde-*)

1 Institutionen: Internationale Fernmelde-Union (Sitz Genf), Bundesministerium für Post und Fernmeldewesen; Fernmeldetechnisches Zentralamt der Deutschen Bundespost; Institut für Fernmeldetechnik (an allen TH bis ca. 1970).

2 Dienstbezeichnungen der Deutschen Bundespost: *Fernmeldehandwerker, ~wart, ~oberwart, ~hauptwart,* folgende Dienstbezeichnungen gegebenenfalls mit dem Zusatz *Technischer: ~assistent, ~sekretär, ~obersekretär, ~hauptsekretär, ~betriebsinspektor, ~inspektoranwärter, ~inspektor, ~oberinspektor, ~amtmann, ~oberamtmann (= ~amtsrat), ~oberamtsrat.* [4]

3 Bücher: 1925: Taschenbuch für Fernmeldetechniker (GOETSCH, Hermann W.); 1949: Fachkunde für Fernmeldeelektriker (SORGENFREI, Gustav A.); 1968: Lehrbuch der Fernmeldetechnik (BERGMANN, Karl, 2. Aufl. hrsg. v. Horst FLEISCHER); 1971: Handwörterbuch des elektrischen Fernmeldewesens (GERWIG, H.).

Wortfamilie (mit dem Bestimmungswort *Fernmelde-*) *Fernmeldeader, ~amt, ↑~anlage, ~bauamt, ~-Betriebserdung, ~betriebszentrale, ~dienst, ~einrichtung, ~erder, ~freileitung, ~gebäude, ~gebühr, ~gerät, ~ingenieur, ~isolator, ~kabel, ~kabelverbindung, ~leitung, ~-Luftkabel, ~messkoffer, ~monteur, ~netz, ~r, ~rechnung, ~recht, ~satellit, ~schnur, ~technik, ~techniker, ~turm, ~vermittlung, ~wesen.*

Fremdsprachige Entsprechungen (En) *telecommunication engineering;* (Es) *técnica de telecomunicationes;* (Fr) *technique des communications;* (Ru) техника связи */tehnika svjazi/;* (Cs) *sdělovací technika.*

Literatur [1] GOEBEL-1960, S. 362; [2] FRANKE, R., in: Z. f. Fernmeldetechnik, Werk- u. Gerätebau, Bd. 1 (1920) S. 1, zit. nach GOEBEL-1953, S. 260; [3] FRANKE, Rudolf: Die Einrichtung eines Lehrstuhls für Fernmeldetechnik an der T.H. Berlin. In: etz Bd. 64 (1943) S. 53–54; [4] Diese Zusammenstellung verdanke ich Herrn Techn. Fernmelde-Oberamtsrat i.R. Dipl.-Ing. Richard KNIELING, Seeheim-Jugenheim.

Fernrohr
telescope

Worterklärung Verdeutschende Ersatzbenennung für ↑*Teleskop*.

Wortgeschichte Als das Wort ~ noch nicht üblich war, benutzte der deutsche Mathematiker Gottfried Wilhelm LEIBNIZ* die lateinische Schriftform *tubus opticus* ›optisches Rohr‹, wie es der nachstehende Beleg zeigt.

Wortbenutzung 1712: […] allein weil sie [= die Satellites jovis] mit hülffe des Tubi optici observirt werden müssen, die zur See hiebey nicht wohl zu gebrauchen, so hat man andere wege vonnöthen (LEIBNIZ [1]).

Literatur [1] Denkschrift Nr. 158, in: GUERRIER-1975, S. 244.

Fernsehen
television

Worterklärung Im Sinne der „Vollzugsordnungen für den Funkdienst" (Genf 1959) ist ~ „Ein Fernmeldesystem zur Übermittlung nichtbleibender Bilder von feststehenden oder sich bewegenden Gegenständen".

Wortgeschichte

1 Das vom deutschen Ingenieur Paul NIPKOW* erfundene ↑*elektrische Teleskop* war ein System, auch wenn der Titel der Patentschrift von 1884 nur einen Teil andeutet, aber eben „Teil fürs Ganze". So geschah es, dass Walther STEPHANs Stellungnahme 1890 zu NIPKOWs Erfindung unter der „verdeutschenden" Überschrift „Elektrischer Fernseher" wiederum den Teil fürs Ganze nahm. Er sagte nämlich:

„In der Befolgung des ersten Grundsatzes liegt ein principieller Unterschied zwischen der angegebenen Konstruktion und einem im Oktober 1885 in der E.T.Z. beschriebenen *elektrischen Fernseher.*" [1]

Wortgeschichtlich war der *elektrische Fernseher* vor dem *elektrischen* ~ da. Als erstes Vorkommen von ~ selbst darf die 1891 erschienene erste Auflage des Buches „Beiträge zum Problem des electrischen Fernsehens" von Raphael Eduard LIESEGANG* genannt werden. [2] Noch bis etwa 1928 wurde das Wort ~ immer in Verbindung mit dem Adjektiv *elektrisch* benutzt: *elektrisches ~*.

2 Das Wort ↑*Television* kommt jedoch erst in den 1920er Jahren auf.

Wortbenutzung 1899: Beiträge zum Problem des elektrischen Fernsehens (LIESEGANG, R. E. [2]); 1912: Elektrisches Fernsehen (DOMINIK, Hans [3]); 1923: Das elektrische Fernsehen und das Telehor (MIHÁLI, Dénes von, Berlin: Krayn); 1928: Gästebuch: bei Gelegenheit der ersten wirklichen Demonstration des elektrischen Fernsehens (Firma Telehor AG [4]); 1935: Eröffnung des Deutschen Fernsehrundfunks am 22. März 1935 (GOEBEL-1953, S. 352); 1963: Zweites Deutsches Fernsehen (ZDF).

Wortfamilie

1 Zusammensetzungen mit *Fernseh-* als Bestimmungswort: *Fernsehabtaster, ~anstalt, ~antenne, ~apparat, ~aufnahme, ~aufnahmeraum, ~aufnahmewagen, ~ausstellung, ~band, ~bild, ~bildaufzeichnung, ~bildröhre, ~dienst, ~einrichtung, ~empfang, ~empfänger, ~empfangsantenne, ~empfangsgerät, ~film, ~gerät, ~ingenieur, ~kabel, ~kamera, ~kanal, ~kanalumsetzer, ~land, ~lenkung, ~netz, ~preis, ~programm, ~raster, ~relaiskette, ~reportage, ~röhre, ~rundfunk, ~rundfunkempfänger, ~rundfunksender, ~schaltstelle, ~schaltzentrale, ~sender, ~sendung, ~signal, ~sonderschau, ~station, ~störung, ~studio, ~synchronisation,*

~system, ~technik, ~techniker(in), ~ton, ~turm, ~übertragung, ~umsetzer, ~unternehmen, ~verbindung, ~verstärker, ~zubringerleitung;
2 Zusammensetzungen mit *-fernsehen* als Grundwort: ↑*Abonnentenfernsehen, Abonnement~,* ↑*Bezahl~, Farb~, Kabel~, Mehrkanal~, Münz~, Satelliten~, Schwarzweiß~, Ultrarot~, Werbe~;*
3 Ableitungen: ↑*Fernseher, fernsehtechnisch.*
Fremdsprachige Entsprechungen nach der Lautform *Fernsehen:* (Da)(No) *fjernsyn;* (Is) *sjónvarp* ›Sichtwurf‹; für solche nach ↑*Television* vgl. dort.
Siehe auch ↑TV.
Literatur [1] STEPHAN, Walther: Elektrischer Fernseher. In: etz Bd. 11 (1890) S. 260–261; [2] Düsseldorf: Verlag E. Liesegang, 1891. X, 130 S. mit 14 Abbildungen. (Probleme der Gegenwart. Bd. 1); zit. nach Kaysers Bücherlexikon, Bd. 28 (1896); [3] Zit. nach dem Faksimile-Deckblatt der von Ludwig THOMA und Hermann HESSE herausgegebenen Wochenschrift „März" Bd. 6 (7. Sept. 1912) Heft 36, März-Verlag München, abgebildet auf S. 80 in: Hermann HESSE – Leben und Werk im Bild. Hrsg. von Volker MICHELS, Frankfurt/Main: Insel, 1973. (insel Taschenbuch 36); [4] Zit. nach GOEBEL-1953, S. 281, Bild 18.

Fernsprecher telephone

Worterklärung Ersatzbenennung für ↑Telephon.
Wortgeschichte
1 Das Wort ~ wurde am 19. Nov. 1877 vom Generalpostmeister STEPHAN* für den postalischen Dienstgebrauch eingeführt. [1] Es ist unwahrscheinlich, dass er dabei auf das 1795 von Christian Heinrich WOLKE* für den optischen ↑Telegraphen vorgeschlagene Wort ~ [2] oder auf den 1796 gleichlautenden Vorschlag von J. S. G. HUTH* zurückgegriffen hat. Mit der „Dienstanweisung für den Betrieb von Telegraphenlinien mit Fernsprechern vom 28. November 1877" wurde der ~ zur Beförderung von ↑Telegrammen benutzt. [3]
2 Nach 100 Jahren schloss sich zu Beginn der 1980er Jahre das damalige Bundesministerium für Post und Fernmeldewesen dem internationalen Trend an und kehrte zum *Telefon* und zu seinen Zusammensetzungen zurück. Ab Mai 1980 erschienen die Fernsprechbücher unter dem Titel *Telefonbuch.*
Wortbenutzung Erste Belege: 1887: *Fernsprechen; Fernsprech/anlage, ~betrieb, ~einrichtung, ~leitung, ~linie, ~netz, ~stelle, ~-Vermittlungsamt, ~wesen* (v. STEPHAN [4]).
Literatur [1] KARRAS-1909, S. 471; HORSTMANN-1952, S. 140–141, S. 287 (nach E. MÜLLER-FISCHER); [2] In: Reichsanzeiger (1795) Nr. 167, Spalte 1653, zit. nach KLUGE-1967, S. 193; [3] In: Amtsblatt der Deutschen Reichs-Post- und Telegraphenverwaltung, Nr. 69 (1877), zit. nach KARRAS-1909, S. 471; [4] In: etz Bd. 8 (1887) S. 460–462.

Fessel capacitor

Worterklärung Eindeutschende Ersatzbenennung für ↑*Kondensator.*
Wortgeschichte Ausgehend von der Erfahrung, dass ein Kondensator ein Mittel zum Fesseln (Speichern) einer gewissen Elektrizitätsmenge auf kurze Zeit ist, überträgt 1933 Karl AMMON* das Wort *Fessel* auf den Begriff »Kondensator«. Damit hat er ein Spiegelbild zur »Drossel« gefunden, d. h. zu einem Gerät, das als Drossel(spule) den elektrischen Strom drosselt.

Wortfamilie

1 Zusammensetzungen, die AMMON vorschlägt:
Fesselmacht ↑Kapazität • *Fesselwert* ↑Dielektrizitätskonstante („Stotterwort") • *Fesselmittel* ↑Dielektrikum • *Feßler* Dielektrikum • *fesselarm* kapazitätsarm • *Blockfessel* Blockkondensator • *Drehfessel* Drehkondensator • *Luftfessel* Luftkondensator • *Papierfessel* Papierkondensator

2 ↑Fachwendung nach AMMON: *In einer Fessel kann ein elektrischer Strom gefesselt und nachher wieder entfesselt werden.*

Die Ausdrucksweise wirkt ebenso einfach wie beim Drosseln eines Stromes. Seine Vorschläge haben sich nicht eingebürgert.

Literatur AMMON-1933, Spalte 9.

Flasche

capacitor

Worterklärung Verdeutschende Ersatzbenennung für ↑*Kondensator* und »Verkörperung der Eigenschaft elektrische ↑*Kapazität*«.

Wortgeschichte

1 Dieser 1916 vom Elektrotechnischen Verein* zu Berlin „auf Anregung aus Heereskreisen" gemachte Vorschlag [1] wurde von K. STRECKER* wie folgt erläutert:

„Es wird leider häufig kein Unterschied gemacht, ob es sich um die elektrische Eigenschaft oder deren Verkörperung handelt. Man sagt: ich schalte eine Kapazität, einen Widerstand ein, und nennt in diesem Sinne einen Kondensator auch Kapazität [...]. Das führt zu Sätzen wie: diese Kapazität hat eine Kapazität von 5 Mikrofarad; [...] Es ist nötig, durch Wahl bequemer Namen dieser Undeutlichkeit zu steuern. [...] Flasche ist von Anfang an üblich gewesen; es soll nun aber auch benutzt werden, wo die Form von einer Flasche weit entfernt ist." [2]

2 So hat Ferdinand BRAUN* in seiner Rede zur Verleihung des NOBEL-Preises 1909 gesagt:

„Diese electrischen Schwingungen lassen sich mit einem variablen Condensatorkreis, dem sog.[enannten] Resonanzflaschenkreis [...] sondern;" [3] „Der Flaschenkreis ist aber auch heute noch unentbehrlich in der drahtlosen Telegraphie;" [4] „eine kräftige Flaschenentladung". [5]

Siehe auch ↑Fessel.

Literatur [1] SCHÜLER-1916; [2] STRECKER-1916, S. 525; [3] BRAUN-1909, S. 8; [4] Ebenda, S. 10; [5] Ebenda, S. 16.

Fluxionsrechnung

calculus of fluxions

Worterklärung Teil der höheren Mathematik, der der ↑*Infinitesimalrechnung* entspricht, jedoch in ihrer Ausgestaltung von der ↑*Differenzialrechnung* und ↑*Integralrechnung* verdrängt worden ist.

Wortgeschichte

1 Die ~ wurde vom englischen Physiker und Mathematiker Isaac NEWTON* ersonnen, um Bewegungen zu berechnen. Die Änderung einer variablen Größe (*Fluente*, ›das Fließende‹) nennt NEWTON *Fluxion* (La *fluxus* ›das Fließen‹), deren Größe er aus den physikalischen Kräften bestimmt. [1] So sind Wegstrecken *Fluenten*, zeitliche Änderungen der Wegstrecken, d. h. Geschwindigkeiten, dagegen *Fluxionen*. Hierfür führte er als neue Notation einen *Punkt* (bei Fluxionen) oder senkrechten *Strich* (bei Fluenten) *über* dem

Formelzeichen ein. Auf einem Notizblatt vom 20. Mai 1665 findet sich die erste Benutzung von Punkten. Die früheste veröffentlichte Anwendung erschien in einem Beitrag NEWTONS in der Algebra von J. WALLIS (London 1693). Erst 1704 beschreibt NEWTON die vollständige Notation in seinem Werk „Quadratura curvarum". [2]

2 Gegenüberstellung der Notationen von NEWTON und LEIBNIZ*

Notation von NEWTON		**Notation von** LEIBNIZ
Fluxion von x	$\dot{x}$	$\frac{\mathrm{d}x}{\mathrm{d}t}$
Fluxion von $\dot{x}$	$\ddot{x}$	$\frac{\mathrm{d}^2x}{\mathrm{d}t^2}$
Fluente von x	x'	$\int x\,\mathrm{d}x$
Fluente von x'	x''	$\iint x\,\mathrm{d}x$

Da NEWTONS Notation bei Brüchen und komplizierten Formeln unübersichtlich war, setzte sie sich nicht durch. Die Fluxionsnotation wird jedoch noch heute bei zeitlichen Änderungen verwendet, wo sonst dt zu schreiben wäre.

Beispiel einer elektrischen Entladung Q bei gegebenem C, ↑L und ↑R: [3]

$$L\ddot{Q}+R\dot{Q}+Q/C=0$$

Literatur [1] FIGALA-1975, S. 137; KROPP-1994, S. 129–132; [2] CAJORI-1993, § 567, 622, Bd. 2, S. 197, 246; [3] HUND-1996, Teil 2, S. 53.

Fluxistor fluxistor

Magnetisch steuerbarer Widerstand auf Halbleiterbasis zur Messung magnetischer Felder, für kontaktlos verstellbare Widerstände, für kollektorlose Gleichstrommotoren und für Signalgeber. Ursprünglich *Feldplatte* genannt, nach einem Vorschlag von W. VAN DER HORST 1967 in ~ umbenannt. [1]

Literatur [1] Radio Electronica (Niederlande), Bd. 15 (1967) Nr. 11, zit. nach PILS-1968, S. 62.

Fokus focus

Worterklärung Alternativbenennung (Synonym) für *Brennpunkt* als Punkt hinter einer Sammellinse oder vor einem Hohlspiegel, wo sich Lichtstrahlen vereinigen.

Wortgeschichte

1 Laut W. GERLACH* stammt das Wort ~ vom deutschen Astronomen Johannes KEPLER*, der in seinem 1611 erschienenen Werk „Dioptrice" die Theorie des GALILEIschen und seines Fernrohres angibt und dabei für den »Brennpunkt« den Ausdruck Ⓛⓐ *fo-*

cus einführt [1], der ursprünglich bedeutete ›Opferpfanne, Räucherbecken; Feuerstätte, Herd, Kamin, Opferherd, Brandaltar‹. [2]

2 Die Übersetzer der Descartesschen „Geometrie" übertragen die *poins bruslans* [in heutiger Rechtschreibung: *points brûlants*] als (En) *burning points* mit der Anmerkung:

„That is the foci, from the Latin *focus*, 'hearth'. The word *focus* was first used in the geometric sence by Kepler 'Ad Vitellionem Paralipomena', Frankfort, 1604. Chap. 4, Sect. 4". [3]

Wortfamilie

1 Zusammensetzungen: *Fokussierelektrode, ~magnet, ~spule, Fokussierungseinrichtung, ~feld, ~fläche, ~punkt;*

2 Wortableitung: *fokussieren* »Elektronenstrahlen in einem Punkt vereinigen«;

Literatur [1] Gerlach, W., in DGW Bd. 5, S. 538; [2] Menge-1916, S. 306; [3] Descartes-1954, S. 128, Fußnote 169, S. 129 = S. 359 des Faksimile.

fonen — to phone

Worterklärung Ersatzbenennung für *telephonieren* (↑Telefon).

Wortgeschichte Dieses Verb ist vom deutschen Normungsexperten Walter Porstmann* 1920 „durch Kürzung von telefonieren zu *fonen*" entstanden. [1]

Literatur [1] Porstmann, Walter: Sprache und Schrift. Berlin 1920; zit. nach Stoltenberg-1933, S. 49.

Formelzeichen-Normung — standardization of letter symbols

Die Anfänge einer systematischen Behandlung von Formelzeichen gehen auf den französischen Elektroingenieur Edouard Hospitalier* zurück, der als Chefredakteur verschiedener Fachzeitschriften den Mangel von vereinbarten Formelzeichen für mechanische und elektrotechnische Formelgrößen beklagte. Daraufhin stellte er eine Systematik für Formelzeichen auf, trug sie auf dem ↑Internationalen Elektrizitäts-Kongress in Frankfurt am Main 1891 vor [1] und empfahl dabei eine Tafel von Formelzeichen für 38 überwiegend elektrische und magnetische Größen zur allgemeinen Anwendung, die in Tabelle 1 Spalte 2 auszugsweise wiedergegeben wird. Zu seiner Systematik gehört auch die Festlegung von Grundsätzen für die Schreibweise der Formelzeichen und Einheitenzeichen:

- kursive lateinische Buchstaben im Allgemeinen,
- steile lateinische Buchstaben für Einheitenzeichen,
- kleine griechische Buchstaben für Stoffeigenschaften und Winkel.

Hospitaliers Vorschläge wurden auf dem folgenden Elektrizitäts-Kongress 1893 in Chicago weitgehend gebilligt.

Aufgrund von Anregungen aus dem Mitgliederkreis griff 1902 der Elektrotechnische Verein* (Sitz Berlin) die Frage der Vereinheitlichung von Formelzeichen auf und setzte im Rahmen seines Technischen Ausschusses einen „Unterausschuss für einheitliche Bezeichnungen" ein. Auf der Grundlage der Tafel von Hospitalier wurde vom Unterausschuss ein Vorschlag von Formelzeichen für 53 Größen ausgearbeitet und noch im selben Jahr vorgestellt. In der Folgezeit sind mehrere Umfragen unter den technisch-wissenschaftlichen Vereinen des In- und Auslands veranstaltet worden, deren

Ergebnis schließlich in einer Liste des Elektrotechnischen Vereins seinen Niederschlag fand. Diese Arbeiten erfolgten unter dem Vorsitz von Karl STRECKER*, der ausführlich und regelmäßig darüber in der Elektrotechnischen Zeitschrift [2] berichtete. Auch nach Gründung des ↑AEF 1907 wirkte er als dessen Vorsitzender vorbildlich. Die 1906 gegründete ↑IEC baute hinsichtlich der Formelzeichen auf der Tafel von HOSPITALIER [3] und den Erfahrungen des AEF [4] auf.
Die Normung von Formelzeichen hat heute in Deutschland einen sehr hohen Stand erreicht, denn rund 1100 Zeichen enthält die mit der Hauptnummer DIN 1304 veröffentlichte Norm „Formelzeichen", die unter der Trägerschaft des AEF und der Mitträgerschaft der fachlich zuständigen Normenausschüsse in sieben Teilen erarbeitet worden ist. Der ursprünglich selbständige AEF ist nach 1945 als Ausschuss des ↑DIN weitergeführt worden, bis er am 11. Dez. 1996 als Fachbereich A in den „Normenausschuss Technische Grundlagen (NATG) im DIN" integriert worden ist.

Tabelle 1: Entwicklung der Formelzeichen

1 **Physikalische Größe**	2 HOSP. 1891	3 **IEK** **1893**	4 **EV** **1906**	5 **AEF** **1912** **1914**	6 **IEC** **1914**	7 **AEF** **1926**	8 **IEC** **1992**	9 **AEF** **1994**
magnetische Feldstärke	↑H	H	H*	H*	H	H*	H	H
magnetische Flussdichte	↑B	B	B*	B*	B	B*	B	B
magnetischer Fluss	Φ	Φ	#	#	Φ	Φ	Φ	Φ
Permeabilität	↑μ	μ	μ	μ	μ	μ	μ	μ
elektromotorische Kraft	E	E	E	E	E	E	E	□
Potenzialdifferenz, Spannung	e	U	#	#	V, U	U	U, V	U
Widerstand	↑R	R	#	R	R	R	R	R
Stromstärke	↑I	I	I	I	I	I	I	I
Elektrizitätsmengre	Q	Q	Q	Q	Q	Q	Q	Q
Kapazität	C	C	C	C	C	C	C	C
Induktivität	L_s	↑L	L	L	L	L	L	L
gegenseitige Induktivität	L_m	↑M	#	#	M	M	M, L_{mn}	L_{mn}
spezifischer Widerstand	α	ρ	#	#	ρ	ρ	ρ	ρ
Leitwert	#	#	#	#	↑G	G	G	G
Leistung	↑P	P	#	↑N	P	N	P	P
Arbeit	W	W	A	A	A, W	A	W, A	W

Legende:
Es bedeuten: Doppelkreuz (#): noch keine Einigung. Leeres Quadrat (□): nicht mehr genormt.
Pfeil (↑): Hinweis auf Stichwort mit Eintragsinformation.

Spalte 2: HOSP. = Vorschlag von Ed. HOSPITALIER [1]. *H, B* in Rundschrift; für den Leitwert hatte er noch keinen Vorschlag.

Spalte 3: IEK = Der ↑Internationale Elektrizitäts-Kongress in Chicago 1893 billigte weitgehend die von HOSPITALIER vorgeschlagenen Formelzeichen. Sie wurden daher von K. STRECKER [2] in seinen ersten Entwurf übernommen, der jedoch nicht viel Anklang fand.

Spalte 4, 5 und 7: * bedeutet Frakturbuchstabe. ↑Vektorschreibweise.

Spalte 4: EV = Elektrotechnischer Verein zu Berlin [2]

Spalte 5: AEF = Ausschuss für Einheiten und Formelgrößen [4]. Durch die Liste 2 (1914) sind *R, I, N* und *A* neu aufgenommen worden.

Spalte 6: IEC = Internationale Elektrotechnische Kommission [3]. Das zweite Zeichen ist Ausweichzeichen. = IEC 27:1931.

Spalte 7: DIN 1304:1926-07 „Formelzeichen", dessen Träger der AEF ist.

Spalte 8: IEC 27-1:1992-12.

Spalte 9: DIN 1304-1:1994-03 „Formelzeichen; Allgemeine Formelzeichen".

Literatur [1] HOSPITALIER-1891; [2] Berichte von Karl STRECKER: in: etz Bd. 23 (1902) S. 508–510; etz Bd. 25 (1904) S. 264–270; S. 702–707; Bd. 27 (1906) S. 395–396; S. 457–465; etz Bd. 35 (1914) S. 18–19; S. 680–681; Stellungnahmen zu diesen Berichten: C. HEINKE: in: etz Bd. 23 (1904) S. 917; K. STRECKER: S. 950; M. BRESLAUER: S. 971; H. GÖRGES: S. 993–994; C. HEIM: S. 1028; K. SCHREBER, in: etz Bd. 25 (1904) S. 707–708; EMDE-1906; [3] DETTMAR-1914; [4] AEF: Formelzeichen des AEF. In: etz Bd. 33 (1912) S. 467 (Entwurf XII), S. 963 (endgültig).

Formelzeichen-System nach Culmann und L. Freytag

System of letter symbols by Culmann und L. Freytag

System zur Bezeichnung mathematisch-technischer Größen, das 1866 CULMANN und 1873 der Bayerische Architekten- und Ingenieur-Verein entworfen und 1906 von L. FREYTAG dem Elektrotechnischen Verein* zu Berlin als Beitrag zur ↑Formelzeichen-Normung eingebracht hat. [1]

Größe	Beispiele	Schriftart der Formelzeichen
Dimension 0	Verhältnis, Winkel	kleine griechische Buchstaben
Dimension 1	Länge, Last durch Länge	kleine lateinische Buchstaben
Dimension 2	Fläche, Kraft, Widerstand	große lateinische Buchstaben
Dimension 3	Volumen, Moment	große deutsche Buchstaben
Dimension 4	Trägheitsmoment	große griechische Buchstaben
Dimension –1	Reziproke lineare Größe	kleine deutsche Buchstaben

Literatur [1] In: etz Bd. 27 (1906) S. 457, 465, hier S. 463.

Formelzeichen-System nach O. Linders

System of letter symbols by O. Linders

System zur Bezeichnung physikalischer Größen, das 1904 Olof LINDERS* in seinem Buch über Größen verwendete und es 1906 dem Elektrotechnischen Verein* zu Berlin als Beitrag zur ↑Formelzeichen-Normung einbrachte. [1]

Größe	Schriftart der Formelzeichen
geometrische Größe	große und kleine lateinische Buchstaben
Winkel	kleine griechische Buchstaben
mechanische Größen	große und kleine lateinische Buchstaben
thermische Größen	
optische Größen	große deutsche Buchstaben (Fraktur)
akustische Größen	
elektrostatische Größen	große kyrillische Buchstaben
magnetische Größen	große kyrillische Buchstaben
elektrodynamische Größen	große und kleine lateinische Buchstaben
elektromagnetische Größen	große deutsche Buchstaben (Fraktur)
chemische Größen	große lateinische Buchstaben

Für Koeffizienten ist das lateinische wie auch deutsche *k*, als Einzel- oder auch als Doppelbuchstabe (kk) vorgesehen, wobei der Index wie üblich rechts angefügt wird.

Literatur [1] LINDERS-1904, S. 3–4; in: etz Bd. 27 (1906) S. 457, 465, hier S. 463.

Fritter

coherer

Worterklärung Auch: *Frittröhre.* Verdeutschende Ersatzbenennungen für ↑*Kohärer.*

Wortgeschichte In seinem Vortrag über ↑Funkentelegraphie am 22. Dez. 1900 berichtet Adolf SLABY* über das Bauelement *Kokärer* und beanstandet seine Benennung:

„Ich habe Herrn Geh.-Rath. [Geheimrat] REULEAUX ersucht, seine so oft schon bewährte Kunst, treffende deutsche Bezeichnungen zu bilden, auch im vorliegenden Falle zu üben. Er hat für *Kohäriren* das Wort *‚Fritten‘* vorgeschlagen. Man bezeichnet damit in der Technik einen Vorgang, bei dem lose pulverförmige Massen durch oberflächliche Schmelzung zum Zusammenhängen gebracht werden. Das trifft hier vollkommen zu und man würde den *‚coherer‘* zweckmäßig als *‚Fritter‘* oder *‚Frittröhre‘* verdeutschen können.“ [1]

Wortbenutzung 1913: Frittröhre [...] Röhrchen mit Metallspänen bei der Telegraphie ohne Draht, Verdeutschung von „Kohärer“ (DUDEN-1913); 1929: Fritter (Funkentel[egraphie]: „Empfänger“); Frittröhre (Funkentel.: Röhrchen mit Metallspänen) (DUDEN-1929).

Wortfamilie [2] *Drahtgazefritter, Feilspänefritter, Karborundumfritter, Mikrophonfritter.*

Literatur [1] SLABY-1901, S. 16; [2] JENTSCH, Otto, in: LUEGER-1904/1910, Bd. 8, S. 474–475.

Funk-/funk-

radio

Von Otto Sarrazin* 1914 vorgeschlagene bzw. gesammelte Ersatzbenennungen (Auswahl) auf der Grundlage von ↑*funken*:

Funkanlage Telefunkenanlage • *Funkdienst* funkentelegraphischer Dienst • *Funken, das* ↑Funkentelegraphie • ↑*Funker* Funkentelegraphist • *Funkerei* drahtlose Telegraphie, ↑Funkentelegraphie • *funklich* drahtlos • ↑*Funkspruch* drahtloses Telegramm • *Funkstelle* Telefunkenstation • *Funkung* drahtloses Telegramm • *Funkverkehr* drahtloser Verkehr • *Funkwesen* drahtlose Telegraphie, ↑Funkentelegraphie.

Literatur Sarrazin-1914, Spalte 199.

Funkdienst-Fachausdrücke

radio service terms

Mit Verfügung Nr. 418 veröffentlichte das Reichspostministerium in seinem Amtsblatt Nr. 65 vom 4. Juli 1924 eine „Zusammenstellung der deutschen Fachausdrücke des Funkdienstes", die „im Benehmen mit den in Betracht kommenden Behörden und Funkbetriebsgesellschaften bearbeitet worden [ist]. Die Fachausdrücke sind hinfort allgemein im dienstlichen Verkehr anzuwenden." 121 Fachausdrücke sind in vier Abschnitten aufgelistet: A. Sammelbegriffe für Funkanlagen; B. Funknetze und Verkehrsarten; C. Allgemeine mit „Funk" zusammengesetzte Bezeichnungen; D. Sonstige Bezeichnungen; darunter: *Funkanlage, Funkdienst,* ↑*funken,* ↑*Funker, Funkerei,* ↑*Funkspruch, Funkstelle, Funkverkehr, Funkwesen.* Wo es notwendig war, sind Definitionen hinzugefügt worden – in 54 Fällen. [1]

Literatur [1] Anlage zur Amtsblatt-Verfügung Nr. 418, 4 Seiten; Vollständige Wiedergabe auch in: Muttersprache Bd. 40 (1925) Spalten 172–174.

funken

to radiogram

Ersatzbenennung für *drahtlos* ↑*telegraphieren,* 1914 von Otto Sarrazin* vorgeschlagen und wie folgt begründet:

„Irgendwo, sagen wir in Nauen, werden mit großer Gewalt und in schneller Folge elektrische Funken ›abgeblitzt‹ – sichtbar und hörbar. Dadurch wird vermittels einer sinnreichen weiteren Vorrichtung eine Wellenbewegung des Äthers im Weltall erzeugt, Wellen, die den Weltäther mit ungeheurer Geschwindigkeit (mit der Geschwindigkeit des Lichtes!) durcheilen und irgendwo, sagen wir in Sayvill bei New York, auf eine sinnreich gebaute, mit Schallverstärkern versehene Empfangsvorrichtung stoßen. Bei Stößen gibt's, wie gemeinhin bei Stößen, bei Ankunft jeder Welle einen ‚hörbaren Ruck', einen Ton, der dem Ohre des dortigen, eigens dazu angestellten Horchers wahrnehmbar ist. [...] Zu bemerken wäre etwa noch, daß die einlaufenden Töne, wie sich aus dem Gesagten ergibt, nicht aufgeschrieben, sondern ‚abgehört' werden, daß hier also zunächst überhaupt nicht ‚graphiert' und geschrieben, sondern gehört wird. [...] wir hören und sehen von allem nichts als – den Funken. Und so hat ein deutsches Ersatzwort verständigerweise an diesen ‚sicht- und greifbaren Stoff' anzuknüpfen. Das hat unsere Reichsmarine auch ziemlich von Anfang an getan und für das ‚drahtlose Telegramm' den deutschen ‚Funkspruch' gebildet. Sie nennt ferner die mit dieser Tätigkeit Betrauten ‚Funker'. [...] Schade, daß man nicht gleich den kleinen weiteren Schritt getan und von Anfang an dazu das Zeitwort ‚funken' gebildet hat, zumal ja der Funker das Wort funken voraussetzt. Wie mir neuerdings mitgeteilt wird, ist das Zeitwort ‚funken' bei den Funkern tatsächlich schon längere Zeit im Gebrauch; gelesen habe ich es bis jetzt noch nicht." [1]

Literatur [1] Sarrazin-1914, Spalten 196–197.

funkenlose Telegraphie sparkless telegraphy

Worterklärung Ehemals vorgeschlagene Ersatzbenennung für »drahtlose Telegraphie ohne Funkeninduktor«.

Wortgeschichte

1 Seinen NOBEL-Vortrag am 11. Dez. 1909 beendete Ferdinand BRAUN* unter Wiederholung der Schlussworte seines 16. Nov. 1900 im Naturwissenschaftlichen Verein zu Strassburg gehaltenen Vortrags wie folgt:

„‚Man hat die drahtlose Telegraphie bisweilen als Funkentelegraphie bezeichnet. Allerdings ist ein Funke an irgend einer Stelle bisher nicht zu vermeiden. Er ist aber hier möglichst unschädlich gemacht. Dies ist wichtig; denn der Funke, welcher die Wellen erzeugt, er verzehrt sie auch wieder, wie Saturn seine eigenen Kinder. Was hier angestrebt wurde, könnte man eher eine *funkenlose Telegraphie* nennen'. Wenn ich damals mit diesen Worten schloss, so freue ich mich, dass es mit den besprochenen Mitteln jetzt gelungen ist, diesem Ziele wesentlich näher zu kommen und dadurch den gekoppelten Sender noch wirkungsvoller zu machen." [1]

2 Im Begleitheft zur Ferdinand-BRAUN-Ausstellung in Fulda im Feb. 1998 heißt es auf S. 21:

„Durch die Funkentechnik konnten nur gedämpfte elektromagnetische Wellen erzeugt werden (mit dieser Problematik hat sich BRAUN viel beschäftigt), dagegen können mit der neuen Technik ungedämpfte Schwingungen erzeugt werden. Nun konnte man ‚funken ohne Funken', diesen Wunsch hat BRAUN bereits in seiner NOBEL-Ansprache ausgedrückt."

Ein Vergleich beider Zitate zeigt, dass *funken ohne Funken* eine sehr freie Übertragung von *funkenloser Telegraphie* ist.

Literatur [1] BRAUN-1909, S. 17–18.

Funkentelegraphie wireless telegraphy

Worterklärung Ersatzbenennung für *drahtlose Telegraphie*.

Wortgeschichte Das Wort ~ wurde vom deutschen Funkpionier Adolf SLABY* als Titel für einen am 1. Nov. 1897 gehaltenen Vortrag im Verein zur Beförderung des Gewerbfleißes gewählt. [1] In einem späteren Vortrag über „Abgestimmte und mehrfache Funkentelegraphie" am 22. Dez. 1900 erläutert er die Wortschöpfung wie folgt:

„Der elektrische Funke ist das Charakteristische der neuen Telegraphie; es ist bisher noch nicht möglich gewesen, elektrische Schwingungen von der erforderlichen Größenordnung anders als durch den Funken zu erzeugen. Die Bezeichnung ‚Funkentelegraphie' erscheint darum durchaus zutreffend." [2]

Gleichzeitig lehnt er den Ausdruck ↑*Wellentelegraphie* ab.

Wortbenutzung 1901: Die Funkentelegraphie (SLABY, A., Berlin: Simion); 1904/1910: Funkentelegraphie, s. Telegraphie (ohne Draht) (LUEGER, Lexikon); 1916: Ein Vorschlag für das Gebiet der Funkentelegraphie (SCHÜLER-1916, S. 524); 1917: Die Funkentelegraphie (THURN, H., Leipzig: Teubner); 1920: Funkentelegraphie im Luftfahrzeug (HELFFRICH, J., in: LUEGER; Erg.-Bd. II); 1929: Funkentelegraphie (DUDEN-1929); 2004: Die Funkentelegraphie. Grundlegende Erfindungen in den ersten Jahrzehnten (WESSEL, Horst A. [3]).

Literatur [1] SLABY-1901, S. 1; [2] Ebenda, S. 73; [3] WESSEL-2004, S. 173–216.

Funker

radio telegraphist

Von der deutschen Reichsmarine vermutlich seit 1903 benutzte Ersatzbenennung für *Funkentelegraphist*.

Literatur SARRAZIN-1914, Spalte 197.

Funkschutzzeichen

radio protection mark

Ein dem ↑VDE seit Frühjahr 1961 markenrechtlich geschütztes Zeichen, das bedeutet, dass die VDE-Bestimmungen zur Funk-Entstörung vom betreffenden Gerät erfüllt werden. Die Benennung *Funkschutzzeichen* wurde 1959 von Th. DALL* in Anlehnung an das *Radioschutzzeichen* des Schweizerischen Elektrotechnischen Vereins (SEV) geprägt. Vorschläge wie *Funk-Entstörzeichen* oder *Funkstörschutzzeichen* wurden verworfen, weil sie nicht ausdrucksvoller waren.

Genehmigungen zum Benutzen des ~ werden ab 01.01.1996 nicht mehr erteilt, da es von einem grafisch und den Anforderungen nach erweiterten Zeichen, dem VDE-EMV-Zeichen, ersetzt wurde.

Literatur LABASTILLE-1991, S. 17.

Funkspruch

radiogram

Von der deutschen Reichsmarine seit 1903 benutzte Ersatzbenennung für *drahtloses* ↑*Telegramm*.

„Bei seinem ersten Auftauchen wurde *Funkspruch* von deutschen ‚Schriftgelehrten' zunächst als ‚ein enorm häßliches Wort' begrüßt."

Literatur SARRAZIN-1914, Spalte 197.

Funktion

function

Worterklärung Im mathematischen Sinne ist ~ die zahlenmäßige Abhängigkeit einer Größe von einer oder mehreren anderen veränderlichen Größen. Mathematisches Zeichen: ↑$f(x)$.

Wortgeschichte Laut J. ITARD verdanken wir dem deutschen Mathematiker Gottfried Wilhelm LEIBNIZ* das Wort ~, der es 1694 in einem rein geometrischen Sinn einführte: Abszisse, Ordinate, Krümmung sind Funktionen eines Punktes einer Kurve. [1] Es stammt vom (La) *functio* ›Verrichtung, Besorgung‹ nach dem Verb (La) *fungor, functus sum* ›verwalten, verrichten, besorgen, ausführen, vollbringen, vollziehen, leisten, leisten, beweisen, erfüllen, betätigen‹. [2] Im Jahre 1718 bringt Jean BERNOULLI eine Definition der ~ ohne geometrischen Bezug:

„On appelle *fonction* d'une grandeur variable une quantité composeé de quelque manière que se soit de cette grandeur variable et des constantes." [3]

Das mathematische Zeichen $f(x)$ geht auf Leonhard EULER* zurück, der es 1734 zum ersten Mal verwendet. [3]

Wortbenutzung 1994: Die Funktion g muß in einer Umgebung von a überall von 0 verschieden sein (DIN 1302:1994-04, S. 13); 1998: Das [elektrische] Potential ist also eine skalare Funktion des Ortes (STÖCKER-1998, S. 413).

Wortfamilie

1 Zusammensetzungen mit *Funktions-* als Bestimmungswort: *Funktionsbereich, ~geber, ~generator, ~gleichung, ~glied, ~gruppe, ~netz, ~tafel, ~verlauf, ~wert;*

2 Zusammensetzungen mit *-funktion* als Grundwort: *Bessel~, Gamma~, Kosinus~* (↑Kosinus), *Kotangens~, Sinus~* (↑Sinus), *Tangens~, Umkehr~, Winkel~;*

3 Ableitung: *funktional.*

Fremdsprachige Entsprechungen (En) *function;* (Es) *función;* (Fr) *fonction* (1694, ROBERT-1994); (It) *funzione;* (Ru) функция /*funkcija*/; (Pl) *funkcja;* (Cs) *funkce.*

Literatur [1] ITARD-1977, S. 33; [2] MENGE-1916, S. 316–317; [3] ITARD-1977, S. 34.

G

G • Galvanismus
Galvanometer • … • Gas
Gauß • …
Gerätesteckdose • …
Gesetz, physikalisches • Giga-
Glaselektrizität/Harzelektrizität
Glees • … • Glitz • Gon
Grad • … • Großdyn
Guerikismus

G

G (conductance)

Worterklärung Formelzeichen für »elektrischen ↑Leitwert, Wirkleitwert, Konduktanz« nach DIN 1304-1:1994-03 entsprechend IEC 60027-1:1992-12. SI-Einheit: ↑Siemens.

Wortgeschichte In der Stellungnahme zum Programm des ↑Internationalen Elektrizitäts-Kongresses Chicago 1893 führte der Elektrotechnische Verein* zu Berlin Folgendes aus:

„Für die elektrische Leitungsfähigkeit und specifische Leitungsfähigkeit hat HOSPITALIER* keine Buchstaben vorgeschlagen; wir schlagen für specifische Leitungsfähigkeit das Zeichen λ vor, weil derjenige, der den Begriff zuerst gebraucht hat, KIRCHHOFF, es eingeführt hat, für die Leitungsfähigkeit aber den Buchstaben *G*, einfach weil dies so ziemlich der einzige Buchstabe des lateinischen Alphabets ist, der nicht zu Kollisionen führt." [1]

Erst auf Grund der Arbeiten der ↑IEC übernahm 1914 der vom Elektrotechnischen Verein mitgegründete ↑AEF das Zeichen *G* für »Leitwert/conductance« in seine Liste der Formelzeichen. [2] Daraus wurde später DIN 1304:1925-07.

Literatur [1] In: etz Bd. 14 (1893) S. 294–295; [2] DETTMAR-1914; IEC 27:1914-01; In: etz Bd. 44 (1923) S. 114 und Bd. 46 (1925) S. 1894.

Galvanismus

galvanism

Worterklärung Gesamtheit aller Erscheinungen, die sich auf Wirkungen des elektrischen Stromes zurückführen lassen.

Wortgeschichte Begriff und Benennung ~ wurden zu Ehren von Luigi GALVANI vom italienischen Physiker Alessandro VOLTA* geprägt, der 1796 in einem Brief an den deutschen Chemiker und Mediziner Friedrich Albrecht Carl GREN (1760–1798), dem Gründer und Herausgeber der ersten deutschen physikalischen Fachzeitschrift „Journal der Physik" (heute „Annalen der Physik"), Folgendes schrieb:

„Ecco in che consiste tutto il secreto, tutta la magià del Galvanismo. Ella è semplicente un'Elettricità artificiale, che vi rinova, mossa dai contatti di conduttori diversi." [1] [Übersetzung: „Sie sehen jetzt, worin das ganze Geheimnis, die ganze Magie des Galvanismus besteht. Sie ist nichts, als eine durch Berührung heterogener Leiter in Bewegung gesetzte künstliche Elektrizität."] [2]

In GALVANIS „Opere scelte" (›Ausgewählte Werke‹) wird bestätigt, dass nach G. POLVANI der Physiker VOLTA die Neuprägung im Titel oder Betreff seiner Briefe an GREN benutzte: „Sul Galvanismo, ossia sull'Elettricità eccitata dal contatto dei conduttori dissimili" (›Über ~, das heißt, über Elektrizität, die durch den Kontakt ungleicher Leiter entsteht‹). [3] Der italienische Physikhistoriker Mario GLIOZZI meint dagegen, dass die Vokabel ~ von GREN eingeführt worden sei, was sich aber aus der angegebenen Literaturstelle nicht belegen lässt, weil im veröffentlichten „Auszug eines Schreibens des Herrn VOLTA an den Herausgeber" das Wort ~ gar nicht vorkommt. [4] Somit bleibt VOLTA der Urheber.

Wortbenutzung 1797: Wasserzersetzung durch Galvanismus (HUMBOLDT, A.v. [5]); Zeitschriften: 1800–1806: Beiträge zur näheren Kenntnis des Galvanismus und der Resultate seiner Untersuchungen (Hrsg.: Joh. Wilh. RITTER, Jena: Frommann, 1800–1806 [6]); 1802: Der Galvanismus (Hrsg.: Jos. v. WEBER, Landshut: A. Weber, 1802 [6]).

Wortfamilie *Galvanik, galvanisches Element, galvanische Kopplung, galvanischer Strom, Galvanisation, galvanisieren, Galvaniseur, Galvanismus, ↑Galvanometer, Galvanoplastik, Galvanoskop, Galvanostegie, Galvanotechnik, galvanotechnische Fachfirma.*
Fremdsprachige Entsprechungen (En) *galvanism,* (Nl) *galvanisme;* (Es)(It) *galvanismo,* (Fr) *galvanisme* (1797, ROBERT-1994); (nLa) *galvanismus;* (Ru) гальванизм */gal'vanizm/;* (Pl) *galwanizm.*
Zur Person Der italienische Arzt und Anatomie-Professor Luigi Aloisio GALVANI (1737–1798) hatte durch seine Froschschenkel-Experimente seit 1773 zwar die „tierische Elektrizität" nicht nachweisen können, aber seinen Landsmann A. VOLTA* dazu gebracht, sich auch mit diesen Erscheinungen zu beschäftigen. Das Ergebnis war die VOLTA'ische Säule und damit die Erkenntnis der Kontaktelektrizität.
Biographien GRIMM, Helmut: Luigi Galvani. In: etz Bd. 107 (1986) S. 232–233; SCHREIER, Wolfgang, in: WUSSING-1992.; SEGRÈ-1998, S. 191–194.
Literatur [1] VOLTA, in: BRUGNATELLI's Annali di chimica Bd. 13 (1976 [vermutlich Verdreher, richtig: 1796]) S. 273, zit. nach [2]; [2] ASCHOFF-1987, S. 3; [3] GALVANI, Luigi: Opere scelte. Turin: UTET, 1967. 526 S., hier S. 348; [4] GLIOZZI-1947, S. 50–51; Neues Journal der Physik. Bd. 3 (1796) Heft 3, S. 479–481; [5] HUMBOLDT, Alexander von: Ueber die gereizte Muskel und Nervenfaser. In: Journal der Physik, Bd. 1 (1797) S. 474, zit. nach HOPPE-1888, S. 36; [6] Dreihundert Jahre naturwiss.-techn. Zeitschrift. Ausstellung Darmstadt im Schloss 1978. Frankfurt a. M.: Buchhändler-Vereinigung: Frankfurt a. M., 1978. 38 S., hier S. 26–27.

Galvanometer
galvanometre

Worterklärung Gerät zur Messung schwacher elektrischer Ströme, das 1820 erfunden worden ist.
Wortgeschichte Das Wort ~ wurde von mehreren Naturforschern zu Ehren des Experimentators mit Froschschenkeln, Luigi GALVANI (↑Galvanismus), vorgeschlagen: im Jahre 1820 vom französischen Physiker André Marie AMPÈRE,* der schrieb:

„Ein Elektrometer zeigt an, ob eine Spannung vorhanden und wie groß sie ist. Bis jetzt fehlte aber ein Instrument, welches einen Strom anzeigt, seine Richtung und seine Intensität. Dieses Instrument gibt es jetzt. Ich glaube, man sollte ihm, um es vom gewöhnlichen Elektrometer zu unterscheiden, den Namen *Galvanometer* geben." [1]

Schon 1798 versuchte der deutsche Physiker und Begründer der Elektrochemie, Johann W. RITTER*, die Aktion von Froschschenkeln auch quantitativ zu erfassen und meinte:

„[...] und das ganze läßt mich hoffen, die Idee eines Galvanometers einst realisieren zu können." [2]

Als dritter Wortschöpfer ist der französische Lehrer B. ROBERTSON zu nennen, der 1801 (Fr) *galvanomètre* für einen Apparat prägte, in dem Wasser mit Hilfe des „galvanischen Fluidums" zersetzt wurde. [3] Zu diesen Vorschlägen äußerte sich Prof. Gottfried HUTH wie folgt:

„Wenn schon, dann möge man wenigstens *Galvanismometer* sagen, denn es soll ja nicht Galvani gemessen werden, sondern der Galvanismus!" [4]

Wortbenutzung 1922: Meßgeräte, in denen eine Stromspule richtend oder anziehend auf Eisen oder eine andere Stromspule wirkt, heißen *Stromzeiger*, oder bei schwachen

Strömen, *Galvanometer* (THOMÄLEN-1922, S. 1); 1943: Die Galvanometer lassen sich für eine hohe Empfindlichkeit bauen, doch finden sie in der elektrischen Starkstromtechnik kaum noch Anwendung (KOSACK-1943, S. 56); 1998: Besonders empfindliche Drehspulinstrumente heißen *Galvanometer* (KORIES/SCHMIDT-WALTER-1998, S. 176).

Wortfamilie

1 Zusammensetzungen mit *-galvanometer* als Grundwort: *Differenzgalvanometer, Drehspul~, Feder~, Kriech~, Lichtmarken~, Nadel~, Nadel-Vibrations~, Röhren~, Saiten~, Schleifen~, Schleifen-Vibrations~, Spiegel~, Spulen~, Torsions~, Vibrations~, Zeiger~,*

2 Wortableitung: *galvanometrisch.*

Fremdsprachige Entsprechungen (En)(Sv) *galvanometer;* (Es) *galvanómetro;* (Fr) *galvanomètre* (1802, ROBERT-1994); (It) *galvanometro;* (Ru) гальванометр */gal'vanometr/;* (Pl) *galwanometr;* (Cs) *galvanometr;* (Ja) */garubanomētal/.*

Literatur [1] Zit nach FRAUNBERGER-1985, S. 330; [2] Ebenda, S. 330–331; [3] ROBERTSON, B., in: Annales de chimie et de physique, 1° serie, Bd. 37 (1801) S. 132, zit. nach GLIOZZI-1947, S. 51; [4] Zit. nach FRAUNBERGER-1985, S. 331.

Galvat ↑Einheitensystem nach L. Clark und C. Bright

Gas gas

Worterklärung Bereits die Griechen und Römer des Altertums unterschieden zwischen dem festen, flüssigen und gasförmigen Zustand der Materie, wobei die Elemente Erde, Wasser und Luft Sinnbilder dieser drei Zustände waren.

Wortgeschichte

1 Zur besonderen Bezeichnung seiner luftartigen Versuchsergebnisse prägte der flämische Arzt und Chemiker J.B. van HELMONT* [1] 1640 das Wort *Gas*. In seinem Werk „Ortus medicinae“, das 1648, d.h. erst nach seinem Tod erschienen ist, heißt es darüber:

„Halitum illum *gas* vocavi, non longe a *Chao* veterum secretum“ [2][3] (›Diesen Dunst habe ich *Gas* genannt, [ein Begriff] nicht weit entfernt vom [Begriff] *Chaos* der Alten‹).

Laut MENGE kann *Chaos* auch bedeuten: „Urwust, formlose Urmasse, aus der die Welt geschaffen wurde“. Die Schreibung mit *G* ist darauf zurückzuführen, dass es im Niederländischen wie *ch* guttural ausgesprochen wird.

2 Nach Max von LAUE liegt dem ~ „anscheinend das von PARACELSUS* für »Luftgemische« gebrauchte Wort *Chaos* zugrunde.“ [4] Laut Fritz KRAFFT nannte PARACELSUS „die unsichtbare luftförmige Urmaterie“ *chaos.* [5]

3 Als Gegner von Fremdwörtern bringt ADELUNG „das ‚barbarische Wort‘ nur mit widerwillen in der 2. ausgabe 1796 mit scharfen äuszerungen gegen den urheber ‚als ein schwärmer und alchymist erster grösze‘“ [3]. Vgl. den lesenswerten, ausführlichen Beitrag in GRIMM „Deutsches Wörterbuch“ [3].

Wortbenutzung In der Chemie ist die Benennung *Gas* erst spät benutzt worden, 1778: insbesondere durch MAQUER und LAVOISIER (gest. 1794); 1799: Über die unterirdischen Gasarten […], Braunschweig (A.v. HUMBOLDT, 1799.) In Wortzusammensetzungen: *Sauerstoffgas, Knallgas, Kohlensäuregas usw. Gas*: 1840: REICHENBACH; 1877: HERDER; 1898: DUDEN.

Wortfamilie

1 Zusammensetzungen mit *Gas-* als Bestimmungswort: *Gasanalyse, ~behälter, gasdicht, ~dichte, ~diodenschalter, ~druck, ~druckkabel, ~dynamik, ~entladung, ~entladungsableiter, ~entladungslampe, ~entladungsröhre, ~entwicklung, ~erzeuger, gasförmig, ~füllung, ~funkenstrecke, ~gehalt, ~gemisch, ~gesetz, ~gleichrichter, gashaltig, ~ion, ~ionisation, ~ionisierung, ~kabel, ~konstante, ~konzentration, ~lampe, ~leitung, ~licht, ~maser, ~molekül, ~ometer, ~pumpe, ~rauschen, ~relais, ~rest, ~rohr, ~röhre, ~schlauch, ~temperatur, ~theorie, ~triode, ~verflüssigung, ~werk;*

2 Zusammensetzungen mit *-gas* als Grundwort: *Abgas, Druck~, Edel~, Elektronen~, Feuer~, Füll~, Knall~, Kühl~, Loch~, Lösch~, Misch~, Neon~, Neutronen~, Permanent~, Press~, Rauch~, Rest~, Schutz~, Wasserstoff~.*

Fremdsprachige Entsprechungen (En) *gas;* (Es) *gas;* (Fr) *gas* (1670), jedoch *gaz* (seit 1787, ROBERT-1994); (It) *gas;* (Ru) газ */gaz/;* (Pl) *gaz;* (Ja) */gasu/.*

Literatur [1] BAETUS, Geert: Van MERCATOR tot FRIMONT. Vier eeuven Vlaams vernuft. Antwerpen 1994, S. 65–73; [2] SAVORY-1951, S. 32; [3] GRIMM-1878; [4] LAUE-1959, S. 24, Fußnote 2; [5] KRAFFT-2003, S. 200.

Gauß

gauss

Worterklärung Seit dem Inkrafttreten des Internationalen ↑Einheitensystems (SI) im Jahre 1960 nicht mehr anzuwendende Einheit der ↑»magnetischen Flussdichte«.

Wortgeschichte

1 Auf dem ↑Internationalen Elektrizitäts-Kongress zu Frankfurt am Main 1891 brachte die Delegation des American Institute of Electrical Engineers* (AIEE) [jetzt: Institute of Electrical and Electronic Engineers – IEEE] nachstehenden Antrag (zusätzlich zu einem Antrag betr. ↑*Henry*) ein:

„Bei Gelegenheit des jetzt tagenden Internationalen Congresses möchten wir noch ferner in Vorschlag bringen, dass entweder jetzt oder bis zum nächsten Congress die folgenden beiden Gegenstände beraten, einer Discussion unterzogen und endgiltig entschieden würden:
1. Die Feststellung und Benennung einer praktischen Einheit für die Intensität eines magnetischen Feldes, für welche sich ein dringendes Bedürfnis fühlbar gemacht hat. Wir erlauben uns vorzuschlagen, die Einheit ‚Gauss' zu benennen, und ihren Wert gleich der Intensität eines magnetischen Feldes von 1000 Kraftlinien per Quadratcentimeter zu wählen, das heisst, gleich 10^3 absoluten Einheiten. […] Carl HERING, Vorsitzender; Eduard L. NICHOLS, Ludwig GUTMANN, Richard O. HEINRICH." [1]

In der Schlusssitzung wurde berichtet, dass der Antrag jetzt zurückgezogen worden sei und dass er auf dem 1893 in Chicago stattfindenden Kongress erneuert werden solle. [2] Dies geschah nicht.

2 Vielmehr schlug im März 1894 das AIEE das ~ als ↑CGS-Einheit der ↑»magnetischen Flussdichte« ((En) *magnetic flux density;* (Fr) *induction magnétique*) vor. Der Kongress zu Paris 1900 nahm das ~ jedoch in der Bedeutung der ↑»magnetischen Feldstärke« ((En) *magnetic field strength;* (Fr) *champ magnétique*) an. [3]

3 In der Folgezeit war es sehr umstritten, ob das ~ die Einheit der magnetischen Flussdichte (↑Induktion) oder der magnetischen Feldstärke ist. [4] Durch eine sehr eingehende historisch-philologische Untersuchung konnte C.O. MAILLOUX überzeugend

dartun [5], dass man das ~ nach einem Beschluss des Internationalen Elektrizitäts-Kongresses von 1900 und in Übereinstimmung mit dem Beschluss der ↑IEC von 1930 als die Einheit der *Induktion* anzusprechen hat. Zu derselben Entscheidung war der ↑AEF schon vor einer Reihe von Jahren ohne genauere Kenntnis der geschichtlichen Entwicklung gekommen, und zwar auf Grund physikalischer Überlegungen. [6]

4 Leider hatte es sich eingebürgert, das ~ in zwei unterschiedlichen Einheitensystemen zu verwenden:

- 1 Gauß = 1 $cm^{-1/2}$ $g^{1/2}$ s^{-1} als CGS-Einheit der nichtrational definierten elektromagnetischen Größe »magnetische Flussdichte« vorzugsweise in der ↑Physik,
- 1 Gauß = 10^{-8} Vs/cm^2 (Voltsekunde durch Quadratzentimeter) als Einheit der rational definierten Größe »magnetische Flussdichte« vorzugsweise in der ↑Elektrotechnik.

Da im Internationalen Einheitensystem (SI) die Einheit der magnetischen Flussdichte als „Voltsekunde durch Quadratmeter" festzulegen ist, musste ein neuer Einheitenname gefunden werden, um Verwechslungen zu vermeiden. Dies war ↑*Tesla*, nach dem amerikanischen Elektroingenieur kroatischer Herkunft Nikola Tesla (1856–1943): 1 Tesla = 10^4 Gauß. [7]

5 In einem modernen Lehrbuch der Physik [8], das auf dem SI aufbaut und das als Zielgruppe die Grund- und Leistungskurse der gymnasialen Oberstufe hat, wird das *Tesla* abweichend vom SI als Einheit der Größe *»magnetische Feldstärke B«* bezeichnet, und zwar mit der SI-Einheit „Newton durch Ampere-Meter", die dimensionsmäßig gleich der SI-Einheit „Voltsekunde durch Quadratmeter" ist. [9]

Wortbenutzung 1949: Bei hohen Induktionen (etwa über 17 000 Gauß) geht ein Teil des Flusses auch durch Nuten (Humburg [10]); 1949: Die meisten ausgeführten Transformatoren arbeiten mit Induktionen zwischen 13 000 und 15 000 Gauß (Schäfer [11]).

Wortfamilie *Gauß, Kilogauß.*

Fremdsprachige Entsprechungen Sprachen mit lateinischer Schrift: *gauss*; mit anderer Schrift: (nGr) γκάους */gkáous/*; (Ru) гаусс */gauss/* (Einheitenzeichen: Гс /Gs/); (Zh) */gāosī/*; (Ja) */gausu/*.

Zur Person Der Einheitenname ~ wurde zu Ehren von Carl Friedrich Gauss (1777–1855) gewählt. Er war Professor für Astronomie der Universität Göttingen und Direktor der dortigen Sternwarte, arbeitete auf fast allen Gebieten der Mathematik, lieferte aber auch bedeutende Beiträge zur Physik, Geodäsie und Astronomie. Auf Anregung von Alexander von Humboldt (1769–1859) befasste sich Gauss ab 1828 mit dem Erdmagnetismus und organisierte mit Wilhem Eduard Weber* (↑Weber) von 1836 bis 1841 den „Göttinger Magnetischen Verein", einen Zusammenschluss von etwa 40 physikalischen Instituten und Sternwarten auf der ganzen Erde. Um die mitgeteilten Mess-Ergebnisse vergleichen zu können, entwarf Gauss das „absolute physikalische Maßsystem" mit den Basisgrößen Länge, Masse und Zeit und den Basiseinheiten Millimeter, Milligramm und ↑Sekunde (mm-mg-s), aus dem sich später das ↑CGS-System (cm-g-s) und das Internationale ↑Einheitensystem (m-kg-s-A-K-mol-cd) entwickelten. Im Jahre 1838 verlieh ihm als ersten Deutschen die Royal Society mit der Copley-Medaille ihre höchste Auszeichnung. Während der elektrischen Messungen an einer Doppelleitung, die zwischen der Göttinger Sternwarte von Gauss und dem Physikalischen Kabinett von Weber gezogen war, kamen beide 1833 auf den Gedanken, mit Hilfe eines Codes Nachrichten auszutauschen. Das war die Geburtsstunde des elektromagnetischen Telegraphen. Vgl. ↑Erste Übertragungen von Nachrichten.

Biographien GAUSS-Gesellschaft e.V. Göttingen: Mitteilungen, seit 1964; SCRIBA, Christoph J.: Gauß in der Wissenschaftsgeschichte. In: Abh. braunschw. wiss. Ges., Bd. 27 (1977) S. 39–56; GERARDY, Theo: Gauß als Mensch. In: Ebenda, S. 349–365; REIDEMEISTER, Kurt, in: DGD Bd. 3 (1978) S. 26–28; MICHLING, Horst: C.F. Gauß. Aus dem Leben des Princeps Mathematicorum. Göttingen: Verlag Göttinger Tageblatt, 1976, 141 S.; BIERMANN, Kurt-R. (Hrsg.): Carl Friedrich Gauß. Der „Fürst der Mathematiker" in Briefen und Gesprächen. München: C.H. Beck, 1990. 231 S.; WUSSING-1992, S. 217–219.

Siehe auch ↑gaussage.

Literatur [1] Internationaler Elektrotechniker-Kongress-1891, Hauptversammlung, S. 70–71; [2] Ebenda, S. 91; [3] IEC 164:1964, S. 19; [4] Ebenda, S. 23–27; [5] Rev. Gén. Electr. Bd. 29 (1931) 125–132; [6] etz Bd. 53 (1932) S. 139; [7] DIN 1339: 1968-09. Einheiten magnetischer Größen; [8] GREHN/KRAUSE-1998, S. 227; [9] Den Hinweis auf diese Abweichung verdanke ich Stud.-Dir. Dr. rer. nat. Herbert Kurt SCHMIDT, Darmstadt-Eberstadt; [10] HUMBURG-1949, Bd. I, S. 63; [11] SCHÄFER, Wilhelm: Transformatoren. Berlin: de Gruyter, 1949. 128 S. (Göschen Bd. 952), hier S. 16.

gaussage — gaussage

Worterklärung Englische Entsprechung für »magnetomotorische Kraft«.

Wortgeschichte Im Jahre 1891 schlug der englische Telegraphietheoretiker Oliver HEAVISIDE* vor, den deutschen Physiker GAUSS durch die Größe ~ ›Gaußzahl‹ (ähnlich voltage) und die magnetische Einheit ↑*Gauß* zu ehren:

„Magnetomotive force may be called the *gaussage* [pr. gowsage], after Gauss, who distinguished himself in magnetic researches; and a certain unit of gaussage may be called a *gauss* [pr. gowce]. I believe this last has already been done, though it has not been formally sanctioned. Gaussage may also be experimenmted with". [1]

Der erste Vorschlag wurde nicht aufgegriffen.

Literatur [1] HEAVISIDE-1951, § 27.

Gerätesteckdose — appliance plug socket

Worterklärung Zwei oder mehr Kontakthülsen tragendes Anschlussmittel, das sich am Ende einer Netzzuleitung befindet und in einen ↑Gerätestecker mit gleicher Anzahl von Kontaktstiften und gleicher geometrischer Konfiguration gesteckt werden kann.

Wortgeschichte Zur Wortgeschichte siehe ↑*Gerätestecker*.

Wortbenutzung 1933: Die Gerätesteckdose muß so ausgebildet sein, daß sie auch in betriebswarmem Zustand bequem vom Gerätestecker gelöst werden kann (VDE 0630/1933 § 11).

Gerätestecker — appliance plug

Worterklärung Zwei oder mehr Kontaktstifte tragendes Anschlussmittel, das am Gerät (z.B. Rasiergerät, Kochplatte) befestigt ist und die Zufuhr elektrischer Energie sicherstellt.

Wortgeschichte
1 Bei der Erarbeitung der „Vorschriften für Koch- und Heizgeräte“ des ↑VDE schlug 1920 der Sachbearbeiter der zugehörigen VDE-Kommission, Alfred Molly*, die Benennungen ↑*Geräte(steck)dose*, ~ und *Gerätekupplung* [↑*Gerätesteckvorrichtung*] vor. In seinen autobiographischen Notizen schreibt er darüber:

„Es wurde zunächst kein passender Begriff gefunden. Ich machte den Vorschlag, diese neuen Anschlußteile einfach ‚Gerätestecker‘ und ‚Geräte(steck)dose‘ und beides zusammen ‚Gerätekupplung‘ [später ‚Gerätesteckvorrichtung‘] zu benennen. Allgemeiner Beifall belohnte diesen Vorschlag und alle Anwesenden erhoben sich zu Ehren des Namengebers.“ [1]

2 Die Begriffserklärungen der obigen VDE-Vorschrift von 1920 lauten im § 6:

„Die Kupplungsleitung verbindet das Heizgerät mit der festverlegten Zuleitung. Die Gerätekupplung besteht aus Gerätestecker und Gerätedose. Gerätestecker ist der mit Stiften ausgerüstete Kupplungsteil am Gerät, Gerätedose der mit Anschlußbuchsen ausgerüstete an der Kupplungsleitung befestigte Kupplungsteil.“ [2]

Wortbenutzung 1930: Die Gerätesteckvorrichtung besteht aus Gerätestecker und Gerätesteckdose [3]; 1933: Der Schutzkragen des Gerätesteckers muß aus Metall sein (VDE 0625/1933 § 6).

Literatur [1] Molly, Alfred: Erinnerungen an meine 30jährige Tätigkeit im VDE von 1913–1944. Baden-Baden 1958. 60 S., vervielfältigtes Manuskript, unveröffentlicht; hier S. 33; [2] Entwurf in etz Bd. 41 (1920) S. 680–681; endgültige Fassung, ebenda S. 860–861; [3] In: etz Bd. 51 (1930) S. 1214–1216, hier S. 1215.

Gerätesteckvorrichtung — appliance coupler

Worterklärung Gesamtheit von ↑Gerätestecker und passender ↑Gerätesteckdose.

Wortgeschichte Zur Wortgeschichte siehe ↑*Gerätestecker*.

Wortbenutzung 1933: Gerätesteckvorrichtungen sind in ihren Grundabmessungen nach DIN VDE 9490 auszuführen (VDE 0625/1933 § 10).

Gesetz, physikalisches — physical law

Nach der Definition von Max Planck* von 1926:

„Ein physikalisches Gesetz ist ein jeder Satz, welcher einen festen, unverbrüchlich gültigen Zusammenhang zwischen meßbaren physikalischen Größen ausspricht, einen Zusammenhang, welcher es gestattet, eine dieser Größen zu berechnen, wenn die übrigen durch Messung bekannt sind.“ [1]

„Ein physikalisches Gesetz findet seinen Ausdruck gewöhnlich in einer mathematischen Formel, welche es gestattet, für irgendein vorliegendes, bestimmten gegebenen Bedingungen unterworfenes physikalisches Gebilde den zeitlichen Ablauf der darin stattfindenden Vorgänge zu berechnen.“ [2]

Literatur [1] Planck, M.: Physikalische Gesetzlichkeit. In: Planck-1949, S. 183-184; [2] Ebenda, S. 191.

Giga- — giga-

Worterklärung ↑Vorsatz (Präfixoid) zum Bezeichnen des Milliardenfachen (10^9 oder 1 000 000 000) einer ↑SI-Einheit. ↑Vorsatzzeichen: G.

Wortgeschichte

1 Dieser Vorsatz wurde 1922 vom ↑AEF geprägt, (gemeinsam mit ↑*Nano-*) in seinen „Entwurf XXV" aufgenommen [1] und nach Ablauf der Einspruchsfrist in seiner „Ergänzung zur Liste der Einheitszeichen" (Januar 1927) [2] sowie in der 2. Ausgabe von DIN 1301 „Einheiten; Kurzzeichen" (April 1928) für den deutschen Sprachraum festgelegt. 1948 hat die Union Internationale de Physique *giga-* und *nano-* bei der ↑CGPM eingebracht, deren Annahme 1960 die 11. Generalkonferenz beschlossen hat. Durch das „Gesetz über Einheiten im Meßwesen" vom 2. Juli 1969 (BGBl. I S. 707) wurden ~ und *Nano-* in deutsches Recht eingeführt.

2 In der Begründung zum Norm-Entwurf führt 1922 Karl STRECKER* Folgendes aus:

„Für große Einheiten wäre der Vorsatz *Giga* = (vom griechischen *Gigas, Riese*) zu verwenden; Zeichen: G. Man wird ihn wohl bei Längen gebrauchen können; ein Äquatorumfang = $4 \cdot 10^7$ m = 0,04 Gm. Die Lichtgeschwindigkeit im leeren Raum beträgt 0,3 Gm/s, der Abstand der Erde von der Sonne rd 150 Gm, die des Mondes von der Erde im Mittel 0,36 Gm." [1]

In der endgültigen Fassung [2] wurde noch als Merkhilfe angeben: „vgl. die Fremdwörter *Gigant, gigantisch*".

Fremdsprachige Entsprechungen Sprachen mit lateinischer Schrift: *giga-*; mit anderer Schrift: (nGr) γιγα */giga/*; (Ru) гига */giga/* (Vorsatzzeichen: Г /G/); (Ja) */giga/*.

Literatur [1] In: etz Bd. 43 (1922) S. 404; In: NDI-Mitt.[später: DIN-Mitt.] Bd. 8 (1925) S. 1021-1022 (1. Okt.); [2] In: etz Bd. 48 (1927) S. 481.

Glaselektrizität/Harzelektrizität vitreous/resinous electricity

Worterklärung Vorläufer der Benennungen *positive* bzw. *negative* ↑*Elektrizität.*

Wortgeschichte Über das Ergebnis seiner elektrostatischen Versuche schrieb 1733 der französische Physiker Charles DUFAY* Folgendes, das 1745 in der deutschen Fassung erschien:

„Hier sind ohne allen Zweifel zwey Elektrizitäten von gantz verschiedener Arten, nehmlich die Elektricität derer durchsichtigen Cörper als des Glaßes, Chrystalles, und die Elektrizität derer hartzigen Cörper. [...] Hier haben wir also zwey Elec[t]ricitäten, die vollkommen bewiesen sind, und denen ich ohnumgänglich verschiedene Namen beilegen muß. [...] Ich werde demnach die eine nennen *electricitatem vitream,* die *glaßhafte Electricität,* und die andere *electricitatem resinosam,* die *hartzige Electricität,* [...] weil vornehmlich das Glaß und der Copal [bernsteinähnliches Harz] diejenigen zwey Materien sind, die mir zur Entdeckung dieser beyden Elektricitäten Anlaß gegeben haben." [1]

Fremdsprachige Entsprechungen

1 »Glaselektrizität«: (En) *vitreous electricity;* (Es) *electricidad vítrea;* (Fr) *électricité vitrée;* (It) *elettricità del vetro;* (Ru) электричество стекла */električestvo stekla/;*

2 »Harzelektrizität«: (En) *resinous electricity;* (Es) *electricidad resinosa;* (Fr) *électricité résineuse;* (It) *elettricità resinosa;* (Ru) смоляное электричество */smoljanoe električestvo/.*

Literatur [1] DUFAY, Ch.: Versuche und Abhandlungen von der Electricität und deren Körper. Erfurt/Erlangen 1745, zit. nach FRAUNBERGER-1985, S. 61 u. 63; Titel abgestimmt mit JÄGER-1996, S. 103–104.

Glees
electricity

Worterklärung Wortstamm für verdeutschende Ersatzbenennungen für ↑*Elektrizität* und damit zusammenhängende Begriffe.

Wortgeschichte

1 Das Wort ~ ist dem germanischen Wort *glees* ›Bernstein‹ entlehnt, das in der latinisierten Form *glesum* (= *glēsum*) [1] im Werk „Germania" des Publius Cornelius TACITUS (56–120) vorkommt, der es 98 n.Chr. verfasste. Darin heißt es im Kapitel 45:

„ergo iam dextro Suebici maris litore Aestiorum gentes alluuntur, [...] sed et mare scrutantur ac soli omnium sucinum, quod ipsi *glesum* vocant, [...]" / „An der Ostküste der Ostsee wohnen die Stämme der Esten. [...] Sie [...] sind auch die einzigen, die am Meer an seichten Stellen und am Strande Bernstein sammeln, den sie selbst *Gles* nennen". [2]

2 C. HAMMEL* schlug dieses Wort in einem Schreiben vom 15. Aug. 1929 an den Verband der Elektrizitätswerke e.V., Berlin, mit der Begründung vor:

„... ein guter, alter germanischer, keltischer Name für Bernstein sei jedoch *Glees*. Als ich diese Ausführungen hörte, glaubte ich, eine gute Verdeutschung für das Wort Elektrizität gefunden zu haben: *Glees* Elektrizität, *Gleeswerk* Elektrizitätswerk, *begleesen* elektrifizieren." [3]

Literatur [1] MENGE-1916; GRIMM-1991, Bd. 7 (1949) Spalte 7659; [2] RONGE, Herbert (Hrsg.): Die Germania des Tacitus. Lateinisch u. deutsch. München: Heimeran, 1944. 112 S., hier S. 76–77; [3] Archivalien der Kommission für Benennungen des ↑VDE.

Gleichheitszeichen
sign of equality

Worterklärung Mathematisches Zeichen in der Schriftform „=" nach DIN 1302:1994-04, das aussagt, dass die links von „=" stehenden Glieder in der Summe denselben Wert verkörpern wie das oder die rechts stehenden.

Wortgeschichte

1 In den gedruckten mathematischen Werken des Mittelalters und zu Beginn der Neuzeit, insbesondere der Autoren GALILEI*, KEPLER*, LEIBNIZ*, NAPIER* und PASCAL*, wurde die Gleichheit noch in Worten ausgedrückt: Ⓛⓐ *aequalis, aequantur, faciunt*; Ⓕⓡ *esgal, esgale*; Ⓓⓣ *gleich*; Ⓝⓛ *ghelijck*; [1] manchmal auch abgekürzt *aeq.*, *aequ.*

2 Das Zeichen =, bestehend aus zwei langen waagerechten Strichen, wird 1557 vom englischen Mathematiker Robert RECORDE* in seinem Buch „The Whetstone of Witte" (London) eingeführt. [2] Erst 1631 erhält es Anerkennung durch Benutzung in drei maßgebenden englischen Werken. Dennoch muss das Zeichen = mit vielen anderen Zeichen in Wettstreit treten.

3 Der größte Konkurrent war das Zeichen ∝ des französischen Mathematikers und Philosophen René DESCARTES*, der es 1637 durch seine „Géométrie" bekannt macht. In der mathematik-historischen Fachliteratur wird sein Zeichen als Ligatur (Verbindung) der Anfangsbuchstaben *ae* von Ⓛⓐ *aequalis* ›gleich‹ beschrieben, aber auch als um 90° nach links gedrehtes astronomisches Zeichen des Widders (Taurus) ♉, das in vielen Schriftsetzereien vorhanden war. [3] An einigen Stellen der „Géométrie" erscheint sein Gleichheitszeichen als die um 180° gedrehte aus oe bestehende Ligatur œ. [4]

4 Der große Durchbruch zum einheitlichen Zeichen = kam erst, als Isaac NEWTON* in England und LEIBNIZ* in Deutschland es in Briefen und Veröffentlichungen benutzten.

Der Schweizer Johann Heinrich Rahn sagt dazu in seiner 1659 in Zürich erschienenen „Teutschen Algebra“:

„Bey disem anlaasz habe ich das namhafte gleichzeichen = zum ersten gebraucht, bedeutet ist gleich, $2a = 4$ heisset $2a$ ist gleich 4.“ [5]

Literatur [1] Cajori-1993, Bd. 1, S. 297; [2] Ebenda, S. 164, S. 165 (Faksimile); [3] Ebenda, S. 205–208, 301–302; [4] Descartes-1954, z. B. S. 221 gleich S. 403 des Faksimile; [5] Cajori-1993, Bd. 1, S. 304; S. 213 zeigt die Faksimile-Seite 73 aus Rahns „Teutscher Algebra“.

Glitz

electricity

Worterklärung Wortstamm für verdeutschende Ersatzbenennungen für ↑»Elektrizität« und damit zusammenhängende Begriffe.

Wortgeschichte Im Jahrgang 1933 der „Muttersprache“ ließ die Schriftleitung einen Gedankenaustausch über die beste Verdeutschung von »Elektrizität« zu, in dem neben ↑*Bern* und ↑*Elt* auch ~ erörtert worden sind. Das Neuwort *Glitz* stammt von Ernst Schöll (Wien), der es von der elektrischen Erscheinung »Blitz« ableitet und zu folgenden Vorschlägen gelangt:

Glitz Elektrizität • *glitzen* elektrisieren • *verglitzen* elektrifizieren • *Glitzer* Elektromonteur • *Glitzmeister* Elektromeister • *Glitzbahn* Elektrobahn • *Glitzbetrieb* Elektromotor • *Glitzling* Elektrolokomotive • *Glitzschalter* Elektroschalter • *Glitzwärme* Elektrowärme. [1]

Am Ende dieses Beitrages lesen wir die Redaktionsanmerkung:

„Nun heißt es: ‚Hie Bern, hie Elt, hie Glitz.‘ Das ist für die Sache nicht günstig, und man muß wünschen, daß sich möglichst bald der Deutsche Verband Technisch-Wissenschaftlicher Vereine ins Mittel lege und den Streit schlichte. Str[eicher]“

Es dauerte 20 Jahre, bis der ↑VDE mit der Erörterung von ↑*Elektrie* den Schlussstrich unter die Versuche zur Verdeutschung von »Elektrizität« zog.

Literatur [1] Ammon, Karl: Erwiderung. In: Muttersprache, Bd. 48 (1933) Spalte 361–362.

Gon

gon

Worterklärung Der hundertste Teil eines rechten Winkels oder gleichermaßen der vierhundertste Teil eines Vollwinkels. Einheitenzeichen *gon* nach DIN 1301-1:1993-12.

Wortgeschichte Die bisherige Benennung war *Neugrad* (g) (Fr)(En) *grade* (gr). Laut U. Stille wurde die Ersatzbenennung ~ 1949 von H. Bock vorgeschlagen. [1]

Literatur [1] Stille-1961, S. 73.

Grad

degree

Worterklärung Ein von 360 spitzen Winkeln, die dadurch entstanden sind, dass der Kreisumfang in 360 gleich lange Abschnitte eingeteilt worden ist. Mathematisches Zeichen: ° nach DIN 1301-1:1993-12. Weitere Unterteilung: 1 (Winkel)-Grad (1°) besteht aus 60 (Winkel)-Minuten (60′). 1 (Winkel)-Minute besteht aus 60 (Winkel)-Sekunden (60″).

Wortgeschichte

1 Die Gradmessung der Winkel geht auf die Babylonier zurück, die vor vier Tausend Jahren im Land des heutigen Irak lebten. Die 60 war die Grundzahl ihres Zahlensystems. Mit diesem 60er System konnten sie also ihre Bauten und auf Grund von astronomischen Beobachtungen ihren Kalender berechnen. Die Zeichen ° ′ ″ kommen erst im „Almagest" des alexandrinischen Astronomen, Mathematikers und Geographen Claudius PTOLEMÄUS* (100–180 n. Chr.) vor. Der Grad hieß bei ihm (Gr) μοίρα /moíra/, abgekürzt μ°, wobei das ° dem o aus /moira/ entstammt. Spätere Autoren benutzen statt der Zeichen die Abkürzungen *Gr., Min., Sec.* oder ähnlich. Erst mit Tycho BRAHE und Johannes KEPLER* und deren Zeitgenossen kam die alte Schreibweise ° ′ ″ wieder auf. [1]

2 In der lateinischen Übersetzung einiger arabischer astronomischer Tafeln durch Athelard von BATH (12. Jh.) kommen die Ausdrücke (nLa) *gradus, minutae, secundae* usw. vor. [2] Sie bedeuten:

- *gradus* ›Schritt, Tritt, Stufe, Grad‹;
- *minuta* gekürzt aus *pars minuta prima* ›erster verringerter Teil‹, mit anderen Worten: »der kleinste Teil erster Ordnung«;
- *secunda* gekürzt aus *pars minuta secunda* ›zweiter verringerter Teil‹, mit anderen Worten: »der kleinste Teil zweiter Ordnung«. [3]

3 Als Zeiteinheit kommt *Minute* durch die Verbreitung der Turm- und sonstigen Standuhren im 15. und 16. Jh. ins Bewusstsein der Bevölkerung. Im *Rechenbuch* von KÖBEL (1544) lautet es:

„Solt du zu dem ersten wissen, das von einem newen monschein zu dem andern 29 tag, 12 stund und 44 minuten sein". [4]

Die *Sekunde* dringt später vor; vgl. Belege unter ↑Sekunde.

Literatur [1] CAJORI-1993, § 511–514, Bd. 2, S. 142–146; [2] Ebenda, S. 142; [3] KLUGE-1967, S. 480; [4] GRIMM-1991, Bd. 12, Spalte 2246.

Grad absolut (°abs.) ↑Kelvin

Grad Celsius ↑Thermometer-Fixpunkt

Grad Fahrenheit ↑Thermometer-Fixpunkt

Grad Kelvin ↑Kelvin

Grad Réaumur ↑Thermometer-Fixpunkt

Grad Wärme ↑Kalorie

Großdyn

newton

Der Wert 10^5 dyn (↑Dyn) wurde auch 1 Großdyn genannt und mit großem Anfangsbuchstaben als 1 Dyn geschrieben. Schließlich wurde Großdyn durch das ↑Newton ersetzt.

Guerikismus

frictional electricity

Worterklärung Ehemals vorgeschlagene Ersatzbenennung für *Reibungselektrizität*.

Wortgeschichte Das Wort ~ wurde 1891 vom österreichischen Physiker Ludwig BOLTZMANN* in Anlehnung an ↑*Galvanismus* geprägt und in seinem Werk „Vorlesungen über MAXWELLs Theorie der Elektricität und des Lichtes" mit folgenden Worten eingeführt:

„Wir wollen ferner die Componenten der im Dielektricum wirkenden äusseren elektromotorischen Kräfte mit X_2, Y_2, Z_2 bezeichnen und sie die Componenten der reibungselektromotorischen Kräfte nennen, womit wir nicht etwa behaupten wollen, dass im Dielektricum nur durch Reibung Elektricität erregt werden könnte, …".[1])

Fußnote [1]): „Um diese sowie schwerfällige Wortzusammensetzungen zu vermeiden und gleichzeitig einen sicher Würdigen nach beliebten Mustern zu feiern, könnte man dem Galvanismus den Guerikismus gegenüberstellen und X_2, Y_2, Z_2 die guerikischen Kräfte nennen." [1]

Zur Person Mit der Wortschöpfung ~ sollte der deutsche Physiker und Festungsbauingenieur Otto von GUERICKE (1602–1686) geehrt werden, der sich durch seine Vakuumexperimente mit der Magdeburger Kugel und durch die ersten elektrostatischen Versuche mit der Schwefelkugel um die Physik verdient gemacht hat. Bürgermeister von Magdeburg. Otto GERICKE wurde 1666 geadelt und schrieb sich dann Otto von GUERICKE.

Biographien KRAFFT, Fritz: Guericke, in: HERMANN-1987, S. 133–137 u. 437; KANT, Horst: Guericke, in: WUSSING-1992, S. 240–241; KRAFFT, Fritz: Otto von Guericke in seiner Zeit. In: GUERICKE, Otto von: Neue (sogenannte) Magdeburger Versuche über den leeren Raum. 2. Aufl., Düsseldorf: VDI-Verl., 1996. LXXXVII + 306 S.; KRAFFT, Fritz: Guericke, in KRAFFT-2003, S. 180–182; KOVÁCS, László: Bahnbrecher der modernen Elektrizitätslehre: Otto von GUERICKE (1602–1686) – Leben und Wirken. In: WESSEL-2004, S. 25–34; JESZENSZKY, Sándor: Guericke-Ausstellung im Ungarischen Elektrotechnischen Museum [in Budapest]. In: WESSEL-2004, S. 35–41.

Literatur [1] BOLTZMANN-1891, S. 78.

H

h • *H* • Halbwertszeit
Harzelektrizität • Heaviside-Matrix
… • Henry • Hertz
Hertz'sche Telegraphie
Hertz'sche Wellen • …
Hochfrequenztechnik • Hochnehmen
Hochtechnik • … • H-Strahl
Hyperbel • Hysterese

h

h (Planck constant)

Worterklärung Formelzeichen für die Naturkonstante »Plancksches ↑Wirkungsquantum« nach DIN 1304-1:1994-03 entsprechend IEC 60027-1:1992-12.

Wortgeschichte Das *h* wurde 1900 von Max PLANCK* eingeführt, von den Physikern in aller Welt ohne Einschränkungen benutzt und schließlich genormt. In seinem Beitrag „Zur Geschichte der Auffindung des physikalischen Wirkungsquantums" (Fassung letzter Hand) schreibt PLANCK dazu Folgendes:

„Die von der Natur der Oszillatoren unabhängige Konstante a' bezeichnete ich mit *h* und nannte sie, da sie die Dimension eines Produktes von Energie und Zeit besitzt, das elementare Wirkungsquantum oder Wirkungselement, im Gegensatz zum Energieelement $h\nu$." [1]

Das Formelzeichen *h* lässt sich keiner Sprache zuordnen.

Literatur [1] PLANCK-1949, S. 26.

H

H (magnetic field strength)

Worterklärung Formelzeichen für ↑»magnetische Feldstärke« nach DIN 1304-1:1994-03 entsprechend IEC 60027-1:1992-12. SI-Einheit: A/m = ↑Ampere durch ↑Meter.

Wortgeschichte

1 Die früheste Verwendung des Zeichens *H* als »horizontale Componente des Erdmagnetismus« lässt sich bis zum Jahre 1846 zurückverfolgen, als der deutsche Physiker Gustav KIRCHHOFF* einen „Nachtrag […]" zu seinem Aufsatz vom Vorjahr veröffentlichte. Im Nachtrag heißt es:

„Hat also die [Magnet-]Nadel die Ablenkung ψ aus dem magnetischen Meridiane durch die Scheibe erlitten, so haben wir, wenn *H* die horizontale Componente des Erdmagnetismus bezeichnet, die Gleichung: $H \sin \psi = […]$." [1]

2 In derselben Bedeutung erscheint das Zeichen *H* im Jahresbericht 1863 der ↑British Association:

„The usal way of measuring *C*, the strength of a current, is by making it describe a circle about a magnet, the plane of the circle being vertical and magnetic north and south. Thus, if *H* be the intensity of the horizontal component of the terrestrial magnetism, and *G* the moment of this on the magnet, $G = m\,l\,H \sin\theta$, whence the strength of the current $C = k\,H \tan\theta\,/\,2\,\pi\,n$, where *k* is the radius of the circle, *n* the number of turns […]." [2]

Im Jahre 1873 übernahm der schottische Physiker James C. MAXWELL* das *H* in allgemeiner Bedeutung »magnetische Feldstärke« in sein Werk „A treatise on electricity and magnetism" (Oxford, 1. Auflage) jedoch als Frakturbuchstabe; vgl. ↑„Sonderschreibweise der Formelzeichen magnetischer Größen", ↑Vektorschreibweise.

In einer Abhandlung über die absolute Messung starker Ströme benutzt der deutsche Experimentalphysiker Friedrich KOHLRAUSCH* die obige Gleichung mit *H* als »horizontalem Erdmagnetismus«. [3]

3 Im Zuge der durch Ed. HOSPITALIER* 1891 eingeleiteten ↑Formelzeichen-Normung (und der dort aufgezeigten tabellarischen Entwicklung) wurde dieser Buchstabe von allen beteiligten Organisationen gebilligt und in deren Verzeichnisse aufgenommen. Im Einzelnen sah das so aus: Bei einer Umfrage im Jahre 1904 unter den technisch-wissenschaftlichen Vereinen des In- und Auslands wurde *H* (Fraktur) 1906 in eine Liste des Elektrotechnischen Vereins* (Berlin) aufgenommen [4], die der ein Jahr später gegrün-

dete ↑AEF 1912 in seine Liste der „Formelzeichen des AEF" unverändert übernahm [5]; 1925 erschien sie als DIN 1304 „Allgemeine Formelzeichen". Die 1906 gegründete ↑IEC konnte hinsichtlich der Formelzeichen auf den Arbeiten des AEF aufbauen und legte 1914 *H* als Vorzugszeichen in lateinischer Schrift, als Ausweichzeichen in Rund-, Fett- oder Sonderschrift fest. [6] Die Sonderschrift wurde in Deutschland als Fraktur verstanden. Die Frakturschreibweise für die Vektoreigenschaft wurde bis zur Ausgabe 1967 von DIN 1325 „Magnetisches Feld; Begriffe" beibehalten.

Literatur [1] In: Pogg. Annal. Bd. 67 (1846), zit. nach Kirchhoff-1882, S. 1–22, hier S. 19; [2] Zit. nach Stille-1961, S. 210; [3] Kohlrausch-1884, S. 14; [4] Emde-1906; Strecker-1906; [5] Strecker-1914; [6] Dettmar-1914.

Halbwertszeit — half life period

Worterklärung Zeitspanne, in der sich eine radioaktive Substanz (↑Radioaktivität) auf die Hälfte ihrer Ausgangsmenge verringert hat. Beispiele: ↑Polonium, ↑Radium.

Wortgeschichte Der französische Physiker Pierre Curie* führte 1903 den Begriff »Halbwertszeit« in der Benennung (Fr) *période d'un élément radioactif* ›Zeitspanne eines radioaktiven Elements‹ ein. [1]

Fremdsprachige Entsprechungen (En) *half life period;* (Fr) *période d'un élément radioactif, période d'un radioélément;* (Cs) *doba půltýlu, poločas rozpadu.*

Literatur [1] Hoffmann, Dieter, in: Wussing-1992, S. 140.

Harzelektrizität ↑Glaselektrizität/Harzelektrizität

Heaviside-Matrix — Heaviside's nomenclature scheme

Gesamtheit von Benennungen, die nach einer vorgegebenen Ordnung gebildet worden sind. Mit Hilfe der von ihm neu definierten Wortbildungssilben (Suffixoide) *-ance* und *-ivity* stellte Heaviside* 1887 das nachstehend abgebildete „Nomenclature scheme" [1] auf:

Flux	Force/Flux	Flux/Force	Force
Conduction-Current	Resistance [↑*Widerstand, Resistanz*] Resistivity [*spezifischer Widerstand, Resistivität*]	Conductance [↑*Leitwert, Konduktanz*] Conductivity [↑*Leitfähigkeit, Konduktivität*]	Electric
Induction	Reluctance [*magnetischer Widerstand, Reluktanz*] Reluctivity or Reluctancy	Inductance [↑*Induktivität,* nicht: ↑*Induktanz*] Inductivity [↑*Permeabilität*]	Magnetic
Displacement	Elastance Elastivity	Permittance [↑*Kapazität*] Permittivity [↑*Permittivität*]	Electric

Anmerkungen: Die Benennungen *Reluctance* und *Reluctivity* oder *Reluctancy* sind erst 1888 eingesetzt worden. [2]
Die Benennungen (En) *Inductivity* und *Permittance* haben sich nicht eingebürgert. [3]
Die zwischen eckige Klammern gesetzten deutschen Entsprechungen entstammen im Wesentlichen aus DIN 1304-1: 1994-03 und DIN 40110-1:1994-03.

Literatur [1] HEAVISIDE-1892, Bd. 2, S. 125; [2] Ebenda, S. 168; [3] JACKSON-1950, S. 69.

Hekto- hecto-

Worterklärung ↑Vorsatz (Präfixoid) zum Bezeichnen des Hundertfachen (10^2 oder 100) einer ↑SI-Einheit. ↑Vorsatzzeichen: h.

Wortgeschichte

1 ~ leitet sich von (Gr) ἑκατόν /*hekatón*/ ›100‹ ab.

2 Zur gemeinsamen Vorgeschichte mit ↑*Deka-*, ↑*Kilo-* und ↑*Myria-* siehe *Kilo-*.

Fremdsprachige Entsprechungen Sprachen mit lateinischer Schrift: *hecto-*, außer (It) *etto-*; (Pl) *hekto-*; mit anderer Schrift: (nGr) εκατο /*ekato*/; (Ru) гекто /*gekto*/ (Vorsatzzeichen: г /g/); (Ja) /*hekuto*/.

Helmholtz (Helm) ↑ AEF-Einheitensystem

Henry henry

Worterklärung

1 Gesetzliche abgeleitete ↑SI-Einheit der ↑»Induktivität«. Einheitenzeichen: H.

2 Ein ~ ist gleich der Induktivität einer geschlossenen Windung, die, von einem elektrischen ↑Strom der Stärke von 1 ↑Ampere durchflossen, im Vakuum den magnetischen Fluss von 1 ↑Weber umschlingt. [1] 1 H = 1 Wb/1 A = ↑Weber durch ↑Ampere = ↑Volt × ↑Sekunde durch Ampere = $m^2\ kg\ s^{-2}\ A^{-2}$.

Wortgeschichte

1 Ursprünglich wurde diese Einheit mit der Benennung ↑*Quadrant* auf dem ↑Internationalen Elektrizitäts-Kongress Paris 1889 angenommen. [2] Auf dem folgenden Kongress zu Frankfurt am Main 1891 brachte die Delegation des American Institute of Electrical Engineers* (AIEE) [jetzt: Institute of Electrical and Electronic Engineers – IEEE] nachstehenden Antrag (zusätzlich zu einem Antrag betr. ↑*Gauß*) ein:

„Bei Gelegenheit des letzten internationalen Congresses zu Paris 1889 wurde die Frage der Notwendigkeit für die Bestimmung der praktischen Einheit der Induktion angeregt. Eine solche Einheit wurde bestimmt und formell angenommen, nämlich der Quadrant = 10^9 cm. Der Wert der Einheit ist daher bestimmt, aber kein bezeichnender Name im Gebrauch. Würde man das Wort ‚Quadrant' als Namen dieser Einheit wählen, so wäre die Harmonie der anderweitig vollständigen Nomenclatur praktischer elektrischer Einheiten, nämlich: *Ampère, Ohm, Volt, Farad, Coulomb, Watt, Joule*, zerstört. Als Regel für diese Nomenclatur hat es gegolten, die Namen hervorragender Männer der Wissenschaft zu wählen. Da Professor Henry der Entdecker der Selbstinduktion war und das Wesen der Induktion zuerst eingehend und klar beschrieben hat; da ferner die Einheit gegenwärtig ‚Quadrant' genannt wird, dies jedoch nur ein numerischer Wert aber kein Name ist, so hat das ‚American Institute of Electrical Engineers' den Namen ‚Henry' adoptiert und wünscht, dass andere Gesellschaften Europas und Amerikas zusammenwirken, um diesem Namen allgemeine Annahme zu verschaffen. […] Carl HERING, Vorsitzender; Eduard L. NICHOLS, Ludwig GUTMANN, Richard O. HEINRICH." [3]

In der Schlusssitzung wird berichtet, dass der Antrag jetzt zurückgezogen worden ist und dass er höchstwahrscheinlich auf dem 1893 in Chicago stattfindenden Kongress erneuert wird. [4] Das ist geschehen, und der Kongress nahm den Einheitennamen *Henry* als Ersatz für *Quadrant* an. [5]

2 Die erste deutsche gesetzliche Festlegung stammt von 1901:

„Der Induktionskoeffizient eines Leiters, in welchem ein Volt induzirt wird durch die gleichmäßige Aenderung der Stromstärke um ein Ampere in der Sekunde, heißt ein Henry." [6]

3 Die 11. Generalkonferenz (↑CGPM) nahm 1960 das ~ in das Verzeichnis der SI-Einheiten auf, das Bestandteil der Einheitenverordnung zum Gesetz über Einheiten im Messwesen ist.

Wortbenutzung 1891: die Selbstinduktion des Kabels ist 0,0002857 Henry oder Erdquadranten (FLEMMING, J.A. [7]); 1923: Erdquadrant, wie ja 1 Henry […] früher einfach als 1 Quadrant bezeichnet wurde (MAURER, H. [8]).

Wortfamilie *Millihenry, Mikrohenry, Nanohenry.*

Fremdsprachige Entsprechungen Sprachen mit lateinischer Schrift: *henry;* außer (Es) *henrio;* mit anderer Schrift: (nGr) χένρι /*hénri*/; (Ru) генри /*genri*/, Einheitenzeichen Гн /Gn/; (Zh) /*hēnglì*/, mit ↑Vorsatz jedoch: /*hēng*/; (Ja) /*henri*/.

Zur Person Die Einheit der Induktivität wurde zu Ehren des amerikanischen Physikers Joseph HENRY (1797–1878) benannt. Er lehrte Mathematik und Naturkunde an verschieden Lehranstalten, zuletzt am College of New Jersey (heute Univ. Princeton). Mit ingenieurmäßiger Fertigkeit verbesserte er den ↑Telegraphen und das ↑Relais, ohne sie patentieren zu lassen. Etwa gleichzeitig, aber unabhängig von Michael FARADAY* entdeckte er die ↑Induktion, ohne sein Ergebnis zu veröffentlichen.

Biographien HERMANN-1987: Henry, Joseph, S. 146; VOLKMANN-1994: Henry, Joseph, S. 55–62; JESZENSZKY, Sándor: Henry, Joseph, in: JÄGER-1996, S. 169–170.

Literatur [1] Ausführungsverordnung z. Gesetz üb. Einheiten i.d.F. v. 08.05.1981; in: BGBl. I S. 422. § 34; [2] IEC 164-1964, S. 15; [3] Internationaler Elektrotechniker-Kongress-1891, Hauptversammlung, S. 70–71; [4] Ebenda, S. 91; [5] In: J. Inst. Electr. Engrs. Bd. 23 (1894) S. 72, zit. nach JERRARD/MCNEILL-1994, S. 99; [6] Bestimmungen zur Ausführung des Gesetzes betr. die elektrischen Maßeinheiten. In: Reichs-Gesetzblatt Nr. 16 vom 9. Mai 1901, S. 128; [7] In: etz Bd. 12 (1891) S. 113–114, hier S. 113; [8] In: etz Bd. 44 (1923) S. 742–743, hier S. 743.

Hertz hertz

Worterklärung

1 Gesetzliche abgeleitete ↑SI-Einheit der »Frequenz«. Einheitenzeichen: Hz.

2 Ein Hertz ist gleich der Frequenz eines periodischen Vorganges der Periodendauer von 1 ↑Sekunde.

Wortgeschichte

1 Dem ↑AEF war im Schrifttum eine nachlässige Ausdrucksweise, z.B. „die Frequenz beträgt 50" aufgefallen, die er auf das Fehlen einer geeigneten Einheit zurückführte.

Daher brachte er 1929 den „Entwurf 31. Einheit der Frequenz" mit folgender Definition heraus:

„Ein periodischer Vorgang hat die Frequenz *n* Hertz (abgekürzt Hz), wenn auf eine Sekunde *n* seiner Perioden entfallen." [1]

Aus den Erläuterungen von K.W. Wagner*:

„Das dringende Bedürfnis nach einer kurzen Bezeichnung für die Frequenzeinheit hat dazu geführt, daß der Name Hertz für diese Einheit, der in der physikalischen und technischen Literatur zuerst vereinzelt aufgetaucht ist, sich im Laufe weniger Jahre allgemein eingebürgert hat. Der Name ‚Hertz' für die Einheit der Frequenz hat den Vorteil der Kürze. Die grundlegenden Arbeiten von Heinrich Hertz auf den Gebieten der Mechanik und der schnellen elektrischen Schwingungen sind eine genügende Rechtfertigung für die Wahl des Namens." [1]

2 In einer Fussnote weist K. W. Wagner darauf hin, dass das ~ zuerst „ von Herrn H. Diesselhorst, allerdings für eine Einheit von 1000 Perioden in der Sekunde vorgeschlagen worden (ist) (Phys. Z., H. 25 v. 15. Dez. 1913, S. 1308)." [1] In seinem Vortrag „Die Fortschritte der drahtlosen Telegraphie", den H. Diesselhorst* auf der 22. Jahresversammlung des ↑VDE im Mai 1914 in Magdeburg hielt, erneuerte er seinen Vorschlag:

„Es mag nebenbei bemerkt werden, daß es sich vielleicht empfehlen würde, eine Einheit für die Frequenz unter einem besonderen Namen einzuführen, etwa zu Ehren des Urvaters der drahtlosen Telegraphie die Einheit von 1000 Perioden pro Sekunde als ‚1 Hertz' zu bezeichnen." [2]

3 Im Anschluss an den AEF-Entwurf 31 von 1929 findet sich folgende Notiz:

„Das Deutsche Kommittee der Internationalen Elektrotechnischen Kommission (IEC) hat den vorstehenden Vorschlag des AEF der IEC mitgeteilt mit dem Antrage, den Vorschlag des AEF international anzuerkennen. Strecker." [1]

4 Über die erste Behandlung des deutschen Vorschlages auf der Sitzung des Advisory Committee Nr. 1 „Benennungen (Nomenclature)" während der 7. Volltagung der IEC in Skandinavien 1930 berichtet K. Strecker* wie folgt:

„Der deutsche Vorschlag, die Einheit der Frequenz Hertz zu benennen, fand nicht die nötige Unterstützung. Die Begründung war, daß die bisherige Bezeichnung p/s (Perioden je Sekunde) genüge und eine Änderung unnötig sei. Der Antrag von Deutschland wurde an das Unterkommittee [für elektrische und magnetische Größen und Einheiten] zu weiterer Behandlung zurückverwiesen. Hierzu ist zu bemerken, daß nach der Ablehnung des Antrages an Deutschland die Aufforderung gerichtet wurde, den Namen Hertz für eine andere geeignete Größe vorzuschlagen." [3]

5 Auf die Ablehnung seitens der IEC wies der AEF in einer Mitteilung vom Nov. 1930 hin und stellte fest:

„Hiernach bleibt die Lage für Deutschland dieselbe, wie sie vor der Tagung der IEC gewesen ist. Innerhalb Deutschlands und des deutschen Sprachgebiets kann das Hertz weiter verwendet werden; für den Verkehr mit dem anderssprachigen Ausland gilt als Einheit der Frequenz die ‚Periode je Sekunde', Zeichen p/s. Wallot." [4]

6 Das zweite Mal befasste sich als das zuständige Arbeitsgremium die Sektion B „Elektrische und magnetische Größen und Einheiten" (Vorsitz: Dr. A.E. Kennelly*, USA) des Advisory Committe Nr. 1 „Benennungen" (Nomenclature) gründlich mit der Frage der Frequenzeinheit im Okt. 1933 in Paris. Aus der offiziellen Niederschrift RM 105 sei der Abschnitt V nachstehend vollständig wiedergegeben, da es sich um ein Zeitdokument handelt:

„Consideration was then given to the Italian proposal that the name ‚hertz' be assigned to the unit of frequency (one cycle per second). The Committee was reminded that this matter had already been discussed on two occasions by the IEC, but on neither occasion had there been a majority in favour of the proposal sufficiently great for action to be taken. There was an increasing tendency, however, towards the use of the ‚hertz' in certain countries, and the matter therefore appeared ripe for further discussion internationally. Dr. WALLOT warmly supported the Italian Committee's proposal on the ground that the ‚hertz' was almost universally used in German literature. On behalf of the British and U.S. National Committees, it was stated that these Committees were unable to support the proposal to adopt the ‚hertz' as the name for a unit of frequency on the grounds that no name for such a unit was required, the expression ‚one cycle per second' or ‚one period per second' being self-explanatory. Further, frequency was not discovered by HERTZ, and it was therefore considered that it was not appropriate for this quantity to be coupled with the name of HERTZ. Furthermore, in these countries, the name ‚hertz' was not used for frequency. It was also pointed out that it was not the electrotechnical people alone who were concerned with the unit of frequency. It was, however, suggested that, if it were possible to change the name ‚hertz' from a unit having the magnitude one cycle per second to a unit of one million cycles per second, the objections to the recognition of the name ‚hertz' might perhaps be overcome. In reply to this, Dr. WALLOT said that the name ‚hertz' had already become well established in literature and was actually marked on instruments in several European countries, and it would be quite impracticable to transfer this name to a unit of one million cycles per second. On being put to the vote, it was decided by seven votes (France, Germany, Holland, Italy, Poland, Roumania, Spain) to three (Great Britain, Japan, USA) with one abstention (Sweden) that it be recommended that the name ‚hertz' be given to the unit of frequency having a magnitude of one cycle per second.It was also agreed that this recommendation should be submitted to the National Committees for ratification unter the Six Months' Rule." [5]

7 Im Juni 1935 behandelte die IEC in Scheveningen die Frequenzeinheit Hertz zum dritten und letzten Mal. Über die Sitzung der Sektion B „Elektrische und magnetische Größen und Einheiten" (Vorsitz: Dr. A.E. KENNELLY, USA) des Advisory Committee Nr. 1 „Benennungen" (Nomenclature) während der 8. Volltagung der IEC im Juni 1935 berichtet J. WALLOT*:

„Als Einheit der Frequenz empfiehlt die IEC nur das ‚Hertz' (mit der Abkürzung Hz); sie gestattet jedoch außerdem jede andere Bezeichnung, vorausgesetzt, daß sie richtig ist. (Die Bezeichnung kc/s wird z.B. als ‚unrichtig' angesehen.) Die heute in der deutschen Starkstromtechnik noch vielfach übliche Bezeichnung Per/s ist demnach nicht verboten, da die IEC einen Zwang weder ausüben möchte, noch kann; sie erscheint jedoch nicht mehr in den Empfehlungen der IEC." [6]

Die offizielle Niederschrift der IEC lautet zu diesem Punkt:

„Name for the Unit of Frequency. On the Chairman's proposal, it was decided to recommend the use of the name ‚hertz' and at the same time to allow the use of any other designation, provided that it is a correct one." [7]

Die Sektion C „Letter Symbols" (Formel- und Einheitenzeichen) fasste ebenfalls in Scheveningen 1935 unter Vorsitz von Dr. A. E. KENNELLY (USA) zum Einheitenzeichen folgenden Beschluss:

„The use of the symbol Hz is recommended to designate the unit of frequency ‚hertz' which has been adopted by Section B, but any other representation is allowed, provided that it is a correct one." [8]

Am Ende der 8. Volltagung billigten die übergeordneten Gremien der IEC, d.h. Advisory Committee Nr. 1 und Committee of Action, die Beschlüsse zur Frequenzeinheit hertz und zum Einheitenzeichen Hz. [9]

8 Dennoch wurden in Arbeitsdokumenten der IEC und sonstigen englisch-sprachigen Veröffentlichungen bis in die 1960er Jahre vorrangig c/s, kc/s und Mc/s (= cycles, kilocycles and megacycles per second) benutzt. Erst nach Verabschiedung des Internationalen ↑Einheitensystems (SI) durch die 11. ↑CGPM im Jahre 1960 wurde schlagartig auf *hertz* umgeschaltet, da *hertz* in der Resolution 12 unter den abgeleiteten Einheiten aufgeführt war. [10]

Wortbenutzung 1965: Ein HF-Vorwärmer mit der Arbeitsfrequenz von 20 MHz kann Funkstörungen bei 20, 40, 60, 80, 100 MHz usw. erzeugen (Warner-1965, S. 63); 1987: Zulässiger Frequenzbereich MHz (Warner-1987, S. 155).

Wortfamilie *Gigahertz, Kilohertz, Megahertz, Terahertz;* ↑*Hertz'sche Telegraphie, Hertz'sche Wellen.*

Fremdsprachige Entsprechungen Sprachen mit lateinischer Schrift: *hertz;* außer (Es) *hercio, hertz;* (Pl) *herc;* mit anderer Schrift: (nGr) χερτζ /*hertz*/; (Ru) герц /*gerc*/, Einheitenzeichen: Гц /Gc/; (Zh) /*hèzī*/, mit ↑Vorsatz jedoch: /*hè*/; (Ja) /*herutsu*/.

Zur Person Der Einheitenname *Hertz* wurde zu Ehren von Heinrich Rudolf Hertz* gewählt. Dieser war Professor der Physik in Kiel, Karlsruhe und Bonn. Seine Hauptleistung ist die Entdeckung der elektromagnetischen Wellen, die der schottische Kollege James Clerk Maxwell* (↑Maxwell) theoretisch vorausgesagt hatte.

Biographien Schulze, F.A.: H. H., in: Schulze-1917, S. 104–114; Hertz, Johanna (Hrsg.): H. H. Leipzig, 1927. 263 S.; Feldhaus, F.M.: H. H., in: etz-B Bd. 9 (1957) Nr. 2, S. 38.; Heinrich-Hertz-Sonderheft, in: etz-A Bd. 78 (1957) Nr. 7, S. 241ff.; /Kljackin, I.G./: /Genrih Gerc/. In: /Električestvo/ (1957) Nr. 3, S. 70-73; Laue, M. von: H. H., in: DGD Bd. 4, S. 103–112; Doncell, M.G.: H. H., S. 121–142 in K.v. Meyenn, Bd. 2, München 1997; Fölsing, A.: H. H., Hamburg: Hoffmann u. Campe, 1997. 605 S.

Literatur [1] In: etz Bd. 50 (1929) Nr. 1, S. 36; [2] In: etz Bd. 35 (1914) S. 558–563, 585–589, insbes. S. 562, linke Spalte, Fußnote 3; Diskussion: S. 865; [3] In: etz Bd. 51 (1930) S. 1350; [4] In: etz Bd. 51 (1930) S. 1730; [5] IEC/RM 105 (Oct. 1933) S. 3; [6] In: etz Bd. 56 (1935) S. 1111–1112; [7] IEC/RM 118 (April 1936) S. 17; [8] IEC/RM 118 (April 1936) S. 21; [9] IEC/RM 118 (April 1936) S. 3 bzw. IEC/RM 138 (Nov. 1935) S. 3; [10] IEC 164-1964, S. 62–63; Stille-1961, S. 337–338.

Hertz'sche Telegraphie — hertzian telegraphy

Worterklärung Ersatzbenennung für *drahtlose Telegraphie.*

Wortgeschichte Als noch nicht allgemein bekannt war, dass die Einheit der Frequenz ↑*Hertz* heißen soll, schlug 1917 der Marburger Prof. F.A. Schulze* Folgendes vor:

„Diese Versuche, die Hertz nur im kleinen Maßstab eines Hörsaales ausgeführt hat, sind heute, ins Große übersetzt, die Grundlage der von so ungeheurer, allgemein bekannter Bedeutung gewordenen drahtlosen Telegraphie. Es wäre nur gerecht, sie zu Ehren des Entdeckers dieses ganzen großen Gebietes *Hertzsche Telegraphie* zu nennen." [1]

Wortbenutzung Auch wenn sich dieser Vorschlag nicht verwirklichen ließ, so gibt es andere Wortverbindungen, die Hertz ehren:

- ↑Hertz'sche Wellen.

- Hertz'scher Dipol; (En) *hertz dipole;* (Fr) *dipôle de Hertz, antenne hertzienne.*
- hertzian antenna; *Antennenspiegel.*
- ligne hertzienne; *Richtfunklinie.*
- Hertz'sche Kabel, »Dezimeter-Funkstrecke«.

  Bundespostminister Siegfried BALKE sagte 1954:

  „Hertz'sche Kabel werden in wenigen Jahren gleichwertig neben unseren Breitbandkabeln stehen." [2]

Literatur [1] SCHULZE-1917, S. 112; [2] In: Orion Bd. 9 (1954) Nr. 11, S. 29; in: etz-B Bd. 6 (1954) S. 417.

Hertz'sche Wellen

hertzian waves

Worterklärung „Elektromagnetische Wellen, deren Frequenzen vereinbarungsgemäß unterhalb 3000 GHz liegen und die sich ohne künstliche Führung im freien Raum ausbreiten". Definition nach der „Vollzugsordnung für den Funkdienst" von 1982, wobei der Eintrag lautet: *„Funkwellen* oder *Hertzsche Wellen"*. [1]

Wortgeschichte Der Erste, der die Verdienste von Heinrich HERTZ* (↑Hertz) sprachlich würdigte, war der englische Telegraphietheoretiker Oliver HEAVISIDE*, der 1891 in der Einführung zu seiner „Electromagnetic Theory" sagte:

„It cannot even be accurately said that the Hertzian waves prove Maxwell's dielectric theory completely." [2]

Der Titel eines Diskussionsbeitrages von HEAVISIDE, vorgetragen vor der Physical Society am 11. Nov. 1898, war: „Note on the attenuation of Hertzian waves along wires". [3]

Wortbenutzung ‚Ich bin überzeugt, daß die Hertzschen Wellen zu nichts nützen werden,' pflegte dieser Physiker [HERTZ] von seiner Entdeckung zu sagen. (REICHEN, C.-A. [4]).

Fremdsprachige Entsprechungen (En) *hertzian waves;* (Fr) *ondes hertziennes;* (It) *onde hertziane.*

Literatur [1] Bundesministerium für das Post- und Fernmeldewesen (Hrsg.): Frequenzbereichs-Zuweisungsplan für die Bundesrepublik Deutschland [...]. Bundesdruckerei 1982. 387 S., hier S. 8; [2] In: The Electrician (Jan. 1891) Section 6; [3] HEAVISIDE-1951, Bd. II, § 538; [4] REICHEN, C.-A.: Geschichte der Physik. 1964, hier S. 69.

hiften

phone

Worterklärung Ersatzbenennung für *telephonieren* (↑Telephon).

Wortgeschichte

1 Das Wort ~ wurde von Bertold AUERBACH (vermutlich 1880) vorgeschlagen,

„der für *telephonieren* ein einfaches, gutes, bezeichnendes altes deutsches Wort wieder ausgraben und neubeleben wollte [...] AUERBACH schlug dafür das alte Stammwort Hift, hiften vor, das in dem ‚Hifthorn' heute noch fortlebt und in seiner älteren Form Hief, hiefen lautete [...] und etwa ›in die Ferne tönen‹ bedeutet".

2 Franz REULEAUX* befürwortete diesen Vorschlag. Otto SARRAZIN* bildete einige Ersatzbenennungen:

hifen telephonieren • *Hifer* Telephon • *hiflich* telephonisch • *Hifamt* Fernsprechamt • *anhifen* antelephonieren.

Literatur SARRAZIN-1914, Spalte 195.

Hintereinanderschaltung ↑Reihenschaltung

Hochbruch logarithm

Worterklärung Verdeutschende Ersatzbenennung für ↑*Logarithmus.*
Wortgeschichte Zur Wortgeschichte siehe ↑*Logert.*

Hochfrequenztechnik radio-frequency engineering

Worterklärung Zweig der ↑Elektrotechnik, der sich mit der Erzeugung von elektromagnetischen Schwingungen von Frequenzen von mehr als 10 kHz (↑Hertz) und der Ausbreitung von elektromagnetischen Wellen befasst. Teilweise Überschneidung mit ↑*Elektronik.*
Wortgeschichte Eine sehr frühe Benutzung des Wortes ~ findet sich 1916 im Beitrag des Amerikaners August HUND* über Glühkathodenröhren (↑Röhren) im „Jahrbuch der drahtlosen Telegraphie und Telephonie“:

„[…] es dürfte kein Zweifel vorliegen, daß in der Hochspannungs- bzw. Hochfrequenztechnik die glühenden Kathodenapparate dieselbe Rolle spielen werden wie z. B. die üblich verwendeten Quecksilbergleichrichter in der Starkstromtechnik.“ [1]

Der Untertitel des Jahrbuches lautete auf dem Titelblatt des 14. Bandes (1919): „Zeitschrift des Gesamtgebietes der elektromagnetischen Schwingungen“. Das Titelblatt des 16. Bandes (1920) lautete jedoch schon: „ Jahrbuch / Zeitschrift für drahtlose Telegraphie und Telephonie sowie des Gesamtgebietes der Hochfrequenztechnik“. Herausgeber war Prof. Dr. Heinrich FASSBENDER.
Wortbenutzung
1 Buchtitel: 1937: Lehrbuch der Hochfrequenztechnik (VILBIG, Fritz, Leipzig; 5. Aufl.: VILBIG-1953); 1938: Hochfrequenztechnik (KAMMERLOHER, J., Leipzig); 1940: Grundlagen und mathematische Hilfsmittel der Hochfrequenztechnik (MÖLLER, H. G., Berlin); 1947: Allgemeine Hochfrequenztechnik (KRACMAR, Franz, Wien); 1947: Grundzüge der Hochrequenztechnik (PUNGS, Leo, Wolfenbüttel); 1974: Lehrbuch der Hochfrequenztechnik (ZINKE/BRUNSWIG-1974);
2 Institute: 1927: Institut für Fernmelde- und Hochfrequenztechnik (TH Braunschweig: PUNGS, Leo).
Wortfamilie *Hochfrequenztechnik, Hochfrequenztechniker(in), hochfrequenztechnisch.*
Fremdsprachige Entsprechungen (En) *high frequency engineering, radio (frequency) engineering;* (Es) *técnica de altas frecuencias;* (Fr) *technique de la haute fréquence;* (Ru) высокочастотная техника */vysokočastotnaja tehnika/;* (Cs) *vysokofrekvenční technika.*
Literatur [1] HUND-1916, S. 528, Heft 6.

Hochnehmen to raise to a higher power

Worterklärung Verdeutschende Ersatzbenennung für *Potenzieren.*
Wortgeschichte Zur Wortgeschichte siehe ↑*Logert.*

Hochtechnik

high tech

Worterklärung Verdeutschung für (En) *high-tech*, gekürzt aus (En) *high technology*.
Wortbenutzung 1992: Noch entscheidender sind die japanischen Leistungen und Produktionen in der Hochtechnik, also in den Schlüsselindustrien, auf denen die weitere Entwicklung fast aller anderen modernen Industrieprodukte beruht. [1]
Literatur [1] Erwin Wickert: In: FAZ (16.11.1992) S. 12.

Hochwert

power

Worterklärung Verdeutschende Ersatzbenennung für *Potenz*.
Wortgeschichte Zur Wortgeschichte siehe ↑*Logert*.

Hochzeiger

exponent

Worterklärung Verdeutschende Ersatzbenennung für *Exponent*.
Wortgeschichte Zur Wortgeschichte siehe ↑*Logert*.

H-Pegel

pH

Worterklärung Ersatzbenennung für *Wasserstoffionen-Exponent* (↑pH).
Wortgeschichte
1 In einer Stellungnahme zum Entwurf der Norm DIN 19260 „pH-Messung; Allgemeine Begriffe" (Feb. 1957) schlägt A. Warner* 1957 vor, die Benennung *pH-Wert* durch *Wasserstoffionen-Pegel* zu ersetzen und das Kurzzeichen *pH* nur als Formelzeichen für die physikalische Größe *Wasserstoffionen-Pegel* zu benutzen. Durch die Verwendung von *Pegel* ergebe sich für das Kurzzeichen pH eine bessere Merkhilfe als durch das in anderen Sprachen vorkommende *Potenz* oder *Potenzial*. Neben der wissenschaftlichen Benennung *Wasserstoffionen-Pegel* sollte für die technische Umgangssprache die Kurzbenennung *H-Pegel* genormt werden. Für *Pegel* spricht auch die entsprechende Verwendung in der Fernmeldetechnik [jetzt Informationstechnik] als Spannungs- bzw. Leistungspegel für den ↑Logarithmus von Spannungs- bzw. Leistungsverhältnissen. [1]
2 Zu diesen Anregungen schrieb der Vorsitzende des ↑AEF, E. Flegler:

> „Es sollte in der Tat die Größe nicht *pH-Wert* (ein scheußliches Wort!), sondern *Wasserstoff-Ionen-Pegel* oder ähnlich genannt werden. Das Wort *Wasserstoff-Ionen-Pegel* ist zweifellos auch besser als das zum Teil verwendete Wort *Wasserstoff-Exponent*. Das Formelzeichen pH tritt ja auch nicht als Exponent der Größe Wasserstoff auf. – Den etwas langen Namen *Wasserstoff-Ionen-Pegel* wird man, ohne Mißverständnisse befürchten zu müssen, auch gekürzt verwenden können, z.B. *H-Ionen-Pegel* oder noch einfacher H^+-Pegel." [2]

Literatur [1] Warner-1958, S. 324; [2] Ebenda, S. 324–325.

H-Strahl

H ray

Worterklärung Ergebnis eines Zusammenstoßes eines Alpha(α)-Teilchens mit einem Wasserstoffatom (chem. Zeichen: H) eines Wasserstoffmoleküls, das zur Lostrennung desselben, zur Dissoziation und Ionisation, sowie zum Wegfliegen desselben als Ion mit großer Geschwindigkeit geführt hat.
Wortgeschichte Der deutsche Physiker W. Gerlach* sagt hierzu 1923 in seinem Beitrag „Der Abbau der Atomkerne" [1] kurz: „Wir nennen dieses einen H-Strahl." [2] In

Analogie hierzu heißt es später, wo O für Sauerstoff und N für Stickstoff stehen:

„[…] daß man es hier mit analogen O-Strahlen und N-Strahlen zu tun [hat], folgt aus einer Berechnung der Reichweite solcher Strahlen […]“. [2]

Wortbenutzung 1923: Vielleicht wird es gelingen, nicht nur die abgespaltenen Stücke, die H-Strahlen, sondern auch die Atomreste zu fassen (W. GERLACH [3]).

Literatur [1] GERLACH-1923, S. 37–48; [2] Ebenda, S. 39; [3] Ebenda, S. 48.

Hyperbel hyperbola

Worterklärung Geometrischer Ort aller Punkte, deren Differenz der Abstände zu zwei festen Punkten (Brennpunkte) konstant ist; die ~ entsteht als Kegelschnitt an einem Doppelkegel, wenn eine Ebene beide Kegel parallel zur Kegelachse durchschneidet.

Wortgeschichte Die Benennung ~ geht auf den griechischen Mathematiker APPOLONIOS VON PERGE* zurück, der ca. 220 v. Chr. im Buch I seines Hauptwerkes „Κονικα /Konika/“ ↑*Ellipse*, ~, ↑*Parabel* und Kreis als Kegelschnitte verstand und etwa Folgendes definierte: Wenn durch Zusammenfügen von Teilflächen eines Kegelschnitts ein Überschuss entsteht, so ist dies eine Ⓖⓡ ὑπερβολή /*hyperbol'ē*/ ›Überschuss, Übermaß, Überfülle‹. [1]

Wortbenutzung 1525: Aber die Hiperbole will ich einn gabellini nennen (DÜRER-1983, S. C iij verso); 1950: Zu den Hilfsmitteln für Fern- und Überwasserflüge zählt […] das auf Radar-Basis aufgebaute Hyperbelnavigationsverfahren (BAHR, Karl-Heinz, in: Die Welt, 23.02.1950); 1974: Die Grenzhyperbel $i_a = P_{va}/u_a$ begrenzt die Wahl des Arbeitspunktes [einer Triode] nach oben (ZINKE/BRUNSWIG-1974, S. 27).

Wortfamilie *Hyperbelfunkortung* = *Hyperbelverfahren* (Verfahren der Funknavigation, bei dem die Standlinien der Peilsender Hyperbeln bilden) [2]; *Hyperbel-Navigationsverfahren*.

Literatur [1] GERICKE-1996, Bd. 1, S. 130–135, 226–227; KROPP-1994, S. 41–46; BALL-1960, S. 77–83; [2] KLIPPHAHN, O.: Grundlagen der Funkortung. In: Fortschritte der Radiotechnik. Neue Folge, Jahrgang 1950/51. (Hrsg.: RICHTER, Heinz). S. 260–285, hier S. 272–273.

Hysterese hysteresis

Worterklärung Das Zurückbleiben der Magnetisierung (↑magnetische Flussdichte *B*) bei ferromagnetischen Stoffen gegenüber der angelegten ↑magnetischen Feldstärke *H*. Auch: *Hysteresis*.

Wortgeschichte Der deutsche Physiker Emil Gabriel WARBURG (1846–1931) entdeckte 1880 das Zurückbleiben dieser Magnetisierung. Diese Erscheinung erhielt 1882 vom schottischen Physiker James A. EWING* die Bezeichnung Ⓔⓝ *hysteresis* nach Ⓖⓡ ὕστερον /*hysteron*/ ›später‹. [1] Hierzu äußerte sich WARBURG 1889 wie folgt:

„Die fragliche Erscheinung, welche ich als eine Wirkung der Koërzitivkraft beschrieben habe, ist von EWING mit dem Namen *Hysteresis* bezeichnet worden. EWING rechtfertigt die Einführung dieses neuen Namens dadurch, daß es Fälle von Hysteresis gäbe, welche mit dem magnetischen Zustande nichts zu tun hätten. Ich kann diese Ansicht nicht teilen, […] Gleichwohl will ich nach EWING das Wort *Hysteresis* für die fragliche Erscheinung gebrauchen, welche auch jetzt noch für mich nichts anderes ist, als eine besondere Aeußerung der Koërzitivkraft oder derjenigen Eigenschaft des Eisens, auf welcher der permanente Magnetismus unserer Magnetnadeln beruht.“ [2]

Wortbenutzung 1922: Der durch Hysteresis bedingte Aufwand an Leistung ist der Anzahl der Polwechsel in der Zeiteinheit und dem Rauminhalt des Eisens proportional (THOMÄLEN-1922, S. 36); 1956: Der ganze Erscheinungsbereich heißt *Hysterese* (WESTPHAL-1956, S. 412); 1998: Die von der Hysteresekurve umschlossene Fläche ist ein Maß für die Magnetisierungsenergie [...] (STÖCKER-1998, S. 445).
Wortfamilie Zusammensetzungen mit *Hysterese-* (seltener mit *Hysteresis-*) als Bestimmungswort: *Hysteresearbeit, ~beiwert, ~fehler, ~fläche, ~koeffizient, ~kurve, ~läufer, ~messapparat, ~messer, ~messung, ~motor, ~phasenfehler, ~schleife, ~schreiber, ~strom, ~-Synchronmotor, ~verlust(leistung), ~wert, ~zeiger.*
Fremdsprachige Entsprechungen (En) *hysteresis;* (Es) *histéresis;* (Fr) *hystérésis* (1890, ROBERT-1994); (It) *isteresi;* (Ru) гистерезис /*gisterezis*/; (Cs) *hysterese.*
Literatur [1] WARBURG, E., in: Freib. Ber., Bd. VIII; EWING, J.A., in: Proc. Royal Soc., Bd. 34 (1882) S. 39, beide zit. nach [2]; [2] WARBURG-1889, S. 193.

I/J

i • I • IEC • imaginäre Zahl
Impedanz • Induktanz • Induktion
Induktionskonstante • ...
Influenzkonstante • Informatik
Informationstechnik • Ingenieur • ...
Integralrechnung • Internationale
Elektrizitätskongresse • Ion
Ionosphäre • isolieren
Isotop • -istor

j • Joule

i

i (imaginary unit)

Worterklärung Mathematisches Zeichen für die ↑*imaginäre Zahl* $\sqrt{-1}$ (imaginäre Einheit) nach DIN 1302:1994-04 entsprechend IEC 60027-1:1992-12; sie genügt der Bedingung $i^2 = -1$. Alternatives Zeichen ist ↑j.

Wortgeschichte Das i ist 1777 von dem in St. Petersburg wirkenden Schweizer Mathematiker Leonhard EULER* zum ersten Mal in dem Beitrag „De formulis differentialibus etc." an die Akademie von St. Petersburg benutzt worden. Dieser Beitrag wurde jedoch erst nach seinem Tod 1794 veröffentlicht. [1] Nach weiteren sieben Jahren begann Carl Friedrich GAUSS* 1801, das i systematisch in seinen „Disquisitiones arithmeticae" (Leipzig 1801) zu benutzen. Seinem Beispiel folgte 1808 C. KRAMP (Köln). [2]

Wortbenutzung 1895: cos y + i sin y (HEAVISIDE* [3]; 1972: Eigenartigerweise treten an dieser Stelle bei vielen Menschen Denkhemmungen auf, Widerstände gegen die Vorstellung einer ‚imaginären' Zahl i mit der Eigenschaft $i^2 = -1$ (MESCHKOWSKI-1972, S. 136).

Literatur [1] Persönliche Mitteilung von Dr. Emil A. FELLMANN, Chefredaktor der EULER-Edition, Basel; [2] CAJORI-1993, § 498; [3] HEAVISIDE-1951, § 525 (S. 217).

I

I (electric current)

Worterklärung Formelzeichen für die »elektrische Stromstärke« nach DIN 1304-1:1994-03 entsprechend IEC 60027-1:1992-12. Bei Augenblickswerten wird der Kleinbuchstabe *i* verwendet. SI-Einheit: ↑Ampere.

Wortgeschichte

1 Die früheste Benutzung von *I*, aber in der Form des Kleinbuchstabens ist 1827 bei A.M. AMPÈRE* zu finden, der in seinem „Mémoire sur la théorie mathématique des phénomènes électrodynamiques" [1] eine allgemeine Formel aufstellt über die Anziehungskraft im Abstand *r* zwischen zwei unendlich kleinen Leitungselementen d*s* und d*s'*, die ↑Ströme von der Stärke (Fr *intensité*) *i* und *i'* führen, wobei θ und θ' die Winkel zwischen den Leitungselementen angeben:

$$\frac{i\,i'\,\mathrm{d}s\,\mathrm{d}s'}{r^2}(\cos\varepsilon - 3/2\cos\theta\cos\theta')$$

2 Eine weitere frühe Verwendung des *I* lässt sich bei G. KIRCHHOFF* nachweisen, der 1845 in einem Beitrag in Poggendorfs Annalen schrieb:

„[…] wenn die Drähte 1, 2, … μ in einem Punkte zusammenstossen,
$I_1 + I_2 + \ldots + I\mu = 0$,
wo I_1, I_2 … die Intensitäten der Ströme bezeichnen, die jene Drähte durchfliessen […]". [2]

Die Merkhilfe für *I* ist durch das Wort *Intensität* gegeben.

3 Im Zuge der durch Ed. HOSPITALIER* 1891 eingeleiteten ↑Formelzeichen-Normung (und der dort aufgezeigten tabellarischen Entwicklung) wurde dieser Buchstabe von allen beteiligten Organisationen gebilligt und in deren Verzeichnisse aufgenommen.

Siehe auch ↑Vektorschreibweise.

Literatur [1] In: Mémoires de l'Académie Royale des Sciences, Bd. 6 (1827), S. 366-371; zit. nach HARMANN-1990, S. 305; [2] In: Pogg. Annalen Bd. 64 (1845), zit. nach KIRCHHOFF-1882, S. 15.

IEC

International Electrotechnical Commission

Die als Folge des ↑Internationalen Elektrizitäts-Kongresses von St. Louis (USA, 1904) am 27. Juni 1906 in London unter dem Namen „International Electrotechnical Commission (IEC) for the standardisation of nomenclature and ratings of electrical apparatus and machinery" [1] gegründete Organisation stützt sich auf die Mitwirkung von Nationalen Elektrotechnischen Komitees aus 67 Ländern (51 Vollmitglieder, 16 Assozierte Mitglieder nach dem Stand März 2007) bei der Erarbeitung von ↑Normen zur Sicherheit, Funktionstüchtigkeit, Konstruktion und Aufbau elektrischer Geräte, Anlagen und Komponenten einschließlich deren Terminologie und Zeichen durch die jeweils fachlich zuständigen Technischen Komitees (TC) und Unterkomitees (SC). Von denen gibt es zzt. 178. Für das Sachgebiet dieses Wörterbuches sind besonders wichtig: TC 1 „Terminologie" (ehemals *Nomenklatur* genannt) und TC 25 „Größen und Einheiten sowie ihre Buchstabenzeichen". ↑AEF. Die IEC änderte 1997 die Benummerung ihrer Normen in der Weise, dass zu den bisher verwendeten Normnummern jeweils 60000 addiert wird; Beispiel: aus IEC 50 wurde IEC 60050. *Anschrift:* International Electrotechnical Commission (IEC), Central Office, 3, rue de Varembé, PO Box 131, CH-1211 Genf 20, Schweiz. Internet: www.iec.ch. Deutsches Mitglied: Deutsches Nationales Komitee der IEC, c/o DKE Deutsche Kommission Elektrotechnik Elektronik Informationstechnik im DIN und VDE (DKE), Stresemannallee 15, 60596 Frankfurt. Internet: www.dke.de. Vgl. ↑VDE.

Literatur [1] [Reprint 1996]: IEC Proposed rules. London 1906. 15 S.

imaginäre Zahl

imaginary number

Worterklärung Vielfache der Quadratwurzel aus der negativen Zahl 1, in mathematischer Schreibweise $\sqrt{-1} = i = j$ (↑i, ↑j, ↑komplexe Zahl, ↑Wurzelzeichen). Beispiel: $\sqrt{-5} = 5i = 5j$.

Wortgeschichte

1 Beim Lösen von Gleichungen wurden im Mittelalter und noch in der Neuzeit die Wurzeln aus negativen Zahlen unterschiedlich benannt: (Fr) *racine impossible, racine fausse;* (Dt) *unmöglich;* (It) *di meno;* (La) *aestimationes falsae* oder *fictae* (CARDAN), *numeri absurdi* (STIFEL*). [1] In DESCARTES' „Géométrie" von 1637 kommt im Dritten Buch das Wort *imaginaire* auf (in der Rechtschreibung des Faksimile):

„Au reste tant les vrayes racines que les fausses ne sont pas tousiours reelles; mais quelquefois seulement imaginaires; c'est a dire qu'on peut bien tousiours en imaginer autant que iay dit en chasque Equation; mais qu'il n'y a quelquefois aucune quantité, qui corresponde a celles qu'on imagine. comme encore qu'on en puisse imaginer trois en celle cy, $x^3 - 6\,xx + 13\,x - 10 \propto 0$, il n'y en a toutefois qu'vne reelle, qui est 2, & pour les deux autres, quoy qu'on les augmente, ou diminue, ou multiplie en la façon que ie viens d'expliquer, on ne sçauroit les rendre autres qu'imaginaires." [2]

Übersetzung: „Neither the true nor the false roots are always real; sometimes they are imaginary; that is, while we can always conceive of as many roots for each equation as I have already assigned, yet there is not always a definite quantity corresponding to each root so conceived of. Thus, while we may conceive of the equation $x^3 - 6x^2 + 13x - 10 = 0$ as having three roots, yet there is only one real root, 2, while the other two, however we may increase, diminish, or multiply them in accordance with the rules just laid down, remain always imaginary." [3]

Die Übersetzer stellen fest: „The use of the word 'imaginary' in this sence begins here." [3]

2 Das Wort ~ benutzt der in Berlin und St. Petersburg wirkende Schweizer Mathematiker Leonhard EULER* 1766 in seinem deutschsprachigen Werk „Vollständige Anleitung zur Algebra", wo es im Kapitel 13 „Von den aus derselben Quelle [Quadratwurzeln] entstehenden unmöglichen oder imaginären Zahlen" lautet:

„143. Weil nun alle möglichen Zahlen, die man sich nur immer vorstellen mag, entweder größer oder kleiner als 0, oder etwa 0 selbst sind, so ist klar, daß die Quadratwurzeln von Negativzahlen nicht einmal zu den möglichen Zahlen gerechnet werden können. Folglich müssen wir sagen, daß dies unmögliche Zahlen sind. Und dieser Umstand leitet uns auf den Begriff von solchen Zahlen, welche ihrer Natur nach unmöglich sind, und gewöhnlich *imaginäre* oder *eingebildete Zahlen* genannt werden, weil sie blos in der Einbildung vorhanden sind." [4]

Im Kapitel 21 „Von den Logarithmen" heißt es:

„Die Logarithmen von Negativzahlen sind unmöglich und gehören zu dem Geschlecht der *imaginären* oder *eingebildeten Zahlen*". [4]

An anderer Stelle verwendet er nur noch *imaginär*, z. B. *imaginäre Factoren*, woraus vermutet werden darf, dass er *eingebildet* nur zur Erläuterung einsetzte, wie auch oben DESCARTES das Adjektiv (Fr) *imaginaire* mit dem Verb *imaginer* ›sich einbilden‹ satzmäßig koppelte.

Wortbenutzung 1972: Und die ‚imaginären' Zahlen waren wohl deshalb vielen Mathematikern unheimlich [...], weil man von der Auffassung ausging, daß es die reellen Zahlen ‚gibt'. (MESCHKOWSKI-1972, S. 137)

Fremdsprachige Entsprechungen (En) *imaginary number, imaginary*; (Es) *número imaginario*; (Fr) *nombre imaginaire*; (Cs) *imaginární číslo*.

Literatur [1] DESCARTES-1954, S. 159; CAJORI-1993, Bd. 2, S. 126–131; [2] DESCARTES-1954, S. 174 = S. 380 des Faksimile; [3] DESCARTES-1954, S. 175 und Fußnote 207; weitere Wortbenutzungen z. B. auf S. 386 und S. 393 des Faksimile; [4] EULER-1884, S. 60, 88 u. 441.

Impedanz impedance

Worterklärung Physikalische Größe (↑Wechselstromgröße) als Quotient der Effektivwerte von ↑Spannung und ↑Strom in einem Wechselstromkreis. Formelzeichen: ↑Z; SI-Einheit: ↑Ohm; Einheitenzeichen: ↑Ω. Alternativbenennung zu *Scheinwiderstand* (↑Schein-), Kehrwert der ↑*Admittanz* bzw. *Scheinleitwert*.

Wortgeschichte

1 Das Wort ~ ist dem (En) *impedance* entlehnt, das 1887 vom englischen Telegrapheningenieur Oliver HEAVISIDE* geprägt und mit folgenden Worten eingeführt worden ist:

„[...] there is *Impedance*, to express the ratio of force to flux in the very important case of sinusoidal current. Impedance is presently known by various names that seem to be founded upon entirely false ideas. The impedance (which, derived from *impede*, need not be mispronounced) of a coil is the ratio of the amplitude of the impressed force to that of the current. A coil used for impeding may be called an *impeder*." [1]

An anderer Stelle sagt HEAVISIDE dazu Folgendes:

„The necessity of the term *impedance* (or some equivalent) to take the place of the various utterly misleading expressions that have been used, has come about through the wonderful popularisation of electromagnetic knowledge due to the dynamo, and its adoption to Sir W. THOMSON's approval of it and of one or two other terms." [2]

2 Der angesehene englische Lexikograph Henry Watson FOWLER (1858–1933) kritisierte die Wortschöpfung Ⓔⓝ *impedance* und gab Ⓔⓝ *impedience* (entsprechend Ⓔⓝ *expedient*) als die einzig richtige an. Seine Stellungnahme lautet:

„HYBRID DERIVATIVES. [...] An electrician, in need of a technical term, made the word *impedance*. 'I want a special word' we may fancy him saying 'to mean much the same as *hindrance*, but be sacred to electricity; I will make it from *impede*; hinder, hindrance; impede, impedance.' If he knew nothing about word-formation, that was natural; but also he might easily know something of it, without knowing enough [...] '*Impede* and *-nce* are both from Latin; then it cannot be wrong to combine them'; he would say; the defect in it is that they must be *rightly* put together; he ought to have written *impedience* (cf. *expedient*) [...]." [3]

3 HEAVISIDE setzte das Suffixoid Ⓔⓝ *-ance* konsequent ein, um Benennungen für physikalische Größen zu prägen. Vgl. ↑HEAVISIDE-Matrix.

Wortbenutzung 1902: Man nenn deßhalb die Größe [...] den *scheinbaren Widerstand* oder auch die *Impedanz* (WALTENHOFEN-1902, S. 247); 1922: Impedanz s[iehe] Scheinwiderstand, kommt nur im Sachverzeichnis vor (THOMÄLEN-1922, S. 386); 1947: Nomogramm zur Bestimmung der Impedanz eines Kondensators bei Tonfrequenzen (DÜRRWANG-1947, S. 32); 1994: Impedanz (komplexer Widerstand), Winkel der Impedanz (DIN 40110-1: 1994-03).

Wortfamilie

1 Zusammensetzungen mit *Impedanz-* als Bestimmungswort: *Impedanzanpassung, ~diagramm, ~kennlinie, ~korrektor, ~kurve, ~messbrücke, ~messer, ~messung, ~relais, ~röhre, ~schutz, ~skala, ~spule, ~transformator, ~wandler, ~winkel*;

2 Zusammensetzungen mit *-impedanz* als Grundwort: *Abschlussimpedanz, Anpassung~, Antennen~, Asynchron~, Ausgangs~, Belastungs~, Betriebs~, Bild~, Eingangs~, Eingangskreis~, Elektroden~, Feld~, Fußpunkt~, Gegen~, Gitterkreis~, Invers~, Ketten~, Kollektor~, Kopplungs~, Koppel~, Kreis~, Kurzschluss~, Längs~, Last~, Lautsprecher~, Leerlauf~, Leitungs~, Mikrowellen~, Mit~, Nenn~, Netz~, Null~, Parallel~, Quer~, Reihen~, Rückwirkungs~, Schallabstrahlungs~, Schall~, Schallkenn~, Serien~, Steuer~, Streu~, Synchron~, Transformator~, Übersetzungs~, Wand~, Zwischenschicht~*.

Fremdsprachige Entsprechungen Ⓔⓝ *impedance*; Ⓝⓛ *impedantie*; Ⓢⓥ *impedans*; Ⓔⓢ *impedancia*; Ⓕⓡ *impédance* (1892, ROBERT-1994); Ⓡⓤ импеданц /*impedanc*/; Ⓟⓛ *impedancja*; Ⓒⓢ *impedance*; Ⓙⓐ /*inpīdansu*/.

Siehe auch ↑*Admittanz*.

Literatur [1] HEAVISIDE-1892, Bd. 2, S. 125; [2] Ebenda, S. 357, Fußnote; [3] Zit. nach JACKSON, Willis, in: HEAVISIDE-1950, S. 69.

Induktanz — inductive reactance

Worterklärung Eigentlich sollte ~ die Entsprechung von Ⓔⓝ *inductance* sein. Durch ein Versehen erhielt ~ im Deutschen und einigen weiteren Sprachen die Bedeutung von »induktivem Blindwiderstand (↑Blind-), induktiver ↑Reaktanz« (↑Wechselstromgrößen), jedoch nicht von ↑»Induktivität«.

Wortgeschichte

1 Das Wort Ⓔⓝ *inductance* wurde 1886 vom englischen Telegraphietheoretiker Oliver HEAVISIDE* als Ersatzbenennung für Ⓔⓝ *coefficient of self-induction* geprägt und mit fol-

genden Worten eingeführt:

„Now conductivity and conductance are mathematically related in the same manner (except as regards a 4π) as inductivity and what it is naturally suggested to call Inductance. The Inductance of a circuit is what is now called its coefficient of self-induction, or of electromagnetic capacity. Thus the quantities induction, inductivity, and inductance are happily connected in a manner which is at once concise and does justice to their real relationship. When the mutual coefficient of induction of two circuits is to be referred to, it will of course be the mutual inductance." [1]

An anderer Stelle äußert sich HEAVISIDE 1893 zu *inductance*:

„But I stick to *inductance*. Of all the words which I have proposed, that one seems to me to be, more than any other except *impedance* and *conductance*, the right word in the right place, and I am bound to think it possible that some of those who prefer the old *‚coefficient of self-induction'*, do not fully appreciate the vital significance of inductance in a theory of intermediate action of a medium". [2]

2 Das eingangs vermutete Versehen geht auf den deutsch-amerikanischen Wechselstromtheoretiker Charles P. STEINMETZ zurück, der in seinem auf dem ↑Internationalen Elektrizitäts-Kongress 1893 in Chicago gehaltenen Vortrag über „Die Anwendung complexer Größen in der Elektrotechnik" die Benennung ~ in der Bedeutung »induktiver Widerstand« verwendet, wie es folgende Zitate zeigen:

„Wenn L der Selbstinduktionskoeffizient, also $s = 2\pi NL$ der induktive Widerstand oder die *‚Induktanz'* ist […], so ist zur Ueberwindung der Induktanz […] eine E.M.K. nötig […]." […] „$J = r - is$ ist der ‚scheinbare Widerstand' oder die ‚Impedanz' des Stromkreises, wo r der Widerstand und $s = 2\pi NL$ die Induktanz ist." […] „Wenn K die Kapacität eines in Serie in den Stromkreis geschalteten Kondensators ist, so […] $k = 1/2\pi NK$ die ‚Kapacitätsinduktanz' oder einfach *‚Induktanz'* des Kondensators ist – umgekehrten Vorzeichens mit der magnetischen Induktanz." [3]

3 Die Ungereimtheiten in der Benutzung von (En) *inductance* führten dazu, dass Ende 1893 A.E. KENNELLY* als „Chairman of the Units and Standards Committee" des „American Institute of Electrical Engineers" (AIEE) der britischen „Institution of Electrical Engineers" (IEE) die Frage stellte:

„What meaning should conventionally attach to the term 'Inductance'?"

Als selbst ein zu diesem Zweck gegründetes Komitee und Anfragen in Deutschland und Frankreich keine zufriedenstellende Antwort erbrachten, wandte man sich an den Nestor Lord KELVIN*, der Anfang 1894 erklärte:

„The term *inductance* should retain the original signification given to it by Mr. O. Heaviside." [4]

4 Diese eindeutige Antwort zeigte bald ihre Wirkung, denn STEINMETZ' Fachbuch „Theorie und Berechnung der Wechselstromerscheinungen" enthielt sowohl im englischen Original von 1897 als auch in der deutschen „vom Verfasser autorisierten Ausgabe" von 1900 nur noch (En) *reactance*/↑*Reaktanz* für das, was er einstmals *Induktanz* genannt hatte. [5] Dabei konnte er sich auf einen Beschluss des AIEE berufen, das 1894 die Einführung von (En) *inductance* »Selbstinduktionskoeffizient« und (En) *reactance* »wattloser Widerstand, Blindwiderstand (↑Blind-)« beschlossen hatte. [6]

Wortbenutzung 1902: […] Analogon eines Widerstandes, den man den *inductiven Widerstand* oder die *Inductanz*. [Fußnote 1:] Manche Autoren verstehen unter Inductanz den Selbstinductions-Coëfficienten und nennen den inductiven Widerstand die Reactanz. FERRARIS, S. 265. (WALTENHOFEN-1902, S. 247); 1922: Sehr praktisch sind die für die verschiedenen Arten von Widerständen in der englischen Literatur gebräuchlichen Ausdrücke: W_1: *‚Resistanz'* (Ohmscher Widerstand); [...] *‚Induktanz'* (induktiver Widerstand); [...] *„Impedanz'*, die sich auch bei uns eingebürgert haben (SCHAEFER-1922, S. 114; 1922: [Nur im Sachverzeichnis:] Induktanz s[= siehe] Induktiver Widerstand (THOMÄLEN-1922, S. 386); 1944: [Nur im Sachverzeichnis:] Induktanz = induktiver Widerstand (WALLOT-1944, S. 453).

Fremdsprachige Entsprechungen (Nl) *inductantie, inductieve reactantie;* (Es) *inductancia, reactancia inductiva;* (Cs) *induktance, indukční reaktance.*

Literatur [1] In: The Electrician (Feb. 1886) S. 271, zit. nach HEAVISIDE-1892, Bd. 2, S. 28; [2] In: The Electrician (1893), zit. nach HEAVISIDE-1951, § 208, S. 102; [3] STEINMETZ-1893, S. 598; [4] APPLEYARD, R.: The history of The Institution of Electrical Engineers. London: IEE, 1939. S. 120, zit. nach JACKSON, Willis, in: HEAVISIDE-1950, S. 69; [5] STEINMETZ-1897, STEINMETZ-1900; [6] J. H. W., in: etz Bd. 15 (1894) S. 435–436, hier S. 436.

Induktion^I^, (elektromagnetische) — induction, (electromagnetic)

Worterklärung Physikalische Erscheinung, nach der beim Bewegen eines geschlossenen Leiterkreises durch das magnetische Feld eines ↑Dauermagneten in diesem Leiterkreis während der Dauer der Bewegung ein elektrischer ↑Strom fließt. Die gleiche Erscheinung tritt auch auf, wenn das Feld bewegt wird oder wenn sich die Stärke des Feldes einmalig oder periodisch ändert.

Wortgeschichte Unter der Überschrift „Ueber die Induction elektrischer Ströme" sprach über diese Erscheinung ihr Entdecker, der englische Physiker und Chemiker Michael FARADAY*, am 24. Nov. 1831 vor der Royal Institution in London und führte u.a. Folgendes aus:

„1. Die der Spannungselektricität eigenthümliche Fähigkeit, einen entgegengesetzt elektrischen Zustand in ihrer Nähe hervorzurufen, bezeichnet man allgemein mit dem Namen *Induction* [eigentlich *elektrostatische Induction, elektrische Influenz*]. Da derselbe in die wissenschaftliche Sprache aufgenommen worden ist, so wird er auch passend in demselben allgemeinen Sinne gebraucht werden können für die Fähigkeit elektrischer Ströme, in ihnen unmittelbar benachbarten Körpern einen eigenthümlichen, letzteren bis dahin fremden Zustand hervorzurufen. In diesem Sinne will ich mich hier dieses Ausdruckes bedienen. [...]
4. Diese Erwägungen und die daraus geschöpfte Hoffnung, Elektricität durch gewöhnlichen Magnetismus hervorzurufen, haben mich zu verschiedenen Zeiten angeregt, Versuche anzustellen zur Erforschung der Inductionswirkungen elektrischer Ströme. Endlich bin zu positiven Resultaten gelangt, und ich sehe nicht nur meine Hoffnung erfüllt, sondern glaube auch den Schlüssel zur vollständigen Erklärung der magnetischen Erscheinungen ARAGO's gefunden und einen neuen Zustand entdeckt zu haben, welcher wahrscheinlich in einigen der wichtigsten Wirkungen elektrischer Ströme eine grosse Rolle spielt." [1]

Wortbenutzung 1831: Bei Annäherung der Drähte war die Richtung des inducirten Stromes der des inducirenden Stromes (Art. 19), Elektricitätserregung durch magnetoelektrische Induction (Art. 114) (FARADAY [2]); 1922: Die Induktionswirkung, die am wichtigsten ist, zeigt sich z.B. durch den Stromstoß, den wir erhalten, wenn wir eine Drahtwindung im magnetischen Feld um 180° drehen (THOMÄLEN-1922, S. 28); 1956:

Induktion findet auch statt, wenn sich die Größe der von einem Leiterkreis umrandeten Fläche ändert (WESTPHAL-1956, S. 426); 1998: Induktion: Erzeugung von Spannungen an den Enden eines Leiters oder einer Leiterschleife durch Änderung des magnetischen Flusses durch den Leiter oder durch die Leiterschleife (STÖCKER-1998, S. 449).
Wortfamilie
1 Zusammensetzungen mit *Induktions-* als Bestimmungswort: *Induktionsapparat, ~effekt, ~elektrizität, ~erwärmung, ~feld, ~fluss, induktionsfrei, ~frequenzwandler, ~funke, ~generator, ~geräusch, ~gesetz, ~härten, ~heizgerät, ~heizung, ~instrument, ~koeffizient, ~kompass, ↑~konstante, ~kopplung, ~kreis, ~linie, ~lötung, ~lautsprecher, ~maschine, ~messbrücke, ~messwerk, ~mikrofon, ~motor, ~ofen, ~regler, ~relais, ~rinnenofen, ~schutz, ~spannung, ~spannungsregler, ~spule, ~störung, ~strom, ~vorgang, ~wirkung, ~zähler;*
2 Zusammensetzungen mit *-induktion* als Grundwort: *Bewegungsinduktion, Selbst~;*
3 Wortableitungen: ↑*Induktanz, induktiv,* ↑*Induktivität, Induktor, Induktorium; induzieren.*
Fremdsprachige Entsprechungen (En) *electromagnetic induction;* (Nl) *elektromagnetische inductie;* (Sv) *elektromagnetisk induktion;* (Es) *inducción electromagnética;* (It) *induzione elettromagnetica;* (Ru) электромагнитная индукция */èlektromagnitnaja indukcija/;* (Pl) *indukcja elektromagnetyczna;* (Cs) *elektromagnetická indukce;* (Ja) */yūdō/.*
Literatur [1] FARADAY (KALISCHER)-1889, S. 1–2; [2] Ebenda, S. 5 u. 29.

Induktion^II, (magnetische) — induction, (magnetic)

Worterklärung Physikalische Größe, definiert als die Flächendichte des magnetischen Flusses, der die Flächeneinheit senkrecht durchsetzt. Formelzeichen: ↑*B*. SI-Einheit: ↑Tesla. Neuerdings bevorzugte Alternativbenennung: ↑*magnetische Flussdichte* (DIN 1324 Teil 1:1988-05, Abschn. 5.4).
Wortgeschichte Den Ausdruck (En) *magnetic induction* wählte der schottische Physiker James C. MAXWELL* 1873 auch für die physikalische Größe *B*, obwohl sein englischer Kollege Michael FARADAY* damit die „physikalische Erscheinung" gemeint hatte.
Bei MAXWELL liest sich das wie folgt:

„400.] […] We shall define the force within a hollow disk, whose plane sides are normal to the direction of magnetization, as the Magnetic Induction within the magnet. Sir William THOMSON* has called this the Electromagnetic definition of magnetic force. The three vectors, the magnetization *I*, the magnetic force *H*, and the magnetic induction *B*, are connected by the vector equation $B = H + 4\,\pi\, I$. (7)" [1] [Im Original sind die Formelzeichen *B*, *H* und *I* Frakturbuchstaben.] „428.] The problem of induced magnetism may be treated in a different manner by introducing the quantity which we have called, with FARADAY, the Magnetic Induction." [2]

In der deutschen Fachliteratur wird darauf hingewiesen:

„Der Name Induktion wird also in zwei verschiedenen Bedeutungen benutzt, einmal für die Feldgröße *B*, ferner für die hier beschriebene Erscheinung." [3]

Wortbenutzung 1922: Infolge der Streuung ist der Fluß in den Magneten größer als im Anker. Die dadurch vergrößerte Induktion in den Magnetkernen und im Joch veranlaßt dann einen größeren Aufwand an Erregung (THOMÄLEN-1922, S. 100); 1949: Bei hohen Induktionen (etwa über 17 000 Gauß) geht ein Teil des Flusses auch durch Nuten, Lüftungsschlitze und Papierzwischenlagen (HUMBURG-1949, Bd. I, S. 63); 1996: Scheitelwert der magnetischen Induktion 1,4 T; Wird in dieser Gleichung der Scheitelwert des magnetischen Flusses durch die gegebenen Werte der magnetischen Induktion und des Schenkelquerschnitts ersetzt, erhält man [...] (RÜCKL-1996, S. 31–32).

Wortfamilie

1 Zusammensetzungen mit *Induktions-* als Bestimmungswort: *Induktionsfluss, ~linie;*

2 Zusammensetzungen mit *-induktion* als Grundwort: *Ankerinduktion, Erd~, Kern~, Luft~, Wendefeld~, Zahn~.*

Fremdsprachige Entsprechungen [4] (En) *magnetic induction, magnetic flux density;* (Nl) *magnetische fluxdichtheid, magnetische inductie;* (Sv) *magnetisk flödestäthet, magnetisk fluxtäthet;* (Es) *inducción magnética;* (It) *induzione magnetica;* (nGr) πυκνότητα μαγνητικής ροής */pyknótēta magnētik'ēs ro'ēs/;* (Ru) магнитная индукция */magnitnaja indukcija/;* (Pl) *indukcja magnetyczna;* (Cs) *magnetická indukce;* (Ja) */yūdō/.*

Siehe auch ↑Gauß.

Literatur [1] MAXWELL-1954, Bd. 2, S. 25; [2] Ebenda, S. 53; [3] WESTPHAL-1956, S. 424; [4] Im Wesentlichen nach IEC Dict.-1983.

Induktionskonstante

magnetic constant

Worterklärung Ersatzbenennung für (*absolute*) ↑*Permeabilität des leeren Raums,* die inzwischen wiederum durch ↑*magnetische Feldkonstante* ersetzt worden ist.

Wortgeschichte

1 Laut J. WALLOT* wurde ~ von H. DIESSELHORST* vorgeschlagen [1], vermutlich 1927, weil R.W. POHL sie in seiner „Einführung in die Elektrizitätslehre“ von 1927 schon genannt hat.

2 Mit der Norm DIN 1325 *Magnetisches Feld; Begriffe* (Jan. 1967) nannte der ↑AEF die Benennung ~ nur noch an zweiter Stelle genannt, weil es lautet:

„Die universelle Konstante μ_0 heißt *magnetische Feldkonstante* oder *Induktionskonstante.*

Wortbenutzung 1944: Induktionskonstante = μ_0 (WALLOT-1944, S. 453); 1946: Über die Benennung von μ_0 herrscht noch keine Einigkeit. Der Name ‚Induktionskonstante' hat den Vorzug der Kürze.(POHL-1946, S. 74); 1947: Induktionskonstante μ_0 (WAGNER-1947, S. 427); 1965: μ_0 Induktionskonstante (WARNER-1965, S. 153, 184); 1967: Den Faktor μ_0 nennt man Permeabilität des Vakuums oder Induktionskonstante.“ (GRAFE-1967, S. 224).

Literatur [1] WALLOT-1957, S. 31.

Induktivität

inductance

Worterklärung Physikalische Größe, definiert als Proportionalitätsfaktor zwischen der Induktionsspannung (↑Induktion) an einem Leiter und der zeitlichen Änderung des durch diesen Leiter fließenden ↑Stromes. Die ~ ist ein Maß für die ↑magnetische Eigenschaft von Drahtspulen und sonstigen Leitergebilden. Formelzeichen: ↑*L*. SI-Einheit: ↑Henry. Ersatzbenennung für ↑*Selbstinduktionskoeffizient*.

Wortgeschichte

1 Das Wort ~ wurde 1906 vom Wechselstromtheoretiker Fritz EMDE* in einer Gegenüberstellung von Formelzeichen in der Zeile ↑*L* ohne weitere Erläuterung aufgeführt.

[1] Der gerade gegründete ↑AEF verwendete es bald darauf in seinem Entwurf über „Wechselstromgrößen" von 1909 an zwei Stellen:

„Besteht der Zweig aus hintereinander geschalteter Kapazität und Induktivität, so ist [...]. Jedoch ist der Strom nicht der Spannung proportional, weil z.B. infolge der Wirkung von Eisen oder eines Dielektrikums Widerstand, Induktivität und Kapazität von Strom und Spannung abhängig sind. [2]

In den „Erläuterungen von J. TEICHMÜLLER und M. WIEN" zu diesem Entwurf heißt es:

„Der Name ‚Induktivität' ist aus dem schon vorhandenen Wortschatz aufgenommen worden, um den unbestimmten Ausdruck *‚Selbstinduktion'* und den unbequemen *‚Selbstinduktionskoeffizienten'* durch einen in Analogie zu *‚Kapazität'* gebildeten Namen zu ersetzen." [2]

In späteren Veröffentlichungen verwendete der AEF konsequent die neue Benennung, z.B. in der Liste „Formelzeichen des AEF" (1912) als *Induktivität (Selbstinduktionskoeffizient) L.* [3] und verteidigte sie, wo immer nötig, z.B. im Bericht über eingegangene Stellungnahmen:

„Der Württembergische Elektrotechnische Verein bezweifelt, daß Induktivität schöner sei als Induktanz. Der AEF hatte aber das in der Literatur schon seit langer Zeit viel gebrauchte Wort *Induktivität* nicht wegen etwaiger größerer Schönheit, sondern wegen seines Gleichklanges mit *Kapazität,* der der verwandten Bedeutung entspricht, vorgeschlagen." [4]

2 Die Schriftform ~ kam eigentlich schon 1893 in der etz vor, und zwar im „Vorläufigen Programm für den Internationalen Elektrizitäts-Kongress in Chicago 1893" [5], wo es u.a. darum ging, *Induktivität* und ↑*Induktanz* zu definieren. Bei der „thunlichst wortgetreuen Uebersetzung" kam nicht heraus, dass es sich um Vorschläge von O. HEAVISIDE* handelt, der Ⓔⓝ *permeability* durch *inductivity* ersetzen wollte; vgl. ↑HEAVISIDE-Matrix.

Wortbenutzung 1919: Verfahren zur Messung sehr kleiner Kapazitäten und Induktivitäten (PUNGS, L. [6]); 1922: Dadurch sind wir imstande, gegenseitige Induktivitäten durch Induktivitäten der Selbstinduktion auszudrücken (THOMÄLEN-1922, S. 213); 1959: Für eine Induktivität *L* soll hier nur das Anschalten an Gleichspannung betrachtet werden (MOELLER/WERR-1959, S. 355); 1998: Die an einer Induktivität anliegende Spannung eilt dem Strom um 90° oder $\pi/2$ voraus (KORIES/SCHMIDT-WALTER-1998, S. 129).

Wortfamilie

1 Zusammensetzungen mit *Induktivitäts-* als Bestimmungswort: *Induktivitätsabnehmer, ~änderung, ~arm, ~belag, ~faktor, ~frei, ~kopplung, ~messer, ~messbrücke, ~normal, ~unsymmetrie;*

2 Zusammensetzungen mit *-induktivität* als Grundwort: *Abstimminduktivität, Eingangs~, Ersatz~, Gegen~, Gesamt~, Leitungs~, Luft~, Parallel~, Rest~, Schein~, Selbst~, Serien~, Spulen~, Streu~, Wechsel~, Zusatz~.*

Fremdsprachige Entsprechungen (En) *inductance;* (Nl) *zelfinductie;* (Sv) *induktans;* (Es) *inductancia;* (Fr) *inductance* (1893, ROBERT-1994); (It) *induttanza;* (nGr) επαγωγή /*epagōgē'*/; (Ru) индуктивность /*induktivnost'*/; (Pl) *indukcyjnoć;* (Cs) *indukčnost;* (Ja) /*indakutansu*/.

Literatur [1] EMDE-1906, S. 510; [2] In: etz Bd. 30 (1909) S. 861–862; [3] In: etz Bd. 33 (1912) S. 963; [4] TEICHMÜLLER, J., in: etz Bd. 41 (1920) S. 861–862, hier S. 861; [5] In: etz Bd. 14 (1893) S. 233–235, hier 234; [6] PUNGS, L./PREUNER, G., in: Phys. Z. Bd. 20 (1919) S. 543.

Infinitesimalrechnung

infinitesimal calculus

Worterklärung Oberbegriff der ↑Differenzialrechnung und der ↑Integralrechnung.

Wortgeschichte Der deutsche Mathematiker Gottfried Wilhelm LEIBNIZ* erfand 1675 die ~, gab ihre Grundzüge erst 1684 in der von ihm mitgegründeten Zeitschrift „Acta Eruditorum" unter dem Titel „Nova Methodus pro Maximis et Minimis, itemque tangentibus […]" bekannt. [1] Im lateinisch verfassten Brief vom 17. Mai 1698 an den Bremer Kandidaten des Rechts SANDER, in dem er das auch von ihm erfundene ↑binäre Zahlensystem beschreibt, erwähnt er zum Schluss seines Briefes:

„Specimina *Calculi infinitesimalis,* sive *differentialis,* & *summatorii,* à me propositi, ante annos complures, extant in Actis Eruditorum. Ubi primum edidi Anno 1684." [2] ›Proben der von mir vor mehreren Jahren vorgeschlagenen Infinitesimalrechnung oder Differenzial- und Integralrechnung sind in den Acta Eruditorum [›Abhandlungen der Gelehrten‹] zu finden. Deren erste Ausgabe habe ich im Jahre 1684 herausgebracht."

In einem deutsch verfassten Vortrag für den Zaren Peter den Großen sagt LEIBNIZ* 1711:

„[…] auch [ist] bekanntermassen ein ganz neuer Weg Mathesin [Mathematik] höher zu bringen durch die Scientiam infiniti von mir entdecket und grosser Nuz daraus gezogen worden […]." [3]

Schon 1665/66 entwarf der englische Physiker und Mathematiker Isaac NEWTON* das *calculus of fluxions* ↑»Fluxionsrechnung«, jedoch veröffentlichte er sie nicht. An einer einzigen Stelle der Erstausgabe seiner 1687 erschienenen „Philosophiae naturalis principia mathematica" ›Mathematische Prinzipien der Naturphilosophie [heute: Naturwissenschaft]‹ erkannte er, dass „LEIBNIZ unabhängig von ihm zu einem ähnlichen Verfahren gekommen sei." [4]

Fremdsprachige Entsprechungen (En) *infinitesimal calculus;* (Es) *cálculo infinitesimal;* (Fr) *calcul infinitésimal* (1706, ROBERT-1994); (Ru) исчисление бесконечно малых величин */isčislenie beskonečno malyh veličin/.*

Literatur [1] FIGALA-1975, S. 137; [2] S. 189 im Faksimile, enthalten in LEIBNIZ-1966, zwischen S. 40 und 41; [3] Text Nr. 126, S. 177 in GUERRIER-1975; [4] FIGALA-1975, S. 136; FLECKENSTEIN, J.O., in: DGW Bd. 6, S. 321; KROPP-1994, S. 131.

Influenzkonstante

electric constant

Worterklärung Ersatzbenennung für (*absolute*) ↑*Dielektrizitätskonstante des leeren Raums,* die inzwischen wiederum durch ↑*elektrische Feldkonstante* ersetzt worden ist.

Wortgeschichte

1 Laut J. WALLOT* ist ~ von Robert Wichard POHL* vorgeschlagen worden, vermutlich 1927, weil POHL sie in seiner „Einführung in die Elektrizitätslehre" von 1927 schon genannt hat. WALLOT äußert sich dazu wie folgt:

„Immerhin ist es zu verstehen, daß man nach einem Vorschlag von R.W. POHL heute die weniger mißverständliche und kürzere Benennung ‚Influenzkonstante' für ε_0 vorzieht. Daran werden wir uns im folgenden halten." [1]

2 Mit der Norm DIN 1324:1964-01 „Elektrisches Feld; Begriffe" gab der ↑AEF die Benennung ~ auf, weil es darin heißt:

„Die universelle Konstante ε_0 heißt *elektrische Feldkonstante* oder *Verschiebungskonstante,* bisher auch Influenzkonstante genannt."

Wortbenutzung 1946: Über die Benennung von ε_0 herrscht noch kein Einvernehmen. Der Name ‚Influenzkonstante' hat den Vorzug der Kürze. (POHL-1946, S. 30); 1947: Influenzkonstante ε_0 (WAGNER-1947, S. 427); 1948: nach R. POHL *Influenzkonstante* genannt (APELT [2]); 1965: ε_0 Influenzkonstante (WARNER-1965, S. 153, 184).
Siehe auch ↑Verschiebungskonstante.
Literatur [1] WALLOT-1957, S. 30; [2] APELT, Gerhard: Die Maßgrößen der Physik. Hannover: Degener, 1948. 198 S., hier S. 167.

Informatik

computer science

Worterklärung Wissenschaft von den formalen Strukturen der Informationsverarbeitung, insbesondere methodenorientierte Disziplin zur Entwicklung von systematischen Verfahren zur Herstellung der Mittel, die zur Realisierung datenverarbeitender Systeme benötigt werden, u.a. abstrakte Systemmodelle auf mathematischer Grundlage, um komplexe Systeme in überschaubarer Weise darstellen und damit systematischen Entwurfsprozessen zugänglich machen zu können. [1]
Wortgeschichte
1 Laut Klaus BIENER wurde das Wort ~ von den Ingenieuren Karl STEINBUCH* und Helmut GRÖTTRUP gemeinsam geprägt; beide waren Berufskollegen bei der Firma Standard Elektrik Gruppe (SEG), der sie ~ als Warenzeichen zur Verfügung stellten. [2]
2 Seit 1955 war ~ der Standard Elektrizitäts-Gesellschaft AG (jetzt Alcatel SEL AG) in der Schreibweise mit *k* und auch mit *c* sowohl durch deutsche Warenzeichen als auch durch internationale Registrierungen geschützt. Die beiden deutschen Warenzeichen sind gemäß der „Urkunde über die Eintragung des Warenzeichens" am 18. Okt. 1955 angemeldet worden und haben die Nr. 689326 (INFORMATIK) und Nr. 689325 (INFORMATIC); ihre Eintragung erfolgte am 9. Apr. 1956. Die entsprechenden internationalen Registrierungen nach dem Madrider Markenabkommen (MMA) haben die Nr. 192117 (INFORMATIK) und Nr. 192116 (INFORMATIC); ihre Eintragung erfolgte am 17. Apr. 1956 und galt für die meisten europäischen Staaten (außer Vereinigtes Königreich und die skandinavischen Länder) sowie für einige außereuropäische Staaten. Aus dem umfangreichen gleichlautenden Warenverzeichnis dieser Warenzeichen seien auszugsweise im Wesentlichen genannt: „elektrotechnische Geräte zur Nachrichtenverarbeitung, auch mit speichernder oder rechnender Funktion". [3]
3 Eine wichtige Verwendung dieses Warenzeichens erfolgte als Bestimmungswort des Namens *Informatikwerk* für den 1956 gegründeten Geschäftsbereich zur Entwicklung und Lieferung elektronischer Systeme zur Informationsverarbeitung. [4] Im Dezember 1957 wurde das „INFORMATIK-System zur automatischen Auftragsbearbeitung" im Großversandhaus Quelle eingeweiht, dem das Heft 4/1957 der SEG-Nachrichten gewidmet wurde. Über das Wort ~ lesen wir darin:

„Als Kurzbezeichnung für das Werk und als Warenzeichen für seine Erzeugnisse wurde der Begriff INFORMATIK gewählt." (SCHÖTTLE, U. [5])

„Sie [Ingenieure] fanden, daß man mit elektrischen Schaltungen Zahlenrechnungen durchführen kann, und zwar mit einer Schnelligkeit, wie sie bis dahin einfach unvorstellbar war. Damit begann die automatische Informationsverarbeitung. Wir nennen sie ‚INFORMATIK'." (STEINBUCH, K. [6])

Dieser von **Steinbuch** formulierten Kurzdefinition folgte ein Jahr später eine vom damaligen Entwicklungsleiter im Informatikwerk, Hans **Zschekel**, stammende Definition:

„Universalrechner bilden jedoch nur einen Zweig der automatischen Informations-Verarbeitungstechnik, für die die Kurzbezeichnung ‚Informatik'¹) gewählt wurde. Ein anderes wichtiges Arbeitsfeld der Informatik stellt die Lösung von Verwaltungsaufgaben in Handel und Verkehr, bei Banken, Versicherungen und vielen anderen Betrieben dar, vor allem die selbsttätige Durchführung von routinemäßig immer wiederkehrenden Arbeiten." [„¹) Warenzeichen der Standard Elektrik Lorenz AG"] [4]

4 Als gegen Ende der 1960er Jahre in Deutschland das Gebiet der Datenverarbeitung durch Einrichtung eines besonderen Studienganges („Computer science") an geeigneten wissenschaftlichen Hochschulen gefördert werden sollte, wurde das Fehlen einer treffenden kurzen und eindeutigen deutschsprachigen Bezeichnung dieses Studiengangs bedauert. In Beratungen beim Bundesministerium für wissenschaftliche Forschung wurden folgende Benennungen in Betracht gezogen: *Informationswissenschaft, Computerwissenschaft, Informationsverarbeitungskunde,* ↑*Informationstechnik, Informationsmathematik, Datenverarbeitungskunde, Rechnerkunde, Rechnerwissenschaft.* Es setzte sich schließlich der Gedanke durch, den neuen Studiengang mit dem Wort ~ zu bezeichnen. Maßgebend war hierfür neben der Kürze und Eindeutigkeit die Analogie zum französischen Sprachgebrauch, wo z.B. der Regierungsbeauftragte für Datenverarbeitung *„Délégué á l'Informatique"* heißt. Nach **Robert**-1994 wurde Ⓕⓡ *informatique* 1962 aus Ⓕⓡ *information* und der Endung *-ique* wie in Ⓕⓡ *mathematique, électronique* gebildet.
Als Antwort auf eine entsprechende Anfrage teilte die Firma SEL mit, dass sie mit der Verwendung des Wortes ~ in folgenden Wortverbindungen einverstanden ist: *Lehrstuhl für ~; Professor für ~; Diplom-Informatiker; Lehrbuch der ~; Fachgruppe ~.* [2]
5 Nach und nach verzichtete Alcatel SEL auf den Markenschutz zu Gunsten einer freien Benutzung des Namens ~, und zwar wurden gelöscht: 1976 INFORMATIC, 1990 die beiden internationalen Registrierungen sowie 1992 INFORMATIK.
Wortbenutzung 1958: Ein anderes wichtiges Arbeitsfeld der Informatik stellt die Lösung von Verwaltungsaufgaben in Handel und Verkehr, bei Banken, Versicherungen und vielen anderen Betrieben dar (**Zscheckel**, H. [7]); 1969: Gesellschaft für Informatik e.V. (GI) am 16.09.1969 gegründet [5]; 1977: In einem Memorandum schlug er [**Piloty**] im September 1968 dem Senat der THD vor, die Informatik auch in Darmstadt zu etablieren [1]; 2004: Swiss Life ringt mit der Informatik. [...] Im letzten Jahr gab der Konzern 122 Millionen Franken für Informatik und technische Einrichtungen aus (**Strohm**, David [6]); 2005: Informatik (**Broy**, M., 3. Aufl., Springer); 2006: Durch die Universalität, die mit dem Rohstoff Information untrennbar verknüpft ist, ist die Informatik in viele dynamische Prozesse im Wissenschaftsbereich eingebunden (**Claus**, V.; **Nagl**, M. [10]).
Wortfamilie
1 Zusammensetzungen mit *Informatik-* als Bestimmungswort: *Informatikanlage, ~chef, ~gebäude, ~jahr 2006, ~organisation, ~projekt, ~system, ~werk;*
2 Zusammensetzungen mit *-informatik* als Grundwort: *Anwendungsinformatik, Bau~, Bio~, Chemo~, Geo~, Medizin~, Portal~, Quanten~, Rechts~, Umwelt~, Wirtschafts~;*
3 Ableitungen: *Diplom-Informatiker(in), Informatiker(in).*

Fremdsprachige Entsprechungen [11] (En) *computer science*; (Nl) *informatica*; (Sv) *datalogí*; (Es) *informática*; (Fr) *informatique* (1962, ROBERT-1994); (It) *informatica*; (Ru) информатика /*informatika*/; (Pl) *informatyka*; (Cs) *informatika*.

Literatur [1] PILOTY, Robert: Fachbereich 20: Informatik. In: Jahrbuch 1976/77. 100 Jahre Technische Hochschule Darmstadt. 672 S., hier S. 421–423; [2] BIENER, Klaus: Karl Steinbuch – Informatiker der ersten Stunde. Hommage zu seinem 80. Geburtstag. In: RZ-Mitt. Nr. 15 (Dez. 1997) S. 53–54; [3] Für die Einsichtnahme in Archivalien der Firma Alcatel SEL AG, Zentralbereich Patente und Lizenzen, danke ich verbindlichst Herrn Patentanwalt Dipl.-Phys. Werner SCHMIDT; [4] In: ntz Bd. 10 (1957) S. 276; [5] SCHÖTTLE, U.: Aufgaben des Informatikwerkes der Standard Elektrik AG. In: SEG-Nachr. Bd. 5 (1957) Heft 4, S. 168–170, hier S. 168; [6] STEINBUCH, K[arl]: INFORMATIK: Automatische Informationsverarbeitung. In: SEG-Nachr. Bd. 5 (1957) Heft 4, S. 171–176, hier S. 171; [7] ZSCHEKEL, Hans: Selbstätige Informationsverarbeitung im Großversandhaus. In: etz-B Bd. 10 (1958) S. 293–300, hier S. 293; [8] GILSON/KAISER-2004, S. 34; [9] In Tages-Anzeiger, Zürich, 08.05.2004, S. 24; [10] CLAUS, Volker; NAGL, Manfred: Zur Entwicklung der Wissenschaft Informatik. In: FTEI, Fakultätentag für Elektrotechnik und Informationstechnik e.V., 50. Plenarversammlung Darmstadt 2006. S. 38–40, hier S. 39. Vorsitz. d. FTEI: Volker HINRICHSEN, TU Darmstadt, FB 18; [11] Im Wesentlichen nach: www.wikipedia.de.

Informationstechnik — information technology

Worterklärung Zweig der ↑Technik, in dem Informationsübermittlung und -verarbeitung zusammenwirken, mit anderen Worten: Interdisziplinärer Raum, der durch das Zusammenwachsen von Datenverarbeitung und Nachrichtenübermittlung und der Nutzung von Mikroelektronik und ↑Informatik charakterisiert ist. [1]

Wortgeschichte

1 Das Wort ~ wird gegen Ende der 1960er Jahre in einem Diskussionskreis beim Bundesministerium für wissenschaftliche Forschung in Bonn zusammen mit anderen Vorschlägen genannt, als eine treffende Bezeichnung für einen neuen Studiengang gesucht wurde, für den schließlich ↑*Informatik* gewählt wurde.

2 Bald darauf wurde erkannt, dass die Übermittlung und Verarbeitung von Information Verfahren sind, die erst gemeinsam das Hervorbringen technischer Produkte ermöglichen. Unter dem Oberbegriff »~« lassen sich Produkte und Anwendungen zuordnen. Die Nachrichtentechnische Gesellschaft im ↑VDE (NTG) nahm dies 1986 zum Anlass, sich in „Informationstechnische Gesellschaft im VDE (ITG)" umzubenennen. Bei den Vorarbeiten wurden folgende Benennungen diskutiert: *Telematik* (aus: *Telekommunikation + Informatik*), *Compunication* (aus: *Computer + Communication*) und *Information Technology* (der amerikanischen Firma AT & T Bell Laboratories). [1] Man fand, dass die deutsche Entsprechung von *information technology* das Anliegen der Fachleute am besten trifft, war doch der Schweizerische Elektrotechnische Verein (SEV) mit der Gründung einer „Informationstechnischen Gesellschaft" 1984 vorangegangen. [2] Die meisten Fakultäten und Fachbereiche deutscher Universitäten, TU und TH erweiterten nach und nach ihre Fachbezeichnung in „Elektrotechnik und Informationstechnik", z.B. die TU Darmstadt zum Wintersemester 1996/97. Der VDE selbst folgte 1998, die DKE 2001.

3 In einer gemeinsamen Stellungnahme der Fakultätentage Elektrotechnik und Informatik von 1998 wird ~ als

„Oberbegriff für die systemtechnischen Bereiche der Informationsverarbeitung und Informationsübermittlung definiert. Sie ist mit der Gestaltung und technischen Realisierung von Systemen zur Erzeugung, Erfassung, Übertragung, Verteilung, Darstellung und Verarbeitung von Information befaßt. Die Informationstechnik ist damit der Bereich der gegenseitigen Anwendung von Informatik durch die Elektrotechnik und umgekehrt von Elektrotechnik durch die Informatik." [3]

Wortbenutzung 2001: DKE Deutsche Kommission Elektrotechnik Elektronik Informationstechnik im DIN und VDE; bisher: Deutsche Elektrotechnische Kommission im DIN und VDE.; 2003: Statistische Informationstechnik (KROSCHEL, K., Springer); 2004: Informationstechnik wird heute als interdisziplinäres Feld aufgefasst, das seine Wurzeln in Elektrotechnik und Informatik hat und eine Schnittmenge beider Disziplinen als gemeinsames Aufgabengebiet besitzt (GILSON/KAISER-2004, S. 72).

Literatur [1] SAAL, R[udolf]: Von der Nachrichtentechnik zur Informationstechnik. In: ntz Bd. 39 (1986) S. 595; Anonym: Informationstechnische Gesellschaft: Der neue Name der NTG. In: ntz Bd. 39 (1986) S. 614, 616–617; [2] GILSON/KAISER-2004, S. 61; [3] GÖRKE, W.; BRANDENBURG, F.-J.: 25 Jahre Fakultätentag Informatik 1973–1998. Karlsruhe 1998, hier S. 106, zit. nach GILSON/KAISER-2004, S. 72.

Ingenieur — engineer

Worterklärung Fachkraft auf dem Gebiet der ↑Technik. Ingenieur ist, wer fähig ist, wissenschaftliche und technische Arbeit bei der Konzeption von Entwürfen oder bei der praktischen Durchführung zu leisten. [1]

Wortgeschichte

1 Das Wort ~ geht auf (La) *ingenium* zurück, das in der klassischen Zeit bedeutete ›Begabung, Charakter, Gemütsart, Mut, Verstand, Genie, Talent, kluger Einfall, geistreiche Erfindung‹. [2] Um 200 n. Chr. nennt Quintus S.F. TERTULLIANUS (160–225 n. Chr.) den *Rammbock* ein (La) *novum extraneum ingenium*, das heißen kann: ›neue ausländische Idee, neue fremdländische Erfindung, neues fremdländisches Kriegsgerät‹. [3]

2 Ab Mitte des 12. Jh. bedeutete *ingenium* »Kriegsgerät, Belagerungsmaschine, Wurfgeschütz«, ihre Erbauer mittel-(La) *ingeniator, ingeniarius*, alt-(Fr) *engigneor, engignier*, alt-(It) *ingegnere*.

3 Im deutschen Sprachraum ist *Ingenieur* zum ersten Mal nachweisbar in einer 1571 verbreiteten Flugschrift mit dem Titel „Wahrhaftige Relation und Bericht [...] [über die] Befestigung Famagustae [...] durch Nestor Martinengo aus welscher Sprach in Teutsch transferieret", in der ein „hoch- und weitberühmt Ingenieur Gio Mormoni" erwähnt wird. [4]

Wortbenutzung ca. 1275: Le roy fist faire XVIII engins, dont Jocelin de CONNAUT estoit mestre engigneur »der König ließ 18 Kriegsmaschinen herstellen, deren Meister-Ingenieur Jocelin de CONNAUT war (Jean de JOINVILLE (1224–1317) [3]); 1497: architectores, seu agrimensores et livellatores aquarum = ingeniarii »Baukünstler, Landmessern Wasserbaumeister = (Zivil)Ingenieure« (Lodovico MORO, Herzog von Mailand [4]); 1502: Leonardo da VINCI, Generalingenieur (Cesare BORGIA [4]); 1716: Hierzu rechne ich auch allerhand instrumenta, die ein Baumeister, ingenieur, mechanicus, astronomus brauchet und die keinen allzu grossen Plaz einnehmen (LEIBNIZ [5]).

Wortfamilie

1 Zusammensetzungen mit *Ingenieur-* als Bestimmungswort: *Ingenieurakademie, ~bau, ~biologie, ~büro, ~geologie, ~ökonom, ~schule, ~wissenschaft;*

2 Zusammensetzungen mit *-ingenieur* als Grundwort: *Abnahmeingenieur, Approbations~, Bahn~, Bau~, Berechnungs~, Berg~, Betriebs~, Chef~, Chemie~, ↑Diplom~, ↑Doktor~, Elektro~, Fachhochschul~, Fachschul~, Film~, Flussbau~, Forst~, Gewerbe~, Gruben~, Hochbau~, Kultur~, Marine~, Maschinenbau~, Maschinen~, Montan~, Ober~, Projekt~, Prüf~, Radio~, Schiffbau~, Tiefbau~, Ton~, Textil~, Vermessungs~, Wasserbau~, Wirtschafts~, Zivil~.*

3 Verdeutschungen: ↑*Ingner,* ↑*Werkner.*

Fremdsprachige Entsprechungen (En) *engineer;* (Nl) *ingenieur;* (Fr) *ingénieur;* (Ru) инженер /*inžener*/; (Pl) *inżynier.* In Griechenland: πολιτικος μηχάνικος /*politikos mehánikos*/ »Zivilingenieur«.

Literatur [1] SOUTTER, P., in: VDI-Nachr. (1959) Nr. 23, S. 5, 12, 13, hier S. 12; [2] MENGE-1916, S. 383; [3] SCHIMANK-1961, S. 19; [4] Ebenda, S. 20; [5] Denkschrift Nr. 240 in GUERRIER-1975, S. 350.

Ingenieursprachen — engineer's languages

„Die Ausdrucksmittel des Ingenieurs sind die Zeichnung, die Formel und endlich die Sprache selbst."

Mit diesem Motto leitete 1914 Hans GÖRGES* seine Antrittsrede als Rektor der Königlich Technischen Hochschule Dresden, die dem Thema „Die dreifache Sprache des Ingenieurs" gewidmet war. [1]

Literatur [1] GÖRGES-1914, S. 864.

Ingner — engineer

Worterklärung Verdeutschende Ersatzbenennung für ↑*Ingenieur.*

Wortgeschichte

1 Das Wort ~ wurde 1915 [oder eher?] von Landesoberbaurat Joseph ROSSMANITH* vorgeschlagen und sogleich von Otto SARRAZIN* benutzt:

1915: Zeitschrift des Verbandes Deutscher Architekten- und Ingenieur-Vereine (Nr. 24);
1921: Zentralblatt der Bauverwaltung (Nr. 4). [1]

2 Artur MENDT setzte sich 1933 für die Übernahme von ~ in seinem Buch *„Die Technik in der Krise unserer Zeit"* (Berlin 1933, 279 S.) ein. [2]

Literatur [1] In: Muttersprache Bd. 48 (1933) Spalte 171–172; [2] Ebenda, Spalte 164.

Integralrechnung — integral calculus

Worterklärung Zweig der höheren Mathematik, der sich mit unendlich kleinen Größen befasst (↑Infinitesimalrechnung) und der die Umkehrung der ↑Differenzialrechnung ist. Der Hauptzweck der ~ besteht darin, durch *Integrieren,* d. h. mit Hilfe von *Integralen,* die Fläche zu berechnen, die von einer gegebenen Kurve umschlossen wird; oder auch die Länge der Kurve oder auch den Rauminhalt bei gegebener Oberfläche.

Wortgeschichte

1 Der deutsche Mathematiker Gottfried Wilhelm LEIBNIZ* nannte die von ihm erfundene Rechnungsart zuerst (nLa) *calculus summatorius* ›Summierungsrechnung‹ und wähl-

te ein lang gestrecktes *S* (für *summa*) als mathematisches Zeichen. [1] Im Manuskript vom 29. Okt. 1675 schreibt er darüber:

„Utile erit scribi ∫ pro omn. ut ∫ *l* pro omn. *l*, id est summa ipsorum *l*. [...] Satis haec nova et nobilia, cum novum genus calculi inducant. [...] ∫ autem significat summam, *d* differentiam." ›It will be useful to write ∫ for omn., as ∫ *l* for omn. *l*, that is, the sum of these *l*'s. [...] These are sufficiently new and notable, since they will lead to a new calculus. [...] But ∫ means sum, and *d* a difference." [2]

Das Zeichen ∫ ist im veröffentlichten Faksimile des Manuskripts vom 29. Okt. 1675 belegt. [3] Im Druck erscheint es acht Mal in einem Beitrag von 1686 in der Zeitschrift „Acta eruditorum", jedoch aus Mangel an den richtigen Drucktypen verwendet LEIBNIZ hier das damals übliche Lang-s ſ. [4]

2 Es gehörte zur Arbeitsweise von LEIBNIZ, neue Zeichen erst auszuprobieren und sie gleichzeitig mit befreundeten Wissenschaftlern auf dem Korrespondenzwege zu diskutieren. Dem Schweizer Mathematiker Johann BERNOULLI (1667–1748), der sich mit der neuen Rechnungsart bereits angefreundet hatte, schrieb er am 22. Feb. 1696:

„As regards signs, I see it clearly that it is to the interest of the Republic of Letters and especially of students, that learned men should reach agreement on signs. Accordingly I wish to get your opinion, whether you approve of marking by the sign ∫ the sum, just as the sign *d* is displayed for differences; [...]." [5]

BERNOULLI, der statt *summa* das Wort (nLa) *integralis* benutzte und damit *calculus integralis* ›Integralrechnung‹ und als Zeichen das große *I* einführte, stimmte zu. Schließlich einigten sie sich auf den Kompromiss: BERNOULLIS Name *Integralrechnung* und LEIBNIZ' Zeichen ∫. BERNOULLIS älterer Bruder Jakob (1654–1705) konnte das Neuwort *integralis* (*Integral*) bereits 1690 in der Zeitschrift „Acta eruditorum" in seinem Beitrag „Observatio de inventione lineae descensus [...]" benutzen. [5][6]

Fremdsprachige Entsprechungen (En) *integral calculus;* (Nl) *integraalrekening;* (Es) *cálculo integral;* (Fr) *calcul intégral* (1696, ROBERT-1994); (Ru) интегральное исчисление /*integral'noe isčislenie*/; (Pl) *rachunek całkowy* ›Ganzheitsrechnung‹; (Cs) *integrální počet.*

Literatur [1] CAJORI-1993, § 539, Bd. 2, S. 181; [2] Ebenda, § 570, Bd. 2, S. 203; [3] Ebenda, Bild 124, Bd. 2, S. 243, entnommen dem „Briefwechsel von G.W. LEIBNIZ mit Mathematikern", hrsg. v. C.I. GERHARDT, 1899; dieses Faksimile ist ebenfalls wiedergegeben in: KOESTERS, Paul-Heinz: Deutschland deine Denker. Hamburg: Gruner, 1981. 300 S., hier S. 45 als Teilausschnitt; [4] CAJORI-1993, § 620, Bd. 2, S. 242; [5] Ebenda, § 539–540, Bd. 2, S. 181–182; [6] KROPP-1994, S. 141; FLECKENSTEIN, J.O., in: DGW Bd. 6, S. 317.

Internationale Elektrizitäts-Kongresse 1881 – 1904

International Electrical Congresses

(Es bedeuten: ↑ siehe Hauptteil, * siehe Anhang *Wortschöpfer oder frühe Wortbenutzer*) (International Electrical Congress; Congrès International d'Électricité) [1.1]; häufig *Internationaler Elektrikerkongress* genannt).

(1) Erster Kongress: „Internationaler Kongress der Elektriker" [1.2], Paris, 15. Sept. bis 5. Okt. 1881

Tagung in drei Sektionen:
I. Elektrische Einheiten, II. Internationale Telegraphie, III. Verschiedene Anwendungen der Elektrizität.
Teilnehmer: 250 von der jeweiligen Regierung bevollmächtigte Delegierte aus 28 Ländern, von denen besonders hervorzuheben sind:
- aus Deutschland: HELMHOLTZ*, CLAUSIUS*, G. KIRCHHOFF*, Werner SIEMENS*, WEBER, WIEDEMANN;
- aus Belgien: Eric GÉRARD, Zénobie GRAMME, P. GILBERT;
- aus Frankreich: J.B. DUMAS, E. MASCART, Gaston PLANTÉ, Marcel DEPREZ, Ed. BEQUEREL;
- aus Großbritannien: Sir William THOMSON [Lord KELVIN*], Latimer CLARK*, William CROOKES, John HOPKINSON, Lord RAYLEIGH, C. William SIEMENS*, J. TYNDALL;
- aus Italien: Gilbert GOVI, Galileo FERRARIS;
- aus den Niederlanden: BOSSCHA;
- aus Norwegen: O.J. BROCH;
- aus Österreich: Ernst MACH;
- aus Russland: R.E. LENZ, A.G. STOLETOV, P.N. YABLOTCHKOV (laut [1.2] S. 286: JABLOCHKOFF, Mitglied der französischen Delegation);
- aus Schweden: T.R. THALÉN, G.R. DAHLANDER;
- aus der Schweiz: H.F. WEBER, HAGENBACH, WARTMANN;
- aus den USA: Henry A. ROWLAND, G.F. BARKER, Cornelius HERZ.

Ergebnisse (in sieben einstimmig angenommenen Resolutionen):
- Annahme der Vorschläge der ↑British Association for the Advancement of Science betreffend ↑Ohm und ↑Volt, Festlegung von ↑Ampere, ↑Coulomb und ↑Farad.

(2) Zweiter Kongress, Paris, 1889

Teilnehmer: Es liegen keine Angaben vor.
Ergebnisse: Festlegung der Einheiten für die
- ↑Arbeit: ↑Joule = 10^7 CGS-Einheiten,
- Leistung: ↑Watt = 10^7 CGS-Einheiten,
- ↑Induktivität: ↑Quadrant = 10^9 cm.

(3) Dritter Kongress: „Internationaler Elektrotechnikerkongress zu Frankfurt am Main", 8.–12. September 1891

Programm [3.1], Ergebnis: [3.2], Offizieller Bericht [3.3]

Teilnehmer laut Bericht [3.3]: 715, wobei 472 aus Deutschland und 243 aus elf weiteren Ländern kamen.
Ergebnisse: Die praktische Einheit der ↑magnetischen Flussdichte heißt ↑*Gauss*, die des ↑magnetischen Flusses ↑*Weber*.

(4) Kongress Chicago, 21.–25. August 1893
[Laut IEC 164 werden die Kongresse nicht mehr nummeriert.]
Programm [4.1]. Dt Stellungnahme [4.2].
Ergebnisse: Festlegung der physikalischen Darstellung der drei wichtigsten Einheiten Ohm, Ampere und Volt; Umbenennung von Quadrant in ↑Henry.

(5) Kongress Paris, 1900
Ergebnisse: Erörterung der Vorschläge des American Institute of Electrical Engineers (AIEE, dem heutigen IEEE = Institute of Electrical and Electronic Engineers), die es 1894 für die magnetischen ↑CGS-Einheiten gemacht hat:
- *Gilbert* für die magnetomotorische Kraft,
- *Gauss* für die magnetische Flussdichte,
- *Weber* für den magnetischen Fluss,
- ↑*Ørsted* für die magnetische Reluktanz [magnetischer Widerstand].

Die Vorschläge wurden mit folgenden Abweichungen angenommen:
- *Gauss* für die magnetische Feldstärke,
- ↑*Maxwell* für den magnetischen Fluss.

(6) Kongress St. Louis (USA), 12.–17. September 1904
Ergebnisse: Einsetzung von zwei ständigen internationalen Kommissionen mit folgenden Aufgaben:
- Erstellung einer Studie über elektrische Einheiten und Normalien,
- Vereinheitlichung der Nomenklatur [in heutiger Ausdrucksweise: Terminologie] und der Charakteristiken [(En) *ratings*] elektrischer Apparate und Maschinen. Dies führte zur Gründung der ↑IEC.

Literatur [1.1] IEC 164-1964, S. 13–19; [1.2] In: etz Bd. 2 (1881) S. 256-257, 276-287, 310, 326-331, 389-433; Kind-1977; [3.1] In: etz Bd. 12 (1891) S. 494–495; [3.2] S. 519; [3.3] Internationaler Elektrotechniker-Kongress-1891; [4.1] In: etz Bd. 14 (1893) S. 233-235; S. 348-349; [4.2] In: etz Bd. 14 (1893) S. 293-295; S. 361-363.

Ion ion

Worterklärung Nach neuer Anschauung ist ~ ein Atom oder ein Molekül, das ↑Elektronen abgegeben oder aufgenommen hat. Im ersten Fall handelt es sich um ein *Kation*, im zweiten Fall um ein *Anion*.
Wortgeschichte Das Wort ~ geht in der Schriftform (En) *ion* auf den englischen Chemiker und Physiker Michael Faraday* zurück, der 1834 ein elektrochemisches Begriffssystem aufbaute. Dazu schreibt er:

„665. Endlich brauche ich einen Ausdruck zur Bezeichnung derjenigen Körper, welche zu den *Elektroden* oder, wie man sie gewöhnlich nennt, den Polen gehen können. [...] Zur Unterscheidung dieser Körper schlage ich vor, diejenigen, welche zur *Anode* des zu zersetzenden Körpers gehen, *Anionen*1), und diejenigen, welche zur *Kathode* gehen, *Kationen*2) zu nennen, und wenn ich in die Lage komme, von beiden gemeinsam zu reden, so werde ich sie *Ionen* nennen. 1) ἀνιών */'aniōn/*, aufwärts gehend. (Neutrum participii.) 2) κατιών */katiōn/*, abwärts gehend." [1]

Seit 1910 nennt man allgemein elektrisch geladene Atome, Atomgruppen, kleine und große Moleküle *Ionen* (nach Ⓖⓡ ἰών */i'ōn/* ›wandernd, gehend‹), unabhängig davon, wie ihre Ladung entstanden ist. Dabei ist die Vorstellung des Wanderns völlig verloren gegangen. [2] Von ↑„FARADAYS terminologischer Genauigkeit", die für die Elektrochemie zugeschnitten war, profitierten später auch andere Fachgebiete, u. a. Elektronenröhrentechnik (↑Röhre, ↑-ode), die Kristallographie und Akustik, was aus der Liste der Wortfamilie zu ersehen ist.

Wortbenutzung 1834/89: So ist Chlorblei ein *Elektrolyt*, und wenn es *elektrolysirt* wird, so zerfällt es in zwei *Ionen*, Chlor und Blei, von denen das erstere ein *Anion* und das letztere ein *Kation* ist (FARADAY [1]); 1922: Die Spaltung in die Ionen ist schon vor dem Durchgang des elektrischen Stromes vorhanden (THOMÄLEN-1922, S. 17); 1969: Bei diesen Reaktionen treten jedesmal Silber-Ionen mit Chlorid-Ionen zu unlösl[ichem] Silberchlorid zusammen, während die übrigen Ionen unverändert in der Lsg. [= Lösung] verbleiben (ÜHLEIN-1969, S. 402); 2005: Das Ionenskalpell – Tumortherapie mit Ionen (HABERER, Thomas [3]).

Wortfamilie

1 Zusammensetzungen mit *Ionen-* als Bestimmungswort: *Ionenableiter, ~äquivalentgewicht, ~aufprall, ~ausschlussverfahren, ~austausch, ~austauschchromatographie, ~austauscher, ~bahn, ~beschleuniger, ~beschuss, ~beweglichkeit, ~bewegung, ~beziehung, ~bildner, ~bildung, ~bindung, ~bombardement, ~bombardierung, ~bündelung, ~dichte, ~diffusion, ~dosis, ~dosisleistung, ~dosisrate, ~einschuss, ~emission, ~entladung, ~falle, ~fallenmagnet, ~fleck, ~flotation, ~fluss, ~geschwindigkeit, ~(getter)pumpe, ~gewicht, ~gitter, ~gitterstrom, ~gleichgewicht, ~gleichung, ~halbleiter, ~implantation, ~kettenpolymerisation, ~konzentration, ~kristall, ~lautsprecher, ~lehre, ~leiter, ~leitfähigkeit, ~leitung, ~magnet, ~mikrophon, ~motor, ~plasma, ~polarisation, ~pumpe, ~quelle, ~radius, ~rauschen, ~reaktion, ~rekombination, ~rohr, ~röhre, ~röntgenröhre, ~sammelzeit, ~schalter, ~schicht, ~schleuder, ~skalpell, ~spaltung, ~stärke, ~stoß, ~strahl, ~strom, ~theorie, ~therapie, ~überführung, ~verzögerungsverfahren, ~wanderung, ~wanderungsgeschwindigkeit, ~wertigkeit, ~wind, ~zählrohr, ~zerstäuberpumpe, ~zusammenstoß;*

2 Zusammensetzungen mit *Ionisations-* als Bestimmungswort: *Ionisationsarbeit, ~detektor, ~dichte, ~dosimeter, ~energie, ~funkenstrecke, ~gasanalysator, ~geschwindigkeit, ~getterpumpe, ~grad, ~kammer, ~kammergerät, ~kern, ~koeffizient, ~konstante, ~manometer, ~manometerröhre, ~mikrophon, ~mittel, ~potenzial, ~pumpe, ~rate, ~rauschen, ~schicht, ~spannung, ~strom, ~verluste, ~wahrscheinlichkeit, ~zahl, ~zeit, ~zustand;*

3 Zusammensetzungen mit *Ionisierungs-* als Bestimmungswort: *Ionisierungsarbeit, ~energie, ~ereignis, ~feld, ~gitter, ~kammer, ~knick, ~mittel, ~potenzial, ~spannung, ~strahlung, ~strom, ~verluste, ~vermögen, ~zahl, ~zeit;*

4 Zusammensetzungen mit *Iono-* als Bestimmungswort: *ionogen, ~graphie, ~mere, ~meter, ~phon, ~phorese, ↑~sphäre, ionosphärisch;*
5 Zusammensetzungen mit *-Ion* als Grundwort: *Amonium-Ion, Anion, Chlorid-~, Gas-~, Kation, Kolloid-~, Metall-~, Minus-~, Natrium-~, Plus-~, Wasserstoff-~;*
6 Wortableitung: *Ionisation, Ionosator, ionisieren, Ionisierung.*
Fremdsprachige Entsprechungen (En)(Nl) *ion;* (Sv) *jon;* (Es) *ión;* (Fr) *ion* (1840, ROBERT-1994); (It) *ione;* (Ru) ион */ion/;* (Pl) *jon;* (Cs) *ion;* (Ja) */ion/.*
Literatur [1] FARADAY (KALISCHER)-1889, Bd. 1, S. 179–180, § 665, dabei die kursive Kennzeichnung der Vorlage übernommen; [2] GERLACH-1962, S. 47–48; [3] Festvortrag, Jahres-Mitgliederversammlung, VDE Rhein-Main e.V., 14.04.2005.

Ionosphäre — ionosphere

Worterklärung In der höheren Atmosphäre (oberhalb der Troposphäre und Stratosphäre) zwischen 80 bis 400 km befindlicher Bereich, der durch vier elektrisch leitende Schichten gebildet wird: E_1-Schicht (100 km), E_2-Schicht (150 km), F_1-Schicht (200 km) und F_2-Schicht (400 km). Die Schichten entstehen, weil ultraviolettes Sonnenlicht die leichtesten Gase (Helium, Wasserstoff für die F-Schichten; Sauerstoff und Stickstoff für die E-Schichten) ionisiert (↑Ion). An diesen Schichten werden die für den Nachrichtenverkehr notwendigen elektromagnetischen Wellen abhängig von ihrer Wellenlänge reflektiert oder entlang geführt.
Wortgeschichte Begriff mit Benennung (En) *ionosphere* stammt 1932 vom schottischen Physiker Sir Robert WATTSON-WATT* [1], der von einer ionisierten, d.h. aus Ionen bestehenden, Atmosphäre ausging und durch Zusammenziehung der Wortbestandteile das ~ bildete.
Wortbenutzung 1933: Fine-structure of the ionosphere (APPLETON, E. [2]); 1933: Meeting for discussion on the ionosphere, opened by E. APPLETON [2]; 1937: The physics of the ionosphere (MIMNO, R.H. [2]); 1942: Fragen und Ergebnisse der Ionosphärenforschung (ZENNECK, J. [2]); 1944: Die Ionosphärenforschung und ihre Ergebnisse (DIEMINGER, W. [2]); 1947: Ionosphäre und Sonnenforschung (KLÜBER, H.v. [2]); 1954: Die Ionosphäre (HÜTER-1954); 1972: Elektromagnetische Wellen werden in der Ionosphäre durch Absorption gedämpft (SCHÖNFELD, W.H. [3]).
Wortfamilie *Ionosphärenanlage, ~beobachtung, ~forscher, ~forschung, ~hülle, ~kennlinie, ~literatur, ~peiler, ~schicht, ~station, ~sturm, ~technik.*
Fremdsprachige Entsprechungen (En) *ionosphere;* (Es) *ionosfera;* (Fr) *ionosphère* (1935, ROBERT-1994); (It) *ionosfera;* (Ru) ионосфера */ionosfera/;* (Pl) *jonosfera;* (Cs) *ionosféra.*
Literatur [1] ASIMOV-1974, S. 512 u. 514; [2] Zit. nach dem Literaturverzeichnis von HÜTER-1954, S. 571–575; [3] SCHÖNFELD, Wilhelm Hans: Hochfrequenztechnik. Vom Schwingkreis zum Farbfernsehen. Reinbek: Rowohlt, 1972. 147 S. (rororo-tele Bd. 8), hier S. 63.

isolieren — to insulate

Worterklärung Eine leitende Verbindung zwischen betriebsmäßig gegeneinander unter ↑Spannung stehenden leitfähigen Teilen verhindern.

Wortgeschichte

1 Laut **Fraunberger** benutzte der französische Physiker Charles **Dufay*** das Wort ~ [Fr *isoler*] als Erster [1], vermutlich 1733 in der französischen, 1745 in der deutschen Fassung seines Buches. [2] Es wird im Französischen schon für das Jahr 1653 nachgewiesen, als es sich von Fr *isolé* ›inselartig‹ zu »vereinzelt, abgesondert, freistehend« entwickelte. Dieses stammt von It *isolato*, La *insulatus* ›zur Insel gemacht‹ (zu La *insula*, It *isola* »Insel«). [3]

2 Zu ~ gibt es zwei Substantivierungen: *Isolierung* und *Isolation*. In der Fachsprache der ↑Elektrotechnik wurden ihnen folgende Definitionen zugewiesen:

Isolierung ist die Gesamtheit der in ihre endgültige technische Form gebrachten Isoliermittel einer elektrischen Anlage oder eines elektrischen Betriebsmittels. *Isolation* ist der Grad der galvanischen Trennung von leitenden Teilen, die gegeneinander und gegen Erde betriebsmäßig unter Spannung stehen. (VDE 0111/12.66).

Entsprechend enthält das mehrsprachige „International Electrotechnical Vocabulary" (IEV) der ↑IEC zwei Definitionen mit den zugehörigen Benennungen:
(151-15-41 bzw. -42 nach der Deutschen Ausgabe, Kapitel 151, März 2002) :

- *Isolierung*: Gesamtheit der Werkstoffe und Bauteile, die zum Isolieren der leitfähigen Teile eines Geräts oder einer Einrichtung verwendet werden.
- *Isolation*: Gesamtheit der Eigenschaften, die die Funktionsfähigkeit einer Isolierung (151-15-41) beschreiben.

En	*insulation*	*insulation*
Dt	*Isolierung*	*Isolation*
Nl	*isolatie*	*isolatie*
Sv	*isolering*	*isolation*
Es	*aislamiento*	*aislamiento*
Fr	*isolation*	*isolement*
It	*isolamento*	*isolamento*
Ru	изоляция /*izoljacija*/	изоляция /*izoljacija*/
Pl	*izolacja*	*izolacja*

Von den neun aufgeführten Sprachen haben nur drei Sprachen (Dt, Fr, Sv) unterscheidende Benennungen. Da in der IEC trotz der drei offiziellen Sprachen En-Fr-Ru als Arbeitssprache das En vorherrscht, werden die Arbeitsdokumente logischerweise in En abgefasst. Bei dem Zeitdruck, unter dem die meist umfangreichen Arbeitsdokumente von den nationalen Komitees der IEC in die Nationalsprachen übersetzt werden müssen, ist es leicht einzusehen, dass die Entscheidung für *Isolierung* oder *Isolation* nicht immer leicht zu treffen ist und auch von der Blickrichtung abhängt. Es ist daher verständlich, dass Bestrebungen im Gange waren, sich den übrigen Ländern anzupassen und nur noch *Isolation* (auch in Zusammensetzungen) zu benutzen. [4] Diese Bestrebungen wurden im Jahre 2002 aufgegeben.

Wortbenutzung 1761: In diesem Zustande sagt man von der Stange, daß sie isolirt oder von aller Berührung, die ihr die Elektricität nehmen könnte, befreyt sey (EULER-1986, S. 169 [5]); 1922: Dieser [↑Stromwender] ist in Richtung der Achse in ebenso viele voneinander isolierte Stege oder Segmente geteilt, wie der Anker Spulen enthält (THOMÄLEN-1922, S. 84); 1986: Wenn man sich [...] im unklaren ist, ob der Fußboden isoliert oder nicht, muß man messen. [...] Der Standortübergangswiderstand R_{St} darf an keiner der Meßstellen 50 kΩ bei U_N = 500 V unterschreiten, wenn der Fußboden als isolierend gelten soll (HÖSL/AYX-1986, S. 581).
Wortfamilie
1 Zusammensetzungen mit *Isolier-* als Bestimmungswort: *Isolierabdeckung, ~abstützung, ~band, ~draht, ~ei, ~eigenschaft, ~einsatz, ~fähigkeit, ~flüssigkeit, ~folie, ~gehäuse, ~glas, ~gummiteppich, ~haken, ~harzmasse, ~holz, ~hülle, ~körper, ~lack, ~materiel, ~mischung, ~mittel, ~muffe, ~öl, ~papier, ~pappe, ~perle, ~platte, ~pressstoff, ~ring, ~rohr, ~rolle, ~scheibe, ~schemel, ~schicht, ~schirm, ~stange, ~spannung, ~stoff, ~stoffbeschichtung, ~stoffgehäuse, ~stoffkapselung, ~stoffklasse, ~strecke, ~stück, ~stütze, ~teil, ~transformator, ~ungsdichte, ~ungsdicke, ~ungszuwachs, ~vermögen, ~versuch, ~welle, ~wulst, ~zange, ~zugstange, ~zweck, ~zylinder;*
2 Zusammensetzungen mit *Isolations-* als Bestimmungswort: *Isolationsbeanspruchung, ~bemessung, ~fehler, ~fehlerstrom, ~festigkeit, ~gruppe, ~koordination, ~messer, ~messgerät, ~pegel, ~prüfer, ~prüfung, ~schutz, ~sicherheit, ~-Störspannung, ~system, ~versagen, ~widerstand, ~zustand;*
3 Zusammensetzungen mit *Isolator-* als Bestimmungswort: *Isolatorfuß, ~hals, ~hohlsäule, ~kapazität, ~kette, ~kopf, ~rille, ~rippe, ~schirm, ~stütze, ~teller, ~träger, ~überschlag, ~-Verbindungsteil;*
4 Zusammensetzungen mit *-isolierung* als Grundwort: *Aderisolierung, Asbest~, Basis~, Baumwoll~, Betriebs~, Folien~, Funktions~, Glas~, Glocken~, Grund~, Gummi~, Joch~, Kabel~, Lack~, Leiter~, Papier~, Perlen~, PVC-Isolierung, Scheiben~, Schicht~, Schutz~, Seiden~, Zwischen~;*
5 Wortableitungen: *isolierend, Isolierung; Isolation, Isolator.*
Fremdsprachige Entsprechungen (En) *to insulate;* (Nl) *isoleren;* (Sv) *isolera;* (Es) *aislar;* (Fr) *isoler;* (It) *isolare;* (Ru) изолировать /*izolirovat'*/; (Pl) *izolować;* (Cs) *isolovati.*
Literatur [1] FRAUNBERGER-1985, S. 49; [2] DUFAY, Ch.: Versuche und Abhandlungen von der Elektrizität derer Körper. Erfurt 1745, zit. nach FRAUNBERGER-1985, S. 202; [3] ROBERT-1994, S. 1214; PFEIFER-1995, S. 592; [4] Schriftstück der DKE im ↑VDE, Nr. 111/69-81 vom 16.12.1981, 56 S.; [5] EULER-Brief Nr. 145 vom 14. Juli 1761, als Buch veröffentlicht 1769.

Isotop isotope

Worterklärung Chemisches Element, das mit anderen Elementen an der gleichen Stelle des nach chemischen Gesichtspunkten geordneten MENDELEJEW'schen „Periodensystems der Elemente" steht, sich jedoch nur durch sein Atomgewicht (Atommasse) von den anderen unterscheidet.
Wortgeschichte Begriff mit Benennung (En) *isotope* prägte 1913 der britische Chemiker Frederick SODDY* nach (Gr) ἴσος /*ísos*/ ›gleich‹ und τόπος /*tópos*/ ›Ort‹. [1]

Wortbenutzung von Otto HAHN: 1928: Neuere Fortschritte der Elementen- und Isotopenforschung, 1934: Isotopen-Bericht, 1938: Die chemischen Elemente und natürlichen Atomarten nach dem Stande der Isotopen- und Kernforschung. [2]
Wortfamilie *Isotopie, Isotopenbegriff, ~forschung, ~gemisch, ~lehre, ~trennung; Bleiisotop, Polonium~, Radium~, Wismut~.* [3]
Fremdsprachige Entsprechungen (En) *isotope;* (Nl) *isotoop;* (Sv) *isotop;* (Es) *isótopo;* (Fr) *isotope* (1922, ROBERT-1994); (It) *isotopo;* (Ru) изотоп */izotop/;* (Pl) *izotop;* (Cs) *isotop;* (Ja) */dōigenso, doitai/.*
Literatur [1] GERLACH/HAHN-1984, S. 43; [2] Ebenda, S. 224–229; [3] Ebenda, ab S. 43; HARTMANN, S. 354–356.

-istor

-istor

Worterklärung Wortbildungsendung (Suffixoid) im Wesentlichen zur Bildung von Benennungen für Bauelemente auf Halbleiterbasis und keramische Werkstoffe.
Wortgeschichte Sie ist entstanden bei Wortzusammensetzungen mit dem Grundwort (En) *resistor* »Widerstand«, insbesondere bei (En) *thermistor* »Heißleiter« aus *therm*al res*istor;* (En) *varistor* »spannungsabhängiger Widerstand« aus *var*iable res*istor*. Nachdem 1948 der ↑*Transistor* erfunden worden war, wurden zahlreiche Halbleiter-Anwendungen auf den Markt gebracht, die jeweils auf *-istor* endeten: *Fieldistor* »Feldeffekt-Transistor besonderer Bauform«.
Wortfamilie nach [1]: *Binistor, Cryosistor, Dynistor, Fieldistor,* ↑*Fluxistor, Madistor, Nuvistor, Photistor, Sensistor, Silistor, Spacistor, Statistor, Synistor, Thermistor, Thyristor, Trigistor, Trinistor, Trisistor, Tunistor, Twistor, Varistor*. Weitere Belege nach [2]: *Capristor, Ceramistor, Deplistor, Fusistor, Magnistor, Nesistor, Persistor, Precistor, Vamistor.*
Literatur [1] PILS-1968; [2] Terminologisches Archiv A. WARNER.

j — imaginary unit

Worterklärung Mathematisches Zeichen für die ↑*imaginäre Zahl* $\sqrt{-1}$ (imaginäre Einheit) nach DIN 1302:1994-04 entsprechend IEC 60027-1:1992-12, vorzugsweise in elektrotechnischen Texten, wo das ↑i mit dem Augenblickswert der Stromstärke i (↑*I*) allzu leicht verwechselt werden kann. Die Einheit j genügt der Bedingung $j^2 = -1$.

Wortgeschichte Das j geht auf den Deutsch-Amerikaner Charles P. STEINMETZ* zurück, der die Anwendung komplexer Größen (↑*komplexe Zahl*) in der ↑Elektrotechnik begründet hat. In seinem vor dem ↑Internationalen Elektrizitäts-Kongress zu Chicago 1893 gehaltenen Vortrag, der in der etz desselben Jahres veröffentlicht worden ist, benutzt er noch das i. [1] In seinem 1897 erschienenen Buch „Theory and calculation of alternating current phenomena" verwendet er jedoch das j, das er wie folgt einführt:

> „To distinguish, however, the horizontal and the vertical components of sine waves [...] we may mark, for instance, the vertical components, by a distinguishing index, or an addition of an otherwise meaningless symbol, as the letter j, and thus represent the sine wave by the expression $I = a + j\,b$. [...] Since $j^2 = -1$, $j = \sqrt{-1}$, that is, j is the imaginary unit, and the sine wave is represented by a complex imaginary quantity, $a + j\,b$." [2]

In der deutschsprachigen Ausgabe desselben Werkes von 1900 übernahm der Übersetzer Julius HAACKE das j. Hinsichtlich der Wahl von j entschied sich STEINMETZ für den dem i am ähnlichsten aussehenden Buchstaben.

Wortbenutzung 1910: [...] so wird der symbolische Ausdruck [...] gleich $X = a + jb = r\,(\cos\varphi + j\sin\varphi) = r\,e^{j\varphi}$ [3]; 1914: j als Ausweichzeichen zu i (↑IEC [4], so auch in IEC 27:1931); 1922: Demnach ist j nichts anderes als die sonst mit i bezeichnete imaginäre Einheit (THOMÄLEN [5]); 1992: chief symbol j, reserve symbol i (IEC 27).

Literatur [1] STEINMETZ-1893; [2] STEINMETZ-1897, S. 36–37, § 26/27; deutsch: STEINMETZ-1900, S. 40–41, § 26/27; [3] J.L. la COUR-1910, S. 22; [4] DETTMAR-1914, S. 690; [5] THOMÄLEN-1922, S. 172.

Joule [duʒ:l] — joule

Worterklärung

1 Gesetzliche abgeleitete ↑SI-Einheit der ↑»Energie«, ↑»Arbeit« und »Wärmemenge«. Einheitenzeichen: J. Die Aussprache ist in DIN 1301-2:1978-02 festgelegt.

2 Ein ~ ist gleich der Arbeit, die verrichtet wird, wenn der Angriffspunkt der Kraft 1 ↑Newton in Richtung der Kraft um 1 ↑Meter verschoben wird. [1]

$1\,J = 1\,N \cdot m = 1\,W \cdot s$ (= 1 ↑Watt × ↑Sekunde) $= 1\,m^2 \cdot kg\,s^{-2}$.

Wortgeschichte Auf dem 2. ↑Internationalen Elektrizitäts-Kongress in Paris im Oktober 1889 wurde das ~ als Einheit der Arbeit zu 10^7 C.G.S.-Einheiten angenommen. [2] Hinsichtlich der Aussprache von ~ erklärte auf dem 3. Internationalen Elektrizitäts-Kongress in Frankfurt 1891 der britische Delegierte William E. AYRTON (1847–1908) [3], dass „Schuhl" [ʒu:l] die übliche Aussprache sei. Dies wurde 1926 vom British Standards Institute bestätigt. [4]

Wortfamilie *Millijoule, Kilojoule, Megajoule, Gigajoule, Terajoule.*

Fremdsprachige Entsprechungen Sprachen mit lateinischer Schrift: *joule*; außer (Pl) *dżul*; mit anderer Schrift: (nGr) τζάουλ /*tzáoul*/; (Ru) джоуль /*džoul'*/, Einheitenzeichen: Дж /Dž/; (Ja) /*jūru*/.

Zur Person Die Einheit wurde zu Ehren des englischen Physikers James Prescott JOULE (1818–1889) gewählt. Auf Grund der Maschinenerfahrungen in der Brauerei seines Vaters beschäftigte er sich hauptsächlich mit Messungen der Äquivalenz von Wärme und mechanischer Arbeit. Bei der Untersuchung der Wärmewirkung des elektrischen ↑Stromes stellte er das später nach ihm benannte Gesetz auf, dass die in einem ↑Widerstand erzeugte Wärmemenge dem Quadrat des Stromes proportional ist.

Biographien KOECK, Anita: Joule, J.P., in: HERMANN-1987, S. 185–186; VOLKMANN-1994: JOULE, J.P., S. 63–67; DITTMANN, Frank: Joule, J.P., in: JÄGER-1996, S. 194–195; WIEDERKEHR, Karl Heinrich: Joule, J.P., in: KRAFFT-2003, S. 230–231.

Literatur [1] Ausführungsverordnung z. Gesetz üb. Einheiten i. d. F. v. 08.05.1981. BGBl. I S. 422. § 23; [2] IEC 164:1964, S. 15; [3] TAKAHASHI, Yuzo: William Edward Ayrton at the Imperial College of Engineering in Tokyo. The first professor of electrical engineering in the world. In: IEEE Trans. Education, Bd. 33 (Mai 1990) Nr. 2, S. 198–205; [4] In: etz Bd. 47 (1926) S. 137.

K

k • Kalorie • Kanalstrahlen
... • Kathode • ... • Kelvin
Kenetron • ... • Kernleitwert
Kernphysik • Kernspaltung • ...
Kilosin • Kirchhoff'sche Regeln
Knackrate • Kohärer • ...
Konflikt, elektrischer
Konformitätszeichen • Koordinaten
Kosinus • ... • Kunststoff • ...
Kupfer • Kybernetik

k — *k* (Boltzmann constant)

Worterklärung Formelzeichen für ↑»Boltzmann-Konstante« nach DIN 1304-1:1994-03 entsprechend IEC 60027-1:1992-12: $k = 1{,}380\,658 \cdot 10^{-23}$ J/K (= ↑Joule durch ↑Kelvin).

Wortgeschichte Der Buchstabe *k* wurde 1900 (zusammen mit ↑*h*) von Max PLANCK* in seinem Beitrag „Zur Theorie des Gesetzes der Energieverteilung im Normalspektrum" [1] mit folgenden Worten eingeführt:

> „Nachdem so die stationäre Energieverteilung mit Hilfe der einen Konstante *h* ermittelt ist, findet man die entsprechende Temperatur ϑ in Celsiusgraden [richtig: Kelvingrad] mittels einer zweiten Naturkonstanten $k = 1{,}346 \cdot 10^{-16}$ (erg/grd) durch die Gleichung: $1/\vartheta = k\,(\,d \log \mathfrak{R}_0 \,/\, d\,E_0\,)$. Das Produkt $k \log \mathfrak{R}_0$ ist die Entropie des Systems der Resonatoren; sie ist die Summe der Entropien aller einzelnen Resonatoren." [2]

Die Merkhilfe für *k* ist das Wort *Konstante*.

Wortbenutzung 1954: Nach seiner [K. FRÄNZ] Definition hat ein Empfänger die kT_0-Zahl *n*, wenn bei Anschluß an eine Antenne, aus der bei optimaler Ankopplung die Signalleistung $n \times kT_0$ pro Hertz Bandbreite entnommen werden könnte, am ZF-[Zwischenfrequenz]-Ausgang der Störabstand 1:1 entsteht (MEGLA-1954, S. 319); 1965: Die Rauschleistung $kT_0\,\Delta f$ ist die verfügbare Rauschleistung, die ein rauschender Widerstand an einem daran angepaßten, nicht rauschenden Widerstand abgeben würde; T_0 Rausch-Bezugstemperatur 290 ↑Kelvin, Δf Rausch-Bandbreite (Telefunken-1965, S. 210).

Literatur [1] In: Verh. Deutsch. phys. Ges. Berlin, Bd. 2 (1900) S. 237, zit. nach HAAR-1969, S. 107–117; [2] Ebenda, S. 112.

Kalorie — calorie

Worterklärung Ehemals praktizierte Einheit der Wärmemenge, definiert als diejenige Wärmemenge, durch die ein Gramm Wasser bei Atmosphärendruck von 14,5 °C auf 15,5 °C erwärmt wird. Einheitenzeichen: cal. Zeitweise auch: ↑*Wärmeeinheit*.

Wortgeschichte

1 Die ehemals gesetzlichen Einheiten für die Messung von Wärmemengen waren die Kilokalorie (kcal) und die Kilowattstunde (kWh) aufgrund des deutschen „Gesetzes über die Temperaturskale und die Wärmemenge" vom 7. Aug. 1924 mit folgenden Festlegungen:

> „Die Kilokalorie ist diejenige Wärmemenge, durch welche ein Kilogramm Wasser bei Atmosphärendruck von 14,5° auf 15,5° erwärmt wird. Die Kilowattstunde ist gleichwertig dem Tausendfachen der Wärmemenge, die ein Gleichstrom von 1 gesetzlichen Ampere in einem Widerstande von 1 gesetzlichen Ohm während einer Stunde entwickelt, und ist 860 Kilokalorien gleich zu achten" [1]

2 Aufgrund des „Gesetzes über Einheiten im Meßwesen" und § 51 der zugehörigen Ausführungsverordnung durfte die *Kalorie* nur noch bis zum 31. Dez. 1977 verwendet werden. Sie wurde durch die ↑SI-Einheit ↑Joule (J) ersetzt, wobei 1 cal = 4,1868 J entsprechend 1 kcal = 4,1868 kJ ist. [2]

3 Laut WALTENHOFEN gehen die Definition der Erwärmung von 1 kg Wasser von 0 °C auf 1 °C und die Benennung (Fr) *calorie* auf den französischen Experimentalphysiker H.V. REGNAULT* zurück [3], der sie im Jahr 1835 (nach ROBERT-1994) oder 1845 (nach Maxidico) veröffentlicht hat, wobei er das Wort *calorie* von (La) *calor* ›Wärme‹ abgeleitet hat.

4 Nach U. STILLE ist (Fr) *calorie* wahrscheinlich 1852 von den französischen Chemikern P.A. FAVRE und J.T. SILBERMANN [4] geprägt worden.
5 Im Nachlass ihres 1832 verstorbenen Landsmannes Sadi CARNOT* findet sich jedoch die Angabe,

„daß 1 kcal der Arbeit 365 mkp entspreche (kp eine bis vor kurzem gebrauchte Krafteinheit, das Gewicht der Masse 1 kg an der Erdoberfläche, 9,81 N)." [5]

Er verwendete in seinem epochemachendem Buch „Betrachtungen über die bewegende Kraft des Feuers" von 1824 [6] den Begriff »*caloricum*«, der in deutschen Fachtexten als *Wärmestoff* wiedergegeben wurde. Das ließe den Schluss zu, dass CARNOT Definition und Benennung *calorie* gekannt und benutzt hat.
6 Zur messtechnischen Entwicklungsgeschichte der ~ vgl. [7].
Wortfamilie *kalorienarm* »wenig Kalorien«; *Kalorienbombe* »Butterkremtorte«.
Fremdsprachige Entsprechungen
1 Sprachen mit lateinischer Schrift: (En)(Fr) *calorie;* (It) *caloria;* (Pl) *kaloria;* mit anderer Schrift: (Ru) калория /kalorija/; (Zh) /*kălùlĭ*/, in Zusammensetzungen: /*kă*/; (Ja) /*karorī*/.
2 Frühere fremdsprachigeAlternativbenennungen:
cal: (En) *mean calorie,* jetzt: *gramme calorie;* (Fr) *petite calorie;* »kleine Kalorie, jetzt: Grammkalorie«;
Cal: (En) *large calorie,* jetzt: *kilocalorie;* (Fr) *grande calorie,* jetzt: *kilocalorie;* »große Kalorie jetzt: Kilokalorie«.
Literatur [1] In: Reichsgesetzblatt Teil I (1924) Nr. 52, S. 679–670; [2] MEYER, Timm R., Kennzahl 0110 § 51(2) 6c); [3] WALTENHOFEN-1902, S. 97; [4] In: Ann. Chim. (Phys.)(3) Bd. 34 (1852) S. 357, zit. nach STILLE-1961, S. 107; [5] HUND-1996, Teil 2, S. 98; [6] Dt. Ausg., Ostwalds Klassiker der exakten Naturwissenschaften, Bd. 37, Frankfurt am Main: Harri Deutsch, 1995; [7] STILLE-1961, S. 107–115 u. 357–358.

Kanalstrahlen

canal rays

Worterklärung Strahlen von ↑positiv geladenen ↑Ionen, „die durch die Löcher oder ‚Kanäle' einer durchbohrten Kathode einer Entladungsröhre hindurchgehen, also in entgegengesetzter Richtung wie die ↑Kathodenstrahlen verlaufen. Die Farbe des von den ~ ausgesandten Lichtes stimmt mit der sog[enannten] ersten Kathodenschicht überein." [1]
Wortgeschichte Als Eugen GOLDSTEIN 1886 seine Entdeckung beschrieb, fügte er hinzu:

„Bis zur Ermittlung eines passenderen Namens mögen diese Strahlen, die wir nun nicht mehr nach ihrer, von Gas zu Gas wechselnden Farbe benennen können, ‚Canalstrahlen' bezeichnet werden." [2]

Diese Benennung hat sich eingebürgert.
Fremdsprachige Entsprechungen (En) *canal rays, positive rays;* (Nl) *kanaalstralen, positieve stralen;* (Es) *rayos canales;* (Fr) *rayons canaux, rayons positifs;* (It) *raggi canali, raggi positivi;* (Ru) лучи из каналов катода /*luči iz kanalov katoda*/; (Cs) *kanálový paprsek.*
Literatur [1] HERMANN-1987, S. 167; [2] Zit. nach HERMANN-1987, S. 167.

Kapazität

capacitance

Worterklärung Physikalische Größe als Proportionalitätsfaktor zwischen dem das ↑Dielektrikum eines ↑Kondensators durchfließenden Verschiebungsstrom und der zeitlichen Änderung der an den Kondensatorplatten angelegten ↑Spannung. Formelzeichen: C. SI-Einheit: ↑Farad.

Wortgeschichte

1 Das Wort ~ in der Form (It) *capacità* geht auf den italienischen Physiker Alessandro VOLTA* zurück, der 1778 nach dem Experimentieren mit einem ↑Elektrophor darüber einen Aufsatz unter der Überschrift „Sopra la capacità dei conduttori elettrici" ›Über die ~ elektrischer Leiter‹ veröffentlichte. [1]

2 J. WALLOT* weist daraufhin, dass es treffender wäre, statt von der „~ des Kondensators" eher von der „~ des Dielektrikums" zu sprechen. Damit soll nicht gesagt sein, dass das Dielektrikum als solches schon eine Kapazität hätte. Die ~ kann erst angegeben werden, wenn bekannt ist, wo der Verschiebungsstrom ein-und wo er austritt. [2]

3 Es ist weiterhin zu beachten, dass die Aufnahmefähigkeit von ↑Akkumulatoren fachsprachlich auch ~ genannt wird, womit die Elektrizitäsmenge in Amperestunden (Ah) gemeint ist. [3]

Wortbenutzung 1902: Die Capacität eines isolirten Leiters A wird erhöht, wenn man einen anderen Leiter B (oder mehrere andere Leiter) in seine Nähe bringt (WALTENHOFEN-1902, S. 45); 1922: Wir berechnen zunächst die Kapazität einer symmetrischen Drehstromfreileitung vom Drahthalbmesser *r* cm und dem Drahtabstand *a* cm (THOMÄLEN-1922, S. 216); 1959: Ebenso wie bei Induktivitäten ist bei der Kapazität die allgemeine Ableitung von Kapazitätsformeln nur in bestimmten Fällen einfach (MOELLER/WERR-1959, S. 156); 1998: Durch die Gegenphasigkeit der Ausgangsspannung gegenüber der Eingangsspannung tritt bei hohen Frequenzen über die parasitäre Kapazität zwischen Kollektor und Basis (MILLER-Kapazität) eine Gegenkopplung auf (KORRIES-1998, S. 293).

Wortfamilie

1 Zusammensetzungen mit *Kapazitäts-* als Bestimmungswort: *Kapazitätsänderung, kapazitätsarm, ~ausgleich, ~belag, ~bereich, ~dekade, ~diode, ~-Eichkurve, ~ersatzschaltbild, ~faktor, ~formel, kapazitätsfrei (-gerade, -linear, -los), ~glied, ~konstante, ~kopplung, ~leitung, ~messer, ~messbrücke, ~messgerät, ~messung, ~normal, ~prüfung, ~schwankung, ~symmetrie, ~teiler, ~toleranz, ~unsymmetrie, ~verlauf;*

2 Zusammensetzungen mit *-kapazität* als Grundwort: *Abgleichkapazität, Abstimm~, Anfangs~, Anoden~, Anoden-Gitter-~, Anoden-Kathoden-~, Antennen~, Ausgangs~, Ausgleichs~, Belastungs~, Bemessungs~, Betriebs~, Dach~, Diffusions~, Eigen~, Eingangs~, Elektroden~, End~, Erd~, Fußpunkt~, Gegen~, Gehäuse~, Gesamt~, Gitter~, Gitter-Anoden-~, Hand~, Isolator~, Kabel~, Kalt~, Klemmen~, Koppel~, Kopplungs~, Körper~, Leitungs~, Nenn~, Netz~, Neutralisations~, Null~, Parallel~, Quer~, Raumladungs~, Regel~, Rest~, Röhren~, Röhrendurchgriffs~, Schalter~, Schalt(ungs)~, Schein~, Schirm~, Serien~, Sperrschicht~, Spulen~, Stoß~, Streu~, System~, Teil~, Trimmer~, Wicklungs~, Zusatz~;*

3 Wortableitung: *kapazitv.*

Fremdsprachige Entsprechungen (En) *capacitance,* (veraltet:) *capacity;* (Nl) *capaciteit;* (Sv) *kapacitans;* (Es) *capacidad;* (Fr) *capacité;* (It) *capacità;* (nGr) χωρητικότητα */hōrētikótēta/;* (Ru) емкость */emkost'/;* (Pl) *pojemność;* (Cs) *kapacita;* (Ja) */seidenyōryō/.*

Literatur [1] Mailand 1778, Philos. Trans. Bd. 72 (1782), zit. nach FRAUNBERGER-1985, S. 173; [2] WALLOT-1944, S. 31; [3] WARNER/ORTH-1984, S. 323.

Kathode

cathode

Worterklärung Alternativbenennung für ↑*negative* ↑*Elektrode,* d.h. Bauteil, durch das ein elektrischer ↑Strom ein anderes Medium verlässt.

Wortgeschichte Das Wort ~ geht auf den englischen Chemiker und Physiker Michael FARADAY* zurück, der 1834 ein elektrochemisches Begriffssystem aufbaute. Dazu schreibt er:

„[Aus dem Stichwort ↑*Anode* gilt das Zitat bis:] Auf Grund dieser Vorstellung schlagen wir nun vor, die östliche Fläche als *Anode*²) und die westliche als *Kathode*³) zu bezeichnen. […] Die *Kathode* ist die Fläche, an welcher der Strom den zu zersetzenden Körper verlässt, ist dessen *positives* Ende; an ihr werden brennbare Körper, Metalle, Alkalien und Basen abgeschieden, und sie ist mit der negativen Elektrode in Berührung.“ „²) ἄνω */ánō/* ›aufwärts‹, und ὁδός */hodós/* ›Weg‹; der Weg vom Sonnenaufgang. ³) κατα */kata/* ›abwärts‹, und ὁδός */hodós/* ›Weg‹; der Weg zum Sonnenuntergang.“ [1]

Ursprünglich benutzte FARADAY die Benennung *Exode,* bevor er zu *Kathode* wechselte. [2] Von ↑„FARADAYS terminologischer Genauigkeit“, die für die Elektrochemie zugeschnitten war, profitierten später insbesondere die Technik der Elektronenröhren (↑Röhre, ↑-ode) und die ↑Elektronik, was aus der Liste der Wortfamilie zu ersehen ist. Nach 1945 entfiel im deutschen Schrifttum das (*h*) zwar bei den Röhrentypen *Pentode, Heptode* und *Oktode* (↑-ode), jedoch nicht allgemein bei *Kathode,* da man mit der englischen Schreibweise *cathode* gleichziehen wollte. Eine Schriftform (En) *catode* hätte in der englischen Aussprache eine zu große Umstellung verlangt.

Wortbenutzung 1901: Vor der Wägung ist die Kathode zunächst mit chlorfreiem destillirten Wasser zu spülen, […] Die Kathode wird warm getrocknet (Reichs-Gesetzblatt [3]); 1922: Auch der Wasserstoff wandert mit dem Strom zur Kathode, er ist also zu den Metallen zu rechnen (THOMÄLEN-1922, S. 18); 1978: Die freie Bahn für die Elektronen, auf der sich ihre Beschleunigung auswirken kann, ist der quasi-luftleere Raum (10^{-6} bis 10^{-7} mbar) zwischen Kathode und Anode in der Röntgenröhre (HOXTER [4]).

Wortfamilie

1 Zusammensetzungen mit *Kat(h)oden-* als Bestimmungswort: *Kathodenableitung, ~abnutzung, ~aktivierung, ~anheizzeit, ~-Anoden-Kapazität, ~anschluss, ~ausbildung, ~basisschaltung, ~basisverstärker, ~besprühung, ~besprühungsrahmen, ~bild, ~brummen, ~drossel, ~dunkelraum, ~erholung, ~fall, ~fallableiter, ~fläche, ~fleck, ~folger, ~folgeschaltung, ~formierprozess, ~formierung, ~gebiet, ~gegenkopplung, ~heizdauer, ~heizung, ~kanal, ~kondensator, ~kopplung, ~kreis, ~kurzschlussstrom, ~lumineszenz, ~modulation, kathodennahe, ~oberfläche, ~oszillograph, ~potenzial, ~raum, ~rauschen, ~röhrchen, ~röhre, ~rückbildung, ~rückkopplung, ~saum, ~schicht, ~schutz, ~spannung, ~spannungsabfall, ~stange,* ↑*~strahl, ~strahlablenkung, ~strahlbündel, ~strahlfleck, ~strahlintensität, ~strahlmessung, ~strahloszillogramm, ~strahloszillograph, ~strahlröhre, ~strom, ~stromdichte, ~tastung, ~umwandlung, ~vergiftung, ~verstärker, ~widerstand, ~zerstäubung, ~zuleitung;*

2 Zusammensetzungen mit *-kathode* als Grundwort: *Antikathode, Äquipotenzial~, Aufheiz~, Barium~, Bariumoxid~, Blei~, Feldemissions~, Flach~, Gleichrichter~, Glüh~, Heiz~, Hilfs~, Hochstrom~, Hohl~, Kalt~, Kupfer~, Magnesiumoxid~, Matrix~, Metall~, Mutter~, Netz~, Oxid~, Quecksilber~, Reinmetall~, Reinmolybdän~, Schicht~, Sekundäremissions~, Sinter~, Spritz~, Tunnel~, Vorrats~, Wolfram~, Zäsium~;*

3 Wortableitung: *kathodisch.*

Fremdsprachige Entsprechungen (En) *cathode;* (Nl) *kathode;* (Sv) *katod;* (Es) *cátodo;* (Fr) *cathode* (1838, ROBERT-1994); (It) *catodo;* (Ru) катод */katod/;* (Pl)(Cs) *katoda;* (Zh) */yīnjí/;* (Ja) */kasōdo, inkyoku/.*

Literatur [1] FARADAY (KALISCHER)-1889, Bd. 1, S. 178–179, § 663; [2] LEMMERICH-1991, S. 142; [3] Bestimmungen zur Ausführung des Gesetzes betreffend die elektrischen Maßeinheiten. In: Reichs-Gesetzblatt Nr. 16 (06.05.1901) S. 127–129, hier S. 128; [4] HOXTER, Erwin A.: Röntgenaufnahmetechnik. 12. Aufl., Berlin; München: Siemens, 1978. 232 S., hier S. 38.

Kathodenstrahlen

cathode rays

Worterklärung Strahlen von ↑Elektronen, die in einer Vakuumröhre oder Gasentladungsröhre von der Glühkathode (↑Kathode) zur ↑Anode wandern.

Wortgeschichte Die ~ wurden 1859 vom deutschen Physiker Julius PLÜCKER (1801–1868) entdeckt. Ihre Haupteigenschaften wurden von dessen Schüler Johann Wilhelm HITTORF (1824–1914), der sie „Strahlen des Glimmens" nannte, sowie von dem Engländer CROOKES* untersucht. Das Wort ~ wurde erst 1876 vom in Berlin und Potsdam arbeitenden Physiker Eugen GOLDSTEIN* geprägt. [1]

Wortbenutzung 1892: Ueber den Durchgang von Kathodenstrahlen durch dünne Metallschichten (HERTZ*, Heinrich [2]); 1895: Ich komme deshalb zu dem Resultat, dass die X-Strahlen nicht identisch sind mit den Kathodenstrahlen (RÖNTGEN* [3]); 1906: Über Kathodenstrahlen. Nobel-Vorlesung (LENARD, Philipp [4]); 1957: Moderne Hochleistungs-Katodenstahloszillografen (HAASE, W. [5]).

Wortfamilie *Kathodenstrahlen, Kathodenstrahloszillograph, Kathodenstrahl(en)röhre.*

Fremdsprachige Entsprechungen (En) *cathode rays;* (Nl) *katodestralen;* (Es) *rayos catódicos;* (Fr) *rayons cathodiques;* (It) *raggi catodici;* (Ru) катодные лучи */katodnye luči/;* (Cs) *katodový paprsek.*

Literatur [1] SCHIMANK, H., in: Phys Bl. Bd. 20 (1964) S. 571–577, hier S. 574; [2] In: Ann. Phys. Bd. 45 (1892) S. 28–32, zit. nach FÖLSING-2002, S. 359; [3] Zit. nach S. 8 des Faksimiles in: OTREMBA/GERLACH-1970, S. 42; [4] Leipzig 1906, zit. nach FÖLSING-2002, S. 368; [5] In: Deutsche Elektrotechnik Bd. 11 (1957) S. 462–468.

Kation ↑Ion

Kelvin

kelvin

Worterklärung Gesetzliche Einheit der thermodynamischen Temperatur im Internationalen ↑Einheitensystem (SI) als 5. Basiseinheit; Einheitenzeichen: K.

Wortgeschichte

1 Durch das „Gesetz über Einheiten im Meßwesen" vom 22. Feb. 1985 in Verbindung mit der „Einheitenverordnung" vom 13. Dez. 1985 gilt die in DIN 1301 Teil 1, Ausg. Dez. 1993, wiedergegebene Definition:

„Das Kelvin, die Einheit der thermodynamischen Temperatur, ist der 273,16. Teil der thermodynamischen Temperatur des Tripelpunktes des Wassers." [1]

Es handelt sich hierbei um die Übernahme der von der 13. Generalkonferenz für Maß und Gewicht (↑CGPM) 1967 festgelegten Definition. Der Tripelpunkt des Wassers ist

der Punkt des Gleichgewichts zwischen fester, flüssiger und gasförmiger Phase. Er liegt rund 1/100 °C über dem nicht gut definierten Eispunkt und zeichnet sich durch die Einfachheit seiner experimentellen Realisierung. Aufgrund der Ratsrichtlinie 80/181/EWG vom 20. Dez. 1979 gilt die Definition auch in der Europäischen Union.
2 Bis 1970 galt das deutsche „Gesetz über die Temperaturskale und die Wärmeeinheit" vom 7. Aug. 1924 mit folgender Festlegung:

„§ 1. Die gesetzliche Temperaturskale ist die thermodynamische Skale mit der Maßgabe, daß die normale Schmelztemperatur des Eises mit 0° und die normale Siedetemperatur des Wassers mit 100° bezeichnet wird. Die Physikalisch-Technische Reichsanstalt hat diese Temperaturskale festzulegen und bekanntzumachen." [2]

3 Im Jahre 1923 berichtet W. GERLACH*, dass die absoluten Einheiten statt in °*abs.* [= Grad absolut] auch in „K" nach Lord KELVIN geschrieben werden, d.h. ohne Gradzeichen. [3]
4 Kurz nach dem Tod von Lord KELVIN wurde in den USA vorgeschlagen, den Einheitennamen *Kilowattstunde* durch ~ zu ersetzen. Die US Army Signal School in Kansas beschloss, diesen Vorschlag zu unterstützen. [4]
Wortfamilie *Kelvin-Grad* (: veraltet), *Kelvin-Skala, Millikelvin.*
Fremdsprachige Entsprechungen Sprachen mit lateinischer Schrift: *kelvin*; mit anderer Schrift: (nGr) κέλβιν /*kélbin* [Aussprache: 'kelvin]; (Ru) кельвин /*kel'vin*/; (Ja) /*kerubin*/.
Zur Person Diese Basiseinheit wurde zu Ehren von Lord KELVIN benannt, der als William THOMSON 1824 geboren wurde, als Physiker die absolute Temperatur einführte, wichtige Gesetzmäßigkeiten der Thermodynamik und der ↑Telegraphie erforschte, 1866 zu Sir William THOMSON geadelt wurde. 1884 wurde er Mitglied des preußischen Ordens *Pour le mérite* Friedensklasse. Die Britische Krone verlieh ihm 1892 die Würde eines „Peer of United Kingdom" mit dem Titel „Baron KELVIN OF LARGS". Diesen Namen hatte er sich selbst ausgewählt: KELVIN hieß das Flüsschen im Park der Universität Glasgow, an dem er so gern spazieren ging. In LARGS, unweit von Glasgow, besaß er ein kleines Schloss, auf das er sich im Alter von 75 Jahren zurückzog. Er starb 1907. [5]
Biographien SUHLING, Lothar in: HERMANN-1987, S. 377–378; SCHREIER, W. in: WUSSING-1992; JÄGER, K. in: JÄGER-1996, S. 378–379; WIEDERKEHR, Karl Heinrich, in KRAFFT-2003, S. 403–404.
Literatur [1] DIN 1301-1:1993-12, Anhang A; VOLKMANN-1998, S. 162–167; SACKLOWSKI/DRATH-1986, S. 63–90; [2] In: Reichsgesetzblatt Teil I (1924) Nr. 52, S. 679–680; [3] GERLACH-1923, S. 62; [4] In: etz Bd. 29 (1908) S. 679; [5] SCHWENK-1993, S. 100–109.

Kenetron

kenetron

Worterklärung Zweipolige Elektronenröhre (↑Diode, ↑Röhre) bestehend aus Glühkathode (↑Kathode) und ↑Anode.
Wortgeschichte Laut A. HUND* und A. KLOSS schloss 1915 der aus Russland stammende Ingenieur S. DUSHMAN* bei der amerikanischen Firma General Electric Company die Entwicklung des ~ ab. HUND schreibt darüber:

„der Kenetron (Bi-Elektrodenapparat, glühende Kathode und Anode) [...] Der Kenetron dient als einfacher Gleichrichter [...] Die Bezeichnung ‚*Kenetron*' wurde von dem griechischen Wort ‚kenos' leerer Raum (Vakuum) entnommen, die Endung ‚tron' besagt, daß wir es mit einer Anwendung, d.h. Instrument zu tun haben. [...] Die Bezeichnungen, Pleiotron und Kenotron [so im Original], wurden ferner zum Unterschied der, von anderen Forschern entwickelten Elektronapparaten, die kein hochgradiges Vakuum voraussetzen, eingeführt." [1][2]

Literatur [1] HUND-1916, S. 528–529; [2] KLOSS-1990, S. 187, spricht von *Kenotron;* CHAMBERS-1975, S. 652, dagegen von *kenetron.*

Kennelly-Heaviside-Schicht

Kennelly-Heaviside layer

Worterklärung Eine der elektrisch leitenden Schichten in der höheren Atmosphäre. An dieser 80 bis 90 km über der Erd- und Wasseroberfläche hohen Schicht werden elektromagnetische Wellen geleitet oder reflektiert. ↑Ionosphäre (E1-Schicht).

Wortgeschichte

1 Vermutungen über die elektrisch leitende Schicht stellten 1902 unabhängig voneinander an: der Amerikaner A. E. KENNELLY* und der Brite O. HEAVISIDE*:

2 In einem am 13.03.1902 erschienenen Aufsatz schreibt KENNELLY:

„Aus wohlbekannten Beobachtungen kann man schließen, daß die Wellen der drahtlosen Telegraphie bei ihrer Ausbreitung durch den Äther und die Atmosphäre über der Oberfläche des Meeres an dieser elektrisch leitenden Oberfläche zurückgeworfen werden. Auf Wellen, die nur über eine kurze Strecke übertragen werden, kann die leitende Schicht in der oberen Atmosphäre nur einen geringen Einfluß haben. Dagegen muß man annehmen, daß die Wellenausbreitung über Strecken, die 80 km erheblich überschreiten, auch beeinflußt wird von der reflektierenden Oberfläche der elektrisch leitenden, verdünnten oberen Luftschicht." [1]

3 In seinem im Juni 1902 verfassten Beitrag für die „Encyclopaedia Britannica" sagt HEAVISIDE:

„Möglicherweise ist in der oberen Atmosphäre eine Schicht von hinreichender elektrischer Leitfähigkeit vorhanden. Falls dies zutrifft, werden sich die Wellen mehr oder weniger auch an dieser Schicht fangen. Dann geschieht also die Führung an der Meeresoberfläche einerseits und an der oberen Schicht anderseits." [2]

4 In der Glückwunschadresse zu KENNELLYS 70. Geburtstag am 17.12.1931 kommt K.W. WAGNER* zum Schluss:

„Die wellenleitende ionisierte Schicht wird vielfach ‚Heaviside-Schicht' genannt, nach einer Stelle in dem von Oliver HEAVISIDE für die Britische Enzyklopädie verfaßten Artikel über den elektrischen Telegraphen. Der betreffende Band ist am 19. Dez. 1902 erschienen. Der Artikel wurde nach Angaben des Verfassers im Juni 1902 niedergeschrieben, also ein Vierteljahr nachdem KENNELLYS Aufsatz erschienen war. Die Gerechtigkeit gebietet daher, die für die Wellenausbreitung bedeutungsvolle ionisierte Atmosphärenschicht als ‚KENNELLY-HEAVISIDE-Schicht' zu bezeichnen." [3]

WAGNERS Vorschlag fand allgemeinen Anklang, denn er war durch Sir APPLETONS experimentellen Nachweis von 1924/25 gerechtfertigt.

Wortbenutzung 1935: Für die Rundfunkwellen wirkt die KENNELLY-HEAVISIDE-Schicht (K.H.-Schicht) im wesentlichen wie ein Spiegel (GÜNTHER, H. [4]); 1953: Diese leitende Schicht wurde daher vielfach als KENNELLY-HEAVISIDE-Schicht (K-H-Schicht) bezeichnet (VILBIG, F. [5]); 1954: Sir APPLETON [gelang 1924] zuerst der experimentelle Nachweis und die Höhenbestimmung der KENNELLY-HEAVISIDE-Schicht (HÜTER, W. [6]).

Fremdsprachige Entsprechungen (En) *Kennelly-Heaviside layer;* (Fr) *couche de Kennelly-Heaviside;* (Ru) слой Кеннелли–Хивисайда */sloj Kennelli-Hivisajda/;* (Cs) *Heavisideova vrstva.*

Literatur [1] WAGNER, Karl Willy: Arthur Edwin KENNELLY zu seinem 70. Geburtstage. In: Elektr. Nachrichtentechnik, Bd. 8 (1931) S. 513–516, hier: S. 515; [2] Ebenda, S. 516; [3] Ebenda, S. 514; [4] GÜNTHER, Hanns (Red.): Handbuch der Funk-Technik. Bd. 1. Stuttgart: Franckh, 1935. 226 S., hier S. 101; [5] Lehrbuch der Hochfrequenztechnik. Bd. I. 5. Aufl., Leipzig: Geest & Portig, 1953. 908 S., hier S. 465; [6] HÜTER-1954, S. 508–509.

Keplers Wortschöpfungen — new words by Kepler

Es sei wenig bekannt, dass sich der deutsche Astronom und Mathematiker Johannes KEPLER* für eine deutsche Fachsprache eingesetzt hat, wies der ehemalige Direktor der Remeis-Sternwarte in Bamberg, Ernst ZINNER, in seiner KEPLER-Biographie [1] hin: Die „Geometrie" des EUKLID ins Deutsche zu übersetzen, kündigte KEPLER 1611 wie folgt an:

> „Das wichtigste Ziel erscheint mir die Verdeutschung der Fachwörter. Es ist eine Schande, daß man im Deutschen ‚Parallelen' nicht anders bezeichnen kann. Es wäre Sache der Allgemeinheit, daß die Fachwörter allgemein gebraucht würden und nicht hier so und dort so. Und ich glaube, im zehnten Buch darin Fortschritte gemacht zu haben. Mit dem gleichen Recht, mit dem EUKLID neue Fachwörter in die griechische Sprache eingeführt hat, habe ich einheimische Wörter gesetzt." [2]

Seine Verdeutschungen:

Ei, Linse »Rotationsellipsoid« • *Erbsenhaufen* »Rotationshyperboloid« • *Heuschober* »Rotationsparaboloid« • *Walze, Säule* »Zylinder« • *Schnitz* »Segment« • *Raute* »Rhombus« • *Anstreicher* »Tangente« • *Durchstreicher* »Sekante« • *schwebender Stern* »Planet« • *angehefteter Stern* »Fixstern«; [2]

halbe Senne ↑»Sinus« • *Vierung* »Quadrat« • *ablenger Circkel* ↑»Ellipse«. [3]

Weitere von KEPLER geprägte Wörter: *Weltgebäude, Umkreis, Kegelschnitt, Kreis, Mittelpunkt, Würfel;* [2] *Naturgesetz, Perihel, Aphel* [4] sowie ↑*Fokus* und ↑*Satellit.*

Literatur [1] DGD Bd. 1, S. 503–515; [2] Ebenda, S. 513; [3] KROPP-1994, S. 104; [4] GERLACH, W., in: DGW Bd. 5, S. 533 und 535.

Kerma, die — kerma

Worterklärung Physikalische Größe der Radiologie als Summe der Anfangswerte der kinetischen ↑Energien aller geladenen Teilchen, die von indirekt ionisierender Strahlung (↑Ion) aus dem Material bestimmter Dichte in einem Volumenelement freigesetzt werden. Formelzeichen: *K*. ↑SI-Einheit: Gray (Gy) = ↑Joule/↑Kilogramm = J/kg. [1]

Wortgeschichte Die Benennung ~ wurde 1962 von der ICRU (International Commission on Radiological Units and Measurements) aus den Anfangsbuchstaben von (En) *kinetic energy released in material* ›kinetische Energie im Material freigesetzt‹ gebildet. [1] Das grammatische Geschlecht (Genus) bestimmt sich nach dem tragenden Begriff »energy«, was in der DIN-Norm und von JAEGER [2] beachtet worden ist.

Wortbenutzung 1967: Für indirekt ionisierende Strahlen [...] ist im allgemeinen die Energiedosis *D* verschieden von der Kerma *K* [2]; 1990: Die Summe der beim ersten Stoß übertragenen Energie entspricht dem Kerma [3].

Wortfamilie *Luftkerma, Wasserkerma, Kermaleistung, Kermarate.*

Fremdsprachige Entsprechungen Ⓔⓝ *kerma;* Ⓕⓡ *kerma* (1980, ROBERT-1994: le kerma).
Literatur [1] DIN 6814 Teil 3. Begriffe und Benennungen in der radiologischen Technik; Dosisgrößen und -einheiten, Abschn. 1.4. (Dez. 1985); [2] JAEGER, R.G.: Größen und Einheiten der Radiologie. In: Physikal. Blätter, Bd. 23 (1967) Nr. 3, S. 127–133, hier S. 131; [3] LAUBENBERGER, Theodor: Technik der medizinischen Radiologie. 5. Aufl., Köln: Dt. Ärzte-Verlag, 1990. 664 S., hier S. 488.

Kernleitwert transfer admittance

Worterklärung Physikalische Größe (↑Leitwert), definiert als Quotient des Kurzschluss-Ausgangsstroms eines ↑Vierpols zu seiner Eingangsspannung.
Wortgeschichte Zur Begriffsgeschichte vgl. ↑Kernwiderstand.
Wortbenutzung 1944: In ähnlicher Weise definiert man den *Kernleitwert L* als die reziproke Größe zu *B* (OBERDORFER [1]); 1970: Man nennt derartige Leitwerte *Kopplungsleitwerte, Kernleitwerte* oder *Übertragungsleitwerte* (KLEIN-1970, S. 20).
Fremdsprachige Entsprechungen Ⓔⓝ *transfer admittance;* Ⓝⓛ *overdrachtsadmittantie;* Ⓔⓢ *admitancia de transferencia;* Ⓕⓡ *admittance de transfert;* Ⓘⓣ *ammettenza di trasferimento.*
Literatur [1] OBERDORFER, Günther: Lehrbuch der Elektrotechnik. Bd. 2. München; Berlin: Oldenbourg, 1944. 414 S., hier S. 326.

Kernphysik nuclear physics

Worterklärung Teilgebiet der ↑Physik, das sich mit Atomkernen und ihrem Aufbau befasst.
Wortgeschichte Begriff und Benennung ~ gehen auf den deutschen Chemiker Otto HAHN* zurück, der ~ in seinem Brief vom 21. Dez. 1938 an seine ehemalige Mitarbeiterin Lise MEITNER benutzt:

„Als der Physik in gewisser Weise nahestehende ‚Kernchemiker' können wir uns zu diesem allen bisherigen Erfahrungen der Kernphysik widersprechenden Sprung noch nicht entschließen." [1]

Wortbenutzung 1958: Lehrbuch der Kernphysik (HERTZ, G., Leipzig); 1959: Theoretische Kernphysik (BLATT, J.M., Leipzig); 1963: Grundbegriffe der Kernphysik (BRAUNBECK, W., München); 1964: Wörterbuch der Kernphysik u. Kernchemie (RAU, H., Wiesbaden).
Literatur [1] GERLACH/HAHN-1984, S. 91.

Kernspaltung nuclear fission

Worterklärung Teilung eines Atomkerns in zwei oder mehr Teilchen (Nukleide) durch schnelle ↑Neutronen, wobei hohe ↑Energie freigesetzt wird. ↑Uran.
Wortgeschichte
1 Der deutsche Chemiker Otto HAHN* sprach eigentlich vom *Zerplatzen schwerer Kerne.* Auf dem Umwege über eine ins Englische übersetzte Pressenotiz, wo Ⓔⓝ *fission* ›Spaltung‹ die Kernaussage war, kam *Kernspaltung* auf. Im Einzelnen lautet die Geschichte:
2 Am 22. Dez. 1938 reichen O. HAHN und sein Assistent Fritz STRASSMANN (1902–1980) ein Manuskript „Über den Nachweis und das Verhalten der bei der Bestrahlung des Urans mittels Neutronen entstehenden Radium-Isotope" bei der Redaktion der „Naturwissenschaften" ein. [1]

3 Im Brief vom 28. Dez. an seine ehemalige langjährige Kollegin, die österreichische Physikerin Prof. Lise MEITNER (1878–1968), schreibt HAHN:

„[...] Und nun kommt meine neue Phantasie! Wäre es möglich, daß das Uran 239 zerplatzt in ein Barium und ein Masurium, 138 + 101 gäbe 239." [2]

4 Am 1. Jan 1939 antworten L. MEITNER und ihr in Kopenhagen lebender Neffe, der österreichische Physiker Otto Robert FRISCH (1904–1979), gemeinsam auf das an die Redaktion „Naturwissenschaften" geschickte Manuskript:

„[...] vielleicht ist es energetisch doch möglich, daß ein so schwerer Kern zerplatzt." [3]

5 Anschließend verfasst FRISCH gemeinsam mit MEITNER eine Notiz für die englische Zeitschrift „Nature". Darin wird *‚Zerplatzen'* definiert als „Aufteilung in zwei etwa gleichgroße Stücke, wobei die eine Hälfte ein paar Neutronen mehr oder weniger kriegt." In der veröffentlichten englischen Fassung heißt es *fission* ›Spaltung‹, was dann allgemein in *Uranspaltung, Kernspaltung* angenommen wird. [4]

Wortbenutzung von O. HAHN und F. STRASSMANN: 1939: Uranspaltung; Zerplatzen des Urans; Zerplatzen des Thoriums; Zerplatzen des Urankernes; Kernspaltung des Urans (HAHN); 1940: Spaltprodukte; Uranspaltung; Zerspaltung des Urans; 1941/1944: Uranspaltung; von O. HAHN: 1945/1946: Zertrümmerung des Atomkerns; 1948: künstliche Zerspaltung (des Urans) [5].

Fremdsprachige Entsprechungen (En) *nuclear fission;* (Nl) *kernsplijting;* (Sv) *(kärn)klyvning, fission;* (Es) *fisión nuclear;* (Fr) *fission nucléaire* (1939, ROBERT-1994); (It) *fissione nucleare;* (Ru) ядерное деление /*jadernoe delenie*/; (Pl) *rozszczepienie jądra.*

Literatur [1] GERLACH/HAHN-1984, S. 90; [2] Ebenda, S. 92; zur Mitwirkung von L. MEITNER ab S. 30; ihre Biographie auch in: JORDAN/LENZ-1994, S. 122–123; MEYENN-1997, Bd. 2, S. 210–226; FISCHER-2000, S. 304–318; [3] GERLACH/HAHN-1984, S. 94; [4] Ebenda, S. 95; [5] Ebenda, S. 230–235.

Kerntransformator

core-type transformer

Worterklärung ↑Transformator, bei dem die Primär- und die Sekundärwicklung von je einem eigenen Eisenblechpaket-Schenkel (Eisenkern) aufgenommen werden, die durch Joche magnetisch verbunden sind.

Wortgeschichte Laut Th. BÖDEFELD und H. SEQUENZ wurde 1887 die Benennung ~ vom österreichisch-schottischen Elektromaschinen-Ingenieur Gisbert KAPP* geprägt. [1]

Wortbenutzung 1922: Der Transformator wird entweder als Kerntransformator oder als Manteltransformator gebaut (THOMÄLEN-1922, S. 235); 1943: Abb. 185 zeigt den allgemeinen Aufbau eines Kerntransformators für Drehstrom (KOSACK-1943, S. 153).

Fremdsprachige Entsprechungen (En) *core-type transformer;* (Nl) *kerntransformator;* (Sv) *kärntransformator;* (Es) *transformador de columnas, transformador de núcleo;* (Fr) *transformateur à colonnes, transformateur à noyau;* (It) *trasformatore a nocciolo, trasformatore a colonne;* (Ru) трансформатор с сердечником /*transformator s serdečnikom*/; (Pl) *transformator rdzeniowy;* (Cs) *jádrový transformátor.*

Literatur [1] BÖDEFELD, Theodor; SEQUENZ, Heinrich: Elektrische Maschinen. 4. Aufl., Wien: Springer, 1949. 489 S., hier S. 449.

Kernwiderstand

transfer impedance

Worterklärung Physikalische Größe (↑Widerstand), definiert als Quotient der Leerlauf-Ausgangsspannung eines ↑Vierpols zu seinem Eingangsstrom.

Wortgeschichte In einer Würdigung aus Anlass der Verleihung der Siemens-Stephan-Platte an Julius WALLOT* am 18.03.1937 durch den VDE Berlin-Brandenburg wird hervorgehoben:

„Die Theorie der elektrischen Netzwerke verdankt ihm die Einführung des Kernwiderstandes und des Kernleitwertes sowie eine algebraische Vierpoltheorie." [1]

In der ersten Auflage seines berühmten Werks „Einführung in die Theorie der Schwachstromtechnik" (1932) schreibt WALLOT:

„Der Leitwert *C* ist eine Kerngröße; wir nennen seinen reziproken Wert *M* den ‚Kernwiderstand'. [Denn] die Koeffizienten *B* und *C* können wir uns als im Innern, im ‚Kern' des Vierpols, sitzend vorstellen." [2]

Wortbenutzung 1944: Man bezeichnet die reziproke Größe $M = 1/C$ als den *Kernwiderstand* des Vierpols (OBERDORFER-1944, Bd. 2, S. 326); 1953: Der Kernwiderstand entspricht somit etwa der Gegeninduktivität *M* des Transformators (VILBIG-1953, S. 311); 1976: Ausgehend von den allgemeinen Beziehungen für den komplexen Kernwiderstand $\underline{M}$ [...] (WARNER [3]).

Fremdsprachige Entsprechungen (En) *transfer impedance*; (Nl) *overdrachtsimpedantie*; (Es) *impedancia de transferencia*; (Fr) *impédance de transfert*; (It) *impedenza di trasferimento.*

Literatur [1] In: etz Bd. 58 (1937) S. 336; [2] Berlin: Springer, 1932. 331 S., hier S. 105 bzw. 104. Die Formelzeichen *B* und *C* sind Frakturbuchbstaben; [3] WARNER, Alfred: Graphische Berechnung der Vierpol-Parameter. In: Nachrichtentechn. Z. Bd. 29 (1976) S. 523–524.

Kil (Kil) ↑AEF-Einheitensystem

Kilo-

kilo-

Worterklärung ↑Vorsatz (Präfixoid) zum Bezeichnen des Tausendfachen (10^3 oder 1000) einer ↑SI-Einheit. ↑Vorsatzzeichen: k.

Wortgeschichte

1 ~ leitet sich von (Gr) χίλιοι /*chílioi*/ ›1000‹ ab.

2 Nach der Einführung des *mètre* und seiner dezimalen Unterteilungssilben *déci-*, *centi-* und *milli-* in Frankreich durch Gesetz vom 1. Aug. 1793 wurde knapp zwei Jahre danach durch Gesetz vom 18. Germinal des Jahres III (7. April 1795) das metrische System um die Vervielfachungssilben *myria-*, *kilo-*, *hecto-* und *déca* erweitert. 1889 wurde die Übernahme dieser Einheiten in die Meterkonvention von der 1. Generalkonferenz (↑CGPM) beschlossen und 1960 von der 11. Generalkonferenz erneuert.

3 Zur altsprachlichen Bewertung von *Kilo-* und *Hekto-* äußert sich in seinem Bericht über die Messung des Meridianbogens zwischen Dünkirchen und Barcelona von 1792 bis Ende 1798 J.B.J. DELAMBRE als einer der beiden verantwortlichen Geodäten wie folgt:

„Der Vorwurf der Barberei, den man manchen Bezeichnungen macht, ist nicht so schlimm. Er bezieht sich hauptsächlich auf *Hekto* und *Kilo*. Ich behaupte auch nicht, als Vater dieser Bezeichnung zu gelten, an der wir, wie man weiß, keinen Anteil haben. Ich will auch nicht abstreiten, daß diese Worte das Ohr eines Hellenisten beleidigen. Aber wohin wäre man gekommen, wenn man *Hekatommeter*, entsprechend dem Griechischen gesagt hätte, wo man sagt: ἑκατόμπους /*hekatómpoys*/, ἑκατόμπυλος /*hekatómpylos*/, ἑκατόμβοιος /*hekatómboios*/, [...]; der tägliche Gebrauch hätte wohl endlich zweifellos einen Teil des Wortes entfernt, das man zu lang gefunden hätte, und man hätte es damit barbarischer gemacht, als es jetzt ist. Man hat über *Kilo* an Stelle von *Chilio* gelacht; aber, abgesehen davon, daß K an die Stelle von Ch gesetzt ist, um einer fehlerhaften Aussprache vorzubeugen, ist χίλοι /*chíloi*/ das poetische Wort für χίλιοι /*chílioi*/" [1].

4 Noch 100 Jahre danach wurde auch im deutschen Sprachraum Kritik an der Terminologie des metrischen Systems geübt. So äußert sich Rudolf Hildebrand 1920 in seinem Buch „Vom deutschen Sprachunterricht in der Schule" wie folgt:

„Ich kann leider nicht umhin, auch die Meterwirtschaft in diesem erneuten französischen Luftzuge stehen zu sehen (sprachlich und sachlich): *Metermaß*, *Kilometer*, *Hektar* usw., sprachlich volle Barberei. [...] Jenes barbarisch verhunzte Griechisch ist einer philologischen Nation, wie wir doch sind, sehr unwürdig. Auch Treitschke brandmarkte es im April 1880 im Reichstag, es sei nicht französisch und nicht lateinisch, er nannte es jakobinisch". [2]

5 Für elektrische Einheiten sind die Vorsätze *„Kilo-*, *Mega-* (*Meg*), *Mikro-* (*Mikr*) und *Milli-*" – jedoch ohne Vorsatzzeichen – durch die „Bestimmungen" vom 6. Mai 1901 (Reichsgesetzblatt S. 127) zur Ausführung des „Gesetzes betreffend die elektrischen Maßeinheiten" vom 1. Juni 1898 (Reichsgesetzblatt S. 905) eingeführt worden. Durch das „Gesetz über Einheiten im Meßwesen" vom 2. Juli 1969 (BGBl. I S. 707) wurden sie vollständig in deutsches Recht eingeführt.

6 Zuweilen wird dem niederländischen Metrologen J.H. van Swinden* die Urheberschaft über diese Vorsätze zugeschrieben [3], was aber nicht zutreffen kann, da er auf Einladung der französischen Regierung erst in der Schlussphase der Messung des Meridianbogens 1798 zur Überprüfung der geodätischen Messdaten hinzugezogen worden ist. [4]

Fremdsprachige Entsprechungen Sprachen mit lateinischer Schrift: *kilo-*, außer (It) *chilo*; mit anderer Schrift: (nGr) χιλιο /*chilio*/; (Ru) кило /*kilo*/ (Vorsatzzeichen: к /*k*/; (Ja) /*kiro*/.

Literatur [1] Delambre-1911, S. 43 u. 46; [2] S. 149 in: 15. Aufl., Leipzig 1920, 238 S.; [3] Alberti-1957, S. 89; Lemmerich-1987, S. 6; [4] Delambre-1911, S. 61–69.

Kilogramm kilogram(me)

Worterklärung Gesetzliche Einheit der ↑Masse im Internationalen ↑Einheitensystem (SI) als 2. Basiseinheit; Einheitenzeichen: kg.

Wortgeschichte Durch das deutsche „Gesetz über Einheiten im Meßwesen" vom 22. Feb. 1985 in Verbindung mit der „Einheitenverordnung" vom 13. Dez. 1985 gilt die in DIN 1301 Teil 1, Ausg. Dez. 1993, wiedergegebene Definition:

„Das Kilogramm ist die Einheit der Masse; es ist gleich der Masse des Internationalen Kilogrammprototyps." [1]

Es handelt sich hierbei um die Übernahme der von der 1. und 3. Generalkonferenz für Maß und Gewicht (↑CGPM) 1889 und 1901 festgelegten Definition, die die Kaiserliche Normal-Aichungs-Kommission in der „Bekanntmachung betreffend den Begriff des Kilogramms" vom 6. Nov. 1889 [2] veröffentlicht hat. Aufgrund der Ratsrichtlinie 80/181/EWG vom 20. Dez. 1979 gilt sie auch in der Europäischen Union.

Fremdsprachige Entsprechungen Sprachen mit lateinischer Schrift: (En) *kilogram;* (Fr) *kilogramme;* (It) *chilogrammo;* (Pl)(Cs) *kilogram;* mit anderer Schrift: (nGr) χιλιόγραμμο /*hiliógrammo*/; (Ru) килограмм /*kilogramm*/ (Einheitenzeichen: кг /kg/); (Ja) /*kiroguramu*/.
Literatur [1] DIN 1301-1:1993-12, Anhang A; VOLKMANN-1998, S. 162–167; SACKLOWSKI/DRATH-1986, S. 63–90. [2] In: Mittheilungen der Kaiserlichen Normal-Aichungs-Kommission, Nr. 10 vom 10. Dez. 1889, S. 123–124.

Kilosin — kilovar

Worterklärung Ehemals praktizierte Einheit der elektrischen Blindleistung (↑Blind-). Einheitenzeichen: kS. Jetzt gültige Einheit: ↑Var.
Wortgeschichte Die Unterkommission des ↑VDE für Sonderzähler schlug 1921 vor, zur Angabe der Blindleistung oder des Blindverbrauchs anstelle von *Blind-Kilovoltampere* die Benennung ~ einzuführen. Stellungnahmen sollten dem VDE zugeleitet werden. [1] Das neue Wort leitet sich von der Gleichung ab: „Blindleistung = Scheinleistung × sin φ," wo φ der Phasenwinkel zwischen Spannung und Strom ist; zu *sin* vgl. ↑Sinus und ↑sin. Die einzige bekannt gemachte Stellungnahme ist der Beitrag „Kilowatt, Kilovoltampere, Blindkilowatt, Blindkilovoltampere, Kilosin, Kilocos" des Einheitenexperten Fritz EMDE*, der sich gegen die Verwendung besonderer Benennungen für dieselbe Einheit wehrt, was eigentlich in der Benennung der physikalischen Größe zum Ausdruck kommen sollte. [2] Die hierzu eingegangenen Leserzuschriften sprachen sich aber für den Vorteil der Kürze aus. [3] Die Annahme des ↑Var durch die ↑IEC bestätigte den Bedarf für die Praxis.
Wortbenutzung 1953: In einer Untersuchung zur Ermittlung des Energieverbrauchs einer Maschinenbaufirma in Hannover wurde die Scheinleistung in kVA, die Wirkleistung in kW und die Blindlast in kS [= Kilosin] angegeben (WARNER, Alfred, nicht veröffentlicht).
Literatur [1] In: etz Bd. 42 (1921) S. 69; [2] In: etz Bd. 45 (1924) S. 1053–1054; [3] Ebenda, S. 1360–1362; etz Bd. 46 (1925) S. 208–209.

Kirchhoff'sche Regeln — Kirchhoff's rules

Worterklärung Gesetzmäßigkeiten zur Berechnung von elektrischen Stromkreisen.
Wortgeschichte
1 Originaltext der vom deutschen Physikstudenten Gustav KIRCHHOFF* (1824–1887) im Jahre 1845 aufgestellten Knotenregel und Maschenregel:

„Wird ein System von Drähten, die auf eine ganz beliebige Weise mit einander verbunden sind, von galvanischen Strömen durchflossen, so ist: 1) wenn die Drähte 1, 2, .. μ in einem Punkte zusammenstossen, $I_1 + I_2 + .. + I_\mu = 0$, wo I_1, I_2, .. die Intensitäten der Ströme bezeichnen, die jene Drähte durchfliessen, alle nach dem Berührungspunkte zu als positiv gerechnet; 2) wenn die Drähte 1, 2, .. ν eine geschlossene Figur bilden, $I_1\,\omega_1 + I_2\,\omega_2 + .. + I_\nu\,\omega_\nu$ .. = der Summe aller elektromotorischen Kräfte, die sich auf dem Wege: 1, 2 .. υ befinden; wo ω_1, ω_2, .. die Widerstände der Drähte, I_1, I_2 die Intensitäten der Ströme bezeichnen, von denen diese durchflossen werden, alle nach einer Richtung als positiv gerechnet." [1]

2 Diese Regeln sind Teil eines als „Anmerkung" bescheidenerweise bezeichneten Anhangs seines allerersten Aufsatzes mit dem Titel „Ueber den Durchgang eines elektrischen

Stromes durch eine Ebene, insbesondere durch eine kreisförmige; vom Studiosus KIRCHHOFF" in Band LXIV, 1845, No. 4 der „Annalen der Physik und Chemie [Poggendorffs Annalen]" veröffentlicht – eine beachtliche Leistung eines 21-jährigen Studenten.
3 Er selbst nennt diese Regeln einen „Satz", die Nr. 1 den „erste[n] Theil dieses Satzes". Andere nennen den Satz „Regeln", wobei Nr. 1 „Knotenregel", Nr. 2 „Maschenregel" genannt wird. Dagegen heißt das von ihm aufgestellte Strahlungsgesetz „KIRCHHOFFsches Gesetz".
Fremdsprachige Entsprechungen Ⓔⓝ *Kirchhoff's laws;* Ⓝⓛ *wetten van Kirchhoff;* Ⓔⓢ *leyes de Kirchhoff;* Ⓕⓡ *lois de Kirchhoff;* Ⓘⓣ *leggi di Kirchhoff.*
Literatur [1] In: Pogg. Annal. Bd. 64 (1845), zit. nach KIRCHHOFF-1882, S. 1–17, hier S. 14–16.

Knackrate

click rate

Worterklärung Die Zahl, die zur Bestimmung des Grenzwertes für diskontinuierliche Störungen verwendet wird, im Allgemeinen die Anzahl der Knackstörungen pro Minute.
Wortgeschichte
1 Als mit der Ausgabe Jan. 1965 der VDE-Bestimmung VDE 0875 die Messung und Beurteilung von Knackstörungen auf eine feste Grundlage gestellt wurde, erhielt die Messgröße »Anzahl der auf die Zeiteinheit bezogenen Knackstörungen« eine kurze Benennung, und zwar *Knackrate.* Diese von A. WARNER* in Fortführung von DIN 5485 „Verwendung der Wörter Konstante, Koeffizient, Zahl, Faktor, Grad und Maß" vorgeschlagene Benennung ist in der Praxis und im Fachschrifttum aufgenommen worden. [1]
2 In wörtlicher Übersetzung von *Knackrate* wird der Fachausdruck *click rate* in englischsprachigen Normen des CISPR (Internationaler Sonderausschuss für Funkstörungen) der ↑IEC und damit auch in der englischen Fassung der Europäischen Norm EN 55014 sowie der „Richtlinie des Rates vom 04.11.1976 zur Angleichung der Rechtsvorschriften der Mitgliedstaaten über Funkstörungen durch Elektro-Haushaltsgeräte [...] (76/889/EWG)" [2] – einer der wenigen Fälle, wo ein deutsches Wort Pate gestanden hat.
Wortbenutzung 1965: VDE 0875/1.65; WARNER-1965, S. 135; 1966: VDE 0875/8.66; 1971: VDE 0875/7.71; 1977: DIN 57875/VDE 0875/06.1977; 1988: DIN VDE 0875 Teil 1/12.1988; 1993: Wird die Knackrate *N* von der Anzahl der Schaltvorgänge abgeleitet, so gilt der Grenzwert als eingehalten [3]; 2001: Die Grenzwerte für diskontinuierliche Störgrößen hängen hauptsächlich von den Eigenschaften der Störgröße und von der Knackrate *N* ab [4].
Literatur [1] LABASTILLE-1991, S. 31; [2] Official Journal of the European Communities, Nr. L 336 (04.12.1976); [3] DIN EN 55014 (VDE 0875 Teil 14):1993-12, § 7.4.2.6; [4] DIN EN 55014-1 (VDE 0875 Teil 14-1):2001-11, § 4.2.1.

Kohärer

coherer

Worterklärung In der Anfangszeit der drahtlosen Telegraphie verwendetes Bauelement, das den Empfang elektromagnetischer Signale ermöglichte. Es handelte sich dabei um ein mit Endkontakten versehenes Glasröhrchen, das der Antenne nachgeschaltet ist und lose Metallspäne enthält. Beim Eintreffen eines Signals haften (= *kohärieren*) die Metallspäne aneinander und betätigen somit einen ↑Telegraphen.

Wortgeschichte

1 Als deutscher Teilnehmer von **Marconis** Ausbreitungsuntersuchungen am 10. Mai 1897 im Bristol-Kanal (England) berichtet Adolf **Slaby*** über dieses Bauelement und seine Benennung:

„**Lodge** scheint zuerst solche Röhren als elektrische Augen zum Studium **Hertz**'scher Strahlen benutzt zu haben. In seinem fesselnden Buche *The Work of Hertz and some of his successors* beschreibt er verschiedene Einrichtungen dieser und ähnlicher Art, welche er schon 1889 benutzt hat. Von ihm stammt auch der Name *‚coherer'*, den er von *cohere* [(La) *cohaere*] ›Kohäriren‹ abgeleitet hat, weil durch die elektrische Bestrahlung eine innigere Verbindung des Metallfeilicht, gleichsam eine Kohäsion bewirkt wird. Man hat für deutschen Gebrauch das häßliche Wort *‚Kohärer'* (richtiger wäre *Kohärirer*) gebildet, das man wohl gerne wieder verschwinden sähe." [1]

2 Technikgeschichtlich orientierte Autoren, wie H. **Anschütz**, E. **Nesper**, K. **Jäger**, W. **Möbus**, A. **Zischka** [2] und allgemeine Lexika [3] schreiben die Erfindung des oben beschriebenen Röhrchens dem französischen Physiker und Funkpionier Édouard **Branley*** zu, sie 1890/1891 gemacht zu haben. Was aber nicht erwähnt wird, ist, dass **Branley** seine Erfindung (Fr) *radioconducteur* nannte. [4] Er selbst äußert sich 1897 zu den Benennungen in einer Fußnote, wie folgt:

„My tubes of filings received the name ‚coherers' from **Lodge** and this name has been generally accepted. The expression is based on an incomplete examination of the phenomenon and on an inaccurate interpretation. I proposed the name ‚radioconductors' which recalls the essential property of discontinuous conductors of being excited by electric radiation. M. **Ducretet** uses my various radioconductors in the apparatus he has constructed to realise ‚Hertzian Telegraphy' without wires." [5]

Laut H. **Drubba** prägte **Branley** *radioconducteur* vermutlich erst 1897, nachdem G. **Marconi** das Bauelement bei seinen Versuchen zur drahtlosen Übertragung eingesetzt hatte. [4] Sir Oliver **Lodge*** dürfte (En) *coherer* 1894 geprägt haben. [6]

Wortbenutzung 1909: Die Körper [Bleiglanz, Schwefelkies, Braunstein] zeigten die erwartete Detectorwirkung, boten aber damals dem Cohärer gegenüber keinen Vorteil (**Braun**-1909, S. 12); 1913: Kohärer, der; -s, - (lat.); Empfangsapparat bei Marconis drahtloser Telegraphie; vgl. Fritttröhre (**Duden**-1913); 1929: Kohärer (Fritttröhre, Funkentel[egraphie]: Empfänger (**Duden**-1929).

Wortfamilie

1 Zusammensetzungen [7]: *Antikohärer, Dreifußkohärer, Kohlenkohärer, Kugelkohärer, Metallstabkohärer, Quecksilberkohärer;*

2 Verdeutschung: ↑Fritter, Fritttröhre.

Fremdsprachige Entsprechungen (En) *coherer;* (Nl) *coherer;* (Sv) *kohär;* (Es)(Pt) *cohesor;* (Fr) *cohéreur* (1890, **Robert**-1994); (It) *coherer;* (Ru) когерер */kogerer/;* (Pl) *koherer.*

Siehe auch ↑Erste Übertragung.

Literatur [1] **Slaby**-1901, S. 15–16; [2] **Anschütz**, H., **Jäger**, K., in: **Jäger**-1996, S. 56 u. 236; **Nesper**-1950, S. 20; **Möbus**-1951, S. 26; **Zischka**-1958, S. 171; [3] Encycl. Brit.-2001 „Lodge"; Microsoft Encarta-Enzykl. 1999 „Lodge"; Petit Larousse, 1962, S. 1222; [4] **Branley**, E.: Variations de conductibilité sous divers influences électriques. In: Compt. Rend. Acad. Sci., Paris, Bd. 111 (Nov. 1890) S. 785–787, zit. nach **Drubba**-1962, S. 1995–1996; [5] **Branley**, E.: Sur la conductibilité électrique des substances conductrices discontinues, à propos de la Télégraphie sans Fils. In: Compt. Rend. Acad. Sci., Paris, Bd. 125 (Dec. 1897) S. 939–942, hier S. 941; Übersetzung: On the electrical conductivity of discontinuous conducting substances. In: The Electrician, Bd. 40 (Dec. 1897) S. 333; beides zit. nach DRUBBA-1962, S. 1995; [6] LODGE, O.: The history of the coherer principle. In: The Electrician, Bd. 40 (Nov. 1897) S. 87–91; zit. nach DRUBBA-1962, S. 1996; [7] JENTSCH, Otto, in: LUEGER-1904/1910, Bd. 8, S. 474–475.

komplexe Zahl
complex number

Worterklärung Summe aus einer reellen Zahl *a* und einer ↑*imaginären Zahl ib, jb*. Beispiel: $a + ib = a + jb$.

Wortgeschichte Der deutsche Astronom und Mathematiker Carl Friedrich GAUSS* (↑Gauß) führte als erster die ~ in die Zahlentheorie ein, und zwar in seiner lateinisch verfassten „Theoria residuorum biquadraticorum" ›Theorie der biquadratischen Reste‹ (1831). [1] Durch sein Ansehen wurden so die imaginären und die 1831 von ihm benannten ~ ein unbestrittener Bestandteil der Mathematik. [2] Als er den zusammenfassenden Ausdruck ~ noch nicht verwendete, nannte er das Ganze ↑*imaginäre Zahl,* wie es aus einem Brief an den deutschen Astronomen und Mathematiker Friedrich Wilhelm BESSEL (1784–1846) vom 18. Dez. 1811 hervorgeht:

„Zuvörderst würde ich jemand, der eine neue Function in die Analyse einführen will, um eine Erklärung bitten, […] ob er meinem Grundsatze beitrete, dass man in dem Reiche der Grössen die imaginäre $a + b\sqrt{-1} = a + bi$ als gleiche Rechte mit den reellen geniessend ansehen müsse." [3]

Wortbenutzung 1972: Vom formalistischen Standpunkt geht es bei der Einführung komplexer Zahlen um einen Prozeß, der dem der Einführung der negativen […] Zahlen durchaus analog ist (MESCHKOWSKI-1972, S. 137).

Wortfamilie *komplexe ↑Admittanz, komplexe ↑Impedanz, komplexer ↑Scheinleitwert, komplexer ↑Scheinwiderstand.*

Fremdsprachige Entsprechungen (En) *complex number;* (Es) *número complejo;* (Fr) *nombre complexe;* (Cs) *komplexně číslo.*

Literatur [1] FUCHS, Werner: Von Gauß bis Hilbert. In: Mitt. Gauß-Ges. Göttingen, Bd. 12 (1975) S. 4–20, hier S. 10; [2] WUSSING-1992, S. 218; ITARD-1977, S. 18; [3] GAUSS, C.F.: Werke. Hrsg: Königl. Ges. d. Wissenschaften zu Göttingen. Bd. 8. Leipzig: Teubner, 1900. 458 S., hier S. 90.

Komplexion
complexion

Worterklärung Art der Verteilung einer bestimmten Anzahl von Energieelementen auf eine bestimmte Anzahl von Hohlraum-Resonatoren.

Wortgeschichte

1 Von Max PLANCK* 1900 in seinem grundlegenden Beitrag über das elementare ↑Wirkungsquantum benutzt:

„Jede solche Art der Verteilung nennen wir nach einem von H[er]rn BOLTZMANN für einen ähnlichen Begriff gebrauchten Ausdruck eine ‚Komplexion'. […] Um jedes Mißverständnis auszuschließen, sei noch bemerkt, daß zwei Komplexionen als verschieden anzusehen sind, wenn die entsprechenden Ziffernbilder dieselben Ziffern, aber in verschiedener Anordnung, enthalten." [1]

2 Das Wort ~ ist das (La) *complexio, onis* mit den Bedeutungen »Verschlingung, Verknüpfung, Verbindung, Zusammenstellung, Zusammenfassung«. [2]

Literatur [1] PLANCK, M.: Zur Theorie des Gesetzes der Energieverteilung im Normalspektrum. Zit. nach HAAR-1969, S. 110; [2] MENGE-1916.

Kondensanz

condensance

Worterklärung Gelegentlich verwendete Alternativbenennung für *kapazitiven Blindwiderstand* oder *kapazitive* ↑*Reaktanz*.

Wortgeschichte Der Begriff ~ kommt als (En) *condensance* im 1897 erschienenen Fachbuch über Wechselstromerscheinungen des Deutschamerikaners Charles P. STEINMETZ* vor, und zwar wie folgt:

„If the E.M.F., *e*, alternates with the frequency, *N*, [...], hence, $i = 2\pi NCe$ the current passing into the condenser, which is in quadrature to the E.M.F., and leading. It is then: $x_c = e/i = 1/(2\pi NC)$, the capacity reactance, or condensance." [1] Auch: „capacity reactance or condensance of the condenser." [2]

Wortbenutzung 1922: Man nennt den Wert $1/\nu C$ [...] die ‚*Kondensanz*'; sie ist um so kleiner, je größer die Periodenzahl und die Kapazität ist (SCHAEFER-1922, S. 122); 1928: Kondensanz, Kapazitätsreaktanz, Kapazitanz, kapazitiver Blindwiderstand (SCHLOMANN-1928, S. 72, Nr. 13); 1975: condensance (Elec. Eng.). A term used to denote the reactance of a capacitor (CHAMBERS-1975, S. 257).

Fremdsprachige Entsprechungen (En) *capacitive reactance*, (veraltet:) *condensance*.

Literatur [1] STEINMETZ-1897, S. 4, § 4; [2] Ebenda, S. 40, § 30.

Kondensator

capacitor

Worterklärung Elektrisches Bauelement, bestehend aus zwei flächenförmigen ↑Elektroden, die durch ein ↑Dielektrikum getrennt sind. Die Elektroden sind üblicherweise Metallplatten oder -folien (so genannter *Metallfolienkondensator*) oder sind metallisiert (so genannter *selbstheilender* ~). Die Größe eines ~ heißt ↑*Kapazität*.

Wortgeschichte Das Wort ~ in der Form (It) *condensatore* wurde vom italienischen Physiker Alessandro VOLTA* geprägt, der 1782 nach dem Experimentieren mit einem ↑Elektrophor Folgendes äußerte:

„Der Elektrophor dient in diesem Fall mehr als Elektrometer oder Mikroelektrometer, aber ich möchte ihn lieber als Kondensator der Elektrizität bezeichnen." [1]

Der Physikhistoriker Edmund HOPPE beschreibt die Situation wie folgt:

„Als VOLTA ein Elektrophor mit sehr dünner Harzschicht herstellte, es mit dem Deckel bedeckte und nun denselben eine sehr schwache Elektrizitätsquelle berühren ließ, [...], so fand er beim Abheben des Deckels, daß dieser sehr merkliche Spuren vorhandener Elektrizität erkennen ließ. Das führte ihn auf den Namen *Kondensator*." [2]

Wortbenutzung 1902: Ein langer isolirter Draht (z.B. mit Guttapercha umpreßter Kupferdraht) zeigt, als Telegraphenleitung verwendet, bekanntlich Ladungserscheinungen und kann in der That als ein Cylindercondensator angesehen werden (WALTENHOFEN-1902, S. 47); 1922: Bei einem Plattenkondensator sind die elektrischen Feldlinien unter Vernachlässigung der Randwirkung nach Bild [...] gleichgerichtet (THOMÄLEN-1922, S. 67); 1959: Gl[eichung][...] läßt erkennen, daß der Ladestrom eines Kondensators von der zeitlichen Änderung der angelegten Spannung abhängt (MOELLER/WERR-1959, S. 216); 1979: Die erhöhte elektrische und mechanische Sicherheit soll Kurzschlüsse im Kondensator ausschließen (DIN VDE 0565 Teil 1/12.79 [3]).

Wortfamilie

1 Zusammensetzungen mit *Kondensator-* als Bestimmungswort: *Kondensatorabgleich, ~ableiter, ~achse, ~anlage, ~antenne, ~ausgleich, ~(en)batterie, ~becher, ~belag, ~belegung, ~durchführung, ~einheit, ~-Einschaltstrom, ~elektroskop, ~element, ~entladezeit, ~entladung, ~feld, ~keramik, ~kette, ~-Lastschalter, ~-Lautsprecher, ~leitung, ~-Mikrophon, ~motor, ~muffe, ~-Nennleistung, ~öl, ~papier, ~platte, ~rohr, ~satz, ~schalter, ~scheibe, ~spannung, ~speicher, ~temperatur, ~wickel, ~zündung;*

2 Zusammensetzungen mit *-kondensator* als Grundwort: *Abflach(ungs)kondensator, Abgleich~, Abschluss~, Abstimm~, Aluminium-Elektrolyt~, Antennen-Abstimm~, Anlass~, Anoden~, Ausgleichs~, Baustein~, Becher~, Betriebs~, Block~, Dreh~, Eich~, Elektrolyt~, Feineinstell~, Fest~, Filter~, Filterkreis~, Folien~, Funk-Entstör~, Funkenlösch~, Glättungs~, Gleichspannungs~, Glimmer~, Hochfrequenz-Leistungs~, Hochspannungs~, Keramik~, Kipp~, Koppel~, Kopplungs~, Kugel~, Kunstfolien~, Lade~, Leistungs~, Leistungs-Parallel~, Lösch~, Luft~, Mehrfach~, Mess~, Metallpapier~ (MP-~), Motor~, Motoranlauf~, Motor-Elektrolyt~, Niederspannungs~, Normal~, Öl~, Papier~, Parallel~, Perl~, Phasenschieber~, Platten~, Pressgas~, Quetsch~, Reihen~, Rohr~, Rufsperr~, Scheiben~, Schutzring~, Sieb~, Spannungsausgleich~, Spannungsteiler~, Sperrschicht~, Stand~, Störschutz~, Tantal-Elektrolyt~, Tauch~, Trimmer~, Vierpol~, Wechselspannungsmotor~, Wickel~, Zweipol~, Zylinder~;*

3 Fachjargon: *Drehko (= Drehkondensator), Elko (= Elektrolytkondensator);*

4 Verdeutschung: *Ansammlungsapparat* [2], ↑*Fessel.*

Fremdsprachige Entsprechungen (En) *capacitor,* (veraltet:) *condenser;* (Nl) *condensator;* (Sv) *kondensator;* (Es) *condensador;* (Fr) *condensateur* (1753, ROBERT-1994); (It) *condensatore;* (Ru) конденсатор */kondensator/;* (Pl) *kondensator;* (Cs) *kondensátor;* (Ja) */kondensa/.*

Siehe auch ↑*Flasche.*

Literatur [1] VOLTA, A., in: Phil. Trans., Bd. 72 (1782) S. 237, zit. nach FRAUNBERGER-1985, S. 176, 201 u. 202; [2] HOPPE-1884, S. 86; [3] WARNER/ORTH-1984, S. 584.

Konflikt, elektrischer

electrical conflict

Worterklärung Mit *elektrischem Konflikt* wird die Epoche des Elektromagnetismus zwar eingeleitet und eingeläutet, aber der Ausdruck wird von der Fachwelt nicht angenommen.

Wortgeschichte

1 Im April 1820 entdeckt der dänische Physik-Professor Hans Christian ØRSTED* während einer Vorlesung, dass ein vom elektrischen Strom durchflossener Leiter die Magnetnadel eines Kompasses ablenkt. Am 21. Juli 1820 verbreitet er an alle wissenschaftlichen Vereinigungen Europas eine Flugschrift darüber in lateinischer Sprache, deren Titel lautet „Experimenta circa effectum conflictus electrici in acum magneticam“ [1] ›Experimente über die Wirkung des elektrischen Konflikts auf die magnetische Nadel‹. Darin schreibt er u.a.:

„Man denke sich die beiden entgegengesetzten Enden des galvanischen Apparates [Batterie] durch einen Metalldraht verbunden. Diesen werde ich der Kürze halber stets den *verbindenden*

Leiter oder den *verbindenden Draht* nennen; die Wirkung aber, welche in diesem verbindenden Leiter und um denselben her vor sich geht, mit dem Namen *elektrischer Konflikt* bezeichnen." [...] Die Wirkungen, welche in dem elektrischen Konflikte stattfinden, sind also von den Wirkungen der einen oder der andern elektrischen Kraft gänzlich verschieden. [...] Aus allem diesem lassen sich einige Momente zur Erklärung dieser Erscheinungen ableiten. Der elektrische Konflikt vermag nur auf die magnetischen Teile der Materie zu wirken. Alle nicht magnetischen Körper scheinen für den elektrischen Konflikt durchgängig [durchlässig] zu sein, die magnetischen Körper dagegen [...] dem Hindurchgehen dieses Konfliktes zu widerstehen, und daher kommt es, daß sie durch den Stoß der widerstreitenden Kräfte in Bewegung gesetzt werden können. Daß der elektrische Konflikt nicht in dem leitenden Draht eingeschlossen, sondern, wie gesagt, zugleich in dem umgebenden Raum ziemlich weithin verbreitet ist, ergibt sich aus den angeführten Beobachtungen hinlänglich." [2]

Der von ØRSTED gewählte Ausdruck (La) *conflictus electricus* ›elektrisches Zusammenschlagen, elektrischer Zusammenstoß‹ zielt auf die Beeinflussung einer Magnetnadel oder eines magnetisierbaren Körpers in der Nähe eines stromdurchflossenen Leiters. Anschaulich wird die Beobachtung eigentlich erst durch die von M. FARADAY* gefundenen *magnetischen* ↑*Kraftlinien* und *Kraftfelder* (↑Feld).

2 In Deutschland erschien der Text der Flugschrift „Experimenta [...]" „in lateinischer Sprache, da es die Leser gewiss gern sehen mussten [möchten] in diesem ausgezeichneten Falle, womit eine neue Epoche für die Physik beginnt, genau den Originaltext zu besitzen" [3], aber unter dem deutschen Titel „Neuere elektromagnetische Versuche" in SCHWEIGGERS Journal Bd. 29 (1820) S. 364–369. In Großbritannien übersetzte Thomas THOMSON (1773–1852), Chemie-Professor in Glasgow, den lateinischen Text für die „Annals of Philosophy" Bd. 16 (1820) S. 273–276 unter dem Titel „Experiments on the effect of a current of electricity on the magnetic needle" [4] und unterdrückte so im Titel den *Konflikt*.

3 Wenn ØRSTED alles mit dem *elektrischen Konflikt* beschreibt, dann bedient er sich laut Hans SCHIMANK einer Ausdrucksweise der deutschen Naturphilosophie, deren Vertreter Friedrich Wilhelm Joseph SCHELLING (1775–1854) in seinem Werk „Erster Entwurf eines Systems der Naturphilosophie" (1799) dazu Folgendes aussagt:

„Jeder dynamische Prozeß beginnt mit dem Konflikt des ursprünglich Heterogenen. Wo das Homogene sein Heterogenes berührt, wird es aus dem Indifferenzpunkt gesetzt, die dynamische Trägheit in ihm gestört. Homogenität ist durch die ganze Natur nur Ausdruck eines Indifferenzzustandes, weil Homogenität nur aus Heterogenität hervorgehen kann. Dadurch wird der dynamische Prozeß gegründet, der nicht eher stillstehen kann als mit der absoluten Intussuzeption des Heterogenen, d.h. mit der absoluten Aufhebung seiner Bedingung." [5]

Literatur [1] Zit. nach der Faksimileseite in: Dänische Rundschau, Sonderausgabe Aug. 1977, S. 3; [2] Versuche über die Wirkung des elektrischen Konflikts auf die Magnetnadel; in: SAMBURSKY-1978, S. 492–494; [3] Brief von J.L. MEINECKE vom 18. Jan. 1821 an ØRSTED, in: HARDING-1920, Bd. 2, S. 431; [4] HARDING-1920, S. 556; [5] Zit. nach SCHIMANK-1930, S. 263.

Konformitätszeichen — mark of conformity

Worterklärung Zeichen, das auf einem Erzeugnis angebracht die Erfüllung einer ↑Norm oder Rechtsverordnung dokumentiert.

Wortgeschichte In den deutschen Sprachraum ist die Benennung ~ durch die deutsche Fassung der EG-Niederspannungs-Richtlinie Nr. 73/23/EWG vom 17. Feb. 1973 eingeführt worden, dessen Art. 10 lautete:

„(1) Die Mitgliedstaaten treffen […] alle zweckdienlichen Maßnahmen, damit ihre zuständigen Verwaltungsbehörden von der Annahme ausgehen, daß sich die Übereinstimmung mit den Bestimmungen der Artikel 5, 6 und 7 aus der Anbringung eines Konformitätszeichens auf den elektrischen Betriebsmitteln […] ergibt.“ [1]

~, das die wörtliche Übersetzung der viel älteren Ⓕⓡ *marque de conformité* ist, hat daraufhin allmählich das bisher übliche deutsche *Prüfzeichen* verdrängt.

Wortbenutzung 1984: Prüfzeichen (Konformitätszeichen), die erteilt werden (VDE 0024:1984-08, § 3); 1992: Die zuständige Behörde geht bei technischen Arbeitsmitteln, die mit einem in einer Rechtsverordnung nach § 4 Abs. 1 vorgeschriebenen Konformitätszeichen versehen sind, davon aus, daß sie den Voraussetzungen des § 3 Abs. 1 entsprechen.(Gerätesicherheitsgesetz i. d. F. v. 23. Okt. 1992 [2]); 1995: Muster für die Konformitätszeichen […] (EG-Kommission [3]).

Fremdsprachige Entsprechungen Ⓔⓝ *mark of conformity;* Ⓕⓡ *marque de conformité;* Ⓘⓣ *marchio di conformità.*

Siehe auch technisches ↑Arbeitsmittel.

Literatur [1] WARNER-1996 (Jahrbuch) S. 758; [2] In: Bundesgesetzblatt Teil I (30.10.1992) Nr. 49, S. 1793–1800, hier S. 1796 § 5 (3); [3] Mitteilung der Kommission […] Nr. 95/C 214/02; in: WARNER-1996 (Jahrbuch) S. 768.

Koordinaten coordinates

Worterklärung Ein Punkt, der den Schnittpunkt einer horizontalen Skala (mathematisch *x-Achse* oder *Abszisse* genannt) mit einer vertikalen Skala (mathematisch *y-Achse* oder *Ordinate* genannt) bildet, sind die ~ dieses Punktes im kartesischen Koordinatensystem.

Wortgeschichte Laut D. J. STRUIK geht das Wort ~ auf den deutschen Mathematiker LEIBNIZ* zurück, der es im Anschluss an Ⓛⓐ *abcissa* und *ordinata* in der Form *coordinata* vermutlich 1684 einführte. [1]

Wortbenutzung

1 1960: Beide Zahlen x und y nennt man die Koordinaten des Punktes P und schreibt $P(x, y)$. [2];

2 im übertragenen Sinne: 1999: Das ist eine Leistung […] des Außenministers, der den klassischen Koordinaten der Außenpolitik wieder zu ihrem Recht verhalf. (BELL, Wolf J., in: Darmstädter Echo, 14.04.1999, S. 2.); 2002: Gestern in Paris, heute in New York. Und morgen im Nahen Osten. Das sind seine [Joschka FISCHERS] Koordinaten (VETTER, Stefan, in: Darmstädter Echo, 18.09.2002, S. 3)

Wortfamilie

1 Zusammensetzungen mit *Koordinaten-* als Bestimmungswort: *Koordinatenachse, ~anfang, ~anzeiger, ~ebene, ~rechner, ~schalter, ~schreiber, ~system, ~transformation, ~ursprung, ~wähler, ~wählersystem, ~wandler, ~zähler;*

2 Zusammensetzungen mit *-koordinate(n)* als Grundwort: *Farbenkoordinate, Kugel~, Lage~, Parallelkoordinatensystem, Polar~, Zylinder~.*

Fremdsprachige Entsprechungen (En) *coordinates;* (Es) *coordenada;* (Fr) *coordonneés* (1754, ROBERT-1994); (It) *coordinata;* (Ru) координаты */koordinaty/;* (Cs) *souřadnice.*
Literatur [1] STRUIK-1987, S. 112 und nach dem Faksimile auf S. 110; [2] MEYERS Rechenduden. Mannheim: Bibliogr. Inst., 1960. 896 S., hier S. 547–553.

Kosinus
cosine

Worterklärung Eine der vier trigonometrischen Funktionen ↑Sinus, ~, Tangens und Kotangens. In einem rechtwinkligen Dreieck, dessen Schenkel einen spitzen Winkel α bilden, ist ~ das Verhältnis der Länge der anliegenden Seite b (Ankathete) zur Länge der dem rechten Winkel gegenüberliegenden Seite c (Hypothenuse). Mathematisches Zeichen von ~ ist ↑*cos*. Somit: $\cos \alpha = b/c$.
Wortgeschichte Das Wort (En) *cosine* verdanken wir dem englischen Mathematiker E. GUNTER*, der es 1620 in seinem „Canon triangulorum" (London) einführte, indem er die Mehrwortbenennung (En) *sine of complement* oder *complemental sine* – bei REGIOMONTANUS* (nLa) *sinus complementi* – ›Komplementärsinus‹ zum Neuwort (En) *cosine* zusammenzog. [1]
Wortbenutzung 1922: Der Zeitwert der Leistung ist also eine Kosinusfunktion von der doppelten Frequenz (THOMÄLEN-1922, S. 166)
Wortfamilie *Kosinusfunktion, Kosinuskurve, Kosinussatz, Kosinusschwingung; Richtungskosinus.*
Fremdsprachige Entsprechungen (En) *cosine;* (Nl) *cosinus;* (Es)(It) *coseno;* (Fr) *cosinus* (1717, ROBERT-1994); (Ru) косинус */kosinus/;* (Pl) *cosinus;* (Cs) *kosinus.*
Literatur [1] CAJORI-1993, § 520, Bd. 2, S. 157.

Krachstörung
buzz

Worterklärung Funkstörung, die länger als 200 ms dauert und daher wie eine Dauerstörung zu werten ist.
Wortgeschichte Die Benennung ~ wurde 1962 vom Elektroingenieur Eberhard SCHULZ* in der Kommission 0875 des ↑VDE als deutsche Entsprechung des englischen Fachausdrucks *buzz* in Anlehnung an (Fr) *crachement* vorgeschlagen, jedoch später nicht benutzt, da in der internationalen Normung *buzz* aufgegeben worden ist.
Literatur WARNER-1965, S. 179.

Kraftfeld ↑Feld

Kraftlinie
field line, line of force

Worterklärung Graphische Darstellung des Verlaufes eines elektrischen, magnetischen oder elektromagnetischen ↑Feldes. Neuerdings: *Feldlinie.*
Wortgeschichte Der Begriff »~« wurde mit der Benennung (En) *lines of force* 1831 vom englischen Physiker Michael FARADAY* zur Beschreibung der elektromagnetischen ↑*Induktion*II eingeführt, wenn ein Draht die „magnetischen Curven" eines Magnetpols schneidet:

„Unter magnetischen Curven verstehe ich die, auf welche Art auch immer durch benachbarte Pole modificirten, magnetischen Kraftlinien, wie sie durch Eisenfeilicht sich darstellen lassen, oder diejenigen Curven, zu denen eine sehr kleine Magnetnadel sich tangential stellen würde. [1]

20 Jahre später wendet sich **Faraday** wieder diesem Thema zu und trägt es an zwei Tagen der Royal Society unter der Überschrift „Ueber magnetische Kraftlinien, ihre Bestimmtheit und ihre Vertheilung in einem Magnet und im Raume" vor. Seine Definition der ~ von 1851 lautet fast unverändert:

„3071. Eine magnetische Kraftlinie kann definirt werden als die Linie, welche eine sehr kleine Magnetnadel beschreibt, wenn sie in dem einen oder andern Sinne ihrer Längsrichtung so fortgeführt wird, dass sie beständig die Tangente zur Bahn der Bewegung bildet [...]. Die Richtung dieser Linien um und zwischen Magneten und elektrischen Strömen lässt sich allgemein durch Eisenfeilspäne leicht erkennen und darstellen." [2]

Wortbenutzung 1922: Die sog. Kraftlinien, die wir erhalten, wenn wir ständig in Richtung der Feldstärke oder der Kraft weiterschreiten, fallen also mit den Induktionslinien zusammen. [...] Wir können daher die allgemeine Bezeichnung *Feldlinien* einführen (**Thomälen**-1922, S. 33); 1943: Man nimmt an, daß die Kraftlinien am Nordpol austreten und durch die Luft zum Südpol gelangen (**Kosack**-1943, S. 28); 1998: Die elektrischen Feldlinien entspringen auf positiven Ladungen und enden auf negativen (S. 182); Magnetische Feldlinien haben keinen Anfangs- und Endpunkt, sie sind stets geschlossen (**Grehn**/**Krause**-1998, S. 225).
Wortfamilie Zusammensetzungen mit *Kraftlinien-* als Bestimmungswort: *Kraftlinienausbreitung, ~dichte, ~feld, ~richtung, ~streuung, ~verlauf, ~verschiebung, ~verteilung, ~zahl.*
Fremdsprachige Entsprechungen (En) *field line, line of force;* (Nl) *veldlijn;* (Sv) *fältlinje;* (Es) *línea de campo;* (It) *linea di campo;* (Fr) *ligne de champ;* (Ru) линия поля */linija polja/;* (Pl) *linia pola;* (Cs) *silová čára, siločára;* (Ja) */ziryokusen/.*
Siehe auch ↑Feldformant, ↑magnetische Feldstärke, ↑Induktion.
Literatur [1] **Faraday** (**Kalischer**)-1889, Bd. 1, Art. 114, S. 30, Fußnote 1; [2] **Faraday** (**Kalischer**)-1891, Bd. 3, Art. 3071, S. 298.

Kristallode semiconductor

Worterklärung Bauelement der ↑Elektronik, das aus einem kristallischen Halbleiter besteht. Dazu gehören Kristalldetektoren, Siliziumdioden, Germaniumdioden, ↑Transistoren usw.
Wortgeschichte Das Wort ~ wurde von R. **Rost*** geprägt und 1951 in einem Aufsatz diesen Titels bekannt gemacht. [1] Der Wortstamm *Kristall-* weist auf den Träger der elektrischen Eigenschaften hin, während Wortbildungsendung (Suffixoid) ↑*-ode* auf die Elektroden hinweist, was folglich als »Kristall mit zwei oder mehr Elektroden« verstanden werden kann.
Wortbenutzung 1952: Unter Kristalloden sind elektrische Anordnungen zu verstehen, bei denen mindestens eine Elektrode ein kristallischer Halbleiter ist (**Rost**, R. [2]); 1956: Der Vorgang vollzieht sich an der Grenzfläche zwischen zwei Schichten und verleiht der Kristallode besondere elektrische Eigenschaften (**Rost**, R. [3]); 1968: Kristallode: Wenig gebräuchliche Bezeichnung für ein Halbleiterbauelement (**Pils**-1968, S. 92).
Wortfamilie *Kristallodentechnik; Flächenkristallode, Messerkristallode, Punktkristallode.*
Literatur [1] **Rost**, R.: Kristalloden. In: radio mentor, (1951) S. 190; [2] **Rost**, R.: Die Kristallode G2T, eine Tetrode. In: Funktechnik (1952) S. 264–265, hier S. 264; [3] **Rost**, R.; **Ernst**, H. M.: Kristallodentechnik. 2. Aufl., Berlin: W. Ernst, 1956. 439 S., hier S. 1.

Kunststoff plastic

Worterklärung Organischer Werkstoff, der durch chemische Umwandlung von Naturprodukten oder durch Synthese aus Primärprodukten des chemischen Aufschlusses von Kohle, Erdöl oder Erdgas hergestellt wird. [1]

Wortgeschichte

1 Laut C. DORIAT geht das Wort ~ auf Richard ESCALES* zurück, Gründer und Herausgeber der seit dem 1. Jan. 1911 erscheinenden Zeitschrift *„Kunststoffe"*, damals im J.F. Lehmanns Verlag München, ab 1946 bis heute im Carl Hanser Verlag München. Der Untertitel lautete:

„Zeitschrift für Erzeugung und Verwendung veredelter oder chemisch hergestellter Stoffe mit besonderer Berücksichtigung von *Kunstseide* und anderen Kunstfasern, von vulkanisiertem, devulkanisiertem (wiedergewonnenem) und künstlichem *Kautschuk, Guttapercha* usw. sowie Ersatzstoffen, von Zellhorn (Zelluloid) und ähnlichen Zellstofferzeugnissen, von *künstlichem Leder* und Ledertuchen (Linoleum), von *Kunstharzen, Kasein-Erzeugnissen*."

In wortgeschichtlicher Hinsicht ist die Neuprägung *Kunststoffe* bereits im Nov. 1910 in einer 4-seitigen Vorankündigung der Fachöffentlichkeit bekannt gemacht worden. Darin werden die Begriffe des Untertitels ausführlich definiert, wobei die Neuprägung ~ drei Mal vorkommt. [2] Die Vorankündigung findet sich weitgehend wieder im Beitrag „Zur Einführung" der ersten Ausgabe. Zum 75-jährigen Jubiläum der Zeitschrift konnte man mit Recht sagen: „Kunststoffe – die Zeitschrift, die dem Werkstoff ihren Namen gab". [3]

2 Um die Wende vom 19. zum 20. Jahrhundert war es üblich, die künstlichen, d.h. industriell hergestellten synthetischen Nachahmungen von Naturprodukten mit dem Bestimmungswort *Kunst-* zu benennen, z.B. *Kunstblume, Kunstbutter, Kunstdarm, Kunstdünger, Kunstfaser, Kunstglied, Kunstgraphit, Kunstharz, Kunstharzfilm, Kunstholz, Kunsthonig, Kunsthorn, Kunstkohle, Kunstleder, Kunstschwamm, Kunstseide, Kunstspeisefett, Kunstspinnfaser, Kunststraße, Kunstwachs, Kunstwolle*. Die Neuprägung ~ lag also in der Luft.

3 Da die anderen industriellen Sprachgebiete sich am „plastischen" Verhalten des neuen Werkstoffs orientierten und entsprechende Wörter aufnahmen, lag es auch für das Deutsche nahe, sich dem anzuschließen. Das DIN schlug im Norm-Entwurf DIN 7708 Blatt 1 (Apr. 1954) vor, *Kunststoffe* durch *Polyplaste* oder kurz *Plaste* zu ersetzen, und zwar mit folgender Definition:

„*Plaste* sind Materialien, deren wesentliche Bestandteile aus solchen makromolekularen organischen Verbindungen bestehen, die synthetisch oder durch Umwandlung von Naturprodukten entstehen. Sie sind in der Regel bei der Verarbeitung unter bestimmten Bedingungen plastisch formbar oder sind plastisch geformt worden." [4]

Aufgrund der eingegangenen Einsprüche ist eine Definition einvernehmlich nicht zustande gekommen, und zwar bis heute, obwohl alle diesbezüglichen DIN-Normen im Titel das Wort *Kunststoffe* (allein oder als Bestimmungswort) enthalten. In der Deutschen Demokratischen Republik war *Plast* die offizielle Bezeichnung für »Kunststoff«, das im DUDEN (Leipzig 1985) nicht erläutert wird, während dort unter *Plast* zu finden ist: *„Plast,* der, -[e]s, -e (Sammelbez[eichnung] für synthet[ische] makromolekulare Werkstoffe) (gr[ie]ch)". Als Grundwort kam *-plast* in den Zusammensetzungen *Duroplast* und *Thermoplast* schon früher vor, um ›ausgehärtete‹ bzw. ›nichthärtbare‹ Polymere zu bezeichnen.

4 Mit der „Urkunde über die Eintragung der Marke Nr. 302 21 708 Kunststoffe" vom 23.3.2004 ist das Wort *Kunststoffe* markenrechtlich durch das Deutsche Patent- und Markenamt für den Markeninhaber Carl Hanser Verlag GmbH & Co., München, geschützt.

Wortbenutzung 1911: Unsere Zeitschrift soll bei allen Kunststoffen zunächst die Herstellungsverfahren berücksichtigen, sowohl nach der chemischen als der maschinellen Richtung (ESCALES, Richard [2]); 1925: Kunststoffe aus Blut (BREUER, K.J.; in: Kunststoffe, Nr. 1, S. 1); 1948: Kunststoffe aus Kieselsäure (HAUSEN, J.; in: Orion Bd. 3 [1948] S. 407–412); 1955: Kunststoffe in der Praxis (AMEDICK, Westermann); 1959: Kunststoffe (WANDEBERG, Erich, Springer); 1967: Kunststoff-Lexikon (STOECKHERT, H., Hanser); 1997: Kunststoffe (KLEIN, [Martin]: Einführung in die DIN-Normen. 12. Aufl., Stuttgart: Teubner; S. 533–551).

Wortfamilie Zusammensetzungen mit *Kunststoff-* als Bestimmungswort: *Kunststoffaderleitung, ~band, ~bauteil, ~beschichtung, ~chemie, ~-Fassungsader, ~-Flachleitung, ~-Flammenspritzen, ~folie, ~-Galvanisierung, ~gebiet, ~gehäuse, ~industrie, ~isolation, ~isolator, kunststoffisoliert, ~isolierung, ~kabel, ~karosserie, ~leitung, ~linse, ~mantel, ~mantelleitung, ~masse, ~-Metallisierung, ~norm, ~physik, ~praktikum, ~prüfung, ~rasen, ~schneidwerkzeug, ~schweißen, ~schweißwerkzeug, ~ski, ~sockel, ~-Spachtelbelag, ~umhüllung, ~verdrahtungsleitung.*

Fremdsprachige Entsprechungen (En) *plastic, synthetic material;* (Nl) *kunststof;* (Sv) *plast;* (Es) *plástico, material plástico;* (Fr) *plastique* (1913, ROBERT-1994), *matériau plastique, matériau synthetic;* (It) *plastica, materia sintetica, materiale plastico;* (Ru) пластмасса */plastmassa/;* (Pl) *masa plastyczna;* (Cs) *plastická hmota, umělá hmota;* (Ja) */purasuchikku/.*

Literatur [1] Eine von den zahlreichen Definitionen, die bei ÜHLEIN-1969 (S. 490–492) genannt werden; [2] ESCALES, Richard; LEHMANN, J.F.: Zur Einführung. In: Kunststoffe, Bd. 1, S. 1–2, hier S. 2.; laut Faksimile in www.kunststoffe.de, vgl. dort: DORIAT, C.: 95 Jahre Kunststoffe. Am Amfang war das Wort; ich danke Herrn Dr. Clemens DORIAT verbindlichst für die Überlassung von Kopien der Archivalien des Herausgebers; [3] SPENCKER, Joachim u. GLENZ, Wolfgang, in: Kunststoffe Bd. 75 (1985) S.V–VIII; [4] Zit. nach QUAK, Karl: Technisches Wissen. Technische Stoffe I, 3. Aufl., Leipzig: Fachbuchverlag, 1956. 407 S., hier S. 252.

Kunststoffmantelkabel — plastic-sheathed cable

Worterklärung Ersatzbenennung für *Kunststoffkabel.*

Wortgeschichte Das Wort ~ wurde 1954 vom Fernmeldeingenieur Hilmar WÖHNER* vorgeschlagen, damit die Benennung selbstbeschreibend ist. [1]

Wortbenutzung 1976: Kunststoffmantelkabel (RICHLING/DREWITZ [2]).

Fremdsprachige Entsprechungen [2] (En) *plastic-sheathed cable, non-metallic-sheathed cable;* (Fr) *câble sous gaine plastique, câble sous gaine non-metallique.*

Literatur [1] WÖHNER-1954, S. 293; [2] RICHLING, Christel; DREWITZ; Ingeburg: Wörterbuch der Kabeltechnik. Wiesbaden: Brandstetter, 1976. 610 S., hier S. 93.

Kupfer copper

Worterklärung Metallisches Element. Chemisches Symbol: Cu. Ordnungszahl: 29. Relative Atommasse (früher: Atomgewicht): 63,546; natürliche ↑Isotope: 63 und 65. [1] Elektrische ↑Leitfähigkeit 54,13 Sm/mm² (bei 20 °C, S ↑Siemens, m ↑Meter). [2]

Wortgeschichte Das Wort ~ geht auf das Ⓛa *aes cyprium* zurück, das im 33. Buch der im Jahre 77 n. Chr. erschienenen „Historia naturalis" des Plinius* in der Bedeutung »Kupfer« vorkommt. [3] Das Grundwort *aes* hatte eine große Bedeutungsbreite: ›Kupfer, Erz, Bronze; Kupfergeld, Münze, Vermögen, Schulden, Löhnung, Sold‹. [4] Durch das Bestimmungswort *cyprium* ›zyprisch, von der Insel Zypern (Ⓛa *Cyprus*; Ⓖr Κύπρος /*Kypros*/) stammend‹ wurde die Herkunft dieses Erzes ausgedrückt, wo seit dem 4. Jahrtausend v. Chr. Kupfer gewonnen wurde. Schließlich setzte sich *cyprium* als Grundwort durch. [5] Wegen der großen Leitfähigkeit wird ~ in der ↑Elektrotechnik sehr häufig eingesetzt, z. B. ↑Transformatoren, Kabel und Leitungen.

Wortbenutzung 1922: Dagegen stellt man die Wicklungen der Maschinen und Meßinstrumente und die Leitungen möglichst aus dem bestleitenden Metall, dem Kupfer, her, um den Spannungsverlust zu verringern (Thomälen-1922, S. 6); 1983: Für Starkstromleitungen wird fast ausschließlich Kupfer verwendet, wobei je nach Leitungstyp der Kupferleiter blank, verzinnt, versilbert oder vernickelt sein kann (Retzlaff [6]).

Wortfamilie

1 Zusammensetzungen mit *Kupfer-* als Bestimmungswort: *Kupferader, ~bad, ~band, ~bandspule, ~bandwicklung, ~blech, ~block, ~buchse, ~bürste, ~dämpfung, ~draht, ~drahtumflechtung, ~elektrode, kupferfarben, ~folie, ~füllfaktor, ~gehäuse, ~gehalt, kupferhaltig, ~kabel, ~kathode, ~kohle, ~kohlenbürste, ~kontakt, ~kühlung, ~lackdraht, ~legierung, ~leiter, ~leitung, ~litze, ~lot, ~mantel, ~membrane, ~norm, ~oxyd(ul)gleichrichter, ~oxydzelle, ~platte, ~querschnitt, ~rohr, ~rohrdämpfung, ~schaltstück, ~schiene, ~seil, ~stab, ~stahldraht, ~stange, ~streifen, ~trommel, ~verluste, ~volldraht, ~wicklung, ~-Zink-Element, ~zylinder;*

2 Zusammensetzungen mit *-kupfer* als Grundwort: *Anodenkupfer, Elektrolyt~, Fasson~, Flach~, Gar~, Handels~, Hart~, Kathoden~, Lamellen~, Leiter~, Leitungs~, Mutter~, Norm(al)~, Profil~, Quadrat~, Rosetten~, Rund~, Schmelz~, Sechskant~, Segment~, Stangen~, Weich~.*

Fremdsprachige Entsprechungen Ⓔn *copper;* Ⓔs *cobre;* Ⓕr *cuivre;* Ⓘt *rame;* Ⓡu медь /*med'*/; Ⓟl *miedź;* Ⓒs *měď;* Ⓙa /*dō*/.

Literatur [1] Ühlein-1969, S. 494; [2] Warner-1987, S. 703; [3] Ainsworth-1773: „Cyprius, a, um. adj. ab insulâ Cypro, Of, or from, Cyprus; ut aes cyprium, copper, Plin. 33, 5."; [4] Menge-1916, S. 26; [5] Pilgrim-1950, S. 34–37; [6] Retzlaff, Ewald, in: Warner-1983, S. 55.

Kybernetik cybernetics

Worterklärung Interdisziplinäre Wissenschaft, die Vorgänge der Regelung, Steuerung, Informationsverarbeitung und -speicherung sowie Selbstorganisation in der ↑Technik, Biologie, Medizin, Psychologie, Linguistik und Soziologie mathematisch und modellmäßig zu beschreiben versucht. Ein kybernetisches System muss mindestens einen Rückkopplungskreis enthalten.

Wortgeschichte

1 Die ~ ist durch den amerikanischen Mathematiker Norbert WIENER* als Wissenschaft zur Geltung gekommen und gleichermaßen der von ihm 1947 gewählte und 1948 bekannt gemachte Name dieser Wissenschaft. Er berichtet in seinem Werk „Cybernetics or control and communication in the animal and the machine" (1948) darüber wie folgt:

„[...] und wie es Wissenschaftlern so oft ergeht, waren wir gezwungen, schließlich einen künstlichen neogriechischen Ausdruck zu prägen, um die Lücke zu füllen. Wir haben beschlossen, das ganze Gebiet der Regelung und Nachrichtentheorie, ob in der Maschine oder im Tier, mit dem Namen ‚Kybernetik' zu benennen, den wir aus dem griechischen ‚κυβερνήτης' /*kybern'ētēs*/ ‚Steuermann' bildeten. Durch die Wahl dieses Ausdrucks möchten wir anerkennen, daß die erste bedeutende Schrift über Rückkopplungsmechanismen ein Artikel über Fliehkraftregler (*governors*) von [James] Clerk MAXWELL ist, der im Jahre 1868 veröffentlicht wurde, und das englische Wort ‚Governor' für Fliehkraftregler ist von einer lateinischen Verfälschung von κυβερνήτης /*kybern'ētēs*/ abgeleitet. [...] Obgleich der Ausdruck ‚Kybernetik' erst im Sommer 1947 entstand, halten wir seine Verwendung auch dann für angebracht, wenn von früheren Entwicklungen auf diesem Gebiet die Rede ist." [1]

2 Für einen engeren Begriffsinhalt ist das Wort ~ schon 1834 durch den französischen Physiker André M. AMPÈRE* geprägt worden, der nach Abschluss seiner wichtigsten Entdeckungen auf dem Gebiet des Elektromagnetismus sich der Philosophie und der Klassifizierung der Wissenschaften zuwandte. [2] Er verfasste nämlich 1834 das Werk „Science du gouvernement" (auch zit. „Étude des moyens de gouvernement", nach Maxidico), in dem er das Wort *cybernétique* mit der Bedeutung »Wissenschaft des Regierens« benutzt.

3 In der protestantischen Praktischen Theologie wird ~ heute gelegentlich in der Bedeutung »Kirchenleitung, Gemeindeleitung« wieder verwendet. Als Erster hat 1876 C.A. von ZEZSCHWITZ die Lehre von der Kirchenverfassung und Kirchenregiment so benannt. Dabei griff er auf das Neue Testament zurück, wo im „Ersten Brief des Paulus an die Korinther" im Kapitel 12 Vers 28 in der griechischen Urfassung von κυβερνήσεις /*kybern'ēseis*/, in der lateinischen Fassung *gubernationes* die Rede ist. [3][4] Dies wird in den deutschen Übertragungen wie folgt wiedergegeben: in der LUTHER-Bibel: *Regierer* (1545), *leiten* (1984); in der Einheitsübersetzung der Heiligen Schrift: *leiten* (1980) und in der Gute-Nachricht-Bibel: *Leitungsaufgaben übernehmen* (1997). [5]

4 Frühes Aufkommen des Wortes bei griechischen Philosophen der Antike: PLATON* (427–347 v.Chr.) verwendete κυβερνητικη /*kybernētikē*/ im Sinne von »Steuerkunde«. Bei PLUTARCH (50–125 n.Chr.) ist κυβερνητης /*kybernētēs*/ der »Lotse des Schiffes«. [6]

Wortbenutzung **zu Wortgeschichte (1):** 1954: Kybernetik (CHERRY, E.C., Köln, Opladen); 1961: Kybernetik (Zeitschrift, Berlin: Springer, ab 1961); 1966: Diese Grundsätze gelten [...] außerdem für solche Fachgebiete, auf die die Betrachtungsweise der Kybernetik angewandt werden kann (WARNER-1966, S. 35); 1969: Kybernetik (Gr. DUDEN-Lexikon, Bd. 9); **zu Wortgeschichte (3):** 1929: *Kybernetik*: »Lehre vom Kirchenregiment« (DUDEN); 1984: Kybernetik wird in der Praktischen Theologie die Wissenschaft vom Gemeindeaufbau genannt (SEITZ, Manfred [7]); 1996: *Kybernetik*: [...]; »ev[angelische] Theol[ogie]: Lehre von der Kirchen- u. Gemeindeleitung« (DUDEN).

Wortfamilie *Kybernetik, Kybernetiker, kybernetisch.*
Fremdsprachige Entsprechungen (En) *cybernetics;* (Fr) *cybernétique* (1948, Robert-1994); (Ru) кибернетика */kibernetika/;* (Cs) *kybernetika.*
Verweis: ↑Automat, ↑Automation, ↑Mechatronik.

Literatur [1] Wiener-1971, S. 32; [2] Segrè-1998, S. 213; [3] Schröer, Henning: Kybernetik. S. 356–359 in: Theologische Realenzyklopädie, Bd. 20, Berlin: de Gruyter, 1990. 793 S.; [4] Novum testamentum. Graece et latine. Hrsg. Eberhardt Nestle. Stuttgart: Württ. Bibelanstalt, 1964. 670 S., hier S. 448 La, S. 448 Gr; [5] Quadro-Bibel-plus-2000; [6] Steinbuch, Karl: Kybernetik. Weg zu einer neuen Einheit der Wissenschaften. In: VDI-Z. Bd. 104 (1962) S. 1307–1314, hier 1307; [7] Evangel. Kommentare (EK) Bd. 17 (1984) S. 188–192, zit. nach [3].

L

L • λ

Ladungssäule

Lampe • Laser

Leistungsfaktor • Leitfähigkeit

Leitungsroller • Leitwert • Lenz

Leuchte • Lichtquant

Lionard • Logarithmus

Logert • Luftspalt

L *L* (inductance)

Worterklärung Formelzeichen für ↑»Induktivität, Selbstinduktivität« nach DIN 1304-1:1994-03 entsprechend IEC 60027-1:1992-12.

Wortgeschichte

1 Um die magnetischen Verhältnisse zweier benachbarter Stromkreise (Primärkreis bzw. Sekundärkreis, z.B. bei einem ↑Transformator) zu berechnen, benutzte 1873 der schottische Physiker James C. MAXWELL* in seinem Werk „A treatise on electricity and magnetism" (Oxford, 1. Aufl.) die Buchstabenfolge *L*, *M*, *N* mit folgender Bedeutung

- *L*: »Induktivität des Primärkreises«,
- ↑*M*: »gegenseitige Induktivität beider Stromkreise«,
- ↑*N*: »Induktivität des Sekundärkreises«.

MAXWELL drückte das so aus:

„*L* and *N* are the coefficients of self-induction of the primary and secondary circuits respectively, and *M* is the coefficient of their mutual induction". [1]

Seine Vorliebe für Buchstabenfolgen bei bestimmten Zusammenhängen zieht sich durch sein ganzes Werk, z.B. A,B,C oder F,G,H oder X,Y,Z. Er ging also von *M* (= Ⓔⓝ *mutual* ›gegenseitig‹) wegen der Merkhilfe aus und nahm die beiden benachbarten Buchstaben hinzu, die aber eine sprachliche Merkhilfe nicht bieten.

2 Im Zuge der durch Ed. HOSPITALIER* 1891 eingeleiteten ↑Formelzeichen-Normung wurde dieser Buchstabe von allen beteiligten Organisationen gebilligt und in deren Verzeichnisse aufgenommen. Für das *L* konnte HOSPITALIER vorbringen, dass eine Länge und eine Induktivität dieselbe Dimension haben und mit demselben Zeichen dargestellt werden, solange die Induktivität nach dem elektromagnetischen ↑CGS-System betrachtet wird. [2]

3 In einer Leserzuschrift wurde 1998 behauptet, dass das Formelzeichen *L* zu Ehren von Heinrich ↑LENZ (1804–1865) festgelegt worden ist. Dem konnte entgegengehalten werden, dass in der ↑Elektrotechnik der Anfangsbuchstabe des Namens eines Entdeckers oder Forschers niemals als Formelzeichen für eine physikalische Größe gewählt wurde. [3]

Literatur [1] MAXWELL-1954, Bd. 2, S. 226, Art. 581; [2] HOSPITALIER-1891, S. 62; [3] In: Sprachdienst Bd. 41 (1997) S. 152 u. Bd. 42 (1998) S. 78.

λ λ (wave length)

Worterklärung Kleinbuchstabe *Lambda* des griechischen Alphabets als Formelzeichen für die »Wellenlänge« nach DIN 1304-1:1994-03 entsprechend IEC 60027-1:1992-12. ↑SI-Einheit: ↑Meter.

Wortgeschichte Dieses Formelzeichen kommt schon 1847 in HELMHOLTZ' berühmter Schrift„Über die Erhaltung der Kraft" vor, wo er sich wie folgt äußert:

„Die allgemeine Wellengleichung bestimmt die Geschwindigkeit u bekanntlich, wenn a^2 die Intensität, λ die Wellenlänge, α die Fortpflanzungsgeschwindigkeit, x die Abscisse und t die Zeit ist, folgendermaßen: $u = a \cos [2\pi (x - \alpha t)/\lambda]$". [1]

Wortbenutzung 1903: Wellenlänge λ (Dt. Physikalische Gesellschaft [2]).

Literatur [1] HELMHOLTZ-1982, S. 29; [2] In: etz Bd. 25 (1904) S. 268.

Ladungssäule

secondary cell

Worterklärung Vorform des wiederaufladbaren elektrochemischen Energiespeichers.

Wortgeschichte Bei der Elektrolyse von Wasser beobachtet 1801 der deutsche Physiker und Chemiker Johann Wilhelm RITTER* eine Restspannung an Golddrähten: die Sauerstoff entwickelnde ↑Elektrode bleibt nach dem Ausschalten des ↑Stroms ↑*positiv*, die Wasserstoff entwickelnde bleibt ↑*negativ*. [1] Seinen aus 50 runden Kupferplatten mit Zwischenlagen aus Pappe bestehenden Apparat nennt RITTER 1803 ~. Das System Kupfer/Kochsalzlösung/Kupferoxid ist jedoch wenig effektiv, so dass die ~ in Vergessenheit geriet. Erst durch den Franzosen Gaston PLANTÉ* wird eine technisch brauchbare Lösung geschaffen; ↑Akkumulator. [3]

Literatur [1] EULER-1994, S. 12; [2] In: VOIGTS Mag. f. Naturkunde, Bd.VI (1803), zit. nach POGGENDORFFS Biograph.-Lit. Handwörterbuch, Bd. II (1863: M–Z) Spalte 653; [3] EULER-1994, S. 17–21.

Lampe

lamp

Worterklärung Nach dem technischen Sprachgebrauch sind *Lampen*

„technische Ausführungsformen von künstlichen Lichtquellen, die in erster Linie zur Lichterzeugung bestimmt sind, also *leuchten* oder *beleuchten* sollen. Fackeln, Kerzen, Leuchtstoffe u.dgl. werden nicht als Lampen bezeichnet. Die Lampen werden nach der in ihnen umgesetzten chemischen oder elektrischen Energie, dem Sprachgebrauch folgend, eingeteilt in *Verbrennungs-Lampen* und *elektrische Lampen*." (DIN 5039 [1]).

Wortgeschichte Im Zuge der industriellen Spezialisierung war es notwendig, eindeutige Benennungen für »Lichtquellen« einerseits und für den »Träger von Lichtquellen« andrerseits zu verwenden. Der RAL* (Reichsausschuss für Lieferbedingungen) legte 1941 in der Vereinbarung RAL 716A die Grundsätze fest: Bei der elektrischen Lichtquelle bleibt es bei der altbewährten *Lampe*. Für den »Träger von Lichtquellen« wird die Benennung ↑*Leuchte* gewählt. [2]

Wortbenutzung 1943: Von wesentlicher Bedeutung für die Beurteilung einer Lampe ist deren Leuchtdichte (KOSACK-1943, S. 259); 1986: Als Lichtquellen stehen vor allem die in der Anschaffung billigste Lampe, die Glühlampe, [...] und die im Verbrauch günstigste Leuchtstofflampe [...] zur Verfügung (HÖSL/AYX-1986, S. 279); 1991: Zur Messung der Leuchtendämpfung wird die Leuchtstofflampe durch eine Lampennachbildung ersetzt (LABASTILLE/WARNER-1991, S. 99).

Wortfamilie

1 Zusammensetzungen mit *Lampen-* als Bestimmungswort: *Lampendraht, ~fassung, ~licht, ~sockel, ~strom, ~widerstand.*

2 Zusammensetzungen mit *-lampe* als Grundwort: *Allgebrauchslampe, Antiinsekten~, Armaturenbrett~, Batterie~, Bildvergrößerungs~, Bildwurf~, Birnen~, Blitz~, Dunkelkammer~, Einstell~, Entkeimungs~, Entladungs~, Gasentladungs~, Glimm~, Glüh~, Glühkathoden~, Glühstart~, Halogen-Glüh~, Halogen-Metalldampf~, Hochdruck~, Hochwatt~, Kaltkathoden~, Kaltstart~, Kerzen~, Kerzen-Groß~, Kontroll~, Leuchtstoff~, Metalldampf~, Mischlicht~, Natriumdampf-Hochdruck~, Natriumdampf-Niederdruck~, Photoaufnahme~, Pilz~, Pilzform~, Projektions~, Punktlicht~, Quecksilberdampf~, Reflektor~, Röhren~, Serien~, Si-*

gnal~, Skalen~, Soffitten~, Spektral~, Tieftemperatur~, Tropfen~, Vakuum~, Verbund~, Vergleichs~, Warmstart~, Wolframband~, Zier~, Zwerg~.
Fremdsprachige Entsprechungen (En)(Nl) *lamp;* (Sv) *lampa;* (Es) *lámpara;* (Fr) *lampe;* (It) *lampada;* (Ru) лампа */lampa/;* (Pl)(Cs) *lampa.*
Literatur [1] DIN 5039 „Licht; Lampen; Leuchten" (Okt. 1943); gleichlautend mit Ausg. Mai 1955; [2] Begriffsbestimmungen und Bezeichnungsvorschriften für elektrische Lampen und Leuchten RAL 716A. In: Das Licht, Bd. 11 (1941) S. 159.

Laser [Aussprache: le:zr] laser

Worterklärung Vom amerikanischen Physiker T.H. Maiman* 1960 auf der Grundlage des ↑*Masers* weiter entwickelte Einrichtung zur »Lichtverstärkung durch angeregte Aussendung von Strahlung«.
Wortgeschichte
1 Das Wort ~ wurde vermutlich von **Maiman** in Analogie zu (En) *maser* aus den Anfangsbuchstaben von „**l**ight **a**mplification by **s**timulated **e**mission of **r**adiation" gebildet. [1] Es fand Eingang in viele Sprachen, nicht nur ins Deutsche, als *Laser*.
2 Im „Vorwort des Übersetzers" hat R. **Tonndorf** 1967 zum Buchstabenkurzwort (Akronym) *laser* Folgendes ausgeführt:

„Verwendet man eine Übersetzung der voll ausgeschriebenen Fassung (*light amplification by stimulated emission of radiation*), so steht man vor der Unzuträglichkeit, ein Gerät (eben den Laser) mit „Verstärkung" (amplification) ansprechen zu müssen. Da der Resonator der wesentliche Bestandteil des Lasers ist, wäre die Bildung eines deutschen Akronyms ‚*Laser*' vorzuschlagen (aus **L**icht-**a**ngeregter **S**trahlung **e**mittierender **R**esonator). Die deutsche Aussprache (lahser) würde jedenfalls einer Verwechselung mit dem ‚Leser' vorbeugen. [...] In der amerikanschen Literatur existiert bereits das Verbum *to lase* = einen Laserstrahl aussenden; dem dürfte sich das deutsche Verbum ‚*lasen*' zwanglos zur Seite stellen." [2]

In einer Rezension [3] dieses Buches wurde 1968 herausgestellt, dass die konsequente Benutzung des Verbs *lasen* auf die allmähliche Verdeutschung der Benennung *Laser* hindeutet. Einige Beispiele aus [2]:

„Das Lasen kann beginnen, sobald das Anfangsniveau ausreichend besetzt ist (S. 57); Ein Laser kann nur dann lasen, d.h. kohärente Strahlung emittieren, wenn [...] (S. 57); Die tatsächliche für das Lasen erforderliche Temperatur ist [...] höher (S. 66)."

3 In der deutschen Fachliteratur begegnen wir jedoch auch ↑Fachwendungen mit dem Verb *lasern*, das wie auch *lasen* die Funktion des Lasers bezeichnet und mit »kohärente Strahlen aussenden« übersetzt werden kann.
Wortbenutzung 1966: Laser (**Döring**, H. [5]); 1997: Sicherheit von Laser-Einrichtungen. [...] Zusätzlich zu den Gefährdungen durch Laserstrahlung können von Lasergeräten auch noch Gefährdungen wie Feuer oder elektrischer Schlag ausgehen. [...] Klasse 3B: Direkter Blick in den Strahl in der Nähe dieser Laser ist immer gefährlich (DIN VDE [6]); 2000: laserbares Material, laserfähiges Material, laserndes Material; Beim Zurückfallen der Atome, ‚lasert' das Material, d.h. es strahlt Laserlicht aus. Strom-Spannungs-Kennlinie einer Laserdiode und einer nichtlasernden Diode; 2000: Im Wartezimmer eines Augenarztes war zu hören: Die Netzhaut meines Auges musste gelasert

werden (STEINHAUER-2000); 2004: Die schadhafte Stelle auf dem Lungenlappen muss weggelasert werden (HILDEBRANDT, Dieter, in: Darmstädter Echo, 11.10.2004, S. 36).
Wortfamilie [im Wesentlichen nach STEINHAUER-2000]
1 Zusammensetzungen mit *Laser-* als Bestimmungswort: *Laseranlage, ~behandlung, ~beobachtung, ~bestrahlung, ~biegen, ~chirurgie, ~drucker, ~echo, ~-Einrichtung, ~einsatz, ~energie, ~entfernungsmessung, ~entlackung, ~geradheitsmesssystem, ~härten, ~impuls, ~interferometrie, ~klasse, ~kopf, ~-Kurzbasisinterferometrie, ~licht, ~materialbearbeitung, ~materialien, ~messtechnik, ~-Oberflächenbehandeln, ~parameter, ~-Praxis, ~spot, ~schneidanlage, ~strahl, ~strahlbearbeitung, ~strahlschneiden, ~strahlschweißen, ~strahlschweißnaht, ~strahlumformen, ~strahlverfahren, ~strahlung, ~schweißanlage, ~system, ~technik, ~technologie, ~werkzeug;*
2 Zusammensetzungen mit *-laser* als Grundwort: *CO_2-Laser, CO_2-Hochleistungs~, Dauerstrich~, Dioden~, Festkörper-~, Flüssigkeits-~, Galliumarsenid-~, Gas-~, Glas-~, Halbleiter-~, Hochleistungs~, Hochleistungslaserdiode, Injektions-~, Metalldampf-~, Rubin-~, YAG-~.*
3 *Laser* als Bestimmungswort eines Partizips: *laserbestrahlt, ~gestützt.*
Fremdsprachige Entsprechungen (En) *laser;* (Fr) *laser* (1960, ROBERT-1994); (It) *laser;* (Ru) лазер /lazer/; (Pl)(Cs) *laser;* (Ja) /rêzal/.
Literatur [1] MARSHALL, Samuel L.: Laser technology and applications. With a foreword by T. H. MAIMAN. New York: McGraw-Hill, 1968. 294 S.; Zehn Jahre Laser-Technik (Sonderheft) In: etz-B Bd. 22 (1970) Nr. 21, S. 493 ff.; [2] LENGYEL, Bela A.: Laser; Grundlagen und Anwendungsgebiete. übersetzt von R. TONNDORF. Stuttgart: Berliner Union, 1967. 295 S., insbes. S. 11–12 nahezu gleichlautend mit: WANKE-1993, S. 611–612; [3] SCHNITGER, in: ntz Bd. 21 (1968) S. 508; [4] LAWRENCE, L. G.: Grundlagen der Lasertechnik. Prien: Winter, 1964. 139 S.; PRANGE, H.: Einführung in die Lasertechnik. In: Funkschau, Bd. 38 (1966) S. 209–212; Laserphysik. Bern; Stuttgart: Hallwag, 1966. Heft 71; [5] Bild d. Wissenschaft Bd. 3 (1966) S. 437–445; [6] DIN EN 60825-1 (VDE 0837 Teil 1):1997-03, zit. nach WARNER-1997, Jahrbuch, S. 635–638.

Leistungsfaktor
power factor

Worterklärung Physikalische Größe (↑Wechselstromgröße) als Quotient der ↑Wirkleistung zur ↑Scheinleistung eines Wechselstromkreises. Formelzeichen: cos φ.
Wortgeschichte Die Benennung ist eine Lehnübersetzung des (En) *power factor,* das 1892 von J. E. FLEMING* [1] definiert und geprägt wurde. Wahlweise zur Benennung ~ wird in der Praxis häufig die mathematische Größe cos φ (↑cos) genannt, die anschaulich den Phasenwinkel φ ((Gr) *phi*) zwischen Wirk- und Scheinleistung ausdrückt.
Wortbenutzung 1922: Der größte Leistungsfaktor hängt also allein von der Streuung ab (THOMÄLEN-1922, S. 315); 1984: In diesem Fall hängt der Leistungsfaktor von den Impedanzen des (Leitungs-)Ringes und nicht von den Kenngrößen der Last ab (WARNER/ORTH-1984, S. 753).
Wortfamilie
1 Zusammensetzungen mit *Leistungsfaktor-* als Bestimmungswort: *Leistungsfaktoranzeiger, ~ausgleich, ~messer, ~-Messgerät, ~regelung, ~relais, ~verbesserung;*
2 Zusammensetzungen mit *-leistungsfaktor* als Grundwort: *Bemessungs-Leistungsfaktor, Kurzschluss-~, Nenn~.*

Fremdsprachige Entsprechungen (En) *power factor*; (Nl) *arbeidsfactor*; (Sv) *effektfaktor*; (Es) *factor de potencia*; (Fr) *facteur de puissance*; (It) *fattore di potenza*; (Ru) **коэффициент мощности** /*koėfficient moščnosti*/; (Pl) *współczynnik mocy*; (Cs) *účiník*; (Ja) /*rikiritu*/.
Literatur [1] Fleming, J. E., in: Inst. Electr. Eng. Bd. 21 (1892) S. 606; zit. nach Jerrard/McNeill-1994, S. 122.

Leitfähigkeit, (elektrische) conductivity

Worterklärung Physikalische Größe als Kehrwert des »spezifischen ↑Widerstandes«. Faktor, der bei vorgegebener Länge eines Leiters und seines Querschnittes den ↑Leitwert dieses Leiters ergibt. Formelzeichen: γ, Ausweichzeichen: σ, κ. SI-Einheit: S/m (= ↑Siemens durch ↑Meter). Alternativbenennung: (selten:) *Konduktivität*.
Wortgeschichte
1 Da die Wortgeschichte von ~ eng mit der von ↑*Leitwert* verknüpft ist, vgl. die dortigen Ausführungen.
2 Bei der Abfassung des Entwurfes des AEF-Satzes II „Leitfähigkeit und Leitwert" übernahm 1908 der ↑AEF einen Beschluss der Deutschen Bunsen-Gesellschaft für angewandte physikalische Chemie, die sich schon 1897 für Begriff und Benennung ~ ausgesprochen hatte. Der AEF billigte 1910 den Satz II unverändert.
Wortbenutzung 1849: Da die Leitungsfähigkeit des Kupfers zwischen gewissen Gränzen variirt, so ist daher bei der Angabe des Zahlenwerthes von ε nur eine beschränkte Genauigkeit von Interesse (Kirchhoff [1]); 1922: [...] und demgemäß [heißt] endlich σ selbst die ‚spezifische Leitfähigkeit', oder kurz die ‚Leitfähigkeit' (Schaefer-1922, S. 85); 1965: Tabelle 4.2.4,1: Dielektrizitätszahl und Leitfähigkeit verschiedener Bodenarten (Warner-1965, S. 59); 1998: Elektrische Leitfähigkeit, κ, eines Metalls, Verhältnis von Stromdichte und elektrischer Feldstärke. Sie ist umgekehrt proportional zum spezifischen elektrischen Widerstand (Stöcker-1998, S. 917).
Wortfamilie Zusammensetzungen mit *-leitfähigkeit* als Grundwort: *Äquivalent~, Boden~, Defekt(elektronen)~, Eigen~, Elektronen~, Löcher~, Oberflächen~, Photo~, Restleitfähigkeit.*
Fremdsprachige Entsprechungen (En) *conductivity*; (Nl) *soortelijke geleiding, conductiviteit*; (Sv) *konduktivitet*; (Es) *conductividad*; (Fr) *conductivité* (1907, Robert-1994); (It) *conduttività*; (Ru) **удельная электрическая проводимость** /*udel'naja ėlektričeskaja provodimost'*/; (Pl) *konduktywność, przewodność właściwa*; (Cs) *vodivost*; (Ja) /*dōdenritu*/.
Literatur [1] In: Pogg. Annal. Bd. 76 (1849), zit. nach Kirchhoff-1882, S. 118.

Leitungsroller cable reel

Worterklärung Einrichtung, die zum Auf- und Abrollen einer Netzanschlussleitung dient und eine oder mehrere Steckdosen zum Anschluss von Geräten enthält; sie kann mit aufgerollter oder beliebig weit abgewickelter Leitung benutzt werden.
Wortgeschichte Ursprünglich *Kabeltrommel* genannt, nach einem Vorschlag von Ludwig Mittelstrass* 1976 in ~ umbenannt und so in das VDE-Vorschriftenwerk (↑VDE) aufgenommen. Im Mai 1997 erschien die Europäische Norm EN 61242 „Leitungsroller für den Hausgebrauch und ähnliche Zwecke", wodurch die Benennung ~ in die offizielle Terminologie des Europäischen Komitees für Elektrotechnische Normung (CENE-

LEC) übernommen worden ist. [1] In der Alltagssprache spricht man immer noch von *Kabelbox* oder *Kabeltrommel*.

Wortbenutzung 1980: DIN 57620s (VDE 0620s):1980-07; 1986: Leitungsroller [...] dienen zum Auf- und Abrollen einer fest angeschlossenen Leitung mit Stecker und enthalten eine oder mehrere Steckdosen (HÖSL/AYX-1986, S. 273); 1992: DIN VDE 0620:1992-05; 1997: DIN EN 61242 (VDE 0620 Teil 300):1997-09.

Fremdsprachige Entsprechungen (En) *cable reel;* (Fr) *cordon prolongateur enroulé.*

Literatur [1] VDE-Schriftenreihe Bd. 25 (1976); WARNER-1998.

Leitwert conductance

Worterklärung Physikalische Größe als Kehrwert des elektrischen ↑Widerstands, d. h. Quotient aus »elektrischem ↑Strom« und »elektrischer ↑Spannung«. Formelzeichen: ↑*G*; SI-Einheit: ↑Siemens. Alternativbenennung: (selten:) *Konduktanz.*

Wortgeschichte

1 Im ersten Bericht von 1826 über das erst später genannte ↑OHMsche Gesetz benutzt ihr Entdecker, der deutsche Physiker Georg Simon OHM*, den Begriff ~ in der Schriftform *Leitungswert*, während er den Begriff ↑»Leitfähigkeit« mit *Leitungsvermögen* bezeichnet. Daraus sei zitiert:

„Bei Versuchen, wo Leiter von ungefähr gleichem Leitungswerte abwechselnd in die Kette gebracht werden, ist dieses Hindernis [...] als nicht vorhanden anzusehen [...]. Auf diese Weise bestimmte ich das Leitungsvermögen verschiedener Metalle. [...] So ergab sich folgendes Gesetz: ‚Zylindrische Leiter von einerlei Art und verschiedenem Durchmesser haben denselben Leitungswert, wenn sich ihre Längen wie ihre Querschnitte verhalten.'" [1]

2 Vermutlich ohne Kenntnis von OHMs Wortbildung schlug 1908 der ↑AEF im Entwurf des AEF-Satzes II „Leitfähigkeit und Leitwert": „Das Reziproke des Widerstandes heißt Leitwert". 1910 wurde ~ durch Mehrheitsbeschluss angenommen [2]. In den Erläuterungen von J. TEICHMÜLLER und M. WIEN zum Entwurf wird ausgeführt:

„Für den reziproken Begriff des Widerstandes war bisher der Name *Leitfähigkeit*, für den des spezifischen Widerstandes der Name *spezifische Leitfähigkeit* üblich, doch wurde vielfach unter Leitfähigkeit schlechthin die spezifische Leitfähigkeit verstanden. Hier liegt sogar schon eine von der Technik wenig beachtete förmliche Vereinbarung vor; die Deutsche Bunsen-Gesellschaft für angewandte physikalische Chemie hat im Jahre 1897 beschlossen, mit *‚Leitfähigkeit'* das Reziproke des spezifischen Widerstandes zu benennen. Es kommt daher für uns nicht mehr in Frage, dem Namen *Leitfähigkeit* den Begriff des Spezifischen etwa wieder nehmen zu wollen, um so weniger, als ihm das Spezifische nach etymologischer Deutung schon zukommen dürfte. Es muß vielmehr ein neuer Name gefunden werden; es wird der in diesen Erläuterungen schon benutzte Name *Leitwert* vorgeschlagen." [3]

Wortbenutzung 1922: Wir kehren jetzt zu unserer Nebenschaltung mehrerer Zweige zurück, berechnen für jeden Zweig den Wirk- und Blindleitwert und zählen alle entsprechenden Werte zusammen (THOMÄLEN-1922, S. 188); 1970: Dabei sind wegen der besseren Übersichtlichkeit die 6 Leitwerte zwischen den 4 Knoten nur durch die Verbindungslinien angedeutet (KLEIN-1970, S. 28); 1998: In komplexer Schreibweise lassen sich die komplexen Leitwerte einfach addieren (KORIES/SCHMIDT-WALTER-1998, S. 137).

Wortfamilie
1 Zusammensetzungen mit *Leitwert-* als Bestimmungswort: *Knotenleitwertmatrix, ~ebene, ~form, ~gleichung, ~matrix, ~parameter, ~operator;*
2 Zusammensetzungen mit *-leitwert* als Grundwort: *Blindleitwert, Eingangs~, Elektroden-wirk~, Gesamt~, Innen~,* ↑*Kern~, Kopplungs~, Kurzschluss~, Leerlauf-Ausgangs~, Schein~, Übertragungs~, Wirk~.*
Fremdsprachige Entsprechungen (En) *conductance;* (Nl) *geleiding;* (Sv) *konduktans;* (Es) *conductancia;* (Fr) *conductance* (1893, ROBERT-1994); (It) *conduttanza;* (nGr) ηλεκτρική αγωγή /*ēlektrikē' agōgē'*/; (Ru) проводимость /*provodomost'*/; (Pl) *konduktancja;* (Cs) *konduktance;* (Ja) /*kondakutansu*/.
Siehe auch ↑Wechselstromgrößen.
Literatur [1] In: SCHWEIGGERS Journal für Chemie u. Physik. Bd. 46 (1826) S. 137–166, zit. nach OHM-1996, S. 8 u. 19; [2] In: etz Bd. 31 (1910) S. 598–599; [3] In: etz Bd. 29 (1908) S. 746.

Lenz — Lenz

Worterklärung Ehemals vorgeschlagener Name für die Einheit der ↑*magnetischen Feldstärke* zur Aufnahme in das Internationale ↑Einheitensystem (SI) als Ersatz für *Ampere durch Meter.*
Wortgeschichte
1 Im Jahre 1959 schlug das Nationalkomitee der Sowjetunion der Internationalen Elektrotechnischen Kommission (↑IEC, Genf) vor, die ↑SI-Einheit der magnetischen Feldstärke, die jetzt *Ampere durch Meter* heißt, kurz mit ~ zu benennen, und zwar zu Ehren des am 12.02.1804 in Dorpat (Estland) geborenen Heinrich Friedrich Emil LENZ, der 1834 Professor an der Universität St. Petersburg und Mitglied der dortigen Akademie der Wissenschaften wurde. Dort stellte er das später nach ihm benannte Gesetz auf: „Bei jedem Induktionsvorgang suchen die entstehenden Spannungen, Ströme, Felder und Kräfte die die Induktion bewirkenden Änderungen aufzuhalten." LENZ war auch der Lehrer mehrerer russischer Großfürsten und -fürstinnen.
2 Das zuständige Technische Komitee der IEC hat nach mehrjährigen Erörterungen über die Zweckmäßigkeit und Notwendigkeit eines besonderen Einheitennamens für die magnetische Feldstärke die Angelegenheit vertagt – und noch nicht wieder aufgegriffen.
Literatur DARRIEUS, M.G., in: Rev. Gén. Electr. Bd. 68 (1959) S. 252; LANDOLT, in: Bull. SEV Bd. 51 (1960) S. 400–401; WIECHOWSKI, W., in: Elektronorm Bd. 18 (1964) S. 464–465; vgl. ↑*L* (Wortgeschichte (3)).

Leuchte — luminaire

Worterklärung Nach dem technischen Sprachgebrauch sind *Leuchten*

„Geräte, die zur Verteilung, Filterung oder Umformung des Lichtes von Lampen dienen, einschließlich der zur Befestigung und zum Schutz der Lampen notwendigen Bestandteile." (DIN 5039 [1]).

Ersatzbenennung für *Armatur, Beleuchtungskörper* und *Geleucht.*
Wortgeschichte Die industrielle Spezialisierung erforderte es, zwischen »Lichtquellen« einerseits und dem »Träger von Lichtquellen« andrerseits zu unterscheiden. Bei der

elektrischen Lichtquelle konnte man die altbewährte ↑*Lampe* beibehalten. Der »Träger von Lichtquellen« hieß *Armatur*, ein technisches Allerweltswort, das nach dem Elektrotechnik-Band von 1928 der maßgebenden „Illustrierten Technischen Wörterbücher (ITW)" als »Bewehrung« oder »Belag« bei Magneten, Influenzmaschinen, Kondensatoren und Lampen vorkam. [2]
Der Begründer der Terminologielehre, Eugen WÜSTER, teilt 1958 in einer Leserzuschrift mit:

„Das Wort *Leuchte* ist vor Jahrzehnten an Stelle des Fremdwortes *Armatur* getreten." [3]

Das ITW bringt im Kapitel „Elektrische Beleuchtung" die Unterabschnitte „6 c) Armaturen, Leuchten, Geleucht" und „6 d) Beleuchtungskörper", was bedeutet, dass *Armatur* mit den drei übrigen Benennungen in Wettstreit getreten war. In der Gemeinschaftsarbeit zum Vorschriftenwerk des ↑VDE erkennt man den allmählichen Ausleseprozess am Beispiel des „Vorschriftenbuches des VDE" von 1931 (unter Angabe der Abschnitts-Nr. und des Geltungsbeginns):

5: VSS/1929: Leuchten müssen mit einem sicher befestigten, dickwandigen Schutzglas [...] ausgerüstet sein. (Schlagwetterschutz-Vorschriften); (S. 99)
1: VES 1/1930: Leuchten und Zubehör. [...] Fassungen in Armaturen müssen [...] den Berührungsschutz gewährleisten. [...] Die Leitungen an und in Beleuchtungskörpern müssen den „Vorschriften [...]" entsprechen. (Errichtungsvorschriften); (S. 19–20);
43: Vorschriften für [...] Beleuchtungskörper/1930: Beleuchtungskörper müssen einen Isolationswiderstand von mindestens 1 MΩ haben. (S. 488). [4]

Um vermutlich den Wünschen der Rüstungsindustrie entgegenzukommen, befasste sich in den 1930er Jahren der RAL* (Reichsausschuss für Lieferbedingungen) auch mit dieser Begriffsklärung und legte schließlich 1941 in der Vereinbarung RAL 716A „Elektrische Lampen und Leuchten; Begriffsbestimmungen und Bezeichnungsvorschriften" die Grundsätze fest:
- *Lampe* für die »elektrische Lichtquelle«.
- *Leuchte* für den »Träger von Lichtquellen«. [5]

Die entsprechenden Definitionen wurden als Norm DIN 5039 „Licht. Lampen. Leuchten" (Okt. 1943) veröffentlicht, nachdem im Herbst 1941 der Fachnormenausschuss Lichttechnik im Deutschen Normenausschuss [jetzt ↑DIN] gegründet worden ist.
Wortbenutzung 1923: Vereinheitlichung im Bau von Leuchten. [...] Die richtige Lichtwirkung bzw. Lichtverteilung einer Leuchte ist von genauer Einstellung der Lampe abhängig [6]; 1943: Bei den Leuchten für indirektes Licht wird das Licht nach oben gestrahlt (KOSACK-1943, S. 259); 1986: Alle Sicherheitsleuchten sind mit einem roten Zeichen zu kennzeichnen (HÖSL/AYX-1986, S. 189).
Wortfamilie
1 Zusammensetzungen mit *Leuchten-* als Bestimmungswort: *Leuchtendose, ~glas, ~glocke, ~klemme, ~schale, ~schirm, ~wirkungsgrad;*
2 Zusammensetzungen mit *-leuchte* als Grundwort: *Aquarienleuchte, Außen~, Bodeneinbau~, Decken~, Direkt~, Effekt~, Einbau~, Filmaufnahme~, Garten~, Gleichförmigkeits~, Hand~, Hänge~, Holz~, Indirekt~, Innen~, Klein~, Kontakt~, Luftschutz~, Peitschen~, Pen-*

del~, Spielzeug~, Stand~, Ständer~, Taschen~, Tisch~, Vorkeim~, Wand~, Wohnraum~, Zugpendel~, Zweck~.

Fremdsprachige Entsprechungen (En) *luminaire, lighting fitting;* (Nl) *armatuur;* (Sv) *ljusarmatur;* (Es) *luminaria, armadura para alumbrado;* (Fr) *luminaire, appareil d'éclairage;* (It) *apparecchio di illuminazione;* (Ru) светильник */svetil'nik/;* (Pl) *oprawa oświetleniowa;* (Cs) *svítidlo.*

Literatur [1] DIN 5039 „Licht; Lampen; Leuchten" (Okt. 1943); gleichlautend mit Ausg. Mai 1955; [2] SCHLOMANN-1928, z.B. S. 41.4, 46.5, 49.17, 299, 24 ff.; [3] Sterben Lampen und Laternen aus? Immer mehr Leuchten! (HEEGER, H.), Licht – Lampen – Leuchten (BÜCHNER, Hermann), in: Muttersprache, Bd. 68 (1958) S. 346–350; [4] VDE (Hrsg.): Vorschriftenbuch des VDE. 18. Aufl., Berlin: VDE, 1931. 1088 S.; [5] Begriffsbestimmungen und Bezeichnungsvorschriften für elektrische Lampen und Leuchten RAL 716A. In: Das Licht, Bd. 11 (1941) S. 159; [6] In: etz Bd. 44 (1923) S. 834–835.

Lichtquant ↑Quant

Lionard (L) ↑AEF-Einheitensystem

Logarithmus — logarithm

Worterklärung Zahl, die es erlaubt, Multiplizieren aufs Addieren, Dividieren aufs Subtrahieren, Potenzieren aufs Multiplizieren und Wurzelziehen (Radizieren) aufs Dividieren zurückzuführen.

Wortgeschichte

1 Es hat im Mittelalter nicht an Versuchen gefehlt, den ungeheuren Rechenaufwand bei der Aufstellung astronomischer und navigatorischer Tafeln zu verringern. Vorrangig sollte das Multiplizieren aufs Addieren zurückgeführt werden, indem arithmetische Reihen mit geometrischen Reihen ins Verhältnis gesetzt wurden. Die Benennung ~ wurde vom schottischen Gelehrten John NAPIER* – auch John NEPER genannt – (1550–1617), Laird of Merchiston, geprägt. Mit ~ werden die beiden ihm zu Grunde liegenden Begriffe in genialer Weise verknüpft: Mit (Gr) λογιστική */logistikē'/* bezeichneten die alten Griechen die praktische Anleitung zum Rechnen, während mit (Gr) αριθμητική */arithmētikē'/* der theoretische Teil der Lehre von den Zahlen gemeint war. Die Logarithmen werden erstmals 1594 in einem Brief von Dr. CRAIG, einem gemeinsamen Freund, an den dänischen Astronomen Tycho BRAHE (1546–1601) erwähnt.

2 Die erste Logarithmentafel erschien 1614 in Edinburgh unter dem Titel „Mirifici logarithmorum canonis descriptio" ((nLa) ›Beschreibung der bewundernswerten Regel über Logarithmen‹). Darin definiert NAPIER: „Proportionalium numerorum aut quantitatum aequidifferentes sunt logarithmi". Der deutsche Astronom Johannes KEPLER* sagt: „Der Name weist darauf hin, daß es Zahlen sind, die ein Verhältnis bezeichnen ((Gr) αριθμοί του λόγου */arithmoí tou lógou/*)". [1] Weder NAPIER noch sein Koautor Henri BRIGGS (1561–1630) sah einen Zusammenhang mit einer Basis. Es blieb vielmehr L. EULER* vorbehalten, das Logarithmieren als zweite Umkehrung der Potenzrechnung – mit dem Wurzelziehen als der ersten Umkehrung – zu erkennen und in seiner 1745 geschriebenen „Introductio in analysin infinitorum" (veröffentlicht 1748) zu behandeln. [1]

3 Wortkritik des hannoverschen Mathematikers H. VON SANDEN (1947):

„Es ist eigentlich zu bedauern, daß das Wort Logarithmus überhaupt erfunden wurde, statt einfach „Exponent" an Stelle von Logarithmus zu sagen. Man hätte dann von einer „Exponententafel" statt von einer Logarithmentafel zu sprechen." [2]

Wortbenutzung 1624: Henry BRIGGS: „Arithmetica logarithmica" (London 1624, 14-stellige Logarithmen); 1628: Adrian VLAQC: „Arithmetica logarithmica" (Gaudae 1628, 10-stell.); 1794: VEGA: „Thesaurus logarithmorum" (Leipzig 1794, 10-stell.); 1860/1924: Carl REMIKER: „Logarithmisch-trigonometrische Tafeln mit sechs Dezimalstellen" (Berlin 1860, neu bearb. von Th. ALBRECHT, Stuttgart 1924); 1998: [...] linear mit dem Logarithmus der Frequenz fallend (WARNER-1998, S. 683).

Wortfamilie logarithmisch-periodische Antenne »Anordnung von Dipolen unterschiedlicher Länge«; Logarithmentafel; Verdeutschungen: ↑*Logert*, ↑*Erzlogert*, ↑*Hochbruch*.

Fremdsprachige Entsprechungen (En) *logarithm*; (Es)(It) *logaritmo*; (Fr) *logarithme* (1624, ROBERT-1994); (Ru) логарифм */logarifm/*; (Pl) *logarytm*; (Cs) *logaritmus*; (Ja) */taisū/*.

Literatur [1] LAURI, R.W.: John NAPIER und Jost BÜRGL. DGW Bd. 5, S. 380–401; STRUIK-1987, S. 89; KROPP-1994, S. 81; EULER-1884, S. 85-98; TROPFKE-1933, S. 204–262; [2] SANDEN, H.v.: Einführung in die technische Mathematik. Berlin: de Gruyter, 1947. 68 S., hier S. 48.

Logert logarithm

Worterklärung Ehemals vorgeschlagene verdeutschende Ersatzbenennung für ↑*Logarithmus*.

Wortgeschichte Der sprachinteressierte Architekt Emil von MECENSEFFY* stellte 1936 im Auftrage des Münchener Zweiges des Deutschen Sprachvereins und mit Benutzung eines handschriftlichen Verzeichnisses von M. ENDERS (Kassel) und von Vorschlägen von H. HOFMANN (Frankfurt a. M.) das „Verdeutschungsbuch für die Größenlehre oder Mathematik" zusammen. In der ausführlichen Einleitung (S. 1–12) begründete er zahlreiche Vorschläge im Einzelnen. Zum Begriffsfeld »Logarithmus« führt er Folgendes aus:

„Ich habe die höhere Art des „Malnehmens" als *„Hochnehmen"*, die Potenz als *„Hochwert"*, den Exponenten als *„Hochzeiger"* benannt. Das paßt nun freilich schlecht auf den sinngleichen „Logarithmus", der ja immer ein vielstelliger Zehntelbruch ist, weshalb man ihn auch *„Hochbruch"* nennen könnte. „Hochzahl" (HARTMANN) ist an sich nicht schlecht, mag aber zu Verwechslungen mit „Hochwert" führen. Darum schlage ich daneben vor, das allzu lange griechische Wort gekürzt als *„Logert"* einzudeutschen und damit den erwünschten Zusammenhang mit der Rechenbezeichnung „log." oder „lg." zu wahren. Dieses letzte Ziel führte auch zu *„E r z logert"* und zu *„E r z grundzahl"* für die „Basis" der „natürlichen" Logarithmen, weil „e" davon eine Abkürzung vorstellen kann." [1]

Siehe auch ↑e.

Literatur [1] MECENSEFFY-1936, S. 5.

Luftspalt air gap

Worterklärung Kleiner Zwischenraum zwischen den ferromagnetischen Teilen eines magnetischen Kreises. Ersatzbenennung für *Luftzwischenraum, Luftschichte* und *Interferricum.* [1]

Wortgeschichte Laut F. Niethammer prägte der österreichisch-schottische Elektromaschinen-Ingenieur Gisbert Kapp* das Wort ~ und führte es „statt des bis dahin gebräuchlichen Ausdrucks G [= deutsch] *Luftzwischenraum* (in Magneten)“ [2] ein, vermutlich 1887.

Wortbenutzung 1902: Sonach sind mit Rücksicht auf die Längen folgende Ampèrewindungszahlen erforderlich: [...] Für den den Luftspalt 7982 × 0,8 = 6386 (Waltenhofen-1902, S. 153); 1922: Ist ferner X_l und X_z die unter der Polmitte für den doppelten Luftspalt und die doppelte Zahntiefe erforderliche Erregung, so ist der magnetische Spannungsverbrauch [...] (Thomälen-1922, S. 112); 1949: Würde man alle Stoßstellen in eine Ebene legen, so müßte der Gesamtfluß einen Luftspalt überwinden, der wegen seines hohen magnetischen Widerstandes auch bei kleiner Länge viel AW [Amperewindungen ↑Θ (Formelzeichen für Durchflutung)] verbrauchte (Schäfer-1949 [3]).

Wortfamilie *Luftspaltberandung, ~breite, ~induktion, ~leistung, ~oberfeld.*

Fremdsprachige Entsprechungen Ⓔⓝ *air gap;* Ⓝⓛ *luchtspleet;* Ⓢⓥ *luftgap;* Ⓔⓢ *entrehierro;* Ⓕⓡ *entrefer* (1888, Robert-1994); Ⓘⓣ *traferro, interferro;* Ⓡⓤ зазор */zazor/;* Ⓟⓛ *szczelina;* Ⓒⓢ *vzduchová mezera.*

Literatur [1] *Luftschichte* und *Interferricum* in: Waltenhofen-1902, S. 130–133; [2] Wüster-1966, S. 91; [3] Schäfer, Wilhelm: Transformatoren. Berlin: de Gruyter, 1949. 128 S., hier S. 67.

M

M • μ • mac
Magnet • …
magnetische Flussdichte
magnetischer Schwund • …
Maser • Maxwell
Maxwell'sche Gleichungen
… • Messwandler • Meter
Mho • … • minus (–)
Minute • Mol
Mutator • Myria-

M

M (mutual inductance)

Worterklärung Formelzeichen für »*mutual inductance*« (»gegenseitige ↑Induktivität«, »Gegeninduktivität«) nach IEC 60027-1:1992-12.

Wortgeschichte

1 Der schottische Physiker James C. MAXWELL* benutzte 1873 M als Formelzeichen für »coefficient of mutual induction«, jetzt *mutual inductance*, und führte es zusammen mit ↑L ein. [1]

2 Im Zuge der durch Ed. HOSPITALIER* 1891 eingeleiteten ↑Formelzeichen-Normung (und der dort aufgezeigten tabellarischen Entwicklung) wurde dieser Buchstabe von allen beteiligten Organisationen gebilligt und in deren Verzeichnisse aufgenommen. [2] Das Normenwerk des ↑DIN nannte M zuletzt in DIN 1344:1959 noch als Vorzugszeichen vor L_{12}. In DIN 1304-1:1994-03 „Allgemeine Formelzeichen" ist für die »gegenseitige Induktivität« nur L_{mn} festgelegt, wobei darauf hingewiesen wird, dass in IEC 60027-1:1992-12 M als Vorzugszeichen, dagegen L_{mn} als Ausweichzeichen angegeben ist.

Literatur [1] MAXWELL-1954, Art.581; [2] EMDE-1906; STRECKER-1906.

μ

μ (permeability)

Worterklärung Kleinbuchstabe *My* des griechischen Alphabets als Formelzeichen für ↑»Permeabilität« nach DIN 1304-1:1994-03 entsprechend IEC 60027-1:1992-12.

Wortgeschichte

1 Laut E.G. CULLWICK wurden die Benennung (En) *permeability* und das Formelzeichen μ vom schottischen Physiker Sir William THOMSON* (dem späteren Lord KELVIN) 1851 eingeführt. [1] Sein Landsmann James C. MAXWELL* übernahm beides 1873 in sein Werk „A treatise on electricity and magnetism" (Oxford, 1. Auflage). Heinrich HERTZ* schloss sich 1890 dem hinsichtlich des Formelzeichens μ zwar an, nannte jedoch die Größe *Magnetisirungsconstante*; vgl. Zitat unter ↑ε.

2 Im Zuge der durch Ed. HOSPITALIER* 1891 eingeleiteten ↑Formelzeichen-Normung (und der dort aufgezeigten tabellarischen Entwicklung) wurde dieser Buchstabe von allen beteiligten Organisationen gebilligt und in deren Verzeichnisse aufgenommen. [2]

3 Mit dem Zeichen μ als Grundzeichen werden außerdem gebildet:

- μ_r = *Permeabilitätszahl, relative Permeabilität;*
- μ_0 = ↑*magnetische Feldkonstante* (früher: ↑*Induktionskonstante*).

Somit $\mu = \mu_r\, \mu_0$.

Der Index 0 (Null) wurde 1891 von Oliver HEAVISIDE* mit folgenden Worten eingeführt, wobei c für ↑ε steht:

„Keeping to the case of isotropy, the ratios c/c_0 and μ/μ_0 of the permittivity and inductivity [permeability] of a body to that of the standard ether are the specific inductive capacities, electric and magnetic respectively." [3]

Im Jahre 1904 übernahm Fritz EMDE* diesen Index:

„Wir wollen die Konstanten für den leeren Raum mit ε_0 und μ_0 bezeichnen." [4]

4 Die Merkhilfe für μ [Aussprache my] ist durch den Anfangsbuchstaben von *magnetischer* Permeabilität gegeben.

Wortbenutzung 1904: ε nennt man Dielektricitätskonstante, μ magnetische Permeabilität (EMDE, F. [4]).

Siehe auch ↑Permittivität.

Literatur [1] THOMSON, W.: The mathematical theory of magnetism. In: Phil. Trans. Roy. Soc. Bd. 141 (1851) S. 243, 269; zit. nach CULLWICK, E.G.: What is permeability? In: J. Instn. Electr. Eng. Bd. 2 (1956) S. 416–417; [2] EMDE-1906; STRECKER-1906; [3] HEAVISIDE-1951, S. 6, § 23; [4] EMDE-1904, S. 433.

mac — unit of inductance

Worterklärung Ehemals vorgeschlagene Einheit der ↑»Induktivität«.

Wortgeschichte

1 Sie wurde 1893 von O. HEAVISIDE* vorgebracht:

„And as regards the name of the practical unit of inductance, I think the best name is *mac*, in honour of the man who knew something about self-induction, of course. Many other names have been proposed, but none so good as *mac*. Some critic has made etymological objections."

Ein einziger Beleg befindet sich im Appendix C „Rational units" (nach § 349c), wo gegenübergestellt werden:

- new ohm = 4π old ohm
- new mac = 4π old mac
- new farad = 1/(4π) old farad.

2 Dieser Vorschlag bürgerte sich nicht ein, wurde vielleicht gar nicht ernst genommen, denn mit *Mac* werden ironischerweise Schotten gemeint. Vermutlich hat HEAVISIDE den Schotten James C. MAXWELL* ehren wollen, der ja „etwas über die Selbstinduktion" (↑*L*) wusste. Die wissenschaftliche Welt hat sich schließlich für die Einheit ↑Henry entschieden.

Literatur HEAVISIDE-1951, § 208.

Magnet — magnet

Worterklärung Stählernes stabförmiges oder hufeisenförmiges Gebilde mit zwei Polen (↑Nordpol und ↑Südpol, ↑Dauermagnet), das neutrale Eisenstücke anzieht. Ungleiche Pole ziehen sich an, gleiche Pole stoßen sich ab. ↑Magnetismus.

Wortgeschichte Zur Wortgeschichte schreibt 1600 William GILBERT* in seinem Werk „De magnete" im II. Kapitel des Ersten Buchs:

„The loadstone. What it is. Its discovery. This stone is commonly called magnet, either after its finder [...], or after the district Magnesia in Macedonia, abounding in loadstones; or after the City of Magnesia in Ionia od Asia Minor, on the river Maender; hence Lucretius writes, ‚Quem Magneta vocant patrio de nomine Graij, Magnetum quia sit patriis in montibus ortus.[2]' (Fußnote 2: Which the Greeks call *magnetes*, from the name of its country, for it had its origin in the native hills of the Magnesians)." [1]

In der Übertragung von Hermann DIELS lauten die beiden Zeilen des Lehrgedichts „Über die Natur der Dinge" von LUKREZ (um 99–55 v.Chr.):

„[...] in dem eisenanziehenden Steine, / Den man Magneten benennt mit seinem griechischen Namen, / Weil als sein Fundort gilt das Heimatland der Magneten." [2]

Wortbenutzung 1712: Man ist schohn lange Zeit den Magnet oder die mit dem Magnet bestrichene Nadel zu den longitudinibus nauticis zu brauchen bedacht gewesen, nachdem man aussgefunden, dass die acus magnetica eine gewisse declination von den Nord

Punct zu haben pflege (Leibniz* [3]); 1823: Der Magnet ist ein Urphänomen, das man nur aussprechen darf, um es erklärt zu haben; dadurch wird es denn auch ein Symbol für alles übrige, wofür wir keine Worte noch Namen zu suchen brauchen (Goethe [4]).
Wortfamilie [5]
1 Zusammensetzungen mit *Magnet-* als Bestimmungswort: *~anker, ~antrieb, ~auslöser, ~band, ~bandgerät, ~betätigung, ~bezirk, ~blasschalter, ~bremslüfter, ~dämpfung, ~draht, ~eisenstein, ~feld, ~feldröhre, ~fluss, ~joch, ~kern, ~kompass, ~kopf, ~kopplung, ~kreis, ~kupplung, ~legierung, ~motor, ~nadel, ~pol, ~prüfung, ~rad, ~regler, ~schalter, ~schenkel, ~spule, ~stahl, ~streuung, ~system, ~tonband, ~trommelspeicher, ~ventil, ~verschluss, ~verstärker, ~werkstoff, ~wicklung, ~zünder;*
2 Zusammensetzungen mit *-magnet* als Grundwort: *Astatisierungs~, Auslöse~, Ausschalt~, Außen~, Betätigungs~, Blas~, Brems~, Dämpfer~, Dauer~, Dreh~, Drehschlag~, Druck~, Einschalt~, Elementar~, Feld~, Ferrit~, Fokussierungs~, Halte~, Hub~, Hufeisen~, Ionenfallen~, Kern~, Lamellen~, Last~, Lautsprecher~, Mantel~, Oxyd~, Press~, Richt~, Ring~, Rückstell~, Scheiben~, Scheide~, Schub~, Schütz~, Sinter~, Sperr~, Stahl~, Stell~, Steuer~, Tiegel~, Topf~, Zug~;*
3 Zusammensetzungen mit *Magneto-*: *magnetoelastisch, ~hydrodynamisch, ~kalorisch, ~mechanisch, ~meter, ~motorisch, ~optik,* ↑*~phon, ~rotation, ~sphäre, ~statik, ~striktion, ~striktionsmessung, ~striktionsoszilator, ~striktionssender;*
4 Wortableitungen: *magnetisch, Magnetiseur, Magnetisierbarkeit, magnetisieren, Magnetisierung,* ↑*Magnetismus;*
Fremdsprachige Entsprechungen (En) *magnet;* (Nl) *magneet;* (It) *magnete,* auch *calamita;* (Ru) магнит */magnit/;* (Pl) *magnes;* (Cs) *magnet;* (Ja) */maguneto/;* anderer Wortstamm: (Es) *imán,* Adjektiv jedoch *magnético;* (Fr) *aimant,* Adjektiv jedoch *magnétique;* (Ja) */zisyaku/.*
Fremdsprachige Entsprechungen in der Ausdrucksweise von W. Gilbert: „The magnet is called by the Greek Ἡράκλειος */Herákleios/,* as by Theophrastus, and Μαγνῆτις */Magn'ētis/* and Μάγνης */Mágnēs/,* as by Euripides, quoted by Plato in the ‚Io'; by Orpheus it is called also Μαγνῆσσα */Magn'ēosa/* and Σιδηρίτης */Sid'ēritēs/* (quasi ironstone); by the Latins it is called *Magnes Herkuleus;* by the French *Aimant,* a corruption of *adamas;* by the Spaniards *Piedramant;* by the Italians *Calamita;* by the English *Loadstone* and *Adamant stone* [in Fraktur]; by the Germans *Magness* and *Siegelstein.* Among the English, French, and Spaniards, it has its common name from *adamas* […]. [6]
Literatur [1] Gilbert-1991, S. 15–16; [2] Hansen-2000, CD-ROM, S. 6010 u. 6574; [3] Denkschrift Nr. 158 in Guerrier-1975, S. 244; [4] Maximen und Reflexionen, Nr. 434, Aus den Heften zur Naturwissenschaft. In: dtv Gesamtausgabe Bd. 21, 1968; [5] Im Wesentlichen nach Kučera-1965; [6] Gilbert-1991, S. 21.

magnetische Erregung — magnetic field strength

Worterklärung Alternativbenennung für ↑»magnetische Feldstärke«.
Wortgeschichte Das Wort ~ wurde vom deutschen Physiker Gustav Mie* vorgeschlagen und 1972 vom ↑AEF als daneben zugelassene Benennung in DIN 1325:1972 aufgenommen.

magnetische Feldkonstante — magnetic constant

Worterklärung

1 Naturkonstante, definiert als Quotient der ↑»magnetischen Flussdichte« ↑*B* zur ↑»magnetischen Feldstärke« ↑*H* im materiefreien Raum. Formelzeichen: μ_0. (↑μ). SI-Einheit: H/m = ↑Henry durch ↑Meter. Somit ist $\mu_0 = B/H = 1/(\varepsilon_0 c_0^2) = 4\pi\ 10^{-7}$ H/m = 1,256 637 061 μH/m. Darin bedeuten: ε_0 die ↑»elektrische Feldkonstante« und c_0 die Lichtgeschwindigkeit (beides im materiefreien Raum); deren Zahlenwerte sind im Internationalen ↑Einheitensystem (SI) mit den Basiseinheiten ↑Meter, ↑Sekunde und ↑Ampere verknüpft. [1][2]

2 Ersatzbenennung für ↑*Permeabilität des leeren Raums* und für ↑*Induktionskonstante.*

Wortgeschichte Als Antwort auf einen Beschluss der 9. Generalkonferenz für Maß und Gewicht (↑CGPM) von 1948 erstellte im Auftrage des ↑VDE und der VDEW (Vereinigung Deutscher Elektrizitätswerke, jetzt: Verband der Elektrizitätswirtschaft) 1951 O. LÖBL* ein „Memorandum über elektrische und magnetische Einheiten", in dem er u.a. aussagt:

„Weiter wollen wir ε_0 und μ_0 neu bezeichnen und neu benennen. Sie sollen [...] hinfort nicht mehr Vakuumdielektrizitätskonstante und Vakuumpermeabilität heißen, sondern *elektrische* und *magnetische Feldkonstante,* welche Namen ohnehin schon mehrfach für sie gebraucht wurden. An ihrem Wert ändert sich dadurch nichts." [3]

Im Jahre 1967 ist ~ in das Deutsche Normenwerk eingeführt worden.

Wortbenutzung 1955: Wir wollen hier die allgemeinste Darstellung der Elektrodynamik [...] benutzen, bei der die Feldkonstanten ε_0 und μ_0 [...] in den Gleichungen auftreten (STILLE-1955, S. 146); 1964: Hingegen wurde eine Empfehlung über die Permeabilität und die Dielektrizitätskonstante des leeren Raumes, die in Zukunft Magnetische (Feld-)Konstante und Elektrische (Feld-)Konstante heißen sollen, neu gefaßt (WIECHOWSKI, W. [4]); 1967: Die universelle Konstante μ_0 heißt *magnetische Feldkonstante* oder *Induktionskonstante* (DIN 1325:1967-01); 1998: Berechnen Sie daraus die magnetische Feldkonstante μ_0 (GREHN/KRAUSE-1998, S. 241).

Fremdsprachige Entsprechungen (En) *magnetic constant;* (Nl) *magnetische constante;* (Sv) *magnetiska konstanten;* (Es) *constante magnética;* (Fr) *constante magnétique;* (It) *permeabilità del vuoto;* (Ru) магнитная постоянная */magnitnaja postojannaja/;* (Pl) *stała magnetyczna.*

Literatur [1] DIN 1324-1:1988-05; [2] KOSE-1977: Die Bedeutung von Naturkonstanten [...], S. 247. [3] In: etz Bd. 72 (1951) S. 455–462, hier S. 458; [4] In: Elektronorm Bd. 18 (1964) S. 464–465, hier S. 464.

magnetische Feldstärke — magnetic field strength

Worterklärung Physikalische Größe, definiert als der Strombelag einer im entsprechenden Feldpunkt gebrachten sehr kleinen, schlanken und im Innern materiefreien Drahtspule. Formelzeichen: ↑*H*. SI-Einheit: A/m = ↑Ampere durch ↑Meter. [1]

Wortgeschichte

1 Der Begriff »magnetische Kraft eines Feldes« geht in der Benennung (En) *magnetic force* auf den schottischen Physiker Sir William THOMSON*, den späteren Lord KELVIN, zurück, wie es sein Landsmann James C. MAXWELL* 1873 in seinem grundlegenden Werk „A treatise on electricity and magnetism" beschreibt:

„We define the force within a cavity of this form as the magnetic force within the magnet. Sir William THOMSON* has called this the Polar definition of magnetic force. When we have occasion to consider this force as a vector we shall denote it by *H* [Fraktur]". [2] In der Übersetzung von B. WEINSTEIN: *magnetische Kraft*. Vgl. ↑*elektrische Kraft* nach H. HERTZ.

2 In der „Einführung in die MAXWELLsche Theorie der Elektrizität" drückt dies Max ABRAHAM* – vermutlich schon in der Auflage von 1904 – wie folgt aus:

„Es empfiehlt sich dann, einen zweiten magnetischen Vektor *H* [Fraktur] einzuführen, den wir ‚magnetische Feldstärke' oder auch ‚magnetische Kraft' nennen wollen." [3]

Auf diese Aussage bezieht sich J. WALLOT* 1926 in seinem Vortrag „Zur Definition der magnetischen Feldgrößen", wenn er fragt:

„17. Wie soll nun die zweite Feldgröße *H** benannt werden? Am sichersten würden zweifellos Verwechslungen vermieden werden, wenn man für sie einen neuen Namen erfände. ABRAHAM jedoch, dem wie ihre Einführung verdanken, hat sie ‚magnetische Feldstärke' genannt und ihr das Formelzeichen *H* [Fraktur] zugeordnet; und ich glaube, daß wir diese Bezeichnungen beibehalten können." [4]

Genau genommen wird die Benennung *Feldstärke* schon früher von anderen Autoren benutzt: E. WARBURG zitiert 1889 aus einem Bericht von C. BAUR:

„Der wichtigste Punkt, den EWING festgestellt hat, ist die eigenthümliche Erscheinung, daß Eisen und Stahl im magnetischen Felde für zwei gleiche Feldstärken einen verschiedenen Magnetismus annehmen […]"

und fährt mit der Stellungnahme fort:

„Dazu erlaube ich mir die Bemerkung, daß dieser Punkt von mir bereits im Jahre 1880 vollständig festgestellt und für den wichtigsten Fall, daß die Feldstärke zyklisch geändert wird, ausführlich untersucht ist." [5]

3 Später finden wir bei J. WALLOT eine versöhnliche Einstellung zu ↑*Induktion B/magnetische Feldstärke H*, und zwar in seinem Werk „Größengleichungen, Einheiten und Dimensionen" von 1957:

„Es ist vorgeschlagen worden, dem Vektor *B* und n i c h t dem Vektor *H* den Namen ‚magnetische Feldstärke' zu geben. Sicher wäre das, vom heutigen Standpunkt aus beurteilt, die treffende Benennung. Sie läßt sich jedoch nicht durchsetzen. Ein Fachausdruck kann mangelhaft sein oder einer veralteten Vorstellung entspringen; wenn er seit Jahrzehnten einheitlich in allen Ländern in einem bestimmten Sinne gebraucht wird, dann ist er zwar nicht ideal, aber doch besser als ein noch so treffender neuer Ausdruck, an den man sich im günstigsten Fall erst nach unzähligen Mißverständnissen im Laufe der Jahre allmählich gewöhnt." [6]

Dieser Auffassung schloss sich der ↑AEF in seiner Norm DIN 1325:1972-01 an.

Wortbenutzung 1906: Magnetische Feldstärke (EMDE-1906, S. 510); 1922: Tragen wir dann die [magnetische] Feldstärke *H* wagerecht und die Induktion *B* [*H* und *B* in Fraktur] senkrecht auf, so erhalten wir die Magnetisierungskurve des untersuchten Eisens (THOMÄLEN-1922, S. 35); 1965: Für die rechnerische Behandlung solcher Strahler geht man zweckmäßigerweise von den sog. HERTZschen Gleichungen aus, die die elektrische Feldstärke *E* und die magnetische Feldstärke *H* eines HERTZschen Dipols in der Entfernung *d* beschreiben (WARNER-1965, S. 40); 1996: Die magnetische Feldstärke erhalten wir aus dem Durchflutungsgesetz unter Vernachlässigung des Anteils im Eisen zu $H = \Theta/l_{Str} = 37{,}2$ kA/m (RÜCKL-1996, S. 31).

Fremdsprachige Entsprechungen [7] Ⓔⓝ *magnetic field strength;* Ⓝⓛ *magnetische veldsterkte;* Ⓢⓥ *magnetisk fältstyrka;* Ⓔⓢ *campo magnético;* Ⓕⓡ *champ magnétique;* Ⓘⓣ *forza magnetica, intensità di campo magnetico;* Ⓡⓤ напряженность магнитного поля */naprjažennost' magnitnogo polja/;* Ⓟⓛ *natężenie pola magnetycznego;* Ⓒⓢ *intensita magnetického pole;* Ⓙⓐ */zikai no tuyosa/.*

Siehe auch ↑Feldformant.

Literatur [1] DIN 1324 Teil 1: 1988-05, § 5.6; [2] MAXWELL-1954, Bd. 2, S. 24, Art. 398; [3] ABRAHAM, M[ax].: Theorie der Elektrizität. Bd. I: Einführung in die MAXWELLsche Theorie der Elektrizität. 6. Aufl., Leipzig; Berlin: Teubner, 1921. 390 S., hier S. 188 § 55; [4] WALLOT-1926, S. 1011; [5] WARBURG-1889, S. 193; [6] WALLOT-1957, S. 31; [7] Im Wesentlichen nach IEC Dict.

magnetische Flussdichte — magnetic flux density

Worterklärung Neuerdings bevorzugte Alternativbenennung zur Feldgröße *magnetische ↑Induktion*. Formelzeichen: ↑*B*. SI-Einheit: ↑Tesla.

Wortgeschichte

1 Da die zweifache Verwendung von ↑*Induktion* (als Größe *B* und als Erscheinung) zu Missverständnissen führen kann, wurde seit den 1920er Jahren nach einem Ersatz gesucht. Als Folge eines beachtenswerten Vortrages „Zur Definition der magnetischen Feldgrößen" von J. WALLOT* sind alle Diskussionsbeiträge (mündlicher und schriftlicher Art) veröffentlicht worden. [1] In diesem Zusammenhang wurde der Ausdruck ~ vom Freiberger Dozenten BRION mit folgenden Worten vorgebracht:

> „Wenn man dabei ist, die magnetischen Grundgrößen neu festzusetzen, wäre zu überlegen, ob man nicht für das, was man bis jetzt mit *Induktion B* bezeichnet hat, eher den früher bereits vorgeschlagenen bezeichnenderen Ausdruck ‚*Flußdichte*' wählen sollte, da derAusdruck *Induktion* nichts weniger als prägnant ist." [2]

2 In der ersten Fassung der Norm DIN 1325 „Magnetisches Feld" (Jan. 1967) wurde im Text nur die Benennung *magnetische Induktion* benutzt. Im Zusammenhang mit dem *magnetischen Fluss* wurde jedoch darauf hingewiesen:

> „Es ist hiernach auch zulässig, die magnetische Induktion als Dichte des magnetischen Flusses oder kurz als *magnetische Flußdichte* zu bezeichnen."

In der zweiten Fassung dieser Norm (Jan. 1972) wurde jeweils *magnetische Flussdichte* an erster Stelle genannt – und war damit Vorzugsbenennung –, *Induktion* wurde in Klammern dahinter gesetzt. Die Neufassung dieser Norm unter dem Titel „Elektromagnetisches Feld; Zustandsgrößen" (Mai 1988) kennt nur noch *magnetische Flussdichte*. Die Benennung *Induktion* kommt überhaupt nicht mehr vor. [3]

Fremdsprachige Entsprechungen [4] Im Vergleich zum Stichwort ↑*Induktion*II haben folgende Sprachen zusätzlich oder allein die Sinnform ›magnetische Flussdichte‹: Ⓔⓝ *magnetic flux density;* Ⓝⓛ *magnetische fluxdichtheid;* Ⓢⓥ (allein:) *magnetisk flödestäthet, magnetisk fluxtäthet;* ⓝⒼⓡ (allein:) πυκνότητα μαγνητικής ροής */pyknótēta magnētikēs' roēs'/.*

Siehe auch ↑Feldformant.

Literatur [1] WALLOT-1926; [2] BRION*: (Zuschrift), in etz Bd. 48 (1927) S. 482–483, hier S. 483; [3] DIN 1324 Teil 1:1988-05, Abschn. 5.4; [4] IEC Dict.-1983.

magnetischer Schwund — magnetic decreasing

Worterklärung Physikalische Größe, die die Abnahmegeschwindigkeit des magnetischen Flusses angibt. ↑SI-Einheit: Wb/s = ↑Weber durch ↑Sekunde.
Wortgeschichte Laut W. BADER [1] wurden 1920 Begriff und Benennung ~ vom Wechselstromtheoretiker Fritz EMDE* geprägt, der dem Entwurf XIX des ↑AEF: „Magnetischer Schwund" folgende Begründung (zusammen mit W. JAEGER) beigab:

„Da man aber für die Festsetzung der Vorzeichen meist die Rechtsschraube zugrunde legt, so muß man sagen, daß ein positiver Strom entsteht, wenn die Kraftlinienzahl [= der magnetische Fluss] *ab*nimmt. Wenn man nun, um eine kurze Ausdrucksweise zu ermöglichen, einen Namen einführt, so ist es daher vorteilhaft, ihn gleich für die *Ab*nahme des Flusses zu wählen, nicht für die *Zu*nahme. Die Einführung eines besonderen Namens rechtfertigt sich durch das häufige Vorkommen des Begriffes." [2]

Wortbenutzung 1961: Folglich unterscheiden sich magnetischer „Schwund" $-\mathrm{d}\Phi/\mathrm{d}t$ und induzierte Spannung (STILLE-1961, S. 192).
Wortfamilie *Ruheschwund, Bewegungs~, Transformations~, Rotations~, Gesamt~, Leerlauf~, Belastungs~, Haupt~, Streu~.* [2]
Literatur [1] In: etz Bd. 72 (1951) S. 511; [2] In: etz Bd. 41 (1920) S. 663.

Magnetismus — magnetism

Worterklärung Gesamtheit aller Erscheinungen, die sich auf die Anziehung und Abstoßung metallischer Teile zurückführen lassen.
Wortgeschichte Das Wort ~ kommt erst auf, nachdem diese Eigenschaft vorher (nLa) *vis magnetica* oder *virtus magnetica* ›magnetische Kraft‹ genannt worden ist. Die früheste Benutzung in Deutschland findet sich 1671 in einem gemischt deutsch-lateinischen Brief von Otto GUERICKE* an Gottfried Wilhelm LEIBNIZ*, in dem LEIBNIZ zitiert wird:

„Daß mein hochgeehrter Herr schreibet: An verum sit, quod narraverunt, me posse globum in aëre libere pendentem alterius applicatione novo quodam Magnetismi genere circumducere; ›ob es wahr sei, was man erzählt habe, ich könne eine frei in der Luft schwebende Kugel durch Annäherung einer andern mittels einer neuen Art von Magnetismus herumführen‹." [1]

Wortbenutzung 1813: Die Hoffnung, den Magnetismus an die elektrisch-chemischen und folglich auch an die Farbenwirkungen anzuschließen, kann ich nicht ganz entsagen (GOETHE [2]); 1853: Die unter dem Namen Magnetismus zusammengefaßten Wirkungen übt aber ein Magnet nicht nur auf Eisen und Stahl, sondern auch auf einige andere Metalle, wie Nickel, Kobalt, Mangan u.s.w. aus (BROCKHAUS, Bd. 10, S. 88).
Wortfamilie *Diamagnetismus, Elektromagnetismus, Erdmagnetismus, Ferrimagnetismus, Ferromagnetismus, Heilmagnetismus* »Mesmerismus«, *Paramagnetismus.*
Fremdsprachige Entsprechungen (En) *magnetism* (1773, AINSWORTH [3]); (Nl) *magnetisme;* (Es)(It) *magnetismo;* (Fr) *magnétisme* (1724, ROBERT-1994); (Ru) магнетизм */magnetizm/;* (Pl) *magnetyzm;* (Cs) *magnetismus;* (Ja) */ziki, zisei/.*
Literatur [1] Brief vom 6./16. Juni 1671 (julianischer/gregorianischer Kalender), zit. nach SCHIMANK-1930, S. 221; LEIBNIZ dürfte seinen Brief im selben Jahr geschrieben haben; [2] Brief an Th. SEEBECK vom 15.01.1813, in: WYDER, Margrit (Hrsg.): Bis an die Sterne weit? GOETHE und die Naturwissenschaften. Frankfurt a.M.; Leipzig: Insel, 1999. 215 S. (Insel Taschenbuch 2575), hier S. 163; [3] AINSWORTH, Robert: Dictionary La-En, En-La. Turnham Green 1773. Nicht paginiert. „Magnetism, vis magnetica".

Magneton
magneton

Worterklärung Naturkonstante als BOHRsches ~ $\mu_B = 9{,}274 \cdot 10^{-24}$ J/T (↑Joule/↑Tesla). [1]
Wortgeschichte Das Wort ~ stammt vom französischen Physiker Pierre WEISS*, der 1911 von einem magnetischen Analogon zur elektrischen Elementarladung (↑Elektron) ausging, d. h. von einem elementaren magnetischen Dipolmoment. Der von ihm errechnete Wert erwies sich als zu groß. Auf der Grundlage der ↑Quantentheorie berechnete der dänische Physiker Niels BOHR (1885–1962) das ~ neu unter Einbeziehung des PLANCKschen ↑*Wirkungsquantums*. [2] Das Wort ~ ist vermutlich durch Zusammenziehung von ***Magnet****isches* *Elektr****on*** entstanden.
Fremdsprachige Entsprechungen (En) *Bohr magneton;* (Nl) *Bohr-magneton;* (Sv) *Bohrs magneton;* (Es) *magnetón de Bohr;* (Fr) *magnéton de Bohr* (*magnéton*: 1911, ROBERT-1994); (It) *magnetone di Bohr;* (Ru) магнетон Бора */magneton Bora/;* (Pl) *magneton Bohra.*
Literatur [1] IEC 27-1:1992-12, S. 55, Nr. 211 gekürzt; [2] WESTPHAL-1956, S. 648.

Magnetophon
tape recorder

Deutsches Warenzeichen Nr. 707 086 für „Magnettongeräte, insbesondere mit bandförmigem Tonträger" aufgrund der Anmeldung vom 23. Okt. 1941 am 7. Okt. 1957 eingetragen auf die Firma Allgemeine Elektricitäts-Gesellschaft AG, Berlin-Grunewald [1]. Das Patentamt erkannte damit an, dass das Wort ~ keine Beschaffenheitsangabe ist, sondern Kennzeichnungskraft für aus einem bestimmten Betrieb stammende Magnettongeräte hat. [2] Auf der Internationalen Funkausstellung 1935 in Berlin wurde ein AEG-Gerät mit dem bandförmigen Tonträger zum ersten Mal der Öffentlichkeit unter der Bezeichnung ~ vorgeführt. [3] Nach dem Stand vom Okt. 1999 ist die Firma Thomson Consumer Electronics Sales GmbH, Hannover, Inhaber der Marke ~.
Literatur [1] Warenzeichenblatt Heft 21 vom 15.Nov. 1957, S. 1902; [2] Nachrichtentechn. Z. (NTZ) Bd. 11 (1958) S. 168; [3] HANSEN, W.H.: Das Magnetophon. In: etz Bd. 56 (1935) S. 1232.

Manteltransformator
shell-type transformer

Worterklärung ↑Transformator, bei dem die Primär- und die Sekundärwicklung von einem gemeinsamen Eisenblechpaket-Schenkel (Eisenkern) aufgenommen werden und der links und rechts je einen unbewickelten Schenkel mit Joch zum magnetischen Rückschluss hat. Hierdurch erhalten die Wicklungen auch einen mechanischen Schutz.
Wortgeschichte Laut Th. BÖDEFELD und H. SEQUENZ wurde 1887 die Benennung ~ vom österreichisch-schottischen Elektromaschinen-Ingenieur Gisbert KAPP* geprägt. [1]
Wortbenutzung 1922: Der Transformator wird entweder als Kerntransformator oder als Manteltransformator gebaut (THOMÄLEN-1922, S. 235); 1943: Ein Manteltransformator für Drehstrom ist in Abb. 186 dargestellt (KOSACK-1943, S. 153).
Fremdsprachige Entsprechungen (En) *shell-type transformer;* (Nl) *manteltransformator;* (Es) *transformador acorazado;* (Fr) *transformateur cuirassé, transformateur à enveloppe;* (It) *trasformatore corrazzato, trasformatore a mantello;* (Ru) трансформатор броневого типа */transformator bronevogo tipa/;* (Cs) *plášťový transformátor.*
Literatur [1] BÖDEFELD, Theodor; SEQUENZ, Heinrich: Elektrische Maschinen. 4. Aufl., Wien: Springer, 1949. 489 S., hier S. 449.

Maser [Aussprache: me:zr] maser

Worterklärung Vom amerikanischen Physiker C.H. TOWNES* 1951 erörterte und 1954 in Betrieb genommene Einrichtung zur »Mikrowellenverstärkung durch angeregte Aussendung von Strahlung«, bei der Atome und Moleküle veranlasst werden, Energie abzugeben und Funksignale zu verstärken.

Wortgeschichte Das Wort ~ wurde von TOWNES' Studenten aus den Anfangsbuchstaben von *microwave amplification by stimulated emission of radiation* gebildet. [1] Es war die Vorlage für ↑Laser.

Wortbenutzung 1958: „Molekulare Mikrowellen-Verstärker (Maser)": Wirkungsweise eines Maser, Molekular(strahl)-Maser, der ‚negative Temperatur'-Maser, Lichtquanten-Maser, Kristall-Maser (KLINGER [2]); Daher scheinen auf molekularen Vorgängen beruhende Methoden wie Masers [...] von großem Interesse für die Satellitenübertragung (VILBIG [3]).

Fremdsprachige Entsprechungen (En) *maser*; (Fr) *maser* (1954, ROBERT-1994); (Ru) мазер /*mazer*/; (Pl) *maser*; (Ja) /*mēza*/.

Literatur [1] HARTMANN-1967, S. 384-386; [2] KLINGER, H.H.: Elektron. Rundsch. Bd. 12 (1958) S. 237-239; [3] VILBIG, F., in: etz-A Bd. 79 (1958) S. 380.

Maxwell maxwell

Worterklärung Bis zum Inkrafttreten des Internationalen ↑Einheitensystems (SI) im Jahre 1960 gültige Einheit des ↑»magnetischen Flusses« im ↑CGS-System; Einheitenzeichen: M oder Mx.

Wortgeschichte

1 Der ursprünglich 1894 vom American Institute of Electrical Engineers (dem heutigen IEEE = Institute of Electrical and Electronic Engineers) gemachte Vorschlag, diese Einheit ↑*Weber* zu nennen, wurde jedoch vom ↑Internationalen Elektrizitäts-Kongress Paris 1900 in ~ geändert und so angenommen. [1]

2 Leider hatte es sich später eingebürgert, das ~ in zwei unterschiedlichen Einheitensystemen vorzufinden:

- 1 Maxwell = 1 $cm^{3/2}$ $g^{1/2}$ s^{-1} als CGS-Einheit der nichtrational definierten elektromagnetischen Größe »magnetischer Fluss« vorzugsweise in der Physik,
- 1 Maxwell = 10^{-8} Vs (↑Volt × ↑Sekunde) als Einheit der rational definierten Größe »magnetischer Fluss« vorzugsweise in der elektrotechnischen Literatur.

Da im Internationalen Einheitensystem (SI) die Einheit des magnetischen Flusses als „Voltsekunde", d.h. ohne Faktor 10^{-8} festzulegen ist, musste ein neuer Einheitenname gefunden werden, um Verwechselungen zu vermeiden. Man griff den früher gemachten Vorschlag *Weber* wieder auf. 1 Maxwell = 10^{-8} Weber. [2]

Fremdsprachige Entsprechungen Sprachen mit lateinischer Schrift: *maxwell*; mit anderer Schrift: (nGr) μάξγουελ /*máxgouel*/; (Ru) максвелл /*maksvell*/; (Zh) /*mài*/; (Ja) /*makusuueru*/.

Zur Person Mit der Wahl des Einheitennamens ~ wurden MAXWELLS Leistungen zur Aufstellung der ↑MAXWELLschen Gleichungen und der damit zusammenhängenden Theorie des Elektromagnetismus geehrt. James Clerk MAXWELL* (1831–1879) wirkte als Physikprofessor in Aberdeen, London und Cambridge. Der eigentliche Familienname ist CLERK. Sein Vater, John CLERK, nahm den Beinamen MAXWELL an, nachdem er das Landgut Middlebie von der Familie MAXWELL geerbt hatte. [3]

Biographien SCHREIER, W., in WUSSING-1992, S. 393–394; KIRPAL, A., in JÄGER-1996, S. 243–245; WIEDERKEHR, K.H., in MEYENN-1997, Bd. 2, S. 7–23; SEGRÈ-1998, S. 250–280; FISCHER-2000, S. 226–240; PERUZZI 2000; Encycl. Brit.-2001.

Literatur [1] IEC 164:1964, S. 19; [2] DIN 1339: 1968-09. Einheiten magnetischer Größen; [3] SEGRÈ-1998, S. 251; PERUZZI-2000, S. 13.

Maxwell'sche Gleichungen — Maxwell equations

Worterklärung Das System von Gleichungen, die der schottische Physiker James C. MAXWELL* 1873 in seinem Werk „A treatise on electricity and magnetism" aufstellte, um seine Theorie in knapper Form darzustellen.

Wortgeschichte

1 Der österreichische Physiker und MAXWELL-Interpret Ludwig BOLTZMANN* schickte 1891 dem zweiten Band seiner „Vorlesungen über MAXWELLS Theorie der Elektrizität und des Lichtes" folgende Zeilen voraus:

„War es ein Gott, der diese Zeichen schrieb, / Die mit geheimnißvoll verborg'nem Trieb / Die Kräfte der Natur um mich enthüllen / Und mir das Herz mit stiller Freude füllen." [1]

Im Vorwort bekannte er, dass obiges Motto seine Ansicht über MAXWELLS Theorie der ↑Elektrizität und des ↑Magnetismus ausspricht. Diese Verse spricht FAUST im ersten Monolog, als er im Buch des NOSTRADAMUS das Zeichen des Makrokosmus erblickt. [2]

2 Der NOBEL-Preisträger Max VON LAUE (1879–1960) schreibt über die ~:

„Zwar brachte erst 1890 Heinrich HERTZ (1857–1894) das FARADAYsche Induktionsgesetz in jene Differentialgleichungsform, in welcher es als Gegenstück zu der genannten von MAXWELL gegebenen Differentialbeziehung erscheint und damit dem System der MAXWELLschen Gleichungen, in denen wir mit HERTZ das Wesen der MAXWELLschen Theorie erblicken, jene geradezu ästhetisch schöne, symmetrische Gestalt gibt, die uns in Anbetracht ihres umfassenden physikalischen Gehaltes fast wie eine Offenbarung anmutet." [3]

3 MAXWELLsche Gleichungen

3.1 Ihre Schreibweise in seinem Lehrbuch nach der 3. Auflage (1891) der englischen Originalausgabe (Spalte 2) mit deutschen Benennungen der Übersetzung nach der 2. Auflage (1883) von B. WEINSTEIN. Notation (A) bis (N) von MAXWELL. Spalte 3 zeigt in moderner Schreibweise die Spalte 2. [4]

1 **Physikalische Größe**	2 **Schreibweise 3. Auflage (1891)***	3 **Moderne Schreibweise**
(A) Magnetic induction/ Magnetische Induction	$\mathrm{B} = V.\nabla\mathrm{A}$	$\mathbf{B} = \nabla \times \mathbf{A}$
(B) Electromotive force/ Elektromotorische Kraft	$\mathrm{E} = V.\mathrm{GB} - \dot{\mathrm{A}} - \nabla\Psi$	$\mathbf{E} = \mathbf{v} \times \mathbf{B} - \partial\mathbf{A}/\partial t - \nabla\varphi$
(C) Mechanical force/ Mechanische Kraftwirkung	$\mathrm{F} = V.\mathrm{CB} + e\mathrm{E} - m\nabla\Omega$	$\mathbf{F} = \mathbf{J} \times \mathbf{B} + \varrho\mathbf{E} - m\nabla\boldsymbol{\Omega}$
(D) Magnetization/ Magnetisirung	$\mathrm{B} = \mathrm{H} + 4\pi\mathrm{J}$	$\mathbf{B} = \mathbf{H} + 4\pi\mathbf{J}$

1 **Physikalische Größe**	2 **Schreibweise 3. Auflage (1891)***	3 **Moderne Schreibweise**
(E) Electric current/ Elektrische Strömung	$4\pi C = V.\nabla H$	$4\pi \mathbf{J} = \nabla \times \mathbf{H}$
(F) Electric displacement/ Elektrische Verschiebung	$D = (1/4\pi)\, KE$	$\mathbf{D} = (1/4\pi)\, \varepsilon\mathbf{E}$
(G) Current of conduction/ Leitungsstrom	$K = CE$	$\mathbf{J} = \gamma\mathbf{E}$
(H) Total current/ Ganze elektrische Strömung	$C = \dot{D} + K$	
(J) Electric volume-density/ Elektrische Raumdichte	$e = S.\nabla D$	$\varrho = \nabla \cdot \mathbf{D}$
(K) Magnetic volume-density/ Magnetische Raumdichte	$m = S.\nabla J$	$m = \nabla \cdot \mathbf{M}$
(L) Magnetic induction/ Magnetische Induction	$B = \mu H$	$\mathbf{B} = \mu\mathbf{H}$
(M)** Electrokinetic momentum/ Elektrokinetisches Moment	$\nabla^2 A = 4\pi\, C,\ S.\nabla A = 0$	
(N) Magnetic force/ Magnetische Kraft	$H = -\nabla\Omega$	$\mathbf{H} = -\nabla\Omega$

* Die Formelzeichen A, B, C, D, E, F, G, H, J, K und m sind im Original in Fraktur gesetzt, das C in Zeile G jedoch in Antiqua.

** Zeile fehlt in der 3. Auflage.

3.2 Die Feldgleichungen der MAXWELLschen Gleichungen in differenzieller Form: links Schreibweise nach STÖCKER [5], rechts nach PERUZZI [6]:

1	Quellenfeld	$\text{div}\,\mathbf{D} = \varrho$	$\nabla \cdot \mathbf{D} = \varrho$
2	Quellenfreiheit	$\text{div}\,\mathbf{B} = 0$	$\nabla \cdot \mathbf{B} = 0$
3	Elektrisches Feld durch Magnetfeldänderung	$\text{rot}\,\mathbf{E} = -\partial\mathbf{B}/\partial t$	$\nabla \times \mathbf{E} = -\partial\mathbf{B}/\partial t$
4	Magnetfeld durch elektrische Feldänderung und Leitungsstrom	$\text{rot}\,\mathbf{H} = \partial\mathbf{D}/\partial t + \mathbf{J}$	$\nabla \times \mathbf{H} = \partial\mathbf{D}/\partial t + \mathbf{J}$

Literatur [1] BOLTZMANN-1893, Vorwort; [2] GOETHE, Johann Wolfgang: FAUST. Der Tragödie erster Teil. Stuttgart: Reclam, 1992. 135 S. (Universal-Bibliothek Bd. 1), Zeilen der Weimarer Ausgabe 434, 437, 438 und 436 [Text der Zeilen 437, 438 u. 436 weicht aber von Weimarer Ausgabe geringfügig ab]; Weimarer Ausgabe: Zeilen 434 bis 438: „War es ein Gott, der diese Zeichen schrieb, / Die mir das innre Toben stillen, / Das arme Herz mit Freude füllen / Und mit geheimnisvollem Trieb / Die Kräfte der Natur rings um mich her enthüllen?" [3] LAUE-1959, S. 61; [4] MAXWELL-1954, Bd. 2, § 604–§ 619, S. 247–259; MAXWELL (WEINSTEIN)-1883, § 604–§ 619; [5] STÖCKER-1998, S. 459–460; DIN 1324-1: 1988-05 „Elektromagnetisches Feld; Zustandsgrößen", S. 2–3; FRAUNBERGER-1985, S. 543–551; SIMONYI-1995, S. 344–349; [6] PERUZZI-2000, S. 103, die Schreibweise mit dem Nabla-Operator ∇ findet man überwiegend in der britisch-amerikanischen Literatur.

Mayer (May) ↑AEF-Einheitensystem

Mechatronik — mechatronics

Worterklärung Zweig der ↑Technik, in dem die Grundlagen des Maschinenbaus, der ↑Elektronik und der ↑Informatik vereinigt sind. Mit anderen Worten: Interdisziplinärer Entwicklungsansatz für Produkte, die mechanisch ausgerichtete Produktaufgaben durch die Nutzung räumlicher und funktioneller Integration von informationsverarbeitenden Teilsystemen lösen. [1]

Wortgeschichte Begriff mit englischer Benennung *mechatronics* wurde als Zusammenziehung (Portemanteaubildung) von Ⓔⓝ ***mechanics*** und Ⓔⓝ *electronics* gebildet, und zwar 1969 von einem leitenden Ingenieur der japanischen Firma YASKAWA Electric Manufacturing Co. Ltd., seit 1991: YASKAWA Electric Corporation (Director: Seiichi YASKAWA, Tokio). Im Jahre 1972 wird *mechatronics* als Wortmarke markenrechtlich geschützt. Wegen des großen Zuspruchs zur Idee der ~ verzichtet die Firma 1982 auf den Markenschutz. Nach Seiichi YASKAWA ist

„*Mechatronics* the synergistic integration of mechanical engineering with electronics and intelligent computer control in the design and manufacture of products and processes."

Mit anderen Worten, die Endsilbe von Ⓔⓝ *informatics* wird in *mechatronics* hineingedeutet. [2]

Wortbenutzung 1988: Forschungsbereich Mechatronik an der TU Darmstadt [3]; 2000: Mechatronik. Festvortrag. (W. DIEM, VDE Rhein-Main e.V., 04.05.2000); 2000: Grundlagen der Mechatronik (BERNSTEIN [4]).

Wortfamilie *Mechatroniker, Mechatronikkonzern, mechatronisch.*

Literatur [1] In: etz Bd. 122 (2001) Nr. 13/14, S. 49; [2] Persönliche Mitteilung von Prof. Dr. Yuzo TAKAHASHI, Tokyo University of Agriculture & Technology; [3] In: Darmstädter Echo, 08.11.2001, S. 13; [4] Berlin: VDE-Verlag, 2000.

Mega- — mega-

Worterklärung ↑Vorsatz (Präfixoid) zum Bezeichnen des Millionenfachen (10^6 oder 1 000 000) einer ↑SI-Einheit. ↑Vorsatzzeichen: M.

Wortgeschichte

1 ~ leitet sich von Ⓖⓡ μέγας /mégas/ ›groß‹ ab.

2 Die Vorsätze *Mega-* und ↑*Mikro-* gehen auf britische Elektroingenieure zurück, die sie in den 1860er Jahren eingeführt haben, so dass die ↑British Association for the Advancement of Science sie 1873 in ihrem „First Report of the Committee for the Selection and Nomenclature of Dynamical and Electrical Units" zwar genannt, aber das System der dezimalen Zusätze nach G. J. STONEY* bevorzugt hat:

„For multiplication or division by a million, the prefixes *mega** and *micro* may conveniently be employed, according to the present custom of electricians. Thus the *megohm* is a million ohms, and the *microfarad* is the millionth part of a farad. The prefix *mega* is equivalent to the affix six. The prefix *micro* is equivalent to the prefix sixth. The prefixes *kilo, hecto, deca, deci, centi, milli* can also be employed in their usual senses before all new names of units. *) Before a vowel, either *meg* or *megal*, as euphony may suggest, may be employed instead of *mega*." [1]

Der in diesem Committee mitwirkende schottische Physiker J.C. MAXWELL* bekannte sich in seinem berühmten Werk „A treatise on electricity and magnetism" im selben Jahr zum Gebrauch der „electricians":

„When very large quantities are to be measured, a large unit is formed by multiplying the original unit by one million, and placing before its name the prefix *mega*. In like manner by prefixing *micro* a small unit is formed, one millionth of the original unit." [2]

Jedoch benutzte MAXWELL sie nicht im Text.

3 Auf dem ↑Internationalen Elektrizitäts-Kongress 1889 in Paris, der vom 24. bis 31. August getagt hat, schlug der französische Delegierte GUILLAUME neben der Vereinheitlichung der Einheitenzeichen folgende vier „dezimale Vielfache und Untertheile" vor: „*Mega M, Kilo* k, *Milli* m, *Micro* μ". [3] Da in der Schlusssitzung hierzu kein Beschluss gefasst worden ist, wiederholte sein Landsmann Edouard HOSPOTALIER* in einem umfangreichen Diskussionsbeitrag vor dem Internationalen Elektrizitäts-Kongress 1891 zu Frankfurt am Main den Vorschlag betr. *Mega* (M) und *Mikro* (μ):

„Je propose, avec M. Ch.-Ed. Guillaume, pour étendre l'utilité de ces préfixes et leur emploi pratique, d'adopter provisoirement les deux suivants: M pour *méga* 1 000 000, μ pour *micro* 1/1 000 000." [4]

4 Für elektrische Einheiten wurden die Vorsätze „*Kilo-, Mega-* (*Meg*), *Milli*-und *Mikro-* (*Mikr*)" – jedoch ohne Vorsatzzeichen – durch die „Bestimmungen" vom 6. Mai 1901 (Reichsgesetzblatt S. 127) zur Ausführung des „Gesetzes betreffend die elektrischen Maßeinheiten" vom 1. Juni 1898 (Reichsgesetzblatt S. 905) eingeführt. Die zugehörigen Vorsatzzeichen $M = 10^6$ und $\mu = 10^{-6}$ nahm der im Jahre 1907 gegründete Ausschuss für Einheiten und Formelgrößen (↑AEF) 1910 in seinen Entwurf VII „Einheitsbezeichnungen" auf. [5]

5 Die Internationale Elektrotechnische Kommission (↑IEC), die durch Beschluss des Internationalen Elektrizitäts-Kongresses von 1904 in St. Louis 1906 in London gegründet worden ist, baute auf den Vorarbeiten früherer Kongresse und legte 1913 neben Formelzeichen (↑Formelzeichen-Normung) [6] auch Einheiten- und Vorsatzzeichen fest [7], die in der von GUILLAUME 1889 vorgeschlagenen Form in der IEC-Publikation Nr. 27 [8] ihren Niederschlag fanden. Seither findet man diese Vorsätze und Vorsatzzeichen in den Normen der nationalen Mitglieder der IEC, so dass sie konsequenterweise in das Internationale ↑Einheitensystem (SI) der Meterkonvention 1960 durch die 11. Generalkonferenz (↑CGPM) übernommen werden konnten. Durch das „Gesetz über Einheiten im Meßwesen" vom 2. Juli 1969 (BGBl. I S. 707) wurden sie vollständig in deutsches Recht eingeführt.

Wortfamilie (im übertragenen Sinn) *Mega-Erfolg, Mega-Hit.*

Fremdsprachige Entsprechungen Sprachen mit lateinischer Schrift: *mega-*, außer (Fr) *méga-*; mit anderer Schrift: (nGr) μεγα /*mega*/; (Ru) мега /*mega*/ (Vorsatzzeichen: M /M/, мг /mg/); (Ja) /*mega*/.

Literatur [1] Report of the Brit. Assoc. for the Advancement of Science, 1873, S. 222–225; [2] MAXWELL-1891, Art. 629; [3] In: etz Bd. 10 (1889) S. 468–471, insbes. S. 469; [4] HOSPITALIER-1891, S. 63; [5] In: etz Bd. 31 (1910) S. 622–624; [6] WARNER-2000, S. 903–907; [7] DETTMAR-1914; S. 690; [8] IEC 27:1931, S. 9.

Meson

meson

Vom amerikanischen Physiker C. D. ANDERSON* 1935 entdecktes Partikel. Aus den photographierten Bahnkurven, deren Krümmung zwischen denen von ↑Elektronen und Protonen lag, berechnete er, dass das neu entdeckte Teilchen ein Viertel der Masse eines Protons aufweist. Er nannte es *Mesotron*, eine Benennung, die bald in ~ verkürzt wurde.
Literatur JORDAN/LENZ-1994, S. 6–7.

Mesotron ↑Meson

Messwandler

instrument transformer

Worterklärung Benennung des Oberbegriffs zu ↑*Spannungswandler* und ↑*Stromwandler* sowie verdeutschende Ersatzbenennung für *Messtransformator*.
Wortgeschichte Dieser 1916 vom Elektrotechnischen Verein* zu Berlin „auf Anregung aus Heereskreisen" gemachte Vorschlag [1] wurde von K. STRECKER* wie folgt erläutert:

„[Unter Transformator wird] ein durch elektromagnetische Induktion wirkender, ruhender Apparat (Eisenkern mit zwei oder mehr Wicklungen) verstanden. Apparate dieser Art, welche Ströme zum Zwecke der Messung wandeln, heißen *Wandler*. […] Meßtransformator = *Meßwandler*". [2]

Bereits 1921 ist der neue Fachausdruck in den ersten „Entwurf zu Regeln für die Bewertung und Prüfung von Meßwandlern" des ↑VDE eingesetzt worden. Dazu schreibt A. MATTHIAS im Auftrage der zuständigen VDE-Kommission:

„In dem Entwurf ist die Bezeichnung *Meßwandler*, nicht Transformator, benutzt worden. Einmal hat sich die Verdeutschung gerade für die Meßwandler stark eingebürgert, dann aber dürfte es auch zweckmäßig sein, die für Meßzwecke bestimmten Stromtransformatoren und Spannungstransformatoren schon durch die Bezeichnung von anderen zu unterscheiden." [3]

Wortbenutzung 1921: Stromwandler sind Meßwandler, deren Primärwicklung von dem Strom durchflossen wird, dessen Stärke gemessen werden soll (VDE [3]); 1932: Regeln für Wandler (VDE 0414/1932); 1994: Meßwandler; Stromwandler (VDE 0414 Teil 1 [4]).
Wortfamilie *Stabwandler, Wandlerzeitkonstante.*
Fremdsprachige Entsprechungen (En) *instrument transformer;* (Es) *transformador de medida;* (Fr) *transformateur de mesure;* (It) *trasformatore di misura;* (Ru) измерительный трансформатор */izmeritel'nyj transformator/.*
Siehe auch ↑*Bürde*, ↑*Wandler.*
Literatur [1] SCHÜLER-1916; [2] STRECKER-1916, S. 527; [3] MATTHIAS, A., in: etz Bd. 42 (1921) S. 212–213, hier S. 212, Entwurf: S. 209–212; [4] DIN VDE 0414 Teil 1:1994-01, zit. nach WARNER-Jahrbuch 1994, S. 91.

Meter metre

Worterklärung

1 Gesetzliche Einheit der Länge im Internationalen ↑Einheitensystem (SI) als erste Basiseinheit; Einheitenzeichen: m.

2 Durch das „Gesetz über Einheiten im Meßwesen" vom 2. Juli 1969 (BGBl. I, S. 709) in der Fassung vom 22. Feb. 1985 in Verbindung mit der „Einheitenverordnung" vom 13. Dez. 1985 gilt die in DIN 1301 Teil 1, Ausg. Dez. 1993, wiedergegebene Definition:

„Das Meter ist die Länge der Strecke, die Licht im Vakuum während der Dauer von (1/299 792 458) Sekunden durchläuft." [1]

Es handelt sich hierbei um die Übernahme der von der 17. Generalkonferenz für Maß und Gewicht (↑CGPM) 1983 festgelegten Definition. Aufgrund der Ratsrichtlinie 80/181/EWG vom 20. Dez. 1979 gilt sie auch in der Europäischen Union.

Wortgeschichte Das ~ wie überhaupt das dezimale metrische System ist ein Kind der Französischen Revolution von 1789, mit der auch das bisherige Durcheinander der Maße und Gewichte beseitigt werden sollte. Angestrebt wurde ein universelles und natürliches Grundmaß der Länge, von dem die Flächen- und Raummaße sowie Gewichte abgeleitet werden konnten. Aufbauend auf den Vorarbeiten der vergangenen 120 Jahre brachte die von der Nationalversammlung beauftragte Akademie der Wissenschaften am 11. Juli 1792 den nachstehenden Vorschlag ein:

- Längeneinheit *mètre* (die Benennung wurde vom Akademiepräsidenten J.C. BORDA* nach (Gr) μέτρον /*métron*/ vorgeschlagen) als der zehnmillionste Teil des Erdquadranten,
- Flächeneinheit *are* jedoch definiert als 100 m × 100 m,
- dezimale Unterteilungen ↑*deci-*, ↑*centi-* und ↑*milli-*,

der im Tabellenanhang zum Gesetz vom 1. Aug. 1793 verankert worden ist. Die in der Folgezeit erlassenen Dekrete wurden im Gesetz vom 18. Germinal des Jahres III (= 7. April 1795 des franz. Revolutionskalenders) in 28 Artikeln zusammengefasst. Darin lautet Art. 5:

„On appelera: Mètre, la mesure de longueur égale à la dix-millionième partie de l'arc du méridien terrestre compris entre le pôle boréal et l'équateur." [2]

Fremdsprachige Entsprechungen Sprachen mit lateinischer Schrift: (En) *metre, meter;* (Fr) *mètre;* (It) *metro;* (Pl)(Cs) *metr;* mit anderer Schrift: (nGr) μέτρο /*métro*/; (Ru) метр /*metr*/; (Zh) /*mǐ*/, mit ↑Vorsatz z.B. /*háomǐ*/ »mm = Millimeter«, /*wēimǐ*/ »µm = Mikrometer«; (Ja) /*mētoru*/.

Literatur [1] DIN 1301-1:1993-12, Anhang A; VOLKMANN-1998, S. 162–167; SACKLOWSKI/DRATH-1986, S. 63–90; [2] FIGHIERA-1930, S. 1–25.

Mho mho

Worterklärung Ehemals in Großbritannien und den USA verwendete Einheit des »elektrischen ↑Leitwerts«, heute gleich ↑*Siemens*.

Wortgeschichte

1 Die Benennung wurde von Sir William THOMSON*, dem späteren Lord KELVIN, durch Umkehrung von ↑*Ohm* gebildet und so eingeführt. In einem Vortrag beim Institute of civil engineers 1883 in London schilderte THOMSON dies wie folgt:

„Für den reciproken Werth eines Ohms beim Messen von Widerständen – für die Einheit der Leitungsfähigkeit, welche mit einem Ohm übereinstimmen würde – wurde der Vorschlag gemacht, einen Phonographen zu nehmen, denselben rückwärts zu drehen und zu sehen, was derselbe mit dem Worte ‚*Ohm*' mache. Ich bewundere diesen Vorschlag, und ich wünschte, es würde jemand die Verantwortung für die Einführung desselben übernehmen; wir würden dann plötzlich Mho-Kästen im allgemeinen Gebrauche haben. [...] Ich behaupte nicht, dass das Wort *Mho* gebraucht werden solle; ich wünschte aber, es könnte angenommen werden, damit wir es auf einmal in allgemeinem Gebrauche hätten. [...] Nehmen wir an, man wählte das *Mho* und würde dann das Instrument ein *Mhometer* nennen." [1]

2 Da das ~ in Deutschland als Verstümmelung angesehen und daher abgelehnt wurde, führte 1908 der ↑AEF dafür die Benennung *Siemens* ein. [2] Im englischen Sprachraum blieb ~ viele Jahre die genormte Benennung, bis 1935 die ↑IEC das *Siemens* annahm. Dennoch konnte man bis in die 1960er Jahre in englischen Texten *mho* oder *kmho* [= kilomho] vorfinden.

3 Das Umkehren von Wörtern zum Bilden neuer Wörter scheint im englischen Sprachraum (auch in der Technik: ↑*daraf*) beliebt zu sein, wie es der Titel von Samuel BUTLERS (1835–1902) Roman „Erewhon or Over the Range" (1872) zeigt: *Erewhon* ist die Umkehrung von (En) *Nowhere* ›nirgendwo‹ in Anlehnung an *Utopia*, Titel des Hauptwerkes des englischen Humanisten Thomas MORUS (Th. MORE) (1478–1535) [3], ein Kunstwort gebildet aus (Gr) ου /*ou*/ ›nicht‹ und τόπος /*topos*/ ›Ort‹, damit bedeutet *Utopia* soviel wie ›Nirgendland‹.

Wortbenutzung 1950: Giving the conductivity in reciprocal ohms (mho) per cm for NaCl, KCl [4]; 1950: mho centimeter cube [5].

Wortfamilie *Millimhos, Millimholampe* [1], *megmhos per centimeter cube.*

Fremdsprachige Entsprechungen (En)(Es)(Fr)(It) *mho*; (Ru) MO /*mo*/. [6]

Literatur [1] THOMSON (KELVIN)-1884, S. 608–610; [2] WÜSTER-1931, S. 76; [3] BÄRSCH, Claus-Ekkehard: Thomas MORUS; in: DGW Bd. 4, S. 766–783; [4] Handbook of chemistry and physics. Cleveland (Ohio): Chem. Rubber Publ. Comp., 1950. 2879 S., hier S. 2147; [5] Ebenda, S. 2608; [6] SCHLOMANN-1928, S. 88.

Mikro- micro-

Worterklärung ↑Vorsatz (Präfixoid) zum Bezeichnen des Millionstels (10^{-6} oder 0,000 001) einer ↑SI-Einheit. ↑Vorsatzzeichen: μ.

Wortgeschichte

1 ~ leitet sich von (Gr) μικρός /*mikrós*/ ›klein, kurz‹ ab.

2 Zur gemeinsamen Wortgeschichte mit *Mega-* vgl. ↑*Mega-*.

3 Da das Vorsatzzeichen μ dem griechischen Alphabet entnommen worden ist, gibt es zuweilen Schwierigkeiten beim Drucken von Texten in lateinischen oder kyrillischen Schriftzeichen. Für das Russische besteht der Ausweg in der Umschreibung MK /mk/. Im Englischen soll nach den beiden gültigen Pharmazeutischen Codices [1] *microgram* vollständig ausgeschrieben oder als „mcg" abgekürzt werden. In der deutschen Einheitenverordnung vom 13. Dez. 1985 wird auf DIN 66030:1980-11 „Darstellung von Einheitennamen in Systemen mit beschränktem Schriftzeichenvorrat" Bezug genommen, wo für μ ersatzweise u oder U zugelassen ist; Beispiel: Mikrosekunde: μs = us = US.

4 Einen ganz anderen Weg schlug 1977 der kanadische Metrologe A.J. METTLER [2] ein, der in einem Rundschreiben an die fachlich zuständigen Organisationen vorschlug, *micro-* durch *sexto-* zu ersetzen, das er wegen 10^{-6} nach dem (La) *sextus* ›sechster‹ mit dem Vorsatzzeichen „s“ gebildet hat. Der britische Elektroingenieur und Messsystemexperte V. MAYES [2] änderte 1990 zur Erleichterung der Aussprache *sexto-* in *seto-*, wodurch er Folgendes erhält: *setogram* (sg), *setometer* (sm), *setovolt* (sV), *setofarad* (sF), *setohm* (sΩ) usw. Dabei geht er davon aus, dass *micro-* wahlweise neben *seto-* benutzt werden könnte. Inzwischen erkannte er jedoch, dass das Vorsatzzeichen „s-“ mit dem Einheitenzeichen „s“ (Sekunde) zu unerwünschten Kollisionen führt: *Setoampere* (sA) gegenüber *Amperesekunde* (As), was ihn bewog, als neuen, aber eindeutigen Vorsatz *Beto-* (nach (Nl) *beetje* ›bisschen‹) mit dem Vorsatzzeichen „b-“ vorzuschlagen. [3]

Fremdsprachige Entsprechungen Sprachen mit lateinischer Schrift: *micro-*; außer (Sv) (Pl)(Cs) mikro-; mit anderer Schrift: (nGr) μικρο */mikro/*; (Ru) микро */mikro/* (Vorsatzzeichen: мк /mk/); (Zh) */wēi/*; (Ja) */maikuro, mikuro/*.

Literatur [1] Pharmaceutical Society of Great Britain: Pharmaceutical codex. 11. Aufl., London: Pharmaceutical Press, 1979, S. 993; British Pharmacopoeia Commission: British Pharmacopoeia. London: HMSO, 1980, Addendum 1982, S. xxii. Zit. nach [2]; [2] MAYES, Victor, in: Measurement + Control, Bd. 23 (Mai 1990) S. 121. [3] Nach einer persönlichen Mitteilung an den Verfasser vom Sept. 2000.

Mikrophon/Mikrofon — microphone

Worterklärung Einrichtung, die akustische Signale in elektrische Impulse umsetzt.

Wortgeschichte

1 Das Wort (Fr) *microphone* kam bereits 157 Jahre vor dem elektroakustischen Schallwandler für ein rein mechanisches Instrument auf, das sehr schwache Laute verstärken konnte: *micro-* leitet sich von (Gr) μικρός */mikrós/* ›klein, kurz‹ und *phone* von φωνή */phōnḗ/* ›Laut, Stimme‹ ab. [1]

2 Allgemein bekannt wurde das Wort ~ erst durch den englisch-amerikanischen Physikprofessor David E. HUGHES*, der das BELLsche ↑Telephon auf der Senderseite verbessern wollte. Ausgehend von der Anordnung des Philip REIS* führten ihn seine Versuche 1878 zur Erfindung des Kohlemikrophons. Es bestand aus einer dünnen Holzplatte, an der zwei kleine Kohleblöcke befestigt sind, zwischen denen ein beidseitig angespitzter Kohlestab gelagert ist. Spricht man gegen die Holzplatte, so verändert sich der zwischen dem Kohlestab und den -blöcken herrschende Übergangswiderstand entsprechend. [2] In einem Vortrag zur Geschichte der Telephonie berichtete HUGHES im Jahre 1895 hierzu Folgendes:

> „[...] at last I succeeded in finding the effect that I wished, by the use of a very slight electric contact of the surface of solid carbon, or any other metals such as ordinary iron nails. This slight or microphonic contact has the remarkable power of varying the resistance and consequently, the force of an electric current, exactly in accordance with the sonorous vibrations of the human voice; and in fact, the contacts could easily be rendered so sensitive that the instrument became a microphone, rendering audible sounds far too feeble for the human ear. All these results I gave freely to the public and brought before the notice of the scientific world in a paper [3] I read to The Royal Society in May, 1878.“ [4]

Wortbenutzung 1883: Mikrophone mit metallischen Elektroden [5]; 1966: Mono-, Stereo- u. Transistor-Mikrofone (KÜHNE, F., München).
Wortfamilie
1 Zusammensetzungen mit *Mikrophon-* als Bestimmungswort: *~anschluss, ~aufnahme, ~aufnahmetaste, ~batterie, ~buchse, ~bügel, ~effekt, ~eichung, ~eingang, ~eingangsregler, ~galgen, ~gehäuse, ~geräusch, ~gruppe, ~halter, ~kabel, ~kapsel, ~kohle, ~kreis, ~kupplung, ~leitung, ~rauschen, ~relais, ~spannung, ~speisung, ~ständer, ~strom, ~taste, ~träger, ~übertrager, ~verlängerungskabel, ~verstärker;*
2 Zusammensetzungen mit *-mikrophon* als Grundwort: *Abgangs~, Achter~, Ansage~, Bandaufnahme~, Bändchen~, Breitband~, Brust~, Doppel~, Druck~, Druckgradienten~, Echo~, Eich~, Hand~, Hänge~, Kapsel~, Kehlkopf~, Klein~, Knopfloch~, Kohle~, Kompensations~, Kondensator~, Kontakt~, Körner~, Körperschall~, Kristall~, Lippen~, Magnet~, Normal~, Pulver~, Richt~, Schwanenhals~, Tauchspulen~;*
3 Wortableitungen: *Mikrophonie, mikrophonisch.*
Fremdsprachige Entsprechungen (En) *microphone, micro, mic* (GB), *mike* (US); (Es)(It) *microfono;* (Fr) *microphone, micro;* (nGr) μικρόφωνον */mikróphōnon/;* (Ru) микрофон */mikrofon/;* (Pl)(Cs) *mikrofon;* (Zh) */màikèfēng/;* (Ja) */maikurohon/.*
Literatur ROBERT-1994, S. 1403; [2] HORSTMANN-1952, S. 134; KARRASS-1909, S. 487; [3] HUGHES, D.E., in: Proceedings of the Royal Society. Bd. 27 (1878) S. 362; [4] HUGHES, D.E., in: The Electrician, Bd. 34 (1895) Nr. 879; zit. nach HORSTMANN-1952, S. 44; Bericht darüber in: etz Bd. 16 (1895) S. 244–245; [5] In: etz Bd. 4 (1883), S. 309.

Milli-
milli-

Worterklärung ↑Vorsatz (Präfixoid) zum Bezeichnen des Tausendstels (10^{-3} oder 0,001) einer SI-Einheit. ↑Vorsatzzeichen: m.
Wortgeschichte
1 ~ leitet sich von (La) *millesimus* ›Tausendster‹ ab.
2 Zur gemeinsamen Wortgeschichte vgl. ↑*Dezi-*.
3 Für elektrische Einheiten sind die Vorsätze *Kilo-, Mega-* (*Meg*), *Milli-* und *Mikro-* (*Mikr*) – jedoch ohne Vorsatzzeichen – durch die „Bestimmungen" vom 6. Mai 1901 (Reichsgesetzblatt S. 127) zur Ausführung des „Gesetzes betreffend die elektrischen Maßeinheiten" vom 1. Juni 1898 (Reichsgesetzblatt S. 905) eingeführt worden. Ihre Aufnahme in die Meterkonvention war 1889 von der 1. Generalkonferenz (↑CGPM) beschlossen und 1960 von der 11. Generalkonferenz erneuert worden.
Fremdsprachige Entsprechungen Sprachen mit lateinischer Schrift: *milli-*; mit anderer Schrift: (nGr) χιλιοστο */hiliosto/* ›tausendstel‹; (Ru) милли */milli/* (Vorsatzzeichen: м /m/); (Zh) */háo/;* (Ja) */miri/.*

minus (–) ↑plus-Zeichen (+)/minus-Zeichen (–)

Minute
minute

Worterklärung Der 60ste Teil einer Stunde oder eines Winkel-Grades. ↑Grad.
Wortgeschichte
1 Das Wort ~ kommt vom (nLa) *minuta,* das wiederum eine Kürzung aus *pars minuta pri-*

ma ›erster verringerter Teil [der Stunde]‹ ist. Mit anderen Worten heißt ~ eigentlich »der kleinste Teil erster Ordnung« oder auch »erste Unterteilung [der Stunde]«.
2 Zur Wissenschaftsgeschichte von ~ vgl. ↑Grad.
Wortbenutzung Die Drehzahl von Maschinen wird in *Umdrehungen je Minute* gemessen und so in Verkaufskatalogen angegeben.

Mol mole

Worterklärung Gesetzliche Einheit der »Stoffmenge« im Internationalen ↑Einheitensystem (SI) als 6. Basiseinheit; Einheitenzeichen: mol.
Wortgeschichte
1 Durch das „Gesetz über Einheiten im Meßwesen" vom 22. Feb. 1985 in Verbindung mit der „Einheitenverordnung" vom 13. Dez. 1985 gilt die in DIN 1301 Teil 1, Ausg. Dez. 1993, wiedergegebene Definition:

„Das Mol ist die Stoffmenge eines Systems, das aus ebensoviel Einzelteilchen besteht, wie Atome in 0,012 Kilogramm des Kohlenstoffnuklids ^{12}C enthalten sind. Bei Benutzung des Mol müssen die Einzelteilchen spezifiziert sein und können Atome, Moleküle, Ionen, Elektronen sowie andere Teilchen oder Gruppen solcher Teilchen genau gegebener Zusammensetzung sein." [1]

Es handelt sich hierbei um die Übernahme der von der 14. Generalkonferenz für Maß und Gewicht (↑CGPM) 1971 festgelegten Definition. Aufgrund der Ratsrichtlinie 80/181/EWG vom 20. Dez. 1979 gilt sie auch in der Europäischen Union.
2 Laut J. Wallot* wurde die Benennung ~ vom deutschen Chemiker Wilhelm Ostwald* gebildet [2] [vermutlich 1890].
Wortbenutzung 1910: Ein Mol oder g-Molekel enthält so viele Gramme wie das Molekulargewicht groß ist (Wietzel, Gustav [3]).
Wortfamilie *Molalität, Molarität.*
Fremdsprachige Entsprechungen Sprachen mit lateinischer Schrift: (En) *mole;* (Es) *mole;* (Fr) *mole* (1903, de l'all[emand], de *Molekül,* molécule', Robert-1994:); (Pl)(Cs) *mol;* mit anderer Schrift: (nGr) μολ */mol/;* (Ru) моль */mol'/* (Einheitenzeichen: моль /mol'/); (Pl)(Cs) *mol;* (Ja) */moru/.*
Siehe auch ↑Elektron, ↑Ion
Literatur [1] DIN 1301-1:1993-12, Anhang A; Volkmann-1998, S. 162–167; Sacklowski/Drath-1986, 63–90; [2] Wallot-1957, S. 26; [3] Lueger-1904/1910, Erg.-Bd. I, S. 532.

Mutator mutator

Worterklärung Ursprüngliches Warenzeichen der Schweizer Firma Brown, Bovery & Cie. (BBC)* für »Quecksilberdampf-Gleichrichter«, zuletzt Freizeichen.
Wortgeschichte In den *BBC Mitteilungen* des schweizerischen Stammhauses vom Dez. 1934 wurde darauf hingewiesen, dass für die in Deutschland üblichen Benennungen ↑*Stromrichter* und *Ventil* keine gängigen fremdsprachigen Entsprechungen existieren, obwohl das Gleichrichten durch die Gittersteuerung bereichert worden ist und daher einen treffenden Sammelnamen erfordert. Angelehnt an *Generator* und *Motor* wird ~ vorgeschlagen nach (La) *mutare* ›tauschen, verändern‹, auch in der Biologie *Mutation, mutieren:*

„Im vorliegenden Sonderheft der Brown Boveri Mitteilungen haben wir die neue Bezeichnung *Mutator* zum ersten Male versuchsweise eingeführt, und der Leser erkennt bald, wie leichtverständlich sich der Inhalt der verschiedenen Artikel dadurch gestaltet."(Dez. 1934) „Die Klarheit und eindeutige Bezeichnung für alle Anwendungen, die Kürze und die leichte Übersetzbarkeit in verschiedene Sprachen berechtigt die Erwartung, daß sich der Begriff ‚Mutator' allmählich in immer weiteren Kreisen durchsetzen wird." (Dez. 1944)

Nach Einschätzung von P. R. Wetzel sprach man in der deutschen Tochterfirma weiterhin von *Stromrichtern* und *Ventilen*, nur das Stammhaus hielt am *Mutator* bis in die 1960er Jahre fest. [1]

Literatur [1] Wetzel-2001, S. 57 u. 64.

Myria-

myria-

Worterklärung Ehemals gesetzlicher ↑Vorsatz (Präfixoid) zum Bezeichnen des Zehntausendfachen (10^4 oder 10 000) einer Einheit im Messwesen.

Wortgeschichte

1 ~ leitet sich von (Gr) μυριάς /*myriás*/ ›10 000, unendlich viele‹ ab und kommt im (Dt) *Myriade* vor.

2 Zur gemeinsamen Wortgeschichte mit ↑*Deka-*, ↑*Hekto-* und *Kilo-* vgl. ↑*Kilo-*.

3 Dieser Vorsatz wurde durch das französische Gesetz vom 18. Germinal des Jahres III. (= 7. April 1795) eingeführt, jedoch nicht in die Internationale Meterkonvention durch die 1. ↑CGPM von 1889 übernommen.

N

N • Nachrichteneinheit
Nano- • Nanobot
Nebeneinanderschaltung
Negativ, das • negative Elektrizität
Negatron • Neper • Neutrale, die
Neutralleiter • Neutrino
Neutron • Newton • -nis
Nordpol • Norm
Nullung

N^{I} — *N* (number of turns)

Formelzeichen für »Windungszahl« nach DIN 1304-1:1994-03 entsprechend IEC 60027-1:1992-12, z.B. einer Spule oder einer elektrischen Maschine. Der Buchstabe *N* bietet sich an, weil er als Anfangsbuchstabe in vielen Sprachen vorkommt: (En) *number*; (Fr)(It) *numero*.

N^{II} — *N* (inductance of the secondary)

Formelzeichen für »Induktivität des Sekundärkreises« nach J.C. MAXWELL* (↑*L*). In dieser Bedeutung brauchte *N* aus Gründen der Buchstabenökonomie nicht genormt zu werden, da hier dann L_2 zu nehmen ist.

N^{III} — *N* (power)

Ehemals vom ↑AEF genormtes Formelzeichen für »Leistung«, zuerst in der Liste 2 (1914) [1], zuletzt nach DIN 1304-1:1926-07 „Formelzeichen", bis es durch Angleichung an den internationalen Gebrauch in den 1950er Jahren durch ↑*P* ersetzt worden ist. Das *N* stammt aus dem Maschinenbau, wo es für »Anzahl [(It) *numero*] der ↑Pferdestärken« stand.

Literatur [1] In: etz Bd. 35 (1914) S. 688.

Nachrichteneinheit — bit

Worterklärung Alternativbenennung (Synonym) zu »Zweierschritt« = 1 bit (↑Bit). Einheitenzeichen: NE.

Wortgeschichte Begriff und Benennung ~ führte 1952 Karl KÜPFMÜLLER* in die zweite Auflage seines epochemachenden Werks „Die Systemtheorie der elektrischen Nachrichtenübertragung" mit folgenden Worten ein:

„Der Nachrichteninhalt einer Sendefunktion liegt in der Zuordnung bestimmter Amplitudenwerte zu bestimmten Zeitpunkten. Die zeitliche Folge der Amplitudenwerte der Empfangsfunktion muß diesen Nachrichteninhalt wieder abzulesen gestatten. Am durchsichtigsten liegen diese Verhältnisse bei der gewöhnlichen Telegraphie, bei der nur zwischen zwei Amplitudenwerten unterschieden wird. Die Einzelnachricht besteht hier in der Mitteilung einer dieser beiden Amplitudenwerte, z.B. 0 oder 1, in einem bestimmten Zeitpunkt. Jede solche „Nachrichteneinheit" kann am Empfangsort im Prinzip zu einer Entscheidung zwischen zwei Möglichkeiten oder Gruppen von Möglichkeiten benützt werden. […] Man nennt daher eine Nachrichteneinheit auch einen ‚Zweierschritt' (im Englischen bit, abgekürzt von binary digit); wir verwenden als Abkürzung für eine Nachrichteneinheit 1 *NE*. Beim Fernschreiber werden mit 5 *NE* die Buchstaben des Alphabets dargestellt." [1]

Von der dritten Auflage der ↑„Systemtheorie" (1968) an ersetzte KÜPFMÜLLER die Benennung ~ durch *Bit* im Text und bei den Formeln:

„Die Einheit der mit ‚Information' benannten Größe ist die ‚Ja-Nein-Entscheidung', die mit 1 bit bezeichnet wird (im alten Text *NE* genannt). […] ld M = […] bit. Die zur Auswahl eines der M möglichen Texte benötigte Anzahl bit ist also bei sehr langen Texten proportional der Länge N." [2]

Wortbenutzung 1952: Die Nachrichtenkapazität C eines Übertragungskanals ist die Zahl der Nachrichteneinheiten (Zweierschritte), die je Zeiteinheit maximal übertragen werden können. Danach gilt also: $C = n \log^2 m$ *NE* (KÜPFMÜLLER-1952, S. 348).

Fremdsprachige Entsprechungen vgl. ↑Bit.

Literatur [1] KÜPFMÜLLER-1952, S. 347–348; [2] KÜPFMÜLLER-1968, S. 406–407.

Nano- nano-

Worterklärung ↑Vorsatz (Präfixoid) zum Bezeichnen des Milliardstels (10^{-9} oder 0,000 000 001) einer ↑SI-Einheit. ↑Vorsatzzeichen: n.

Wortgeschichte

1 Zur gemeinsamen Wortgeschichte mit *Giga-* vgl. ↑*Giga-*.

2 In der Begründung zum Norm-Entwurf führt 1922 K. STRECKER* Folgendes aus:

„Es tritt das Bedürfnis auf, für kleine Kapazitäten eine geeignete Einheit zu schaffen; *Mikrofarad* ist dafür häufig zu groß, es ist daher bereits üblich geworden, das elektrostatische Meßsystem [gemeint: Maßsystem] zu benutzen, das in dem Maße l cm eine sehr kleine Einheit darbietet. Indes ist es unzweckmäßig, in ein Maßsystem, das durchaus elektromagnetisch ist, eine elektrostatische Einheit einzufügen; es kommt mindestens der Faktor 9 in die Rechnung und macht sie weniger einfach. Eine Einheit von 10^{-9} F = 10^{-3} µF ist gleich $9 \cdot 10^2$ cm und paßt in der Größe sehr gut, um die in der drahtlosen Telegraphie und bei Freileitungen vorkommenden kleinen Kapazitäten in bequemen Zahlen auszudrücken. Als Vorsatz würde sich *Nano-* vom griechischen *Nanos, Zwerg*, Zeichen *ν* /n/, gebrauchen lassen. Die Kapazität einer einzelnen kupfernen Drahtleitung, die in etwa 4 m Höhe über der Erde wagerecht ausgespannt ist, beträgt für 1 km Länge 6,5 *ν*F. Ein weiteres Bedürfnis für *Nano-* liegt etwa noch vor bei der Längeneinheit, welche die Physiker µµ nennen, und die im System des AEF mit mµ bezeichnet wird; sie wäre durch *ν*m auszudrücken." [1]

3 In der endgültigen Fassung wurde statt des griechischen Buchstabens *ν* /n/, der vermutlich in Anlehnung an µ /m/ für ↑*Mikro-* gewählt worden ist, der lateinische Buchstabe n als Vorsatzzeichen festgelegt. [2]

4 Der kanadische Metrologe A. J. METTLER* weist darauf hin, dass sich die Zahlwörter (Dt) *neun* und (En) *nine* als Merkhilfe für *Nano-* anbieten, womit der Zehnerexponent 9 für 10^{-9} dargestellt wird, und dass die alphabetische Reihenfolge m-n-p eine weitere Merkhilfe für *Mikro-*, *Nano-* und ↑*Piko-* ist. [3]

Wortbenutzung 2000: Im Urin der Turnerin wurde ein überhöhter Wert von 25 Nanogramm pro Milliliter Pseudo-Amphetamin analysiert (Darmstädter Echo, 27.09.2000, Olympia-Beilage); 2001: Nur 25 Nanometer misst das kleine Biest, das derzeit ganz Europa in Atem hält: Das gefährliche Virus der Maul- und Klauenseuche (MKS) (Darmstädter Echo, 02.03.2001, S. 3); Wortbenutzung im übertragenen Sinn: 1995: Expeditionen in den Nanokosmos (Buchtitel v. M. GROSS); 2003: Nanotechnologie hat Wachstumspotenzial (BENDER, Klaus [4]).

Wortfamilie [5] ↑*Nanobot, Nanoelektronik, Nano-Lack* [6], *Nanomaschine, Nanoprodukt, Nanoröhre, Nanoschicht, nanoskaliger Werkstoff, Nanostruktur, Nanotechnik, Nanotechnologie, Nanowelt, Nanovision, Nanovisionär, Nanowissenschaft.*

Fremdsprachige Entsprechungen Sprachen mit lateinischer Schrift: *nano-*; mit anderer Schrift: (nGr) νανο /*nano*/; (Ru) нано /*nano*/ (Vorsatzzeichen: н /n/); (Zh) /*háowēi*/»$10^{-3} \times 10^{-6}$«; (Ja) /*nano*/.

Literatur [1] In: etz Bd. 43 (1922) S. 404; in: NDI-Mitt.[später: DIN-Mitt.] Bd. 8 (1925) S. 1021–1022 (1. Okt.); [2] In: etz Bd. 48 (1927) S. 481; [3] Nach dem in Vorbereitung befindlichen *Metric Handbook* von A. J. METTLER und mit dessen freundlicher Genehmigung; [4] In: Darmstädter Echo, 22.09.2003, S. 4; [5] Weitgehend aus: VDE dialog (1999) Nr. 3, S. 4, ebenda (2000) Nr. 2, S. 9; [6] In: Darmstädter Echo, dpa, 04.12.2003, S. 6.

Nanobot
nanobot

Worterklärung Mikroskopisch kleiner ↑Roboter in Molekülgröße.

Wortgeschichte Vom Computerpionier und erfolgreichen Erfinder Ray KURZWEIL* 1999 erdachtes Gebilde, das er in seinem Buch „Homo s@piens" [1] präsentiert. Der ~ (aus ↑*Nano-* und Ⓔⓝ *robot* ›Roboter‹ zusammengezogen [2]) ist aus stabilen Kohlenstoffnetzen aufgebaut und dient als nanoelektronischer Schaltkreis und stabiles Konstruktionsmaterial. Über mechanische Ärmchen wären diese intelligenten Moleküle in der Lage, sich eigenbestimmt miteinander zu verkoppeln und so beliebig strukturierte Objekte aufzubauen. [3]

Wortbenutzung 2001: Der Trick besteht darin, den Nanobot mit Manipulatoren (Armen und Händen) von ausreichender Beweglichkeit auszustatten [2].

Literatur [1] KURZWEIL-2001; [2] Ebenda, S. 222; [3] In: VDE Dialog (März/April 1999) S. 4.

Nebeneinanderschaltung ↑Parallelschaltung

Negativ, das
negative

Worterklärung Belichteter fotografischer Film, von dem seitengerechte Abzüge (die sog. *Positive*) angefertigt werden können.

Wortgeschichte Als einer der Ersten benutzte der englische Astronom Sir J. F. W. HERSCHEL* (1792–1871) die Fotografie in der Astronomie und führte die Benennungen ~ und *Positiv* ein.

Literatur ASIMOV-1974, S. 237.

negative Elektrizität ↑positive Elektrizität

Negatron
negatron

Vom amerikanischen Physiker Carl D. ANDERSON* 1932 gemachter Vorschlag, ↑*Elektron* in ~ umzubenennen (in Analogie zu ↑*Positron*, ↑*tron*), der jedoch keine Befürworter fand. [1]

Literatur [1] JORDAN/LENZ-1994, S. 6–7.

Neper
neper

Worterklärung

1 Einheit der Dämpfung oder Verstärkung in der Nachrichtentechnik, definiert als natürlicher ↑Logarithmus (ln) des Verhältnisses einer Eingangsspannung U_1 zur Ausgangsspannung U_2 an einer Leitung oder einem ↑Vierpol oder des Verhältnisses des Eingangsstromes I_1 zum Ausgangsstrom I_2 : $\ln U_1/U_2 = \ln I_1/I_2$

2 Dem an sich dimensionslosen Zahlenwert wird *Neper* (abgekürzt Np oder nur N, wenn keine Verwechslung mit ↑Newton möglich ist) hinzugefügt, um damit zu kennzeichnen, dass es sich um den natürlichen Logarithmus des Spannungs- bzw. Stromverhältnisses handelt. Der natürliche Logarithmus rührt daher, weil die Leitungsgleichungen Exponentialfunktionen (↑e) enthalten. [1]

Wortgeschichte Die Einheit ~ wurde nach dem Erfinder der Logarithmen und dem Schöpfer der ersten Logarithmentafel, dem schottischen Gelehrten John NAPIER – auch John NEPER genannt – (1550 – 1617), Laird of Merchiston, benannt. Sie wurde 1928 vom „International Advisory Committee on Long Distance Telephony in Europe" gemeinsam mit ↑Dezibel angenommen, war zu diesem Zeitpunkt aber bereits seit vier Jahren im Gebrauch. [2] Vermutlich wurde ~ gewählt, weil die natürlichen Logarithmen häufig J. NEPER zugeschrieben werden, was jedoch nicht richtig ist. Sie wurden erst 1668 von Nicholas MERCATOR aufgestellt und von ihm (La) *logarithmus naturalis* genannt. [3]

Siehe auch ↑bis, ↑Bit.

Literatur [1] WALLOT-1944, § 179; DIN 5493; [2] MARTIN, W.H.: Trans. AIEE Bd. 48 (1929) S. 223, zitiert nach JERRARD/MCNEILL-1994; STILLE-1961, S. 240; [3] TROPFKE-1933, S. 218 u. 258.

Neutrale, die

neutral conductor

Worterklärung Ein mit dem Mittelpunkt bzw. Sternpunkt des Netzes verbundener Leiter, der geeignet ist, zur Übertragung elektrischer Energie beizutragen.

Wortgeschichte

1 In seinem Diskussionsbeitrag zum Vortrag von M. DÉRI (Wien) anlässlich des ↑Internationalen Elektrizitätskongresses 1891 zu Frankfurt a.M. kürzte M. v. DOLIVO-DOBROWOLSKY* die Wortverbindung *neutrale Leitung* zu einem neuen Fachausdruck *die Neutrale* und setzte sie im Text mehrmals zwischen Anführungsstriche:

„Man richtet die Anlage dann so ein, dass zwischen je zwei Hauptleitungen etwa 173 Volt herrschen und zieht die [...] vierte Leitung oder die ‚Neutrale' vom Knotenpunkte der Dynamo bezw. des Transformators; die Spannung zwischen der ‚Neutralen' und jeder der drei Hauptleitungen beträgt in diesem Falle 100 Volt und ist für die Lampen also geeignet." [1]

2 In heute anzuwendenden Sicherheitsnormen für die Elektroinstallation wird die Benennung *Neutralleiter* benutzt, um in Übereinstimmung mit der Terminologienorm der ↑IEC zu sein, die besagt:

„*neutral conductor* (*symbol N*): A conductor connected to the neutral point of a system and capable of contributing to the transmission of electrical energy." [2]

Deutsche Übersetzung: „*Neutralleiter* (*Symbol N*): Ein mit dem Mittelpunkt bzw. Sternpunkt des Netzes verbundener Leiter, der geeignet ist, zur Übertragung elektrischer Energie beizutragen.

Nationale Anmerkung: Da bei IEC der Begriff ‚point neutre' bzw. ‚neutral point' bisher nicht definiert ist, wurden für den deutschen Text die Worte ‚Mittelpunkt, Sternpunkt' gewählt." [2]

Fremdsprachige Entsprechungen (En) *neutral conductor*; (Nl) *nul*; (Sv) *neutralledare*; (Es) *conductor neutro*; (Fr) *conducteur neutre*; (It) *conduttore di neutro*; (Ru) **нулевой рабочий проводник** */nulevoj rabočij provodnik/* ›Nullleiter‹; (Pl) *przewód zerowy* ›Nullleiter‹; (Cs) *nulový vodič*. [2]

Siehe auch ↑Nullung.

Literatur [1] Internationaler Elektrotechniker-Kongress-1891, Sections-Sitzungen S. 232; [2] IEC 50 (826):1982, Definition 826-01-03, DIN VDE 0100 Teil 200: 1993-11, Definition 2.1.3.

Neutralleiter ↑Neutrale, die

Neutrino **neutrino**

Worterklärung Elementarteilchen, das keine elektrische Ladung besitzt und vermutlich keine Ruhemasse, aber den ↑Spin von ½. [1]

Wortgeschichte

1 Beim ~ handelt es um ein Teilchen, das 1931 vom österreichischen Physiker Wolfgang PAULI (1900–1958) zunächst hypothetisch eingeführt wurde, um die Gültigkeit der Erhaltungssätze von ↑Energie und Drehimpuls beim Betazerfall zu sichern. [1] Er hat seinen historischen Vorschlag nie veröffentlicht, sondern seine Vorstellung im nachstehenden Brief des Physikalischen Instituts der ETH Zürich vom 4. Dez. 1930 an Tagungsteilnehmer in Tübingen gerichtet:

„Liebe Radioaktive Damen und Herren, wie der Überbringer dieser Zeilen, den ich huldvollst anzuhören bitte, Ihnen des näheren auseinandersetzen wird, bin ich angesichts [...] des kontinuierlichen β-Spektrums auf einen verzweifelten Ausweg verfallen, um [...] den Energiesatz zu retten. Nämlich die Möglichkeit, es könnten elektrisch neutrale Teilchen, die ich *Neutronen* [gemeint ist das später von FERMI genannte *Neutrino*] nennen will, in den Kernen existieren, welche den Spin ½ haben und das Ausschließungsprinzip befolgen und sich von Lichtquanten außerdem noch dadurch unterscheiden, daß sie nicht mit Lichtgeschwindigkeit laufen. [...] Ich traue mich vorläufig nicht, etwas über diese Idee zu publizieren, und wende mich vertrauensvoll an Euch, liebe Radioaktive, mit der Frage, wie es um den experimentellen Nachweis eines solchen Neutrons [Neutrinos] stände [...] Ich gebe zu, daß mein Ausweg vielleicht von vornherein wenig wahrscheinlich erscheinen mag, weil man die Neutronen [Neutrinos], wenn sie existieren, wohl längst gesehen hätte. Aber nur wer wagt, gewinnt." [2]

Die Existenz von ~ wurde 1956 von den amerikanischen Physikern Clyde COWAN und Frederick REINES an einem Kernreaktor hoher Leistung nachgewiesen. [3]

2 Zur Wortgeschichte äußert sich der NOBEL-Preisträger für Physik von 1959, Emilio SEGRÉ, wie folgt:

„In Rom wurde PAULIS neutrales Teilchen im Gegensatz zu CHADWICKS *neutrone* (im Italienischen »großes Neutrales«) gewöhnlich als *neutrino* bezeichnet (im Italienischen »kleines Neutrales«). Diese Bezeichnung wurde Ende 1933 allgemein übernommen, als FERMI auf dem »Neutrino« eine Theorie des Betazerfalls aufbaute." [4]

FORD beschreibt diesen Sachverhalt mit folgenden Worten:

„Die Bezeichnung *Neutrino* stammt von Enrico FERMI, sie ist die italienische Form des Wortes *‚Neutrönchen'*." [5]

Wortbenutzung 1966: Die grundlegenden Einfangreaktionen [...] können nur ablaufen, wenn die Neutrinos (und Antineutrinos) genügend Energie, nämlich mehr als 100 MeV besitzen, um die Masse eines Myons zu erzeugen (FORD-1966, S. 136); 1998: Neutrinos sind wahrscheinlich die häufigsten Teilchen im Kosmos. [...] Wegen ihrer großen Zahl ist die Frage nach einer eventuell vorhandenen Masse der Neutrinos von großer Bedeutung für die Kosmologie (GREHN/KRAUSE-1998, S. 531).

Wortfamilie

1 Zusammensetzungen mit *Neutrino-* als Bestimmungswort: *Neutrinoastronomie, ~masse, ~-Ruhemassen, ~strahl, ~-Tau;*

2 Zusammensetzungen mit *-Neutrino* als Grundwort: *Anti-Elektron-Neutrino, Elektron-~, Majorana-~, My-~, Tau-~.*

Fremdsprachige Entsprechungen (En)(Nl)(Sv) *neutrino;* (Es)(It) *neutrino;* (Fr) *neutrino* (1935, nach ROBERT-1994); (Ru) нейтрино */nejtrino/;* (Pl)(Cs) *neutrino;* (Zh) */zhōng wēi zǐ/.*

Literatur [1] STÖCKER-1998; S. 859; [2] FORD-1966, S. 235; FRITZSCH, Harald: Wie viele Elementarteilchen. In: Piper-Lesebuch. Hrsg. v. Klaus PIPER u. Karin PIPER. München; Zürich: Piper, 1987. 671 S., hier S. 568–569; [3] FORD-1966, S. 132; [4] SEGRÉ-1998, S. 662; [5] FORD-1966, S. 126.

Neutron — neutron

Worterklärung Eines der fundamentalen Bausteine der Materie, das elektrisch neutral ist, eine Ruhemasse $m_n = 1{,}675 \times 10^{-27}$ kg (↑Kilogramm) und einen ↑Spin von ½ hat. Es ist aus drei ↑Quarks aufgebaut. [1]

Wortgeschichte Der englische Physiker James CHADWICK* zog 1932 aus seinen Experimenten den Schluss, dass neben der bereits vom deutschen Physiker Walther BOTHE (1891–1957) festgestellten Gamma-Strahlung bislang unbekannte, elektrisch neutrale Teilchen von annähernd der Masse von ↑Protonen entstehen. Er nannte das neue Teilchen *Neutron.* [2] Das Wort ~ wurde durch Verschmelzung des Adjektivs *neutral* und der kernphysikalischen Wortendung (Suffixoid) *-on* »Teilchen« gebildet.

Wortbenutzung 1966: Als zu dem Proton [...] 1932 das Neutron kam, war den Physikern sofort klar, daß Atomkerne aus Protonen und Neutronen aufgebaut sein müssen (FORD-1966, S. 162); 1998: Da Neutronen ungeladen sind, ist ihre Wechselwirkung mit Materie sehr gering und ihr Nachweis entsprechend schwierig (GREHN/KRAUSE-1998, S. 495).

Wortfamilie Zusammensetzungen mit *Neutronen-* als Bestimmungswort: *Neutronenabsorption, ~beugung, ~bombe, ~detektor, ~diffraktion, ~diffusion, ~einfang, ~exzess, ~gas, ~leiter, ~quelle, ~spektrometer, ~spektrometrie, ~stern, ~strahl, ~strahler, ~temperatur, ~transporttheorie, ~überschuss, ~waffe, ~zahl, ~zähler, ~zählrohr.*

Fremdsprachige Entsprechungen (En)(Nl)(Sv) *neutron;* (Es) *neutrón;* (Fr) *neutron* (1932, ROBERT-1994); (It) *neutrone;* (Ru) нейтрон */nejtron/;* (Pl)(Cs) *neutron;* (Ar) */niutrun/;* (Zh) */zhōng zǐ/;* (Ja) */tyūseisi/.*

Literatur [1] STÖCKER-1998, S. 809 u. 825, Dezimalstelle gekürzt; [2] WIRTZ, K.; BECKURTS, K.H.: Elementare Neutronenphysik. Berlin; Göttingen: Springer, 1958. 243 S., hier S. 1.

Newton [Aussprache: 'nju:ton] — newton

Worterklärung

1 Gesetzliche abgeleitete ↑SI-Einheit der Kraft. Einheitenzeichen: N.

2 Ein ~ ist gleich der Kraft, die einem Körper der Masse 1 kg (↑Kilogramm) die Beschleunigung 1 m/s² erteilt. $1\ \text{N} = 1\ \text{kg} \cdot \text{m} \cdot \text{s}^{-2}$.

Wortgeschichte

1 Das ~ wurde 1938 von der ↑IEC als Krafteinheit mit der vorstehenden Definition festgelegt, im Jahre 1948 von der Internationalen Union für reine und angewandte Physik (IUPAP) angenommen und von der 9. Generalkonferenz (↑CGPM) im selben Jahr sanktioniert. Vorher wurde anstelle des ~ weitgehend das ↑*Großdyn* mit dem Einheitenzeichen Dyn (großer Anfangsbuchstabe!) benutzt. [1] Mit der Annahme des Internationalen ↑Einheitensystems (SI) durch die 11. Generalkonferenz (↑CGPM) 1960 konnte das deutsche Gesetzeswerk auf eine neue Grundlage gestellt werden, was zur Verkün-

dung des „Gesetzes über Einheiten im Meßwesen" vom 2. Juli 1969 und der zugehörigen Ausführungsverordnung vom 26. Juni 1970 (Bundesgesetzblatt I S. 981) führte, in der das ~ als abgeleitete SI-Einheit genannt wird.

2 Schon 1904 sprach sich O. Linders* dafür aus, alle abgeleiteten ↑CGS-Einheiten nach berühmten Physikern zu benennen, wie das weitgehend schon geschehen ist. ↑*Dyn* und ↑*Erg* müssten umbenannt werden, wobei er als Ersatz des Dyn den Einheitennamen ~ vorschlägt. [2] Im selben Jahr setzt sich der Brite D. Robertson auch für den Einheitennamen ~ ein. [3]

3 Im Entwurf XXVII (1923) „Einheiten für mechanische Größen" (↑AEF-Einheitensystem) begründeten M. Weber und K. Strecker* den Vorschlag, im Technischen Maßsystem als Einheit der Masse das ~ zu 9,80665 kg zu verwenden, wobei als Einheitenzeichen das *New* mit der Aussprache „Nef" vorgesehen war. [4]

4 Erst durch die Initiative von L. Hartshorn und P. Vigoureux [5] rückte 1935 der Einheitenname ~ ins Blickfeld und wurde 1938 von der ↑IEC als Vorschlag angenommen.

Wortfamilie *Dekanewton, Kilonewton, Meganewton, Mikronewton, Millinewton.*

Fremdsprachige Entsprechungen Sprachen mit lateinischer Schrift: *newton,* mit anderer Schrift: (nGr) νιούτον */nioúton/* (Einheitenzeichen: N); (Ru) ньютон */n'juton/* (Einheitenzeichen: N; H); (Zh) */niúdùn/*; (Ja) */nyūton/*.

Zur Person Die Einheit der Kraft wurde zu Ehren des englischen Physikers und Mathematikers Sir Isaac Newton (1642–1727) festgelegt. Er gehört zu den größten Wissenschaftlern aller Zeiten. Seine Hauptleistungen: Grundlegung der theoretischen Physik, Entwicklung der ↑Infinitesimalrechnung unabhängig von Gottfried Leibniz*, Gravitationsgesetz und Optik. Nach einer Krankheit gab er seine Professur an der Univ. Cambridge auf und wurde Direktor der Münzbehörde. 1703 wurde er in den Ritterstand erhoben.

Biographien Volkmann-1994: Newton, Sir Isaac. S. 81–84; Wussing, Hans-Ludwig: Newton, Sir Isaac, in: Wussing-1992, S. 430–431; Segré-1998: Der Zauberberg: Newton. S. 77–131; Scriba, Christoph J.: Newton, Sir Isaac, in: Krafft-2003, S. 312–313.

Literatur [1] Stille-1961, S. 49; [2] Linders-1904, S. 367; [3] In: Electrician (24.04.1904) S. 24, zit. nach Jerrard/McNeill-1994, S. 149 u. 300; [4] In: etz Bd. 44 (1923) S. 529–531; [5] In: Nature (London) Bd. 136 (1935) S. 397, zit. nach Jerrard/McNeill-1994, S. 149–150 u. 300 sowie Wallot-1957, S. 62.

-nis

-ance

Worterklärung Ehemals vorgeschlagene Wortbildungssilbe (Suffix) zur Kennzeichnung von physikalischen Größen, bei denen Vorgang und Größe dieselbe Benennung wären.

Wortgeschichte Das Bedürfnis zur Trennung ist aber vorhanden, denn nur so ist es zu erklären, dass im Norm-Entwurf DIN 50321 „Verschleiß; Meßgrößen für den Verschleißbetrag" (Apr. 1957) ausgesagt wurde:

„Wegen der Mehrdeutigkeit des Begriffes »Verschleiß« (als Vorgang und als Betrag) wird empfohlen, zwischen ‚Verschleiß' (als Vorgang) und ‚Verschleißbetrag' (als Größe) zu unterscheiden." [1]

Benennungen lateinischen Ursprungs könnten die Wortbildungssilbe *-anz* haben, die sich als *-ance* besonders im Englischen nach dem Vorschlag von Oliver Heaviside* gut eingeführt hat: *impedance* (↑*Impedanz*). Für das Deutsche bietet sich die Nachsilbe *-nis* an, die in der Bedeutung ›Eigenart von etwas‹ an Geltung eingebüßte. Hans L. STOLTENBERG griff daher *-nis* auf und versuchte, „ihr eine bisher überhaupt noch nicht bezeichnete Bedeutung von zwei oder mehr miteinander verbundenen Gegenständen zu geben." [2] Trotz der für die Soziologie zugeschnittenen Verwendung schlug 1958 A. WARNER* vor, *-nis* auch zur Kennzeichnung von neuen physikalischen Größen gegenüber Vorgängen einzuführen:

- *der Verschleiß das Verschleißnis*
- *die Wirkung das Wirknis*
- *die Leistung das Leistnis*
- *die Ladung das Ladnis* u.a.m.

Mit diesen Beispielen war nicht beabsichtigt, die jetzige Fachsprache zu ‚reformieren'. An geläufigen Wörtern sollte vielmehr gezeigt werden, wie sich *-nis* auswirkt. [3]

Im Rückblick ist festzustellen, dass der Vorschlag mit *-nis* nicht angenommen wurde, vermutlich weil die deutsche Sprachgemeinschaft die Wortbildung durch Zusammensetzung (z.B. *Verschleißstärke* oder *-grad*) der Wortbildung durch Ableitung (z.B. *Verschleißnis*) vorzieht. Das wird auch deutlich in der Norm des ↑AEF DIN 5485 „Benennungsgrundsätze für physikalische Größen; Wortzusammensetzungen mit Eigenschafts- und Grundwörtern" (Aug. 1986) und in diesbezüglichen Vorveröffentlichungen [4].

Literatur [1] Zit. nach WARNER-1958; S. 329; [2] STOLTENBERG, Hans L.: Der eigendeutsche Wortschatz der Weisheitlehre in der Entwicklung seiner Stände. Frankfurt a.M.: Diesterweg, 1934. 283 S., hier S. 150–152; [3] WARNER-1958, S. 329; [4] Ebenda, S. 327–329; WARNER, A.: Zur Terminologienormung bezogener physikalischer Größen. In: Muttersprache, Bd. 76 (1966) S. 15–22.

Nordpol — north pole

Worterklärung Der nach Norden weisende Endpunkt einer Magnetnadel.

Wortgeschichte Der französische Naturforscher Pierre de MARICOURT*, der mit Magneteisensteinen experimentierte, nannte 1267 diejenigen Stellen (↑Pol) seiner ↑Magnete, die sich beim Schwimmversuch immer nach Norden ausrichteten, *Nordpol*, die gegenüberliegenden ↑*Südpol*. [1]

Fremdsprachige Entsprechungen (En) *north pole;* (Nl) *noordpool;* (Es) *polo norte;* (Fr) *pôle nord;* (It) *polo nord;* (La) *polus arcticus, polus borealis;* (Ru) северный полюс /*severnyj poljus*/; (Pl) *biegun północny;* (Cs) *severní pól.*

Literatur [1] FRAUNBERGER-1985, S. 11.

Norm — standard

Worterklärung Dokument, das mit Konsenz erstellt und von einer anerkannten Institution angenommen wurde und das für die allgemeine und wiederkehrende Anwendung Regeln, Leitlinien oder Merkmale für Tätigkeiten oder deren Ergebnisse festlegt, wobei ein optimaler Ordnungsgrad in einem gegebenen Zusammenhang angestrebt wird. Definition nach der dreisprachigen Fassung DIN EN 45020:1998-07.

Wortgeschichte

1 Vor der Gründung des ↑DIN im Jahre 1917 wurden die Arbeitsergebnisse der über-

betrieblichen Vereinheitlichung *Normalien* genannt, bis sie auf Anregung von W. PORSTMANN* durch sein Buch „Normenlehre“ (Berlin 1917) in *Normen* umbenannt wurden.
2 Die Benennung ~ geht auf Ⓛⓐ *norma* zurück, das »Richtmaß« bedeutet.
Fremdsprachige Entsprechungen Ⓔⓝ *standard;* Ⓢⓥ *standard;* Ⓔⓢ *norma;* Ⓕⓡ *norme;* Ⓘⓣ *norma;* Ⓡⓤ стандарт */standart/;* Ⓟⓛ *norma;* Ⓒⓢ *norma, standard;* Ⓙⓐ */hyōzyun, doki/.*
Literatur 50 Jahre Deutscher Normenausschuß. Hrsg.: DNA, Verf.: Bruno HOLM. Berlin; Köln: Beuth, 1967. 117 + 128 S.

Nullung TN system

Worterklärung Elektrotechnische Schutzmaßnahme, bei der die metallenen Konstruktionsteile einer elektrischen Anlage mit dem geerdeten Nullleiter verbunden werden.
Wortgeschichte
1 Begriff und Benennung ~ wurden 1924 in das Vorschriftenwerk des ↑VDE durch die „Leitsätze für Erdungen und Nullung in Niederspannungsanlagen“ eingeführt. Hinsichtlich des Zwecks wird darin ausgesagt:

„Die metallisch leitende Verbindung mit einem betriebsmäßig geerdeten Nulleiter (Nullung) gibt größere Sicherheit als die Schutzerdung allein, wenn der Ohmsche Widerstand des Nulleiters so gering gehalten ist, daß der Erdschlußstrom die nächste (von der Erdschlußstelle aus gerechnet) nach der Stromquelle gelegene Sicherung zum Abschmelzen bzw. den Selbstschalter zum Abschalten bringt.“ [1]

Mit der Benennung ~ sollte zum Ausdruck gebracht werden, dass „mit dieser Schutzmaßnahme das Potential der Körper der geschützten Geräte auf ‚Null‘, also auf Erdpotential gehalten werden kann.“ [2]
2 Im Rahmen der weltweiten Angleichung der Schutzsysteme innerhalb der ↑IEC ergab es sich, die der ~ vergleichbare Schutzmaßnahme mit „Schutz durch automatische Ausschaltung im TN-System mit Überstrom-Schutzeinrichtungen“ zu bezeichnen, abgekürzt: *TN-System.* [2] Damit wurde das Wort ~ in deutschen Normen 1983 erst durch *TN-Netz,* dann durch *TN-System* ersetzt. Das Gleiche traf für *Nullleiter* zu, der jetzt *PEN-Leiter* heißt, wo *PE* für ›protective earth conductor‹ und *N* für ↑›Neutralleiter‹ stehen.
3 In Österreich wird die Schutzmaßnahme „Schutz durch automatische Abschaltung der Stromversorgung mittels Überstrom-Schutzeinrichtungen im TN-System“ nach wie vor als ~ bezeichnet, und zwar aufgrund der österreichischen Nullungsverordnung vom 16. Sept. 1998. Die Schweiz verfährt ebenso. [3]
Wortbenutzung 1943: In Anlagen mit einem Nulleiter kann auch eine *Nullung* vorgenommen werden (KOSACK-1943, S. 321); 1951: […], wenn es auch gelegentlich Gründe gibt, die gegen einen schwächeren Querschnitt sprechen (Nullung) (SCHWENKHAGEN [4]); 1998: Nullungsverordnung [5]; 1999: Der östereichische Weg zur Nullung (UMLAUFT [6]).
Wortfamilie
1 Zusammensetzungen mit *Null-* als Bestimmungswort: *Nullerder, ~klemme, ~leiter, ~leiterdraht, ~leiterisolator, ~leiterklemme, ~leiternetz, ~leiterstrom, ~leitersystem, ~leiterzuführung, ~potenzial, ~punkt, ~punkterdung, ~schiene, ~ungsbedigung, ~ungsleitung, ~ungsverbindung, ~ungsverordnung;*
2 Wortableitung: *nullen* »Nullpunkt erden«.
Fremdsprachige Entsprechungen Ⓔⓝ *protective multiple earthing (p.m.e.);* Ⓒⓢ *nulování.*

Literatur [1] In: Vorschriftenbuch des VDE. 18. Aufl., 1931, S. 121–126, hier S. 122; gleichlautend in: etz Bd. 45 (1924) S. 1225, später die Klassifikation VDE 0140 zugewiesen; [2] Biegelmeier, Gottfried, u. a.: Schutz gegen gefährliche Körperströme. Berlin; Offenbach: VDE-Verlag, 1998. 295 S., hier S. 58; [3] Umlauft, Dieter: Genereller Übergang zum TN-System in Österreich bis 2008. In: etz Bd. 122 (2001) Nr. 23/24, S. 18–25; [4] Schwenkhagen, H[ans] F[ritz]: Allgemeine Wechselstromlehre. Bd. 1: Grundlagen. Berlin; Heidelberg, Springer, 1951. 544 S., hier S. 217; [5] 322. Verordnung vom 16. Sept. 1998. Nullungsverordnung. In: Bundesgesetzblatt für die Republik Österreich. (1998) Teil II, Nr. 322, S. 2061–2065; [6] In: VEÖ-Journal (1999) Nr. 4, S. 28–32.

O

Ω

Ω (ohm)

Worterklärung Großbuchstabe *Omega* des griechischen Alphabets als gesetzliches Einheitenzeichen für die ↑SI-Einheit des »elektrischen ↑Widerstandes« ↑*Ohm*.

Wortgeschichte

1 Da ein Einheitenzeichen „O" für *Ohm* allzu leicht mit „0" (Null) verwechselt werden könnte, z.B. in der Angabe „100 O", schlug der Brite William H. PREECE* 1867 stattdessen die griechischen Buchstaben Omega Ω, ω /O, o/ vor; er war Ausbilder für Kadetten des Indian Telegraph Service am Hartley College (heute University of Southampton). [1] Das Zeichen Ω wurde von britischen Stellen, wie der Handelskammer (Board of Trade) vorrangig benutzt; ebenso vom amerikanischen Ingenieur A.E. KENNELLY*, der *Ohm* immer als Ω schrieb, während er die übrigen Einheiten wahlweise beim ersten Vorkommen ausschrieb oder später kürzte. [2]

2 In Deutschland hielt man sich dagegen an den 1891 auf dem ↑Internationalen Elektrizitäts-Kongress vom französischen Elektroingenieur Ed. HOSPITALIER* aufgestellten Grundsatz, dass „für Einheitenzeichen steile lateinische Buchstaben" zu verwenden sind (↑Formelzeichen-Normung), was zur Folge hatte, dass für *Ohm* ein O mit einem eingesetzten Blitzpfeil ähnlich dem dänischen Ø verwendet wurde. So steht es denn auch im Entwurf VII (1910) „Einheitsbezeichnungen" des ↑AEF, wo zum Abschnitt 14 ausgesagt wird:

„Die zwischen O und 0 (Null) mögliche Verwechslung wird vermieden durch Annahme der von Kohlrausch eingeführten Bezeichnungsweise für Ohm, nämlich Ø[1]); beim Schreiben läßt man die Pfeilspitze weg: Ø. [1]) Dieser Vorschlag ist von dem verstorbenen Direktor im Reichsamt des Innern Hopf bei einer Sitzung von Vertretern der Elektrotechnik gemacht worden; er bezog sich auf alle elektrischen Einheitszeichen." [3] [Gemeint ist Friedrich KOHLRAUSCH*, in dessen *Lehrbuch der Praktischen Physik* noch bis in die 13., neu bearbeitete Auflage von 1921 die Einheitenzeichen A, Ø und V mit Blitzpfeil geschrieben wurden.]

Im überarbeiteten Entwurf VII (1913) wurde das Ø beibehalten, weil der Blitzpfeil „auf die elektrische Natur der dargestellten Einheit hinweisen" sollte. Das beantragte Ω für Ohm wurde aber verworfen, weil man vom Leitsatz der „lateinischen Buchstaben" nicht abweichen wollte. Dennoch gab der AEF innerhalb eines Jahres seine starre Haltung gegen das Ω auf und nahm es in seine Liste der Zeichen für Maßeinheiten vom 24. Feb. 1914 mit folgender Begründung auf:

„Das vorgeschlagene Zeichen für Ohm, Ø [O mit Blitzpfeil], hat zahlreichen Widerspruch erfahren; auch die Internationale Elektrotechnische Kommission hat es abgelehnt. An seiner Stelle wird fast allgemein das vielfach gebrauchte Ω gewünscht, das auch von der IEC angenommen werden wird." [4]

Die ↑IEC veröffentlichte es zusammen mit anderen Zeichen in ihrer Publikation 27 (Jan. 1914, revised March 1920), wobei im Nachdruck von 1931 beim Zeichen Ω die Fußnote angebracht wurde: „Adopted at the New York Plenary Meeting, 1926. [5]

Wortbenutzung 1891: Der Werth der [...] Widerstandseinheit, welche als Einheit der British Association bekannt ist, ist gleich 0,9866 Ω [6]; 1894: Der Gesammtwiderstand des Stromkreises soll nicht weniger als 10 Ω betragen [7].

Literatur [1] PREECE, W.H., in: Phil. Mag. (GB) Bd. 33 (1867) S. 397, zit. nach JERRARD/ MCNEILL-1994, S. 158; [2] In: etz Bd. 15 (1894) S. 103–104; [3] SCHEEL, K. und STRE-

CKER; K., in: etz Bd. 31 (1910) S. 622–624; etz Bd. 34 (1913) S. 308–310; [4] wie [3] jedoch etz Bd. 35 (1914) S. 687–688; [5] DETTMAR-1914; IEC 27:1931; [6] Der Bericht der Kommission des Board of Trade zur Feststellung von elektrischen Normalen. In: etz Bd. 12 (1891) S. 520; [7] Die neuen gesetzlichen Bestimmungen der englischen Handelskammer über die elektrischen Einheiten. In: etz Bd. 15 (1894) S. 525–526.

-ode — -ode

Worterklärung

1 Wortbildungsendung (Suffixoid) im Wesentlichen zur Bildung von Benennungen für Art der Pole: ↑*Anode*, ↑*Kathode*, *Dynode*, entstanden in Analogie zu ↑*Elektrode* und damit ergab sich das Vorbild für die nachstehenden Gruppen; – Anzahl der Pole bei Elektronenröhren: siehe unten; – besondere Elektronenröhren: *Binode, Cascode, Duodiode, Nullode*; – Halbleiter-Bauelement: ↑*Kristallode*; – elektromedizinische Spulenfeldelektroden: *Minode, Monode, Sanode, Unode.*

2 Vollständige Liste der Röhrenbenennungen nach „Handbuch der Funktechnik" (1935):
- *Diode*↑ Zwei-Elektroden-Röhre, auch: Zweipolröhre
- *Triode*↑ Drei-Elektroden-Röhre, auch: Dreipolröhre
- *Tetrode* Vier-Elektroden-Röhre, auch: Vierpolröhre
- *Pent(h)ode* Fünf-Elektroden-Röhre, auch: Fünfpolröhre
- *Hexode* Sechs-Elektroden-Röhre, auch: Sechspolröhre
- *Hept(h)ode* Sieben-Elektroden-Röhre, auch: Siebenpolröhre
- *Okt(h)ode* Acht-Elektroden-Röhre, auch: Achtpolröhre
- *Nonode, Enneode* Neun-Elektroden-Röhre, auch: Neunpolröhre

Sonderformen:
- *Biditriode* zwei Dioden und Triode mit gemeinsamer Kathode
- *Bidipenthode* zwei Dioden und Penthode mit gemeinsamer Kathode
- *Binode* Diode und Triode mit gemeinsamer Kathode
- *Ditetrode* Diode und Tetrode mit getrennter Kathode
- *Duodiode* Doppeldiode [1]

Nach 1945 entfiel im deutschen Schrifttum das (*h*) bei den Röhrentypen *Pentode, Heptode* und *Oktode*, jedoch nicht allgemein bei *Kathode*, um mit der englischen Schreibweise *cathode* gleichzuziehen. [2] Die Schriftform (En) *catode* hätte in der englischen Aussprache eine zu große Umstellung verlangt.

Literatur [1] GÜNTHER, Hanns (Red.): Handbuch der Funktechnik und ihrer Grenzgebiete. Bd. 2. Stuttgart: Franckh, 1935. 260 S., hier S. 5–21; [2] LIMANN-1967, S. 139; PILS-1968.

Ørsted — oersted

Worterklärung Bis zum Inkrafttreten des Internationalen ↑Einheitensystems (SI) gültige Einheit der ↑*magnetischen Feldstärke* im ↑CGS-System; Einheitenzeichen: Oe.

Wortgeschichte Der Einheitenname *oersted* wurde 1930 von der ↑IEC angenommen. Damit ist ein Unrecht korrigiert worden, das *oersted* im Jahre 1900 widerfahren war, als der ↑Internationale Elektrizitäts-Kongress in Paris die 1894 vom American Institute of Electrical Engineers (dem heutigen IEEE = Institute of Electrical and Electronic

Engineers) vorgeschlagene Einheit des *magnetischen Widerstandes* (Reluktanz) ablehnte – und damit auch den vorgesehenen Einheitennamen *oersted*. [1]

Fremdsprachige Entsprechungen mit lateinischer Schrift: *oersted;* mit anderer Schrift: (Ru) эрстед /*érsted*/; (Zh) /*àosītè*/, mit ↑Vorsatz: *ào;* (Ja) /*erusutetsudo*/.

Zur Person Der Einheitenname ~ ist zu Ehren von Hans Christian ØRSTEDT (1777–1851) gewählt worden. Er war Professor der Physik an der Univ. Kopenhagen, wo er die Ablenkung einer Magnetnadel durch den elektrischen Strom entdeckte (elektrischer ↑Konflikt) und damit die Forschungsrichtung des Elektromagnetismus eröffnete.

Biographien H. C. Ø. 1777–1977; in: Dänische Rundschau, Sonderausgabe Aug. 1977, 48 S.; WARNER, A.: Denkmäler u. Gedenktafeln für Pioniere der Energietechnik: H.C. Ø.; in: etz-A Bd. 99 (1978): 773–774; SCHREIER, W.: H.C. Ø.; in: WUSSING-1992, S. 439; LINDNER, H.: H.C. Ø.; in: JÄGER-1996, S. 277; WILSON, A.D., in: MEŸENN-1997, Bd. 1, S. 331–335; SEGRÉ-1998: ØRSTEDT und AMPÈRE, Bd. 1, S. 202–214.

Literatur [1] IEC 164:1964, S. 19, 27 u. 29.

Ohm ohm

Worterklärung

1 Gesetzliche abgeleitete ↑SI-Einheit des »elektrischen ↑Widerstandes«. Einheitenzeichen: ↑Ω.

2 Ein ~ ist gleich dem elektrischen Widerstand zwischen zwei Punkten eines fadenförmigen, homogenen und gleichmäßig temperierten metallischen Leiters, durch den bei der elektrischen Spannung von 1 ↑Volt zwischen den beiden Punkten ein zeitlich unveränderlicher Strom der Stärke 1 ↑Ampere fließt. [1] $1\ \Omega = 1\,\mathrm{V/A} = 1\ \mathrm{m^2 \cdot kg \cdot s^{-3} \cdot A^{-2}}$.

Wortgeschichte

1 Laut Sir William THOMSON* (dem späteren Lord KELVIN*) verdankt das elektrische Einheitensystem seine Struktur und das Prinzip der Einheitennamen nach Forscherpersönlichkeiten den englischen Telegraphen-Ingenieuren Latimer CLARK* und Sir Charles BRIGHT, das sie 1861 der ↑British Association* for the Advancement of Science vorschlugen. Die Einheiten der ↑Spannung, der Elektrizitätsmenge, des ↑Stromes und des ↑Widerstandes benötigten sie, um die Eigenschaften von Telegraphiekabeln kurz beschreiben zu können. [2] In ihrem Vorschlag hatten sie als Einheit des Widerstandes das *Volt* vorgesehen, während *Ohma* (!) die Einheit der Spannung sein sollte.

2 Zum Studium des ↑„Einheitensystems nach L. CLARK und C. BRIGHT" wurde ein Komitee der British Association eingesetzt, das sich nicht nur mit physikalischen Fragen, sondern auch mit den Einheitennamen befasste und diese nach den Verdiensten der jeweiligen Forscher neu festlegte. Bei der Einheit des Widerstandes verwendete das Komitee zuerst die Neuprägung *Ohmad,* bis es sich schließlich für den Einheitennamen *Ohm* entschied. [3]

3 Diesen Namen brachte die British Association auf dem 1. ↑Internationalen Elektrizitäts-Kongress zu Paris 1881 ein, der mit vier weiteren Einheiten (↑*Ampere,* ↑*Coulomb,* ↑*Farad,* ↑*Volt*) angenommen wurde; für das *Ohm* wurde dort beschlossen:

„2. Die praktischen Einheiten, der Ohm und der Volt, werden ihre augenblickliche Definition behalten: 10^9 [absolute Einheiten] für den Ohm und 10^8 für den Volt.

3. Die Einheit des Widerstandes (Ohm) wird durch eine Quecksilbersäule von einem Quadratmillimeter Querschnitt bei der Temperatur von Null Grad nach dem hunderttheiligen Thermometer dargestellt werden.

4. Eine internationale Kommission wird beauftragt werden, durch neue Versuche, für die Praxis, die Länge der Quecksilbersäule von einem Quadratmillimeter Querschnitt bei der Temperatur Null des hunderttheiligen Thermometers zu bestimmen, welche den Werth des Ohm darstellt." [4]

Nachdem die Länge der Quecksilbersäule durch gemeinschaftliche Messungen ermittelt war, wurde im Deutschen Reich durch „Gesetz betreffend die elektrischen Maßeinheiten" vom 1. Juni 1898 (neben *Ampere* und *Volt*) festgelegt:

„Das Ohm ist die Einheit des elektrischen Widerstandes. Es wird dargestellt durch den Widerstand einer Quecksilbersäule von der Temperatur des schmelzenden Eises, deren Länge bei durchweg gleichem, einem Quadratmillimeter gleich zu achtendem Querschnitt 106,3 Centimeter und deren Masse 14,4521 Gramm beträgt." [5]

Die heute gültige Definition ist unter Worterklärung (2) wiedergegeben.

Wortbenutzung 1884: [...] da der Widerstand im Hauptkreise nicht groß sein darf [...] und nur etwa 0,01 Ohm beträgt [...] (ARON [6]); 1891: Der Werth der [...] Widerstandseinheit, welche als Einheit der British Association bekannt ist, ist gleich 0,9866 Ω [7]; 1987: Der gemessene Wert [des Isolationswiderstandes] darf nicht kleiner sein als nachstehend angegeben: bei verstärkter Isolierung 7 MΩ (WARNER-1987, S. 684).

Wortfamilie

1 Zusammensetzungen: *Gigaohm, Kil(o)ohm, Meg(a)ohm, Mikr(o)ohm, Milliohm, Ohmsekunde, ↑Ohmtel, Sekohm, Teraohm;*

2 Mehrwortbenennungen: *absolutes Ohm, akustisches Ohm, internationales Ohm, kalorisches Ohm, mechanisches Ohm; ohmscher Widerstand, ↑Ohmsches Gesetz;*

3 Ableitungen: *↑Entohmung, hochohmig, niederohmig;*

4 Fachjargon [8]: *Kilo-Onkel* ›Kiloohm‹.

Fremdsprachige Entsprechungen Sprachen mit lateinischer Schrift: *ohm,* außer (Es) *ohmio* neben *ohm;* (Pl) *om;* mit anderer Schrift: (nGr) ωμ /ōm/; (Ru) ом /om/ (Einheitenzeichen: Ω; Ом); (Zh) /ōumŭ/; (Ja) /ōmu/.

Zur Person Der in Erlangen geborene Georg Simon OHM*, dem zu Ehren die Einheit des Widerstandes benannt wurde, wirkte als Oberlehrer für Mathematik und Physik seit 1817 am reformierten Jesuitengymnasium in Köln, wo er eine gute physikalische Sammlung vorfand. Dort entdeckte er 1826 den quantitativen Zusammenhang zwischen Spannung und Strom eines elektrischen Stromkreises, der später ↑OHMsches Gesetz genannt wurde. 1833 wurde er als Physikprofessor an der Polytechnischen Schule in Nürnberg angestellt. Der Anstoß zur allgemeinen Anerkennung seiner Entdeckung kam aus dem Ausland: 1841 verlieh ihm die Royal Society mit der COPLEY-Medaille ihre höchste Auszeichnung. Vor ihm hatte C. F. GAUSS (↑Gauß) sie erhalten. 1852 wurde OHM Ordinarius für Physik an der Universität München.

Biographien FÜCHTBAUER, Heinrich von: G. S. Ohm. 2. Aufl., Bonn: Dümmler 1947. 264 S.; WARNER, Alfred: G. S. OHM. In: etz-A Bd. 98 (1977) S. 103; SUHLING, Lothar, in: HERMANN-1987, S. 265–267; KANT, Horst, in: WUSSING-1992, S. 434–435; HÜBSCHMANN, Werner, in: JÄGER-1996, S. 277–279.

Literatur [1] Ausführungsverordnung z. Gesetz üb. Einheiten i.d.F. v. 08.05.1981. BGBl. I S. 422, § 26; [2] THOMSON (KELVIN)-1884, S. 537; [3] In: etz Bd. 2 (1881) S. 378; [4] NEESEN-1881, S. 405; [5] Reichs-Gesetzblatt 1898 Nr. 26 vom 14. Juni 1898; [6] ARON, H. : Ueber einen neuen Elektrizitätszähler. In: etz Bd. 5 (1884) S. 480–489, hier S. 481; [7] Der Bericht der Kommission des Board of Trade zur Feststellung von elektrischen Normalen. In: etz Bd. 12 (1891) S. 520; [8] GRAETZ-1965.

Ohm'sches Gesetz — Ohm's law

Worterklärung Von Georg Simon OHM* 1826 aufgestelltes physikalisches ↑Gesetz, dass der in einem metallischen Leiter fließende ↑Strom ↑I eine ↑Stromstärke hat, die gleich der angelegten ↑Spannung ↑U geteilt durch den ↑Widerstand ↑R des Leiters ist.

Wortgeschichte

1 Der Originaltext von 1826 lautet:

„Obige Zahlen lassen sich sehr genügend durch die Gleichung

$$X = \frac{a}{b+x}$$

darstellen, wobei X die Stärke der magnetischen Wirkung auf den Leiter, dessen Länge x ist, a und b konstante von der erregenden Kraft und dem Leitungswiderstande der übrigen Teile der Kette abhängige Größen bezeichnen." [1]

In moderner Schreibweise lautet die Gleichung:

$$I = \frac{U}{R_i + R}$$

mit R_i als innerem Widerstand der Stromquelle.

2 G. S. OHM nannte seinen Befund ein *Gesetz* und formulierte den Titel seines Aufsatzes entsprechend: „Bestimmung des Gesetzes, nach welchem Metalle die Kontakt-Elektrizität leiten, nebst einem Entwurfe zu einer Theorie des Voltaschen Apparates und des Schweiggerschen Multiplikators". [1] Schon seit 1837 hatte POGGENDORF*, Herausgeber der „Annalen der Physik und Chemie", keine Gelegenheit vorübergehen lassen, die Bedeutung des „Ohmschen Gesetzes" und die Priorität OHMS hervorzuheben und somit die heute noch übliche Wortverbindung OHM*sches Gesetz* zu festigen. [2]

Wortbenutzung 1844: Ohmsches Fundamentalgesetz (EISENLOHR, Wilhelm [3]); 1847: „Die Intensität des Stromes J einer Kette von n Elementen wird gegeben durch das Ohmsche Gesetz J = nA/W, wo die Constante A die electromotorische Kraft des einzelnen Elements und W der Widerstand der Kette genannt wird (HELMHOLTZ [4]).

Fremdsprachige Entsprechungen (En) *Ohm's law*; (Nl) *wet van Ohm*; (Es) *ley de Ohm*; (Fr) *lois d'Ohm*; (It) *legge di Ohm*; (Ru) закон Ома /*zakon Oma*/; (Ja) /*Ōmu no hōsoku*/.

Literatur [1] In: SCHWEIGGERS Journal für Chemie u. Physik. Bd. 46 (1826) S. 137–166, zit. nach OHM-1996, S. 8 u. 19; [2] HERMANN, Armin: Die Aufnahme des Ohmschen Gesetzes. In: etz Bd. 98 (1977) Nr. 1, S. 99–102, hier S. 101; [3] Lehrbuch der Physik, 4. Aufl., zit. nach [2]; [4] HELMHOLTZ-1982, S. 45–46, dieselbe Wortverbindung S. 50 u. 59.

Ohmtel

siemens

Ehemals versuchsweise benutzte Einheit des elektrischen ↑Leitwerts (1/Ω = 1/Ohm), bevor der ↑AEF das ↑*Siemens* festlegte. Noch 1914 trat man dafür ein. [1] Das Wort ~ ist in Analogie zu *Drittel, Viertel, Fünftel* gebildet.

Literatur [1] In: etz Bd. 35 (1914) S. 687–688.

Oval

oval

Worterklärung Alternativbenennung zu ↑Ellipse.

Wortgeschichte Am 16. Okt. 1605 schreibt Johannes Kepler* an den friesischen Astronomen und Pastor David Fabricius (1564–1617) während der Erarbeitung der später nach ihm benannten Gesetze:

„Nun aber habe ich das Ergebnis, mein Fabricius: die Planetenbahn ist eine vollkommene Ellipse, die Dürer oft Oval nennt.“ [1]

Später ging Dürer über zu *Eierlinie,* denn in seiner 1525 erschienen „Vnderweysung der messung mit dem zirckel vñ richtscheyt [...]“ schreibt er:

„Die Elipsis will ich ein eyerlini nennen / darumb das sie schyer einem ey gleich ist /“ [2]

Literatur [1] Gerlach, W., in: DGW Bd. 5, S. 533; [2] Dürer-1983, S. C iij verso.

P/Q

P • π • Parabel
… • Permeabilität • Permittivität
… • Piezoelektrizität • Piko-
Planck'sche Konstante • Plasma
… • Pol • …
positive/negative Elektrizität
Positron • … • Proton

Quadrant • Quant
Quantenmechanik
Quantensprung • Quark
Quecksilberdampfgleichrichter

P — *P* (power)

Worterklärung Formelzeichen für die ↑»Leistung« nach DIN 1304-1:1994-03 entsprechend IEC 60027-1:1992-12. SI-Einheit: ↑Watt.

Wortgeschichte

1 Im Zuge der durch Ed. Hospitalier* 1891 eingeleiteten ↑Formelzeichen-Normung (und der dort aufgezeigten tabellarischen Entwicklung) wurde dieser Buchstabe von den meisten beteiligten Organisationen gebilligt, jedoch nicht vom ↑AEF, der aufgrund des Votums seiner Mitgliedsorganisationen am traditionellen N (↑N^{III}) festhielt. Erst in den 1950er Jahren passte er sich dem internationalen Gebrauch an.

2 Das *P* ist der Anfangsbuchstabe des Begriffes »Leistung« in folgenden Sprachen (En) *power*; (Es) *potencia*; (Fr) *puissance*; (It) *potenza*; (La) *potentia*.

π — π (ratio of circumference to diameter)

Worterklärung Kleinbuchstabe *Pi* des griechischen Alphabets als mathematisches Zeichen für die Kreiszahl = Kreisumfang durch Kreisdurchmesser = $\pi = 3{,}14159\ldots$ nach DIN 1302:1994-04 entsprechend IEC 60027-1:1992-12.

Wortgeschichte

1 Das Zeichen π wurde im Altertum nicht in der Bedeutung der Kreiszahl benutzt, da π – sofern überstrichen – das altgriechische Zahlzeichen für 80 war. In heutiger Bedeutung wurde π zuerst von William Jones 1706 in seinem Werk „Synopsis palmariorum matheseos“ verwendet, indem er es wie folgt einführte:

„There are various other ways of finding the Lengths or Areas of particular Curve Lines, or Planes, which may very much facilitate the Practice; as for instance, in the Circle, the Diameter is to the Circumference […] = 3.14159, &c. = π.“ [1]

π ist der Anfangsbuchstabe von (Gr) περιφέρεια /*periféreia*/ ›Umfang, Umkreis‹.

2 Allgemeine Verbreitung erfuhr π erst, nachdem es der Schweizer Leonhard Euler* in seiner „Introductio in analysin infinitorum“ von 1748 verwendet hat.

Literatur [1] Cajori-1993, § 396–§ 398, Bd. 2, S. 9–13; Struik-1987, S. 51.

Parabel — parabola

Worterklärung Geometrischer Ort aller Punkte, die einen gleichen Abstand zu einer Bezugslinie und zu einem festen Punkt (Brennpunkt) haben; die ~ entsteht als Kegelschnitt an einem Kegel, wenn eine Ebene den Kegel parallel zu seiner Seitenlinie durchschneidet.

Wortgeschichte Die Benennung ~ geht auf den griechischen Mathematiker Appollonios von Perge* zurück, der ca. 220 v. Chr. im Buch I seines Hauptwerkes „Κονικα“ /*Konika*/ ↑Ellipse, ↑Hyperbel, ~ und Kreis als Kegelschnitte verstand und etwa Folgendes definierte: Wenn durch Zusammenfügen von Teilflächen eines Kegelschnitts eine Gleichheit entsteht, so ist dies eine (Gr) παραβολέ /*parabolé*/ ›Gleichheit‹. [1] Eine 14 Zeilen umfassende vollständige Definition der ~ befindet sich bei Gericke.

Wortbenutzung 1525: Die Parabola sey genennt eyn brenn lini / darumb so man auß jrein spiegel macht so zündt sie an (Dürer-1983, S. C iij verso).

Wortfamilie *parabelförmig, Parabolantenne, parabolisch, Parabolreflektor, Parabolspiegel.*

Fremdsprachige Entsprechungen (En) *parabola*; (Nl) *parabool*; (Es) *parábola*; (Fr) *parabole*; (It) *parabola*; (Ru) парабола /*parabola*/; (Pl)(Cs) *parabola*; (Ja) /*parabora*/.

Literatur [1] GERICKE-1996, Bd. 1, S. 130-135, 226-227; KROPP-1994, S. 41-46; BALL-1960, S. 77-83.

Parallelschaltung parallel connection

Worterklärung Verbund von Stromverbrauchern, z.B. Glühlampen, derart, dass der vom Stromerzeuger kommende ↑Strom an das eine Ende aller Glühlampen (↑Lampe) fließt und nach Durchfluss durch die Glühlampen vom anderen Ende aller Glühlampen zum Stromerzeuger zurückfließt. Als ↑Fachwendung: *parallel schalten*.

Wortgeschichte Bereits 1891 benutzt M. v. DOLIVO-DOBROWOLSKY* das Wort ~ auf dem ↑Internationalen Elektrizitäts-Kongress während seines Vortrages „Elektrische Arbeitsübertragung mittels Wechselstroms" (am 9. Sept):

„Da man Parallelbetrieb wohl nicht bei den Konstantstrom- sondern nur bei Konstantspannungs-Maschinen braucht, so ist es sonderbar, von der Schwierigkeit der Parallelschaltung zu sprechen bei Dynamos, welche sogar beim Kurzschluss nicht vielmehr als den normalen Strom liefern können. Jede Wechselstrommaschine [...] kann in Parallelschaltung gehen." [1]

In seinem ersten Aufsatz über ↑Drehstrom spricht er davon, „dass stets ein Strom [...] parallel geschaltet werden kann." [2]

Fremdsprachige Entsprechungen (En) *parallel connection, shunt connection, parallel circuit, paralleling;* (Es) *conexión en paralelo;* (Fr) *montage en parallèle;* (It) *inserimento parallelo;* (Ru) параллельное соединение */parallel'noe soedinenie/;* (Cs) *paralelní zapojení.*

Siehe auch ↑*Reihenschaltung*, ↑*Zweigung*.

Literatur [1] Internationaler Elektrotechniker-Kongress-1891, Sections-Sitzungen, S. 151–160, hier 157; [2] In: etz Bd. 12 (1891) S. 151.

Parton parton

Worterklärung Punktförmiger Bestandteil des ↑Protons, der mit anderen gleichartigen Bestandteilen in keiner nennenwerten Wechselwirkung steht, sondern sich frei im Innern des Protons bewegt.

Wortgeschichte Das Wort ~ wurde 1969 vom amerikanischen Physiker Richard FEYNMAN* geprägt. Dazu schreibt sein Biograph, James GLEICK, Folgendes:

„Er [R. FEYNMAN] hatte beschlossen, das unberechenbare, unübersichtliche Gewirr der Teilchen, die aus den Protonen hervorgingen, dadurch aufzulösen, daß er ein neues geheimnisvolles Teilchen postulierte. Dieses Teilchen nannte er *Parton*, eine Bezeichnung, die sich vom englischen Wort *part* für ‚Teil' ableitete. (Mit dieser Wortschöpfung konnte schließlich auch FEYNMAN einen eigenen Eintrag im Oxford English Dictionary vorweisen)." [1]

Wortbenutzung 1970: Partons (R. FEYNMAN, Vortrag, Univ. Texas); 1991: Partonen (Brockhaus-Enzykl. 19. Aufl.)

Literatur [1] GLEICK-1993, S. 573.

Pascal pascal

Worterklärung

1 Gesetzliche abgeleitete ↑SI-Einheit des »Druckes« oder der »mechanischen Spannung«. Einheitenzeichen: Pa.

2 Ein ~ ist gleich dem auf eine Fläche gleichmäßig wirkenden Druck, bei dem senkrecht auf die Fläche 1 m^2 die Kraft 1 ↑Newton ausgeübt wird. [1] 1 Pa = 1 N / 1 m^2 = 1 m^{-1} kg s^{-2}.
Wortgeschichte Der Einheitenname ~ wurde zu Ehren des französischen Mathematikers und Physikers Blaise PASCAL (1623–1662) im Jahre 1971 von der 14. Generalkonferenz (↑CGMG) angenommen. Er war schon 1956 im Tabellenwerk „Tables of Physical and Chemical Constants" von G.W.C. KAYE und T.H. LABY (London: Longman) genannt worden. [2]
Wortbenutzung 1998: Die Einheit des Drucks ist $[p]$ = 1 N/m^2 = 1 Pa (Pascal). Häufig benutzte Vielfache sind: 1 bar = 10^5 Pa, 1 hPa = 10^2 Pa = 1 mbar [3].
Wortfamilie Gigapascal, Hektopascal, Kilopascal, Megapascal, Mikropascal, Millipascal.
Fremdsprachige Entsprechungen Sprachen mit lateinischer Schrift: *pascal;* mit anderer Schrift: (nGr) πασκάλ */paskál/;* (Ru) паскаль */paskal'/*, Einheitenzeichen: Па /Pa/; (Ja) */pasukaru/*.
Zur Person B. PASCAL beschäftigte sich schon in jungen Jahren mit Kegelschnitten auf projektiver Grundlage, später mit anderen mathematischen Themen. Daraus ergaben sich u.a. das PASCAL'sche Dreieck und eine funktionsfähige mechanische Rechenmaschine für 8-stellige Additionen und Subtraktionen. Später führte er die barometrischen Versuche des italienischen Physikers TORRICELLI (↑Torricelli) weiter und fand dabei, dass der Luftdruck mit zunehmender Höhe abnimmt. Er widmete sich auch religionsphilosophischen Fragen.
Biographien BALMER, Heinz: PASCAL, Blaise, in: HERMANN-1987, S. 277–279; BITTNER, Gerhard: PASCAL, Blaise, in: WUSSING-1992, S. 445–446; VOLKMANN, Peter: PASCAL, Blaise, in: VOLKMANN-1994, S. 91–95; SCRIBA, Christoph J.: PASCAL, Blaise, in: KRAFFT-2003, S. 328–329.
Literatur [1] Ausführungsverordnung z. Gesetz üb. Einheiten i. d. F. v. 08.05.1981. BGBl. I S. 422. § 20; [2] JERRARD/MCNEILL-1994, S. 164 u. 302; [3] GREHN/KRAUSE-1998, S. 148.

Permeabilität — permeability

Worterklärung Physikalische Größe, definiert als Quotient der ↑Induktion ↑B zur magnetischen Feldstärke ↑H. Formelzeichen: ↑μ; somit $\mu = B/H$. SI-Einheit: H/m = ↑Henry durch ↑Meter.
Wortgeschichte
1 Laut E.G. CULLWICK wurden die Benennung (En) *permeability* und das Formelzeichen μ im Jahre 1851 vom schottischen Physiker Sir William THOMSON, dem späteren Lord KELVIN*, eingeführt:
„The term *permeability* is due to Lord KELVIN [1], who defined it as $\mu = 1 + 4\pi k$, where k is the *magnetic susceptibility* or the *coefficient of induced magnetization.*" [2]
2 James C. MAXWELL* übernahm beides 1873 in sein Werk „A treatise on electricity and magnetism" (Oxford, 1. Auflage), dessen Abschnitt 614 lautet:
„When the magnetization of the medium is entirely induced by the magnetic force acting on it, we may write the equation of induced magnetization, B* = μH* [* kennzeichnet Fraktur], where μ is the coefficient of magnetic permeability […]." [3]

MAXWELL nannte μ außerdem (En) *magnetic inductive capacity (of the substance)*, aber auch *coefficient of (magnetic) induction*. [4]

3 Der englische Privatgelehrte Oliver HEAVISIDE* nahm 1885 dazu wie folgt Stellung:

„(B = μH). The ratio μ is the *'magnetic permeability'*. This may be simply called the *permeability*, since the word is not used in any other electrical sence. […] Conductivity should not be used at all, save in pointing out an analogy. It has its own definite meaning. *'Permeability'*, however, does not admit of such easy adaptation to different circumstances as conductivity. Permeability referring to the unit volume, the word *permeance* is suggested for a mass, analogous to conductance. We have also the adjective *'permeable'*. By adding, moreover, the prefix *'im'* we get *'impermeable'*, *'impermeability'* and *'impermeance'*, for the reciprocal ideas, sometimes wanted." [5]

Im Jahre 1886 verwarf HEAVISIDE jedoch (En) *permeability* und schlug dafür (En) *inductivity* vor, damit es zu (En) *induction* und (En) *inductance* passt. Es hat sich nicht im Englischen eingebürgert; vgl. ↑HEAVISIDE-Matrix.

4 *Permeabilität* stammt vom nachklassischen (La) *meare* ›gehen‹, *permeare* ›durchgehen, durchwandern‹, somit bedeutet ~ »Durchlässigkeit«. Alternativbenennungen: (veraltet:) *Magnetisierungskonstante, magnetische Durchlässigkeit*.

Wortbenutzung 1902: Der Grenzwerth der Permeabilität bei steigender magnetisirender Kraft ist also nach der gewöhnlichen Definition Eins (WALTENHOFEN-1902, S. 108); 1922: Das Verhältnis der Induktion zur Feldstärke nennt man die *Durchlässigkeit* oder Permeabilität μ (THOMÄLEN-1922, S. 35); 1959: Nun ist aber die relative Permeabilität des Eisens […] auch nicht angenähert eine Konstante (MOELLER/WERR-1959, S. 94).

Wortfamilie

1 Zusammensetzungen mit *Permeabilitäts-* als Bestimmungswort: *Permeabilitätsabstimmung, ~anstieg, ~anzeiger, ~kurve, ~messer, ~-Messgerät, ~messung, ~tensor, ~zahl;*

2 Zusammensetzungen mit *-permeabilität* als Grundwort: *Anfangspermeabilität, Maximal~, Ringkern~, Schein~, Überlagerungs~;*

3 Wortableitung: *permeabel, hochpermeabel.*

Fremdsprachige Entsprechungen (En) *permeability;* (Nl) *permeabiliteit;* (Sv) *permeabilitet;* (Es) *permeabilidad;* (Fr) *perméabilité* (1743, ROBERT-1994); (It) *permeabilità;* (Ru) магнитная проницаемость /*magnitnaja pronicaemost'*/; (Pl) *przenikalność magnetyczna;* (Cs) *permeabilita;* (Ja) /*tōziritu*/.

Literatur [1] THOMSON, W.: The mathematical theory of magnetism. In: Phil. Trans. Roy. Soc. Bd. 141 (1851) S. 243, 269; [2] CULLWICK, E. G.: What is permeability? J. Instn. Electr. Eng. Bd 2 (1956) S. 416–417; [3] MAXWELL-1954, Bd. 2, Art. 614, S. 254; [4] Ebenda, Art. 428 (S. 53–55); [5] HEAVISIDE-1892, Bd. 2, S. 24.

Permittivität — permittivity

Worterklärung Physikalische Eigenschaft des Mediums, die die Fähigkeit angibt, die elektrische Verschiebung in diesem Medium (z. B. in einem ↑Kondensator) zu gestatten. Formelzeichen: ↑ε. SI-Einheit: F/m = ↑Farad durch ↑Meter.

Wortgeschichte

1 Im deutschen Sprachraum hieß diese Größe früher ↑*Dielektrizitätskonstante*, gebildet nach MAXWELLS *dielectric inductive capacity* in dessen berühmtem „Treatise on electricity and magnetism". Sein englischer Landsmann, Oliver HEAVISIDE*, prägte 1887 bei der

Aufstellung seines *Nomenclature scheme* (↑HEAVISIDE-Matrix) parallel zu (En) *permittance* (En) *permittivity*. Die ↑IEC übernahm diesen Ausdruck, als sie das elektrische und magnetische Feld größenmäßig neu beschrieb, was schließlich zu neuen Benennungen geführte, z.B. (En) *electric constant* ↑»elektrische Feldkonstante«. Der ↑AEF schloss sich dem neuen Benennungssystem seit der Ausgabe Januar 1972 der Norm DIN 1324 „Elektrisches Feld; Begriffe" weitgehend an und führte somit ~ in die deutsche Fachsprache ein.
2 Aus didaktischen Gründen ist die Wortwahl zu beanstanden, da ~ mit ↑*Permeabilität* hinsichtlich der Lautform und Schriftform allzu leicht verwechselt werden kann. HEAVISIDE hatte das vorausgesehen und daher für *Permeabilität* als Ersatzbenennung *inductivity* vorgeschlagen, die jedoch keinen Anklang fand.
Wortbenutzung 1988: Permittivitätszahl oder relative Permittivität (DIN 1324-2); 1993: Die Permittivitätszahl ε_r ist abhängig von dem Material, in dem sich das Feld ausbreitet (KORIES/SCHMIDT-WALTER-1993, S. 54); 1996: Messung der Permittivitätszahl (DIN IEC 247 [VDE 0380 Teil 2]); 1998: Für ein Dielektrikum mit der Permittivität ε ist die Kapazität dann gegeben durch [...] (STÖCKER-1998, S. 423).
Wortfamilie *Permittivitätszahl.*
Fremdsprachige Entsprechungen (En) *permittivity;* (Nl) *permittiviteit;* (Sv) *permittivitet;* (Es) *permitividad;* (Fr) *permittivité* (1955, ROBERT-1994); (It) *permittività;* (Ru) диэлектрическая проницаемость /*diėlektričeskaja pronicaemost'*/; (Pl) *przenikalność elektryczna;* (Cs) *permitivita;* (Ja) /*yūdenritu*/.

Peta- peta-

Worterklärung ↑Vorsatz (Präfixoid) [1] zum Bezeichnen des Billiardenfachen (10^{15} oder 1 000 000 000 000 000) einer ↑SI-Einheit. ↑Vorsatzzeichen: P.
Wortgeschichte
1 ~ wurde 1975 von der 15. Generalkonferenz (↑CGPM) beschlossen und durch das „Gesetz über die Zeitbestimmung (Zeitgesetz – ZGesetz)" vom 25. Juli 1978 (BGBl. I S. 1110) in deutsches Recht eingeführt. Es ist gerade für die Anwendung beim ↑*Joule* geschaffen worden, um den Energieverbrauch eines Landes in *Petajoule* (PJ) mit bequemen Zahlenwerten angeben zu können, was bisher in der Einheit „Tonne Steinkohleneinheiten (tSKE)" geschehen ist. [2]
2 Ursprünglich hatte PERARD, Directeur des BIPM von 1936 bis 1951, für 10^{15} den Vorsatz *astra-* im Jahre 1960 vorgeschlagen, jedoch ohne Erfolg. [3] Im Entwurf DIN 1301 (Mai 1969) war für 10^{15} der Vorsatz *Femta-* mit dem Vorsatzzeichen „F" in Analogie zu ↑*Femto-* (f) für 10^{-15} vorgeschlagen worden. Wegen der allzu leichten Verwechselbarkeit wurde *Femta-* zugunsten des Vorsatzes *Peta-* (P) aufgegeben, der im überarbeiteten Entwurf DIN 1301 (Okt. 1970) aufgrund eines Vorschlags [4] des kanadischen Metrologen A. J. METTLER* (Canadian Metric Association) von 1969 neben *Penta-* (P) zur Diskussion gestellt war und den 1971 der ↑AEF über das ↑DIN dem Büro des CGPM (BIPM) unterbreitete. [4] Nach der Entscheidung von 1975 durch die 15. Generalkonferenz wurde *Peta-* (P) in die Tabelle 3 „International festgelegte Vorsätze" des Entwurfs DIN 1301 Teil 1 (Juli 1976) aufgenommen, die unverändert in die Norm DIN 1301 Teil 1 (Feb. 1978) übernommen worden ist.

3 ~ leitet sich vom Zahlwort Ⓖⓡ πέντε /pénte/ ›fünf‹ ab, da 3 × 5 = 15 und somit $(1000)^5 = (10^3)^5 = 10^{15}$. Ursprünglich [5] hatte **Mettler** die Schriftform *Penta-* mit dem Vorsatzzeichen „P" gewählt. Da er aber eine Irreführung durch *Pentameter* ›Versmaß‹ und damit eine Ablehnung seines Vorschlags befürchtete, unterdrückte er das „n". [5] Ähnliches könnte gegen *Pentagramm* ›fünfstrahliger Stern, Drudenfuß‹ angeführt werden.
Wortbenutzung 2000: „[…] durchschnitten das rote Band und übergaben damit den ‚Petawatt-Hochenergie-Laser für Schwerionen-Experimente' seiner Bestimmung" (Darmstädter Echo, 26.08.2000, S. 15).
Fremdsprachige Entsprechungen Sprachen mit lateinischer Schrift: *peta-*; mit anderer Schrift: ⓝⒼⓡ πετα /peta/; Ⓙⓐ /peta/.
Literatur [1] **Sacklowski/Drath**-1986, S. 21 u. 27; [2] In: PTB-Mitt. Bd. 88 (1978) S. 131; [3] **Dumesnils**, Danloux: Étude critique du système métrique. Paris: Gauthier-Villars, 1962, zit. nach **Mayes**-1994, S. 570; [4] Ich danke Herrn Dipl.-Ing. B. **Brinkmann** (DIN) für den Einblick in die Archivalien des AEF; [5] SI units and prefixes – Comments and proposal (Outline of the need of two additional high-order prefixes […]), CMA Publication Nr. 8 (Dez. 1969), zit. nach **Mettler**-1975;

Pez (pez) ↑AEF-Einheitensystem

Pferdestärke horse power

Worterklärung Ehemals gesetzliche Einheit der mechanischen ↑Leistung, definiert als die Leistung, die erbracht wird, wenn die Masse von 75 ↑Kilogramm in 1 ↑Sekunde mit gleichbleibender Geschwindigkeit 1 ↑Meter hoch gehoben wird. Einheitenzeichen: PS. Somit 1 PS = 75 kgm. Die ~ war bis zum 31. Dez. 1977 eine gesetzliche Einheit in Deutschland. Es gilt nur noch die ↑SI-Einheit ↑Watt. Somit 1 PS = 735,49875 W. [1]
Wortgeschichte Der angesehene Dampfmaschinen-Historiker C. **Matschoss** weist 1908 darauf hin, dass der englische Erfinder einer Dampfpumpe, Thomas **Savery** (1650–1715),

> „auch der erste gewesen ist, der als Maß der Arbeitsleistung den Ausdruck ‚Pferdestärke' eingeführt hat. Da bis dahin eine gewisse Zahl von Pferden eine bestimmte Menge Wasser auf eine bestimmte Höhe gehoben hatte, so lag es nahe, beim Ersatz der Pferdekraft durch Dampfkraft ihre Größe nach der ersteren, von der man eine bestimmte Vorstellung bereits hatte, zu messen". [2]

Die betreffende Stelle in seiner Druckschrift „The Miner's Friend" (London 1702) lautet:

> „Water in its fall from any determinate height has simply a force answerable, and equal to the force which raises it; so that an engine which will raise as much water as two horses working together at one time in such a work can do, and for which there must be constantly kept ten or twelve horses for doing the same, then I say such an engine will do the work or labour of ten or twelve horses." [2, Fußnote 2]

Aus diesem Zitat ist zu schließen, dass der Begriff »Pferdestärke« mit Ⓔⓝ *horse, horse work* oder *horse labour* angegeben werden kann. Der zahlenmäßige Wert der Pferdestärke wurde erst durch den schottischen Universitätsmechaniker James **Watt*** ermittelt, von dem auch die Benennung Ⓔⓝ *horse power* [3] stammt. Er machte „1784 genaue Versuche über die Leistung von Pferden und nahm dazu die ganz ausnehmend kräftigen Pferde der Londoner Brauereien. Er fand die Leistung von 33 000 Fußpfund in der

Minute". Das sind 550 Fußpfund in der Sekunde, rund 76 kgm. Somit 1 horse power = 1,0139 PS. [4] Eine formale Definition der *horse power* wurde 1809 veröffentlicht. Im Jahre 1889 sprach die ↑British Association for the Advancement of Science die Empfehlung aus, Leistungen künftig in ↑*Watt* statt in *horse power* auszudrücken. Seit 1980 ist *horse power* als Einheit in Großbritannien nicht mehr zulässig. [3] Im deutschen Sprachraum bürgerte sich zuerst *Pferdekraft* ein – so in HERDERS Conversations-Lexikon von 1879 und GRIMMS Wörterbuch von 1889.

Literatur [1] WARNER-1992, S. 62; [2] MATSCHOSS-1908, Bd. I, S. 296; [3] JERRARD/ MCNEILL-1994, S. 101–102; [4] MATSCHOSS-1908, Bd. I, S. 371.

-pferdig

horse power

Eigenschaftswort (Adjektiv) in Verbindung mit einem Zahlwort zur gerafften Angabe der Anzahl der ↑Pferdestärken von Motoren.

Wortbenutzung 1891: 20-pferdiger Dreiphasen-Wechselstrommotor; 2-pferdiger kollektorloser Motor. [1]

Literatur [1] In: etz Bd. 12 (1891) S. 657.

pH

pH

Worterklärung Formelzeichenartige Benennung der Wasserstoffionen-Konzentration (↑Ion) einer wässrigen Lösung. Physikalische Größe als mit (–1) multipliziertem dekadischen ↑Logarithmus der Wasserstoffionen-Konzentration (Aktivität). pH = 0 bis kleiner als 7 ist »sauer«, pH = 7 ist »neutral«, pH = über 7 bis 14 ist »alkalisch« (auch *basisch* genannt). Ersatzbenennungen: *H-Ionen-Pegel*, ↑*H-Pegel*, pH-*Zahl*, *Säurestufe*, *Wasserstoffionen-Pegel*.

Wortgeschichte

1 Es war schon lange bekannt, wässrige Lösungen auf alkalische oder saure Reaktion mit einem kolorimetrischen Verfahren (Lackmus oder andere Farbindikatoren) zu untersuchen. Als sich der dänische Chemiker S.P.L. SÖRENSEN* in dieses Gebiet einarbeitete, konnte er auf Forschungsergebnisse von Hans FRIEDENTHAL und Eduard SALM zurückgreifen, die seit 1904 das bekannte Material durchgearbeitet und so vervollständigt haben, dass eine Treppe von Indikatoren mit Umschlagsstufen bei den unterschiedlichen Ionenkonzentrationen entstand. [1] FRIEDENTHAL regte auch an, die Reaktion einer Lösung im absoluten Maß anzugeben, und zwar die H^+-Ionen-Konzentration. Für diese Maßzahl schlug SÖRENSEN 1909 „den Namen *Wasserstoffionen-Exponent* und die Schreibweise pH" [2] vor. Darin ist H das chemische Zeichen für Wasserstoff nach (La) *hydrogenium* ›Wassererzeuger‹; das p dürfte der dritte Buchstabe von *Exponent* sein. Unten ist zu sehen, dass andere Sprachen das *p* von *Potenz, Potenzial* ((Fr)) oder *pondus* ((La)) ›Gewicht‹ ableiten. Das New Oxford Dict.(1999) führt das *p* auf das deutsche Wort *Potenz* zurück (*p* representing German *Potenz* ‚power') wie auch das Klinische Wörterbuch PSCHYREMBEL.

2 Seit der Ausgabe März 1971 von DIN 19260 „pH-Messung; Allgemeine Begriffe" gilt als Schreibweise von pH: p und H senkrecht auf einer Zeile. Hiermit folgte der Arbeitsausschuss pH-Messtechnik im ↑DIN der neuen Schreibweise des englischsprachigen Schrifttums, die von den metrologischen Staatsinstituten und von der IUPAC (↑AEF)

auch angewandt worden ist, und verwarf die vorher genormten Schreibweisen *p*H und *p*H, die heute zuweilen noch im Schrifttum anzutreffen sind. [3]
3 Da pH keine Einheit ist, sind Ausdrücke wie 5 pH oder pH 4 nicht richtig; [3] vgl. ↑Sör.
Wortbenutzung 1947: Le pH et sa mesure (HUYBRECHTS, Paris); 1954: Electrometric pH-determinations (BATES, R.G., New York); 1962: pH-Fibel (SCHWABE, K., Leipzig).
Wortfamilie pH-*Änderung*, pH-*Dauermessung*, pH-*Fehler*, pH-*Geber*, pH-*Messer*, pH-*Messgerät*, pH-*Messtechnik*, pH-*Messung*, pH-*Methode*, pH-*neutral*, pH-*Reagenzpapier*, pH-*Schreiber*, pH-*Skala*, pH-*Skale*, pH-*Wert*, pH-*Wert-Fühler*.
Fremdsprachige Entsprechungen (En)(Fr) *pH, potentiel d'Hydrogène* (1909, ROBERT-1994); (La) *pH, pondus hydrogenii* [4]; (Ru) фактор pH /*faktor* pH/; (Cs) *hodnota* pH.
Literatur [1] SACHTLEBEN, Rudolf: Säuregrad. Von den Meßmethoden des Chemikers. In: Die BASF Bd. 6 (1956) Nr. 6, S. 233–238, hier S. 237; [2] SÖRENSEN, S.P.L.: Enzymstudien, II. Mitteilung, in: Biochem. Z. Bd. 21 (1909) S. 131 ff., hier S. 159, zit. nach [1]; [3] Nach den Erläuterungen und Anmerkungen dieser Norm, die laut Auskunft des DIN (Beuth-Verlag) vom Feb. 2003 noch gültig ist; [4] STEINHAUER-2000, S. 168; PSCHYREMBL-1999.

Phon
phon

Worterklärung Einheit des »Lautstärkepegels«. Einheitenzeichen: phon.
Wortgeschichte Begriff und Benennung ~ wurden 1926 von Heinrich BARKHAUSEN* (↑Barkhausen) eingeführt, wobei man von einem Bezugston der Frequenz 1000 ↑Hertz ausgeht, dessen Lautstärke man nach der ihm entsprechenden Schallstärke (also objektiv) messbar abstufen kann. Der veränderbaren Lautstärke dieses Bezugstons macht man dann subjektiv die Lautstärke des zu messenden Schalles gleich. [1] An anderer Stelle beschreibt BARKHAUSEN das Verfahren wie folgt:

„[...] und ich habe daher die Einheit Phon gewählt [...]. Null Phon entspricht der Schall[sch]welle, d.h. dem gerade noch Hörbaren. Unterhaltungssprache entspricht ca. 50 Phon. Die Schmerzgrenze liegt bei 130 Phon." [2]

Das Wort ~ leitet sich vom (Gr) φωνή /*phōnē'*/ ›Laut, Ton, Schall, Stimme‹ ab. Vgl. ↑Telephon.
Wortbenutzung 1957: Die vom Gerät angezeigte DIN-Lautstärke soll daher in Zukunft mit ‚DIN-phon' benannt werden, während die Benennung ‚phon' der durch einen Hörvergleich bestimmten subjektiven Lautstärke vorbehalten bleibt (WILLMS, W. [3]); 1969: Um den Lautstärkepegel vom Schalldruckpegel zu unterscheiden, ersetzt man dB bei Angabe des Lautstärkepegels durch ‚phon' (DIN 1320:1969-10, Abschn. 7.1).
Literatur [1] In: Z. techn. Physik, Bd. 7 (1926) S. 599, zit. nach WALLOT-1944, S. 252; [2] In: Z. VDI Bd. 71 (1927) S. 1472, zit. nach SCHULZ/BASLER-1942, S. 507.

Physik
physics

Worterklärung Zweig der Naturwissenschaft, den Werner HEISENBERG in seiner „Kopenhagener Deutung der Quantentheorie" (1977) wie folgt beschreibt:

„Unsere wissenschaftliche Arbeit in der Physik besteht darin, Fragen über die Natur zu stellen in der Sprache, die wir besitzen, und zu versuchen, eine Antwort zu erhalten durch Experimente, die wir mit den Mitteln ausführen, die zu unserer Verfügung stehen." [1]

Wortgeschichte Im Jahre 1716 bedeutete ~ soviel wie »Naturkunde«, was der deutsche Physiker und Mathematiker Gottfried Wilhem LEIBNIZ* in einer *„Denkschrift über die Collegien"* für den russischen Zaren Peter den Großen wie folgt zum Ausdruck brachte:

„In den ländern und wassern wie auch in der lufft befinden sich allerley Creaturen deren Art Eigenschaft und natur lehret die *Physica*. Und derselben auflösung zeiget die Scheidekunst, *Chymia*. Und damit man alle bequemlichkeit in den häussern und ländern und Schiffen geniesse, dazu contribuiret die Mechanica, *Mechanica*." [2]

In einer früheren Denkschrift (Nr. 73 von 1708) gibt LEIBNIZ für den Aufbau von Bibliotheken die Wissensgebiete an. Zur ~ äußert er sich:

„Physicam nach den drey Regnis der Natur, nehmlich Minerali[,] Vegetabili und Animali (wozu dann gehören agricultur, auch Bergwerkssachen, chymica, Botanica, Anatomica, Medica, sammt allerhand Naturkünsten)." [3]

Literatur [1] HEISENBERG-1987, S. 60; [2] GUERRIER-1975, S. 368, Denkschrift Nr. 244; [3] Ebenda, S. 96–97, Denkschrift Nr. 73.

Piezoelektrizität piezoelectricity

Worterklärung Die durch Zusammendrücken oder Auseinanderziehen bestimmter Kristalle (z. B. Quarz, Turmalin) in der Hauptachse an der Oberfläche erzeugte Ansammlung elektrischer Ladung.

Wortgeschichte Die Erscheinung der ~ wurde 1880 von den französischen Physikern, den Brüdern Jacques CURIE (1855–1941) und Pierre CURIE* entdeckt und nach (Gr) πιέζω */piézō/* ›ich drücke zusammen‹ benannt. Pierre führte den Piezoquarz in die Messtechnik ein und wandte ihn zur Messung geringster Elektrizitätsmengen und schwacher Ströme an. [1]

Wortbenutzung 1956: Die Piezoelektrizität hat in den letzten Jahren eine sehr große Bedeutung gewonnen (WESTPHAL-1956, S. 308); 1998: Die Ursache für die Piezoelektrizität sind unterschiedliche Elastizitätsmodule der beiden Untergitter aus positiven und negativen Ionen (STÖCKER-1998, S. 977).

Wortfamilie (mit dem Suffixoid *Piezo-*) *Piezoeffekt, piezoelektrisch, Piezoid* »Schwingquarz«, *Piezokristall, Piezoquarz* »Schwingquarz«, *Piezoquarzfilter, piezoresistiv, Piezotransistor, Piezowiderstandseffekt, Piezoxid.*

Fremdsprachige Entsprechungen (En) *piezoelectricity;* (Sv) *piezoelektricitet;* (Es) *piezoelectricidad;* (Fr) *piézoélectricté* (1890, ROBERT-1994), (It) *piezoelettricità;* (Ru) пьезоэлектричество */p'ezoėlektričestvo/;* (Pl) *piezoelektryczność;* (Cs) *piezoelektřina;* (Ja) */atuden/.*

Literatur [1] CURIE-1938, S. 120; ARDENNE, Manfred von: Die CURIES. In: DGW Bd. 9 (1970) S. 406–419, hier S. 407; KRAFFT, Fritz: CURIE, in: KRAFFT-2003, S. 108–109.

Piko- pico-

Worterklärung ↑Vorsatz (Präfixoid) zum Bezeichnen des Billionstels (10^{-12} oder 0,000 000 000 001) einer ↑SI-Einheit. ↑Vorsatzzeichen: p.

Wortgeschichte

1 Dieser Vorsatz erscheint zum ersten Mal in der britischen Terminologienorm BS 205:1926 als Bestimmungswort der Einheit der elektrischen ↑Kapazität ↑Farad: *picofarad.* [1] Unter Hinweis auf diese Quelle hat der ↑AEF 1931 den Vorsatz *Pico-* (gemeinsam mit

↑Tera-) in einem Ergänzungsvorschlag zu DIN 1301 „Einheiten; Kurzzeichen" [2] und in seinem „Entwurf 43" [3] veröffentlicht, nach Ablauf der Einspruchsfrist sowie nach satzungsgemäßer Beratung am 15. Okt. 1932 endgültig angenommen und damit in der 3. Ausgabe von DIN 1301 (März 1933) und in den Vereinsnachrichten [4] bekanntgegeben. 1948 brachte die Union Internationale de Physique *pico-* bei der ↑CGPM ein, dessen Annahme 1960 die 11. Generalkonferenz beschlossen hat. Durch das „Gesetz über Einheiten im Meßwesen" vom 2. Juli 1969 (BGBl. I S. 707) wurde ~ in deutsches Recht eingeführt.
2 In den Erläuterungen zum Norm-Entwurf schrieben 1932 die Bearbeiter K. Stecker*, K. Scheel und J. Wallot* Folgendes:

„Die ebenfalls neu vorgeschlagene Bezeichnung *Pico* für das 10^{-12}fache ist dem British Standard Glossary der British Engineering Standards Association [jetzt: British Standards Institution – BSI] (Ausgabe vom April 1926, S. 26, Nr. 1534) entnommen. Dort ist das *Picofarad* erklärt als ‚a unit of electrostatic capacity equal to 10^{-12} farad. Symbol: µµF'. Der AEF hält das doppelte µµ für zu umständlich und schlägt dafür den Buchstaben p vor. Die Vorsilbe *Pico* lehnt sich an das italienische *piccolo* und das spanische *pequeño* an. Vom sprachlichen Standpunkte aus wären die Formen [...] *Picco-* (ebenso *Nanno-*) vielleicht richtiger. Der AEF hat sich jedoch, da es sich ohnehin um künstliche Bildungen handelt, für die kürzeren Formen entschieden." [3]

3 Die ursprüngliche Schreibung von *Pico-* mit „c" wurde in DIN 1301 von der Ausgabe Jan. 1966 an in *Piko-* geändert und in den folgenden Ausgaben sowie im „Gesetz über Einheiten im Meßwesen" beibehalten.
Wortbenutzung 1944: Man verwendet daher fast immer die Einheiten µF (= 10^{-6}F), nF (= 10^{-9}F) und pF (= 10^{-12}F) (Wallot-1944, S. 31); 1965: Gesamtkapazität C_{ges} zweier Parallelkondensatoren von je 50 pF (Warner-1965, S. 115); 1965: Pif: gesprochene Abkürzung für Picofarad (Graetz-1965); 1998: Die Weltgesundheitsorganisation (WHO) hat 1998 festgelegt, dass die Aufnahme von 1–4 Pikogramm (pg) TE [Toxizitätsäquivalent] pro Kilogramm Körpergewicht und Tag akzeptabel sind [5]; Wortbenutzung im übertragenen Sinn: 1997: *Pikozelle, pikozellulares Funknetz, pikozellulare Funkzelle, pikozellulare Umgebung* [6].
Fremdsprachige Entsprechungen Sprachen mit lateinischer Schrift: *pico-*; außer (Cs) *piko-*; mit anderer Schrift: (nGr) πικο /*piko*/; (Ru) пико /*piko*/; (Zh) /*wēiwēi*/ »$10^{-6} \times 10^{-6}$«; (Ja) /*piko*/.
Literatur [1] BS 205:1926: Glossary of terms used in electrical engineering. London: [British Standards Institution (BSI)], 1926, S. 26, Definition 1534. Diesen Hinweis verdanke ich Mr. V. Mayes, Rochdale, England; [2] Wallot, in: DIN-Mitt. Bd. 14 (1931) S. 546; [3] In: etz Bd. 53 (1932) S. 142; [4] In: etz Bd. 54 (1933) S. 739; [5] Schumacher, Karin, In: Öko-Test (2000) Nr. 8, S. 20–25, hier S. 21; [6] Schöberl, Thomas u.a., In: Frequenz Bd. 51 (1997) S. 237–244.

Planck'sche Konstante — Planck constant

Alternativbenennung für *elementares* ↑*Wirkungsquantum*, benutzt 1923 durch W. Gerlach* neben Planck*sche Wirkungskonstante*, Planck*sche (Wirkungsquantum-) Konstante, Quantenkonstante* [1] und im Jahre 1977 u.a. durch W. Heisenberg [2]. Durch ↑DIN und ↑IEC genormt als Planck-*Konstante*, Planck*sches Wirkungsquantum* [3], (En) Planck *constant*, (Fr) *constante de* Planck [4].

Literatur [1] GERLACH-1923, S. 76, 107, 185, 188; [2] Die Geschichte der Quantentheorie (1977) S. 6 u. 20; Die Kopenhagener Deutung der Quantentheorie (1977), S. 59 in: HEISENBERG-1987; [3] DIN 1304-1:1994-03, Nr. 8.6; [4] IEC 60027-1:1992-12, Nr. 204.

Plasma — plasma

Worterklärung In der technischen Physik bedeutet ~ ein weitgehend ionisiertes ↑Gas (↑Ion).

Wortgeschichte Laut W. GERLACH* wurde das Wort ~ vom amerikanischen Chemiker und Physiker Irving LANGMUIR* 1930 eingeführt. Die dadurch gegründete Plasmaphysik beschäftigt sich mit den besonderen Eigenschaften von Gasen bei Kernreaktionen und in der Astrophysik, denn im Weltall ist der größte Teil der Materie als ~ vorhanden. [1] Das Wort ~ stammt vom Ⓖⓡ πλάσμα /*plásma*/ ›Geformtes, Gebildetes‹.

Wortbenutzung 1998: Grundeigenschaft eines Plasmas: Plasmen sind in makroskopischen Bereichen im räumlichen und zeitlichen Mittel elektrisch neutral (STÖCKER-1998, S. 529).

Wortfamilie

1 Zusammensetzungen mit *Plasma-* als Bestimmungswort: *Plasmabrenner, ~chemie, ~dynamik, ~einschluss, ~gas, ~gemisch, ~kanal, ~kenngröße, ~ofen, ~physik, ~schwingungen, ~stahl, ~strahlung, ~teilchen, ~wellen;*

2 Zusammensetzungen mit *-plasma* als Grundwort: *Stickstoffplasma*.

Fremdsprachige Entsprechungen Ⓔⓝ *plasma;* Ⓕⓡ *plasma* (1962, ROBERT-1994); Ⓒⓢ *plasma;* Ⓙⓐ /*purasuma*/.

Literatur [1] GERLACH-1962, S. 23; ÜHLEIN-1969, S. 682.

Pleiotron/Pliotron — pleiotron/pliotron

Worterklärung Dreipolige Elektronenröhre (↑Triode) bestehend aus Glühkathode, Gitter und ↑Anode.

Wortgeschichte Laut A. HUND* und A. KLOSS beschrieb 1915 der amerikanische Physiker I. LANGMUIR* seine Erfahrungen bei der Entwicklung des ~. Als dessen ehemaliger Mitarbeiter nimmt HUND dazu Stellung:

„der Pleiotron (Tri-Elektrodenapparat, glühende Kathode, Gitter und Anode) [...] Der Pleiotron (kann) als Verstärker von Strömen, bzw. als Relais zur Kontrollierung einer größeren Energiemenge und als Wechselstromgenerator irgendeiner Frequenz verwendet werden [...] die Endung ‚tron' besagt, daß wir es mit einer Anwendung, d.h. Instrument zu tun haben. Desgleichen ist das Wort ‚Pleiotron' von dem griechischen Wort ‚pleion' ‚mehr' abgeleitet, da dieser Apparat ‚mehr' abgibt und als Vergrößerer wirkt. Die Bezeichnungen, Pleiotron und Kenotron, wurden ferner zum Unterschied der, von anderen Forschern entwickelten Elektronapparaten, die kein hochgradiges Vakuum voraussetzen, eingeführt." [1][2]

Literatur [1] HUND-1916, S. 528–529; [2] KLOSS-1990, S. 187, spricht von *Pliotron;* CHAMBERS-1975, S. 906, ebenfalls *pliotron*.

plus-Zeichen (+)/minus-Zeichen (–) — plus symbol (+)/minus symbol (–)

Worterklärung Mathematische Zeichen nach DIN 1302:1994-04 als Grundbegriffe für die arithmetischen Verknüpfungen:

- „x + y“ »Summe von x und y« (x plus y),
- „x – y“ »Differenz von x und y« (x minus y).

Wortgeschichte Im 1489 in Leipzig gedruckten Lehrbuch zum kaufmännischen Rechnen von Johann WIDMAN mit dem Titel *Behēde vnd hubsche Rechenung auff allen Kauffmanschafft* [1] findet man zum ersten Mal die Zeichen „+“ (plus) und „–“ (minus). Beispiele:

„Als in diesē exēpel 16 ellñ pro 9 fl 1/3 vñ ¼ + 1/5 eynss fl wy kūmē 36 ellñ“ [In heutiger Rechtschreibung: Also in diesem Exempel: 16 Ellen für 9 Florin, 1/3 und ¼ + 1/5 eines Florin. Wie [viel] kommen [bei]36 Ellen?] „vñ ich wolt wissen was an der sum brecht: 4 czentner + 5 lb, 4 czentner – 17 lb, 3 czentner + 36 lb [...]“ [und ich wollte wissen, was die Summe bringt: 4 Zentner + 5 Pfund, 4 Zentner – 17 Pfund, 3 Zentner + 36 Pfund]. [1]

Diese Schreibweise breitete sich nach England und Holland aus. In Italien war dagegen die Schreibweise mit *p* bzw. *m* (mit jeweils darüber gesetzter Tilde) üblich, was zur Folge hatte, dass in Frankreich, Spanien und Portugal beide Schreibweisen um die Vorrangstellung kämpften. [1]

Literatur [1] CAJORI-1993, § 202, Bd. 1, S. 232; in § 146, S. 128 jedoch: *Behennde vnnd hübsche Rechnūg auff allen Kauffmanschafften*; [2] Ebenda, § 202, Bd. S. 232–233.

Pol, (elektrischer)

terminal

Worterklärung Eine der beiden Anschlussstellen eines Stromerzeugers für Gleichstrom oder für einphasigen Wechselstrom oder der drei und mehr Anschlussstellen für mehrphasigen Wechselstrom (↑Drehstrom). Entsprechendes für Stromverbraucher.

Wortgeschichte Laut E. HOPPE geht die Bezeichnung der Anschlussstellen elektrischer Einrichtungen als *Pole* auf den deutschen Physiker Johann Wilhelm RITTER* zurück, der beim Experimentieren in den Jahren ab 1798 Polaritäten ähnlich denen bei Magneten entdeckt: *positiver Pol, negativer Pol* und 1804 darüber berichtet. [1] (↑Pol, magnetischer, ↑Ladungssäule)

Wortbenutzung 1889: An einer Dynamomaschine bezeichnet man den Pol, von dem der Strom ausgeht, mit +, den anderen mit –. [...] An Lampen dagegen bedeutet das + gewöhnlich, daß hier der vom +Pol ausgehende Draht anzuschließen ist (B. [2]).

Wortfamilie

1 Zusammensetzungen mit *Pol-* als Bestimmungswort: *Polanzeiger, ~brett, ~brettblock, ~leiste, ~platte, ~prüfer, ~sucher, ~umschalter, ~umschaltregelung, ~umschaltung, ~unverwechselbar, ~unverwechselbarkeit, ~verwechselbarkeit, ~wange, ~wechsel, ~wechsler, ~wender;*

2 Zusammensetzungen mit *-pol* als Grundwort: *Chlorpol, Hilfs~, Minus~, Plus~, Schalter~,* ↑*Vier~, Wende~, Zwei~;*

3 Wortableitungen: *einpolig, dreipolig, polar,* ↑*Polarisation, Polarität, Polung, umpolen, unipolar, zweipolig.*

Fremdsprachige Entsprechungen (En) *terminal;* (Es) *borne;* (Fr) *borne, pièce polaire;* (It) *polo, morsetto;* (Ru) зажим */zažim/;* (Cs) *pól.*

Literatur [1] In: Gilberts Annalen der Physik, Bd. XVI (1804) S. 293, zit. nach HOPPE-1884, S. 152; HOPPE-1888, S. 36–38; [2] In: etz Bd. 10 (1889) S. 231.

Pol, (magnetischer) pole, (magnetic)

Worterklärung Eine der beiden Stellen eines Magneten, an dem die magnetischen Flusslinien am dichtesten sind. Beispiel: Bei einem Stabmagneten sind es die Enden des Stabes, die den ↑Nordpol einerseits und den ↑Südpol andrerseits darstellen.

Wortgeschichte Das Wort *Pol* geht auf den französischen Naturforscher Pierre de MARICOURT* zurück, der 1267 mit Magneteisensteinen experimentierte und dabei erkannte, dass sich immer dieselben Stellen dieser Steine nach Norden ausrichten. Als er auf einem kugelförmigen Stein Eisendrahtstückchen auflegte, ordneten sie sich längst Linien, die wie Meridiane auf einem Himmelsglobus von einem Pol zum anderen verliefen. MARICOURT nannte diese Stellen auf seiner Magnetkugel ebenfalls *Pole*, aber auch bei Magneten, die nicht kugelförmig waren. [1] *Pol* stammt vom (La) *polus, poli* ›Endpunkt der Erd- und Himmelsachse, Nord- und Südpol, Himmel(sgewölbe)‹, das eigentlich ein griechisches Fremdwort πόλος /*pólos*/ etwa gleicher Bedeutung ist. [2] Schon bei PLINIUS* finden wir dieses Wort im Jahre 77 n. Chr. in astronomischer Bedeutung: „Quoniam terra à verticibus duobus, quos appellaverunt polos, etc.“ [Da ja die Erde an zwei Drehpunkten, die sie Pole genannt haben, …] [3]

Wortfamilie [4]

1 Zusammensetzungen mit *Pol-* als Bestimmungswort: *Polabstand, ~achse, ~amperewindungen, ~anker, ~bedeckungsfaktor, ~befestigung, ~bogen, ~bogenlänge, ~breite, ~büchse, ~dämpfung, ~distanz, ~ebene, ~ende, ~entfernung, ~erzeugung, ~fläche, ~fliehkraft, ~frequenz, ~gehäuse, ~hörner, ~induktion, ~kante, ~kern, ~kraftlinienweg, ~lage, ~längsachse, ~los, ~lücke, ~mitte, ~mittenabstand, ~oberfläche, ~paar, ~paardifferenz, ~paarspule, ~paarzahl, ~rad, ~radspannung, ~radwinkel, ~radzeiger, ~ring, ~sättigung, ~schenkel, ~schenkelquerschnitt, ~schraube, ~schritt, ~schuh, ~schuhkante, ~schuhoberpläche, ~schuhpaket, ~schuhspitze, ~schuhstärke, ~schuhstreuung, ~schuhverlust, ~schuhwinkel, ~schuhzentriwinkel, ~spannung, ~spitzenabstand, ~spule, ~stärke, ~stern, ~streuung, ~teilung, ~wange, ~wicklung, ~zahl;*

2 Zusammensetzungen mit *-pol* als Grundwort: *Außenpol, Blech~, Doppelrund~, Einheits~, Einzel~, Feld~, Folge~, Haupt~, Hilfs~, Innen~, Klauen~, ↑Nord~, Schwalbenschwanz~, Spalt~, Strang~, ↑Süd~;*

3 Wortableitungen: *einpolig, doppelpolig, mehrpolig, vielpolig, vierpolig, zweipolig.*

Fremdsprachige Entsprechungen (En) *pole,* (Nl) *pool;* (Es) *polo;* (Fr) *pôle;* (It) *polo;* (Ru) полюс /*poljus*/; (Pl) *biegun;* (Cs) *pól.*

Literatur [1] FRAUNBERGER-1985, S. 10–11; [2] MENGE-1916, S. 576; SCHULZ/BASLER-1942, S. 572–573; [3] Buch 2, 15, zit. nach AINSWORTH-1773; [4] Im Wesentlichen nach SCHLOMANN-1928 und GOEDECKE-1964.

Polarisation polarization

Worterklärung Physikalische Erscheinung des Ausrichtens von Licht, Ionen, elektromagnetischen Wellen u. a. nach physikalisch vorgegebenen Kriterien. Auch: *Polarisierung.*

Wortgeschichte

1 Da die ~ in mehreren Fachgebieten unterschiedlich verstanden und daher unterschiedlich angewandt wird, hatte der deutsche Schwingungsexperte Karl Willy WAGNER* Grund zur Kritik:

„Es ist bedauerlich, dass dasselbe Wort ‚~' in der Lehre vom elektromagnetischen Feld und zugleich in der Wellenlehre gebräuchlich ist, und zwar in ganz verschiedener Bedeutung. Wir können aber von dem eingebürgerten Gebrauch nicht abweichen und sich deshalb genötigt, dieses Wort hier im Sinne der Elektrizitätslehre und später, [...], im Sinne der Wellenlehre zu verwenden. Verwechselungen sind wohl kaum zu befürchten." [1]

2 Laut Friedrich Hund fand bei der Bearbeitung einer Preisaufgabe der französischen Akademie der Wissenschaften der französische Physiker E. L. Malus* 1808, dass Licht, das unter einem bestimmten Winkel an einer Glasscheibe reflektiert wird, sich wie Licht verhält, das aus einem Doppelspat kommt. Er schloss auf eine Orientierung der Lichtteilchen senkrecht zur Strahlrichtung und nannte die so auftretende Seitlichkeit des Lichts (Fr) *polarisation* nach einem von Isaac Newton* gemachten Vergleich mit der Orientierung eines Magneten. [2] Damit ist die Aussage in „Query 29" von Newtons „Opticks" gemeint, die in der Rechtschreibung des Originals wie folgt lautet:

„[...] And since the Crystal by this Disposition or Virtue does not act upon the Rays, unless when one of their Sides of unusual Refraction looks towards that Coast, this argues a Virtue or Disposition in those Sides of the Rays, which answers to, and sympathizes with that Virtue or Disposition of the Crystal, **as the Poles of two Magnets answer to one another** [Im Original nicht hervorgehoben]. And as Magnetism may be intended and remitted, and is found only in the Magnet and in Iron: So this Virtue of refracting the perpendicular Rays is greater in Island-Crystal, less in Crystal of the Rock, and is not yet found in other Bodies. I do not say that this Virtue is magnetical: It seems to be of another kind. [...]" [3]

Wortbenutzung 1881: [...] die Turmalinplatte [...] läßt also nicht in jeder Lage die von der Tischplatte reflektierten Strahlen durch. Die Lichtstrahlen haben also [...] eine besondere Eigenschaft erlangt, welche man mit dem Namen der *Polarisation* bezeichnet (Müller-1881, S. 334); 1965: Die Strahlen werden bei vertikaler und horizontaler Polarisation in unveränderter Amplitude reflektiert; im ersten Fall sogar mit gleicher Phase, während im zweiten Fall die Phasenverschiebung von $\varphi = 180°$ auftritt (Warner-1965, S. 58); 1998: Wird bei einer Transversalwelle nur eine Komponente herausgefiltert, so bezeichnet man diesen Vorgang als *Polarisation* (Grehn/Krause-1998, S. 125).

Wortfamilie

1 Zusammensetzungen mit *Polarisations-* als Bestimmungswort: *Polarisationsanalysator, ~apparat, ~batterie, ~ebene, ~element, ~entkopplung, ~erscheinung, ~fading, ~fehler, ~filter, ~freiheitsgrad, ~mikroskop, ~prisma, ~richtung, ~schwund, ~spannung, ~strom, ~vektor, ~weiche, ~winkel, ~zelle, ~zustand;*

2 Zusammensetzungen mit *-polarisation* als Grundwort: *Elektrodenpolarisation, Horizontal~, Konzentrations~, Kreis~, Kreuz~, Licht~, Vertikal~, Zirkular~;*

3 Wortableitungen: *Polarisator, polarisierbar, Polarisierbarkeit, polarisieren, polarisiert, Polarisierung.*

Fremdsprachige Entsprechungen (En) *polarisation, polarization;* (Nl) *polarisatie;* (Sv) *polarisation;* (Es) *polarización;* (Fr) *polarisation* (1810, Robert-1994); (It) *polarizzazione;* (Ru) **поляризация** */poljarizacija/;* (Pl) *polaryzacja;* (Cs) *polarisace;* (Ja) */kayori, bunkyoku, henkō/.*

Literatur [1] Wagner-1947, S. 428; [2] Hund-1996, Teil 2, S. 23–24; [3] Newton-1979, S. 373–374, die lateinische Ausgabe erschien zwei Jahre nach der englischen Originalfassung.

Polonium — polonium

Worterklärung Radioaktives Element (↑Radioaktivität). Chemisches Symbol: Po. Ordnungszahl 84. ↑Isotope ^{192}Po bis ^{216}Po mit ↑Halbwertszeiten von 0,3 µs (^{212}Po) bis 138,4 Tagen (^{210}Po). [1]

Wortgeschichte In einer von Pierre und Marie CURIE* verfassten Mitteilung an die französische Akademie der Wissenschaften, die in den „Comptes rendus" (Berichten) der Sitzung vom Juli 1896 veröffentlicht wurden, heißt es:

„Wir sind der Meinung, daß die Substanz, die wir aus der Pechblende gewonnen haben, ein noch nicht beschriebenes Metall enthält, das durch seine analytischen Eigenschaften dem Bismut [*Wismut*] verwandt ist. Wenn das Vorhandensein dieses neuen Metalls sich bestätigen sollte, schlagen wir vor, nach der Herkunft des einen von uns es *Polonium* zu nennen." [2]

Das neue Element wurde 1898 bestätigt.

Fremdsprachige Entsprechungen Ⓔⓝ *polonium;* Ⓕⓡ *polonium* (1898, ROBERT-1994); Ⓘⓣ *polonio;* Ⓡⓤ полоний */polonij/;* Ⓟⓛ *polon;* Ⓙⓐ */poroniumu/.*

Literatur [1] ÜHLEIN-1969, S. 690; [2] CURIE-1938, S. 168–169.

Pond — gramme force

Worterklärung Bis zum 31. Dez. 1977 zulässige Einheit der Kraft. Einheitenzeichen: p. Es gilt jetzt das ↑Newton, wobei 1 Pond = 9,80665 Millinewton ist, entsprechend 1 Kilopond = 9,80665 Newton.

Wortgeschichte

1 Die frühere Physikalisch-Technische Reichsanstalt (PTR) führte 1939 die Benennungen ~, *Kilopond, Megapond* und *Millipond* für die Einheiten der Kraft im technischen Einheitensystem für ihren eigenen Geschäftsbereich als verbindlich ein. [1] Eigentlich stammt das Neuwort ~ von Fritz HOFFMANN*, einem Mitarbeiter der PTR, der 1934 in der „Zeitschrift für technische Physik" vorschlug, das Produkt ↑Kilogramm mal Erdbeschleunigung ($kg \cdot g_n$) *pondus* zu nennen. J. WALLOT*, Vorsitzender des ↑AEF, empfahl seinerzeit, lieber *Kilopond* zu sagen, damit die Größenordnung ↑*Kilo-* erhalten bleibt. [2] Die Zeitzeugin Erna PADELT berichtet zusammenhängend darüber wie folgt:

„[...] und so schlug Fritz HOFFMANN von der Physikalisch-Technischen Reichsanstalt (PTR) bereits 1934 vor, für die Kraft die Bezeichnung ‚Pond' (pondus = Gewicht) zu wählen. Vom Ausschuß für Einheiten und Formelgrößen (AEF) wurde dieser Vorschlag lebhaft begrüßt und 1938 der Physikalisch-Technischen Reichsanstalt mitgeteilt, daß die Mehrzahl der Mitglieder des AEF die Einführung der Bezeichnung ‚pond' befürwortete. [...] Um die fälschliche Anwendung der Bezeichnung ‚Kilogramm' für die Krafteinheit auszuschließen, schloß sich die PTR dem Vorschlag des AEF an und führte als Krafteinheit das *Kilopond* (kp) für ihren Geschäftsbereich ein. [...] In der Bekanntmachung der PTR über die Einheit der Kraft im technischen Maßsystem vom 28. Juni 1939 wurde bestimmt:

1. (1) Die Einheit der Kraft im technischen Maßsystem ist das Kilopond.
   (2) Das Kilopond ist die Kraft, die einer Masse von einem Kilogramm je Sekunde eine Geschwindigkeitsänderung von 9,80665 Meter je Sekunde erteilt.
2. Für die Teile und Vielfachen des Kiloponds gelten folgende Bezeichnungen: Der tausendste Teil des Kiloponds heißt das Pond, der tausendste Teil des Ponds heißt das Millipond, Tausend Kilopond heißen das Megapond.
3. Für die Einheitsbezeichnungen nach Nr. 1 und 2 gelten folgende Abkürzungen:

Megapond	Mp
Kilopond	kp
Pond	p
Millipond	mp.“ [3]

2 In der Bundesrepublik Deutschland war ~ in der Norm DIN 1301 „Einheiten; Kurzzeichen“ (Juni 1955) verankert, in der Deutschen Demokratischen Republik im „Mitteilungsblatt Nr. 149 des Deutschen Amtes für Maß und Gewicht (DAMG)“ vom 8. Okt. 1958. [4] Im österreichischen Maß- und Gewichtsgesetz von 1950 war definiert: „Als weiteres Maß einer Kraft gilt das Kilopond (kp); es ist gleich 980,665 Newton.“ [3] Eine internationale Annahme des ~ scheiterte daran, dass das ~ klanglich mit der britisch-amerikanischen Gewichts- und Masseneinheit *pound* verwechselt werden könnte.
3 Das ~ wie auch das Ⓔⓝ *pound* leiten sich vom Ⓛⓐ *pondus, ponderis* ›Gewicht, Gewichtstück, Schwere‹ ab.

Literatur [1] STILLE-1961, S. 66; in: Amtsblatt PTR Bd. 15 (1939) Nr. 2, S. 40; [2] In: Z. techn. Physik, Bd. 15 (1934) S. 49; Z. VDI, Bd. 90 (1948) S. 213, beide zit. nach EBERT: Über die Benennung der Krafteinheit. In: DIN-Mitt. Bd. 34 (1955) S. 221; [3] PADELT, Erna: Kilogramm – Kilopond. In: Die Technik. Bd. 9 (1954) S. 49–50; [4] SACKLOWSKI-1960, S. 159.

positive/negative Elektrizität — positive/negative electricity

Worterklärung Kennzeichnung der unterschiedlichen Erscheinungsformen der ↑Elektrizität, ursprünglich als ↑*Glaselektrizität* und *Harzelektrizität*.

Wortgeschichte

1 Die früheste Unterscheidung der Elektrizitäten finden wir bei dem französischen Physiker Charles DUFAY*, der aus seinen elektrostatischen Versuchen 1733 folgerte, dass es zwei Arten von Elektrizität gäbe, die er *Glas-* bzw. *Harzelektrizität* (1745 in der deutschen Fassung) bezeichnete. Spätere Naturforscher bevorzugten eine mathematisierende Ausdrucksweise mit *pluselektrisch/minuselektrisch, positive Elektrizizät/negative Elektriztät* oder gar *+E, –E*. Zu ihnen gehören der amerikanische Autodidakt und Erfinder des ↑Blitzableiters, Benjamin FRANKLIN (1706–1790), der Schweizer Mathematiker und Physiker Leonhard EULER* (1707–1783) und der Göttinger Experimentalphysiker und Aphoristiker Georg Christoph LICHTENBERG (1742–1799).
2 Der vielseitig interessierte und erfolgreiche Erfinder praktischer Gerätschaften B. FRANKLIN* lernte erst im Alter von 36 Jahren Experimente mit Elektrizität kennen. Im Kreise Gleichgesinnter wiederholte er die Versuche, die ihnen aus London mitgeteilt worden waren. Aber er ersann auch weitere. Über alle seine Beobachtungen schrieb er regelmäßig Mr. Peter COLLINSON, Fellow of the Royal Society (FRS) of London. In seinem Brief vom 25. Mai 1747 entwickelte er dic Theorie, dass jeder Körper nur eine natürliche Menge an „electrical fire“ habe: Bei Überschuss des „Feuers“ ist der Körper *electrically positive* oder *plus*, bei Mangel dagegen *electrically negative* oder *minus*. Der betreffende Abschnitt lautet:

„To electrise *plus* or *minus*, no more needs to be known than this, that the parts of the tube or sphere that are rubbed, do, in the instant of the friction, attract the electrical fire, and therefore take it from the thing rubbing.“ [1]

Aus dem Brief vom 28. Juli 1747 über die „Leyden jar" ›Leidener Flasche‹:

„These two states of Electricity, the *plus* and *minus*, are combined and balanced in the miraculous bottle." […] electrised *positively* or *plus*, […] electrised *negatively* or *minus*." [2]

Alle Briefe wurden durch COLLINSON veröffentlicht – entweder in den „Philosophical Transactions of the Royal Society" oder gar in Buchform „Experiments and observations on electricity, made at Philadelphia in America" (London 1751) mit Nachträgen 1753 und 1754. Übersetzungen erschienen in Deutsch (1758), Französisch (1752, 1756, 1773) und Italienisch (1774). [3]

3 Der berühmte Schweizer Mathematiker und Physiker Leonard EULER* unterrichtete zwischen 1760 und 1762 die als Prinzessin bezeichnete Friederike Charlotte Ludovica Luise Markgräfin von BRANDENBURG SCHWED (1745–1808) in 234 Briefen „über verschiedene Gegenstände aus der Physik und Philosophie" – gewissermaßen in einem Fernlehrgang. [4] Im 147. Brief vom „21. Julius 1761" schreibt er zu den Elektrizitätsarten wie folgt:

„Inzwischen nimmt man hier einen sehr merkwürdigen Unterschied gewahr. Macht man eine Glaskugel auf diese Art [d.h. durch Reiben] elektrisch; so wird sie mit Aether überladen, und die eiserne Stange oder andere Körper, die man mit ihr in Verbindung bringt, werden es gleichfalls; der Aether wird in ihnen zu sehr zusammengedrückt und seine Elasticität wird daher vergrößert. Diese Elektricität wird die positive genannt. Nimmt man aber Kugel von Siegellack oder Schwefel; so entsteht eine gerade entgegengesetzte Elektricität, welche man die negative nennt; denn man bemerkt, daß die Kugeln durchs Reiben eines Theils des Aethers beraubt werden, der in ihren Poris [Poren] enthalten war." [5]

4 LICHTENBERG veröffentlichte 1778 seine Entdeckung der später nach ihm genannten Staubfiguren mit Hilfe des ↑Elektrophors in einer Abhandlung unter der Überschrift „Von einer neuen Art, die Natur und Bewegung der elektrischen Materie zu erforschen". Darin heißt es u.a.:

„Wir wollen annehmen, der Elektrophor habe gar keine Elektrizität, so muß man die Stelle, wo der Deckel die positive Elektrizität (die ich immer mit +E bezeichnen will) bekommen soll, entweder mit der trockenen Hand, oder mit dem zusammengerollten Bart von einer Schreibfeder gelinde reiben. […] Auf diese Weise habe ich gesehen, […] daß der Deckel anderthalb Zoll lange Funken +E und –E gab." [6]

Literatur [1] Zit. nach COHEN-1972, S. 49; [2] Zit. nach COHEN-1972, S. 51; [3] COHEN-1972, S. 85; [4] EULER-1986, S. XXI; [5] Zit. nach dem Faksimile von 1769 in: EULER-1986, S. 170; [6] LICHTENBERG-1983, S. 161.

Positiv, das ↑Negativ

Positron

positron

Worterklärung In der kosmischen Strahlung vorkommendes Elementarteilchen, das die gleiche Ruhemasse und dem Zahlenwert nach gleiche Ladung wie das ↑Elektron, jedoch positives Vorzeichen, hat. Auch: *positives Elektron, Antielektron, Antiteilchen des Elektrons.* [1]

Wortgeschichte

1 Der britische Physiker Paul DIRAC (1902–1984) verband 1928 erfolgreich die ↑Quantenmechanik (↑Quant) und Relativitätstheorie in der „DIRAC-Gleichung", die dem

↑Spin des Elektrons Rechnung trägt und die Existenz eines positiven Elektrons voraussagt. [2] Erst 1932 entdeckte der amerikanische Physiker Carl D. ANDERSON* in der kosmischen Strahlung dieses Teilchen. Da es sich um ↑*positiv* geladene Elektronen handelte, nannte er sie *Positronen* (aus positives Elektron, ↑*-tron*), eine Benennung, die sich bald durchsetzte. [3]

2 Hierzu meinte ein englischer Philologe:

„Wenn die Physiker schon ihr negatives Ladungsteilchen ‚nach der Elektra' benennen, so möchten sie doch wenigstens konsequent bleiben und das positive nach ihrem Bruder [Orestes] ‚*Oreston*' taufen." [4]

Wortbenutzung 1966: Das Positron steht, da es geladen ist, in elektrischer Wechselwirkung mit allen Elektronen der Nachbaratome und kommt schnell zur Ruhe (FORD-1966, S. 135); 1998: Positronen werden von Kernen mit einem Protonenüberschuss emittiert (GREHN/KRAUSE-1998, S. 511).

Wortfamilie *Positronenzerfall, Positronspuren.*

Fremdsprachige Entsprechungen (En)(Nl)(Sv) *positron;* (Es) *positrón;* (Fr) *positon* (nach ↑IEC), *positron* (1934/35, ROBERT-1994); (It) *positrone;* (Ru) позитрон */pozitron/;* (Pl) *pozytron;* (Ar) */buzitrun/.*

Literatur [1] FORD-1966, S. 5; [2] DIRAC, P.A.M.: The quantum theory of the electron. In: Proc. Roy. Soc. Bd. A 117 (1928) S. 610 ff., zit. nach FORD-1966, S. 235; [3] JORDAN/LENZ-1994, S. 6–7; [4] GERLACH-1962, S. 55.

Pra- pra-

Worterklärung Ehemals beschlossener dezimaler ↑Vorsatz (Präfixoid) für 10^8.

Wortgeschichte Auf Vorschlag des russischen Delegierten Prof. MITKIEVITCH beschloss das Subkomitee „Magnetische Einheiten" des Komitees „Nomenklatur" der ↑IEC im Jahre 1930, den Vorsatz ~ „als allgemeines Mittel zur Kennzeichnung einer praktischen Einheit, die aus dem CGS-System abgeleitet worden ist" (↑CGS-Einheitensystem). Das Wort ~ ist die erste Silbe von *praktisch*. Dieser Beschluss wurde auf derselben Sitzung angewandt für *Pramaxwell* als Einheit des magnetischen Flusses gleich 10^8 ↑Maxwell. In der Folgezeit wurden beide Beschlüsse nicht befolgt, weil sich die IEC ab 1933 mit Grundsatzfragen befasste, deren Ergebnis schließlich zum Internationalen ↑Einheitensystem (SI) führte. *Pramaxwell* wurde durch ↑*Weber* ersetzt. [1]

Literatur [1] IEC 164:1964, S. 27–29; WÜSTER-1931, S. 104.

Präzisionsmathematik

Worterklärung Zweig der Mathematik, der sich mit Beziehungen zwischen exakten Werten beschäftigt, im Unterschied zur Approximationsmathematik.

Wortgeschichte Laut W. QUADE [1] wurden Begriff und Benennung ~ 1928 von Felix KLEIN für sein Werk „Elementarmathematik vom höheren Standpunkt aus. Bd. III Präzisions- und Approximationsmathematik" [2] gebildet.

Literatur [1] QUADE, W., in: etz-A Bd. 78 (1957) S. 286; [2] 3. Aufl., Berlin: Springer, 1928.

Prony (Pron) ↑AEF-Einheitensystem

Proton proton

Worterklärung Eines der fundamentalen Bausteine der Materie und Träger einer positiven elektrischen Elementarladung $e = 1{,}602 \times 10^{-19}$ C (↑Coulomb) und Ruhemasse $m_p = 1{,}672 \times 10^{-27}$ kg (↑Kilogramm). Es ist der Kern des Wasserstoffatoms und hat ↑Quarks. [1]

Wortgeschichte Der NOBEL-Preisträger für Physik von 1959, Emilio SEGRÈ, berichtet, dass 1920 Sir Ernest RUTHERFORD* das Wort ~ zur Bezeichnung des Wasserstoffkerns einführte:

> „In diesem hypothetischen Teilchen sah er so etwas wie ein Wasserstoffatom, bei dem das Elektron in den Kern gefallen ist, so daß dieser elektrisch neutral ist. Diese Spekulation erwies sich […] später als wichtig.“ [2]

Das Wort ~ stammt vom (Gr) πρωτος */prōtos/* ›erster‹ ab und bildet zusammen mit der kernphysikalischen Wortendung (Suffixoid) *-on* »Teilchen« diesen Fachausdruck. In der Fertigungstechnik kennen wir *Prototyp* »Muster«.

Wortbenutzung 1966: Dort, wo einst ein Proton ruhig in der Mitte eines Wasserstoffatoms saß, treten plötzlich ein Neutron und ein Positron, mit kinetischer Energie behaftet, auf (FORD-1966, S. 135); 1998: Die energiereichen, Ladung tragenden Protonen sind dann zu Ionisierungen fähig und können nachgewiesen werden (GREHN/KRAUSE-1998, S. 495).

Wortfamilie Zusammensetzungen mit *Protonen-* als Bestimmungswort: *Protonenquelle, ~strahl, ~synchrotron, ~zahl, ~zerfall.*

Fremdsprachige Entsprechungen (En)(Nl)(Sv) *proton;* (Es) *protón;* (Fr) *proton* (1923, ROBERT-1994); (It) *protone;* (Ru) протон */proton/;* (Pl)(Cs) *proton;* (Ar) */burutun/;* (Zh) */zhi zǐ/;* (Ja) */yōsi/.*

Siehe auch ↑Elektron, ↑Neutron, ↑Positron.

Literatur [1] STÖCKER-1998, S. 774 (Dezimalstellen gekürzt) u. 810; [2] SEGRÈ-1998, S. 586.

Quadrant

quadrant

Worterklärung Ehemals praktizierte Einheit der ↑»Induktivität«, die durch ↑*Henry* abgelöst worden ist.

Wortgeschichte Bestandteil des vom schottischen Physiker James C. MAXWELL* geschaffenen Einheitensystems mit den drei Basiseinheiten Länge = 10^9 cm, Masse = 10^{-11} g und Zeit = 1 s, das allerdings als Ganzes praktisch keine Anwendung gefunden hat. Da die gewählte Länge dem Erdquadranten entsprach, nannte er sein System das „Quadrant-System (Q. S.)". [1] Der ↑Internationale Elektrizitäts-Kongress zu Paris 1889 nahm die Benennung ~ für die Einheit der Induktivität an, [2] die jedoch 1893 durch ↑*Henry* ersetzt worden ist.

Wortbenutzung 1891: *L* in Sekohm oder Erdquadranten eingesetzt (KAPP, Gisbert [3]); 1891: Als praktische Einheit der Selbstinduktion wird ein Erdquadrant = 10^9 cm angewendet. Es ist auch vorgeschlagen, diese Einheit Sekohm zu nennen (PULUJ, J. [4])

Siehe auch ↑*Sekohm*.

Literatur [1] STILLE, U., in: Elektrotechn. u. Masch.-Bau (EuM), Bd. 74 (1957) Nr. 2–3; [2] IEC 164:1964, 15; [3] In: etz Bd. 12 (1891) S. 114–116, hier S. 114; [4] Ebenda, S. 407–412, hier S. 409.

Quant, das

quantum

Worterklärung Kleinster physikalisch möglicher, diskreter Wert einer physikalischen Größe.

Wortgeschichte

1 Dem Wort ~ verschaffte Albert EINSTEIN* 1905 in der ↑Physik Bürgerrecht, indem er es als Erster in den Wortzusammensetzungen *Energiequant* bzw. *Lichtquant* benutzte, und zwar in seinem Aufsatz „Über einen die Erzeugung und Verwandlung des Lichtes betreffenden heuristischen Gesichtspunkt" [1], der ihm 1921 zum Nobelpreis für Physik verhalf. Darin heißt es an den betreffenden Stellen wie folgt:

> *Energiequant*: „Nach der hier ins Auge zu fassenden Annahme ist bei Ausbreitung eines von einem Punkte ausgehenden Lichtstrahles die Energie nicht kontinuierlich auf größer und größer werdende Räume verteilt, sondern es besteht dieselbe aus einer endlichen Zahl von in Raumpunkten lokalisierten Energiequanten, welche sich bewegen, ohne sich zu teilen und nur als Ganze absorbiert und erzeugt werden können." [2] *Lichtquant*: „Der Verwandlungsprozeß wird dann folgendermaßen zu deuten sein. Jedes erzeugende Energiequant von der Frequenz ν_1 wird absorbiert und gibt – wenigstens bei genügend kleiner Verteilungsdichte der erzeugenden Energiequanten – für sich allein Anlaß zur Entstehung eines Lichtquants von der Frequenz ν_2." [3]

2 Max PLANCK* benutzte 1900 den Ausdruck ↑*Energieelement* für das Produkt $h\nu$, andrerseits auch einmal „Elementarquantum der Elektrizität *e*". [4] Wohl als Erster verwendete Hermann HELMHOLTZ* das Wort *Quantum* im physikalischen Zusammenhang, und zwar in seiner FARADAY-Gedenkrede, die er 1881 in London gehalten hat:

> „Wenn wir Atome der chemischen Elemente annehmen, so können wir nicht umhin, weiter zu schließen, daß auch die Elektrizität, positive sowohl wie negative, in bestimmte elementare Quanta geteilt ist, die sich wie Atome der Elektrizität verhalten." [5]

Wortbenutzung 1913: In analoger Weise werden auch bei der Licht- und Wärmestrahlung […] gewisse Vorgänge wirksam sein müssen, welche die Strahlungsenergie in bestimmten endlichen Quanten zusammenhalten (PLANCK [6]); 1916: Quantentheorie der Strahlung (EINSTEIN [7]); 1917: Zum Quantenansatz von SOMMERFELD und EPSTEIN (EINSTEIN [7]); 1923: Quantenenergie; das Hg-Atom geht in den höherquantigen Zustand über; es ist anzunehmen, daß sie wohl auch in Form von Strahlung, jedoch in kleinen Quanten, z.B. als ultrarote Strahlung, abgeben wird; quantenhafte Verteilung der Energieelemente; Quantenkonstante h (GERLACH [8]); 1998: Freie Photonen bilden Energiequanten des Lichts (STÖCKER-1998, S. 805).

Wortfamilie

1 Zusammensetzungen mit *Quanten-* als Bestimmungswort [im Wesentlichen nach GLEICK-1993]: *Quantenanalogie, ~ansatz, ~äquivalenzgesetz, ~ausbeute, ~bedingung, ~biologie, ~chemie, ~chromodynamik, ~effekt, ~einheit, ~elektrodynamik, ~elektronik, ~energie, ~ereignis, ~feldtheorie, ~flüssigkeit, ~gravitation, ~informatik, ~logik, ↑~mechanik, ~mechanisch, ~paradoxien, ~physik, ~prozess, ~rauchring, ↑~sprung, ~statistik, ~system, ~theorie, ~verhalten, ~version, ~verständnis, ~welt, ~zahl;*

2 Wortableitungen: *quanteln* (DUDEN-1989), *quantenhaft, höherquantig; quantisieren.*

Fremdsprachige Entsprechungen (En) *quantum*, plur. *quanta;* (Nl) *quant;* (Sv) *kvantum;* (Es) *cuanto;* (Fr) *quantum* (1911, ROBERT-1994: „all[emand] Quantum, 1901"); (It) *quantum, quanto;* (Ru) квант */kvant/;* (Pl) *kwant;* (Cs) *kvantum;* (Ja) */ryōsi/.*

Literatur [1] EINSTEIN, A., in: Ann. Phys. Bd. 17 (1905) S. 132–148, zit. nach HAAR-1969, S. 118–138; [2] Ebenda, S. 119; [3] Ebenda, S. 132; [4] PLANCK, Max, in: Verh. Deutsch. phys. Ges. Berlin, Bd. 2 (1900) S. 237, zit. nach HAAR-1969, S. 107–117, hier S. 110 bzw. 116; [5] WEIZSÄCKER-1960, S. 145, mit einer beachtenswerten Textanalyse dieser Aussage auf S. 145–148; [6] PLANCK, Max: Neue Bahnen der physikalischen Erkenntnis. Rektoratsrede am 15. Okt. 1913. In: PLANCK-1922, S. 64–81, hier S. 74; [7] EINSTEIN-Bibliographie in: WICKERT-1972; [8] GERLACH-1923, S. 182–188.

Quantenmechanik quantum mechanics

Worterklärung Teilgebiet der ↑Physik, das die Vorgänge in der Welt des sehr Kleinen erklärt: die Bewegung der Elementarteilchen, die Kräfte zwischen ihnen sowie die Erzeugung und Vernichtung dieser Teilchen, indem die möglichen Messergebnisse nicht in stetig zusammenhängender Form sondern entsprechend den quantenhaften Erscheinungen (↑Quant) in diskreten Folgen geliefert werden.

Wortgeschichte Das Wort ~ wurde 1924 vom deutschen Physiker Max BORN* geprägt. [1] Sein Biograph, Friedrich HUND, drückt es so aus:

„BORN ging in mehreren Schritten vor. [...] ein dritter Schritt, eine im Winter 1923/24 gehaltene Vorlesung BORNs, aus der das Buch „Vorlesungen über Atommechanik I" hervorging. BORN ging nun daran (1924), im vierten Schritt, den er einen ersten Schritt zu einer Quantenmechanik nannte, die mathematischen Formeln so abzuändern, daß er [...] eine Übertragung in quantentheoretischer Richtung vornahm." [2]

Wortbenutzung 1967: Quantenmechanik (Großes DUDEN-Lexikon, Bd. 8); 1998: Grundannahmen der Quantenmechanik (STÖCKER-1998, S. 748).

Fremdsprachige Entsprechungen (En) *quantum mechanics;* (Fr) *mécanique quantique;* (It) *meccanica quantistica;* (Ru) квантовая механика */kvantovaja mehanika/;* (Cs) *kvantová mechanika.*

Literatur [1] JORDAN/LENZ-1994, S. 18; [2] HUND, Friedrich, in: DGD-Ergänzungsband-1985, S. 253.

Quantensprung — quantum jump

Worterklärung Der Übergang in einem Atom von einem hohen zu einem niedrigeren Energiezustand oder umgekehrt.

Wortgeschichte Die früheste schriftliche Erwähnung des ~ (↑Quant) findet sich in einem Aufsatz des deutschen Physikers Max BORN* aus dem Jahre 1924. Er benutzte ~ auch in seinen Vorlesungen über Atommechanik, die 1925 als Buch herauskamen. [1] Bereits im Jahre 1913 hatte der dänische Physiker Niels BOHR (1885–1962) das Prinzip der Drehimpulsquantelung und die Idee des ~ eingeführt. [2]

Wortbenutzung 1966: Der Spin eines langsamer werdenden Kreisels macht vielleicht, Quantensprünge' von $\hbar$, 2 $\hbar$ oder 3 $\hbar$, aber niemals in der Größe eines Zwischenwertes (FORD, Kenneth W. [3]); 2001: Quantensprung in der Bildungspolitik (SCHMIDT, Richard, in: Darmstädter Echo, 23./24.05.2001, S. 4); 2005: Asita HiFi ist ein akustischer Quantensprung in der Welt der Hörsysteme (Apothekenkurier, Jan. 2005).

Fremdsprachige Entsprechungen Ⓔⓝ *quantum jump, quantum leap, quantum transition.*

Literatur [1] BORN, Max, in: Dokumente der Naturwissenschaft, Bd. 2, Stuttgart 1962, S. 13, zit. nach BÜLOW, Ralf: Wenn die Quanten springen. In: Sprachdienst Bd. 29 (1985) S. 146–147; [2] FORD-1966, S. 234; [3] Ebenda, S. 77.

Quark, das [Aussprache kwɔ:k] — quark

Worterklärung Bei der Analyse von Elementarteilchen gefundener Baustein der Materie, der ein Drittel der Ladung eines ↑Elektrons oder ↑Protons trägt.

Wortgeschichte

1 Das Wort ~ wurde 1963 vom amerikanischen Physiker Murray GELL-MANN* eingeführt. R. FEYNMANS* Biograph, James GLEICK, berichtet hierzu:

„Seine [GELL-MANNS] nächste und berühmteste Erfindung entsprang dem Wunsch, dem unbestreitbaren deskriptiven Erfolg des ‚achtfachen Wegs' eine Erklärung hinzufügen. [...] Da noch nie ein Teilchen mit einem nicht ganzzahligen Vielfachen der Elementarladung gefunden worden war, schien eine solche Hypothese selbst nach modernen Maßstäben gewagt. Trotzdem schlugen unabhängig voneinander GELL-MANN und George ZWEIG im Jahre 1963 ein solches Modell vor. ZWEIG, ein jüngerer theoretischer Physiker am Caltech [*Cal*ifornia Institute of *Tech*nology], nannte seine Teilchen ‚*aces*' (Asse). Doch wiederum setzte sich GELL-MANN bei der Namensgebung durch. Seine Wahl war auf ein im Amerikanischen lautmalerisches Nonsenswort gefallen: *Quark*. (Nachträglich führte er als literarischen Vorläufer den Satz an: ‚Three quarks for Muster Mark' aus *Finnegans Wake* von James JOYCE)." [1]

2 In „WEBSTER's Third New International Dictionary" (Springfield 1976, 2662 S.) wird im Addendum (S. 79a) angeführt:

„*quark* [...] (coined by Murray GELL-MANN b[orn] 1929, Am[erican] physicist): a hypothetical particle that carries a fractional electric charge and that is held to be a constituent of known elementary particles."

Dasselbe Werk verzeichnet im Hauptteil auf S. 1859: „*quark* [...] (imit[ative]) archaic: *croak*." Schaut man dort (S. 539) nach: „*croak* [...] to make a deep harsh sound (the frogs

~) […].“ Es trifft also zu, dass das oben so genannte Nonsenswort lautmalerisch ist und eigentlich ›Quaken‹ bedeutet.
3 Der Hinweis auf den 1939 erschienenen Roman des irischen Schriftstellers James JOYCE (1882–1941) führt auch nicht weiter, da „der Roman zugleich die halb mythologische, halb modellhaft-realistische sprachliche Darstellung der Geschichte der Menschheit in vier wiederkehrenden Phasen“ wiedergeben soll. Das Verständnis wird noch dadurch erschwert, dass JOYCE sich nicht mit dem Vokabular der englischen Sprache begnügte, sondern Wörter oder Sätze aus 22 Sprachen einflocht. [2]
Wortbenutzung 1967: *Quark* […] hypothet. Elementarteilchen […] (Großes DUDEN-Lexikon, Bd. 8); 1998: Quarks sind strukturlos und punktförmig (STÖCKER-1998, S. 809); 2003: Jeweils drei Quarks finden sich zu Protonen und Neutronen zusammen (jkm [3]).
Wortfamilie (im Wesentlichen nach STÖCKER-1998) *Antiquark, bottom-Quark, charm-Quark, down-Quark, Pentaquark, Quark-Antiquark-Paar, Quarkeinschluss, Quark-Gluon-Plasma, Quarkinhalt, Quarkonium, strange-Quark, top-Quark, up-Quark.*
Fremdsprachige Entsprechungen (En) *quark;* (Fr) *quark* (1967, ROBERT-1994); (Ar) */kavark/;* (Zh) */kua kè/.*
Literatur [1] GLEICK-1993, S. 568; [2] KINDLERS Neues Literatur-Lexikon, Hrsg.: Walter JENS, Bd. 8, 1996, S. 909–914; [3] Darmstädter Echo, 11.07.2003, S. 30.

Quecksilberdampf-Gleichrichter mercury rectifier

Worterklärung ↑Gleichrichter sehr hoher elektrischer Leistung, bestehend aus einem evakuiertem Glas- oder Stahlbehälter mit einem oder mehreren Entladungswegen. Der ↑Strom tritt an den ↑Anoden in das Gefäß ein und über eine Quecksilberkathode (↑Kathode) aus diesem aus.
Wortgeschichte Im deutschsprachigen Raum wurde anfangs von *elektrischen Dampfapparaten* oder *Quecksilberlampen* gesprochen. Eingebürgert hat sich die Benennung ~, die in der deutschen Patentschrift Nr. 243242 „Quecksilberdampf-Gleichrichter mit einer zwischen der Hauptanode und der Quecksilberkathode angeordneten Hilfsanode“ vorkam. Diese Einrichtung wurde für die AEG Allgemeine Elektrizitäts-Gesellschaft AG vom 4. März 1910 an patentiert. [1]
Wortbenutzung 1911: Quecksilberdampf-Gleichrichter (SCHULZE [2]); 1912: Experimentelle Untersuchungen am Quecksilberdampf-Gleichrichter für Wechselstrom (TSCHUDY [3]).
Literatur [1] Persönliche Mitteilung von Dr. phil. Dipl.-Ing. Peter R. WETZEL, Weinheim, aufgrund dessen Dissertation über ~; siehe auch WETZEL-2001; [2] SCHULZE, Günther, Sonderabdruck aus „Helios, Fach- u. Exportzeitschrift für Elektrotechnik“ Jahrgang 1909 Nr. 20. Leipzig: Verlag von Hachmeister & Thal, 1911, zit. nach dem Faksimile-Titelblatt, in: KLOSS-1990; S. 167; später veröffentlichte er unter dem Namen Güntherschulze*; [3] TSCHUDY, Wilhelm; Dissertation, ETH Zürich 1912, zit. nach dem Faksimile-Titelblatt, in: KLOSS-1990; S. 168; etz Bd. 34 (1913) S. 310.

R

R — *R* (resistance)

Worterklärung Formelzeichen für den »elektrischen ↑Widerstand« nach DIN 1304-1:1994-03 entsprechend IEC 60027-1:1992-12.

Wortgeschichte Eine frühe Verwendung dieses Formelzeichens ist 1848 bei G. KIRCHHOFF* zu finden:

„Ohm hat aus den von ihm aufgestellten und nach ihm benannten Principien durch mathematische Betrachtungen für den Fall einer aus linearen Leitern bestehenden, unverzweigten Schliessung die bekannte Formel J = K/R abgeleitet." [1]

Der schottische Physiker James C. MAXWELL* benutzt 1873 auch das *R* in seinem Werk „A treatise on electricity and magnetism" (Oxford, 1. Auflage). Im Zuge der durch Ed. HOSPITALIER* 1891 eingeleiteten ↑Formelzeichen-Normung (und der dort aufgezeigten tabellarischen Entwicklung) wurde dieser Buchstabe vom ↑Internationalen Elektrizitäts-Kongress in Chicago 1893 gebilligt, wurde aber nicht in den unter dem Vorsitz von K. STRECKER* erarbeiteten ersten Entwurf (1902) des Elektrotechnischen Vereins (EV) übernommen, da *R* und *r* bereits für »Radius« festgelegt waren. Man war daher auf *W* ausgewichen. Erst durch die Mitarbeit in der ↑IEC wurde 1914 das *R* für »Widerstand« in die Liste des EV aufgenommen, aus der die AEF-Norm DIN 1304 „Formelzeichen" entstanden ist. Das Formelzeichen *R* ist der Anfangsbuchstabe von ↑*Rheostat* und *Resistanz* ›Widerstand‹.

Literatur [1] In: Pogg. Annalen Bd. 75 (1848), zit. nach KIRCHHOFF-1882, S. 33.

Radar — radar

Worterklärung Verfahren, das reflektierte oder automatisch zurückgesendete elektromagnetische Wellen benutzt, um Informationen über entfernte Objekte zu erhalten. Beim *Primärradar* wird die vom Objekt reflektierte Strahlung ausgenutzt. Beim *Sekundärradar* wird das Objekt veranlasst, auf der gleichen oder einer unterschiedlichen Wellenlänge automatisch ein Antwortsignal abzustrahlen. Statt *Primärradar* wird im Allgemeinen *Radar* verwendet. (Empfehlung NTG/DGON 1801:1981). [1]

Wortgeschichte

1 Das Wort ~ ist aus den Anfangsbuchstaben der Vollform (En) *radio detection and ranging* gebildet und bedeutet ›funktechnische Erfassung und Ortung‹. Älter ist das Buchstabenkurzwort *RDF* aus (En) *Radio Direction Finding* für ein Verfahren, das 1935 ein britischer „Ausschuss der Luftverteidigung auf wissenschaftlicher Grundlage" nach einer Denkschrift von Robert WATSON-WATT (1892–1973) umsetzte. [2] M.M. MATHEWS führt in seinem „Dictionary of Americanisms" (1951) die Wortgeschichte von ~ mit dem frühesten Beleg an:

„radar. It arose in the U.S. Army to distinguish the American device from a similar locator developed by the British and called by them *radiolocator*. [Beleg:] 1941-2. Gen[eral George C.] MARSHALL's Rep[ort] to Sec[retar]y of War: Process of building up ground service forces and supplies (mechanics, ordnance and radio technicians, signal personel, radar warning detachments etc.)." [3]

2 Andere Langformen von ~: *Radio-Allocation and Ranging* (1947, DÜRRWANG, J. [4]); *Radio and Detection Azimuth Ranging* (1947, Stimme Amerikas, Programmheft Juni/August, S. 24); *Radio Detecting and Ranging* (1947, Orion Bd. 2, S. 255); *Radio direction and range* (Vom Abkürzungsexperten Paul SPILLNER als „ursprünglich" angegeben in sei-

nem Abkürzungslexikon" 1967, Ullstein-Taschenbuch Bd. 2603/2604); selber gefunden in „Welt im Bild", 1947, Nr. 24, S. 37.

Wortbenutzung 1943: Mr. Shenton defines pleasant nouns such as [...] recent entries like radar and photogrammetry (N.Y. Herald Tribune, 12. Dez. 1943, Book Section 3 [3]); 1947: Praktische Anwendung der Dezimeter- bzw. Zentimeterwellen für Radar (DÜRRWANG, J. [4]); 1948: Radar ist die Wissenschaft der Funkmeßtechnik (BLEY, Curt, in: Die Welt, 28.02.1948); 1949: Astronomie mit Radar (DICK, W.E., in: Die Welt, 03.10.1949); 1950: Radar und Funkpeilung ersetzen den direkten Augenschein (BAHR, Karl-Heinz, in: Die Welt, 22.03.1950); 2001: Pioniere der Radartechnik (WEINREICH, G. [5]).

Wortfamilie (im Wesentlichen nach [1])

1 Zusammensetzungen mit *Radar-* als Bestimmungswort: *Georadarbild, Multiradardatenverarbeitung, Radaranlage, ~antenne, ~antwortbake, ~astronomie, ~bake, ~bilddarstellung, ~bug, ~charakteristik, ~datenverarbeitung, ~dienst, ~falle, ~frequenz, ~funknetz, ~gerät, ~geräteparameter, ~gleichung, ~halbwertsbreite, ~höhenmesser, ~horizont, ~kontrolle, ~landegerät, ~meteorologie, ~nase, ~netz, ~parameter, ~peilung, ~reflektor, ~schaltungstechnik, ~schirm, ~signalverarbeitung, ~simulator, ~station, ~strahlen, ~suchkopf, ~system, ~technik, ~techniker, ~wagen, ~welle, ~zeichen, ~ziel;*

2 Zusammensetzungen mit *-radar* als Grundwort: *Bodenaufklärungsradar, Boden~, Dauerstrich~, Doppler~, Feuerleit~, Hinderniswarn~, Höhenmess~, Lenk~, Luftfahrzeug~, Multifunktions~, Präzisionsanflug~, Primär~, Pulsdoppler~, Puls~, Raumfahrzeug~, Rundsuch~, Schiffs~, Seitensicht~, Sekundärflugsicherungs~, Sekundär~, Suchradar, Überwachungs~, Verfolgungs~, Voraussicht~, Wetter~.*

Fremdsprachige Entsprechungen Sprachen mit lateinischer Schrift: (En) *radar* (1942, nach SAVORY-1953, S. 77); (Fr) *radar* (1943, ROBERT-1994); weitere Sprachen: *radar;* mit anderer Schrift: (Ru) радар /radar/; (Ja) /rēdā/.

Literatur [1] Empfehlung NTG/DGON 1801:1981: Radartechnik; Begriffe. In: DIETRICH/ENDRES-1986, S. 417–436; [2] NIEHAUS, W.: Die Radarschlacht. 1939–1945. Stuttgart: Motorbuch, 1977. 246 S., hier S. 159; [3] MATHEWS-1951, S. 1347; [4] DÜRRWANG-1947, S. 209; [5] WEINREICH, Gerhard: Pioniere der Radartechnik. In: Post- u. Telekommunikationsgeschichte, (2001) Nr. 1, S. 102–110.

Radio wireless set, radio set

Worterklärung Kurzform für *Radioapparat, Radio(empfangs)gerät* und *Radioempfänger* oder auch *Radiosender*. Vgl. ↑Radio-.

Wortgeschichte Mit der öffentlichen Einführung des ↑Rundfunks in Deutschland am 29. Oktober 1923 durch die Rundfunkgesellschaft „Funkstunde AG" in Berlin wird in der Bevölkerung das Interesse für dieses neue Medium geweckt. Andere Städte folgen, so z.B. „Radio Frankfurt" ab 1. April 1924.

Wortbenutzung

1 »Radiogerät«: „das R. [adiogerät] andrehen (umg[angssprachlich]), ausdrehen (umg), einschalten, abstellen, ausschalten; das R. leiser, lauter, auf Zimmerlautstärke stellen; unser R. ist kaputt (umg), muß repariert werden." [1]

2 »Radiosender, -programm«: „hier ist R.[adio] DDR mit seinem ersten Programm; hier ist, spricht R. Budapest; R. Moskau sendet Nachrichten in deutscher Sprache; das

R. bringt ein Hörspiel; das Konzert wird im R. übertragen; im R. gibt es, ist heute ein Sinfoniekonzert; ich habe gestern im R. gehört, daß ...; ich habe gestern R. gehört." [1]
Wortfamilie (Alltagssprache [2]) *Radaukasten, Radaukiste, Radioritis* »pausenlose Begleitung mit Rundfunkmusik«, *Radiot* »leidenschaftlicher Rundfunkhörer« (aus *Radio* + *Idiot*), *Radiotis* = *Radioritis.*
Fremdsprachige Entsprechungen (En) *wireless* (GB), *radio* (US); (Es) *radiofóno, radio;* (Fr) *radio, poste de radio;* (It) *apparecchio radio, stazione radiofonica;* (Ru) **радио** /*radio*/; (Pl) *radio;* (hebr.) /*'radjo*/; (Zh) /*shōu-yĭn-jī*/; (Ja) /*rajio*/.
Literatur [1] AGRICOLA, Erhard: Wörter und Wendungen; Wörterbuch zum deutschen Sprachgebrauch. Leipzig: Bibliograph. Inst., 1962. 792 S., hier S. 463; [2] KÜPPER, Heinz: dtv-Wörterbuch der deutschen Alltagssprache. München: dtv, 1971. 484 S. (dtv-Bd. 3034/3035), hier S. 469.

Radio-

radio-

Worterklärung Wortbildungsvorsilbe (Präfixoid) zum Kennzeichnen von Einrichtungen, Geräten und Verfahren, bei denen strahlende Energie oder elektromagnetische Wellen eine große Rolle spielen.
Wortgeschichte Das Wort selbst geht auf (La) *radius* ›Stab, Radspeiche, Strahl‹ zurück. Als Vorsilbe wurde es 1879 vom englischen Privatgelehrten William CROOKES für *Radiometer* eingeführt, eine „Lichtmühle" zur Demonstration der kinetischen Gastheorie in einer stark evakuierten ↑Röhre, als er in einem Vortrag vom ↑*vierten Aggregatzustand* sprach. [1] Ein Gerät zur Schallerzeugung durch Strahlung beliebiger Art erhielt 1880 von E. MERCADIER den Namen *radiophone.* [2] Die nächste Wortprägung ist (Fr) *radioconducteur* ›Radioleiter‹ von 1897 durch den französischen Physiker Édouard BRANLY* für ein Metallsplitter enthaltendes Glasröhrchen zum Einsatz in der drahtlosen Telegraphie, wo es unter der Benennung (En) *coherer* (↑Kohärer) gute Dienste leistete. [3] Im September 1902 benutzte die amerikanische Zeitschrift „Nature" das Adjektiv (En) *radiotelegraphic* ›radiotelegraphisch‹, dagegen das Substantiv (En) *radiotelegraph* erst am 23. April 1903. (En) *radiotelegram* kam 1902 durch die Zeitschrift „Scientific American Supplement" (15. Nov.) auf. Die in 1903 Berlin veranstaltete „International Conference on Wireless Telegraphy" änderte 1906 ihren Namen in „International Radiotelegraphic Conference of Berlin of 1906". [2] Dort wurde auf deutschen Vorschlag das Seenotzeichen ↑*SOS* international eingeführt und das Wort ~ wurde zur Kennzeichnung von drahtlosen ↑Telegrammen angenommen. [4] Das war der Beginn des Wechsels von der Vorsilbe zum Einzelwort: ↑*Radio.*
Wortbenutzung 1924: Die Nähe einer Sendestation [...] rückt den Radioempfang aus dem Stadium des technischen Experimentierens heraus und läßt den einfachen [...] Radioapparat in den Händen des Laienpublikums zu einem Instrument werden, womit es sich musikalische Genüsse von bedeutender Qualität verschaffen kann (GÜNTHER/FUCHS [5]); 1928: Statt der beiden [...] Stimmgabeln lassen wir nun 2 Radiosendestationen elektromagnetische Wellen aussenden (SCHÜRHOLZ/SPRENGER [6]); 1947: Der einfachste Radioempfänger verwendet einen Bleikranzkristalldetektor [...] als Schaltelement mit nichtlinearer Charakteristik (DÜRRWANG-1947, S. 153).

Wortfamilie *Radioamateur, ~anlage, ~antenne, ~apparat, ~astronomie, ~bake, ~ballonsonde, ~bastler, ~bordpeiler, ~durchsage, ~echo, ~elektrisch, ~empfänger, ~fachmann, ~frequenz, ~frequenzstrahlung, ~gerät, ~goniometer, ~goniometrie, ~grammophon, ~hörer, ~horizont, ~kanal, ~kompass, ~lokalisierung, ~meldung, ~musik, ~navigation, ~peilgerät, ~peilung, ~phonie, ~programm, ~prüfer, ~quelle, ~recorder, ~relaisstelle, ~röhre, ~sender, ~sendestation, ~sendung, ~sextant, ~skalenlampe, ~sonde, ~sprecher, ~sprecherin, ~station, ~störung, ~technik, ~techniker, ~telephon, ~telephonie, ~telegraphie, ~teleskop, ~theodolit, ~übertragung, ~verbindung, ~wecker, ~welle, ~zeit.*
Verdeutschung: ↑*Funk-*, ↑*Rundfunk.*
Fremdsprachige Entsprechungen Sprachen mit lateinischer Schrift: *radio-*; mit anderer Schrift: (Ru) радио */radio-/*; (Ja) */rajio/*.
Literatur [1] FÖLSING-2002, S. 132–134, 358; [2] HAMBURGER, Ferdinand: Radio. In: Proc. Inst. Radio Eng. (IRE), Bd. 49 (1961) S. 1373; [3] DRUBBA-1962, S. 1995–1996; [4] MATHEWS-1951, S. 1348; [5] GÜNTHER, Hanns/FUCHS, Franz: Der praktische Radioamateur. 12.–15. Aufl., Stuttgart: Franckh, 1924. 419 S., hier S. 110; [6] SCHÜRHOLZ/SPRENGER: Elektrische Schwingungen und Radiotechnik. Langensalza: Belz, 1928. 112 S., hier S. 109.

Radioaktivität radioactivity

Worterklärung Nach heutiger Auffassung spontane Umwandlung von natürlichen und künstlichen Atomkernen. [1]
Wortgeschichte
1 Der Experimentalphysiker und Physikhistoriker W. GERLACH* beschreibt den Bedeutungswandel wie folgt:

„Eine falsche Vorstellung von einem neuentdeckten, unverstehbaren Phänomen hatte zur Entdeckung einer noch geheimnisvolleren Erscheinung geführt: den X-Strahlen irgendwie ähnliche Strahlen werden von chemischen Elementen unserer Erde spontan, ohne ersichtliche Ursache (physikalisch formuliert: ohne ein erkennbares Energieäquivalent) emittiert. Um den Energiesatz zu retten, griff man in anderer Weise auf die Fluoreszenz zurück: Genau so wie ultraviolettes, also unsichtbares Licht viele Substanzen zur Fluoreszenz in sichtbarer Strahlung erregt, so sollte eine unbekannte kosmische Strahlung gewisse Elemente wie Uran, Radium, Polonium, Thor zur Aussendung der noch unbekannten X-Strahlung aktivieren: *La radioactivité* taufte Madam CURIE* deshalb diese Erscheinung." [2]

2 Die Tochter Eve CURIE (Jahrgang 1904) schreibt in der Biographie ihrer Mutter:

„Er [Henri BECQUEREL] hatte das Phänomen entdeckt, dem Marie CURIE später die Benennung *Radioaktivität* geben sollte. […] Die junge Frau hatte richtig gesehen: das Phänomen ist keineswegs bloß dem Uran eigentümlich und es wird notwendig, ihm eine unterscheidende Bezeichnung zu geben. Marie CURIE schlägt den Namen der *Radioaktivität* vor. Stoffe, die wie das Uran und das Thorium diese besondere Strahlung besitzen, werden *radioaktive* Elemente genannt werden." [3]

Wortbenutzung 1900: Die neuen radioaktiven Substanzen und ihre Strahlung (CURIE [4]); 1903: Über die induzierte Radioaktivität und über die Radiumemanation (CURIE, Pierre [5]).
Wortfamilie (hinsichtlich der Vorsilbe *Radio-*) *Radiobiologie, ~chemie, ~element, ~gramm, ~graphie, ~jodtest, ~loge, ~logie, ~logisch, ~meter, ~therapie.*

Fremdsprachige Entsprechungen (En) *radioactivity;* (Es) *radi(o)actividad;* (It) *radioattività;* (Ru) радиоактивность /*radioaktivnost'*/; (Pl) *radioaktiwnošč.*
Siehe auch ↑Polonium, ↑Radium, ↑Uranstrahlen.
Literatur [1] GERLACH-1962, S. 37; [2] GERLACH-1970, S. 46; [3] CURIE-1938, S. 159 u. 162; [4] CURIE, Marie und Pierre, zit. nach CURIE-1938, S. 204; [5] Zit. nach CURIE-1938, S. 205.

Radium

radium

Worterklärung Radioaktives Element (↑Radioaktivität). Chemisches Symbol: Ra. Ordnungszahl Z = 88. ↑Isotope ^{213}Ra bis ^{230}Ra mit ↑Halbwertszeiten von 25 ms (^{220}Po) bis 1622 Jahren (^{226}Ra). Schmelzpunkt etwa 700 °C. [1]
Wortgeschichte In einer von Pierre und Marie CURIE* sowie G. BÉMONT verfassten Mitteilung an die Akademie der Wissenschaften, die in den „Comptes rendus" (Berichten) der Sitzung vom 26. Dez. 1898 veröffentlicht wurden, heißt es:

„Die verschiedenen Gründe, die wir eben aufgezählt haben, veranlassen uns, zu glauben, daß die neue radioaktive Substanz ein neues Element enthält, dem wir den Namen *RADIUM* geben wollen. Die neue radioaktive Substanz enthält bestimmt einen sehr starken Anteil Baryum: trotzdem ist die Radioaktivität erheblich. die Radioaktivität des Radiums muß also ungeheuer sein." [2]

Fremdsprachige Entsprechungen (En) *radium;* (Es)(It) *radio;* (Fr) *radium* (1898, ROBERT-1994); (Ru) радий /*radij*/; (Pl) *rad;* (Ja) /*rajiumu*/.
Literatur [1] ÜHLEIN-1969, S. 731; [2] CURIE-1938, S. 172.

Reaktanz

reactance

Worterklärung Physikalische Größe (↑Wechselstromgrößen) als Quotient der Blindleistung zum Quadrat des Effektivwertes des ↑Stromes in einem Wechselstromkreis. Formelzeichen: ↑*X*; SI-Einheit: ↑Ohm; Einheitenzeichen: ↑Ω. Alternativbenennung zu *Blindwiderstand* (↑Blind-). Imaginärteil des komplexen ↑Widerstands oder der komplexen ↑Impedanz.
Wortgeschichte Laut W. JACKSON verzichtete der englische Netzwerktheoretiker Oliver HEAVISIDE* auf seine Wortwahl *hindrance* und benutzte nur noch (En) *reactance,* die er in einer ungenannten französischen Quelle gefunden hatte. Er schreibt in seinem Beitrag im HEAVISIDE Centenary Volume" hierzu:

„[...] and after much searching for a suitable term to describe what is now called (*inductive*) *reactance,* [HEAVISIDE] took over this word from an unstated French source in place of his own ‚magnetic hindrance' and J.A. FLEMING's ‚inductive resistance'". [1]

HEAVISIDE selbst äußert sich 1893 zu ~ wie folgt:

„The term *‚reactance'* was lately proposed in France, and seems to me to be a practical word. It may be generalised to signify the value of Ln [$= 2\pi f L$], positive or negative, of any combination of coils and condensers, L being then the effective inductance. When L and the reactance are positive, the magnetic side prevails and the current lags; and when it is negative, the electric side prevails and the current leads." [2]

Im folgenden Jahr beschloss das American Institute of Electrical Engineers (AIEE, jetzt: IEEE) die Einführung von (En) *reactance* »wattloser Widerstand« und (En) *inductance* »Selbstinduktionskoeffizient«. [3]

Wortbenutzung 1897: The capacity reactance is inversely proportional to the frequency, and represents the leading out-of-phase wave (STEINMETZ-1897, S. 5); 1900: Die Kapazitätsreaktanz ist umgekehrt proportional der Frequenz und erzeugt eine phasenverfrühte Stromwelle (STEINMETZ-1900, S. 6); 1902: Vgl. Beleg unter ↑Induktanz; 1904: [...] wenn man mit R_r den *scheinbaren Widerstand* (Reaktanz) bezeichnet (LINDERS-1904, S. 245); 1922: Reaktanz s[iehe] Blindwiderstand, kommt nur im Sachverzeichnis vor (THOMÄLEN-1922, S. 391); 1944: Der Resistanzkreis und der Reaktanzkreis können zu jedem gegebenen Widerstand *R* ohne weiteres gezeichnet werden (WALLOT-1944, S. 89); 1970: Bei einem übrtragungssymmetrischen Reaktanzvierpol ist also das reelle Reflexionsdämpfungsmaß an beiden Toren gleich (KLEIN-1970, S. 134).

Wortfamilie

1 Zusammensetzungen mit *Reaktanz-* als Bestimmungswort: *Reaktanzabfall, ~faktor, ~kreis, ~leitung, ~mehrtor, ~messleitung, ~modulation, ~modulator, ~modulatorröhre, ~relais, ~relaisglied, ~röhre, ~röhrenkreis, ~schutz, ~spannung, ~spule, ~theorem, ~transduktor, ~transformator, ~verstärker; ~vierpol, ~zweipol;*

2 Zusammensetzungen mit *-reaktanz* als Grundwort: *Anfangsreaktanz, Asynchron~, Gegen~, Erdschluss~, Invers~, Kapazitäts~, Kurzschluss~, Längs~, Mit~, Netz~, Null~, Pendel~, Potier~, Quer~, Sättigungs~, Stoß~, Streu~, Subtransient-Längs~, Subtransient-Quer~, Synchron~, Synchron-Längs~, Synchron-Quer~, Transient-Längs~, Transient-Quer~, Übergangs~, Zusatz~.*

Fremdsprachige Entsprechungen (En) *reactance;* (Nl) *reactantie;* (Sv) *reaktans;* (Es) *reactancia;* (Fr) *réactance* (1894, ROBERT-1994); (It) *reattanza;* (Ru) реактивное сопротивление */reaktivnoe soprotivlenie/;* (Pl) *reaktancja;* (Cs) *reaktance;* (Ja) */riakutansu/.*

Siehe auch ↑imaginär, ↑i, ↑j, ↑Induktanz, ↑Kondensanz.

Literatur [1] JACKSON, Willis: An appreciation of HEAVISIDE's contribution to electromagnetic theory. In: HEAVISIDE-1950, S. 53–69, hier S. 65; [2] HEAVISIDE-1951, § 217, S. 111; [3] J.H.W., in: etz Bd. 15 (1894) S. 435–436, hier S. 436;

Rechne, die

computer

Worterklärung Verdeutschende Ersatzbenennung für *Computer.*

Wortgeschichte Der Informatiker Karl STEINBUCH* nahm 1968 zu *Rechner* Stellung und brachte dabei *Rechne* ins Gespräch:

„Das Wort ‚Rechner' sollte für den rechnenden Menschen reserviert bleiben, und die an sich vertretbare Wortschöpfung ‚Rechne' dürfte sich kaum durchsetzen." [1]

Literatur [1] STEINBUCH-1968, S. 151.

Reibfeuerkraft

electricity

Worterklärung Verdeutschende Ersatzbenennung für ↑*Elektrizität.*

Wortgeschichte In der 5. Auflage seines „Allgemeinen Fremdwörterbuchs [...]" stellte 1829 der Sprachforscher Joh. Chr. Aug. HEYSE* die Ersatzbenennungen in alphabetischer Reihenfolge dar: ↑*Bernsteinkraft,* ↑*Blitzfeuerkraft,* ~ und ↑*Zitterkraft.* Aus ~ bildete er folgende Ableitungen:

Reibfeuer erregen oder *mittheilen* elektrisieren • *Reibfeuererreger* Elektromotor • *reibfeuerkräftig* elektrisch • *Reibfeuermesser* Elektrometer • *Reibfeuerträger* Elektrophor • *Reibfeuerzeug* Elektrisiermaschine.
Literatur ↑Bernsteinkraft.

Reihenschaltung

series connection

Worterklärung Verbund von Stromverbrauchern, z.B. Glühlampen, derart, dass der vom Stromerzeuger kommende ↑Strom zuerst durch die erste Glühlampe hindurchfließt, dann durch die zweite, die dritte usw. Hinter der letzten Glühlampe fließt der Strom zum Stromerzeuger zurück. Als ↑Fachwendung: *in Reihe schalten*.
Wortgeschichte Bereits 1891 spricht Michael v. Dolivo-Dobrowolsky* davon, „dass stets ein Strom hintereinander […] geschaltet werden kann.“ [1]
Fremdsprachige Entsprechungen (En) *series connection*; (Fr) *montage en série*.
Siehe auch ↑Parallelschaltung, ↑Reihung.
Literatur [1] In: etz Bd. 12 (1891) S. 151.

Reihung

series connection

Worterklärung Ersatzbenennung für *Hintereinanderschaltung*, ↑*Reihenschaltung* oder *Serienschaltung*.
Wortgeschichte In seinem Bemühen, die Fachsprache der ↑Elektrotechnik von Schwerfälligkeiten zu befreien, greift 1933 Karl Ammon* die von Rudolf Franke* in seinen Vorlesungen an der TH Berlin-Charlottenburg benutzte Ausdrucksweise *Reihung* und *reihen* auf, die die siebensilbige *Hin-ter-ein-an-der-schal-tung* oder schon kürzere *Serienschaltung* oder gar *Reihenschaltung* ersetzt. Beispiel: *gereihte Glühlampen*. [1]
Literatur [1] Ammon-1933, Spalte 10.

Relais

relay

Worterklärung Im Sinne des Vorschriftenwerks des ↑VDE ist ~:

„Bauelement oder Einrichtung zur Erzeugung plötzlicher vorbestimmter Änderungen in einem oder mehreren elektrischen Ausgangskreisen, wenn bestimmte Voraussetzungen in den elektrischen Erregungskreisen erfüllt sind.“ [1]

Wortgeschichte

1 In der Anfangszeit der drahtgebundenen Telegraphie kam es oft vor, dass bei langen Leitungen der elektrische ↑Strom nicht mehr stark genug war, um den ↑Telegraphen in Bewegung zu setzen. So wurde an dieser Stelle ein besonders empfindlich konstruierter Elektromagnet mit leichtem Anker und Metallhebel – ein Relais – eingesetzt. Das ~ hat den Zweck, durch Bewegung seines Ankerhebels einen zweiten Stromkreis, den Ortsstromkreis zu schließen oder zu öffnen und die in diesem Stromkreis befindlichen Apparate zum Ansprechen zu bringen.
2 Laut E. Hoppe wurde das ~ 1839 vom englischen Experimentalphysiker Charles Wheatstone* erfunden und vermutlich auch von ihm so benannt. [2] Das Wort ~ ((Fr) *relais*, (En) *relay*) bedeutete ursprünglich den »Pferdewechsel zur schnelleren Weiterbeförderung von Reisenden«. Es geht auf das (La) *se relaxare* ›sich erholen‹ zurück.

3 Im Jahre 1916 schlug der Elektrotechnische Verein* zu Berlin „auf Anregung aus Heereskreisen“ vor, das Fremdwort ~, sofern es als Schalter wirkt, durch ↑*Schütz* zu ersetzen. Eingebürgert hat sich *Schütz* jedoch nur für energietechnische Anwendungen. Dagegen wurde ~ in Anwendungen der Mess- und Schutztechnik beibehalten.
Wortbenutzung 1943: Die beiden Relais sind im Hilfsstromkreis parallel geschaltet (KOSACK-1943, S. 302); 1989: Dauerbetrieb: Betriebsweise, bei der das Relais mindestens so lange erregt ist, bis es das thermische Gleichgewicht erreicht. (VDE [1] Nr. 1.16).
Wortfamilie
1 Zusammensetzungen mit *Relais-* als Bestimmungswort: *Relaisabfall, ~abschluss, ~anker, ~anlauf, ~anrufsucher, ~anschluss, ~antrieb, ~anzug, ~bucht, ~deckel, ~gehäuse, ~gestell, ~kern, ~kontakt, ~magnet, ~platte, ~röhre, ~satz, ~schaltung, ~sender, ~spule, ~station, ~steuerung, ~stromkreis, ~unterbrecher, ~wähler, ~wandler, ~wicklung;*
2 Zusammensetzungen mit *-relais* als Grundwort: *Ausschaltwisch~, Blink~, Differenzial~, Einschaltwisch~, Ein- und Ausschaltwisch~, Frequenz~, Hybrid~, Impedanz~, Impuls~, Leistungs~, Mess~, Nebenschluss~, Phasenvergleichs~, Primär~, Prozent~, Reaktanz~, Richtungs~, Schalt~, Schutz~, Sekundär~, Spannungs~, Strom~, Überdruck~, Überlast~, Überwachungs~, Unterdruck~, Wisch~, Zeit~.*
Fremdsprachige Entsprechungen Ⓔⓝ *relay;* Ⓝⓛ *relais;* Ⓢⓥ *relä;* Ⓔⓢ *relé;* Ⓕⓡ *relais* (1860, ROBERT-1994); Ⓘⓣ *relè;* Ⓡⓤ реле /*rele*/; Ⓟⓛ *przekaźnik;* Ⓒⓢ *relé;* Ⓙⓐ /*rirē*/.
Literatur [1] DIN VDE 0435 Teil 110 „Elektrische Relais; Begriffe“ (Apr. 1989), 34 S.; [2] HOPPE-1884, S. 590.

Rheo- rheo-

Vor der angesehenen Royal Society hielt am 15. Juni 1843 in London der englische Experimentalphysiker Charles WHEATSTONE* ein „Bakerian Lecture“ über neue Instrumente und Verfahren zur Bestimmung der Konstanten eines Stromkreises. Der § 3 seines gedruckten Vortrages ist allein der Einführung und Begründung neuer Fachausdrücke vorbehalten, die er zur eindeutigen Beschreibung seiner Erkenntnisse für notwendig hält. Die ersten Sätze lauten:

„§ 3. It is seldom that any real advance is made in a scientific theory without a corresponding change in its terminology being required. Now that it is proved beyond doubt that the various sources of continued electric action differ from each other only in the amount of their electromotive forces, modified by the resistance of the circuit of which they form part, it becomes of importance, in order to give precision to our statements and to avoid circumlocutions otherwise inevitable, to adopt general terms to express the source of a current without reference to the peculiar mode of its production.“ [1]

Unter Berufung auf die Vorbilder *rhéomètre* und *rhéophore* der französischen Physiker E. PÉCLET* bzw. André AMPÈRE* bildete er ein System von Benennungen mit der Vorsilbe (Prefixoid) *rheo-* nach Ⓖⓡ ῥεῖν /*rhein*/›fließen‹: *rheomotor, rheoscop, rheostat, rheotom* und *rheotrop*, die nachstehend unter einem eigenen Stichwort vorgestellt werden. Das gilt nicht für ↑*Rheochord*.
Siehe auch ↑Rheometer, ↑Rheomotor, ↑Rheophor, ↑Rheoskop, ↑Rheostat, ↑Rheotom, ↑Rheotrop.
Literatur [1] WHEATSTONE-1843, S. 306.

Rheochord rheochord

Worterklärung Ehemals benutzt für *Widerstandssteller*.

Wortgeschichte Gerät und Wort ~ stammen vom deutschen Physiker Johann Christian POGGENDORF*, der 1841 das Wort nach (Gr) ῥεῖν /rhein/ ›fließen‹ und (La) *chorda* ›Darmsaite, Strick‹ prägte. Der Konstruktion nach erinnert das ~ an das Monochord der Akustik. Zwei parallel gespannte Platindrähte sind durch einen verschiebbaren Schlitten elektrisch leitend so verbunden, dass man einen Strom durch eine größere oder kleinere Drahtlänge vom Anfang des einen zum Anfang des anderen Drahtes leiten kann. Das Gerät dient zur genauen Vergleichung kleiner ↑Widerstände. [1]

Wortbenutzung 1883: Für kleinere einzuschaltende Widerstände dient der in Fig. 43 abgebildete *Rheostat* oder *Rheochord* von Poggendorff (GRAETZ [2]); 1895: Rheochord oder Widerstandsbank von Poggendorff (1841) [für feinere Widerstandsmessungen] (BROCKHAUS, 14. Aufl., Bd. 13, S. 830).

Literatur [1] SCHMIDT, A., in: LUEGER-1904, Bd. 7, S. 420; [2] GRAETZ, L.: Die Elektricität und ihre Anwendungen [...] Stuttgart: Engelhorn, 1883. 348 S., hier S. 63.

Rheometer rheometer

Worterklärung Ehemals benutzt für *Strommesser*.

Wortgeschichte

1 Der Begriff »~« wurde 1837 als (Fr) *rhéomètre* vom französischen Physiker Eugène PÉCLET* nach (Gr) ῥεῖν /rhein/›fließen‹ und (Gr) μέτρον /métron/ ›Maß‹ geprägt und in seinem Lehrbuch „Traité élémentaire de Physique" [1] wie folgt begründet:

„Die Instrumente, über die wir sprechen, werden allgemein mit dem Namen *Galvanometer* bezeichnet. Diese ungeeignete Benennung hat den Nachteil, an den Namen von GALVANI hinsichtlich der Erscheinungen zu erinnern, die ihn zu deren Entdeckung führten. Der einzige für diese Instrumente angemessene Name ist der von *Rheometern*, Strommesser: und diesen werden wir von jetzt an verwenden." [2]

2 Begriff und Benennung ~ übernahm 1843 der englische Experimentalphysiker Charles WHEATSTONE* in sein System (↑*Rheo-*), da sie von französischen Physikautoren allgemein angenommen worden waren. Die Begründung zurÜbernahme lautet:

„The want of a general term to designate an instrument to measure the force of an electric current without reference to its particular construction has been long felt. I shall use the word *Rheometer* for this purpose, continuing occasionally to employ *galvanometer*, *voltameter*, &c. to distinguish the particular instruments to which these names have been applied [...]". [3]

Wortbenutzung 1895: Rheometer (grch), Strommesser, soviel wie Galvanometer [...] (BROCKHAUS, 14. Aufl., Bd. 13, S. 829); 1922: Selten angewandte Bezeichnung für Galvanometer (HEBER-1922, S. 552); 1954: Rheometer, das: veraltet für: Apparat zur Messung der Stärke elektrischer Ströme; auch: Geschwindigkeitsmesser für Wasserströmung (griech) (BECKER-1954, S. 550).

Fremdsprachige Entsprechungen (En) *rheometer*; (Fr) *rhéomètre*; (It) *reometro*.

Literatur [1] 3. Aufl., Brüssel 1837, Bd. 2, S. 139–140; [2] übersetzt nach dem italienischen Zitat in: GLIOZZI-1947, S. 54; [3] WHEATSTONE-1843, S. 307.

Rheomotor rheomotor

Worterklärung Ehemals benutzt für *Stromerzeuger*.

Wortgeschichte Das Wort ~ wurde 1843 vom englischen Experimentalphysiker Charles WHEATSTONE* für sein Benennungssystem (↑*Rheo-*) nach Ⓖⓡ ῥεῖν /*rhein*/ ›fließen‹ und Ⓛⓐ *movere* ›bewegen, erregen‹ geprägt. Er äußert sich dazu:

„I shall therefore employ the word *Rheomotor* to denote any apparatus which originates an electric current, whether it be a voltaic element or a voltaic battery, a thermo-electric element or a thermo-electric battery, or any other source whatever of an electric current; when speaking of a single element I shall term it a *rheomotive element*, and what is usually called a voltaic or thermo-electric pile or battery I shall term a *rheomotive series*." [1]

Wortbenutzung 1881: Jede Vorrichtung, mittels deren man einen fortdauernden elektrischen Strom erzeugen kann, wird ein *Rheomotor* (Stromerzeuger) genannt (S. 405); Der eine Poldraht des Rheomotors, etwa der positive, wird in das Messingsäulchen *a*, der andere in *f* eingeschraubt (MÜLLER-1881, S. 455); 1895: Rheomotor (grch.-lat.), Stromerzeuger oder Stromerreger, jede Quelle eines elektrischen Stroms, z.B. die galvanischen Elemente, die Dynamomaschinen, die Thermoelemente (BROCKHAUS, 14. Aufl., Bd. 13, S. 829–830); 1922: Selten angewandte Bezeichnung für Stromerzeuger oder Stromerreger, wie z.B. galvanische Elemente, Thermoelemente, Dynamomaschinen (HEBER-1922, S. 552).

Literatur [1] WHEATSTONE-1843, S. 306–307.

Rheophor rheophore

Worterklärung Ehemals benutzt für *Stromleiter* oder *Stromträger*.

Wortgeschichte Der Begriff »~« wurde (vermutlich 1823) als Ⓕⓡ *rhéophore* vom französischen Physiker AMPÈRE* nach Ⓖⓡ ῥεῖν /*rhein*/ ›fließen‹ und Ⓖⓡ /*phor*/ ›tragen‹ geprägt. Sein englischer Kollege Charles WHEATSTONE* (↑*Rheo-*) beschreibt 1843 das so:

„The word *Rheophore* was employed by AMPÈRE to designate the connecting wire of a voltaic apparatus, as being the carrier or transmitter of the current." [1]

Wortbenutzung 1841: The method of obtaining the constants of a rheophoric circuit [...] (WHEATSTONE [1]), 1922: Selten angewandte Bezeichnung für die in der Elektrotherapie und Elektrodiagnostik gebräuchlichen Elektroden (HEBER-1922, S. 552).

Fremdsprachige Entsprechungen Ⓔⓝ *rheophore*; Ⓕⓡ *rhéophore*; Ⓘⓣ *reoforo*.

Literatur [1] WHEATSTONE-1843, S. 307.

Rheoskop rheoscope

Worterklärung Ehemals benutzt für *Stromanzeiger*.

Wortgeschichte Das Wort ~ wurde 1843 vom englischen Teleprapheningenieur Charles WHEATSTONE* für sein Benennungssystem (↑*Rheo-*) nach Ⓖⓡ ῥεῖν /*rhein*/ ›fließen‹ und Ⓖⓡ σκοπεῖν /*skopein*/ ›beobachten‹ geprägt. Er äußert sich dazu:

„A *Rheoscope* is an instrument for ascertaining merely the existence of an electric current." [1]

Wortbenutzung 1922: Selten gebräuchliche Bezeichnung für Galvanoskop (HEBER-1922, S. 552); 1954: Rheoskop, das, [...]: veraltet für elektr. Stromanzeiger (BECKER-1954, S. 550).

Literatur [1] WHEATSTONE-1843, S. 307.

Rheostat

rheostat

Worterklärung Ehemals benutzt für *Widerstandssteller.*

Wortgeschichte Das Wort ~ wurde 1843 vom englischen Experimentalphysiker Charles WHEATSTONE* für sein Benennungssystem (↑*Rheo-*) nach Ⓖⓡ ῥεῖν /*rhein*/ ›fließen‹ und Ⓖⓡ στάσις /*stásis*/ ›Stellung, Stand‹, eigentlich *Stromsteller*, geprägt. Er äußert sich dazu:

„As the principal use of this instrument is to adjust or regulate the circuit so that any constant degree of force [of an electric current] may be obtained, I have called it a *Rheostat.*" [1]

Wortbenutzung 1845: Stellte ich nun den Rheostaten so, dass durch den Multiplicator kein Strom ging, so musste, wie ich gleich beweisen will [...] (KIRCHHOFF [2]); 1895: Rheostaten (grch), Widerstandssäulen oder Stromregulatoren. [...] Dies geschieht beim R. nach Jakobi (1841) und Wheatstone (1843) mittels isolierender Schraubenzylinder, an denen sich [...] der Widerstand[...] leicht kontinuierlich verändern läßt. (BROCKHAUS, 14. Aufl., Bd. 13, S. 830); 1922: Häufig angewandte Bezeichnung für Widerstand. Bei einem *Stöpsel-Rheostaten* werden die einzelnen Widerstände durch Herausziehen oder Stecken der Stöpsel ein- und ausgeschaltet. [...] (HEBER-1922, S. 552); 1954: Rheostat, der [...]: mit Kurbel- oder Stöpselkontakten versehener, veränderlicher elektr. Widerstand (griech). (BECKER-1954, S. 550).

Wortfamilie

1 Zusammensetzungen mit *Rheostat-* als Bestimmungswort: *Rheostattaster;*

2 Zusammensetzungen mit *-rheostat* als Grundwort: *Dekadenrheostat, Doppelkurbel~, Flüssigkeits~, Kurbel~, Mess~, Präzisions~, Präzisionskurbel~, Schiebe-~, Stöpsel~, Vergleichs~, Verzweigungs~;*

3 Wortableitung: *rheostatisch.*

Fremdsprachige Entsprechungen Ⓔⓝ *rheostat;* Ⓝⓛ *regelweerstand;* Ⓔⓢ *reóstato;* Ⓕⓡ *rhéostat* (1844, ROBERT-1994); Ⓘⓣ *reostato;* Ⓡⓤ peostat /*reostat*/; Ⓒⓢ *odborník, reostat.*

Literatur [1] WHEATSTONE-1843, S. 309; [2] In: Poggendorffs Annal. Bd. 64 (1845), zit. nach KIRCHHOFF-1882, S. 15.

Rheotom

rheotome

Worterklärung Ehemals benutzt für *Stromzerhacker.*

Wortgeschichte Das Wort ~ wurde 1843 vom englischen Experimentalphysiker Charles WHEATSTONE* für sein Benennungssystem (↑*Rheo-*) nach Ⓖⓡ ῥεῖν /*rhein*/›fließen‹ und Ⓖⓡ τομή /*tomē'*/ ›Schnitt‹ geprägt. Er äußert sich dazu:

„By *Rheotome* is meant an instrument which periodically interrupts a current." [1]

Wortbenutzung 1881: Rheotom: [Hinweis im Alphabetischen Inhaltsverzeichnis auf S. 454; dort ist nur] *Unterbrechungsrad* (MÜLLER-1881, S. 710); 1922: Selten angewandte Bezeichnung für einen Stromunterbrecher (HEBER-1922, S. 553).

Literatur [1] WHEATSTONE-1843, S. 307.

Rheotrop

rheotrope

Worterklärung Ehemals benutzt für *Stromwender.*

Wortgeschichte Das Wort ~ wurde 1843 vom englischen Experimentalphysiker Charles WHEATSTONE* für sein Benennungssystem (↑*Rheo-*) nach Ⓖⓡ ῥεῖν /*rhein*/ ›fließen‹ und Ⓖⓡ τροπη /*tropē*/ geprägt, dessen Wurzel τρέπειν /*trépein*/ ›wenden‹ ist.

WHEATSTONE äußert sich dazu:
„By *Rheotrope* [is meant] an instrument which alternately inverts it [= a current].“ [1]
Wortbenutzung 1922: Ältere Bezeichnung für Stromwender; Hilfsvorrichtung in der Elektrotherapie, um ein gleichmäßiges Auf- und Abschwellen von galvanischen und faradischen Strömen zu ermöglichen (HEBER-1922, S. 553).
Fremdsprachige Entsprechungen (En) *rheotrope;* (Es) *reótropo;* (Fr) *rhéotrope;* (It) *reotropo;* (Ru) реотроп */reotrop/.*
Literatur [1] WHEATSTONE-1843, S. 307.

Roboter

robot

Worterklärung Maschinenmensch, d.h. der menschlichen Gestalt nachgebildeter ↑Automat, der auf die Ausführung bestimmter Tätigkeiten programmiert ist.
Wortgeschichte Figur im utopistischen Kollektivdrama „R.U.R.“ (Prag 1920) des tschechischen Autors Karel ČAPEK, das 1921 im Prager Nationaltheater uraufgeführt worden ist. Das Drama spielt im Gebäude der nordamerikanischen Firma *R.U.R.* (= Rossum's Universal Robots), die die Welt mit biochemisch hergestellten humanoiden Arbeitskräften beliefert; sie heißen in der tschechischen Fassung *robot* nach (Cs) *robota* ›Fronarbeit, Frondienst, schwere, mühsame Arbeit‹. Für die deutsche Übersetzung des Dramas unter dem Titel „W.U.R. (= Werstands Universal Robots)“ (Prag; Leipzig 1922) bildete O. PICK das Wort *Roboter,* das bald in die Alltagssprache eindrang. [1]
Wortfamilie *roboten, roboterhaft, robotisch.*
Fremdsprachige Entsprechungen (En)(It) *robot;* (Fr) *robot* (1924, ROBERT-1994); (Ru) автомат */avtomat/;* (Cs) *robot;*
Fremdsprachige Wortableitungen [nach ROBERT-1994] *roboticien, -ienne* (1974) »Spezialist der Robotik«/ *robotique* (1975) (En) *robotics* »Robotik, Wissenschaft und Technik der Erstellung von Robotern« / *robotisation; robotiser* (1957) »Einsetzen von Robotern«.
Literatur [1] KINDLERS Neues Literatur-Lexikon, Bd. 6, 1996, S. 608–609.

Röhre

valve (GB), tube (US)

Worterklärung Gasdicht abgeschlossenes Gefäß mit ↑Kathode und ↑Anode und ggf. mit weiteren ↑Elektroden, in dem ↑Elektronen die Stromleitung im Vakuum oder ↑Gas bewirken.
Wortgeschichte Das Wort ~, dem wir heute ständig bei »Elektronenröhren« begegnen, geht auf die GEISSLERsche Röhre zurück, ein gläsernes Gebilde, das der Bonner Glasbläser und Instrumentenbauer Heinrich GEISSLER (1814–1879) hergestellt und mit Hilfe der von ihm erfundenen Quecksilberpumpe evakuiert hatte. Er arbeitete eng mit dem Bonner Physikprofessor Julius PLÜCKER* zusammen, der Gasentladungen untersuchte und interessante Aufträge erteilte. Am 9. Juli 1857 hielt PLÜCKER vor der „Niederrheinischen Gesellschaft für Natur- und Heilkunde zu Bonn“ einen Experimentalvortrag mit GEISSLERschen Röhren und machte so den „Glaskünstler“ einer größeren Öffentlichkeit bekannt. Im Jahre 1868 wurde GEISSLER zum Ehrendoktor der Universität Bonn promoviert. [1]
Mit der nach PLÜCKERS Schüler benannten „HITTORFschen Vacuumröhre“ entdeckte W.C. RÖNTGEN* 1895 die ↑X-Strahlen.

Wortbenutzung 1895: Lässt man durch eine HITTORF'sche Vacuumröhre [...] (RÖNTGEN, ↑Bildschirm); 1904/1910: In den GEISSLERschen Röhren beträgt der Druck meist etwa 2 mm (SCHMIDT, Aug., in: LUEGER, Bd. 4, S. 348–349).

Wortfamilie

1 Zusammensetzungen mit *Röhren-* als Bestimmungswort: *Röhrenausfall, ~bestückung, ~betriebsstrom, ~brummen, ~charakteristik, ~betriebsdaten, ~detektor, ~eigenschaft, ~einschub, ~empfänger, ~fassung, röhrenförmig, ~fuß, ~generator, ~gerät, ~geräusch, ~gestell, ~gleichrichter, ~halter, ~heizfaden, ~heizung, ~innenwiderstand, ~kapazität, ~kappe, ~kennlinie, ~kolben, ~lebensdauer, ~nennleistung, ~oszillator, ~prüfgerät, ~rauschen, ~rauschspannung, ~regler, ~relais, ~satz, ~schaltung, ~schirmgitter, ~sender, ~sockel, ~sockellehre, ~spannungsgleichhalter, ~stabilisator, ~stift, ~stufe, ~summer, ~system, ~verstärker, ~voltmeter, ~wechsel, ~widerstand, ~wirkungsgrad;*

2 Zusammensetzungen mit *-röhre* als Grundwort [2]: *Anzeige~, Bildabtast~, Bildaufnahme~, Bild-Bild-Wandler~, Bild~, Bild-Signal-Wandler~, Bildsonden~, Bildverstärker~, Bildwandler~, Bildwiedergabe~, Bogenentladungs~, Bremsfeld~, Codierungs~, Doppelanoden-Glimm~, Dunkelschrift~, Eidophor~, Einkreis-Trift~, Einstrahl-Flächenspeicher~, Einstrahl-Linienspeicher~, Elektrometer~, Elektronen~, Elektronenstrahl-Wandler~, Elektronenwellen~, Elektronenwellen-Magnetfeld~, Empfänger~, Empfängersperr~, Experimentierröhre, Farbbild~, Flächenspeicher~, Ganzmetall~, Gasentladungs~, Gitterablenk~, Glas~, Glimmanzeige~, Glimmentladungs~, Glimmrelais~, Glimmschalt~, Glimmstabilisator~, Glimmzähl~, Glühkathoden-Gleichricher~, Glühkathoden~, Hochfrequenz-Gasentladungs~, Klein~, Knopf~, Korona-Entladungs~, Ladungsspeicher~, Lauffeld~, Laufzeit~, Lichtsteuer~, Linienspeicher~, Magnetfeld~, Masken~, Matrix~, Mehrgitter~, Mehrkreis-Trift~, Mehrstrahl-Oszillographen~, Misch~, Mittel~, Oszillator~, Oszillographen~, Rausch~, Referenz~, Regel~, Röntgen-Bildverstärker~, Rücksteuer~, Rückwärtswellen~, Rückwärtswellen-Magnetfeld~, Schalt~, Schirmgitter~, Schwarz-Weiß-Bild~, Sende~, Sendersperr~, Sichtspeicher~, Signal-Bild-Wandler~, Signal-Signal-Wandler~, Signalspeicher~, Spannungsgeber~, Speicher~, Sperr~, Stabilisator~, Stahl~, Vakuum~, Vergleichspannungs~, Vorsperr~, ↑Wanderfeld~, Wanderfeld-Magnetfeld~, Wasserkühl~, Zeichenschreib~, Zweistrahl-Flächenspeicher~, Zweistrahl-Linienespeicher~.*

Fremdsprachige Entsprechungen Ⓔⓝ *valve* (GB), *tube* (US); Ⓝⓛ *elektronenbuis;* Ⓔⓢ *válvula, tubo;* Ⓘⓣ *tubo, valvola;* Ⓡⓤ трубка */trubka/;* Ⓟⓛ *lampa;* Ⓒⓢ *elektronka.*

Literatur [1] FÖLSING-2002, S. 131–132; [2] Im Wesentlichen nach den Empfehlungen 0402, 0403 und 0404 der NTG.

röntgen — to X-ray

Worterklärung Verb, entstanden durch Verkürzung der ↑Fachwendungen „*mit* ↑*Röntgenstrahlen behandeln, durchleuchten* oder *untersuchen*".

Wortgeschichte

1 Die mit dem Familiennamen ↑RÖNTGEN* identische Infinitivform ~ wird erstmals 1925 im „Deutschen Wortschatz" von WESSELY-SCHMIDT aufgeführt, die ab der 10. Auflage (1929) auch vom „DUDEN: Rechtschreibung" übernommen wird. Die vorherige 9. Auflage des DUDEN von 1915 enthält dagegen nur die auf *-isieren* endende Form

↑*röntgenisieren*. Von der 12. DUDEN-Auflage (1941/1942) an werden ~ und *röntgenisieren* genannt, wobei die letztgenannte Form den Zusatz „österreichisch" hat. [1]
2 Bei der Flexion (Beugung) von ~ ergeben sich schwierig auszusprechende Konsonantenverbindungen: *du röntgst, er/sie röntgt, er/sie röntgte, hat geröntgt*, auf die schon 1950 D. BERGER [2] hinwies. Anstelle der schriftgemäßen Aussprache haben sich mehrere leichter auszusprechende Varianten entwickelt. Die heute meist verwendete Aussprache unterdrückt das *t* des Verbs und ersetzt das *g* durch den Ichlaut: *du rönchst, er/sie rönchte, er/sie rönchte, hat gerönchte*. Da sich nach Meinung der Sprachberatung der „Gesellschaft für deutsche Sprache (GfdS) e.V." eine vom Schriftbild abweichende Aussprache kritischer Formen in der Sprachgemeinschaft durchgesetzt hat, ist dies zu akzeptieren. [1]
Fremdsprachige Entsprechungen (En) *to X-ray, to radiograph, to take an X-ray of, to make a radiograph of;* (Nl) *röntgenen;* (Es) *examinar con rayos X;* (Fr) *radiographier* (1896, ROBERT-1994); (It) *radiografare;* (Ru) рентгенизировать /*rentgenizirovat'*/; (Pl) *prześwietlać rentgenem, robić rentgena;* (Cs) *rentgenovati.*
Literatur [1] Br [= BREIDBACH, Winfried], in: Sprachdienst, Bd. 47 (2003) S. 106–107; [2] BERGER, D.: Vom Kaiser zum Quisling. In: Muttersprache [o. Bd., Bd. 60] (1950) S. 149–155, hier S. 155.

Röntgen
roentgen

Worterklärung Seit dem Inkrafttreten des Internationalen ↑Einheitensystems (SI) im Jahre1960 und nach Ablauf der EU-einheitlichen Übergangsfrist 31. Dez. 1985 nicht mehr anzuwendende Einheit der *Ionendosis* für ↑Röntgen- und Gammastrahlen. 1 *Röntgen* = 258 Mikrocoulomb/Kilogramm.
Wortgeschichte Die Internationale Röntgen-Strahlungseinheits-Kommission vereinbarte 1928, dass 1 *Röntgen* unter bestimmten Bedingungen als eine Ladung von einer elektrostatischen Einheit gleich 3,3356 × 10^{-10} ↑Coulomb dargestellt wird. Im Jahre 1953 legte die International Commission on Radiological Units (ICRU) fest, dass 1 *Röntgen* die Einheit der Röntgen- oder Gammastrahlung ist, deren gesamte Korpuskularstrahlung je 1,293 Milligramm Luft ↑Ionen in Luft erzeugt, die die Ladung von einer elektrostatischen Einheit jedes Vorzeichens tragen: 1 Röntgen = 258 Mikrocoulomb/kg entspricht 2,0822 × 10^{15} Ionenpaare/m^3. [1] Das ~ wurde durch die gesetzliche abgeleitete ↑SI-Einheit der Ionendosis „Coulomb durch Kilogramm" (Einheitenzeichen C/kg) ersetzt. [2]
Fremdsprachige Entsprechungen (En) *roentgen;* (Nl)(Sv) *röntgen;* (Es)(It) *roentgen;* (Fr) *röntgen, rœntgen* (beide 1921, ROBERT-1994); (Ru) рентген /*rentgen*/; (Pl) *rentgen;* (Cs) *rentgen.*
Zur Person Der Einheitenname ~ wurde zu Ehren des deutschen Physikers Wilhelm Conrad RÖNTGEN (1845–1923) gewählt. Als Professor der Physik an der Universität Würzburg entdeckte er die später nach ihm benannten Strahlen. Danach wirkte er in München und erhielt 1901 den ersten NOBEL-Preis für Physik.
Biographien [3] BOVERI, Margret, in: DGD Bd. 4 (1966) S. 156–165; OTREMBA/GERLACH-1970; KUNRATH, Edith, in: HERMANN-1987, S. 331–333; GLATZ, Peter, in: WUSSING-1992, S. 494–495; LEICHT-1994; JESZENSZKY, Sándor, in: JÄGER-1996, S. 317–318; FÖLSING-2002.
Literatur [1] SACKLOWSKI/DRATH-1986, S. 123; [2] Ebenda, S. 89; [3] WARNER-2003, S. 355.

röntgenisieren
to X-ray

Worterklärung In Österreich übliche Form für ↑*röntgen*. [1]

Wortgeschichte

1 Das von dem Familiennamen ↑RÖNTGEN auf *-isieren* abgeleitete Verb ~ wird 1912 im Rechtschreibwörterbuch von J. WEYDE (Wien 1912) aufgeführt. In den amtlichen österreichischen „Regeln für die deutsche Rechtschreibung nebst Wörterverzeichnis" [2] kommt ~ in den Ausgaben von 1915 bis 1935 vor. Die amtlichen Regeln von 1941 [3] enthalten trotz des Anschlusses Österreichs an das Deutsche Reich weiterhin nur ~. Im Jahre 1951 erschien in der Nachfolge dieser Regeln das „Österreichische Wörterbuch" [2], das bis zu seiner 34. Auflage von 1974 auch nur ~ kannte. Erst ab der 35. Auflage von 1979 wird *röntgen* mit Verweis auf ~ genannt, so auch in der aktuellen 39. Auflage von 2001.
Die Aufnahme des „deutschländischen" *röntgen* ins „Österreichische Wörterbuch" seit 1979 erklärt sich möglicherweise aus der vermehrten Ausstrahlung in Deutschland hergestellter Arztfilme (auch in beliebten Serien) durch das österreichische ↑Fernsehen. Dennoch benutzt die überwiegende Mehrheit der Österreicher gesprächsweise ~.

2 Der in Deutschland erschienene „Duden" enthält 1915 (9. Aufl.) erstmals und allein ~. Dagegen führen die folgenden Auflagen (10. von 1929, 11. von 1934) nur *röntgen* auf. Von der 12. Duden-Auflage (1941/1942) an werden *röntgen* und ~ genannt, wobei ~ den Zusatz „österreichisch" hat. [1]

Fremdsprachige Entsprechungen siehe unter ↑*röntgen*.

Literatur [1] Persönliche Mitteilung zu diesem Stichwort von OStR Prof. Mag. Hermann MÖCKER, Institut für Österreichkunde, Wien; [2] Österreichischer Bundesverlag, Wien; [3] Ostmärkischer Landesverlag, Wien.

Röntgenstrahlen
X rays

Worterklärung Elektromagnetische Wellen sehr kurzer Wellenlänge, die dadurch entstehen, dass die in einer Vakuumröhre (↑Röhre) in der Glühkathode erzeugten ↑Elektronen hochbeschleunigt auf ein Hindernis (↑Anode) prallen. Die wichtigsten Eigenschaften der ~: Sie können Stoffe durchdringen, bestimmte Materialien zur Lichtemission anregen, Gase ionisieren (↑Gas, ↑Ion), Veränderungen am lebenden Gewebe bewirken und photographische Filme schwärzen.

Wortgeschichte

1 Am 8. Nov. 1895 entdeckte der Würzburger Physiker W.C. RÖNTGEN* diese „neue Art von Strahlen", die er ↑*X-Strahlen* nannte. Eine Welle der Begeisterung über diese „sensationelle Entdeckung" ist durch die Wiener Zeitung „Die Presse" vom 5. Jan. 1896 (mit Nachtrag vom 7. Jan.) ausgelöst worden. [1] Eine Woche danach veröffentlichte sein Wiener Kollege Ludwig BOLTZMANN* im Sonntags-Feuilleton (Unter dem Strich) eines anderen Wiener Blattes, „Neue Freie Presse"vom 12. Jan. 1896, einen 3-seitigen Beitrag unter der Überschrift „Röntgen's neue Strahlen", wo er nach einer längeren Einführung Folgendes sagte:

> „Der in der Nähe [der HITTORF'schen Röhre] befindliche fluorescirende Schirm leuchtete nun jedesmal lebhaft auf, sobald die Elektricität durch die HITTORF'sche Röhre ging, [...] RÖNTGEN überzeugte sich, daß diese Strahlen, welche wir wol RÖNTGEN'sche Strahlen nennen dürfen, nicht von der ganzen HITTORF'schen Röhre ausgehen, sondern blos von derjenigen Stelle derselben, wo die Glaswand auf der inneren Seite von den Kathodenstrahlen getroffen wird." [2]

2 In der „Elektrotechnischen Zeitschrift" vom 23. Jan. 1896 erschien unter dem Titel „Die Röntgen'schen Strahlen" eine Kurzfassung von **Röntgens** erster Mitteilung über seine Entdeckung, „welche in den letzten Tagen so viel von sich reden machte." [3]
3 Vermutlich ohne Kenntnis von **Boltzmanns** Aufsatz – oder es lag in der Luft – schlug am 23. Jan. 1896 im Anschluss an **Röntgens** Vortrag über seine Entdeckung vor der Würzburger „Physikalisch-medicinischen Gesellschaft" der Anatom Geheimrat A.v. **Koelliker*** vor, „die neue Entdeckung ‚Röntgen-Strahlen' zu nennen. (Stürmischer Beifall)." [4] Im deutschen Sprachraum setzte sich schließlich die Schriftform *Röntgenstrahlen* durch.

Wortbenutzung 1896: The Röntgen rays (**Thomson**, J.J., Nature [5]); 1896: Chirurgisch-photographische Versuche mit den Röntgenstrahlen (**Petersen**, W. [5]); 1904: Röntgenologisches Hilfsbuch (**Dessauer**, F., Würzburg); 1913: Röntgenstrahlen (**Duden**); 1987: Verordnung über den Schutz vor Schäden durch Röntgenstrahlen (Röntgenverordnung – RöV) vom 8. Jan. 1987 (BGBl. I, S. 114).

Wortfamilie

1 Zusammensetzungen mit *Röntgen-* als Bestimmungswort: *Farbröntgenfilm, Röntgenanlage, ~apparat, ~arzt(in), ~assistent(in), ~astronomie, ~astronomisch, ~aufnahme, ~aufnahmetechnik, ~auge, ~befund, ~behandlung, ~belichtungstabelle, ~bestrahlung, ~beugung, ~bild, ~-Bildverstärker-Fernseh-Durchleuchtung, ~blick, ~brei, ~bremsspektrum, ~brille, ~dermatitis, ~diagnose, ~diagnostik, ~dosimeter, ~durchleuchtung, ~durchleuchtungsgerät, ~einheit, ~einrichtung, ~feinstrukturuntersuchung, ~fernsehen, ~film, ~filmarchivierung, ~filmkassette, ~filmkopie, ~filter, ~generator, ~gerät, ~goniometer, ~grobstrukturuntersuchung, ~kabel, ~karzinom, ~kater, ~kinematographie, ~kontrastdarstellung, ~kontrastmittel, ~krebs, ~kristallgitteranalyse, ~kymographie, ~labor, ~leitung, ~leuchtschirm, ~linienspektrum, ~linse, ~mahlzeit, ~medizin, ~mikroanalyse, ~mikroskop, ~nachweisheft, ~ogramm, ~ographie, ~ographisch, ~ologe, ~ologie, ~ologisch, ~optik, ~oskopie, ~pass, ~photographie, ~physik, ~quanten, ~raum, ~reihenuntersuchung, ~röhre, ~schattenmikroskopie, ~schichtaufnahme, ~schirm, ~(schirm)bild, ~schwester, ~spektralanalyse, ~spektrograph, ~spektrometer, ~spektroskopie, ~spektrum, ~stereoaufnahme, ~stereographie, ~stern, ↑~strahlen, ~strahleninterferenzen, ~strahler, ~strahlmikroskopie, ~strahlphysik, ~strahlung, ~strahlungsenergie, ~stratigraphie, ↑~strom, ~strukturanalyse, ~technik, ~teleskop, ~therapie, ~tiefenbestrahlung, ~untersuchung, ~verbrennung, ~verfahren, ~verordnung, ~welle, ~wellenlänge;*
2 Wortableitungen: ↑*röntgen*, ↑*röntgenisieren* (»röntgen« in Österreich).

Fremdsprachige Entsprechungen (soweit sie nicht unter ↑*X-Strahlen* zu finden sind)
(En) *Röntgen rays;* (Nl) *röntgenstralen;* (No) *røntgenstråler;* (Es) *rayos de Röntgen;* (Fr) *rayons Rœntgen* (1904, **Robert**-1994), *rayons roentgéniens;* (It) *raggi Röntgen;* (nGr) ἀκτίνες */aktínes/;* (Ru) рентгеновские лучи */rentgenovskie luči/;* (Pl) *promienie Roentgena, promienie rentgenowskie;* (Cs) *rentgenové záření.*

Zur Person (mit Biographien) ↑Röntgen.

Literatur [1] Anonym: Eine sensationelle Entdeckung. In: Die Presse, Bd. 49, Nr. 5, Wien, Sonntag, 5. Jan. 1896, S. 1–2, [Nachtrag] Nr. 6, Dienstag, 7. Jan. 1896, S. 1–2, wegen eines Feiertages erschien am Montag, 6. Jan., keine „Presse"; [2] In: Neue Freie Presse, Nr. 11273, Wien, Sonntag, 12.01.1896, S. 3–5, hier S. 4; Ich danke verbindlichst OStR Prof. Mag. Hermann **Möcker**, Institut für Österreichkunde, Wien, für die Beschaffung von Ablichtungen der Beiträge [1] und [2] sowie für die Recherche im Wiener Zeitungswesen. [3] Bdt., in: etz Bd. 17 (1896) Nr. 4, S. 54; etwa 20 weitere Beiträge im etz-Band 1896 über X-/RÖNTGEN-/RÖNTGEN'sche Strahlen; [4] „Fränkisches Volksblatt" Nr. 19 vom 24. Jan. 1896, Faksimile in: OTREMBA/GERLACH-1970, S. 24; „Röntgensche Strahlen" nach: FÖLSING-2002, S. 176 u. KULENKAMPFF-1948, S. 6; [5] FÖLSING-2002, S. 364–365.

Röntgenstrom — roentgen current

Worterklärung Strom, der jedoch nicht den ↑Röntgenstrahlen zuzuschreiben ist und der in der MAXWELL-LORENTZschen Theorie für bewegte Körper einer der vier Teile des Gesamtstromes nach der vierten ↑MAXWELLschen Gleichung ist:
(1) Verschiebungsstrom, (2) Leitungsstrom, (3) Konvektionsstrom und (4) Strom dielektrischer Konvektion, den W. C. RÖNTGEN* nachgewiesen hatte. [1]

Wortgeschichte

1 Ohne theoretische Anregung, einzig auf Grund seines eigenen Studiums der MAXWELLschen Theorie, stellte sich RÖNTGEN 1888 die Frage, ob ein im elektrischen ↑Feld bewegter Nichtleiter, als ein in diesem Feld elektrisch polarisiertes ↑Dielektrikum, einem Konvektionsstrom entspricht: Im elektrischen Feld zwischen zwei (plus und minus) geladenen Metallplatten rotiert eine dielektrische Scheibe; sie liefert ein magnetisches Feld, weil sie den einem elektrischen Leitungsstrom äquivalenten Strom darstellt. [2]

2 Der französische Mathematiker Henri POINCARÉ* prägte 1901 in seiner Erörterung der LORENTZschen ↑Elektrodynamik die Benennung Ⓕr *courant de Röntgen.* [3] Der niederländische Theoretiker Hendrik Antoon LORENTZ* schrieb in seinem Beitrag zur „Enzyklopädie der mathematischen Wissenschaften" 1904: Dieser Strom möge „der Röntgenstrom heißen". [4] Anderer Stelle drückt sich LORENTZ wie folgt aus:

> „Der totale Strom besteht aus dem Verschiebungsstrom, dem Leitungsstrom, dem Konvektionsstrom und einem vierten Vektor, den wir in Nachfolge von POINCARÉ den *Röntgenstrom* nennen können, da die elektromagnetische Wirkung dieses Stromes nur dann vorhanden ist, wenn ein polarisiertes Dielektrikum sich bewegt, wie dies bei einem bekannten Versuch von RÖNTGEN festgestellt worden ist." [5]

Nach W. GERLACH* hätte diese Wortprägung auch ohne Entdeckung der Röntgenstrahlen den Namen RÖNTGEN in der Geschichte der Physik lebendig gehalten. [6]

Literatur [1] FÖLSING-2002, S. 354; [2] GERLACH-1970, S. 40; [3] POINCARÉ, H.: Leçons professées á la Sorbonne. Paris 1901. S. 435, zit. nach FÖLSING-2002, S. 354; [4] Bd. V, Teil 2. Leipzig 1904, hier S. 97f., zit. nach FÖLSING-2002, S. 354; [5] Zit. nach LEICHT-1994, S. 58; [6] GERLACH-1970, S. 39.

Rundfunk — broadcasting

Worterklärung Die Benennung ~ oder amtlich *Rundfunkdienst* bedeutet nach den „Vollzugsordnungen für den Funkdienst" (Genf 1959)

> „einen Funkdienst, dessen Aussendungen zum unmittelbaren Empfang durch die Allgemeinheit bestimmt sind. Dieser Funkdienst kann Tonsendungen, Fernsehsendungen oder andere Arten von Sendungen umfassen." [1]

Wortgeschichte

1 Geprägt wurde ~ durch den Begründer und Organisator dieses Dienstes, Hans Bredow*, der sich in seiner Autobiographie „Im Banne der Ätherwellen“ dazu wie folgt äußert:

„Aus dem traditionellen ‚Funk‘ bildete ich im Hinblick auf die Rundwirkung der Wellen, auf der das neue Anwendungsgebiet der Verbreitung gleichlautender Nachrichten an Viele beruht, das Wort ‚*Rundfunk*‘. Seine Einführung stiess aber zuerst auf grosse Schwierigkeiten, denn die Presse, die Industrie und die Amateure bevorzugten das zwar wohlklingende, aber für Deutsche nichtssagende amerikanische Kunstwort ‚*Radio*‘. Schließlich hat sich das Volk für die deutsche Bezeichnung ‚*Rundfunk*‘ entschieden. In England wurde ‚*Broadcasting*‘ und in anderen Ländern wurden Bezeichnungen eingeführt, die ebenfalls der Landessprache entnommen waren.“ [2]

Auf diese Textpassage stützte sich das Bundesministerium für Post- und Fernmeldewesen in historischen Veröffentlichungen. [3]
2 Obwohl durch die Aussage Bredows die Urheberschaft geklärt ist, nennt E. Nesper in seiner Autobiographie den Postrat Hermann Thurn als den Wortschöpfer von ~. [4]
3 A. Meissner schreibt in einer Erinnerungsschrift über die Versuche im Jahre 1917: „Häufig ließ Bredow damals rundfunken, […]“. [5]
4 Zur zeitlichen Einordnung der neuen Wortprägung ~ ist folgender Beitrag von Bredow aus dem Jahre 1920 hilfreich:

„Von der Reichs-Telegraphenverwaltung [ist] bereits ein Probeverkehr eingerichtet worden: […] 2. seit mehreren Monaten durch Verbreitung der von mehreren Telegraphenbureaus zur Verfügung gestellten Nachrichten an ihre Bezieher (Rundfunk).“ [6]

Wortbenutzung

1 Allgemein: 1929: *Rundfunk, Rundfunkstation, -stelle, -teilnehmer; rundfunken, ich rundfunke, gerundfunkt, zu rundfunken* (Duden-1929);
2 Anstalten: 1925: *Reichs-Rundfunkgesellschaft (RRG);* 1946: *Nordwestdeutscher Rundfunk (NWDR);* 1948/49: *Bayrischer Rundfunk, Hessischer Rundfunk, Süddeutscher Rundfunk;* 1969: *ARD – Arbeitsgemeinschaft der Rundfunkanstalten Deutschlands;*
3 Veröffentlichungen: 1948: Die Hauptsache: Eine gute Rundfunkantenne (Nesper, Eugen, Halle: Knapp, 3. Aufl.).

Wortfamilie

1 Zusammensetzungen mit *Rundfunk-* als Bestimmungswort: *~antenne, ~aufnahmeraum, ~besprechungskabel, ~betrieb, ~darbietung, ~empfang, ~empfänger, ~empfangsstelle, ~-Entstörungsdienst, ~frequenz, ~gebühr, ~gerät, ~hörer, ~kabel, ~kreis, ~leitung, ~leitungsverstärker, ~leitungs-Verteileramt, ~monopol, ~netz, ~paar, ~schnüre, ~sendeantenne, ~sender, ~senderaum, ~-Sonderdienste, ~station, ~störung, ~technik, ~techniker, ~teilnehmer, ~übertragung, ~übertragungskreis, ~verstärker, ~welle, ~wellenbereich, ~-Zubringerleitung, ~-Zwischensender;*
2 Zusammensetzungen mit *-rundfunk* als Grundwort: *Bahnhofs~, Draht~, Einkanal~, Gleichwellen~, Hör~, Kurzwellen~, Orts~, Stereo~.*

Fremdsprachige Entsprechungen

(En) *broadcasting service;* (Fr) *service de radiodifusion* ((En) (Fr) nach VO Funk); (Es) *radio(difusión);* (Ru) радиовещание /*radioveščanie*/; (Pl) *radio;* (Cs) *rozhlas.*

Siehe auch

↑*Funk/funk-*, ↑*Funkdienst-Fachausdrücke*, ↑*Radio*, ↑*Radio-*.

Literatur [1] VO Funk-1959; [2] Bredow, H.: Im Banne der Ätherwellen. Bd. 2, Stuttgart: Mundus, 1956, S. 166; [3] Kronjäger-1973, S. 648; [4] Nesper-1950, S. 101; [5] Steinbuch-1968, S. 117; [6] Bredow, H.: Verwendung der Funktelegraphie für das Pressewesen. In: etz Bd. 41 (1920) S. 75–77, hier S. 76.

S

sähkö • Sammler
Satellit • … • Scheinleitwert
Scheinwiderstand • Schließe
Schlüpfung/Schlupf • … • Sekohm
… • Sekunde • … • Siemens
sin • Sinus • skjár • … • SOS
… • Spannung • … • Speer
Sperrloch-Steckdose • … • Strom
Stromrichter • Stromtor • …
Supraleitung • Synthesizer
Systemtheorie

sähkö

electricity

Worterklärung Finnische Entsprechung von ↑*Elektrizität*.

Wortgeschichte Im Zuge von Sprachreinigungsbestrebungen prägte der finnische Arzt Samuel ROOS 1845 die Schrift- und Lautform *sähkö* als Ersatz eines Fremdwortes ähnlich *Elektrizität*. Der Sprachgebrauch hat *sähkö* bestätigt. [1]

Wortbenutzung *sähkö-* »elektrisch«; *~llä käyvä* »elektrisch betrieben«; *~asentaja* »Elektriker«; *~istää* »elektrifizieren, elektrisieren«; *~johto* »elektrische Leitung«; *~mittari* »Elektrizitätszähler«; *~voimalaitos* »Elektrizitätswerk« [2]; *Sähkötarkastuslaitos* »Elektrisches Inspektorat« [3].

Literatur [1] Mitteilung der Handelsvertretung der Republik Finnland; WARNER-1959; [2] Auswahl aus Langenscheidts Universalwörterbuch Finnisch, Berlin 1979; [3] WARNER-1992, S. 38.

Sammler

accumulator

Worterklärung Verdeutschende Ersatzbenennung für ↑*Akkumulator*.

Wortgeschichte

1 Das Wort ~ wurde 1888 vom Telegrapheningenieur und Fachübersetzer Carl GRAWINKEL* in seinem Aufsatz „Fremdwörter in der Elektrotechnik" mit folgenden Worten vorgeschlagen:

„Das Wort *Element* haben wir ebensowenig wie die Franzosen oder Engländer nöthig, unser Ausdruck *Zelle* ist vollkommen ausreichend. *Akkumulator* ist ebenfalls überflüssig; *Sammler* oder *Sammelzelle*, um eine Unterscheidung von *Stromsammler* an Maschinen herbeizuführen, genügt durchaus." [1]

2 Die Ersatzbenennung ~ übernahm 1916 der Elektrotechnische Verein* zu Berlin „auf Anregung aus Heereskreisen" in eine Verdeutschungsliste [2], wobei K. STRECKER* ~ wie folgt begründete:

„Der Akkumulator heißt schon seit langer Zeit *Sammler*." [3]

3 In der „Einführung zu den neuen ‚Vorschriften für elektrische Sammler (Akkumulatoren) VDE 0510/XI. 42'" äußerte sich im Kriegsjahr 1943 der zuständige Sachbearbeiter des ↑VDE, Wilhelm CAMES, folgendermaßen:

„Die Sekundärelemente sind abweichend von der bisher üblichen Bezeichnung *Akkumulator* in der neuen Arbeit bevorzugt *Sammler* genannt worden. Hierdurch ist Übereinstimmung mit gleichen Festlegungen im Dienstbereich der Wehrmacht, der Deutschen Reichspost, der Deutschen Reichsbahn, des Reichspatentamtes und anderer Behörden erzielt worden, doch ist die Bezeichnung *Akkumulator* weiterhin zulässig, besonders z. B. im internationalen Verkehr, wo sie in der Abwandlung der verschiedenen Sprachen (Accumulateur, Accumulator, Accumulatore, Acumulador, Akumulatoro) gebraucht wird. Der Fachnormenausschuß Elektrotechnik hat sich der bevorzugten Verwendung des Wortes *Sammler* angeschlossen. Im übrigen soll die Zukunft zeigen, welcher der beiden Begriffe sich überwiegend einbürgert." [4]

4 In der Folgezeit sind das ↑DIN und der VDE zum *Akkumulator* zurückgekehrt: „VDE-Bestimmung für Akkumulatoren und Batterie-Anlagen" DIN 57510/VDE 0510/1.77. [5] DIN 43567 Ausgabe Okt. 1943: „Blei-Sammler (Akkumulatoren)," dagegen Ausgabe März 1958: „Blei-Akkumulatoren".

Wortbenutzung 1922: Der entladene Sammler werde nun als Zersetzungszelle wieder geladen (THOMÄLEN-1922, S. 24).

Literatur [1] GRAWINKEL-1888, S. 405; [2] SCHÜLER-1916; [3] STRECKER-1916, S. 526; [4] In: etz Bd. 64 (1943) S. 255–256, hier S. 256; die Sprachen zwischen den Klammern sind: Fr, En, It, Es und Esperanto, Wortstelle 50-15-005 des International Electrotechnical Vocabulary, ↑IEC, First edition 1938, Reproduced 1950; [5] WARNER/ORTH-1984, S. 321.

Satellit

satellite

Worterklärung Himmelskörper, der einen Planeten auf einer elliptischen (↑Ellipse) Bahn umrundet. Neuerdings auch für künstliche Himmelskörper.

Wortgeschichte Laut W. GERLACH* geht das Wort ~ auf den deutschen Astronomen Johannes KEPLER* zurück, der 1610 mit einem Galilei-Fernrohr die Jupitermonde beobachtet und sie in seinem Werk „Narratio" als die „satellites Jovis" bezeichnet. [1] *Satellites* ist die Pluralform von Ⓛⓐ *satelles*, das vielleicht etruskischen Ursprungs ist und ›Trabant, Leibwächter, Gefolgsmann eines Fürsten‹ bedeutet. [2]

Wortbenutzung 1712: Allein die Satellites jovis, nachdem ihr lauff nunmehr in regeln bracht, sind noch bequemer zu den longitudinis terrestribus selbst als die Eclipsis Solis vel Lunae, weil man sich deren offt bedienen kann (LEIBNIZ [3]); 1977: Der im April 1975 gestartete Satellit GEOS C sendet die Frequenzen 167/324 MHz (SIGL [4]).

Wortfamilie

1 Zusammensetzungen mit *Satelliten-* als Bestimmungswort: *Satellitenanlage, ~aufnahme, ~bahn, ~beoachtung, ~beobachtungsstation, ~bild, ~elektronik, ~fernsehen, Inter~funkdienst, ~foto, ~geodäsie, ~gestützt, ~lösung, ~meteorologie, ~ortung, ~receiver, ~rechte, ~system, ~technik, ~telefon, ~triangulationsnetz, ~übertragung, ~zentrum, Satellit-zu-Satellit-Beobachtung;*

2 Zusammensetzungen mit *-satellit* als Grundwort: *Erdsatellit, Fernseh~, Hüll~, Kommunikations~, Meteo~, Nachrichten~, Sub~, Wetter~.* [5]

Fremdsprachige Entsprechungen Ⓔⓝ *satellite;* Ⓕⓡ *satellite* (1265, 1665, 1959, ROBERT-1994); Ⓘⓣ *satellite;* Ⓡⓤ сателлит */satellit/;* Ⓟⓛ *satelita.*

Literatur [1] W. GERLACH, W., in: DGW Bd. 5, S. 538; [2] MENGE-1916, S. 676; [3] GUERRIER-1975, S. 244, Denkschrift Nr. 158; [4] SIGL, Rudolf: Der Beitrag der Satellitengeodäsie zur Erdmessung. In: Abh. Braunschweig. Wiss. Ges., Bd. 27 (1977) S. 193–226, hier S. 211; [5] Teilweise nach: [4].

Schaltschlussmotor

slip-ring motor

Worterklärung Ehemals vorgeschlagene Benennung des Oberbegriffs von *Induktionsmotoren,* in deren Sekundärkreis während des Anlassens Schaltungen irgendwelcher Art vorgenommen werden.

Wortgeschichte Das Wort ~ geht auf den Motorenfachmann Leo SCHÜLER* zurück, der es 1927 der Maschinenkommission des ↑VDE zusammen mit ↑*Dauerschlussmotor* und ↑*Widerstandschlussmotor* vorschlug, da die auch benutzte Benennung *Schleifring(läufer)motor* eher einem Unterbegriff zukommt. Seine Begründung lautet:

„[…] Schleifringmotor; es besteht natürlich kein Anlaß, diesem seinen ehrlichen Namen zu rauben, vorausgesetzt, daß er tatsächlich Schleifringe besitzt! Nun gibt es aber auch viele ‚Schleifringmotoren ohne Schleifringe', d.h. Motoren, deren Eigenschaften dieselben oder ähnliche sind, wie bei Schleifringmotoren; beispielsweise Motoren mit umlaufenden Anlaßwiderständen, die von Hand oder durch Fliehkraftregler kurzgeschlossen werden, ferner solche, bei denen Teile der

Läuferwicklung während des Anlaufs zugeschaltet oder umgeschaltet werden, und ähnliches. Für alle diese Motorenarten fehlt ein zusammenfassender Name; ein solcher ist aber unbedingt erforderlich, um so mehr, als auch die Verbandsvorschriften, besonders die Anschlußbedingungen, diese Motoren berücksichtigen müssen." [1]

Literatur [1] SCHÜLER-1927, S. 1176.

Schein- apparent (quantity)

Worterklärung Bestimmungswort zur Angabe der Resultierenden einer ↑Wechselstromgröße, die sich aus einer wirksamen, d.h. ↑Energie tragenden, Komponente (↑Wirk-) und einer unwirksamen, d.h. keine Energie tragenden, Komponente (↑Blind) zusammensetzt.

Wortgeschichte Bereits beim ersten Anlauf konnte 1909 der ↑AEF die Mehrheit der Mitgliedsvereine für seinen Vorschlag des Bestimmungswortes ~ gewinnen, das aus *scheinbar* verkürzt war.

Wortfamilie *Scheinleitwert, ~widerstand.*

Scheinleitwert ↑Admittanz

Scheinwiderstand ↑Impedanz

Schließe contact

Worterklärung Verdeutschende Ersatzbenennung für *Kontakt* (als Vorrichtung).

Wortgeschichte In seiner Antrittsrede als Rektor der Königlich Technischen Hochschule Dresden, die dem Thema „Die dreifache Sprache des Ingenieurs" gewidmet war, empfahl 1914 Hans GÖRGES* für *Kontakt* das Wort *Schließe* in folgendem Zusammenhang:

„Mit dem Wort *‚Kontakt'* meint man einerseits die Berührung zweier Leiter, durch die ein Stromkreis geschlossen wird, anderseits die Stücke selbst, die einander berühren. Man spricht daher von *Kontaktreihe, Kupfer-Kohlenkontakten* usw. Nun hat jemand dafür das schöne Wort *‚Stromschlußstück'* erfunden, das bald in Patentschriften eine große Rolle spielte. Mit solchen Wortbildungen erweist man der deutschen Sprache keinen Dienst. Man bilde damit einmal die zusammengesetzten Wörter. Wenn man schon ein deutsches Wort haben will, soll man auf eine deutsche Wurzel zurückgehen. Man könnte vielleicht die *‚Schließe'* sagen. Ein *‚dreischlüssiger Umschalter'*, ein *‚zwanzigschlüssiger Zellenschalter'* sind dann einfache Wortbildungen." [1]

Diese Empfehlung übernahm 1916 der Elektrotechnische Verein* zu Berlin „auf Anregung aus Heereskreisen" in eine Verdeutschungsliste [2], wobei K. STRECKER* ~ wie folgt erläuterte:

„Der Kontakt als Zustand oder Vorgang in schaltungstechnischem Sinne heißt einfach *Schluß*, z.B. Stromschluß; die den Kontakt bildenden Leiter, die Vorrichtung, heißen zusammen die *Schließe*, der einzelne Leiter kann dann Schließteil genannt werden." [3]

Literatur [1] GÖRGES-1914, S. 864; [2] SCHÜLER-1916; [3] STRECKER-1916, S. 526.

Schlüpfung/Schlupf slip

Worterklärung Erscheinung bei Drehstrommotoren, die das Zurückbleiben des Läufers gegenüber dem ↑Drehfeld des Ständers beschreibt, mit anderen Worten: die Drehzahl des Läufers ist kleiner als die des Drehfeldes. Auch Benennung des Quotienten von Differenzdrehzahl zur Drehzahl des Drehfeldes.

Wortgeschichte Dieser Begriff wurde 1891 von M. v. DOLIVO-DOBROWOLSKY* mit der Benennung *Schlüpfung* belegt, (die er beim ersten Vorkommen zwischen Anführungszeichen setzte), als er die Eigenschaften des von ihm erfundenen Drehstrommotors (↑Drehstrom) messtechnisch erfasste:

„[…] von der ‚Schlüpfung' des Motors, d.h. von der Differenz der jeweiligen Tourenzahl des Motors und derjenigen der Kraftlinien." [1]

Später benutzte er die Kurzform *Schlupf* neben *Schlüpfung,* so auch in seinem Vortrag „Aus der Geschichte des Drehstroms" von 1917. [2] Nach 1950 wurde in der Fachwelt *Schlupf* bevorzugt.

Wortbenutzung 1920: Schlüpfung = (Drehzahl des Ständerdrehfeldes abzüglich Drehzahl des Läufers) geteilt durch Drehzahl des Ständerdrehfeldes (KYSER-1920, S. 54); 1943: Da die Schlüpfung auch bei Vollast nur gering ist […], so ist die Drehzahl der Induktionsmotoren bei allen Belastungen nahezu konstant (KOSACK-1943, S. 175); 1951: Wir wollen diese Differenzfrequenz die *Schlupffrequenz* f_s nennen, die ihr gleiche Differenzdrehzahl die *Schlupfdrehzahl* n_s (S. 494). Bei größerem Schlupf des Läufers wird das Bild unübersichtlicher (SCHWENKHAGEN, S. 496); 1959: Bei Induktionsmaschinen können die Stromwärmeverluste des Sekundärankers auch aus dem Schlupf berechnet werden (VDE 0530:1959-03, § 60); 1995: Schlupf von Induktionsmotoren (DIN EN 60034-1 (VDE 0530 Teil 1):1995-11, S. 33); 1997: Der erhöhte Schlupf wird bei Antrieben mit stoßartigen Belastungen […] benötigt (FALK-1997, S. 439).

Wortfamilie [3]

1 Zusammensetzungen mit *Schlupf-* als Bestimmungswort: *Schlupfdrehzahl, ~frequenz, ~kurve, ~leistung, ~linie, ~motor, ~regler, ~spule, ~vergrößerung, ~verlust, ~wert, ~widerstand;*

2 Zusammensetzungen mit *Schlüpfungs-* als Bestimmungswort: *Schlüpfungsfrequenz, ~gerade, ~kurve, ~maßstab, ~messer, ~messung, ~widerstand, ~zähler.*

Fremdsprachige Entsprechungen (En)(Nl) *slip;* (Sv) *eftersläpning;* (Es) *deslizamiento;* (Fr) *glissement;* (It) *scorrimento;* (Ru) **скольжение** /skol'ženie/; (Pl) *poślizg;* (Cs) *skluz;* (Ja) /suberi/.

Literatur [1] DOLIVO-DOBROWOLSKY-1891, S. 163; [2] In: etz Bd. 38 (1917) S. 342; [3] Im Wesentlichen nach: GOEDECKE-1964 und SCHLOMANN-1928.

Schlussanker

squirrel-cage rotor

Neuerdings: Kurzschlussanker, Kurzschlussläufer, Käfigläufer

Worterklärung Anker, dessen Windungen in sich kurzgeschlossen sind und der durch ein magnetisches ↑Drehfeld in Drehung versetzt wird.

Wortgeschichte Das Wort *Schlussanker* wurde 1891 von M. v. DOLIVO-DOBROWOLSKY* geprägt, als er den von ihm erfundenen Drehstrommotor (↑Drehstrom) mit anderen Motoren verglich. In seinem grundlegenden Aufsatz setzte er die Neubildung zwischen Anführungsstriche:

„[…] da die von ihnen inducirten Ströme in dem ‚Schlussanker' nicht in der richtigen Zeit und Lage gegen das Feld auftreten […]; so lange der Schlussanker bei TESLA nicht synchron mit dem Felde läuft […]." [1]

Wortbenutzung 1922: Schlußanker, siehe Kurzschlußanker (HEBER, S. 589).
Literatur [1] DOLIVO-DOBROWOLSKY-1891, S. 150–151.

Schütz

contactor

Worterklärung Verdeutschende Ersatzbenennung für ↑*Relais* (als Schalter wirkend).

Wortgeschichte

1 Dieser 1916 vom Elektrotechnischen Verein* zu Berlin „auf Anregung aus Heereskreisen" gemachte Vorschlag: „das Schütz, des Schützes, Mehrzahl: die Schütze" [1] wurde von K. STRECKER* wie folgt erläutert:

„Das Relais als Schaltapparat heißt ‚das *Schütz*', ein Name, der schon viel gebraucht wird und vom Wasserbau entlehnt ist. Die Schütze heißt ein an der Schleuse angebrachter und den Wasserzu- oder -abfluß regelnder Schieber." [2]

2 Das Reichsministerium des Innern hatte sich 1941 mit dem grammatischen Geschlecht von ~ aus folgendem Grund zu befassen:

„Neuerdings wurde von einigen Stellen, denen die dort [in VDE 0650/1933] getroffenen Festlegungen und die Übernahme dieses Wortes aus dem Wasserbau nicht bekannt waren, angegeben, es müsse *‚der Schütz'* oder *‚die Schütze'* heißen. Um die dadurch entstehenden Unklarheiten zu beseitigen, hat das Reichsministerium des Innern am 25.02.1941 eine Entscheidung getroffen, die die oben genannten Festlegungen in den VDE-Regeln als maßgebend anerkennt." [3]

3 Warum war eine Intervention des Reichsministeriums notwendig? Im ersten Entwurf der „Regeln und Normen für Anlasser und Steuergeräte" von 1922 wird in § 4 c) definiert:

„*Schützen* sind elektromagnetisch betätigte Schalter, die durch Stromgebung ein- bzw. ausgeschaltet werden." [4]

Daraus ist zu folgern, dass von der maskulinen Form *der Schütz* ausgegangen worden ist, obwohl 1916 der Elektrotechnische Verein zur Unterscheidung *das Schütz* vorgeschlagen hatte. In den endgültigen Fassungen von 1928 und 1933 wurde deutlich das grammatische Geschlecht in der Begriffserklärung § 4 c) bezeichnet, worauf sich das Ministerium bezogen hatte:

„*Schütze* [das (Haupt)-Schütz, das Hilfsschütz] [eckige Klammern in der Vorlage] sind Schalter, die durch elektromagnetische Wirkung geschaltet und in ihrer Betriebsstellung gehalten werden." [5]

Wortbenutzung 1928: Schützensteuerungen bestehen au seiner Reihe von Schützen (VDE: R.E.A. [5]); 1943: Zum Anlassen, Regulieren usw. des Motors dient eine Anzahl Schütze (KOSACK-1943, S. 124); 1986: Für ein Schütz ist die elektrische Lebensdauer entscheidend (HÖSL/AYX-1986, S. 106); 1997: Niederspannungsschaltgeräte. Teil 4: Schütze und Motorstarter (VDE 0660 Teil 117 [6]).

Wortfamilie *Hauptschütz, Hilfsschütz, Luftschütz, Ölschütz, Schaltschütz, Schützensteuerung.*

Fremdsprachige Entsprechungen (En)(Nl) *contactor;* (Sv) *kontaktor;* (Es) *contactor;* (Fr) *contacteur* (1927, ROBERT-1994); (It) *contattore;* (Ru) контактор */kontaktor/;* (Pl) *stycznik;* (Cs) *stykač.*

Literatur [1] SCHÜLER-1916; [2] STRECKER-1916, S. 527; [3] In: etz Bd. 62 (1941) S. 474; Z. VDI Bd. 85 (1941) S. 305; [4] In: etz Bd. 42 (1922) S. 366–375; [5] Regeln für die Bewertung und Prüfung von Anlassern und Steuergeräten. R.E.A./1928, § 4 c), § 6 e) Später: VDE 0650; [6] DIN EN 60947-4-2 (VDE 0660 Teil 117): 1997-05, zit. nach WARNER-Jahrbuch 1998, S. 401.

Schutzklasse
protection class

Worterklärung Ersatzbenennung für *Klasse*, die mangels eines Bestimmungswortes (wie jetzt *Schutz-*) zu Verwechselungen mit eingebürgerten Benennungen wie *Genauigkeitsklasse* (bei Messgeräten), *Anwendungsklasse* (bei Bauelementen), *Explosionsklasse* und *Isolierstoffklasse* geführt hat.

Wortgeschichte Die Neubildung ~ wurde 1965 vom deutschen Normenfachmann Heinrich VIEHMANN* [1] vorgeschlagen. Sie hat sowohl im Vorschriftenwerk des ↑VDE [2] als auch im Fachschrifttum [3] ihre Verbreitung gefunden, meistens in der Form *Schutzklasse I, II* oder *III*.

Literatur [1] LABASTILLE-1991, S. 32; [2] WARNER-1984; [3] HOPPMANN-1995.

Schwachstromtechnik
telecommunications engineering

Worterklärung Teilgebiet der ↑Elektrotechnik, dessen Benennung durch ↑*Fernmeldetechnik*, danach durch *Nachrichtentechnik* und schließlich durch ↑*Informationstechnik* ersetzt wurde.

Wortgeschichte Zur Vorgeschichte vgl. ↑Starkstrom/Schwachstrom. In den „Regeln für die Errichtung von Fernmeldeanlagen" des ↑VDE von 1922 wird zur Begründung der Benennung ↑*Fernmeldeanlage* ausgesagt:

„Der früher verwendete Ausdruck ‚Schwachstrom' gestattet keine klare Abgrenzung gegenüber dem Begriff ‚Starkstrom', da eine Grenze zwischen den beiden Begriffen auf Grund von Spannung- oder Stromabgaben festzustellen unmöglich ist." [1]

Wortbenutzung 1891: Einer grundsätzlichen Unterscheidung zwischen Schwachstrom- und Starkstrom-Anlagen bedarf es hierbei nicht (KITTLER [2]); 1909: Denkschrift betr. die Einrichtung eines Lehrplans für Schwachstromtechnik [...] (GOEBEL-1960); 1932: Einführung in die Theorie der Schwachstromtechnik (WALLOT [3]).

Wortfamilie Zusammensetzungen mit *Schwachstrom-* als Bestimmungswort: *Schwachstromanlage, ~ausführung, ~gerät, ~isolator, ~kabel, ~kreis, ~leitung, ~messung, ~technik, ~technisch, ~zentrale.*

Fremdsprachige Entsprechungen Ⓔⓝ *weak current engineering;* Ⓔⓢ *técnica de corrientes de baja intensidad,* Ⓕⓡ *technique des courants faibles;* Ⓡⓤ слаботочная техника /*slabotočnaja tehnika*/; Ⓒⓢ *slaboproudá elektrotechnika.*

Literatur [1] Vorschriftenbuch des VDE 1931, S. 817; [2] Internationaler Elektrotechniker-Kongress-1891, Hauptversammlung, S. 89; [3] Berlin: Springer, 1. Aufl., 1932, 331 S.; 4. Aufl., 1944, 457 S.

Schwingungszahl
frequency

Anzahl der Schwingungen in der Zeiteinheit, heutzutage verdrängt durch ↑Frequenz. Dennoch kommt ~ noch vor, z. B. Werner HEISENBERG: Die Quantenmechanik und ein Gespräch mit Einstein (1977) [1]; darin auch *Schwingungsfrequenzen*.

Literatur [1]: HEISENBERG-1987, S. 22 bzw. S. 25 u. 30.

Sekohm
secohm

Worterklärung Ehemals praktizierte Einheit der ↑»Induktivität«, die durch ↑*Henry* abgelöst worden ist.

Wortgeschichte Das Wort (En) *secohm* ist 1887 von den britischen Telegrapheningenieuren W. E. AYRTON und J. PERRY vorgeschlagen worden, um eine griffige Benennung zu erhalten. [1] Dazu wurde die Dimensionsgleichung „Voltsekunde durch Ampere" umgeschrieben in „Ohmsekunde", was durch Umstellen *Sekohm* ergab. Im Jahre 1893 sind ~ und ↑*Quadrant* sind durch *Henry* ersetzt worden.
Wortbenutzung ↑*Quadrant.*
Literatur [1] J. Soc. Tele. & Electr. Engrs. Bd. 16 (1887) S. 320, zit. nach JERRARD/McNEILL-1994, S. 201.

sekundärer Generator — secondary generator

Worterklärung Induktionsapparat von etwas größeren Abmessungen und kompakterer Ausführung als diejenigen, die unter der Benennung *Funkeninduktor* überall in den physikalischen Kabinetten in Gebrauch waren. [1] Vorläufer des ↑Transformators. Auch: *Sekundärgenerator.*
Wortgeschichte
1 Die Inhaber der englischen Firma Gaulard & Gibbs, L. GAULARD und E. DIXON GIBBS, haben 1883

„den von ihnen erfundenen, diesem Zwecke dienenden Apparaten den nicht ganz zweckmäßig gewählten Namen ‚*sekundäre Generatoren*' gegeben". [1] [eigentlich *secondary generator*].

2 Technikgeschichtlich interessant ist die Erwiderung [2] beider Erfinder zu Mess- und Versuchsergebnissen des Turiner Maschinenexperten Galileo FERRARIS.
Fremdsprachige Entsprechungen (En) *secondary generator;* (It) *generatore secondario;* (Hu) *másodlagos generátor.*
Literatur [1] RÜHLMANN-1885, S. 249–250; [2] Zur Beurtheilung der Sekundärgeneratoren und Transformatoren. In: etz Bd. 6 (1885) S. 429–432.

Sekunde — second

Worterklärung Gesetzliche Einheit der Zeit im Internationalen ↑Einheitensystem (SI) als 3. Basiseinheit; Einheitenzeichen: s.
Wortgeschichte
1 Durch das „Gesetz über Einheiten im Meßwesen" vom 22. Feb. 1985 in Verbindung mit der „Einheitenverordnung" vom 13. Dez. 1985 gilt die in DIN 1301 Teil 1, Ausg. Dez. 1993, wiedergegebene Definition:

„Die Sekunde ist das 9 192 631 770fache der Periodendauer der dem Übergang zwischen den beiden Hyperfeinstrukturniveaus des Grundzustandes von Atomen des Nuklids ^{133}Cs entsprechenden Strahlung." [1]

Es handelt sich hierbei um die Übernahme der von der 13. Generalkonferenz für Maß und Gewicht (↑CGPM) 1967 festgelegten Definition. Aufgrund der Ratsrichtlinie 80/181/EWG vom 20. Dez. 1979 gilt sie auch in der Europäischen Union. Bis 1956 war die ~ als der 86400ste Teil des mittleren Sonnentages definiert (bürgerliche Zeitsekunde, mittlere Zeitsekunde). [2]
2 Das Wort ~ kommt vom (nLa) *secunda,* das wiederum eine Kürzung aus *pars minuta secunda* ›zweiter verringerter Teil [der Stunde]‹ ist. Mit anderen Worten heißt ~ eigentlich »der kleinste Teil zweiter Ordnung« oder auch »zweite Unterteilung [der Stunde]«. ↑Grad.

Wortbenutzung 1704: […] wie die Herren HUYGENS, PONTON […] zu zeigen unternommen haben, indem sie das Verhältnis unserer Längenmaße zur Länge eines Pendels berechneten, welches genau eine Sekunde lang schwingt […] (LEIBNIZ [3]); 1766: Ich wünschte mir an jedem Abend die Sekunde des vergangenen Tags zu wissen, da mein Leben den geringsten Wert hatte […] (LICHTENBERG [4]).

Wortfamilie

1 Zusammensetzungen mit *Sekunden-* als Bestimmungswort: *Sekundenmesser, ~pendel, ~schnelle, ~zähler, ~zeichen, ~zeiger;*

2 Zusammensetzungen mit *-sekunde* als Grundwort: *Bogensekunde, Meter~, Winkel~, Zeit~.*

Fremdsprachige Entsprechungen Ⓔⓝ *second;* Ⓢⓥ *sekund;* Ⓔⓢ *segundo;* Ⓕⓡ *seconde* (1671, ROBERT-1994); Ⓘⓣ *secondo;* ⓝⒼⓡ δευτερόλεπτο */deuterólepto/* ›Zweitminute‹; Ⓡⓤ секунда */sekunda/* (Einheitenzeichen: с /s/); Ⓟⓛ *sekunda;* Ⓒⓢ *vteřina;* Ⓙⓐ */sekondo/.*

Literatur [1] DIN 1301-1:1993-12, Anhang A; VOLKMANN-1998, S. 162–167; SACKLOWSKI/DRATH-1986, S. 63–90; [2] ALBERTI-1957, S. 154; Amtliche Begründung zum Zeitgesetz (BT-Drucksache 8/258); [3] LEIBNIZ, G.W.: Neue Abhandlungen über den menschlichen Verstand. Entstanden 1701–1704 als Fr Manuskript, Erstdruck 1765. In: HANSEN-2000, CD-ROM S. 18375; [4] Sudelbuch Heft A, 60. In: LICHTENBERG-1994, Bd. 1, S. 23.

Selbstinduktionskoeffizient — coefficient of self-induction

Auch: Koeffizient der Selbstinduktion

Worterklärung Physikalische Größe, deren Benennung seit 1906 durch ↑*Induktivität* ersetzt ist. Dennoch begegnet man ~ bis in die 1970er Jahre. Formelzeichen: ↑*L*. SI-Einheit: ↑Henry.

Wortgeschichte Die früheste Erwähnung des Begriffs »~« finden wir im Brief des schottischen Physikers James C. MAXWELL* vom 31. Juli 1863 an seinen Kollegen Sir William THOMSON* (dem späteren Lord KELVIN). [1] Die ausführliche Berechnung des *coefficient of electromagnetic induction* erscheint dann 1865 als Teil VII in MAXWELLS „Dynamical theory of the magnetic field". [2] In seinem berühmten Werk „A treatise on electricity and magnetism" (Oxfor, 1. Aufl.) benutzte MAXWELL 1873 die Buchstabenfolge ↑*L*, ↑*M*, ↑*N* für ~ des Primär- (*L*) bzw. Sekundärkreises (*N*), *M* für die gegenseitige Induktion beider Stromkreise.

Wortbenutzung 1891: Wir erhalten daher $N = Li$, wo *L* ein konstanter, von der Form und Grösse der Drahtschleife abhängiger Faktor ist und *Selbstinduktionskoëfficient* heisst (PULUJ [4]); 1977: *L* ist der sogenannte Selbstinduktionskoeffizient, der nur von der Geometrie des Ringes abhängt (BUCKEL-1977, S. 10).

Fremdsprachige Entsprechungen (meistens veraltet, vgl. daher ↑*Induktivität*) Ⓔⓝ *coefficient of self-induction;* Ⓝⓛ *coëfficiënt van zelfinductie;* Ⓔⓢ *coeficiente de inducción propria;* Ⓕⓡ *coefficient d'induction propre, coefficient de self-induction;* Ⓘⓣ *coefficiente di auto-induzione;* Ⓡⓤ коэффициент самоиндукции */koėfficient samoindukcii/.*

Literatur [1] Index of MAXWELL's scientific letters and papers. Hrsg.: HARMAN, P., Bd. 2, hier S. 99; [2] In: Phil. Trans. Royal Soc. Bd. 155 (1865) S. 459–512, = Scientific papers, Bd. 1, S. 589–597; Persönliche Mitt. von Dr. habil. Klaus HENTSCHEL, Institut für

Wissenschaftsgeschichte, Universität Göttingen; [3] MAXWELL-1954, Bd. 2, S. 226, § 581, S. 267, § 627; MAXWELL (WEINSTEIN)-1883, Bd. 2, S. 319, § 627; [4] PULUJ, J.: Ueber die Selbstinduktion und ihre Wirkungen. In: etz Bd. 12 (1891) S. 407–412, hier S. 408.

Serienschaltung ↑Reihenschaltung

SI-Einheit SI unit

Einheit im gesetzlichen Internationalen ↑Einheitensystem (SI) der Meterkonvention. Es gibt sieben Basiseinheiten, von diesen abgeleitete Einheiten und Vorsätze (↑Vorsatz). Die Steuerung und die Verwaltung des SI obliegt der ↑CGPM, die das SI anlässlich ihrer 11. Generalkonferenz im Jahre 1960 zur allgemeinen Anwendung verabschiedete.

SI-Einheiten nach Forschernamen SI units honouring researchers

Nachstehende Tabelle enthält die Namen von SI-Basiseinheiten und abgeleiteten SI-Einheiten, die zu Ehren von Forschern benannt wurden.

SI-Einheit	**Größe**	**Forscher (Lebensdaten)**	**Internationale Annahme**
Deutschland			
Ohm↑	elektrischer Widerstand	Georg Simon Ohm (1789–1854)	1881
Siemens↑	elektrischer Leitwert	Werner von Siemens (1816–1892)	1935
Hertz↑	Frequenz	Heinrich Rudolf Hertz (1857–1894)	1935
Weber↑	magnetischer Fluss	Wilhelm Eduard Weber (1804–1891)	1935
Frankreich			
Ampere↑	Basiseinheit: elektrische Stromstärke	André-Marie Ampère (1775–1836)	1881
Coulomb↑	elektrische Ladung Elektrizitätsmenge	Charles Augustin de Coulomb (1736–1806)	1881
Becquerel	Aktivität einer radioaktiven Substanz	Antoine-Henry Becquerel (1852–1908)	1975
Pascal↑	Druck	Blaise Pascal (1623–1662)	1971
Großbritannien			
Kelvin↑	Basiseinheit: thermodynamische Temperatur	Sir William Thomson, Lord Kelvin of Largs (1824–1907)	1954

SI-Einheit	Größe	Forscher (Lebensdaten)	Internationale Annahme
Joule↑	Energie, Arbeit, Wärmemenge	James Prescott Joule (1818–1889)	1889
Watt↑	Leistung, Wärmestrom	James Watt (1736–1819)	1889
Farad↑	elektrische Kapazität	Michael Faraday (1791–1867)	1881
Newton↑	Kraft	Sir Isaac Newton (1642–1727)	1948
Gray	Energiedosis	Louis Harold Gray (1905–1965)	1975
Italien			
Volt↑	elektrische Spannung	Comte Alessandro Volta (1745–1827)	1881
Schweden			
Grad Celsius↑	Celsius-Temperatur	Anders Celsius (1701–1744)	1948
Sievert	Äquivalentdosis	Rolf Maximilian Sievert (1896–1966)	1979
USA			
Henry↑	Induktivität	Joseph Henry (1797–1878)	1893
Tesla↑	magnetische Flussdichte	Nicola Tesla (1856–1943) kroatischer Herkunft	1956

Literatur Die beiden linken Spalten nach der Einheitenverordnung. Die dritte Spalte nach biographischen Nachschlagewerken. Die vierte Spalte nach IEC 164:1964 und JERRARD/MCNEILL-1994.

Siemens

siemens

Worterklärung

1 Gesetzliche abgeleitete ↑SI-Einheit des »elektrischen ↑Leitwerts«. Einheitenzeichen: S.

2 Ein elektrischer Leiter hat einen Leitwert von 1 S, wenn er bei angelegter Spannung von 1 ↑Volt einen Strom von 1 ↑Ampere führt. Das ~ ist der Kehrwert des ↑Ohm (↑Ω). 1 S = 1/Ohm = 1 $m^2 kg s^{-3} A^{-2}$.

Wortgeschichte

1 Der ↑AEF schlug 1908 die Benennung ~ als Ersatz für ↑*Mho* vor, das in Deutschland als Verstümmelung des Namens *Ohm* empfunden und deshalb abgelehnt wurde. Nach Auswertung der Stellungnahmen aus den 35 angeschlossenen Vereinen im März 1910 konnte der Vorschlag ~ als angenommen gelten. [1] Das geschah zu Ehren von Werner

von SIEMENS*, der 1860 zur Darstellung der Einheit des elektrischen ↑Widerstandes einen Quecksilberfaden von 1 m Länge und 1 mm^2 Querschnitt bei einer Temperatur von 0 °C vorgeschlagen und verwendet hatte. Diese Einrichtung war im Fachschrifttum des 19. Jahrhunderts als *Siemens-Einheit* (*S.-E.*) bezeichnet worden. Für das Ohm wurde der Quecksilberfaden auf 1,063 m bei sonst gleichen Bedingungen festgelegt.

2 Auch wenn bei der ↑IEC schon 1911 das ~ als Einheit des Leitwerts vom deutschen Nationalkomitee eingebracht worden war, dauerte es trotz häufiger Erörterungen bis 1933, dass der Vorschlag durch das italienische Nationalkomitee bei der IEC erneuert wurde. Verschiedene Delegierte erklärten, dass, obwohl das *Mho* international niemals offiziell anerkannt worden war, es sich eines ziemlich weitgehenden Gebrauchs erfreue.

„Dem Einwand, dass Mho eine barbarische Verstümmelung des Namen Ohm sei, wurde von englischer und amerikanischer Seite entgegengehalten, dass in der Verwendung der *beiden* Bezeichnungen *Ohm* und *Mho* eine *doppelte* Ehrung der Forschers OHM liege." [WALLOT-1934, S. 189]

Andrerseits lehnten einige Delegierte das *Mho* ab. Wieder andere Delegierte gaben zu bedenken, dass für die Einheit des Leitwerts kein Name notwendig ist. Es wurde daraufhin über die Notwendigkeit eines international anerkannten Namens für die Einheit des Leitwerts abgestimmt. Ergebnis: Dafür 6 (Deutschland [J. WALLOT], Frankreich, Italien, Niederlande, Polen, Rumänien); dagegen: 3 (Großbritannien, Schweden, USA); Enthaltung: 1 (Japan). Der Ausschuss vereinbarte jedoch, das Abstimmungsergebnis den Nationalkomitees mitzuteilen und vorerst keine Empfehlung abzugeben.

3 Auf der folgenden Arbeitstagung im Jahre 1935 stimmte unter Vorsitz von A. E. KENNELLY* die Mehrheit der Delegierten der Annahme des Namens ~ zu. Gleichzeitig wurde beschlossen, jede andere Bezeichnung zu erlauben, sofern sie richtig ist. [Damit kam man vermutlich den Verfechtern des *Mho* entgegen.] Das damals höchste Beschlussgremium der IEC, Committee of Action, billigte den Beschluss noch im selben Monat. [2]

Wortbenutzung 1916: Der reziproke Wert der Widerstandseinheit von 1 Ø heißt 1 Siemens [O mit Blitzpfeil] (GRIMSEHL, S. 127); 1965: […] Bodenleitfähigkeit S/m […] (WARNER-1965, S. 59); 1987: […] Schichtleitfähigkeit µS, Bodenleitfähigkeit µS/cm […] (WARNER-1987, S. 689 bzw. 693).

Wortfamilie *Kilosiemens, Megasiemens, Mikrosiemens, Millisiemens, Nanosiemens, Siemenssekunde.*

Fremdsprachige Entsprechungen Sprachen mit lateinischer Schrift: *siemens*; mit anderer Schrift: (nGr) ζίμενς /*zímens*/; (Ru) сименс /*simens*/ (Einheitenzeichen: См /Sm/); (Ja) /*jīmensu*/.

Zur Person Werner SIEMENS gründete als Artillerieoffizier und mit Erfindertalent begabter Inhaber mehrerer Patente 1847 zusammen mit dem Feinmechaniker Johann Georg HALSKE (1814–1890) in Berlin die „Telegraphenbau-Anstalt Siemens & Halske." Daraus entwickelte sich im Laufe der Zeit die Weltfirma Siemens AG. Das von Werner SIEMENS 1860 erfundene Widerstandsnormal war notwendig bei der Verlegung von Telegrapheneitungen. Im selben Jahr verlieh ihm die Berliner Universität die Ehrendoktorwürde. Aufgrund seiner Mitwirkung bei der Aufstellung und Durchführung des Reichspatentsgesetzes wurde er 1877 zum „Geheimen Regierungsrath" ernannt. 1888 verlieh Kaiser Friedrich III. Werner SIEMENS den preußischen Adel.

Biographien SIEMENS, Werner von: Lebenserinnerungen. 14. Aufl., Berlin: Springer, 1942. 298 S.; BUSSE, Kurt, in: DGD Bd. 3, 1978, S. 442–455; WEIHER, Sigfrid von: Die englischen Siemens-Werke und das Siemens-Überseegeschäft in der zweiten Hälfte des 19. Jahrhunderts. Berlin: Duncker u. Humblot, 1990. 220 S.; SCHREIER, Wolfgang, in: WUSSING-1992, S. 531–532; WEIHER, Sigfrid von, in: JÄGER-1996, 354–355.
Während die meisten maßgebenden englischen Nachschlagewerke die Einheit Siemens mit Werner von SIEMENS in Verbindung bringen, nennt „The Oxford English Dictionary" (1. Aufl., Suppl. 4, 1986; 2. Aufl., 1989) den jüngeren Bruder Karl Wilhelm SIEMENS (1823–1883), später geadelt als Sir Charles William SIEMENS, als den Namensgeber für die Einheit.
Literatur [1] In: etz Bd. 29 (1908) S. 746 u. Bd. 31 (1910) S. 598–599; [2] IEC-Tagungsprotokolle: RM 105 (1933-10), RM 118 (1936-04), RM 138 (1935-11); WALLOT, J[ulius]: Elektrische und magnetische Größen und Einheiten. Bericht über eine Ausschußsitzung der Internationalen Elektrotechnischen Kommission am 5. u. 6. X. 1933 in Paris. In: etz Bd. 55 (1934) S. 189–190.

sin — sin

Worterklärung Mathematisches Zeichen für die trigonometrische Funktion ↑Sinus nach DIN 1302:1994-04.
Wortgeschichte Die frühesten Kurzformen von ~ usw. sind zu finden im „Geometriae Rotundi Libri XIIII" (Basel 1583) des Flensburger Arztes und Mathematikers Thomas FINCK, und zwar *sin., tan., sec., sin. com., tan. com., sec. com.,* für *sinus* und die von ihm geprägten *tangens* und *secans* sowie *sinus complementi* [↑cosinus], *tangens complementi* [= cotangens] und *secans complementi* [= cosecans]. [1] Seine Vorschläge wurden befolgt, aber auch abgewandelt und gekürzt bis auf Einzelbuchstaben, so 1691 bei LEIBNIZ*: *s* für *sinus, t* für *tangens.* [2] Erst der in Berlin wirkende Schweizer Mathematiker Leonhard EULER* wendet 1748 konsequent die Kurzformen *sin., cos., tang., cot., sec., cosec.* (mit Abkürzungspunkt !) in seiner „Introductio in analysin infinitorum" ›Einführung in die Analysis des Unendlichen‹ (Berlin 1748) an. Ab 1753 verzichtet er auf die Abkürzungspunkte und ist mit diesen mathematischen Zeichen Wegbereiter für eine noch heute angewandte Notation. [3]
Literatur [1] CAJORI-1993, § 517, Bd. 2, S. 150; [2] Ebenda, § 555, S. 192; [3] Ebenda, § 525, S. 166, Nr. 14/15.

Sinus — sine

Worterklärung Eine der vier trigonometrischen Funktionen ~, ↑Kosinus, Tangens und Kotangens. In einem rechtwinkligen Dreieck, dessen Schenkel einen spitzen Winkel α bilden, ist ~ das Verhältnis der Länge der gegenüberliegenden Seite a zur Länge der dem rechten Winkel gegenüberliegenden Seite (Hypothenuse) c. Mathematisches Zeichen: ↑*sin*; somit: $\sin\alpha = a/c$.
Wortgeschichte
1 Die ersten Sinus-Tafeln als Funktion der Sehne werden dem griechischen Astronomen HIPPARCH (auch: HIPPARCHOS; ca. 190–125 v. Chr.), dem griechischen Mathematiker MENELAOS (geb. 100 n. Chr.) und dem alexandrinischen Astronomen, Mathe-

matiker und Geograph Claudius PTOLEMÄUS (100–180) zugeschrieben, auch wenn deren Werke gar nicht bzw. nur teilweise erhalten sind. [1]

2 Für den arabischen Astronomen und Mathematiker AL-BATTANI (auch: ALBATENIUS, 858–929) steht der ~ im Mittelpunkt des Aufbaus der Trigonometrie. [2] Der ~ hängt der Sache nach mit der Sehne oder Halbsehne im Kreis zusammen, wenn das oben beschriebene Dreieck so im Kreis positioniert wird, dass der spitze Winkel α den Mittelpunkt berührt, die anliegende Seite die x-Achse eines Koordinatenkreuzes (↑Koordinaten) bildet und die Hypothenuse der Radius des Kreises ist. Die gegenüberliegende Seite stellt eine Halbsehne dar, die man sich durch Spiegelung an der x-Achse als Sehne vorzustellen hat.

3 Der ~ als eine der wichtigsten Funktionen der Mathematik beruht sprachlich auf einem Missverständnis, das so entstanden ist: während »Sehne« im Indischen (Sanskrit) /*jya*/ lautet, ist das entsprechende arabische Wort /*jib*/ als /*jaib*/ »Busen« gedeutet worden, weil in den semitischen Sprachen kurze Vokale nicht geschrieben werden. Beim Übersetzen der arabischen Werke ins Lateinische wurde »Busen« durch (La) *sinus* wiedergegeben. [2]

4 Erst durch REGIOMONTANUS*, den aus Königsberg in Franken stammenden Johannes MÜLLER (1436–1476), erhielt die Trigonometrie im 15. Jahrhundert neue Impulse, denn er schuf 1464 eine Kurzfassung des „Großen Werks" ((Ar) *Almagest*) des PTOLEMÄUS unter dem Titel „Epitoma Joannis de mõte regio almagesti ptolomei" mit eigenen neuen Berechnungen und einer eigenen Sinustafel, die aber erst 1496 in Venedig erschien. Außerdem verfasste er 1464 das berühmt gewordene Werk über die Dreieckslehre unter dem Titel „De triangulis planis et sphaericis libri quinque, unà cum tabulis sinuum [...]", dem er seine Sinustafeln und den von ihm gefundenen Kosinussatz hinzufügte, gedruckt 1533 in Nürnberg. In seinen auch erst 1536 gedruckten „Tabulae astronomicae" befindet sich folgende Textstelle:

„Est autem p[ro]portio sinus totius ad sinum complementi AK: sicut sinus complementi AB ad sinũ complementi BK [...]". [Spaltenüberschriften:] „Sinus cõple."; „Diuis. Sinus". [3]

Hieraus wäre insgesamt zu schließen, dass REGIOMONTANUS das Wort (La) *sinus* in die Trigonometrie eingeführt hat. Das Lehrgebäude aber sowohl der ebenen als der sphärischen Trigonometrie verdankt seine heutige Form – einschließlich der Notation – Leonhard EULER*. [4]

Wortbenutzung 1922: Wir setzen nun für die Spannungs- und Stromkurve eine *Sinuskurve* voraus (THOMÄLEN-1922, S. 161); 1944: Die Spannung u zwischen den Platten eines Kondensators sei eine einfache Sinusfunktion der Zeit: $u = \hat{u} \sin (2 \pi f t + \varphi)$ (WALLOT-1944, S. 34).

Wortfamilie *Sinusfeld, Sinusform, sinusförmig, Sinusfunktion, Sinusgeber, Sinusgenerator, Sinusquadratimpuls, Sinusrelais, Sinusschwingung, Sinusspannung, Sinusstrom, Sinuston, Sinuswelle, Sinuswellenbegrenzer.*

Fremdsprachige Entsprechungen (En) *sine;* (Nl) *sinus;* (Es)(It) *seno;* (Fr) *sinus* (1557, ROBERT-1994); (Ru) синус /*sinus*/; (Pl)(Cs) *sinus.*

Literatur [1] BALL-1960, S. 88, 94, 96; [2] KROPP-1994, S. 54; [3] METT-1983, S. 12–15, 32, z.T. aus Faksimileseiten; BALL-1960, S. 201–202; FELLMANN, Emil A.: Leonhard Euler. Ein Essay über Leben und Werk. S. 12–98, hier S. 52, in: EULER-1983; auf den EULER-Gedenkband hat mich freundlicherweise Dr. E.A. FELLMANN, Basel aufmerksam gemacht.

skjár
screen

Worterklärung Neues isländisches Wort für ↑»Bildschirm« als Ergebnis einer Hörerdiskussion im isländischen Rundfunk.

Wortgeschichte

1 Im Rahmen einer seit Jahren im isländischen Rundfunk veranstalteten Sendereihe über den richtigen Gebrauch der isländischen Sprache schlug im Herbst 1973 ein Hörer vor, für »Bildschirm« statt *skermur* die Wortzusammensetzung *myndflötur* ›Bildfläche‹ einzuführen. Daraufhin rief Bergur Jónsson* den Programmleiter an und erklärte, dass es keinen Sinn ergebe, ein ›Bild vom Zuschauer abzuschirmen‹, und er empfahl, das altisländische Wort *skjár* wiederzubeleben. Der Programmleiter bat B. Jónsson, den Vorschlag schriftlich zu erläutern. Diesen Hörerbrief mit Datum vom 14. September 1973 las der Programmleiter, ein angesehener Fachmann der isländischen Sprache, etwa zwei Wochen später in seiner Sendung vor. Die größte isländische Tageszeitung „Morgunblaðið" verwendete das neu-alte Wort bald darauf in ihren Beiträgen. Zudem wurde im selben Herbst im isländischen Fernsehen eine neue Sendereihe „Krunkað á skjáinn" genannt. Das war eine Anspielung auf eine alte Redensart, als noch die Kolkraben sich auf die mit Gras gedeckten Dächer der alten aus Torf und Stein gebauten Bauernhäuser setzten und im harten Winter um Futter bettelten. Das Tageslicht kam in diese Häuser durch den *skjár*. Das war – an der Stelle der heute üblichen Glasscheibe – eine durchsichtige Membrane oder dünne Haut, gewonnen aus der Fruchtblase (Embryonalhülle) von Kälbern. Manchmal wurde das ganze Fenster zusammen mit dem Fensterrahmen als *skjár* bezeichnet. Durch die Unterstützung der Tageszeitung „Morgungblaðið" und durch den Namen der recht populären Fernsehsendereihe bürgerte sich das neue Wort *skjár* für ›Bildschirm‹ ein. Jetzt erstaunt man, falls man das früher benutzte Wort *skermur* noch hört. [1]

2 Dennoch bleibt die neue isländische Benennung für Bildschirm dem Wortfeld »sch-i-r-m« verhaftet. Laut H.S. Falk und Alf Torp [2] könnte das germanische **skerma-* zu Wörtern gestellt werden, die ›Haut‹ bedeuten, indem Schilde oft mit einem Fellbezug versehen wurden: altslawisch *(s)kora* ›Rinde‹; (Pl) *skóra* ›Haut, Fell, Leder‹; (Cs) *kůra* ›Rinde‹; (Ru)(Bg) кожа */kóžal/* ›Haut, Fell, Leder‹; (La) *scortum* ›Leder‹.

Literatur [1] Jónsson, B.; Warner, A.: Warum den Isländern der Fernsehbildschirm nicht gefällt. In: Sprachdienst, Bd. 44 (2000) S. 44–46. [2] Norwegisch-dänisches Etymologisches Wörterbuch, Heidelberg 1911, S. 1005.

Sör
Soer

Worterklärung Ehemals vorgeschlagene Einheit des Wasserstoffionen-Exponenten ↑pH.

Wortgeschichte In den verschiedenen Ausgaben der Norm DIN 19260 „pH-Messung; Allgemeine Begriffe" wird darauf hingewiesen, dass pH „eine Benennung ist, für die kein Symbol und auch keine Einheit festgelegt ist" und dass Ausdrücke wie 5 pH oder 0,1 pH nicht richtig sind. [1] Als Ausweg gegen die falsche Bezeichnungsweise schlägt A. Warner* 1957 in einer Stellungnahme zum Entwurf (Feb. 1957) vor, „eine – wenn auch dimensionslose – Einheit *Sör* einzuführen." [2] Dies geschieht zu Ehren des dänischen Chemikers S.P.L. Sörensen*, der für die logarithmische Maßzahl der

Wasserstoffionen-Konzentration 1909 „den Namen Wasserstoffionen-Exponent und die Schreibweise pH“ [3] einführte, da ja in der ↑Informationstechnik und Akustik für logarithmische Größen die Einheiten ↑Dezibel und ↑Neper benutzt werden.

Literatur [1] Schon im Entwurf Feb. 1957, aber auch noch in der Norm März 1971, die laut Auskunft des DIN (Beuth-Verlag) vom Feb. 2003 noch gültig ist; [2] WARNER-1958, S. 324; [3] Quelle vgl. ↑pH.

Sonderschreibweise der Formelzeichen magnetischer Größen

Special marking of letter symbols for magnetic quantities

Als Initiator der ↑Formelzeichen-Normung stellte Ed. HOSPITALIER* in seiner Tafel von 1891 die Formelzeichen magnetischer Größen, ohne es zu erläutern, in „Rundschrift“ dar, die wie Handschrift aussieht. [1] Dies wurde erst auf dem folgenden Kongress in Chicago 1893 nachgeholt. Da die IEC die Arbeiten HOSPITALIERS fortführte [2], übernahm sie 1914 die Rundschrift ebenfalls für magnetische Größen, jedoch als Alternative, mit der Aussage „Script, heavy-faced or special type / Rondes, grasses ou type spécial“ [3]. Man findet sie im englischsprachigen Schrifttum, z.B. „Electrical Engineers' Handbook; Electric Power“ von H. PENDER und W.A. del MAR (1949). Die noch gültige 6. Ausgabe der IEC-Norm 27-1 (Dez. 1992) [nach neuem Nummern-System: IEC 60027-1:1992-12] führt in folgenden drei Fällen die Rundschrift-Buchstaben *U* (magnetische Spannung), *F* (magnetomotorische Kraft) und *R* (magnetischer Widerstand, Reluktanz), jedoch als Ausweichzeichen und mit der Anmerkung, dass sie zu vermeiden sind. In Deutschland wurde als „Spezialtype“ für Formelzeichen magnetischer Größen die Frakturschrift (↑Vektorschreibweise) angesehen und bis in die 1960er Jahre beibehalten.

Literatur [1] HOSPITALIER-1891; [2] DETTMAR-1914; [3] IEC 27:1931.

SOS

SOS

Worterklärung Notzeichen im Telegraphiefunk, dessen Definition nach der „Vollzugsordnung für den Funkdienst“ (Genf 1959) lautet:

„Das Telegraphie-Notzeichen besteht aus der Gruppe •••–––•••, im folgenden sinnbildlich durch SOS dargestellt, die als ein einziges Zeichen ausgesendet wird, in dem die Striche so gegeben werden, daß sie von den Punkten klar zu unterscheiden sind.“ [1]

Wortgeschichte

1 Auf der ersten Welt-Funkkonferenz, die 1906 in Berlin stattfand, wurde auf Vorschlag der deutschen Reichstelegraphenverwaltung das Notzeichen SOS international eingeführt, das eigentlich mit diesen Buchstaben nichts zu hat, sondern einfach eine besonders auffällige Punkt-Strich-Kombination ist. Es ersetzte die bis dahin übliche, jedoch ziemlich umständliche Buchstabengruppe *CQD* [–•–•/––•–/ –••], wo *CQ* nach dem internationalen Telegraphencode »Allgemeiner Anruf an alle Funkstellen« – kurz »An Alle« – bedeutet und dem Ⓕr *communiquer* ›mitteilen‹ entnommen wurde und wo der Zusatz *D* für Ⓕr *détresse* »Notlage« steht. Die Marconi-Stationen verwendeten es noch lange, und auch der Titanic-Funker rief noch 1912 „SOS CQD“. [2]

2 In der Alltagssprache wird SOS gedeutet als Abkürzung für Ⓔn *Save Our Ship* (oder *Souls*) »Rette(t) unser Schiff (oder unsere Seelen)«. Auch für CQD gab es eine einprägsame Lesart: Ⓔn *Come Quick, Danger!* »Komm(t) schnell, Gefahr«.

Wortbenutzung
1 Übertragungen: *SOS* als Aufschrift an Notrufsäulen in Berliner U-Bahnstationen (auch *SOS-Notruf*), auf dem Hauptbahnhof Termini in Rom sowie an Autobahn-Notrufsäulen in Italien und in der Schweiz; 1949: SOS-Kinderdorf von Hermann Gmeiner (1919–1986) gegründet;
2 Buchtitel: 1999: Wenn die Seele SOS funkt (Stark, M.; Sandmeyer, P.); 1999: SOS aus dem Innenohr; Hilfe bei Tinnitus (Markus, M.); 2001: SOS Familie (Schmidt, Renate);
3 Andere: Reiserücktrittskosten-Versicherung mit SOS-Schutz;
4 Fremdsprachig: 2000: Il mercantile [...] ha lanciato un Sos. La fregata italiana [...] ha raccolto l'Sos (R. Buonavoglia, in: Corriere della Sera, 01.04.2000, S. 10).
Literatur [1] VO Funk 1959, S. 253; [2] Runge, W.T.: Geschichte des Seefunks. In: ntz Bd. 31 (1978) H. 10 (Sondernummer), S. 40–47, hier S. 44.

Spannkraft — potential energy

Worterklärung Alternativbenennung für *potentielle ↑Energie.*
Wortgeschichte
1 Das in der damaligen Allgemeinsprache bekannte Wort ~ übernahm 1847 der deutsche Physiker Hermann Helmholtz* in die Sprache der Physik für seine berühmte Abhandlung „Über die Erhaltung der Kraft":

„Nennen wir nun die Kräfte, welche den Punct m zu bewegen streben, so lange sie eben noch nicht Bewegung bewirkt haben, *Spannkräfte,* im Gegensatz zu dem, was die Mechanik *lebendige Kraft* nennt, so würden wir die Größe $\int_r^R \varphi\, dr$ als *die Summe der Spannkräfte* zwischen den Entfernungen R und r bezeichnen können, und das obige Gesetz würde auszusprechen sein: Die Zunahme der lebendigen Kraft eines Massenpunctes bei seiner Bewegung unter dem Einfluß einer Centralkraft ist gleich der Summe der zu der betreffenden Änderung seiner Entfernung gehörigen Spannkräfte." [1]

2 Im „Grammatisch-kritischen Wörterbuch der hochdeutschen Mundart" des Churfürstl. Sächsischen Hofraths Johann Chr. Adelung (1732–1806), das zwischen 1793 und 1801 erschien, ist zu lesen:

„Die Spannkraft, plur. inusit. [= Plural ungebräuchlich] bey einigen, ein Nahme der Elasticität, wofür doch Schnellkraft üblicher ist." [2]

Im „Lexikon der gesamten Technik [...]" schreibt 1910 J.v. Weyrauch:

„Spannkraft wurde von Helmholtz und nach ihm von vorübergehend auch von andern die *potentielle Energie* [...] genannt." [3]

Wortbenutzung 1787: Stellet euch zur Erläuterung zwei Federn vor, die gegen einander streben. Ohne Zweifel halten sie sich durch gleiche Kräfte in Ruhe. Setzet zwischen beide eine Feder von gleicher Spannkraft (Kant [4]); 1889: Die Spannkraft, die Spannweite zwischen den Extremen wird heute immer kleiner (Nietzsche [5]).
Literatur [1] Helmholtz-1982, S. 23; [2] Adelung-2001, S. 50221; [3] Lueger-1904/1910, Bd. 8, S. 155); [4] Kant, Immanuel: Versuch, den Begriff der negativen Größen in die Weltweisheit einzuführen. 2. Aufl., Riga 1787. In: Hansen-2000, CD-ROM, S. 23503; [5] Nietzsche: Götzen-Dämmerung. Leipzig 1889. In: Hansen-2000, CD-ROM, S. 69016.

Spannung, (elektrische) voltage

Worterklärung Physikalische Größe,
- bei ↑Kondensatoren (zur Angabe ihres Ladungszustandes) als Produkt der elektrischen Feldstärke zwischen den Belägen im ↑Dielektrikum und der Dicke des Dielektrikums;
- bei widerstandsbehafteten Leitern als Produkt der elektrischen Feldstärke längs des Leiters zwischen zwei Punkten und des Abstandes zwischen diesen Punkten.

Formelzeichen: *U*. SI-Einheit: ↑Volt.

Wortgeschichte

1 Das Wort ~ ist eine Lehnübersetzung aus (It) *tensione*, das der italienische Physiker Alessandro VOLTA* 1778 nach dem Experimentieren mit einem ↑Elektrophor in einer Abhandlung unter der Überschrift „Sopra la capacità dei conduttori elettrici" ›Über die Kapazität elektrischer Leiter‹ in die Sprache der ↑Elektrophysik einführte. [1] Darin erwähnt er, dass er als ↑Elektrometer einen einfachen, durch eine Korkkugel leicht gespannten Leinenfaden benutzt, der entlang einem Brettchen wie ein Pendel herabhängt. Entsprechend der Anzahl der Umdrehungen der Elektrisiermaschine erreicht er es,

„per far salire il pendolino ad una determinata tensione; [...] ad un determinato grado di tensione (marcata dal segno a cui sale il pendolino dell'Elettrometro). [...] Non ci è altra energia che quella, che chiamo *tensione di elettricità*, che è poi lo stesso che lo sforzo di spingersi fuori." [1] [Übersetzung:] „das Pendel bis zu einer bestimmten Spannung steigen zu lassen; [...] bis zu einem bestimmten Grad der Spannung (markiert durch den Strich [der Skala], bis zu dem das Pendel des Elektrometers steigt. [...] Es gibt hier keine andere Energie als die, die ich *Spannung der Elektrizität* nenne, die schließlich dasselbe ist wie die Anstregung, sich herauszudrängen." [2]

Der begriffliche Unterschied zwischen der ~ und dem »elektrischen ↑Strom« wurde erst 1822 durch den französischen Physiker und Mathematiker André Marie AMPÈRE* herausgearbeitet.

2 Über „Die Geschichte des Spannungsbegriffs" mit dem Untertitel „Die Bedeutungswandlungen des Wortes Spannung in der Elektrizitätslehre" veröffentlichte 1921 Fritz EMDE* einen fundierten Beitrag. [3]

Wortbenutzung 1845: [...] so erhalten wir durch die Betrachtung der Spannungen der Berührungspunkte je zweier auf einander folgender Drähte die Gleichungen [...] (KIRCHHOFF-1882, S. 16); 1922: Man muß dann gleich zwei Induktionsregler in Reihe schalten, deren Zusatzspannungen gegen die Spannung des Kraftwerkes in entgegengesetztem Sinne verschoben sind (THOMÄLEN-1922, S. 239); 1944: Da die Spannung am Kondensator dem Ausschlag bei mechanischen Schwingungen entspricht, ist dieses Ergebnis von großer Bedeutung für die Theorie der Galvanometer und Oszillographen (WALLOT-1944, S. 81); 1998: Spannungsstabilisierungen (bzw. Spannungsregelungen) haben die Aufgabe, eine Spannung unabhängig von Netzspannungsschwankungen und Laständerungen konstant zu halten (KORIES/SCHMIDT-WALTER-1998, S. 486).

Wortfamilie

1 Zusammensetzungen mit *Spannungs-* als Bestimmungswort: *Spannungs(ab)fall, ~abhängigkeit, ~ableiter, ~abnahme, ~(ab)senkung, ~abtastung, ~abweichung, ~amplitude, ~änderung, ~angabe, ~anschluss, ~anstieg, ~antrieb, ~anzeiger, ~aufteilung, ~ausgleich(er), ~auslöser, ~aussteuerung, ~bauch, ~beanspruchung, ~begrenzung, ~belegung, ~bereich, ~diagramm,*

~differenz, ~dreieck, ~durchschlag, ~eichung, ~einbruch, ~einführung, ~einheit, ~eisen, ~empfindlichkeit, ~erhöher, ~erhöhung, ~erniedrigung, ~erzeuger, ~fehler, ~feld, ~festigkeit, spannungsfrei (-führend, -gespeist), ~freischaltung, ~geberröhre, ~gebirge, ~gefälle, ~gegenkopplung, ~gerät, ~gleichgewicht, ~gleichhalter, ~gleichung, ~gradient, ~halbschwingung, ~halbwelle, ~hülle, ~impuls, ~kern, ~knoten, ~kompensationsschaltung, ~komponente, ~kompoundierung, ~kongruenz, ~konstante, ~konstanthalter, ~konstanz, ~korrektor, ~korrosion, ~kreis, ~kurve, ~linie, spannungslos, ~maßstab, ~maximum, ~messbereichumschalter, ~messer, ~messbereich, ~messmethode, ~messung, ~minimum, ~niveau, ~nulldurchgang, ~oszillogramm, ~pegel, ~pfad, ~probe, ~prüfer, ~prüfung, ~quelle, ~reflexionsfaktor, ~regelsystem, ~regelung, ~regler, ~reglerröhre, ~reihe, ~relais, ~reserve, ~resonanz, ~resonanzkreis, ~richtungsrelais, ~richtverhältnis, ~rückgang, ~rückgangsauslöser, ~rückgangsauslösung, ~rückgangsrelais, ~rückgewinnung, ~rückkopplung, ~sättigung, ~schalter, ~scheitelwert, ~schnellregler, ~schutz, ~schwankung, ~senkung, ~sicherheit, ~sicherung, ~sonde, ~spitze, ~sprung, ~spule, ~stabilisation, ~stabilisator, ~steigerung, ~steigerungsrelais, ~steigerungsschutz, ~steuerung, ~stoß, ~stufe, ~stufenregler, ~sucher, ~summe, ~teiler, ~teilerkapazität, ~teileroperator, ~teilerschaltung, ~teilerstellung, ~teilerwiderstand, ~teilung, ~transformator, ~trichter, ~überhöhung, ~überlagerung, ~übersetzung, ~übertragungsfaktor, ~überwachung, ~umschaltung, ~umsetzung, spannungs(un)abhängig, ~unsymmetrieschutz, ~unterschied, ~vektor, ~verdoppler, ~verdoppl ung(sschaltung), ~verdreifacher, ~verfestigung, ~vergleich, ~verhältnis, ~verlust, ~verstärker, ~verstärkung(sfaktor), ~verteilung, ~vervierfacher, ~verzerrung, ~waage, ~wächter, ~wähler, ↑*~wandler, ~welle, ~wert, ~wicklung, ~wiederkehr, ~zeiger, ~zeitfläche, ~zeitflächen-Steuerung, ~zuführungspunkt, ~zunahme, ~zusammenbruch;*

2 Zusammensetzungen mit *-spannung* als Grundwort: *Abgabespannung, Ablenk~, Abtast~, Anker~, Anlass~, Anlauf~, Anoden~, Anodengleich~, Anodensperr~, Anodenwechsel~, Anodenzünd~, Anregungs~, Ansprech~, Antennen~, Arbeits~, Ausgangs(stör)~, Augenblicks~, Ausgleichs~, Austast~, Bad~, Basis~, Batterie~, Bemessungs~, Berührungs~, Beschleunigungs~, Betriebs~, Bezugs~, Bild~, Blind~, Blitz~, Bordnetz~, Bremsgitter~, Brenn~, Brückeneingangs~, Brumm~, Bürsten~, Dauer~, Dauergrenz~, Dioden~, Dipol~, Disssoziations~, Dreieck~, Dreiphasen~, Drossel(sperr)~, Durchbruch~, Durchgreif~, Durchlass~, Durchschlags~, Effektiv~, Eich~, Eingangs~, Einschwing~, Elektroden~, Emitter~, End~, Entlade~, Erhaltungslade~, Erreger~, Ersatz~, Fehler~, Feld~, Fokussier~, Foto~, Fremd~, Funken~, Funkstör~, Funktions~, Gasungs~, Gefährdungs~, Generator~, Geräusch~, Gesamt~, Gitter~, Gittergleich~, Gittervor~, Gitterwechsel~, Gleich~, Glimm~, Grenz~, Grund~, Halbwellen~,* HALL-~, *Halte~, Haupt~, Heiz~, Heizfaden~, Hilfs~, Hochfrequenz~, Hoch~, Höchst~, Impuls~, Induktions~, Ionisations~, Isolations~, Kalt~, Kanten~, Kathoden~, Kipp~, Klein~, Klemmen~, Knie~, Kollektor~, Kommutierungs~, Kompensations~, Kondensator~, Kontakt~, Koronaeinsatz~, Kräusel~, Kurzschluss~, Lade~, Lamellen~, Längs~, Läufer~, Lawinendurchbruch~, Leerlauf(gleich)~, Leiter~, Leitungs~, Lichtbogen~, Liefer~, Lösch~, Magnetisierungs~, Maximal~, Mess~, Mikrophon~, Mindest~, Minimal~, Mit~, Mittel~, Modulations~, Momentan~, Nennisolations~, Nenn~, Nenn-Schaltstoß~, Nenn-Stehblitzstoß~, Nenn-Stehwechsel~, Netz~, Neutralisations~, Nichtfunktions~, Nieder~, Norm(al)~, Null(punkt)~, Nutz~, Ober~, Phasen~, Polarisations~, Polrad~, Primär~, Prüf~, Rand~, Raumladungsgitter~, Rausch~, Reaktanz~, Rechteck~, Regel~, Reihen~, Remanenz~, Resonanz~, Rest~, Richt~, Röhrenrausch~, Rotor~, Ruhe~, Sägezahn~, Sättigungs~, Saug~, Schalt~, Schaltbemessungs~, Scheitel~,*

Schirmgitter~, Schritt~, Schutzklein~, Schwebe~, Schweiß~, Schwell(en)~, Segment~, Sekundär~, Sende~, Signal~, Sinus~, Speise~, Sperr~, Sperrschichtberührungs~, Spitzen~, Spulen~, Ständer(streu)~, Start~, Starterzünd~, Steg~, Stern(punkt)~, Steuer~, Steuergitter~, Steuerwechsel~, Stör~, Stoß~, Stoßüberschlags~, Strahlverschiebungs~, Strang~, Streu~, Stromwende~, Teil~, Thermo~, Tonfrequenz~, Träger(frequenz)~, Transformator~, Übergangs~, Überschlags~, Überschlag-Stoß~, Übertragungs~, Umlauf~, Unter~, Vergleichs~, Verlagerungs~, Versorgungs~, Verteiler~, Vor~, Wechsel~, Windungs~, Wirk~, Zähl~, Zeichen~, Zell~, Zener~, Zersetzungs~, Zünd~, Zusatz~, Zwischenfrequenz(ZF)~;
3 Wortableitungen u.a.: *hochgespannt, umspannen, Umspanner, Umspannerkühlung, Umspannerzelle, Umspannstation, Umspannung, Umspannwerk.*
Fremdsprachige Entsprechungen (En) *voltage,* (veraltet:) *electrical tension* oder *pressure;* (Nl) *spanning;* (Sv) *spänning;* (No) *spenning;* (Is) *spenna;* (Es) *tensión;* (Fr) *tension* (1864, seit 1802 im Italienischen, ROBERT-1994); (It) *tensione elettrica;* (nGr) ηλεκτρική τάση */ēlektrikē' tásē/;* (Ru) напряжение */naprjaženie/;* (Bg) напрежение */naprеženie/;* (Pl) *napięcie;* (Cs) *napětí;* (Fi) *jännite;* (Ja) */den-atu/.*
Literatur [1] Brief aus Como vom 20. Aug. 1778 an de SAUSSURE in Genf, enthalten in: VOLTA: Collezione dell'opere, Firenze 1816, Bd. 1, Teil 1, S. 165; zit. nach EMDE-1921, S. 170; auch: Mailand 1778, Philos. Trans. Bd. 72 (1782), zit. nach FRAUNBERGER-1985, S. 173; [2] EMDE-1921, S. 170; [3] EMDE-1921.

Spannungswandler — voltage transformer

Worterklärung Verdeutschende Ersatzbenennung für *Spannungstransformator.*
Wortgeschichte Dieser 1916 vom Elektrotechnischen Verein* zu Berlin „auf Anregung aus Heereskreisen" gemachte Vorschlag [1] wurde von K. STRECKER* wie folgt erläutert:
„[Unter Transformator wird] ein durch elektromagnetische Induktion wirkender, ruhender Apparat (Eisenkern mit zwei oder mehr Wicklungen) verstanden. Apparate dieser Art, welche Ströme zum Zwecke der Messung wandeln, heißen *Wandler.* [...] Spannungstransformator = *Spannungswandler.*" [2] ↑*Wandler.*
Wortbenutzung 1932: Diese Regeln gelten für Strom- und Spannungswandler [...] zum Anschluß von Meßgeräten, Zählern, Relais u. dgl. (VDE 0414/1932); 1943: Um in Hochspannungsanlagen Spannungsmessungen mit Niederspannungsvoltmetern ausführen zu können, verwendet man Spannungswandler (KOSACK-1943, S. 164); 1994: Meßwandler; Spannungswandler (VDE 0414 Teil 2 [3]).
Wortfamilie *Kaskadenspannungswandler, Zwischenspannungswandler.*
Fremdsprachige Entsprechungen (En) *voltage transformer;* (Fr) *transformateur de tension.*
Literatur [1] SCHÜLER-1916; [2] STRECKER-1916, S. 527; [3] DIN VDE 0414 Teil 2:1994-01, zit. nach WARNER-Jahrbuch 1994, S. 94.

Speer — symbolic vector

Worterklärung Ehemals vorgeschlagene Ersatzbenennung für den »symbolischen ↑Vektor«. Alternativbenennung für ↑*Zeiger.*
Wortgeschichte Das Wort ~ geht auf den deutschen Wechselstromtheoretiker Karl Willy WAGNER* zurück, der es für seine Vorlesungen verwendete, die er regelmäßig in den Jahren 1927 bis 1935 an der TH Berlin hielt. Seine Begründung lautet:

„Wir verwenden im folgenden den Ausdruck ‚*Speer*‘ anstatt des in der Schwingungs- und Wechselstromtechnik früher allgemein gebräuchlichen Wortes ‚*Vektor*‘. Als Vektoren sollen ausschließlich gerichtete physikalische Größen, wie Geschwindigkeit, elektrische und magnetische Feldstärke, Stromdichte u. dgl. bezeichnet werden. Die vom AEF vorgeschlagene Übersetzung ‚*Zeiger*‘ für die Schwingungsvektoren empfiehlt sich nicht, weil dieses Wort als Verdeutschung für ‚*Index*‘ bereits eingeführt ist und daher häufig Speere durch beigesetzte Zeiger unterschieden werden müssen.“

Die Benennung *Zeiger* des ↑AEF konnte nicht verdrängt werden.

Wortbenutzung 1947: Nach Ablauf der Zeit t hat sich der Speer aus der Anfangslage um den Winkel βt gedreht (S. 8); Speerdarstellung (S. 13); Speerdiagramm (S. 13); Speerbild (S. 89) [1].

Literatur [1] WAGNER-1947, S. 2–3.

Sperrloch-Steckdose — shuttered socket-outlet

Worterklärung Steckdose für 230 ↑Volt mit von innen gesperrten Stiftöffnungen (Löchern), die nur geöffnet werden können, wenn gleichzeitig zwei Stifte eingeführt werden, wie dies beim Einführen eines Netzsteckers der Fall ist. Damit sind Kinder und behinderte Personen weitgehend geschützt.

Wortgeschichte Bei der 2001 geprägten Benennung ~ handelt es sich um das Ergebnis einer Preisaufgabe, die die Gesellschaft für deutsche Sprache (GfdS) e.V. auf Anregung eines elektrotechnischen Fachverbandes gestellt hatte, um für *Kinderschutz-Steckdose* einen griffigen Ersatz zu finden. [1]

Wortbenutzung „Kinderschutz heißt nun ‚Sperrlochsteckdose‘“, in: Frankfurter Rundschau 03.03.2001; ähnlich: Die Welt 03.03.2001 und Darmstädter Echo 06.03.2001, S. 9; „Namen für ‚Sperrlochsteckdose‘ gefunden“, in: EVU-Betriebspraxis 4/2001, S. 30, EVU = Elektrizitäts-Versorgungs-Unternehmen; „Verquere Wortschöpfung“ (W. RÖNSPIESS), in: de – Der Elektro- u. Gebäudetechniker, Bd. 76 (2001) Nr. 7, S. 4, Leserzuschrift: A. WARNER, in: de Bd. 76 (2001) Nr. 14, S. 8; „Sperrlochsteckdose“, in: VDE-geprüft (2002) Nr. 3-4 [Dezember], S. 3.

Literatur [1] In: Sprachdienst, Bd. 45 (2001) S. 36–38.

Spin — spin

Worterklärung Eigenschaft eines Elementarteilchens, sich um die eigene Achse mit einem festem Wert zu drehen, d.h. mit unveränderlichem Drehimpuls.

Wortgeschichte Als im Jahre 1925 Samuel GOUDSMITH* und George UHLENBECK* den Drehimpuls des ↑Elektrons entdeckten, nannten sie ihn (En) *spin*. Sie stellten ferner fest, dass sein ~ gleich $h/4\pi$ ist, wobei ↑h das PLANCKsche ↑Wirkungsquantum und ↑π die Kreiszahl ist. [1] Als Einheit für ~ und Drehimpuls wird im submikroskopischen Bereich die Konstante $\hbar = h/2\pi$ (gesprochen *h quer*) verwendet.

Wortbenutzung 1966: Die Leptonen und Baryonen haben alle den Spin ½, die Photonen den Spin 1 und die Gravitonen den Spin 2, wobei diese Werte immer in der Einheit $\hbar$ angegeben sind (FORD-1966, S. 45); 1998: Ein magnetisches Moment des Atoms kann nur vom Spin dieses Elektrons herrühren (STÖCKER-1998, S. 766).

Wortfamilie

1 Zusammensetzungen mit *Spin-* als Bestimmungswort: *Spinbahnkoppelung, ~drehim-*

puls, ~eigenfunktion, ~komponente, ~matrix, ~moment, ~operator, ~orientierung, ~quantenzahl, ~quantelung;
2 Zusammensetzungen mit *-spin* als Grundwort: *Elektronenspin, Kern~, Kern~magnetismus.*
Fremdsprachige Entsprechungen Ⓔⓝ *spin;* Ⓢⓥ *spinn;* Ⓔⓢ *espín;* Ⓕⓡ *spin* (1938, mot anglais (1926) ›rotation‹, ROBERT-1994); Ⓡⓤ спин */spin/;* Ⓒⓢ *spin;* Ⓙⓐ */supin/.*
Literatur [1] FORD-1966, S. 43–45.

Starkstrom/Schwachstrom heavy current/weak current

Worterklärung Benennung für elektrischen ↑Strom hoher Stromstärke (*Starkstrom*)/ niedriger Stromstärke (*Schwachstrom*), später erweitert auf das Fachgebiet, in dem solche Stromstärken vorkommen.
Wortgeschichte Die Frage, wann das Begriffspaar ~ für die Elektrotechnik Bedeutung erlangte, kann mit dem Jahr 1888 beantwortet werden, weil ein vom Elektrotechnischen Verein* zu Berlin eingesetzter Ausschuss unter Mitarbeit von v. HELMHOLTZ*, v. MILLER, Werner von SIEMENS*, Wilhelm von SIEMENS usw. einen Prüfbericht „Ueber den Einfluß des Betriebes von elektrischen Anlagen für Starkströme (Licht, Kraftübertragung u.s.w.) auf benachbarte Anlagen für Schwachströme (Fernsprecheinrichtungen u.s.w.)" erstellte. [1] Im Bericht kamen folgende Wortverbindungen vor:
Anlagen für Starkströme, Einfluß der Starkströme auf Schwachströme, Starkstrombetrieb, Starkstromkabel, Starkstromleitungen, Hin- und Rückleitung des Starkstromes; Anlagen für Schwachströme, Schwachstromleitungen, schwache Ströme.
Drei Jahre später finden wir das Wort *Starkstromtechnik* als Bezeichnung der II. Sektion des ↑Internationalen Elektrizitäts-Kongresses zu Frankfurt am Main 1891. In dieser Sektion waren die Vorträge über Maschinen, Drehstromanlagen, Akkumulatoren, Wechselstrommotoren zusammengefasst. Die III. Sektion nannte sich: „Signalwesen, Telegraphie, Telephonie". [2] Die Zeit war wohl noch nicht reif für ↑*Schwachstromtechnik*. Das Konversationslexikon BROCKHAUS von 1894 bringt beide Techniken im Artikel ↑„Elektrotechnik" zusammen:

„[...] kurz alles das, was man heute unter dem Begriffe *Starkstromtechnik,* die im wesentlichen Elektromaschinenbau zusammenfaßt im Gegensatze zur *Schwachstromtechnik,* unter welcher man die Technik der im Nachrichten- und Sicherungsdienst verwendeten Apparate begreift." [3]

Wortbenutzung (frühe) 1840/1884: Das einfachste ursprüngliche Mittel absoluter Strommessung, die Tangentenbussole, ist von Wilhelm WEBER unter dem Titel: ‚Messung starker galvanischer Ströme bei geringem Widerstande nach absolutem Maße' [in „Resultate ..." 1840, S. 83] eingeführt worden; der Zweck des Instrumentes entspricht also gerade den jetzigen Bedürfnissen. Nur ist der Ausdruck *‚ein starker Strom'*, im Jahre 1840 und jetzt gebraucht, quantitativ ziemlich verschieden aufzufassen, so daß die Tangentenbussole in der ursprünglichen Art nicht ohne weiteres für jetzige *‚starke Ströme'* gebraucht werden kann (KOHLRAUSCH-1884, S. 13–14); 1887: Will man starke Ströme messen, so verwendet man eine Drahtspule mit wenigen dickdrähtigen Windungen; sollen schwächere Ströme gemessen werden, so wählt man eine Bewicklung mit dünnerem Draht und größerer Windungszahl. [...] Für sehr schwache Ströme [...]; [...] so daß man auch schwache Ströme damit messen kann (STRECKER [4]).

Literatur [1] In: etz Bd. 9 (1888) S. 361–366; [2] [Internationaler Elektrizitäts-Kongress-1891]: Bericht über die Verhandlungen der *Sections-Sitzungen;* [3] BROCKHAUS, Bd. 6 (1884) S. 11; [4] STRECKER, K[arl]: Die Federwaage für schwache Ströme von Herrn F. KOHLRAUSCH. In: etz Bd. 8 (1887) S. 160–161, hier S. 160.

Steilheit transconductance

Worterklärung Die Steigung einer Kennlinie, die bei konstanter Anodenspannung und stufenweise geänderter Gitterspannung entsteht, ist die ~ als Quotient der Anodenstromänderung durch Gitterstromänderung bei Eingitterröhren.

Wortgeschichte Das Wort ~ wurde vom deutschen Physiker Heinrich BARKHAUSEN* 1917 gewählt, als er die Gesetzmäßigkeiten der Elektronenströme in Vakuumröhren (↑Röhre) untersuchte, sie in einer Dienstschrift für die Inspektion des Torpedowesens in Kiel beschrieb und dabei auch die Größen↑»Durchgriff« und »innerer Widerstand« definierte. Über die ~ lesen wir:

„Maßgebend für den Verstärkungsgrad ist die *‚Steilheit'* *S* der Charakteristik. [...] Die Steilheit hat die Dimension eines Leitwerts oder reziproken Widerstands. Sie hängt einerseits von der Röhrenkonstruktion ab, ist z. B. für die zylindrische Anordnung [...] um so größer, je länger der Glühdraht ist und je dichter das Gitter den Glühdraht umgibt. Anderseits ist *S* aber auch abhängig von dem Punkte der Charakteristik, auf dem man arbeitet. *S* pflegt etwa in der Mitte der Charakteristik [...] am größten zu sein." [1]

Wortbenutzung 1944: Es muß daher einen günstigsten Durchgriff geben, der hinreichend klein ist, aber nicht so klein, daß die Steilheit zu gering ist (WALLOT-1944, S. 270); 1953: Im unteren und oberen gekrümmten Teil [der Kennlinie] verringert sich die Steilheit schließlich bis zum Wert $S = 0$ (VILBIG-1953, S. 841).

Wortfamilie

1 Zusammensetzungen mit *Steilheits-* als Bestimmungswort: *Steilheitsgrenzfrequenz, ~kurve, ~phase, ~verzerrung;*

2 Zusammensetzungen mit *-steilheit* als Grundwort: *Kurzschluss~, Kurzschluss-Rückwärts~, Kurzschluss-Vorwärts~, Vorwärts~.*

Fremdsprachige Entsprechungen (En) *transconductance;* (Nl) *transconductantie;* (Sv) *brant-het, transkonduktans;* (Es) *transconductancia;* (Fr) *transconductance, conductance mutuelle;* (It) *transconduttanza;* (Ru) крутизна /*krutizna*/; (Pl) *transkonduktancja;* (Cs) *strmost.*

Siehe auch ↑*Barkhausen.*

Literatur [1] BARKHAUSEN-1919, S. 34.

Stein (sn) ↑AEF-Einheitensystem

Strang ↑Wicklungsstrang

Straßenbahn tramway (GB); streetcar (US)

Worterklärung

1 Verkehrsmittel, das auf Schienen innerhalb von Ortschaften auf Straßen betrieben wird, ursprünglich mit Pferdekraft, dann mit Elektroantrieb (↑Elektrische); früher auch *Straßeneisenbahn* [1]genannt.

2 Definition [für »Straßenbahnbetrieb«] des Oberlandesgerichts Neustadt:

„Straßenbahn im Sinne des Strafgesetzbuches ist ein solcher schienengebundener, von mechanisch wirkenden Kräften in Gang gesetzter und in Gang gehaltener Fahrbetrieb, der dazu bestimmt und nach seiner Betriebsart darauf eingerichtet ist, die allgemeinen Verkehrsstraßen menschlicher Siedlungen zu durchfahren, gegebenenfalls auch also durchfahrene benachbarte menschliche Siedlungen zu verbinden." [2]

Wortgeschichte Straßenbahnen kamen zuerst in England auf, wodurch sich im Deutschen das Wort *Trambahn* (um 1870) nach Ⓔⓝ *tramway* einbürgerte. Noch heute spricht man in Süddeutschland und Österreich sowie in der Schweiz verkürzt von ↑*Tram.*

Wortbenutzung 1878: Straßenbahnen (Tramways) (Handb. spez. Eisenbahntechnik, Bd. 5, Leipzig [1]); 1880: Entwicklung d. Oberbaues bei Straßeneisenbahnen (Glasers Annalen, Nr. 66, Berlin [1]); 1885: Elektrische Straßeneisenbahn in Berlin. In: etz Bd. 6 (1885) S. 262; 1895: Die Straßenbahnen [...] (KINNAIR CLARK, Leipzig [1]).

Wortfamilie *Straßenbahngenerator, ~motor, ~verbrauch, ~zähler.*

Fremdsprachige Entsprechungen (En) *streetcar* (US); (En)(Fr) *tramway;* (Es) *tranvía;* (It) *tram, tranvai;* (nGr) τράμ /*tram*/; (Ru) трамвай /*tramvaj*/; (Pl) *tramwaj;* (Cs) *pouliční dráha;* (Ja) /*densha*/.

Literatur [1] LUEGER-1904/1910, Bd. 8, S. 353–355; [2] Zit. nach Esperanto-Post (Limburg) Bd. 6 (1953) Nr. 7, S. 83.

Strom, (elektrischer) (electric) current

Worterklärung Geordnete Bewegung elektrischer Ladungen in einem Leiter. Spezialfall ist die *Stromstärke* als die Durchquerung der Ladung in der Zeiteinheit durch einen definierten Leiterquerschnitt. Formelzeichen: ↑*I.* SI-Einheit: ↑Ampere.

Wortgeschichte Laut H. SCHIMANK brachte der französische Physiker und Mathematiker André Marie AMPÈRE* begriffliche Klarheit in die elektrophysikalische Terminologie, indem er als erster den Unterschied zwischen der bisher allein berücksichtigten ↑Spannung bei allen „elektromotorischen Wirkungen" und dem von ihm geschaffenen Begriff »elektrischer Strom« ((Fr) *courant*) hervorhob. In seinen „Mémoires sur l'électromagnétisme et l'électrodynamique" (1822) schreibt er:

„Die elektromotorische Wirkung manifestiert sich durch zwei Arten, die ich zunächst mit Hilfe einer genauen Definition unterscheiden muß. Die erste werde ich *elektrische Spannung,* die zweite *elektrischen Strom* nennen. Die erste beobachtet man, wenn die beiden Körper, zwischen welchen die elektromotorische Wirkung stattfindet, in allen Punkten ihrer Oberfläche außer denen, wo sie besteht, durch nichtleitende Körper voneinander getrennt sind; die zweite ist die, in welcher jene im Gegensatz dazu den Teil eines Kreises leitender Körper bilden, die miteinander in Verbindung stehen an Punkten ihrer Oberfläche, die verschieden sind von jenen, wo sich die elektromotorische Wirkung vollzieht. [...] Diesen Zustand der Elektrizität in einer Reihe elektromotorischer und leitender Körper werde ich der Kürze halber *elektrischen Strom* nennen." [1]

Wortbenutzung 1826: Dies berechtigt zu dem Schlusse, daß jenes Wogen in einer Abänderung der Flüssigkeit seinen Grund hat, die durch den elektrischen Strom selbst bedingt wird und mit ihm steigt und fällt (OHM, Georg Simon [2]); 1845: Wird ein System von Drähten, die auf eine ganz beliebige Weise mit einander verbunden sind, von galvanischen Strömen durchflossen, so ist: [...] (KIRCHHOFF, G. [3]); 1881, 1898, 1948:

Zitate aus diesen Jahren vgl. ↑Ampere; 1965: Die handelsüblichen Netznachbildungen sind für einen Strom von höchstens 25 A ausgelegt (WARNER-1965, S. 108).

Wortfamilie

1 Zusammensetzungen mit *Strom-* als Bestimmungswort: *Stromabfall, ~abgabe, stromabhängig, ~ableitung, ~abnahme, ~abnehmer, ~abnehmerbügel, ~abnehmerbürste, ~abnehmerrolle, ~abnehmerstange, ~abschaltung, ~amplitude, ~änderung, ~anstieg, ~anzeiger, ~art, ~aufnahme, ~ausbreitung, ~ausbeute, ~ausfall, ~ausgleich, ~auslöser, ~bahn, ~bauch, ~bedarf, strombegrenzend, ~begrenzer, ~begrenzung, ~begrenzungsdrossel, ~begrenzungswiderstand, ~belag, ~belastbarkeit, ~belastung, ~dämpfer, ~dämpfung, ~dichte, ~dreieck, stromdurchflossen, ~durchgang, ~einheit, ~eintritt, ~element, ~empfindlichkeit, ~entnahme, ~ersparnis, ~erzeuger, ~erzeugung, ~faden, ~festigkeit, ~fluss, stromführend, ~gegenkopplung, ~geschwindigkeit, stromgesteuert, ~glätter, ~gleichrichter, ~impuls, ~indikator, ~kapazität, ~knoten, ~komponente, ~kosten, ~kreis, ~kreisunterbrecher, ~kurve, ~lauf, ~laufplan, ~leiter, ~leitung, ~lieferung, ~losigkeit, ~menge, ~messer, ~messung, ~messbereich, ~messgerät, ~mittelwert, ~netz, ~pegel, ~pfad, ~phase, ~preis, ~quelle, ~rauschen, ~regelröhre, ~regelung, ~regler, ~relais, ~resonanz, ~resonanzkreis, ↑~richter, ~richtung, ~richtungsanzeiger, ~richtungsumkehr, ~rückgang, ~rückgewinnung, ~rückkopplung, ~sättigung, ~schiene, ~schienenverbinder, ~schleife, ~schließungsstoß, ~schluss, ~schritt, ~schwankung, ~seil, ~sicherung, ~-Spannungs-Kennlinie, stromsparend, ~speisung, ~spule, ~stärke, ~steigerung, ~stoß, ~stoßrelais, ~stoßserie, ~system, ~teiler, ~teilung, ↑~tor, ~transformator, ~übergang, ~überlastung, ~übersetzung, ~umformung, ~umkehrung, ~umschaltung, stromunabhängig, ~unterbrecher, ~unterbrechung, ~vektor, ~verbrauch, ~verbraucher, ~verdrängung, ~verlauf, ~verlust, ~versorgung, ~versorgungs-[-anlage, -gebiet, -geräusch, -netz, -schwankung], ~verstärkung, ~verstärkungsschwankung, ~verteiler, ~verteilung, ~verteilungsrauschen, ~verteilungstafel, ~verzweigung, ~waage, ~wächter, ↑~wandler, ~wärme, ~wärmeverlust, ~wechsel, ~weg, ~welle, ↑~wender, ~wenderschritt, ~wendespannung, ~wendezone, ~wendung, ~wert, ~zeiger, ~zerlegung, ~zuführung, ~zuführungsdraht, ~zuleitung, ~zunahme, ~zweig;*

2 Zusammensetzungen mit *-strom* als Grundwort: *Abfallstrom, Ableit~, Ablenk~, Abschalt~, Abschmelz~, Anfangs~, Anker~, Ankerzweig~, Anlass~, Anlauf~, Anodengleich~, Anodenruhe~, Anoden~, Anodenwechsel~, Anschwing~, Ansprech~, Ansteuerungs~, Antennen~, Anzugs~, Arbeits~, Augenblicks~, Ausbreitungs~, Ausgleichs~, Auslöse~, Ausschalt~, Außen~, Bad~, Basis~, Belastungs~, Bemessungs~, Betätigungs~, Betriebs~, Bild~, Blind~, Blitz~, Brems~, Dauer~, Diffusions~, Diodenricht~, Doppel~, Drain~, ↑Dreh~, Dreiphasen~, Dunkel~, Durchlass~, Effektiv~, Eich~, Eingangs~, Einphasen~, Einschalt~, Elektroden~, Elektronen~, Emissionsrausch~, Emissions~, Emitter-Basis-Rest~, Emitterrest~, Entlade~, Erdschluss~, Erd~, Erreger~, Ersatz~, Fahr~, Fehler~, Fehl~, Feld~, Fluss~, Foto~, Foucault~, Fremd~, Gegen~, Gesamt~, Gitteranlauf~, Gittergleich~, Gitter~, Gleich~, Grenz~, Grund~, Halte~, Haupt~, Haushalts~, Heizfaden~, Heiz~, Hilfs~, Hochfrequenz~, Höchst~, Höcker~, Hör~, Hysterese~, Induktions~, Influenz~, Ionen~, Ionisierungs~, Ionisations~, Irr~, Isolations~, Kabel~, Kat(h)oden~, Kipp~, Klingel~, Kollektor-Basis-Rest~, Kollektorrest~, Kollektor~, Kommutierungs~, Kompensations~, Kontakt~, Korona~, Korrosions~, Kraft~, Kreis~, Kreuz~, Kriech~, Kurzschluss~, Lade~, Lager~, Läufer~, Leck~, Leerlauf~, Leiter~, Leitungs~, Lichtbogen~, Licht~, Lösch~, Magnetisierungs~, Maximal~, Mehrphasen~, Mess~, Mikrofon~, Mindest~, Minimal~, Misch~, Mit~, Modulations~, Momentan~, Motor~, Nach~,*

Nacht~, Nebenschluss~, Neben~, Nenn~, Netz~, Nullleiter~, Null~, Nutz~, Oberflächen~, Phasen~, Polarisations~, Primär~, Prüf~, Quer~, Raumladungs~, Rausch~, Resonanz~, Rest~, Richt~, Rotor~, Rück~, Ruf~, Ruhe~, Sättigungs~, Schalt~, Scheitel~, Schienen~, Schirmgitter~, Schrot~, Schwach~, ↑Schwach~technik, Schwebungs~, Schweiß~, Schwing~, Sekundär~, Sende~, Signal~, Sinus~, Speise~, Sperr~, Spitzen~, Sprech~, Ständer~, ↑Stark~, Stark~technik, Stell~, Steuer~, Stör~, Stoßkurzschluss~, Stoß~, Strahl~, Strang~, Streu~, Tag~, Teil~, Tesla~, Thermo~, Träger~, Trenn~, Übernahme~, Übersteuerungs~, Unterbrechungs~, Vakuum~, Verschiebungs~, Volllast~, Wechsel~, Welligkeits~, ↑Wirbel~, Wirk~, Zeichen~, Zener~, Zünd~, Zweig~, Zweiphasen~;

3 Wortableitung: *stromlos,*

4 Fachjargon: *Allströmer* »Allstromgerät«, *Saft.*

Fremdsprachige Entsprechungen (En) *current;* (Nl) *stroom;* (No) *strøm;* (Sv) *ström;* (Es) *corriente;* (Fr) *courant;* (It)(Pt) *corrente;* (nGr) ρευμα */reuma/;* (Ru)(Bg) ток */tok/;* (Pl) *prąd;* (Cs) *proud;* (Hu) *áram;* (Fi) *(sähkö)virta;* (Ja) */denryū/.*

Literatur [1] Zit. nach SAMBURSKY-1978, S. 495 u. 497; [2] OHM, G. S.: Bestimmung des Gesetzes, nach welchem Metalle die Kontaktelektrizität leiten [...], zit. nach OHM-1996, S. 18; [3] Das vollständige Zitat befindet sich im Artikel: ↑KIRCHHOFFsche Regeln.

Stromrichter convertor

Worterklärung Einrichtung zum Umformen elektrischer ↑Energie über nur in einer Richtung stromdurchlässige Bauelemente (Ventile, ↑Strom). Unter den ~ als Oberbegriff fallen ↑*Gleichrichter,* ↑*Umrichter* und ↑*Wechselrichter.*

Wortgeschichte An einem Diskussionsabend, der eine Woche nach dem am 2. Feb. 1932 von M. SCHENKEL* gehaltenen Vortrag „Technische Grundlagen und Anwendungen gesteuerter Gleichrichter und Umrichter" [1] vor dem Elektrotechnischen Verein* in Berlin stattfand und an dem sich zahlreiche Redner beteiligten, beendete W. WECHMANN* seinen technischen Beitrag durch folgende Ausführungen:

„Ich möchte noch einen Punkt erwähnen, der zwar nebensächlich erscheint; aber Herr Dr. SCHENKEL hat bereits vor 8 Tagen angeführt, daß wir uns nach kurzen und treffenden Benennungen für all die schönen Apparate umsehen müssen. Bekanntlich haben wir den Ausdruck *Gleichrichter* schon seit langer Zeit. Er ist kurz und er ist deutsch. Die Reichsbahn hat vor einigen Monaten vorgeschlagen, diejenigen Entladungsgefäße, die einen Wechselstrom irgendeiner beliebigen Frequenz, also beispielsweise Drehstrom von 50 Hz in Wechselstrom einer anderen Frequenz umrichten, beispielsweise in Einphasenstrom von 16 2/3 Hz, mit *Umrichter* zu bezeichnen, nach Analogie des *Gleich*richters. So liegt der Gedanke nahe, daß man diejenigen Apparate, die umgekehrt Gleichstrom in Wechselstrom umrichten, *Wechselrichter* nennt. Diese 3 Apparate, Gleichrichter, Wechselrichter und Umrichter bilden die Untergruppen einer Obergruppe, die man zweckmäßig mit *Stromrichter* bezeichnen könnte. Ich möchte vorschlagen, daß sich der Ausschuß für Einheiten und Formelgrößen und der VDE beizeiten auch mit dieser Frage beschäftigen und die Taufe mit diesen oder anderen geeigneten Benennungen vornehmen. (Lebhafter Beifall)." [2] [Hervorhebung entsprechend dem Original, jedoch kursiv statt gesperrt].

Andere Diskussionsteilnehmer haben diese Vorschläge unterstützt und sogleich angewendet: PETERSEN (S. 772), LÖBL* (S. 775), M. SCHENKEL* (S. 761).

Wortbenutzung 1943: Der Stromrichter beruht auf dem periodischen Zünden und Löschen eines Lichtbogens in strömendem Gas innerhalb einer unter Druck stehenden

Kammer (KOSACK-1943, S. 203–204); 1962: Schaltungslehre der Stromrichtertechnik (WASSERRAB, Th.: Berlin: Springer, 466 S.).
Wortfamilie *Stromrichtersatz, -gerät, -anlage, -schaltung* [3]; *Stromrichtertechnik* (Bestandteil des Namens: *Institut für Stromrichtertechnik und Antriebsregelung* an der TU Darmstadt); *Quecksiberdampf-Stromrichter* (= *Hg-Stromrichter*); *Halbleiter-Stromrichter* [4].
Fremdsprachige Entsprechungen Ⓔⓝ *power convertor;* Ⓝⓛ *vermogensomzetter;* Ⓢⓥ *strömriktare, omriktare;* Ⓔⓢ *convertidor de potencia;* Ⓕⓡ *convertisseur de puissance;* Ⓘⓣ *convertitore;* Ⓡⓤ силовой преобразователь /*silovoj preobrazovatel'*/; Ⓟⓛ *przekształtnik;* Ⓒⓢ *usměrňovač.*
Siehe auch ↑Mutator.
Literatur [1] SCHENKEL-1932; [2] SCHENKEL-1932, Aussprache, WECHMANNS Beitrag S. 771; [3] WARNER/ORTH-1984, S. 511–512; [4] Ebenda, S. 464 bzw. 510.

Stromtor

thyratron

Worterklärung Elektrisches Ventil mit Gittersteuerung, bei dem zwischen der ↑Kathode und ↑Anode der gasgefüllten Entladungsröhre ein Gitter angebracht ist, an das von außen eine geeignete Spannung angelegt werden kann. Mit einem solchen Ventil kann man also einen Gleichstrom in einem beliebigen Zeitpunkt in Gang setzen, aber nicht mehr hinterher absperren. Beim Durchgang des ↑Stromes durch Null wird der Stromweg selbsttätig wieder gesperrt. Diese Grundeigenschaften treten auf, wenn das Gefäß eine gewisse Dampfmenge niedrigen Druckes enthält, in der Regel Quecksilberdampf. [1]
Wortgeschichte Begriff und Benennung stammen von M. SCHENKEL*, der sie in seinem Vortrag „Technische Grundlagen und Anwendungen gesteuerter Gleichrichter und Umrichter" vor dem Elektrotechnischen Verein* zu Berlin am 2. Feb. 1932 mit folgenden Worten vorgeschlagen hat:

„Als geeigneter deutscher Name für ein elektrisches Ventil mit den geschilderten Eigenschaften sei das Wort ‚*Stromtor*' vorgeschlagen. Fußnote: In Amerika hat sich die GEC [General Electric Company] die Bezeichnung ‚*Thyratron*' schützen lassen." [1]

Wortbenutzung 1932: Durch die Vereinigung mehrerer solcher Stromtore [...] entsteht der steuerbare Quersilberdampf-Großgleichrichter [1]; 1953: Im Vergleich zu Hochvakuumröhren zeigen Stromtore gewisse konstruktive Abweichungen (KRETZMANN, R., [2]).
Fremdsprachige Entsprechungen ⒺⓃⓃⓁ *thyratron;* Ⓢⓥ *tyratron;* Ⓔⓢ *tiratrón;* Ⓕⓡ *thyratron* (1929, ROBERT-1994); Ⓡⓤ тиратрон /*tiratron*/; ⓅⓁⒸⓢ *tyratron.*
Literatur [1] SCHENKEL-1932, S. 762; [2] RINT, Curt (Hrsg.): Handbuch für Hochfrequenz- u. Elektrotechniker. Bd. 2, Berlin 1953. 760 S., hier S. 607.

Stromwandler

current transformer

Worterklärung Verdeutschende Ersatzbenennung für *Stromtransformator.*
Wortgeschichte Dieser 1916 vom Elektrotechnischen Verein* zu Berlin „auf Anregung aus Heereskreisen" gemachte Vorschlag [1] wurde von K. STRECKER* wie folgt erläutert:

„[Unter Transformator wird] ein durch elektromagnetische Induktion wirkender, ruhender Apparat (Eisenkern mit zwei oder mehr Wicklungen) verstanden. Apparate dieser Art, welche Ströme zum Zwecke der Messung wandeln, heißen *Wandler.* [...] Stromtransformator = *Stromwandler.*" [2] ↑*Wandler.*

Wortbenutzung 1943: In ähnlicher Weise kann man sich auch bei Strommessungen von der Hochspannung unabhängig machen durch Anwendung von Stromwandlern (KOSACK-1943, S. 164); 1994: Diese Norm gilt für neu hergestellte Stromwandler zur Anwendung mit elektrischen Meßgeräten (VDE 0414 Teil 1 [3]).
Wortfamilie Kaskadenstromwandler, Mehrkernstromwandler, Zweibereichstromwandler, Zwischenstromwandler.
Fremdsprachige Entsprechungen (En) *current transformer;* (Nl) *meetstroomtransformator;* (Es) *transformador de intensidad;* (Fr) *transformateur de courant;* (It) *trasformatore di corrente;* (Cs) *měřicí transformátor proudu.*
Literatur [1] SCHÜLER-1916; [2] STRECKER-1916, S. 527; [3] DIN VDE 0414 Teil 1:1994-01, zit. nach WARNER-Jahrbuch 1994, S. 91.

Stromwender — commutator

Worterklärung Auf der Achse einer elektrischen Maschine befindlicher aus zwei oder mehreren isolierten Segmenten bestehender Kupferring. Die Enden von Spulen sind an jeweils ein Segment in der Weise angeschlossen, dass ein Gleichstrom geliefert wird. Ersatzbenennung für *Kommutator.*
Wortgeschichte Das Wort ~ geht auf den Telegrapheningenieur und Fachübersetzer Carl GRAWINKEL* zurück, der 1888 dazu Folgendes sagte:

„Kehren wir die Richtung von Strömen um, so kommutiren wir, es ist ein Kommutator nothwendig, obgleich ein Stromwender völlig genügen würde." [1]

In einer 1916 vom Elektrotechnischen Verein* zu Berlin „auf Anregung aus Heereskreisen" erstellten Verdeutschungsliste [2] äußerte sich K. STRECKER* hierzu wie folgt:

„Der Kollektor heißt *Stromabgeber,* der Kommutator *Stromwender;* beides ist seit langer Zeit üblich." [3]

Wortbenutzung 1922: Die Wicklung ist an einen zweiteiligen Stromwender angeschlossen (THOMÄLEN-1922, S. 83); 1943: Um außerhalb des Ankers einen Gleichstrom zu erhalten, kann man einen Stromwender oder Kommuntator anwenden (KOSACK-1943, S. 78).
Wortfamilie Zusammensetzungen mit *Stromwender-* als Bestimmungswort: *Stromwenderanker, ~bürste, ~frequenz, ~isolation, ~konstruktion, ~maschine, ~motor, ~nabe, ~segment, ~seite, ~steg, ~teilung, ~wicklung.*
Fremdsprachige Entsprechungen (En)(Nl) *commutator;* (Sv) *kommutator;* (Es) *conmutador;* (Fr) *collecteur;* (It) *commutatore;* (Ru) коллектор /kollektor/; (Pl) *komutator;* (Cs) *komutátor.*
Literatur [1] GRAWINKEL-1888, S. 405; [2] SCHÜLER-1916; [3] STRECKER-1916, S. 526.

Südpol — south pole

Worterklärung Der nach Süden weisende Endpunkt einer Magnetnadel.
Wortgeschichte Der französische Naturforscher Pierre de MARICOURT*, der mit Magneteisensteinen experimentierte, nannte 1267 diejenigen Stellen (↑Pol) seiner ↑Magnete, die sich beim Schwimmversuch immer nach Süden ausrichteten, *Südpol,* die gegenüberliegenden ↑*Nordpol.* [1]

Fremdsprachige Entsprechungen (En) *south pole,* (Nl) *zuidpool;* (Es) *polo sur;* (Fr) *pôle sud;* (It) *polo sud;* (La) *polus australis;* (Ru) южный полюс */južnyj poljus/;* (Pl) *biegun południowy;* (Cs) *jižní pól.*
Literatur [1] Fraunberger-1985, S. 11.

Supraleitung

superconductivity

Worterklärung Eigenschaft bestimmter Metalle und Legierungen, unterhalb einer bestimmten kritischen Temperatur, die meistens bei wenigen Graden der absoluten Temperaturskala (4 ↑Kelvin bei Quecksilber) liegt, jeden elektrischen ↑Widerstand zu verlieren, den elektrischen ↑Strom also ohne Widerstand zu leiten (Supraleiter).
Wortgeschichte Diese Tatsache wurde 1911 vom niederländischen Physiker H. Kamerlingh Onnes* entdeckt [1] und so benannt, wie es folgender Text aus seiner Dankesrede zur Verleihung der Nobel-Preises für Physik am 11. Dez. 1913 belegt:
„Thus the mercury at 4.2 °K has entered a new state, which, owing to its particular electrical properties, can be called the state of superconductivity." [2]
Wortbenutzung 1947: Zur Theorie der Supraleitung (Heisenberg, W. [1]); 1965: Supraleitung in organischen Makromolekülen bei Raumtemperatur (Little, W.A. [3]); 1977: Supraleitung (Buckel-1977); 1995: Supraleitender magnetischer Speicher [4]; 1999: Supraleitfähigkeit (DIN VDE [5]); 2003: Allerdings müssen Supraleiter dazu bis weit unter den Gefrierpunkt gekühlt werden (Mundzeck [6]).
Wortfamilie *supraleitend, Supraleiter, Supraleiterprobe, Supraleitfähigkeit, Supraleitung, Verbundsupraleiter.*
Fremdsprachige Entsprechungen (En) *superconductivity;* (Nl) *supergeleiding;* (Fr) *supraconductivité* (1936, Robert-1994); (Cs) *supravodivost;* (Ja) */tyōdendō/.*
Supraleiter: (En) *superconductor;* (Nl) *supergeleider;* (Sv) *supraledare;* (Es) *superconductor;* (Fr) *supraconducteur* (1964, Robert-1994); (It) *superconduttore;* (Ru) сверхпроводник */sverhprovodnik/;* (Pl) *nadprzewodnik.*
Literatur [1] In: Forschungen u. Fortschritte Bd. 21/23 (1947) S. 243-244; Römpp-1966; [2] Kamerlingh Onnes, H.: S. 306–336, hier S. 333 in: Nobel Lectures; Physics; 1901–1921. Amsterdam: Elsevier, 1967. 498 S.; [3] In: Umschau Bd. 65 (1965) S. 197–198; [4] In: etz Bd. 116 (1995) Nr. 9, S. 38–45; [5] DIN EN 61788-1 (VDE 0390 Teil 1):1999-03; [6] Mundzeck, Till, in: Darmstädter Echo, 30.07.2003, S. 26.

Synthesizer

synthesizer

Worterklärung Musikinstrument, das mit Hilfe von Bauelementen der ↑Elektronik (zuerst mit ↑Röhren und ↑Transistoren, jetzt mit integrierten Schaltkreisen [ICS] und Signalprozessoren) beliebige Ton-, Klang- und Geräuschstrukturen erzeugen, aber auch zugeführte Klänge anderer Instrumente verarbeiten kann. Anders ausgedrückt können ~ Töne und Klänge, Tongemische und Geräusche jeglicher Art sowie zusammenhängende musikalische Abläufe und Transformationen durch Zusammenfügen aus einer Vielzahl von Einzelfunktionen erzeugen. Das Urmodel ist der analoge ~, in dem jede Funktionseinheit in eigenständigen Modulen elektrisch, konstruktiv und funktional völlig getrennt und unabhängig voneinander ist. Im Laufe der Zeit breitete sich die Digitalisierung der ~systeme bis zur Volldigitalisierung aus, was der Arbeitsweise eines

Computers entspricht. [1] Ganz aktuell ist die vollständige Verlagerung eines ~ in einen handelsüblichen Personal Computer als „virtuelles Instrument".

Wortgeschichte

1 Der ~ wurde 1954 von den amerikanischen Elektronikingenieuren Harry F. OLSEN* und Herbert BELAR in den Princeton Laboratories der Radio Corporation of America (RCA) erfunden und im Jahr darauf unter dem Namen „RCA Electronic Music Synthesizer" der Öffentlichkeit vorgestellt. [2] Dabei griffen sie das schon 1869 in einem maßgebenden Wörterbuch angeführte *synthesizer = the competent designer, theorist* auf.

2 Der ~ von Robert MOOG aus dem Jahre 1964 gehört zu den wenigen neuen Musikinstrumenten, die sich durchsetzen konnten. Einzigartig ist daran sein Filter zum Ausblenden von Oberschwingungen. [3]

3 Zu den Vorläufern der elektronischen Anwendung gehören das *Theremin* des russischen Physikers Leon THEREMIN (etwa 1925), das *Trautonium* des deutschen Ingenieurs Friedrich TRAUTWEIN (1928) und die *Ondes Martenot* des Franzosen Maurice MARTENOT (1928). [4]

Wortbenutzung 1974: Synthesizer […] Gerät zur elektronischen Klangerzeugung (DUDEN-Fremdwörterbuch, S. 709); 1996: Text wie 1974 (DUDEN-1996, S. 726); 2000: Der Synthesizer ist also ein Gerät, mit dem man auf elektronische Weise Klänge erzeugen kann, die meist für Musik oder andere Geräusche verwendet werden (ANWANDER [5]).

Wortfamilie [6]

1 Zusammensetzungen mit *Synthesizer-* als Bestimmungswort: *Synthesizermodul, ~musik, ~system;*

2 Zusammensetzungen mit *-synthesizer* als Grundwort: *Algorithmussynthesizer, Analog~, Audio~, Bass~, Blas~, Computer~, Digital~, Effekt~, Hybrid~, Modul~, Mono~, Musik~, Poly~, Preset~, Studio~.*

3 Fachjargon: *Synthie.*

Fremdsprachige Entsprechungen (En) *synthesizer* (US), *synthesiser* (GB), (Fachjargon: *synth*); (Fr) *synthésiseur* (Fachjargon: *synthé*).

Literatur [1] ENDERS-1987, S. 235–240; EIMERT, Herbert; HUMPERT, Hans Ulrich: Das Lexikon der elektronischen Musik. Regensburg: Bosse, 1973. 439 S., hier S. 336; [2] NEWCOMB, Martin J.: The museum of synthesizer technologgy. Albury (England): Newcomb, 1994. 118 S., hier S. 11; [3] PINCH, Trevor; TROCCO, Frank: Analog days. The invention and impact of the Moog synthesizer. Cambridge (Mass., USA): Harvard Univ. Press, 2002; Kurzfassung: PINCH, Trevor: Er gab uns die guten Vibrationen. In: FAZ (08.02.2004) S. 60–61; [4] Ebenda (PINCH, 2002), S. 54; [5] ANWANDER, Florian: Synthesizer. Bergkirchen: Presse Project Verlag, 2000. 206 S., hier S. 162; [6] Im Wesentlichen nach [1] ENDERS.

Systemtheorie system theory

Worterklärung Gesamtheit der geordneten Antworten auf die Grundfragen der verschiedenen Teilgebiete der ↑Informationstechnik.

Wortgeschichte Das Ergebnis seiner in den Jahren 1937 bis 1943 an der TH Berlin gehaltenen Vorlesungen legte 1949 der Nachrichtentheoretiker Karl KÜPFMÜLLER* in einem epochemachenden Werk „Die Systemtheorie der elektrischen Nachrichtenübertragung" nieder. Im Vorwort definiert er ~ wie folgt:

„Die theoretischen Vorstellungen von den Übertragungsvorgängen der elektrischen Nachrichtentechnik sind aus verschiedenen Fragestellungen entstanden. Eine neuere Betrachtungsweise, die sich als besonders fruchtbar erwiesen hat, besteht darin, daß willkürlich bestimmte Wechselstromeigenschaften der Übertragungssysteme angenommen werden; es wird dann gefragt, wie sich ein so gekennzeichnetes System bei der Übertragung von Nachrichten verhält. Für diese Art der Betrachtung schlage ich die Bezeichnung ‚Systemtheorie' vor." [1]

In der dritten Auflage seiner „Systemtheorie" von 1968 gibt der Autor eine erweiterte Definition:

„(Es) wird heute unter Systemtheorie etwa die Anwendung mathematischer Methoden zur Untersuchung von Anordnungen verstanden, die aus einer sehr großen Zahl von Elementen zusammengesetzt sind, sowie die Weiterentwicklung dieser Methoden. Damit ist die Systemtheorie nicht auf ein spezielles Gebiet der Technik beschränkt, und es bleibt auch in gewissen Grenzen willkürlich, was man z. B. in eine Systemtheorie der elektrischen Nachrichtenübertragung einbeziehen will." [2]

Wortbenutzung 1968: Die Regelungstechnik hat sich zu einem großen Komplex mit einer eigenen ‚Systemtheorie' entwickelt (KÜPFMÜLLER [2]); 1990: Systemtheorie. Grundlagen für Ingenieure (UNBEHAUEN [3]); 1997: Die vom heutigen Blickpunkt aus gesehen gewichtigste Leistung Küpfmüllers war seine Systemtheorie. [...] Küpfmüller hat das Zeitgesetz der Nachrichtentechnik, daß nämlich das Produkt von Bandbreite und Einschwingzeit in der Nähe von 1 liegt, auf den Integralsinus hingeführt (ZEMANEK [4]).
Fremdsprachige Entsprechungen (En) *system theory;* (Fr) *théorie des télécommunication.*
Siehe auch ↑Nachrichteneinheit.

Literatur [1] KÜPFMÜLLER-1949, Vorwort (keine Paginierung); [2] KÜPFMÜLLER-1968, Vorwort (keine Paginierung); [3] UNBEHAUEN; Rolf: Systemtheorie. 5. Aufl., München; Wien: Oldenbourg, 1990. 746 S.; [4] ZEMANEK, Heinz: Karl Küpfmüller. Ein Vorausdenker der Informationstechnik. In: Festschrift zum 100. Geburtstag von Prof. Karl Küpfmüller (1897–1977). Darmstadt: TU, 1997. XXVIII + 122 S., hier S. XXIII.

T

Θ • Tachygraph

Techner • Technik

... • Telegramm • Telegraph

... • Telekommunikation

Telephon/Telefon • ... • Teleskop

Television • Tera- • Tesla

Thermometer • ... • Transformator

Transistor • Triode

-tron • TV

Θ

Θ (current linkage; ampere turn)

Worterklärung Großbuchstabe *Theta* des griechischen Alphabets als Formelzeichen für »elektrische ↑Durchflutung« nach DIN 1304-1: 1994-03 entsprechend IEC 27-1: 1992-12. SI-Einheit: ↑Ampere.

Wortgeschichte

1 Hierbei handelt es sich um ein bildhaftes Buchstabenzeichen, das seine Bedeutung von der Ähnlichkeit mit dem dargestellten Begriff hat: »Gesamtstrom durch eine Randkurve«. Man deutet das Zeichen als das Abbild der Randkurve und des in ihr liegenden Stromleiterquerschnitts. Dieses Formelzeichen verwendete der Elektromaschineningenieur Rudolf Richter* in seinem Werk „Ankerwicklungen für Gleich- und Wechselstrommaschinen" (Berlin 1920). [1]

2 Die Benennung *Durchflutung* wurde laut W. Bader vom Wechselstromtheoretiker Fritz Emde* als Ersatz für *Amperewindungszahl* geprägt. [2]

Literatur [1] Wüster-1931, S. 182; [2] Bader, W., in: etz Bd. 72 (1951) S. 511–513, hier S. 511.

Tachygraph

tachygraph

Worterklärung Einrichtung zur schnellen mechanisch-optischen Übertragung von Nachrichten in die Ferne, die der Franzose Claude Chappe* erfunden hatte und am 22. März 1792 der Gesetzgebenden Versammlung (Assemblée législatif) erläuterte. Nach erfolgreicher Erprobungsphase mit drei Versuchsstationen wurde Chappe beauftragt, eine erste Betriebslinie zwischen Paris und Lille einzurichten, die im Sommer 1794 mit 23 Stationen eröffnet wurde. [1]

Wortgeschichte Das Wort Ⓕⓡ *tachygraphe* ›Schnellschreiber‹ nach Ⓖⓡ ταχῦς /*tachýs*/ ›schnell‹ und γράφειν /*graphein*/ ›schreiben‹ musste jedoch dem Wort ↑*Telegraph* weichen.

Literatur Aschoff-1984, S. 160.

Techner

technician

Worterklärung Ehemals vorgeschlagene Ersatzbenennung für *Techniker* (↑Technik).

Wortgeschichte Das Wort ~ führt Hans L. Stoltenberg* in seinem Buch „Deutsche Weisheitsprache" (Lahr 1933) an.

Technik

technology

Worterklärung Gesamtheit der Fertigkeiten und Erfahrungen, um die Naturschätze für den Menschen nutzbar zu machen.

Wortgeschichte

1 Das Wort ~ hängt mit Ⓖⓡ τέχνη /*téchnē*/ zusammen, für das fünf Bedeutungen nach Johannes E. Heyde [1] zu verzeichnen sind: Handwerk, Kunst, Wissenschaft, List und Betrug. Er weist kenntnisreich nach, dass für das Deutsche ~ im Altgriechischen ein entsprechendes Substantiv etwa als τεχνική /*technikē'*/ nicht vorkam. Zwar gibt es ein griechisches Wort gleicher Schrift- und Lautform, aber nur als feminines Adjektiv.

2 Das Ⓕⓡ *technique* (von Ⓛⓐ *technicus*) ist 1721 zunächst noch Adjektiv, erscheint 1744 auch als Substantiv *le technique* »das Technische«, sodann in weiblicher Form *la technique* »die Technik«. Dennoch ist sie nicht das Ausgangswort für das Ⓓⓣ ~ und zwar

wegen der unterschiedlichen Aussprache des *-ch-*: [k] im Französischen, [ç] im Deutschen und der unterschiedlichen Betonung: Endbetonung im Französischen, Betonung auf der vorletzten Silbe im Deutschen. Denn mit der Eindeutschung übernahmen die (Gr)(La) Wörter (nicht die (Gr)(La)(Fr) Wörter) den Ton auf derjenigen Silbe, die ihnen in der latinisierten Form zukam: *Dialektik, Ethik, Pädagogik*. Daraus lässt sich schließen, dass sie unmittelbar aus dem spät- und nachmittelalterlichen Latein übernommen worden sind, das die europäische Gelehrtensprache bis ins 18. Jahrhundert gewesen ist. [2]

3 Im Jahre 1664 erschien in Würzburg ein Buch des Jesuitenpaters Caspar SCHOTT* mit dem Titel „Technica curiosa sive Mirabilia artis, libris XII comprehensa […]" ›Wissenswerte (interessante) Technik oder Merkwürdigkeiten technischen Könnens, in 12 Büchern zusammengefasst (beschrieben)‹. Dass *technica* eine Einzahlform darstellt, wird im Buch deutlich, z. B. „[…] ad Technicam meam Curiosam" (S. 88) ›[…] zu meiner Wissenswerten Technik‹. Da SCHOTT auch durch seine „Physica curiosa […]" (1662) bekannt war, bürgerte sich die Einzahlform *technica* ein. [3]

Wortbenutzung 1790: Früheste Benutzung durch Immanuel KANT: „Wir wollen, indem wir das Verfahren (die Kausalität) der Natur, wegen des Zweckähnlichen, welches wir in ihren Produkten finden, Technik nennen, diese in die *absichtliche* (technica intentionalis), und in die *unabsichtliche* (technica naturalis), einteilen." [4]

1 Titel von Veröffentlichungen: 1822: *System der Technik* (KOELLE, August, Berlin); 1877: *Grundlinien einer Philosophie der Technik* (KAPP, Ernst, Düsseldorf); 1884: *Cultur und Technik* (REULEAUX, Franz, Berlin, Vortrag); 1904/1910: *Lexikon der gesamten Technik und ihrer Hilfswissenschaften* (Hrsg.: LUEGER, Otto, Stuttgart; Leipzig; Neuaufl.: 1960ff.); 1956: *Streit um die Technik* (DESSAUER, Friedrich, Frankfurt a. M.); 1981: *Die Technik des Altertums* (NEUBURGER, Albert, Leipzig, 1. Aufl.: 1919); 1983: *Strahlung in Umwelt, Medizin und Technik* (RAMM, Bernd, Ullstein); 1988: *Chronik der Technik* (PATURI, Felix R., Dortmund); 1994: Technikpioniere (VOLKMANN-1994); 1997: Propyläen Technikgeschichte (Hrsg.: KÖNIG, Wolfgang, Hrsg., Berlin).

2 Zeitschriftentitel: Humanismus und Technik (Hrsg.: Ges. v. Freunden der Technischen Universität Berlin); Kultur & Technik (Hrsg.: Deutsches Museum München, 26. Jhg. 2002).

3 Institutionen: Fachhochschulen mit technischen Fachbereichen nennen sich im Untertitel: *„Hochschule für Technik und …"* fallweise: *Gestaltung, Kultur, Sozialwesen, Wirtschaft*. Mannheim: *Stiftung Landesmuseum für Technik und Arbeit*.

Wortfamilie

1 Zusammensetzungen mit Technik- als Bestimmungswort: *Technikfolgenabschätzung, ~geschichte, ~kultur, ~pionier, ↑~wissenschaften;*

2 Zusammensetzungen mit -technik als Grundwort: *Automatisierungstechnik, ↑Elektro~, Feinwerk~, Fernmelde~, Hochfrequenz~, Hochspannungs~, ↑Informations~, Licht~, Mess~, Nachrichten~, Prüf~, Radio~, Regelungs~, Rundfunk~, ↑Schwachstrom~, Starkstrom~, Stromrichter~.*

Siehe auch ↑Technologie.

Literatur [1] HEYDE-1963, S. 29; [2] Ebenda, S. 32; [3] Ebenda, S. 32–39; [4] KANT, Immanuel: Kritik der Urteilskraft. Zit. nach HANSEN-2000, S. 26138 (S. 395).

Technikwissenschaften

technology science

Worterklärung Systematische Durchdringung und Erforschung von Gegebenheiten der Technik angefangen beim Bauwesen und Bergbau, über den Maschinenbau, die ↑Elektrotechnik bis einschließlich ↑Informatik und ↑Informationstechnik. Ohne die letzten beiden Gebiete fasste man die übrigen unter dem Begriff und der Benennung »*Ingenieurwissenschaften*« zusammen.

Wortgeschichte Begriff mit Benennung ~ wird zuerst 1984 vom Wissenschaftsrat in seinen „Empfehlungen zum 14. Rahmenplan für den Hochschulbau 1985–1988" (Band 5, 1984) verwendet, wo es im Abschnitt 3 lautet:

„Nach Auffassung des Wisssenschaftsrates ist der Büchergrundbestand für die Technikwissenschaften in diesem Modell aber zu knapp bemessen."

Wortbenutzung 1995: Technikwissenschaften [1]; 1997: Thesen zum Selbstverständnis der Technikwissenschaft [2]; 1998/1999: Ingenieurwissenschafttten (Technikwissenschaften), Technikwissenschaften ↑Ingenieurwissenschaften (Brockhaus, Bd. 6 bzw. Bd. 14); 1999: Selbstverständnis der (S. 28, Ü), Theoretisierung der Technikwissenschaften (S. 30), Modellbildung als Schlüsselproblem der Technikwissenschaften (S. 35, Ü), Erst jetzt hatten die Technikwissenschaften ihre Entwicklung zu eigenständigen Wissenschaften weitgehend abgeschlossen (S. 41) (Ü = Überschrift) [3]; 2000: Die TU Dresden hat ein „Institut für Geschichte der Technik und der Technikwissenschaften".

Wortfamilie Wortableitungen: Verwertungsmöglichkeit technikwissenschaftlicher Kenntnisse; „F. Reuleaux [...] einer der bedeutendsten Technikwissenschaftler des 19. Jh." (DBE Bd. 8.1998).

Literatur [1] König, Wolfgang, Chur 1995. 386 S.; [2] Berlin-Brandenburgische Akademie der Wissenschaften, 11.12.1997, Spur, G.; [3] König-1999.

Technische Hochschule

University of Technology

Worterklärung Wissenschaftliche Einrichtung für Forschung und Lehre in den ↑Technik- und Naturwissenschaften mit Promotionsrecht. Abkürzung: TH. Absolventen sind ↑Diplom-Ingenieure, Diplom-Physiker, Diplom-Chemiker u.a. Erlangung des Grades ↑Doktor-Ingenieur ist möglich.

Wortgeschichte

1 Die TH sind aus Bau-, Berg- und Gewerbeakademien und -schulen sowie Polytechnischen Schulen hervorgegangen. Den Titel *Technische Hochschule* erhielten Wien 1872, Brünn 1873, Braunschweig und München 1877, Prag, Darmstadt und Berlin 1879, Aachen und Hannover 1880, Karlsruhe 1885, Stuttgart und Dresden 1890. [1] Das Eidgenössische Polytechnikum in Zürich wurde 1911 *Eidgenössische Technische Hochschule*. [2]

2 Die Benennung ~ stammt von dem Naturwissenschaftler Friedrich K. L. Schoedler,* der 1847 einen Gesamtüberblick über das höhere technische Schulwesen im damaligen Deutschen Bund veröffentlichte und dabei Folgendes feststellte:

„daß sich auch im ‚technischen' Schulwesen die ‚dreigliedrige' Struktur des traditionellen Bildungswesens (‚Elementarschule' – Gymnasium – Universität) herauszubilden begonnen habe. Neben den ‚Elementarschulen' – diese ‚gemeinschaftlich für Humanisten und Techniker' – gebe es ‚technische Mittelschulen', und als ‚Schlußstein des technischen Bildungswesens muß nun die technische Hochschule folgen, welche gleich der Universität eine Fachschule ist und die einzelnen technischen Fächer […] vollständig erledigt. Sie ist daher der Universität gleichlaufend und wird von uns technische Hochschule genannt.'" [Hervorhebung entsprechend der Vorlage]. [3]

Wortbenutzung Ein sehr früher Beleg ist zu finden im „Concept einer Denkschrift LEIBNIZS über die Verbesserung der Künste und Wissenschaften im Russischen Reich" von 1716:

Es sollen daher die hohen Schulen (nämlich Universitäten und Ritterakademieen) billig in den Hauptstädten angeleget werden als sonderlich in Moscou [= Moskau], Kiof [= Kiew], Astrachan etc. [4].

Fremdsprachige Entsprechung Ⓢⓥ *Tekniska Högskolan.*

Literatur [1] KÖNIG-1999, S. 17; [2] FÖLSING-2002, S. 347; [3] Zit. nach VIEFHAUS, Erwin: Zur Entstehung und Entwicklung der Technischen Hochschule Darmstadt im 19. und 20. Jahrhundert. Jahrbuch 1976/77 (100 Jahre TH Darmstadt), S. 57–111, hier S. 76; [4] GUERRIER-1975, S. 354, Denkschrift Nr. 240.

Technische Universität — University of Technology

Worterklärung Aus ↑Technischen Hochschulen hervorgegangene Einrichtungen, die neben den Natur- und ↑Technikwissenschaften auch die Geistes-, Kultur- und Sozialwissenschaften pflegen. Abkürzung: TU.

Wortgeschichte Die Benennung *Technische Universität* erhielten zuerst Berlin 1946, Dresden 1961, danach die meisten übrigen TH, Darmstadt erst mit Wirkung vom 1. Okt. 1997. [1] ~ geht auf Karl KARMARSCH* zurück, der 1856 anlässlich einer Rede zum 25-jährigen Jubiläum der Polytechnischen Schule, der vormaligen höheren Gewerbeschule zu Hannover, Folgendes ausführte:

„Lehranstalten, welche zum Weiterdringen auf solchen Bahnen die Tore öffnen und ein so weites, so erhabenes, so fruchtreiches Gebiet des Wissens umfassen, stehen als wahre Hochschulen einer völlig neuen, selbständigen Gattung da. Gleich den Universitäten und nicht minder an der Hand strenger Wissenschaftlichkeit führen sie bis zur letzten Grenze des Unterichts. […] Neben dem Gymnasium geht die höhere Bürgerschule her, neben der Universität die polytechnische Schule, die ‚technische Universität'" [2]

Literatur [1] Darmstädter Echo (2./3. Okt. 1997) S. 16; [2] Zit. nach KÖNIG-1999, S. 1–2.

Technologie[I] — technology

Worterklärung Systematische Beschreibung und rationelle Erklärung derjenigen Verfahrensarten und Hilfsmittel, durch die rohe Naturprodukte zu Gegenständen des physischen Gebrauchs durch menschlichen Fleiß verarbeitet werden. Ihren Stoff findet sie in dem außerordentlich umfangreichen Gebiet der Industrie. Definition nach Karl KARMARSCH*. [1]

Wortgeschichte Das Wort ~ wurde 1777 von Johann BECKMANN* nach dem Ⓖⓡ τεχνολογία /*technología*/ (↑Technik) geprägt und durch sein Buch „Anleitung zur Technologie. Zur Kenntnis der Handwerke, Fabriken und Manufacturen vornehmlich derer, die mit der Landwirtschaft, Polizei und Cameralwissenschaft in nächster Verbindung stehen" (1777) im deutschen Sprachraum heimisch gemacht. [2] Während er und sein Schüler J.H.M. POPPE die ~ als eine „allgemeine, also allübergreifende deskriptive Ge-

werbe*kunde* betrieben", erhält sie durch KARMARSCH eine ingenieurwissenschaftliche Betrachtungsweise entsprechend dem industriellen Fortschritt. Für KARMARSCH ist ~ nur noch mechanische ~ und damit „Gegenstand der Ingenieurwissenschaften", wie sie auf den ↑Technischen Universitäten und Fachhochschulen betrieben werden. [3]
Wortbenutzung 1806: Handbuch der Technologie (POPPE, J.H.M., Frankfurt a.M.); 1809: Lehrbuch der allgemeinen Technologie [...] (POPPE, J.H.M., Frankfurt a.M.); 1837: Handbuch der mechanischen Technologie (KARMARSCH, K.); 1872: Geschichte der Technologie [...] (KARMARSCH [1]); 2001/2002: Chemische Technologie; Fachgebiet Produktionsmanagement, Technologie und Werkzeugmaschinen; Vorlesung: Technologie der Fertigungsverfahren (TU Darmstadt [4]).
Literatur [1] KARMARSCH, Karl: Geschichte der Technologie seit der Mitte des 18. Jahrhunderts. München 1872; zit. nach MARX-1982, S. XXXVIII–XXXIX; [2] HEYDE-1963, S. 32, Fußnote 14a; [3] MARX-1982, S. XL; [4] Personal- u. Studienplanverzeichnis; Vorlesungsverzeichnis.

Technologie[II] technology

Worterklärung Moderne Alternativbenennung zu ↑Technik.
Wortgeschichte Ausgelöst wurde der Wechsel zu ~ durch die Schaffung des deutschen „Bundesministeriums für Forschung und Technologie" (BMFT) im Jahre 1978 unter Minister Volker HAUFF. Das führte dann dazu, dass neue Fachgebiete zum Grundwort *-technologie* tendierten: *Bio~*, *Computer~*, *Informations~* (obwohl ↑Technische Universitäten und Fachorganisationen an ↑*Informationstechnik* festhielten) u.a.m. Es lässt sich nicht leugnen, dass es sich hierbei wortwörtliche Umsetzung aus dem angloamerikanischen Sprachraum handelt: *biotechnology*, *computer technology*, *information technology*. Im Jahre 1998 wurde das BMFT in das Bundesministerium für Wirtschaft eingegliedert, dessen Name sich daher um die Bestandteile *„und Technologie"* verlängerte. Nach der Bundestagswahl von 2002 fungierte es als *BM für Wirtschaft und Arbeit*, nach der von 2005 wieder als *BM für Wirtschaft und Technologie*.
Wortbenutzung In seiner ab 1. Jan. 2003 gültigen Satzung legte der ↑VDE seine Arbeitsbereiche wie folgt fest:

„Technisch-wissenschaftliche Arbeitsbereiche des VDE sind die Elektrotechnik, Elektronik, Informationstechnik bzw. Informatik und diese ergänzende Technologien und Wissenschaften (wie Opto-, Mikro-, Nano-, Biotechnologien u.ä.) sowie deren Anwendungen in Kommunikation, Medien, Automatisierung, Verkehr, Gesundheitswesen usw."

Telegramm telegram

Worterklärung Mit Hilfe eines ↑Telegraphen zu übermittelndes Schriftstück, das dem Empfänger zugestellt werden soll.
Wortgeschichte Das Wort ~ geht auf den Amerikaner E.P. SMITH aus Rochester zurück, über den am 6. Apr. 1852 das „Albany Evening Journal" Folgendes schrieb:

„Ein Freund wünscht, daß wir ankündigen, er werde sich zu geeigneter Zeit erlauben, ein neues Wort in das Wörterbuch einzuführen. Der Zweck der beabsichtigten Neuerung ist, die jetzt vorhandene Nötigung zu vermeiden, zwei Wörter, die oft vorkommen, zu gebrauchen, wo eins genügen würde. Das Wort ist *Telegramm* statt ‚telegraphische Depesche'". [1]

Der Originaltext wird uns von M.M. MATHEWS wie folgt mitgeteilt:
„A friend desires us to give notice that he will ask leave […] to introduce a new word into the vocabulary. It is *telegram*, instead of *telegraphic dispatch* or *telegraphic communication*." [2]
In der Anfangsphase der elektromagnetischen Telegraphie hieß auch in Deutschland das zu übermittelnde Schriftstück *Telegraphische Depesche* [3]. Es wurde 1904 darauf hingewiesen, dass ~ falsch gebildet worden sei, es müsse eigentlich *Telegraphem* heißen. So finden wir es im Neugriechischen. [4]
Wortbenutzung 1852: Our Boston correspondent says that the new name for Telegraphic Despatches, now called Telegrams, should be written *Tell-a-cram* [›erzähl eine Flunkerei‹] (Zeitung „Lantern" (New York) Nr. 184/2) [2]
Wortfamilie *Telegrammadresse, ~anschrift, ~bote, ~formular, ~gebühr, ~schalter, ~stil.*
Fremdsprachige Entsprechungen (En)(Nl)(Sv) *telegram;* (Es) *telegrama;* (Fr) *télégramme* (1859, ROBERT-1994); (It) *telegramma;* (nGr) τηλεγράφημα */tēlegráfēma/;* (Ru) телеграмма */telegramma/;* (Pl)(Cs) *telegram;* (Ja) */denpō/.*
Literatur [1] BÜCHMANN-1953, S. 307; [2] MATHEWS-1951, S. 1712; [3] Faksimile aus den 1850er Jahren, wiedergegeben in: Post- u. Telekommunikationsgeschichte, Regionalbereich Mitte, Heft 2001, S. 11; [4] KARRASS-1909, S. 5.

Telegraph

telegraph

Worterklärung Einrichtung zur buchstabenweisen Übertragung von Nachrichten in die Ferne, zuerst auf optischen Wege, später auch über elektrische Leitungen.
Wortgeschichte Der vom französischen Ingenieur Claude CHAPPE* 1792 erfundene optische ~ hieß zuerst ↑*Tachygraph.* [1] Auf Anregung des Comte Miot de MÉLITO benannte CHAPPE 1792 seine Erfindung in *télégraphe* um. Dies wurde dann auch die offizielle Bezeichnung in Frankreich. Dem erfolgreichen Erfinder verlieh die Assemblée den Ehrentitel *Ingénieur télégraphe.* [2] Das Wort ~ wurde aus (Gr) τηλε */tēle/* ›fern‹ und γράφειν */gráphein/* ›schreiben‹ gebildet.
Wortbenutzung Erste Vorkommen des Wortes ~ in deutschen Texten: 1794 im Buch des Karlsruher Physikprofessors Johann Lorenz BOECKMANN (1741–1802) mit dem Titel „Versuch über Telegraphic und Telegraphen nebst der Beschreibung und Vereinfachung des französischen Telegraphen […]," Carlsruhe: Macklot, 1794; 1795: „Beschreibung des Telegraphen, welchen P[ater] Basilius SINNER, Benediktiner zu St. Mang in Füssen in der dasigen Bibliothecke aufgestellt hat", Füssen: gedruckt bei Benedikt Mayr, 1795 [Buch war 2001 im Museum der Stadt Füssen ausgestellt]. Weitere Belege in: GRIMM-1991, Bd. 21.
Wortfamilie (Dt) *Telegraphie* (1795); (Fr) *télégraphie* (1812, ROBERT [2]), (Fr) *télégraphier* (1842, ROBERT [2]), (Fr) *télégramme* (1859, ROBERT-1994).
Literatur [1] ASCHOFF-1984, S. 9 u. 160; [2] ROBERT in 6 Bd., Paris 1966, Bd. 6, S. 490; [3] Zit. nach dem Faksimile-Titelblatt in: WEIHER-1980, S. 27.

Telegraphon

telegraphon

Gerät zur magnetischen Tonaufzeichnung mit Hilfe von Stahldraht, das vom dänischen Ingenieur Valdemar POULSEN* marktreif gebaut und auf der Pariser Weltausstellung 1900 mit dem Grand Prix ausgezeichnet wurde. [1] Der österreichische Kaiser FRANZ

JOSEPH I. (1830–1916) sprach dort in das ausgestellte Gerät die Worte: „Diese Erfindung hat mich sehr interessiert, und ich danke für die Vorführung derselben"; sie sind auf dem Telegraphondraht gespeichert. [2] ↑Magnetophon.

Literatur [1] STRECKER, K.: Über das Telegraphon. In: etz Bd. 25 (1904) S. 14–15; KLINKMÜLLER, Jobst, in: etz-B Bd. 7 (1955) S. 48–50; [2] RÖMER, Claus: Des Kaisers Worte auf Draht. In: FAZ (13.11.1990) S. T1.

Telekommunikation telecommunication

Worterklärung Nach der Definition des Telekommunikationsgesetzes (TKG) vom 25. Juli 1996

„ist *‚Telekommunikation'* der technische Vorgang des Aussendens, Übermittelns und Empfangens von Nachrichten jeglicher Art in der Form von Zeichen, Sprache, Bildern oder Tönen mittels Telekommunikationsanlagen" [1].

Wortgeschichte

1 Das TKG ersetzt das bisherige „Gesetz über ↑Fernmeldeanlagen" vom 14. Januar 1928 (letzte Fassung war die Bekanntmachung vom 3. Juli 1989) und läutet damit ein neues Zeitalter ein, das vom zuständigen Bundesminister Chr. SCHWARZ-SCHILLING ab 1. Juli 1989 durch einen neuen Namen seines Ministeriums: *Bundesministerium für Post und Telekommunikation* (statt bisher *Post und Fernmeldewesen*, seit 1949) vorbereitet worden ist. Im Zuge der Poststrukturreform ist dieses Bundesministerium mit Wirkung vom 1. Januar 1998 durch die *Regulierungsbehörde für Telekommunikation und Post* im Dienstbereich des Bundesministeriums für Wirtschaft und Technologie ersetzt worden. [2]

2 Vorausgegangen waren die Arbeiten der 1974 von der Bundesregierung berufenen KtK (Kommission für den Ausbau des technischen Kommunikationssystems), dessen Vorsitzender, E. WITTE*, sich auf einem Symposium im Okt. 1975 in München für Begriff und Benennung ~ mit folgenden Worten einsetzte:

„Man versteht darunter nunmehr sowohl die Fernmeldetechnik, als auch die Datenübertragung, als auch den Ton- und Fernsehrundfunk; die Grenzen zwischen den einzelnen Gebieten sind fließend geworden." [3]

3 Die Benennung ~ begegnet uns bereits im (Fr) *télécommunication*, deren erstes Vorkommen ROBERT mit 1905 angibt. Der 1865 in Paris gegründete *Welttelegraphenverein* ((Fr) *Union Télégraphique Internationale*) wird nach Verschmelzung mit dem von 1906 bis 1932 bestehenden *Weltfunkverein* 1932 in *Union Internationale des Télécommunications (UIT)* umbenannt; (En) *International Telecommunication Union (ITU)*; (Dt) *Weltnachrichtenverein*, ab 1945: *Internationationaler Fernmeldeverein*; ab 1961: *Internationale Fernmeldeunion*. [4][5]

Wortbenutzung Mit dem neuen Gesetz werden auch alle mit dem Bestimmungswort *Fernmelde-* verknüpften Benennungen auf das neue Bestimmungswort umgestellt: *~sanlage, ~sdienst, ~sdienstleistung, ~slinie, ~snetz, ~szulassungsverordnung*. Eine Ausnahme bilden Begriff und Benennung *Fernmeldegeheimnis*, die wegen der Verankerung im Art. 10 des Grundgesetzes nicht geändert worden sind.

Fremdsprachige Entsprechungen (En) *telecommunication*; (Nl) *telecommunicatie*; (Es) *telecomunicaciones* (pl); (Fr) *télécommunications* (pl); (It) *telecomunicazioni* (pl); (Ru) связь */svjaz'/*; (Pl) *telekomunikacja*; (Cs) *telekomunikace*; (Tr) *telekomünikasyon*.

Literatur [1] Bundesgesetzblatt Teil I (1996) Nr. 39, S. 1120–1150; [2] J. GABEL, in: ntz Bd. 29 (1976) S. 185; [3] BERGER, Heinz: Die Diskussion um die Errichtung der Regulierungsbehörde für Telekommunikation und Post. In: Post- u. Telekommunikationsgeschichte, Bd. 7 (2001) Nr. 2, S. 7–30; [4] Handwörterbuch d. elektr. Fernmeldewesens, Berlin 1970, Bd. 2, S. 836; [5] BRAUNS-PACKENIUS, Otfried: Die ITU im Wandel der Zeit. In: Post- u. Telekommunikationsgeschichte Bd. 7 (2001) Nr. 1, S. 46–54.

Telephon/Telefon

telephone

Worterklärung Einrichtung zur akustischen Übertragung der Sprache in die Ferne.

Wortgeschichte

1 Nach einem Vorschlag von J. S. G. HUTH* von 1796 sollten gesprochene Nachrichten mit Hilfe von Sprachtrichtern von einer Station zu einer entfernten Station weitergegeben werden – wie bei den optischen ↑Telegraphen von C. CHAPPE. Für diese Einrichtung bildete er das Wort *Telephon* nach dem Ⓖ τῆλε /'tēle/ ›fern‹ und φωνή /phōnē'/ ›Laut, Stimme‹ und begründete es wie folgt:

„Diese wesentlichen Unterschiede könnten also wohl einen verschiedenen Namen für die telegraphische Anstalt mittels der Sprach-Röhre verdienen und gewissermaßen nothwendig machen. Welcher aber würde nun hier sich schicklicher empfehlen, als der gleichfalls aus dem Griechischen entlehnte: *Telephon*, oder *Fernsprecher*." [1]

In Anlehnung an *„der Telegraph"* benutzt HUTH die neue Benennung in der maskulinen Form *„der Telephon"*. [1]

2 In der Folgezeit [2] wird das Wort ~ oder eine Ableitung davon für verschiedenartige Geräte zur Schallübertragung benutzt:

- 1828 vom Franzosen W. SUDRÉ: *telephonium* ›Musiktelegraph‹,
- 1831 vom englischen Physiker Charles WHEATSTONE* *telephone* für hölzerne Stangen zur mechanischen Schallfortleitung,
- 1838 vom deutschen Pfarrer E. ROMERSHAUSEN für einen Röhrenkanal im Gleisbett der Eisenbahn,
- 1854 für die elektrische ↑Telephonie,
- 1857 vom Italiener Antonio MEUCCI, der mit dem von ihm 1849 konstruierten „sprechenden Telegraphen" Gespräche zwischen Stockwerken führte und seit 1857 den Ausdruck ~ gebrauchte,
- 1861 vom deutschen Lehrer, Philip REIS*, in Friedrichsdorf bei Bad Homburg für einen von ihm erfundenen Apparat zur elektrischen Übertragung von Tönen, den er ~ nannte. Erste öffentliche Vorführung am 26. Okt. 1861 im Physikalischen Verein zu Frankfurt am Main, wo er u. a. sagte:

  „Der von mir konstruierte Apparat, ‚*Telephon*' genannt, bietet die Möglichkeit, die Tonschwingungen in jeder gewünschten Weise zu erzeugen; der Elektromagnetismus bietet die Möglichkeit, den erzeugten Schwingungen gleiche Schwingungen in jeder beliebigen Entfernung ins Leben zu rufen und in dieser Weise die an einem Orte erzeugten Töne an einem anderen Orte wiederzugeben." [3] ↑Erste Übertragung von Nachrichten.

  Im Jahresbericht 1860/61 des Physikalischen Vereins drückt es REIS so aus:

„Da die Länge des Leitungsdrahtes hierbei jedenfalls ebenso weit ausgedehnt werden darf, wie bei directer Telegraphie, so gebe ich meinem Instrumente den Namen ‚Telephon'".[4]

- 1876, 14. Feb. meldete der amerikanische Sprachphysiologe Alexander Graham Bell* ein „speaking telephone" in den USA zum Patent an, das er in der Folgezeit in vielen Städten vorführte (↑Dezibel).
- 1877, 24. Okt. überreichte der Vorsteher des Londoner Haupttelegraphenamtes, Henry C. Fischer, zwei Bellsche Apparate dem Generalpostmeister Stephan*, der bereits am gleichen Tag im Berliner Generaltelegraphenamt Versuche mit diesen Apparaten durchführen ließ und am 9. Nov. dem Reichskanzler Fürst von Bismarck einen eigenhändigen Bericht [5] einreichte.
  Am 19. Nov. 1877 führt Stephan die deutsche Benennung ↑*Fernsprecher* ein. Mit der „Dienstanweisung für den Betrieb von Telegraphenlinien mit Fernsprechern vom 28. November 1877" wurde das ~ zur Beförderung von ↑Telegrammen benutzt. [6]

3 Nach 100 Jahren schloss sich zu Beginn der 1980er Jahre das Bundesministerium für Post und Telekommunikation dem internationalen Trend an und kehrte zum *Telefon* und zu seinen Zusammensetzungen zurück.

Wortfamilie

1 Zusammensetzungen mit *Telefon-* als Bestimmungswort: *Telefonamt, ~anlage, ~anruf, ~-Anrufbeantworter, ~anschluss, ~apparat, ~betrieb, ~buch, ~buchse, ~draht, ~echo, ~gebühr, ~gerät, ~gespräch, ~hörer, ~kabel, ~kanal, ~kabine, ~kapsel, ~kondensator, ~kreis, ~kurzschlusskontakt, ~leitung, ~(leitungs)schnur, ~meldung, ~netz, ~nummer, ~ograf, ~ometer, ~relais, ~signal, ~spule, ~station, ~störung, ~system, ~teilnehmer, ~übertrager, ~verbindung, ~verkehr, ~verstärker, ~zähler, ~zelle, ~zentrale;*

2 Zusammensetzungen mit *-telefon* als Grundwort: *Blocktelefon, Feld~, Gehörgang~;*

3 Wortableitungen: *Telefonat, Telefonie, telefonieren, telefonisch, ~ist(in);*

4 Verdeutschungen: ↑*Fernsprecher,* ↑*fonen, Hifer* (↑*hiften* »telefonieren«).

Fremdsprachige Entsprechungen (En) *telephone* (1876, Bell); (Nl) *telefoon;* (Sv)(No) *telefon;* (Is) *sími;* (Es) *teléfono;* (Fr) *téléphone* (gegen 1830 bei Sudré, selten bis gegen 1880); (It) *telefono;* (nLa) *telephonium, telephonum, apparatus telephonicus;* (nGr) τηλέφωνον /*tēléfōnon*/; (Ru) телефон /*telefon*/; (Pl)(Cs) *telefon;* (hebr.) /*telefon*/; (Hu) *telefon;* (Fi) *puhelin;* (Zh) /*diàn-huà*/; (Ja) /*denwa*/, /*terehon*/.

Literatur [1] Huth, Gottfried: J.H. Lamberts Abhandlungen über einige akustische Instrumente. Nebst Zusätzen [...] über die Anwendung der Sprachröhre zur Telegraphie. Berlin 1796. Zit. nach Aschoff-1984, S. 206–209; [2] Feldhaus-1970, Spalte 1157–1161; [3] Karrass-1909, S. 452–460; [4] Aus dem Jahres-Bericht des Physikalischen Vereins zu Frankfurt am Main 1860–1861. In: Horstmann-1952, S. 37; [5] In: etz Bd. 8 (1887) S. 460–461, während der Sitzung der Elektrotechnischen Vereins am 25. Okt. 1887 las von Stephan den Bericht vor; [6] Karrass-1909, S. 469–471; Horstmann-1952, S. 140–141, S. 286–287 (nach E. Müller-Fischer).

Telephonie telephony

Worterklärung Wissenschaft und Technik der Übertragung von Sprache mit elektrischen Mitteln über weite Entfernungen. Auch: *Fernsprechwesen.* ↑Telephon.

Wortgeschichte Die Benennung ~ erscheint zum ersten Mal 1854 in der Frankfurter Zeitschrift „Didaskalia. Blätter für Geist, Gemüth und Publicität" (Nr. 232, 28.09.1854) in der Überschrift „Elektrische Telephonie" eines mit L. gezeichneten Beitrages. Es handelt sich um eine freie Übersetzung des vom französischen Unterinspektor der Telegraphie, Charles BOURSEUL (1829–1912), verfassten Artikels „Transmission électrique de la parole" [›Elektrische Übertagung der Sprache‹] vom 18.08.1854 in „L'Illustration de Paris" (26.08.1854). Im französischen Originaltext kommen weder *téléphon* noch *téléphonie* vor. In der deutschen Bearbeitung begegnen wir ~ nur in der Überschrift. Der Verfasser „L." wird im Schrifttum als LUNCKENBEIN angegeben. [1]

Wortbenutzung 1861: Über Telephonie durch den galvanischen Strom (REIS, Philipp [2]); 1878: Werner SIEMENS hält am 21.Jan. vor der Akademie der Wissenschaften zu Berlin einen Vortrag „Über Telephonie". [3]

Wortfamilie

1 Zusammensetzungen mit *Telefonie-* als Bestimmungswort: *Telefoniebetrieb, ~empfang, ~sender;*

2 Zusammensetzungen mit *-telefonie* als Grundwort: *Drahttelefonie, Fern~, Hochfrequenz~, Mehrfach~, Radio~, Trägerfrequenz(TF)~, Vielfach~.*

Fremdsprachige Entsprechungen (En) *telephony;* (Nl) *telefonie;* (Es) *telefonía;* (Fr) *téléphonie;* (It) *telefonia;* (Ru) телефония */telefonija/;* (Pl) *telefonia;* (Cs) *telefonie.*

Literatur [1] HORSTMANN-1952, S. 17–23. [2] Aus dem Jahres-Bericht des Physikalischen Vereins zu Frankfurt am Main 1860–1861. In: HORSTMANN-1952, S. 34–41. [3] MÜLLER-FISCHER, Erwin, in: HORSTMANN-1952, S. 287.

Teleskop telescope

Worterklärung Rohrförmiges, optisches Instrument, mit dem weit entfernte Gegenstände so deutlich wie in der Nähe befindliche betrachtet werden können, wobei die Deutlichkeit durch Verschieben von ineinander gesteckten Rohren erreicht wird. Auch: ↑*Fernrohr.*

Wortgeschichte Der italienische Physiker und Mathematiker Galileo GALILEI* konstruierte 1609 mit Hilfe von in Holland gefertigten Linsen ein Fernrohr, das er (It) *perspicilli* ›Durchseh-Linsen‹ nannte. Später benutzte er in seinen Schriften (It) *telescopio,* das 1611 von DEMISIANI (auch: DEMISCIANUS) stammte [1], gebildet nach (Gr) τῆλε */'tēle/* ›fern‹ und σκοπεῖν */skopeín/* ›beobachten‹.

Wortbenutzung

1 Begriffsübertragungen: *Spiegelteleskop, Radarteleskop,* ↑*elektrisches Teleskop;*

2 Wegen der Verschiebbarkeit oder Ausziehbarkeit von Rohren oder Ähnlichem: *Teleskopantenne* (am tragbaren Fernsehgerät), *Teleskopauge* (bei Fischen), *Teleskopfisch, Teleskopgriff* (am Reisekoffer), *Teleskopschleierschwanz, Teleskopstoßdämpfer.*

Literatur [1] JORDAN, Pascal, in: DGW Bd. 5, S. 489; BÜCHMANN-1953, S. 284.

Television television

Worterklärung Englische Entsprechung von ↑*Fernsehen,* jetzt in viele Sprache übernommen. Abkürzung: ↑*TV.*

Wortgeschichte

1 Im englischen Sprachraum wurde 1881 das Fernsehen zuerst als *Seeing by electricity* bezeichnet. [1] Diese stehende Wendung hielt sich bis 1924, als in einer Diskussion in der Radio Society of Great Britain der Selenium-Pionier Llewellyn B. ATKINSON seine Zweifel über eine Verbreitung des Fernsehens wie folgt ausdrückte:

„I do not believe there is sufficient call for *seeing by electricity* to lead anybody or any corporation to lay out the large sum of money which is necessary to complete the investigation." [2]

2 Im Jahre 1908 kam als weiterer Ausdruck *distant electric vision* auf. [3] Erst 1922 wurde ~ von N. LANGER in seinem Aufsatz „The development in television" in der Zeitschrift „Wireless World" verwendet. [4] LANGER war Mitarbeiter des in Berlin wirkenden Fernsehpioniers Dénes von MIHÁLY (1894–1953), Inhabers der Firma Telehor AG, und bildete aus *Fernsehen* eine international verständliche Benennung.

3 Unter der Überschrift „Television" erschien 1926 in der renomierten US-amerikanischen Zeitschrift „Nature" ein Beitrag unter dem Kürzel A.R., aus dem Folgendes zitiert sei:

„The possibility of ‚seeing by telegraph' was recognized many years ago. [...] It was soon found out that selenium failed to respond quickly enough to the rapid changes of light intensity necessary for television, [...]." [5]

Der Beitrag eines anonymen Verfassers löste einen Protest aus, der ein interessantes Zeitdokument darstellt: Unter der erweiterten Überschrift „Television or Teleoptics?" schrieb Herbert MAXWELL in derselben Zeitschrift:

„It is too late to enter emphatic protest against admitting into English vocabulary such an excruciating hybrid as ‚television'? I am afraid it is, otherwise this term would not have appeared in this journal (July 3, p. 18) as the title of A. R.'s interesting paper, thereby receiving the cachet of NATURE. Hitherto the terminology of science has been framed in scrupulous conformity with the unwritten law or rule against the fusion of different languages in a compound vocable. In this case there is all the less occasion for relaxing the rule because there is ready to hand the term τά ὀπτικά /*tá 'optiká*/ employed by ARISTOTLE to denote all that relates to vision – optics. Surely *‚teleoptics'* would be as convenient a name as the cacophonous *‚television'*, and would not upset the equanimity of pedants like myself." [6]

Wortbenutzung 1923: *Television system* in der Patentanmeldung vom 29. Dez. 1923 des Erfinders der Bildabtaströhre V.K. ZWORYKIN, die zum US-Patent Nr. 2022450 geführt hat. [7] 1949: Television – Amerikas jüngste Grossindustrie. Die Mannigfaltigkeit der Televisions-Programme lockt Jung und Alt vor die Bildscheibe (Die Stimme Amerikas [8]).

Wortfamilie *Televisions-Aufnahme, ~-Aufnahmekamera, ~-Aufnahmewagen, ~-Empfänger, ~-Kamera, ~-Netz, ~-Programm, ~-Sendung, ~-Übertragung* (alle aus [8]); *televisionieren* »eine Fernsehsendung übertragen« (Schweiz).

Fremdsprachige Entsprechungen (En) *television;* (Es) *televisión;* (Fr) *télévision* (laut ROBERT-1994: 1913: im wissenschaftlichen Gebrauch, 1925–1930: in der Technik); (It) *televisione;* (nLa) *televisio, telehorasis;* (Ru) телевидение /*televidenie*/; (Pl) *telewizja;* (Cs) *televize;* (hebr.) /*televizja*/; (Tr) *televizyon;* (Hu) *televizió;* (Fi) *televisio;* (Ja) /*terebi(jon)*/.

Literatur [1] In: Nature 1881, Nr. 592, zit. nach NIPKOW-1885, S. 422, Fußnote 1; [2] GEDDES, Keith: Broadcasting in Britain 1922–1972. London: H.M. Stationary Office, 1972. 63 S., hier S. 19–20; [3] BIDWELL, S., in: Nature Bd. 4 (1908) S. 105, zit. nach GOEBEL-1953, S. 261 u. 386, Lit.-Quelle 111; [4] Bd. 11 (1922) S. 197, zit. nach GOEBEL-1953,

S. 261 u. 385, Lit.-Quelle 13; [5] In: Nature Bd. 118, 2 (1926) S. 18–19, hier S. 18; [6] In: Nature, Bd. 118, 2 (1926) S. 194; [7] GOEBEL-1953, S. 278; [8] In: Die Stimme Amerikas. Deutsche Sendungen. Programmheft Sept.–Okt. 1949, Verlag Aussenministerium der USA, New York City 19, USA, hier S. 3–5.

Tera-

tera-

Worterklärung ↑Vorsatz (Präfixoid) zum Bezeichnen des Billionenfaches (10^{12} oder 1 000 000 000 000) einer ↑SI-Einheit. ↑Vorsatzzeichen: T.

Wortgeschichte

1 Dieser Vorsatz wurde 1931 vom ↑AEF geprägt, (gemeinsam mit ↑*Pico-*) in einem Ergänzungsvorschlag zu DIN 1301 „Einheiten; Kurzzeichen" [1] und in seinem „Entwurf 43" [2] veröffentlicht, nach Ablauf der Einspruchsfrist sowie nach satzungsgemäßer Beratung am 15. Okt. 1932 endgültig angenommen und damit in der 3. Ausgabe von DIN 1301 (März 1933) und in den Vereinsnachrichten [3] bekanntgegeben. 1948 brachte die Union Internationale de Physique *tera-* bei der ↑CGPM ein, dessen Annahme 1960 die 11. Generalkonferenz beschloss. Durch das „Gesetz über Einheiten im Meßwesen" vom 2. Juli 1969 (BGBl. I S. 707) wurde ~ in deutsches Recht eingeführt.

2 In den Erläuterungen zum Norm-Entwurf führten 1932 die Bearbeiter K. STRECKER*, K. SCHEEL und J. WALLOT* Folgendes aus:

> „Die neu vorgeschlagene Bezeichnung *Tera* für das 10^{12}fache lehnt sich an das griechische Wort τέρας */téras/* an, das neben anderen Bedeutungen die Bedeutung ‚Ungeheuer' hat (entsprechend dem lateinischen *monstrum*). Der Abstand der entferntesten Planeten von der Sonne ist (in runder Zahl): Saturn 1,4 Tm, Uranus 2,8 Tm, Neptun 4,5 Tm. [...] Vom sprachlichen Standpunkte aus wären die Formen *Terato-* (ebenso *Giganto-*), *Picco-* (ebenso *Nanno-*) vielleicht richtiger. Der AEF hat sich jedoch, da es sich ohnehin um künstliche Bildungen handelt, für die kürzeren Formen entschieden." [2]

3 Aus sprachwissenschaftlicher Sicht steht (Gr) τέρας, τέρατος */téras, tératos/* ›Zeichen, Vorzeichen; Ungeheuer‹ ursprünglich für jede außerordentliche, ungeheuerliche, nicht im gewöhnlichen Lauf der Natur begründete Naturerscheinung, in der man eine Hindeutung auf die Zukunft zu erkennen meinte. [4]

4 Der kanadische Metrologe A. J. METTLER* weist darauf hin, dass sich das Zahlwort (Gr) *tetra* ›vier‹ als Merkhilfe für *Tera-* anbietet, mit dem der Zehnerexponent $4 \times 3 = 12$ und somit $(1000)^4 = (10^3)^4 = 10^{12}$ dargestellt wird. [5]

Wortbenutzung 2000: „Die Abmachung sieht die Produktion von rund 2600 Terawattstunden (ein Terawatt entspricht einer Million Megawatt) vor." (Darmstädter Echo, 16.06.2000, S. 1); „8th International Conference on Terahertz Electronics" (28/29.09.2000, TU Darmstadt, Plakat); 2001: „Dieser [Server] bietet nunmehr auf über einem Terabyte Festplattenspeicher Platz für etwa eine Million Patente." (TUD intern Bd. 22 (2001) Nr. 2, S. 6).

Fremdsprachige Entsprechungen Sprachen mit lateinischer Schrift: *tera-*, außer (Fr) *téra-*; mit anderer Schrift: (nGr) τερα */tera/*; (Ja) */tera/*.

Literatur [1] WALLOT, in: DIN-Mitt. Bd. 14 (1931) S. 546; [2] In: etz Bd. 53 (1932) S. 142; [3] In: etz Bd. 54 (1933) S. 739; [4] In: Sprachdienst Bd. 44 (2000) S. 124; [5] Nach dem in Vorbereitung befindlichen *Metric Handbook* von A. J. METTLER und mit dessen freundlicher Genehmigung.

Tesla **tesla**

Worterklärung

1 Gesetzliche abgeleitete ↑SI-Einheit der ↑magnetischen Flussdichte oder ↑Induktion^II. Einheitenzeichen: T.

2 Ein ~ ist gleich der Flächendichte des homogenen magnetischen Flusses von 1 ↑Weber, der die Fläche 1 m^2 senkrecht durchsetzt. [1] $1\,T = 1\,Wb/m^2 = 1\,Vs/m^2 = 1\,kg\,s^{-2}A^{-1} = 10^4$ Gauß.

Wortgeschichte Da im Internationalen ↑Einheitensystem (SI) die Einheit der magnetischen Flussdichte als „Voltsekunde durch Quadratmeter" festzulegen war, konnte der bisherige Einheitenname ↑*Gauß* (= Voltsekunde durch Quadratzentimeter) nicht verwendet werden. Dies hätte sonst zu Verwechslungen geführt. Zwar hatte die ↑IEC schon 1935 den vorläufigen Einheitennamen *Weber durch Quadratmeter* angenommen, nach dem Krieg wurde 1950 aber im zuständigen Komitee der IEC beantragt, den Namen eines Wissenschaftlers als endgültigen Einheitennamen festzulegen. Eine 1953 beschlossene Umfrage bei den Nationalen Komitees der IEC stellte den Namen ~ zur Diskussion – nach dem amerikanischen Elektroingenieur kroatischer Herkunft Nikola Tesla (1856–1943). Nach Auswertung der Antworten beschloss ein Jahr später das zuständige Komitee „fast einstimmig" folgende Resolution, die gemäß der Geschäftsordnung abermals von den Nationalen Komitees zu billigen war: „The IEC recommends the adoption of the name ‚tesla' for the unit of magnetic flux density in the Giorgi system". Anlässlich der IEC-Generalversammlung 1956 in München schloss sich das höchste Arbeitsgremium (Committee of Action) dieser Empfehlung an. [2]

Wortbenutzung 1998: Ein gerader Draht von 0,5 m Länge […] ist von einem Magnetfeld der Stärke $B = 70\,\mu T$ umgeben (Grehn/Krause-1998, S. 227); 2005: Mit der Europapremiere eines Kernspintomographen mit sieben Tesla Feldstärke hat das Magdeburger Leibniz-Institut für Neurobiologie wissenschaftliches Neuland betreten (ap, Hamburger Abendblatt, 12./13.02.2005, S. 26).

Wortfamilie *Mikrotesla, Millitesla, Nanotesla.*

Fremdsprachige Entsprechungen Sprachen mit lateinischer Schrift: *tesla*; mit anderer Schrift: (nGr) τέσλα /*tésla*/; (Ru) тесла /*tesla*/ (Einheitenzeichen: Тл /Tl/); (Ja) /*tesura*/.

Zur Person Der 1856 im ungarischen Grenzgebiet der österreich-ungarischen Monarchie, dem heutigen Kroatien, geborene Nikola Tesla besuchte ein deutschsprachiges Gymnasium, studierte Maschinenbau und Naturwissenschaften an der TH Graz. Er arbeitete in Budapest, Straßburg und Paris. Nach seiner Auswanderung in die USA war er zuerst Mitarbeiter von Thomas Alva Edison (1847–1931). Dann gründete er ein eigenes Werk und Laboratorium. Mit seinen Erfindungen bereicherte er die Drehstromtechnik (↑Drehstrom) und wurde dadurch zu einem der Pioniere moderner elektrischer Energieübertragung. Er starb 1943.

Biographien Societé pour la Fondation de l'Institut Nikola Tesla (Hrsg.): Nikola Tesla. Gedenkbuch anlässlich seines 80sten Geburtstages. Beograd 1936. 519 S.; Lü.: Nikola Tesla. In: etz Bd. 57 (1936) S. 823–824; O'Neill, John J.: Nikola Tesla: Der Gegenspieler Edisons. Wien; Innsbruck; Wiesbaden: Rohrer, 1951. 365 S.; Swezey, K.M.: Nikola Tesla. Pathfinder of the electrical age. In: Electr. Engng., Bd. 75 (1956) S. 786–790; Hoffmann, Dieter: Tesla, Nicola, in: Wussing-1992, S. 557; Jeszenszky, Sándor:

TESLA, Nicola, in: JÄGER-1996, S. 375–376. TRAGNER, Manfred: Die frühen Hochspannungs- und Hochfrequenzversuche von Nikola Tesla. In: WESSEL-2004, S. 217–245.
Literatur [1] Ausführungsverordnung z. Gesetz über Einheiten i. d. F. v. 08.05.1981. In: BGBl. I S. 422. § 33; [2] IEC 164: 1964, S. 29 u. 35.

Thermometer thermometre

Worterklärung Einrichtung zum Messen der Temperatur.
Wortgeschichte Vorläufer des ~ ist das von G. GALILEI* zwischen 1593 und 1597 erfundene und von ihm benannte (It) *termoscopio* ›Wärmebeobachter‹ zum Anzeigen des Wärmezustandes. [1] Das Wort ~ geht auf den Franzosen LEURECHON zurück, der es 1624 in seinem Buch „Récréation mathématique" benutzte. [2]
Fremdsprachige Entsprechungen (En) *thermometre* (GB), *thermometer* (US), (Fr) *thérmomètre* (1624, ROBERT-1994); (It) *termometro;* (nGr) θερμόμετρον */thermómetron/*, (Ru) термометр */termometr/*; (Pl) *termometr;* (Cs) *teploměr;* (Ja) */ondokei/*.
Literatur [1] FELDHAUS-1970, Spalte 1168–1173, zahlreiche Lit.-Angaben; [2] Pont-a-Mousson 1624; zit. nach [1].

Thermometer-Fixpunkte thermometre fixed points

Worterklärung Fundamentalpunkte zur Definition einer Thermometer-Skala.
Wortgeschichte
1 Der niederländische Naturforscher Christian HUYGENS (1629–1695) schlug 1665 vor, als Fixpunkte für das ↑Thermometer den Gefrierpunkt und den Siedepunkt des Wassers zu Grunde zu legen. [1]
2 Der in Danzig (jetzt: Gdańsk in Polen) geborene Gabriel Daniel FAHRENHEIT (1686–1736) baute 1714 das erste brauchbare Quecksilber-Thermometer mit einer Skala nach dem Vorschlag von HUYGENS, wobei er den Gefrierpunkt mit 32 Grad und den Siedepunkt des Wassers mit 212 Grad bezeichnete, d.h. eine Skalenlänge von 180 Grad. [1]
3 Der Franzose René Antoine FERCHAULT DE RÉAUMUR (1683–1757) erstellte 1730 ein Alkoholthermometer, dessen Gefrierpunkt er mit 1000 Grad und dessen Siedepunkt er mit 1080 Grad kennzeichnete [2]; später wurden die Punkte in 0 bzw. 80 Grad umbenannt. [1]
4 Der schwedische Astronom und Naturforscher Anders CELSIUS* unterbreitete nach Abschluss von umfangreichen Messreihen an verschiedenen Plätzen Europas am 14. Juli 1742 der schwedischen Akademie der Wissenschaften in seinem Aufsatz „Observationer om tvänne beständiga Grader på en Thermometer" [3] einen Bericht, wie die zwei Fixpunkte des Thermometers mit Wasser zu bestimmen sind, damit Thermometer international austauschbar sind:

- Der Gefrierpunkt, d.h. wenn Wasser zu gefrieren beginnt, ist unabhängig von der geographischen Breite und vom Luftdruck.
- Der Siedepunkt hängt dagegen vom Luftdruck ab. Für den vom Normdruck abweichenden Luftdruck gibt CELSIUS eine Formel an.
- Die Strecke zwischen dem Gefrier- und Siedepunkt wird in 100 gleiche Teile unterteilt, wobei er den Gefrierpunkt mit 100 Grad und den Siedepunkt mit Null (0) Grad bezeichnet.

Auf Vorschlag seines Landsmannes Mårten Strömer (1707–1770) kehrte 1750 die Schwedische Akademie die Bezeichnungsweise um. [4] Nach anderen Quellen [1][5] geht die Änderung auf den schwedischen Botaniker Carl von Linné (1707–1778) zurück.

5 Nach umfangreichen Quellenstudien kommt 1998 der schwedische Physiker Olof Beckmann zum Schluss, dass die Umkehr der Skala keiner einzelnen Person zugeschrieben werden kann: weder Celsius, Strömer oder Ekström, deren Namen sich auf Thermometern als Warenzeichen befanden, noch Hiorter oder Linné, die in ihren Veröffentlichungen die Temperatur nach der geänderten Skala angaben. Das Hauptverdienst von Celsius besteht in der Schaffung einer echten internationalen Temperatur-Skala. [6] Außerdem konnte Beckmann im Archiv der Schwedischen Akademie der Wissenschaften keinen Beschluss zur Umkehrung der Temperaturskala finden, über den La Cour/Appel [4] berichten. [7]

Literatur [1] Feldhaus-1970 (1914) Spalte 1170–1172, zahlreiche Lit.-Angaben; [2] Hund-1996, Teil 1, 204; [3] Kongl. Svenska Vetenskapsacademiens Handlingar, Bd. 3 (1742) S. 171–180, mit einer Tafel der Fig. 1 bis 3; [4] La Cour/Appel Teil 5-1909, S. 24; [5] Volkmann-1994, S. 39; [6] Beckmann, Olof: Celsius, Linné and the Celsius Temperature Scale. In: Bull. Scientific Instrument Society (1998) Nr. 56, S. 17–23 und Nr. 56, S. 20; Beckmann, Olof; Moberg, Anders: The Celsius thermometer. In: Weather (Reading, England) Bd. 55 (2000) Nr. 10, S. 392–394. Ich danke Herrn Prof. O. Beckmann, Uppsala Universitet, für die freundliche Unterstützung durch seine Arbeiten und die Übereignung von [3]; [7] Persönliche Mitteilung vom 26. Sept. 2002.

Torricelli (tor) ↑AEF-Einheitensystem

Tram

tramway

Worterklärung Alltagssprachliche Alternativbenennung für ↑Straßenbahn, besonders in Süddeutschland, Österreich und in der Schweiz.

Wortgeschichte

1 *Tram* ist die Kurzform von *Trambahn*, die wiederum nach dem (En) *tramway* gebildet ist. Der Duden verzeichnet *der Tramway*: ^{4}1893: „Pferdeeisenbahn“, ^{6}1900: „Straßen-, Pferdebahn“, ^{9}1915: „Straßenbahn“, jedoch für Österreich: *die Tramway; die Trambahn*: ^{5}1899/^{6}1900: „vergleiche Tramway“; *die Tram*: ^{9}1915: „volksmäßig: Trambahn“. ^{21}1996: *Tram, die*, schweiz. *das*, süddt. u. österreichisch veraltend, schweiz. für *Straßenbahn; Trambahn* süddt. für Straßenbahn. Zur Etymologie siehe auch *Trambahn* bei Pfeiffer-1995. Das „Österreichische Wörterbuch“ (^{39}2001) gibt an: *Tram, die* (Kurzform für Tramway); *Tramway* [-vai], die (veraltet: Straßenbahn).

2 Nach Abschluss der Sanierung des berühmten Jugendstil-Hauptbahnhofs von Darmstadt wurde im Januar 2002 am Ausgang zur Straßenbahn-Haltestelle auf die Wand der Hinweis *tram* gemalt. Auf Befragen erklärte ein Bahnangestellter, dass es sich bei *tram* um eine international verständliche Bezeichnung handele. Den gleichen farbigen Hinweis findet man auf dem Hauptbahnhof von Bremen.

Wortbenutzung 1883: Tramwagen durch Elektrizität getrieben (etz Bd. 4, S. 272); 2002: Tram im Huckepack (Darmstädter Echo, 20.03.2002, S. 13); Die Trambahn (Simon,

Claude); 2003: Dabei übersah er das von hinten nahende Tram (Tages-Anzeiger, Zürich, 08.01.2003, S. 15).

Transduktor

transductor

Worterklärung Anordnung, bestehend aus Drosselspulen mit ferromagnetischen Kernen und gegebenenfalls auch ↑Gleichrichtern, in der die nichtlinearen magnetischen Eigenschaften der Drosselkerne zur Steuerung der ↑Ströme und ↑Spannungen in einem Wechselstromkreis ausgenutzt werden. [1]

Wortgeschichte Als Sprecher der bei der Erstellung der deutschen Fassung für das „International Electrotechnical Vocabulary" (IEV) der ↑IEC beteiligten Fachleute berichtet 1957 Otto Mohr*, dass sie sich entschlossen hatten,

„den Oberbegriff ‚Transduktor' zu verwenden, einmal weil er die Eigenschaften einer steuerbaren Induktivität gut kennzeichnet und dann, weil er als ein allgemein gebräuchliches Kunstwort gerade für den hier betrachteten Bereich beinahe überall angewendet wird." [2]

Bisher wurden benutzt: *magnetischer Verstärker, Sättigungsdrossel, Gleichstromwandler.* Die Benennung ~ leitet sich vom (En) *transductor* ab, die schon 1939 in einem Aufsatz von A.V. Lamm vorkommt. [3]

Wortbenutzung 1960: Transduktortechnik (Schilling, W., München: Oldenbourg); 1961: Regeltransduktoren (Kümmel, F., Berlin: Springer); 1964: Bestimmungen für Transduktoren (VDE [1]); 1966: Transduktorschaltungen (Hartel, W., Berlin: Springer).

Wortfamilie

1 Zusammensetzungen mit *Transduktor-* als Bestimmungswort: *Transduktordrossel, ~element, ~gerät, ~gleichstromwandler, ~impulsgeber, ~leistungsverstärker, ~messverstärker, ~rechner, ~regler, ~schalter, ~schaltung, ~schwellwertbildner, ~strombegrenzer, ~verstärker, ~vorverstärker, ~wandler;*

2 Zusammensetzungen mit *-transduktor* als Grundwort: *Blindlasttransduktor, Mess~, Öl~, Reaktanz~.*

Fremdsprachige Entsprechungen (En)(Nl) *transductor;* (Sv) *transduktor;* (Es) *transductor;* (Fr) *transducteur* (1943, Robert-1994); (It) *trasduttore;* (Ru) усилитель /*usilitel'*/; (Pl)(Cs) *transduktor.*

Literatur [1] VDE 0534 (Jan. 1964), zit. nach Warner/Orth-1984, S. 394; [2] Mohr, Otto: Begriffserklärungen für Transduktoren. In: Elektronorm Bd. 11 (1957) Nr. 1–2, S. 14–15, hier S. 14; [3] Lamm, A.V.: The transductor and applications. In: ASEA Journ. Bd. 16 (1939) S. 66.

Transformator

transformer

Worterklärung Statisches Gerät zur Wandlung elektrischer ↑Energie, bestehend aus mindestens zwei Wicklungen, das durch elektromagnetische ↑Induktion^{II} elektrische Leistung (als Produkt von Wechselspannung und -strom) von der Eingangswicklung (Primärwicklung) auf die Ausgangswicklung (Sekundärwicklung) überträgt.

Wortgeschichte

1 Während der Ausgestaltung ihrer gemeinsamen Erfindung nannten die ungarischen Konstrukteure Károly Zipernowski*, Miksa Déri und Ottó Titusz Bláthy der Budapester Elektrofirma Ganz & Co. ihre Erfindung (Hu) *másodlagos generátor* ›sekundärer

Generator‹ nach dem Vorbild der englischen Firma GAULARD & GIBBS, die ihren Apparat *secondary generator* (↑sekundärer Generator) nannte. Beim Abfassen der Patentbeschreibung prägten sie jedoch 1885 nach (La) *transformare ›umformen, wandeln‹* das (Hu) *transformator,* das bei der nächsten Orthographiereform zu *transzformátor* wurde, wo das sz das scharfe [s] wiedergibt. [1] Im deutschen Sprachraum kommt ~ im selben Jahr auf.

2 Technikgeschichtlich ist bemerkenswert, dass R. RÜHLMANN im ersten Teil seines Berichtes die Transformatoren von ZIPERNOWSKI-DÉRI-BLÁTHY noch als „Nachahmung" der Sekundärgeneratoren bezeichnet, im zweiten Teil jedoch ausführt, dass

„sie als eine selbständige, neue Erfindung angesehen werden müssen; es sind Induktionsapparate, welche durch periodische Veränderungen des magnetischen Zustandes von ruhenden Eisenmassen elektrische Ströme erzeugen". [2]

Wortbenutzung 1885: Resultate einiger Experimente mit den Transformatoren Zipernowsky, Déri und Bláthy (FERRARIS, Galileo [3]); 1902: Transformator (WALTENHOFEN-1902, S. 268); 1922: Aufbau und Schaltung von Transformatoren (THOMÄLEN-1922, S. 234); 1982: Transformatoren und Drosselspulen (VDE 0532 [4]); 1995: Trenntransformatoren und Sicherheitstransformatoren (VDE 0551 [5]); 1996: Energietransport beim Transformator (RÜCKL-1996).

Wortfamilie [6]

1 Zusammensetzungen mit *Transformator-* als Bestimmungswort: *~anzapfung, ~baureihe, ~diagramm, ~durchführung, ~durchschlag, ~enanlage, ~enart, ~enbank, ~enbelüftung, ~(en)blech, ~enfeld, ~(en)haus, ~enkaskade, ~(en)kühlung, ~enkupplung, ~enlüftung, ~ennullpunkt, ~(en)öl, ~enölkühler, ~ensatz, ~enstahl, ~(en)station, ~enunterstation, ~enunterwerk, ~(en)zelle, ~gefäß, ~gerüst, ~gleichung, ~impedanz, ~joch, ~kapazität, ~kasten, ~kern, ~kessel, ~kopplung, ~mantel, ~pappe, ~regelung, ~regler, ~remanenz, ~rückkopplung, ~-Schaltgruppe, ~schenkel, ~schutz, ~spannung, ~spule, ~übersetzungsverhältnis, ~verstärker, ~wicklung, ~widerstand, ~wirkungsgrad;*

2 Zusammensetzungen mit *-transformator* als Grundwort: *Anlass~, Anpassungs~, Anzapf~, Auftau~, Bahn~, Bandkern~, Bauch~, Dreh~, Drehstrom~, Einbau~, Einheits~, Einphasen-~, Erdschluss~, Erreger~, Ersatz~, Fail-safe-~, Freiluft~, Gießharz~, Gleichrichter~, Gruben~, Hand~, Haupt~, Heiz~, Hilfs~, Hochspannungs~, Isolier~, Kaskaden~, ↑Kern~, Klein~, Klingel~, Kompensations~, Kopplungs~, Kuppel~, Leistungs~, Lösch~, ↑Mantel~, Mehrphasen~, Mehrwicklungs~, Netz~, Niederspannungs~, Ofen~, Öl~, Ortsnetz~, Prüf~, Quarz(sand)~, Quer~, Regel~, Reihen~, Revier~, Säulen~, Schenkel~, Schub~, Schutz~, Schweiß~, Sicherheits~, Spar~, Speise~, Spielzeug~, Stab~, Stell~, Stoß~, Streu~, Trenn~, Trocken~, Universal~, Verteilungs~, Viertelwellen~, Voll~, Vorschalt~, Wander~, Zeilenablenk~, Zeit~, Zubehör~, Zusatz~, Zweiphasen~, Zweisäulen~, Zwischen~;*

3 Wortableitungen: *Transformation, transformieren;*

4 Fachjargon: (Dt) *Trafo;* (Fr) *transfo;*

5 Verdeutschungen: *Umspanner, Übertrager,* ↑*Wandler.*

Fremdsprachige Entsprechungen (En) *transformer;* (Nl)(Sv) *transformator;* (Es) *transformador;* (Fr) *transformateur;* (It) *trasformatore;* (Ru) трансформатор */transformator/;* (Pl) *transformator;* (Cs) *transformátor;* (Hu) *transzformátor;* (Ja) */toransu/* [Übernahme der Vorsilbe *trans*].

Literatur [1] Persönliche Mitteilungen der Herren Dir. Dr. Sándor JESZENSZKY und Dir. Dr. Lajos LAZUR, beide Budapest; DIETRICH, Werner: Zur Frühgeschichte des Transformators. In: etz Bd. 106 (1985) S. 748–753, 1080–1085; [2] RÜHLMANN-1885, S. 251 u. 292; [3] In: etz Bd. 6 (1885) S. 427–429; [4] WARNER/ORTH-1984, S. 357; [5] DIN EN 60742 (VDE 0551): 1995-09; [6] Im Wesentlichen nach KUČERA-1965.

Transistor transistor

Worterklärung Steuerbares Halbleiter-Bauelement, das zum Verstärken eines Signals oder als elektronischer Schalter dienen kann, bestehend aus zwei gegeneinander geschalteten ↑Dioden mit einer gemeinsamen ↑Elektrode.

Wortgeschichte

1 Die amerikanischen Physiker John BARDEEN (1908-1991, NOBEL-Preis 1956 und 1972) und Walter H. BRATTAIN (1902-1987, NOBEL-Preis 1956) teilten ihre – gemeinsam mit William SHOCKLEY (1910-1989, NOBEL-Preis 1956) gemachte – Erfindung des Transistors in einem Brief vom 25. Juni 1948 mit der Überschrift „The Transistor. A Semiconductor Triode" der Zeitschrift „The Physical Review" mit, die ihn in der Rubrik „Letters to the Editor" [1] veröffentlichte. Dies ist die früheste Kunde vom ~.

2 Über die Bildung des Wortes (En) *transistor* erfährt man erst aus der September-Nummer der Zeitschrift „Electronics" durch einen Beitrag der Herausgeber, wo es heißt: „Known as a TRANSISTOR (TRANSfer resISTOR) […]". [2] Der ~ ist also ein ›Übertragungswiderstand‹, d.h. ein ↑Widerstand, der elektrische Schwingungen überträgt.

3 Geprägt wurde (En) *transistor* von John R. PIERCE*, einem Kollegen der Erfinder, der es von den Fähigkeiten des Bauelements ableitete, „Widerstände von einem Kontakt zum anderen zu übertragen". [3] Bei der Wahl des Namens für dieses Halbleiter-Bauelement haben Pate gestanden: (En) *thermistor* »Heißleiter« aus *thermal resistor*; (En) *varistor* »spannungsabhängiger Widerstand« aus *variable resistor*. ↑*-istor*.

Wortbenutzung 1949: In der Rundfunktechnik wird heute viel von einem in Amerika gebauten, neuartigen Gerät, dem ‚Transistor' gesprochen (SOBOTTA, K., S. 196 [4]); 1977: Transistorierte Vorschaltgeräte für Leuchtstofflampen (DIN VDE 0712 Teil 102:1977-05).

Wortfamilie

1 Zusammensetzungen mit *Transistor-* als Bestimmungswort: *Transistoranschluss, ~bestückt, ~empfänger, ~gehäuse, ~gerät, ~gleichung, ~-Grenzfrequenz, ~-Hörgerät, ~kennlinie, ~rauschen, ~schaltung, ~stabilisierung, ~technik, ~teil, ~verstärker;*

2 Zusammensetzungen mit *-transistor* als Grundwort: *Epitaxial~, Flächen~, Legierungs~, Planar~, Punkt~, Schicht~, Spitzen~;*

3 Wortableitungen: In Analogie zu (En) *transistorize* »mit Transistoren bestücken« entstanden: (Dt) *transistor(is)ieren*, (Fr) *transistoriser*, (It) *transistorisare*, aber (Pl) *tranzystorować*. Im Deutschen wird *transistorisieren* vorrangig benutzt, obwohl Terminologen und Sprachberatungsinstitute [5] für *transistorieren* eintreten, da es kürzer und damit leichter aussprechbar ist.

Fremdsprachige Entsprechungen (En)(Nl)(Sv) *transistor*; (Fr) *transistor* (1952, ROBERT-1994); (It) *transistore*; (Ru) транзистор /*tranzistor*/; (Pl) *tranzystor*; (Cs) *transistor*; (Ja) /*toranjisuta*/.

Literatur [1] In: Phys. Rev. Bd. 74 (1948) 2. Ser., Nr. 2, S. 230–231; [2] FINK, D.G.; ROCKET, F.H.: The transistor – A crystal triode. In: Electronics (1948) Nr. 9, S. 68–71; [3]

Transistor 40 Jahre alt. In: Bull. SEV Bd. 79 (1988) S. 35; KLOSS-1990, S. 242; [4] In: Orion Bd. 4 (1949) S. 196-197; [5] WARNER, A.: Transistorieren oder Transistorisieren? In: etz-B, Bd. 16 (1964) S. 682–683.

Triode

triode

Worterklärung Bauelement der ↑Elektronik, das in einem evakuierten Gefäß als ↑Elektroden eine ↑Kathode, eine ↑Anode und ein Steuergitter enthält (↑Röhre), Alternativbenennung (Synonym) zu *Dreipolröhre*.

Wortgeschichte

1 Das Wort ~ ist Teil eines Benennungssystems, das 1919 der englische Radioingenieur W.H. ECCLES* aufstellte. ~ wurde nach Ⓖr τρεῖς */treis/* ›drei‹ und ὁδός */hodós/* ›Weg‹ gebildet und bedeutet somit ›Drei-Wege-Gebilde‹. Sein System stellt der Autor in einem Beitrag einer Reihe zur „Nomenclature in wireless telegraphy" vor, die u.a. den Elektronenröhren gewidmet ist:

„I think every lover of electrical studies will recall with pleasurable reminiscence the bright hopeful epoch when he first crossed the threshold of the wonderful world of electricity and learnt that the word ‚*electricity*' is derived from the Greek word for amber, and that the word ‚*electrode*' signifies literally ›a way of amber‹, or as we should now say ›a way of electricity‹. [...] Having all this in mind it seems very natural to call a vacuous space containing three electrodes a ‚*tri-electrode*', or, for short, a *triode*. This is what I now propose to call it, and I propose to give the name ‚*diode*' to a tube with two electrodes. To be systematic I suggest ‚*tetrode*' and ‚*pentode*' for vacuum tubes with four or five electrodes, meaning here by electrodes ways of electrical action into or upon the vacuous space on the bulb. It should be noticed that the filaments of thermionic tubes constitute in each tube one electrode, although the filament has two terminals." [1]

2 Ein technischer Ausschuss des Weltfunkvereins stellte 1921 eine Liste englischer und französischer funktechnischer Ausdrücke zusammen. Darin war z.B. das Wort *triode* für »Drei-Elektroden-Röhre« vorgeschlagen, das 1926 auch das französische Elektrotechnische Komitee annahm. [2] Die erste Auflage (1938) des „International Electrotechnical Vocabulary" der ↑IEC enthält die Wortstelle:

„60-25-015: Triode, tetrode, pentode, etc.: A thermionic valve with three, four, five, etc. electrodes including one anode, one cathode and grills."

Zur Übersicht über alle *ode*-Wörter siehe ↑*-ode*.

Wortbenutzung 1919: As a matter of fact, I like the word 'Triode'. (Lee de FOREST [3]); 1935: Die Verwendung der Triode als Mischröhre erfolgt beim Superheterodyne-Empfänger [...] (GÜNTHER, Hanns [4] S. 8); 1944: Eingitterröhre (‚Triode') (WALLOT-1944, S. 262); 1953: Grundsätzlicher Aufbau einer Triode (VILBIG-1953, S. 832); 1967: Diese Kurven einer Triode steigen ebenfalls nach rechts an (LIMANN-1967, S. 144); 1974: Für den bei Trioden häufigeren Fall geringer Spannungswerte (< 20 V) haben Sekundärelektronen noch keinen merkbaren Einfluß auf die Verteilung des Kathodenstroms auf Steuergitter und Anode (ZINKE/BRUNSWIG-1974, S. 27).

Wortfamilie

1 Zusammensetzungen mit *Triode-* als Bestimmungswort: *Triodenbegrenzer, ~-Heptode, ~-Hexode, ~-Hexode-Mischröhre, ~nrauschen, ~-Pentode, ~-Tetrode;*

2 Zusammensetzungen mit *-triode* als Grundwort: *Audiontriode, Bleistift~, Demodulations~, Detektor~, Doppel~, Dünnschicht~, End~, Halbleiter~, Hochfrequenz-(Verstärker)~, Leuchtturm~, Misch~, Niederfrequenz-Verstärker~, Oszillator~, Sender~, Tunnel~, Universal~, Vierschicht~, Widerstands~.*

Fremdsprachige Entsprechungen (En)(Nl) *triode;* (Sv) *triod;* (Es)(It) *triodo;* (Fr) *triode* (1923, Robert-1994); (Ru) триод */triod/;* (Pl)(Cs) *trioda.*

Literatur [1] Eccles-1919, S. 475; [2] Wüster-1931, S. 221; [3] Three-electrode vacuum tubes. To the editor of the Electrician. New York, Oct. 4. Lee de Forest, in: The Electrician, Bd. 83 (Oct. 1919) S. 477; [4] Günther, Hanns (Red.): Handbuch der Funktechnik und ihrer Grenzgebiete. Bd. 2. Stuttgart: Franckh, 1935. 260 S., hier S. 5–21.

-tron -tron

Wortbildungsendung (Suffixoid) im Wesentlichen zur Bildung von Benennungen für:

- Elementarteilchen: ↑*Positron,* ↑*Neutron* usw., entstanden in Analogie zu ↑*Elektron,* und damit ergab sich das Vorbild für die nachstehenden Gruppen:
- Anlagen zur Atomkernspaltung: *Bevatron, Betatron, Cyclotron, Synchrotron,*
- Röhren für Höchstfrequenzen: *Carcinotron, Klystron, Magnetron, Strophotron,*
- Röhren und Geräte für sonstige Zwecke: *Datatron, Seismotron, Thyratron,*
- thermoplastische Kunststoffe und Magnetwerkstoffe: *Elastron, Ferrotron,*
- Firmenname von Herstellern und Vertriebsfirmen: *Intron* (Leipzig), *Ratron* (Berlin), *Tetron* (Nürnberg).

Laut Gerlach* sollte um 1932 eine einheitliche Nomenklatur in der Weise geschaffen werden, dass Teilchen die Endsilbe *-ton,* Apparate die Endsilbe *-tron* erhalten. Man schlug *Negaton* und *Positon* vor, während *Elektron* im Sinne Stoneys* nur für die Größe des Elementarladung benutzt werden sollte. Aber das bürgerte sich nicht ein. [1] Eine erste Liste mit etwa 300 *tron*-Wörtern erschien 1954 als „Beilage zur Funktechnik". [2] Eine weitere Liste mit 83 *tron*-Wörtern enthält Freeman. [3] Inzwischen dürften mehrere Tausend entstanden sein, wobei viele produktgebundene Warenmarken nur noch historischen Wert haben.

Literatur [1] Gerlach-1962, S. 54; [2] Schneider, W.H., in: Funktechnik Bd. 9 (1954) Heft 9, 4 Seiten; [3] Freeman [Henry George] / Ancenys [Gustave]: Elektrotechnisches Französisch. Essen: Girardet, 1962, 337 S., hier S. 15–20.

TV TV

Worterklärung Buchstabenkurzwort für (En) ↑*television* »Fernsehen«, neuerdings auch für das deutsche Wort ↑*Fernsehen.*

Wortgeschichte Dieses Kürzel bürgerte sich auch in deutschen Texten und in der Reklame als Kurzwort für den Begriff »Fernsehen«, aber auch für die Benennung *Fernsehen* ein, was die Abkürzung *FS* nicht geschafft hat. Obwohl *TV* als *die Television* zu lesen ist, findet man Wendungen „im TV", wo man „in der TV" erwarten würde. Noch 1952 führte Paul Spillner [1] *TV* als US-amerikanische Abkürzung für *television* an. Der Duden brachte 1968 zwar das Stichwort *Television,* aber unter *TV* heißt es nur „Turnverein" [2]. Erst im 6-bändigen Duden von 1981 steht bei *television* die Abkürzung *TV.*

Wortbenutzung

1 Allgemeines: 1973: TV-Häppchen »Imbiss vor dem Fernseher«; 1997: Pay TV ↑Bezahlfernsehen; 2001: TV-Konzern, TV-Rechte »Übertragungsrechte«, TV-Übertragung (Darmstädter Echo, 2.03.2001, S. 1–2); 2002: Gesundheit im TV (rtv Nr. 2, S. 33) TV-Duell (RTL 25.08.02), Baby-Lüge im TV (Bild, 25.11.02, S. 1); 2003: Bekannt aus der TV-Werbung. Wie im TV gesehen (rtv Nr. 39, Weltbild-Magazin); 2004: Klare Standpunkte – viel zu selten im TV (S. 5), Der sagenumwobene Ritterorden sorgt seit Jahrhunderten für viele Legenden – und ist der neue Kultstoff in Kino und TV (S. 6), Im ‚Televisor' finden Sie es pervers, wenn sich erwachsene Menschen im TV gegenseitig verprügeln (S. 38) (Hörzu, Nr. 49, 26.11.04).

2 Filmarten: 2001: TV-Actionfilm, TV-Agentenfilm, TV-Beziehungsfilm, TV-Dokudrama, TV-Drama, TV-Erotikthriller, TV-Gerichtsfilm, TV-Highlights, TV-Historienfilm, TV-Komödie, TV-Krimi, TV-Liebesfilm, TV-Melodram, TV-Millieustudie, TV-Psychothriller, TV-Satire, TV-Sportfim, TV-Thriller, TV total, TV-Tragikomödie, TV-Zweiteiler (Alle aus rtv Nr. 12 u. 13).

3 Titel deutschsprachiger Fernseh-Programmzeitschriften: 2001: TV direkt, TV Highlights, TV klar, TV movie, TV neu, TV-Quiz, TV Spielfilm, TV Today, TV total, nur TV, rtv.

Literatur [1] Spillner, Paul; Göttling, Hans: Buch der Abkürzungen. Bamberg: Buchner, 1952. 159 S.; [2] Duden: Rechtschreibung. 16., erw. Aufl., Mannheim 1968.

U/V

U • Umrichter
Unter-Erde-Kabel • Uran
Uranstrahlen • Urspannung

Var • VDE • Vektor
Verschiebungskonstante • Versor
Vierpol • vierter Aggregatzustand
Volt • Vorsatz
Vorsätze, Erweiterung der
Vorsatzzeichen

U — *U* (voltage)

Worterklärung Formelzeichen für »elektrische ↑Spannung« und »elektrische Potenzialdifferenz« nach DIN 1304-1:1994-03 entsprechend IEC 60027-1:1992-12. Augenblickswerte werden durch Kleinbuchstaben dargestellt: u.

Wortgeschichte

1 Die früheste Verwendung dieses Buchstabens als Formelzeichen kommt bei Georg Simon OHM* vor, der 1827 in seiner Schrift „Die galvanische Kette, mathematisch bearbeitet" die Messgrößen »elektroskopische Kraft, elektrische Kraft, Stärke der Elektrizität, elektrischer Zustand«, die nach heutigem Verständnis gleichbedeutend mit ↑Potenzial sind, mit dem Kleinbuchstaben u kennzeichnet [1], ohne dass Augenblickswerte gemeint sind. Im Originaltext heißt es:

„Nach dem, was in No. 12 dargethan worden ist, wird die Größe des elektrischen Stromes in einem prismatischen Körper für jede Stelle desselben im Allgemeinen durch folgende Gleichung ausgedrückt:
$S = \omega\kappa\, \mathrm{d}u / \mathrm{d}x$
wo S die Größe des Stromes und u die elektroskopische Kraft an der Stelle der Kette, deren Abscisse x ist, bezeichnen, und ω den Querschnitt des prismatischen Körpers, κ aber dessen Leitungsvermögen an derselben Stelle vorstellt." [2]
„Bezeichnet man daher die elektrische Kraft an irgend einer Stelle allgemein durch u, so erhält man zu deren Bestimmung [...]". [3]

2 Eine weitere frühe Verwendung dieses Formelzeichens ist 1845 bzw. 1848 bei G. KIRCHHOFF* zu finden:

„Bestimmen wir die Lage eines Punktes der leitenden Ebene durch die rechtwinkligen Coordinaten x und y, so ist die elektrische Spannung, u, eine Function von x und y; d.h. es ist:
$u = \mathrm{f}(x, y)$." [4]
„Für dasselbe Element muss endlich nach O h m die Gleichung:
$u - u_1 = U$
bestehen, wo U die constante Spannungsdifferenz der sich berührenden Körper bezeichnet." [5]

3 Im Zuge der durch Ed. HOSPITALIER* 1891 eingeleiteten ↑Formelzeichen-Normung wurde dieser Buchstabe von allen beteiligten Organisationen gebilligt und in deren Verzeichnisse aufgenommen. Für das Formelzeichen U lässt sich keine Merkhilfe angeben.

Siehe auch ↑Vektorschreibweise.

Literatur [1] EMDE-1921, S. 171; [2] OHM, G.S.: Die galvanische Kette. Berlin: Riemann, 1827, hier S. 177; [3] Ebenda, S. 32; [4] In: Pogg. Annalen Bd. 64 (1845) bzw. [5] Bd. 75 (1848), zit. nach KIRCHHOFF-1882, S. 1 bzw. S. 37.

Umrichter — convertor

Worterklärung Einrichtung zum Umformen von ein- oder mehrphasigem Wechselstrom einer Frequenz in Wechselstrom einer anderen Frequenz oder Phasenzahl.

Wortgeschichte Von der Deutschen Reichsbahn 1931 vorgeschlagene Benennung, vermutlich sogar durch den Reichsbahndirektor W. WECHMANN*, der dies an einem Diskussionsabend am 9. Feb. 1932 beim Elektrotechnischen Verein* in Berlin erwähnte und dabei gleichzeitig ↑*Wechselrichter* und als Oberbegriff ↑*Stromrichter* vorschlug. Zu seinen Ausführungen vgl. ↑Stromrichter.

Wortbenutzung 1932: Umrichter [1]; 1964: Umrichter zum Umformen von ein- oder mehrphasigem Wechselstrom […] (VDE 0555/12.1964, zit. nach WARNER/ORTH-1984, S. 465); 1990: Die Grundschaltung des Zwischenkreisumrichters ist auch einfacher als die des Direktumrichters (KLOSS-1990, S. 24); 2000: Frequenzumrichter [2]; 2001: Frequenzumrichter mit und ohne SPS [3]; 2002: Umrichter aus dem Modulbaukasten [4].
Literatur [1] In: etz Bd. 53 (1932) S. 761; [2] In: etz Bd. 121 (2000) Nr. 6, S. 58–60; [3] In: etz Bd. 122 (2001) Nr. 16, S. 10–11; [4] In: etz Bd. 123 (2002) Nr. 21, S. 32–33.

Unter-Erde-Kabel — buried cable

Worterklärung Ersatzbenennung für *Erdkabel*, d. h. ein Kabel, das im Erdboden verlegt wird.
Wortgeschichte Das Wort ~ wurde 1954 vom Fernmeldeingenieur Hilmar WÖHNER* vorgeschlagen, damit die Benennung selbstbeschreibend ist. [1] Es hat sich jedoch nicht eingebürgert.
Literatur [1] WÖHNER-1954, S. 293.

Uran — uranium

Worterklärung Metallisches Element. Chemisches Symbol: U. Ordnungszahl: 92. Atomgewicht: 238,03.
Wortgeschichte Vom deutschen Chemiker Martin H. KLAPROTH* 1789 entdeckt und in der Abhandlung „Chemische Untersuchung des Uranits, einer neuentdeckten metallischen Substanz" im selben Jahr beschrieben; zur Namengebung sagt er darin:

> „Es müßen folglich auch deren bisherige falsche Benennungen, als *Pechblende, Eisenpecherz,* wegfallen, und muß ihn dagegen ein neuer, ausschließend bezeichnender Name beygelegt werden. Bis zur etwanigen Auffindung eines noch schicklichern, lege ich ihr [der Pechblende] den Namen *Uranit* bey; welchem [Schreibfehler, welchen] Namen ich, nach dem Beyspiel der alten Philosophen, von einem Planeten, nehmlich von dem jüngstentdeckten, dem Uranus, entlehne." [1]

Der von KLAPROTH eingeführte Name ist auf den 1781 von Sir William HERSCHEL (1738–1822) entdeckten Planeten Uranus zurückzuführen. Man hielt damals Uranus für den erdfernsten Planeten und das neue Element Uran für das Element mit dem höchsten Atomgewicht. Erst 1841 reduzierte der französische Chemiker Eugene Melchior PÉLIGOT (1811–1890) das Urandioxid zu Uranmetall. [2]
Wortbenutzung 1960: Einer Genehmigung bedarf nicht, wer mit festen chemischen Verbindungen des natürlichen Urans […] umgeht (Erste Strahlenschutzverordnung § 8).
Wortfamilie *Uranbatterie, ~bergwerk, ~blei, ~-Blei-Methoden, ~bombe, ~brenner, ~erz, ~glas, ~glimmer, ~haltig, ~industrie, ~isotop, ~metall, ~mine, ~pechblende, ~pecherz, ~-Radium-Reihe, ~reaktor, ~spaltung, ↑~strahlen, ~vorkommen.*
Fremdsprachige Entsprechungen (En)(Fr) *uranium;* (Es)(It) *uranio;* (Ru) уран */uran/;* (Pl) *uran;* (Ja) */uraniumu/.*
Siehe auch ↑Atommeiler, ↑Kernspaltung.
Literatur [1] In: Chemische Annalen (1789) Teil 2, S. 387–403, hier S. 400, zit. nach dem Faksimile in: Deutsches Museum-1978, S. 46–47; [2] ÜHLEIN-1969; PILGRIM-1950, S. 336–339.

Uranstrahlen
uranium rays

Worterklärung Strahlen, die zuerst am ↑Uran beobachtet wurden.

Wortgeschichte Der französische Physiker Henry BECQUEREL* ging Anfang 1896 davon aus, dass ↑*X-Strahlen* seines deutschen Kollegen W.C. RÖNTGEN* von jener Stelle des Glases einer Entladungsröhre emittiert werden, die durch den Aufprall der ↑*Kathodenstrahlen* fluoresziert, und er vermutete einen Zusammenhang zwischen dieser optischen Fluoreszenz und den X-Strahlen. BECQUERELS Arbeitsgebiet war die helle Fluoreszenz von Uransalzen, erregt durch Sonnenlicht. Kritische Nachprüfungen hatten ihn gelehrt, dass jene Salze auch ohne Fluoreszenzerregung strahlen, ja dass alle uranhaltigen Körper eine durchdringende Strahlung aussenden. [1]
In seiner am 18. Mai 1896 bei der Académie eingereichten Arbeit „Émission de radiations nouvelle par l'uranium métallique" berichtete er:

„Obwohl ich meine Studien dieser Phänomene fortsetze, dachte ich doch, daß der Hinweis auf die von Uran ausgehende Strahlung nicht ohne Interesse wäre, welches, wie ich glaube, das erste Beispiel für ein Metall ist, das dieses Phänomen der unsichtbaren Phosphoreszenz zeigt." [2]

Er nannte diese Strahlen (Fr) *rayons uraniques* ›uranische Strahlen, Uranstrahlen‹, seine Physikkollegen sprachen von den *Becquerelstrahlen*. Es blieb Marie CURIE-SKŁODOWSKA* vorbehalten, mit *radio-activité* (↑*Radioaktivität*) eine Benennung zu finden, die vom Material unabhängig ist.

Wortbenutzung 1896: Die erste Tätigkeit der Doktoratskandidatin [Marie CURIE] ist die Messung der Ionisationsfähigkeit der Uranstrahlen (CURIE-1938, S. 160).

Fremdsprachige Entsprechungen (En) *becquerel rays, uranium rays;* (Fr) *rayons uraniques, rayons de Becquerel.*

Literatur [1] GERLACH-1970, S. 46; [2] BECQUEREL, H.: Émission de radiations nouvelle par l'uranium métallique. In: Comptes rendus, Bd. 122 (18. März 1896) S. 501 ff., hier S. 502, zit. nach FÖLSING-2002, S. 210.

Urspannung
electromotive force

Worterklärung Ersatzbenennung für ↑*elektromotorische Kraft* (EMK).

Wortgeschichte Laut J. WALLOT* ist „als Ersatz für den etwas umständlichen Ausdruck ‚*elektromotorische Kraft*' neuerdings das Wort ‚*Urspannung*' vorgeschlagen worden", und zwar vom Elektroingenieur Adolf GÜNTHERSCHULZE* vermutlich 1940. [1]
Der Hochschullehrer Heinz SCHÖNFELD befürwortet ~ 1952 im Vorwort seines Buches „Die wissenschaftlichen Grundlagen der Elektrotechnik" wie folgt:

„Weil man in der Sprache der Elektrotechnik eine Anzahl Worte gebraucht, die vorerst dem Lernenden einen falschen Eindruck erwecken und somit verwirren können, sind diese nach Möglichkeit ersetzt oder der Leser wird aufmerksam gemacht. […] Z.B. das, was mit „*Elektromotorischer Kraft*" bezeichnet wird, hat nichts mit Kraft, sondern etwas mit Energie zu tun. Wir bevorzugen für diese Form der Spannung den Ausdruck ‚*Urspannung*'. [2]

Wortbenutzung 1956: Die Größe *E*, die *Urspannung* (nicht so gut *elektromotorische Kraft*) der Stromquelle, ist also gleich der Summe der inneren und der äußeren Spannung (WESTPHAL-1956, S. 326); 1965: Der äquivalente Rauschwiderstand dient zum Kennzeichnen der Rausch-Urspannung eines äquivalenten Rauschvierpols (TELEFUNKEN-1965, S. 210); 1967: Die Erzeugung von Urspannungen durch chemische Prozesse

geschieht in galvanischen Elementen und Akkumulatoren (Grafe [3]); 1998: Aufstellung der Urspannungen in einer sauren Lösung (Stöcker-1998, S. 513).
Wortfamilie *Rausch-Urspannung, Urspannungsquelle.*
Fremdsprachige Entsprechungen (En) *source voltage;* (Fr) *tension de source;* weitere vgl. ↑*elektromotorische Kraft.*
Literatur [1] Wallot-1944, S. 7; [2] 2. Aufl., Leipzig: Hirzel, 1952. 263 S., hier S. VIII; [3] Grafe, Hermann (Hrsg.): Grundlagen der Elektrotechnik. Bd. I. Heidelberg: Hüthig, 1967. 284 S., hier S. 24.

Var

var

Worterklärung

1 Gesetzliche abgeleitete ↑SI-Einheit der elektrischen Blindleistung (↑*Blind-*). Einheitenzeichen: var.

2 Laut Einheiten-Verordnung darf bei der Angabe von Blindleistungen das ↑Watt auch als ~ bezeichnet werden.

Wortgeschichte Die ↑IEC nahm 1930 das (En)(Fr) *var* als Einheit der Blindleistung an. [1] Das ~ ist ein Initialwort (Akronym) gebildet aus *volt ampère réactif* ›Blind-Voltampere‹.

Wortbenutzung 1970: Kopplungskondensatoren für Spannungen bis 1000 V und Leistungen bis 0,5 kvar (VDE 0560 Teil 2); 1975: Addiert ergibt sich eine gesamte Motorleistung von 29 kW und damit nach Tabelle 10 ein Leistungskondensator von 10 kvar (KUNATH [2]).

Fremdsprachige Entsprechungen (En) *var*; (Fr) *var* (1948, ROBERT-1994).

Siehe auch Früher vorgeschlagene oder benutzte Einheiten: ↑Dol, ↑Kilosin, Blindwatt.

Literatur [1] IEC 164:1964, S. 26, 27; [2] KUNATH, Heinz: Blindstromkompensation. 2. Aufl., Heidelberg: Hüthig, 1975. 151 S., hier S. 94.

VDE

VDE

Erster Bestandteil des Namens „VDE Verband der Elektrotechnik Elektronik Informationstechnik e.V." Am 22. Jan. 1893 in Berlin gegründet unter dem Namen „Verband der Elektrotechniker Deutschlands" und hieß von 1894 bis 1998 „Verband Deutscher Elektrotechniker (VDE) e.V." Unter Beibehaltung der auch als Wortmarke gesetzlich geschützten Abkürzung VDE trägt der Verband seinen neuen Namen ab 20. Okt. 1998 [1]. Zu den Hauptaufgaben gehört die Herausgabe des VDE-Vorschriftenwerks – einer Sammlung von technischen, vorzugsweise sicherheitstechnischen Festlegungen in Form von VDE-Bestimmungen, VDE-Leitlinien und VDE-Normen durch die DKE Deutsche Kommission Elektrotechnik Elektronik Informationstechnik im DIN und VDE, die Trägerschaft des VDE Prüf-und Zertifizierungsinstituts [2], der Informationstechnischen Gesellschaft im VDE (ITG) (↑Informationstechnik) u. a. m. Internet: www.vde.com.

Siehe auch ↑DIN, ↑Elektrotechnik; ↑elektrotechnisch; ↑Technologie^{II}.

Literatur [1] In: VDE dialog, Zeitschrift für VDE-Mitglieder Nr. 6 (Nov./Dez. 1998); VDE 0022; [2] WARNER-1999 (Jahrbuch 1984–1999), VDE 0024; in: VDE dialog Nr. 5 (Sept./Okt. 2001) S. 17.

Vektor

vector

Worterklärung Mathematische Größe, die durch ihren Zahlenwert und ihre Richtung gekennzeichnet ist; sie wird auch *gerichtetete Größe* genannt.

Wortgeschichte Begriff und Benennung (En) *vector* und *scalar* gehen auf den irischen Mathematiker Sir William R. HAMILTON* zurück, der sie 1843 in das von ihm entwickelte *calculus of quaternions* »Quaternionenrechnung« einführte. [1]

Wortbenutzung 1734: [Radius Vector] Es setzet aber Kepler, daß die Planeten dergestalt in einer Ellipsi Tab. XIII Fig. 3 ELIP, in der ihren einem Brenn-Puncte S die Sonne ist, sich bewegen, daß der *Radius Vector* SR, […] in gleicher Zeit gleiche *Sectores ellipticos* oder Elliptische Ausschnitte beschreibet (GLEDISCHEN-1734, Spalte 422).

Fremdsprachige Entsprechungen (En)(Es) *vector;* (Fr) *vecteur;* (It) *vettore;* (Ru) **вектор** */vektor/;* (Pl) *wektor;* (Cs) *vektor;* (Ja) */bekutoru/.*
Siehe auch ↑Vektorschreibweise.
Literatur [1] KROPP-1994, S. 185–187.

Vektorschreibweise

notation of vectors

Auch: Schreibweise der Vektoreigenschaft von Formelzeichen

Die vom irischen Mathematiker William R. HAMILTON* geschaffenen Begriffe und Benennungen (En) *vector* und *scalar* (↑Vektor) übernahm der schottische Physiker James C. MAXWELL* für sein 1873 erschienenes Werk „A treatise on electricity and magnetism". Zur Schreibung der Vektoren (gerichtete Größen) wählte er die Frakturschrift – auch gotische Schrift genannt –, was er mit folgenden Worten begründete:

„When we wish to denote a vector quantity by a single symbol, and call attention to the fact that it is a vector, so that we must consider its direction as well as its magnitude, we shall denote it by a German capital letter, as A*, B*, &c" [* meine Kennzeichnung der Fraktur]. [1]

Die Schreibweise mit Frakturbuchstaben wurde vom Bearbeiter der 2. Auflage (1881), W.D. NIVEN, und der 3. Auflage (1891), J.J. THOMSON, beibehalten. In Deutschland erfreute sich diese Schreibweise großer Beliebtheit. Sein englischer Landsmann Oliver HEAVISIDE* lehnte Sonderschriften für Vektoren ab, und zwar nicht nur griechische, sondern auch Frakturbuchstaben:

„MAXWELL employed German or Gothic type. This was an unfortunate choice, being by itself sufficient to prejudice readers against vectorial analysis. Perhaps some few readers who were educated at a commercial academy where the writing of German letters was taught might be able to manage the German vectors without much difficulty; but to others it is a work of great pains to form German letters legibly. Nor is the reading of the printed letters an easy matter. [...] Rejecting Germans and Greeks, I formerly used ordinary Roman letters to mean the same as MAXWELL's corresponding Germans. They are plain enough, of course; but, as before mentioned, open to objection. Finally, I found salvation in Clarendons [etwa wie halbfette normale Schreibmaschinen-Schrift], and introduced the use of the kind of type so called, I believe, for vectors (Phil. Mag., August, 1886), and have found it thoroughly suitable." [2]

Aufgrund der in deutschsprachigen Arbeiten angewandten Praxis hat 1906 der Elektrotechnische Verein* im Zuge seiner ↑Formelzeichen-Normung in seinen „Leitsätzen für die Wahl der Formelzeichen" unter Nr. 11 festgelegt:

„Um die Vektoreigenschaft einer Größe hervorzuheben, wird sie mit einem großen deutschen Buchstaben dargestellt." [3]

Diese Festlegung übernahm der ↑AEF 1923 in seine gegenüber [4] erweiterte Liste der Formelzeichen [5], und zwar mit folgenden Worten:

„Wenn bei einer Größe die Vektoreigenschaft hervorgehoben werden soll, ist statt des lateinischen der deutsche Buchstabe (Fraktur) zu setzen."

Die Frakturschreibweise wurde noch bis in die 1960er Jahre beibehalten und dann entsprechend der internationalen Gepflogenheit durch fette Antiqua ersetzt.

Literatur [1] MAXWELL-1954, Art. 11; [2] HEAVISIDE-1951, § 103; [3] In: etz Bd. 27 (1906) S. 464. [4] AEF: Formelzeichen des AEF. In: etz Bd. 33 (1912) S. 467 (Entwurf XII), S. 963 (endgültig); [5] In: etz Bd. 44 (1923) S. 114.

Verschiebungskonstante
electric constant

Worterklärung Ersatzbenennung für *absolute* ↑*Dielektrizitätskonstante des leeren Raums,* die inzwischen wiederum durch ↑*elektrische Feldkonstante* ersetzt worden ist.

Wortgeschichte Mit der Norm DIN 1324 „Elektrisches Feld; Begriffe" (Jan. 1964) nannte der ↑AEF die Benennung ~ nur noch an zweiter Stelle:

„Die universelle Konstante ε_0 heißt *elektrische Feldkonstante* oder *Verschiebungskonstante,* bisher auch Influenzkonstante genannt."

Versor
versor

Worterklärung Sprechweise des mathematischen Zeichens $\underline{/x}$ als Kurzform für e^{jx} (↑e) nach DIN 5483-3 „Zeitabhängige Größen; Teil 3: Komplexe Darstellung sinusförmig zeitabhängiger Größen" (Sept. 1994). Das Zeichen selbst heißt *Versorzeichen.*

Wortgeschichte

1 Die Benennung ~ und das Zeichen $\underline{/}$ wurden 1894 vom amerikanischen Elektroingenieur A. E. Kennelly* gebildet [1]. 1954 wurde beides in die Norm DIN 1302 „Mathematische Zeichen" (Nov. 1954) aufgenommen, in späteren Ausgaben nicht fortgeführt, sondern nach DIN 5483 „Formelzeichen für zeitabhängige Größen" (Nov. 1958) übertragen.

2 W. Goedecke nennt 1952 den Versor *Dreher.* [2]

Wortbenutzung 1948: Wir werden die Funktion $e^{j\varphi}$, also die Exponentialfunktion mit ‚imaginärem' Exponenten, immer durch das Zeichen $\underline{/\varphi}$ abkürzen (Wallot-1944, S. 69); 1952: $\underline{/\varphi}$ (gelesen „Versor φ" ist eine bequemere Schreibweise für $e^{j\varphi}$) (Klein, W. [3]).

Literatur [1] In: Electrical World Bd. 23 (1894) S. 17, zit. nach Wallot-1944, S. 69–70; [2] Goedecke, W.: Mathematische Grundlagen der Wechselstromlehre. Berlin: Technik, 1952, hier S. 19. [3] Klein, Wilhelm, in: Rint, Curt (Hrsg.): Handbuch für Hochfrequenz- und Elektro-Techniker. 3. Aufl., Berlin: Radio-Foto-Kinotechnik, 1952. 740 S., hier S. 71.

Vierpol
4-terminal network

Worterklärung Elektrische Schaltung in einem geschlossenen Kasten, die nur über ein Eingangsklemmenpaar und ein Ausgangsklemmenpaar zugänglich ist; seine Eigenschaften werden durch Strom- und Spannungsmessungen an diesen beiden Klemmenpaaren festgelegt. [1]

Wortgeschichte

1 Laut W. Klein verwendete 1903 J. L. La Cour den Begriff des »Vierpols« in seiner Habilitationsschrift. Die Benennung *Vierpol* geht jedoch auf F. Breisig* zurück, der sie 1921 mit folgenden Worten einführte:

„Man […] kommt so zu den typischen Gleichungen eines Vierpols, wie wir ein zwischen zwei Anfangsklemmen a_1 und a_2 und zwei Endklemmen e_1 und e_2 eingeschlossenes beliebiges Leitungsgebilde nennen wollen." [2]

2 Seit den 1960er Jahren hat sich die Vierpoltheorie zu einer Mehrtor-Theorie entwickelt.

Wortbenutzung 1942: Einführung in die Vierpoltheorie der elektrischen Nachrichtentechnik (Feldtkeller [3]); 1944: Diese Schaltungsteile haben zwei Eingangs- und zwei Ausgangsklemmen; man nennt sie daher ‚Vierpole' (Wallot [4]); 1976: Graphische Berechnung der Vierpol-Parameter (Warner [5]).

Fremdsprachige Entsprechungen (En) *4-terminal network; quadripol;* (Nl) *vierpool;* (Sv) *fyrpol;* (Es) *cuadrípolo;* (Fr) *quadripôle* (1926, ROBERT-1994); (It) *quadripolo;* (Ru) четырех полюсник */četyreh poljusnik/;* (Cs) *čtyřpól.*

Literatur [1] KLEIN-1970, S. 2; [2] BREISIG-1921, S. 935; [3] 2. Aufl., Leipzig 1942; [4] WALLOT-1944, S. 108; [5] In: Nachrichtentechn. Z. (ntz), Bd. 29 (1976) S. 523–524.

vierter Aggregatzustand

forth state of aggregation

Worterklärung Ersatzbenennung für »Strahlungserscheinungen durch Gasentladungen«.

Wortgeschichte Der englische Privatgelehrte William CROOKES* berichtete am 22. Aug. 1879 auf der 49. Jahresversammlung der ↑British Association in Sheffield über die in seinem Laboratorium durchgeführten Experimente zur Gasentladung in hochevakuierten Röhren und führte dazu aus:

„Wir stehen hier der Materie in einem vierten Aggregatzustand gegenüber, einem Zustande, der ebenso fern vom gasförmigen, als dieser vom flüssigen ist." [1]

Das war die Geburtsstunde des geflügelten Wortes „vierter Aggregatzustand".

Literatur [1] CROOKES, W.: Strahlende Materie oder der vierte Aggregatzustand. Deutsche Übersetzung. Leipzig 1879, hier S. 7, zit. nach FÖLSING-2002, S. 133 u. 158.

Volt

volt

Worterklärung

1 Gesetzliche abgeleitete SI-Einheit der »elektrischen ↑Spannung« oder Potenzialdifferenz. Einheitenzeichen: V.

2 Ein ~ ist gleich der elektrischen Spannung oder Potenzialdifferenz zwischen zwei Punkten eines fadenförmigen, homogenen und gleichmäßig temperierten metallischen Leiters, in dem bei einem zeitlich unveränderlichen elektrischen ↑Strom der Stärke 1 ↑Ampere die Leistung 1 ↑Watt umgesetzt wird. [1]

3 $1\,V = 1\,W/A = 1\,m^2 \cdot kg \cdot s^{-3} \cdot A^{-1}$.

Wortgeschichte

1 Laut Lord KELVIN verdankt das elektrische Einheitensystem seine Struktur und seine Einheitennamen den englischen Telegraphen-Ingenieuren Latimer CLARK* und Sir Charles BRIGHT, das sie 1861 der ↑British Association for the Advancement of Science vorschlugen. Die Einheiten der ↑Spannung, der Elektrizitätsmenge, des ↑Stromes und des ↑Widerstandes benötigten sie, um die Eigenschaften von Telegraphiekabeln kurz beschreiben zu können. [2] In ihrem Vorschlag hatten sie als Einheit der Spannung das *Ohma* (!) vorgesehen, während *Volt* die Einheit des Widerstandes sein sollte.

2 Zum Studium des ↑„Einheitensystems nach L. CLARK und C. BRIGHT" wurde ein Komitee der British Association eingesetzt, das sich nicht nur mit physikalischen Fragen, sondern auch mit den Einheitennamen befasste und diese nach den Verdiensten der jeweiligen Forscher neu festlegte: so bekam die Einheit der Spannung den Einheitennamen *Volt*.

3 Diesen Namen brachte die British Association auf dem 1. ↑Internationalen Elektrizitäts-Kongress zu Paris 1881 ein, der mit vier weiteren Einheiten (↑*Ampere,* ↑*Coulomb,* ↑*Farad,* ↑*Ohm*) angenommen wurde; für das *Ohm* und *Volt* wurde dort beschlossen:

„2. Die praktischen Einheiten, der Ohm und der Volt, werden ihre augenblickliche Definition behalten: 10^9 [absolute Einheiten] für den Ohm und 10^8 für den Volt." [3]

4 Durch das deutsche „Gesetz betreffend die elektrischen Maßeinheiten" vom 1. Juni 1898 wurde neben ↑Ampere und ↑Ohm festgelegt:

„Das Volt ist die Einheit der elektromotorischen Kraft. Es wird dargestellt durch die elektromotorische Kraft, welche in einem Leiter, dessen Widerstand ein Ohm beträgt, einen elektrischen Strom von einem Ampere erzeugt." [4]

Seit 1970 gilt der oben wiedergegebene Wortlaut (Internationales ↑Einheitensystem).

Fremdsprachige Entsprechungen Sprachen mit lateinischer Schrift: *volt* außer (Es) *voltio, volt*; (Pl) *wolt*; mit anderer Schrift: (nGr) βολτ */bolt/* [Aussprache: volt]; (pers.) */wolt/*; (Zh) */fútè/*, mit ↑Vorsatz: */fú/*, z.B. */háofú/*»mV«; (Ja) */boruto/*.

Zur Person Die Einheit der elektrischen Spannung wurde zu Ehren des italienischen Physikers Graf Alessandro Volta (1745–1827) benannt. Er begann als Physiklehrer in Como, wurde später Physikprofessor in Padua. Seine Hauptleistung besteht im Überprüfen der Froschschenkelausschläge seines Landsmannes Luigi Aloiso Galvani (↑Galvanismus), wodurch er zu einer abweichenden Folgerung kam und dadurch eine ↑Ladungssäule aus mehreren galvanischen Elementen baute. Durch Napoleon wurde er 1810 Conte de l'Regno d'Italia.

Biographien Schreiber, Peter: Volta, A., in: Wussing-1992, S. 584–585; Volkmann-1994, S. 115–118; Wagner, Bernhard: Volta, A., in: Jäger-1996, S. 391; Segrè-1998, S. 194–201; Wiederkehr, Karl Heinrich: Volta, A., in: Krafft-2003, S. 414–415.

Literatur [1] Ausführungsverordnung z. Gesetz üb. Einheiten i. d. F. v. 08.05.1981. BGBl. I S. 422, § 25; [2] Thomson [Kelvin]-1864, S. 606; [3] Reichs-Gesetzblatt 1898 Nr. 26 vom 14. Juni 1898.

Voltampere
voltampere

Gesetzliche abgeleitete ↑SI-Einheit der elektrischen Scheinleistung (↑Schein-). Einheitenzeichen: VA. Das ~ darf an Stelle des ↑Watt angegeben werden.

Vorsatz (Präfixoid)
prefix

Im Internationalen ↑Einheitensystem (SI) der Meterkonvention festgelegte Vorsilbe zur Kennzeichnung von dezimalen Vielfachen oder dezimalen Teilen von ↑SI-Einheiten.

Zur Kurzform des Vorsatzes vgl. ↑Vorsatzzeichen und nachstehende Tabelle 1, Spalte 11.

Tabelle 1: Entwicklung der dezimalen Vorsätze [1]

1	2	3	4	5	6	7	8	9	10	11
Wert	**Loi 1793**	**Loi 1795**	**Brit. Ass. 1873**	**BSI 1926**	**AEF 1927**	**AEF 1933**	**12. CGPM 1964**	**15. CGPM 1975**	**19. CGPM 1990**	**Vorsatz-zeichen**
10^{24}									*Yotta-*	Y
10^{21}									*Zetta-*	Z
10^{18}								*Exa-*		E
10^{15}								*Peta-*		P
10^{12}						*Tera-*				T
10^{9}					*Giga-*					G
10^{6}			*Mega-*							M
10^{4}		*Myria-*								–
10^{3}		*Kilo-*								k
10^{2}		*Hecto-*								h
10^{1}		*Déca-*								da
10^{-1}	*Déci-*									d
10^{-2}	*Centi-*									c
10^{-3}	*Milli-*									m
10^{-6}			*Micro-*							µ
10^{-9}					*Nano-*					n
10^{-12}				*Pico-*						p
10^{-15}							*Femto-*			f
10^{-18}							*Atto-*			a
10^{-21}									*Zepto-*	z
10^{-24}									*Yocto-*	y

Legende zur Tabelle 1:

Spalte 2: Loi du 1er août 1793 = Französisches Gesetz vom 1. August 1793

Spalte 3: Loi du 18 germinal an III; Datum nach dem damals geltenden französischen Revolutionskalender: Gesetz vom 7. April 1795.

Spalte 4: ↑British Association for the Advancement of Science

Spalte 5: BSI = British Standards Institution erarbeitete 1926 unter dem damaligen Namen British Engineering Standards Association die Terminologienorm BS 205:1926.

Spalten 6 und 7: Vom Ausschuss für Einheiten und Formelgrößen (↑AEF) in der etz und als DIN-Norm veröffentlichte Arbeitsergebnisse.

Spalten 8 bis 10: ↑CGPM = Generalkonferenz für Maß und Gewicht mit Angabe der laufenden Nummer und des Jahres der Konferenz.

Die 1. CGPM von 1889 hat die Vorsätze der Spalten 2 und 3 mit den zugehörigen ↑Vorsatzzeichen nach Spalte 11 aufgrund einer Empfehlung ihres Komitees für Maß und Gewicht (CIPM) von 1880 (mit Ausnahme von *Myria-*) übernommen. [2]

Die 11. CGPM von 1960 hat mit ihrer Resolution Nr. 12 alle bisherigen Vorsätze und Vorsatzzeichen als SI-Vorsätze übernommen, wobei die Vorsätze der Spalten 4 bis 7 mit den zugehörigen Vorsatzzeichen nach Spalte 11 durch die Union Internationale de Physique 1948 eingebracht worden sind.

Spalte 10: In deutsches Recht durch die Zweite Verordnung zur Änderung der Einheitenverordnung vom 10. März 2000 (BGBl. I, 2000, S. 214 ff., 447) eingeführt. Die Verordnung dient der Umsetzung der Richtlinie 1999/103/EG des Europäischen Parlaments und des Rates vom 24. Jan. 2000 zur Änderung der Richtlinie 80/181/EWG zur Angleichung der Rechtsvorschriften der Mitgliedstaaten über die Einheiten im Messwesen (ABl. EG Nr. L 34 S. 17).

Weitere Informationen siehe bei den jeweiligen Vorsätzen.

Siehe auch ↑Pra-, ↑Zahlwörter für hohe Zahlen

Literatur [1] WARNER-2001; [2] In: Proc. Verb. Com. internat. Poids Mes. (1) 1879, S. 41; zit. nach BOER-1966. (2) 15 (1933) S. 81; (2) 21 (1948) S. 79.

Vorsätze, Erweiterung der

extension of the prefixes

Der britische Elektroingenieur und Messsystemexperte Victor MAYES* hatte festgestellt, dass ↑SI-Einheiten selten in der Astronomie verwendet werden, vermutlich weil für die „astronomisch" hohen Strahlungsstärken und Massen der Himmelskörper keine geeigneten ↑Vorsätze zur Verfügung stehen. Daher schlug er vor, die Liste der SI-Vorsätze bis 10^{48} und bis 10^{-33} zu erweitern sowie dazu Wörter auch aus nicht-europäischen Sprachen heranzuziehen, wie es Tabelle 1 zeigt. [1]

Tabelle 1: Vorschlag zur Erweiterung der SI-Vorsätze nach V. Mayes

Wert	Vorsatz	Vorsatzzeichen	Herkunft und Erläuterung
10^{48}	*Ultra-*	U oder ut	La *ultra* ›jenseits, mehr als‹
10^{45}	*Quinsa-*	Q oder qu	portugiesisch *quinze* ›15‹ für $(10^3)^{15} = 10^{45}$
10^{42}	*Cata-*	C oder ca	spanisch *catorce* ›14‹ für $(10^3)^{14} = 10^{42}$
10^{39}	*Astra-**)	A oder at	Fr astronomique ›astronomisch, riesig‹
10^{36}	*Vela-*	V oder ve	Ru великй /*velikij*/ ›groß‹
10^{33}	*Besa-*	B oder be	malajisch-indonesisch *besar* ›groß‹
10^{30}	*Sansa-*	S oder sa	chinesisch /*san-shi*/ ›30‹ für 10^{30}
10^{27}	*Nava-*	N oder nv	Sanskrit /*nava*/ ›9‹ für $(10^3)^9$
10^{-27}	*Tiso-*	t	arabisch /*tis'a*/ ›9‹ für $(10^{-3})^9 = 10^{-27}$
10^{-30}	*Vindo-*	v	Hindi /*vindu*/ ›Stückchen‹
10^{-33}	*Weto-*	w	Maori *wheto* ›klein‹

*) nach einem Vorschlag von PERARD 1962, jedoch für 10^{15}, wofür schließlich ↑*Peta-* festgelegt wurde

Beispiele:

Masse einer typischen riesigen elliptischen Galaxie	1	Quinsagramm
Masse des galaktischen Systems	220	Catagramm
Röntgen-Strahlungsstärke eines typischen Quasars	1	Astrawatt
Solare Lichtstärke	0,3826	Navawatt

Literatur [1] MAYES-1994, S. 570; WARNER-2001, S. 318.

Vorsatzzeichen

letter symbol of prefix

Worterklärung Kurzform eines dezimalen ↑Vorsatzes (Präfixoid) für Einheitenzeichen. Beispiel: k (für ↑Kilo-) bei km = Kilometer. Die ~ sind in Spalte 11 der Tabelle 1 im Eintrag ↑*Vorsatz* und bei den jeweiligen Vorsätzen aufgeführt.

Wortgeschichte

1 Die früheste Zusammenstellung von Vorsatzzeichen befindet sich in J.H. van Swindens „Vergelijkings-Tafels tusschen des hollandsche lengte-maten en den mètre" (Amsterdam 1812) S. 11:

„MM	Myriamètre	M.	Mètre
KM	Kilomètre	dm.	décimètre
HM	Hectomètre	cm.	centimètre
DM	Décamètre	mm.	Millimètre." [1]

Die 1. ↑CGPM von 1889 legte Vorsatzzeichen in Verbindung mit folgenden Einheiten aufgrund einer Empfehlung ihres Komitees für Maß und Gewicht (CIPM) von 1880 fest:

km	kilomètre	m	mètre
hl	hectolitre	dm	décimètre
dal	décalitre	cm	centimètre
		mm	millimètre. [2]

Die Union Internationale de Physique brachte 1848 die in den Spalten 4 bis 7 und 11 der Tabelle 1 im Eintrag ↑*Vorsatz* aufgeführten Vorsätze und Vorsatzzeichen bei der CGPM ein. [2]

2 Da Griechenland der Europäischen Union angehört, werden die Einheitenzeichen und Vorsatzzeichen in griechischen Texten und auf griechischen Preisschildern in lateinischen Schriftzeichen geschrieben. [3]

Siehe auch Weitere Anmerkungen zu Vorsatzzeichen vgl. ↑Deka- und ↑Mikro-.

Literatur [1] Als Faksimile enthalten in: Rentenaar, R.: Van Swindens Vergelijkingstafels van Lengtematen en Landmaten. Teil I. Wageningen 1971; [2] Boer-1966; [3] Elot-1999.

W

… • Wanderfeldröhre
Wandler • Wärmeeinheit
… • Wasserstoffionen-Pegel
Watt • wattloser Strom • Wattstrom
Weber • … • Wechselstromgrößen
Wehr • Wellentelegraphie • …
Widerstand • Widerstandschlussmotor
Wirbelstrom • …
Wurzelzeichen

Waage, Zur Rechtschreibung von — spelling of Waage ›balance‹

Mit der Umsetzung von Beschlüssen mehrerer Orthographischer Konferenzen – zuletzt in Berlin 1871 –, die in gemeinsamen „Regeln und Wörterverzeichnissen für deutsche Rechtschreibung" mündeten [1], wurde u.a. die in einigen deutschen Staaten übliche Schreibweise mit Doppel-a bei *Maaße* und *Waare* zu Gunsten von *Maße* und *Ware* aufgegeben. Abweichend hiervon – siehe Belege Wortbenutzung (2) und (3) – schrieb die Kaiserliche Normal-Aichungs-Kommission in ihren Mitteilungen, z.B. noch 1889, *Waage* als fachsprachliche Sonderschreibung mit Doppel-a, da die alte und die neue amtliche Rechtschreibung nicht erkennen ließen, ob *Wagen* die Mehrzahl von *Wage* oder *Wagen* ist, d.h. ob es sich um »Wiegeeinrichtungen« oder »Fahrzeuge« handelte.

Wortgeschichte

1 Das Reichsministerium des Innern stellte 1927 mit nachstehender Bekanntmachung [3] den alten Zustand *Waage* wieder her:

„Bekanntmachung über die Schreibweise des Wortes ‚Waage'".
„[…] Auf Anregung des Gesamtverbandes des Deutschen Waagenbaues ist zwischen Industrie, Physikalisch-Technischer Reichsanstalt (PTR) und Reichspatentamt die Vereinbarung getroffen, daß im Schriftverkehr, in technischen Zeitschriften, allen amtlichen und sonstigen Veröffentlichungen die frühere Schreibweise mit zwei a wieder allein benutzt wird. Die Preußische Akademie der Wissenschaften hat sich dem in einem Gutachten angeschlossen. […] Hiernach wird im Einverständnis mit den Reichsressorts die neue Schreibweise des Wortes ‚Waage' (= trutina) zur besseren Unterscheidung von dem Worte ‚Wagen' (= currus) in die amtliche Rechtschreibung aufgenommen. […] Berlin, den 5. Juli 1927. Der Reichsminister des Innern".

2 Daraufhin wurde 1929 mit der 10. Auflage „Des großen Dudens" der Eintrag zum Stichwort *Waage* und seinen Zusammensetzungen neu gefasst und durch folgende Fußnote ergänzt:

„Durch eine Bekanntmachung des Reichsministers des Innern vom 5. Juli 1927 (Reichsministerialblatt 1927, Nr. 29, S. 205) wurde, einer Anregung der Technik entsprechend, die Schreibung ‚Waage' (an Stelle von bisherigem ‚Wage') zur besseren Unterscheidung vom ‚Wagen' in die amtliche Rechtschreibung aufgenommen. Schon vorher hatte die österreichische Bundesregierung für ihr Gebiet gleiche Anordnung getroffen. Nach einer Auskunft des Reichsministeriums des Innern vom 29. Sept. 1927 ist die neue Schreibweise auf ‚alle Zusammensetzungen und Ableitungen, in denen das Wort vorkommt', anzuwenden. – Die amtlichen Regelbücher haben (1928) noch die alte Schreibung. Aber: durch einen Erlaß vom 20. Juni 1928 erklärte das Preußische Ministerium für Wissenschaft, Kunst und Volksbildung die neue Schreibung neben der alten für zulässig."

3 Eugen Wüster unterstützte 1931 ein völlig anderes Vorgehen, indem

„man z.B. die in Österreich häufige Pluralform G [= deutsch] *Wägen* für die Fahrzeuge im ganzen deutschen Sprachgebiet eingeführt hätte. Daß man trotzdem nicht einen solchen Weg gegangen ist, liegt daran, daß eine Änderung der Schriftform weit leichter durchzusetzen ist als eine Änderung der Lautform." [Wüster-1931, S. 88].

Wortbenutzung

1 Der reichhaltigen Belegsammlung zum Stichwort *WAGE* im „Deutschen Wörterbuch" von J. und W. Grimm ist zu entnehmen:

„die formen *wage* und *wag* schwanken längere zeit in den wörterbüchern: die Süddeutschen haben die verkürzte form, so Dasypodius [1547] *wag*, Maaler [1561] *waag, wag*, Hulsius [1614],

HENISCH [1616] *wag*, KRÄMER [1702] *wag, waag*, DENTZLER [1713] *wag*, dagegen haben SCHOTTEL [1651] und STIELER [1674] *wage*, doch führen noch RÄDLEIN [1711], LUDWIG [1716], FRISCH [1741] die form *wag, waag* neben *wage*. [...] die schreibung *waage* wird schon von ADELUNG [Johann Christoph, 1732–1806, Sprachforscher u. Lexikograph] verworfen, doch ist sie hie und da noch üblich (um den plur. von *wagen* ‚currus' zu sondern). [4]

2 Belege für *Wage*: REICHENBACH-1841; GREISS-1853 (S. 447); RELEAUX-1885 S. 69–76); DUDEN-1880 u. -1898 [das Stichwort *Waage* ist mit dem Zeichen „verwerflich" versehen]; DUDEN-1903 [ohne Hinweis auf *Waage*]; LUEGER-1904/1910, Bd. 8, S. 818–822.
3 Belege für *Waage* vor 1901: Kaiserliche Normal-Aichungs-Kommission, 1889: „In dem Bereiche des der Kontrolle nach Maaß und Gewicht unterliegenden öffentlichen Verkehrs [...]"; „Unter derartigen Umständen kann man daher in aller Strenge aus gleicher Zug- oder Druckwirkung der beiden Massen auf die Waage auf eine Gleichheit der Massen selber schließen" (S. 123); „Im Sinne der Aichordnung sind als Brückenwaagen alle ungleicharmigen oder Laufgewichtswaagen zu behandeln [...]"(S. 124).
4 Belege für *Waage* nach 1901: DUDEN-1929; ALBERTI-1957 (S. 184–193); Eichordnung vom 15.01.1975 (BGBl. I, S. 410), Anlage 9 und 10 [5]; Richtlinie 90/384/EWG des Rates vom 20. Juni 1990 zur Angleichung der Rechtsvorschriften der Mitgliedstaaten über nichtselbsttätige Waagen; DUDEN-1996.
Wortfamilie Zusammensetzungen mit *-waage* als Grundwort: (nach der Eichordnung [5]): *Ablaufberg~, Balken~, Dezimalbrücken~, Feder~, Federtafel~, Fein~, Grob~, Handels~, Hubgewichts~, Laufgewichts~, Neigungs~, Präzisions~, Rollgewichts~, Schaltgewichts~, Substitutions~, Tafel~, Zähl~, Zentesimal~*.
Literatur [1] GÖTZE, Lutz: Zur Geschichte der Rechtschreibung. S. 18–22 in: HERMANN, Ursula u. GÖTZE, Lutz. Die neue deutsche Rechtschreibung. Gütersloh: Bertelsmann, 1996. 1040 S.; [2] In: Mittheilungen der Kaiserlichen Normal-Aichungs-Kommission, Berlin Bd. 1 (1889) Nr. 10, S. 123 ff. (10. Dez. 1889); [3] In: Reichsministerialblatt (1927) S. 205; [4] GRIMM-1991, Bd. 27 (1922), Spalte 348, Bd. 33; [5] Zit. nach MEYER-1981, Abschn. 0890.

Wanderfeldröhre

travelling-wave tube

Worterklärung Elektronenröhre (↑Röhre) zur Verstärkung im Dezimeterwellen-Bereich, insbesondere „Lauffeldröhre ohne statisches Querfeld mit Verzögerungsleitung, bei der die mittlere Geschwindigkeit der Elektronenströme nach Größe und Richtung gleich oder nahezu gleich der Phasengeschwindigkeit einer Vorwärtswelle auf der Verzögerungsleitung ist." [1]
Wortgeschichte Das Wort ~ wurde 1949 von Herbert SCHNITTGER* und Dieter WEBER in ihrem Aufsatz „Untersuchungen über selbsterregte Schwingungen in der Wanderfeldröhre" als Lehnübertragung von (En) *travelling wave tube*, wörtlich: ›Wanderwellenröhre‹ gewählt. [2] Andere Verfasser benutzten dagegen in ihren Veröffentlichungen die Abkürzung *TWR* (= *„Travelling-Wave"-Röhre*) oder die (wörtliche) Lehnübersetzung *Wanderwellenröhre* [3], was KLIMKE bewog, in einer Zuschrift hiergegen mit der Begründung einzusprechen, dass

„sich mit dem Begriff ‚Wanderwelle' insbesondere von der Hochspannungstechnik her ganz andere Vorstellungen verbinden, als sie hier bei dieser UKW-[Ultrakurzwellen]-Verstärkerröhre am Platze sind. Es dürfte besser sein, den Begriff ‚Laufwellenröhre' zu prägen." [4] Den Antworten ist zu entnehmen, dass „mit dem Begriff des ‚Wanderfeldes' [nach Leo PUNGS (1883–1979)] ganz allgemein ein fortschreitendes elektromagnetisches Feld gekennzeichnet werden [soll]. Außerdem entspricht das Wort ‚wandern' auch besser als ‚laufen' der Übersetzung der englischen Ausdrucks ‚to travell'. (FRICKE [3]).

Die Nachrichtentechnische Gesellschaft im ↑VDE (NTG, jetzt ITG) entschied sich für ~.
Wortbenutzung 1954: Eine weitere Abart geschwindigkeitsgesteuerter Röhren, die sich besonders zur Verstärkung breiter Bänder bei höchsten Frequenzen eignet, ist neuerdings in der sogenannten Wanderfeldröhre (Travelling wave tube) entwickelt worden (MEGLA-1954, S. 20); 1957: Die Wanderfeldröhre [...] hat wegen ihrer Fähigkeit, bei hohen Frequenzen breite Bänder zu verstärken, zunehmende Bedeutung in drahtlosen Relaisstrecken erlangt (HOPF [5]).
Fremdsprachige Entsprechungen (En) *travelling-wave tube;* (Nl) *lopende-golfbuis;* (Sv) *vandringsvågrör;* (Es) *tubo de onda progresiva;* (Fr) *tubes à onde progressive;* (It) *tubo a onda progressiva;* (Ru) лампа бегущей волны */lampa beguščej volny/;* (Pl) *lampa o fali bieżącej;* (Cs) *elektronka s postupným polem;* (Ja) */sinkōhakan/.*
Literatur [1] Benennung und Definition nach der NTG-Empfehlung 0402:1957 Nr. 127, zit. nach DIETRICH/ENDRES-1986, S. 248; [2] In: Frequenz Bd. 3 (Juli 1949) S. 189–195; [3] FRICKE, H., SCHNITTGER, H., KLIMKE, KLEEN, W.J. u. ELGER, H.: Deutsche Bezeichnung der „Travelling-Wave"-Tube. In: Archiv elektr. Übertrag. (AEÜ), Bd. 4 (1950) S. 163–164, 235 u. 386; [4] KLIMKE: „Travelling-Wave"-Tube. In: Archiv elektr. Übertrag. (AEÜ), Bd. 4 (1950) S. 83; [5] HOPF, Dieter: Fortschritte auf dem Gebiet der Elektronenröhre. In: KRETZER; Kurt (Hrsg.): Handbuch für Hochfrequenz- und Elektrotechniker. Bd. 4. Berlin: Radio-Foto-Kinotechnik, 1957. 826 S., hier S. 178.

Wandler — transformer

Worterklärung Verdeutschende Ersatzbenennung für ↑*Transformator.*
Wortgeschichte In seinem 1918 erschienenen Wörterbuch „Entbehrliche Fremdwörter des Elektrotechnikers" nimmt der Bearbeiter Rudolf A. FRITSCHE zum Stichwort *Transformator* wie folgt Stellung:

„Infolge des Bestrebens, ein möglichst kurzes deutsches Wort für das Fremdwort einzuführen, darf man jedoch auch nicht zu weit gehen, da sonst Unklarheiten entstehen können, z.B. wird in der letzten Zeit vielfach anstatt des Wortes *Transformator* das deutsche Wort *Spannungswandler* und *Stromwandler* verwendet. Diese Übersetzung ist eigentlich nicht richtig, da die Spannung und der Strom nicht hin und her w a n d e l t, sondern werden u m gewandelt, man müßte richtig sagen *Spannungsu m wandler, Stromu m wandler.* [...] Vergleiche das Wort *Nachtwandler;* dieser wandelt hin und her; oder *Wandelgang,* in dem man hin und her geht." [1]

Siehe auch ↑Messwandler, ↑Spannungswandler, ↑Stromwandler.
Literatur [1] FRITSCHE-1918, S. 8.

Wärmeeinheit[I] — calorie

Worterklärung Verdeutschende Ersatzbenennung für ↑*Kalorie.*
Wortgeschichte
1 Das Wort ~ prägte der Heilbronner Arzt Robert MAYER*, der 1842 als Erster das mechanische Wärmeäquivalent berechnete und den Satz von der Erhaltung der Energie

formulierte. [1] In seinem 1845 erschienenen Beitrag „Die organische Bewegung in ihrem Zusammenhange mit dem Stoffwechsel" heißt es hierzu:

„Es wurde soeben (S. […]) gesehen, daß zur Hebung eines Kilogrammgewichtes auf 425 m eine Wärmeeinheit oder, wie wir auch sagen können, zur Hebung eines Grammgewichtes 1° Wärme erforderlich ist; woraus folgt: *daß ein Kilogrammgewicht, welches 425 m hoch herabsinkt, durch Stoß oder Reibung wieder eine Wärmeeinheit (Kalorie) entbinden muß.*" [Im Original durch Sperren hervorgehoben.] [2]

Mayer bezeichnet also als *Wärmeeinheit* die Kilokalorie, dagegen als *1° Wärme* die (Gramm-)Kalorie. Aus der Nennung des französischen Physikers Regnault* ist zu erkennen, dass Mayer dessen Wortschöpfung (Fr) *calorie* und Definition kennt. [3] Vgl. hierzu unbedingt ↑Kalorie.

2 Da ~ früher auch in Fachtexten benutzt wurde, führten K. Scheel und K. Strecker* in den Erläuterungen zum Entwurf „Einheitsbezeichnungen" (1910) des ↑AEF dazu aus:

„In der Technik wird häufig die ‚Wärmeeinheit' gebraucht, welche ihrer Größe nach nichts anderes als die Kalorie (Ton auf dem i) ist. Der AEF schlägt vor, diesen Gebrauch fallen zu lassen, und zwar aus folgenden Gründen: a) Wärmeeinheit ist kein Name, sondern ein allgemeiner Begriff; es gibt mehrere Wärmeeinheiten, und man darf nicht eine von ihnen als ‚die' Wärmeeinheit bezeichnen […] b) Kalorie ist im deutschen üblich und wird im französischen und englischen gebraucht. Es ist von einem lateinischen Wort abgeleitet und läßt sich in allen Sprachen leicht aussprechen. ‚Wärmeeinheit' ist international nicht zu gebrauchen, weil es von Franzosen, Engländern und Amerikanern nicht ausgesprochen werden kann." [4]

Fremdsprachige Entsprechung (Da) *varmeenhed* („1 Kilogram-Varmeenhed har samme Vaerdi som (ca.) 420 Kilogrammeter") [5].

Literatur [1] Warner, Alfred: Robert Mayer zur 100. Wiederkehr seines Todestages am 20. März 1978. In: etz-A Bd. 99 (1978) S. 160–161; [2] Mayer-1997, S. 20–21; [3] Ebenda, S. 8 u. 18; [4] In: etz Bd. 31 (1910) S. 622–624; [5] La Cour/Appel-1907, Teil 5, S. 172.

Wärmeeinheit^II

unit quantity of heat

Worterklärung Benennung des Oberbegriffs unterschiedlich definierter Einheiten von Wärmemengen, z. B. „Gramm-Calorie, Kilogramm-Calorie, 15°-Wassercalorie". [1] So auch verwirklicht in der Überschrift des „Gesetzes über die Temperaturskale und die Wärmeeinheit" vom 7. Aug. 1924 [1], das die Kilokalorie und die Kilowattstunde festlegte; ↑Kalorie.

Wortbenutzung 1902: Eine Einigung über eine internationale Wärmeeinheit ist noch nicht zu Stande gekommen [2]; 1910: ↑Wärmeeinheit^I (2).

Literatur [1] In: Reichsgesetzblatt vom 12. Aug. 1924, Nr. 52, S. 679; [2] Waltenhofen-1902, S. 30.

Warmheit

temperature

Worterklärung Ehemals vorgeschlagene Ersatzbenennung für *Temperatur*.

Wortgeschichte Das Wort ~ geht auf den deutschen Physiologen und Physiker Hermann Hemholtz* zurück, der in seinen „Vorlesungen über die Theorie der Wärme" vermutlich 1875 Folgendes (in der Schreibweise des Grimmschen Wörterbuchs) ausführt:

„wir finden, dasz körper verschiedene stufen der ‚warmheit' annehmen können; wir wollen diesen namen wählen, da das wort ‚wärme' einen qualitativ bestimmten anderen physikalischen sinn hat." [1]

Eigentlich hat HEMHOLTZ das Wort ~ wiederbelebt, denn es kommt schon in den Glossaren des 15. Jahrhunderts für *Wärme* vor. [1]

Literatur [1] GRIMM-1991, Bd. 27, Spalte 2072.

Wasserstoffionen-Exponent ↑pH

Wasserstoffionen-Pegel ↑H-Pegel

Watt watt

Worterklärung

1 Gesetzliche abgeleitete ↑SI-Einheit der ↑»Leistung«, des »Energiestroms« und des »Wärmestroms«. Einheitenzeichen: W.

2 Ein ~ ist gleich der Leistung, bei der während der Zeit von 1 ↑Sekunde die ↑Energie 1 ↑Joule umgesetzt wird. 1 W = 1 J/s = 1 VA = ↑Volt × ↑Ampere =1 $m^2 \cdot kg \cdot s^{-3}$.

Wortgeschichte

1 Auf dem 2. ↑Internationalen Elektrizitäts-Kongress in Paris im Oktober 1889 wurde das ~ als Einheit der Leistung zu 10^7 ↑C.G.S.-Einheiten angenommen. [1] Später schilderte Sir William THOMSON* [Lord KELVIN] als Kongressteilnehmer dies wie folgt:

„Dann wurde das Watt durch Sir W[illiam] SIEMENS hinzugefügt und allgemein angenommen; es erwies sich als überaus bequem." [1]

2 Aus einem Brief von Friedrich ENGELS (1820–1895) vom 23. Nov. 1882 an seinen Freund Karl MARX (1818–1883):

„Nun, in der Elektrizität galt, solange die Laboratoriumsphysiker das Wort allein hatten, als Maß der elektromotorischen Kraft, die als Repräsentantin der elektrischen Energie angesehen wurde, das Volt (E), Produkt aus Stromstärke (Ampère, C) und Widerstand (Ohm, R), E = C × R. Und dies ist richtig, solange die elektrische Energie bei Übertragung nicht in eine andere Bewegungsform umschlägt. Nun hat aber [Wilhelm] SIEMENS, in seiner Präsidentenrede der letzten British Association [-Tagung], daneben eine neue Einheit vorgeschlagen: das Watt (sagen wir: W), das die wirkliche Energie des elektrischen Stromes (also gegenüber anderen Formen der Bewegung, vulgo energie) ausdrücken soll, und deren Wert ist:
Volt × Ampère W = E × C." [2]

3 Die erste deutsche gesetzliche Festlegung stammt von 1901: „Die Leistung eines Ampere in einem Leiter von einem Volt Endspannung heißt ein Watt." [3]

Wortbenutzung 1993: Für heftige Regenfälle im Sommer haben die Eidgenossen in Laufenburg ein witziges Wort: ‚es kilowättelt' […] Regen bringt mehr Energie im Wasserkraftwerk (MRUSEK, Konrad, in: FAZ, 16.08.1993, S. 11).

Wortfamilie

1 Zusammensetzungen mit *Watt-* als Bestimmungswort: *Watterdschlussrelais, ~komponente, ~leistung, ↑wattlos, ~messer, ~meter, ~meterschaltung, ~schreiber, ~sekunde, ↑~strom, ~stunde, ~stundenzähler, ~verbrauch, ~verlust;*

2 Zusammensetzungen mit *-watt* als Grundwort: *Piko~, Nano~, Mikro~, Milli~, Kilo~, Mega~, Giga~;*
3 Ableitungen: Wattage (»Leistungsaufnahme von Lampen«, Praktiker-Prospekt, März 2002).
Fremdsprachige Entsprechungen Sprachen mit lateinischer Schrift: *watt;* außer (Es) *vatio;* (Pl) *wat;* mit anderer Schrift: (nGr) βατ */bat/* [Aussprache: vat]; (Ru) ватт */vatt/* (Einheitenzeichen: Вт /Vt/); (pers.) */wāt/;* (Zh) */wǎtè/*, mit ↑Vorsatz jedoch: */wǎ/;* (Ja) */watto/*.
Zur Person Die Einheit der Leistung wurde zu Ehren des schottischen Universitätsmechanikers, Ingenieurs und Vervollkommners der Dampfmaschine, James Watt (1736–1819), gewählt. Er ermittelte als Erster den zahlenmäßigen Wert der ↑Pferdestärke. Mitglied der Royal Society in London. 1806 Ehrendoktor der Univ. Glasgow.
Biographien Matschoss-1908, Bd. I, S. 339–372; Klemm, Friedrich: James Watt. In: DGW Bd. 6, S. 732–743; Dietrich, Hans: Watt, James. In: Wussing-1992, S. 593–594; Volkmann-1994, S. 119–123.
Literatur [1] IEC 164:1964, S. 17; [2] Thomson (Kelvin)-1884, S. 606; [3] Zit. nach Lemmerich-1987, S. 101–102; [4] Bestimmungen zur Ausführung des Gesetzes betr. die elektrischen Maßeinheiten. In: Reichs-Gesetzblatt Nr. 16 vom 9. Mai 1901, S. 128.

wattloser Strom reactive current

Worterklärung Vor der Normung der ↑Wechselstromgrößen benutzte Benennung für *Blindstrom* (↑*Blind-*).
Wortgeschichte
1 In der 2. Sektionssitzung der ↑Internationalen Elektrizitäts-Kongresses 1891 in Frankfurt a. M. benutzte Michael von Dolivo-Dobrowolsky* während seines Vortrages über die „Elektrische Arbeitsübertragung mittels Wechselstroms" die Wortverbindung *wattloser Strom* in folgendem Zusammenhang:

„Dieser um 90° gegen seine Spannung verschobene Strom repräsentiert keine geleistete Arbeit, sondern nur eine oscillierende Energie, da er die Hälfte der Zeit *mit* seiner Spannung, wie in einer Dynamo die andere Hälfte der Zeit *gegen* seine Spannung gerichtet ist. Dieser wattlose Strom, da er ausschliesslich die Magnetisierung zu besorgen hat, soll ‚*Erregungsstrom*' genannt werden." [1]

2 Der Dresdener Elektrotechniker H. Görges* trat „gegen den Gebrauch unsinniger Wortbildungen auf, wie z. B. ‚Wattverbrauch', ‚wattloser Strom', bei denen der Name der Einheit verwendet wird statt der physikalischen Größe." [2] Das wurde schon 1909 in den Erläuterungen zur Einführung der besonderen Bestimmungswörter (*Blind-*, ↑*Wirk-*, ↑*Schein-*) geltend gemacht. [3]
Fremdsprachige Entsprechungen (En) *wattless current, idle current, reactive current;* (Es) *corriente devatada, corriente reactiva, corriente anergética;* (Fr) *courant déwatté, courant réactif;* (Ru) безваттный ток */bezvattnyj tok/*. [4]
Siehe auch ↑Dol, ↑Wattstrom.
Literatur [1] Internationaler Elektrotechniker-Kongress-1891, Sections-Sitzungen S. 154; [2] Kloss-1939, S. 1105; [3] In: etz Bd. 30 (1909) S. 862; [4] Schlomann-1928.

Wattstrom

active current

Worterklärung Vor der Normung der ↑Wechselstromgrößen benutzte Benennung für *Wirkstrom* (↑*Wirk-*).

Wortgeschichte

1 In der 2. Sektionssitzung der ↑Internationalen Elektrizitäts-Kongresses 1891 in Frankfurt a. M. brachte Michael von DOLIVO-DOBROWOLSKY* während seines Vortrages über die „Elektrische Arbeitsübertragung mittels Wechselstroms" Folgendes vor:

„Einen Strom, der keine Verschiebung gegen die Spannung hat und somit vollauf dem Energiekonsum resp[ektive] der Leistung entspricht, schlage ich vor ‚*Wattstrom*' zu nennen." [1]

Sein ehemaliger Mitarbeiter Leo SCHÜLER* würdigte 1954 die von ihm zuerst gemachte Unterscheidung von »Wattstrom« und ↑»wattlosem Strom« und die als richtig erkannte rechtwinklige Zusammensetzung dieser Ströme. [2]

2 Unter den 1915 hervorgebrachten Stellungnahmen zur Einführung der Bestimmungswörter ↑*Blind-*, *Werk-* (endgültig *Wirk-*) und ↑*Schein-* befindet sich auch die von M. v. DOLIVO-DOBROWOLSKY:

„Ich bin nach wie vor ein entschiedener Gegner der vom AEF vorgeschlagenen Änderung der Benennungen 1. Wattstrom, 2. Wattloser Strom. Diese Bezeichnungen sind seit viel über 20 Jahren in der Elektrotechnik im Gebrauch und haben, wie schon ihre internationale [im Original gesperrt] Verbreitung beweist, nirgends zu Nachteilen oder Mißverständnissen geführt. Sie haben beständig von Anbeginn ihren Sinn behalten, und jeder weiß, was darunter zu verstehen ist. [...] Es ist von unschätzbarem Werte, wenn sich internationale Bezeichnungen ausbilden. Die Ausdrücke ‚Wattstrom', ‚wattloser Strom' sind international geworden: englische, französische, italienische, spanische und russische Ausdrücke sind dem in Deutschland zuerst entstandenen nachgebildet worden." [3]

Fremdsprachige Entsprechungen (En) *active current*; (Es) *corriente vatada, corriente activa, corriente energética*; (Fr) *courant watté*; (It) *corrente wattata, corrente attiva*; (Ru) ваттный ток /*vattnyj tok*/. [4]

Literatur [1] Internationaler Elektrotechniker-Kongress-1891, Sections-Sitzungen S. 154; [2] In: etz-B Bd. 6 (1954) S. 180; [3] In: etz Bd. 36 (1915) S. 487–489, hier S. 489; [4] SCHLOMANN-1928.

Weber

weber

Worterklärung

1 Gesetzliche abgeleitete ↑SI-Einheit des ↑»magnetischen Flusses«. Einheitenzeichen: Wb.

2 Ein ~ ist gleich dem magnetischen Fluss, bei dessen gleichmäßiger Abnahme während der Zeit von 1 ↑Sekunde auf null in einer ihn umschlingenden Windung die elektrische ↑Spannung von 1 ↑Volt induziert wird. [1]

Wortgeschichte

1 Ursprünglich sollte das ~ die Einheit der elektrischen Stromstärke werden, denn auf dem 1. ↑Internationalen Elektrizitäts-Kongress zu Paris 1881 hatte die britische Delegation im Auftrage der ↑ British Association for the Advancement of Science „1 *Weber* = 10^{-1} absolute Einheit der Stromstärke" [2] vorgeschlagen. Stattdessen wurde das ↑*Ampere* angenommen. Dazu äußerte sich als Sitzungsteilnehmer später in einem Vortrag

„Ueber elektrische und Lichteinheiten nach den Beschlüssen der Pariser internationalen Konferenz" vor dem Elektrotechnischen Verein* in Berlin am 27. Mai 1884 der Fabrikant Werner SIEMENS* (↑Siemens) u. a. wie folgt:

„In ähnlicher Weise wie der Widerstandseinheit hat der Kongreß und nach ihm die Schlußkonferenz den Einheiten der elektrischen Spannung, der Stromstärke, der Elektrizitätsmenge, der elektrostatischen Kapazität besondere Namen, *Volt, Ampère, Coulomb, Farad,* gegeben. Leider vermissen wir Deutschen unter diesen Namen berühmter Elektriker den des Schöpfers des absoluten Maßsystems selbst, den unseres W i l h e l m   W e b e r. Es war wohl wesentlich eine widrige Verkettung von Umständen, die dies verschuldete. [3]

Die Stellungnahme des deutschen Delegationsleiters Hermann von HELMHOLTZ* lautet:

„Um die Zweideutigkeiten zu vermeiden, welche der verschiedene Gebrauch des Wortes *Weber* (als Maßeinheit) in Deutschland und England veranlassen könne, hat man eine neue Stromeinheit, den Ampère, einführen und dieser Einheit, um dieselbe mit der C.-G.-S.-Einheit übereinstimmen zu lassen, einen zehn mal größeren Werth geben wollen, wie der der in England wirklich eingeführten Einheit ist." [4]

Als Zeitzeuge bedauerte 1884 der Physikhistoriker Edmund HOPPE den Pariser Beschluss:

„Wir Deutschen werden es schmerzlich vermissen, daß der Name des Mannes, der die ganze absolute Meßmethode durchgeführt und begründet hat, unter diesen Namen fehlt, dagegen andere gewählt sind, die mit den betreffenden Einheiten in durchaus keinem oder doch nur sehr geringem Zusammenhange stehen. Es ist gewiß ein sehr schlechter Grund, daß man die Beseitigung des von den Engländern bereits gebrauchten Namens ein *Weber,* statt ein *Ampère,* damit begründen wollte, daß ja bei der Verschiedenheit der zu Grunde gelegten Längeneinheiten die WEBERsche Stromintensität 1 sich von dieser um 10^1 unterscheide. AMPÈRE ist an dieser Art der Intensitätsmessung völlig unschuldig, und ebensowenig hat FARADAY etwas mit dieser Messung der Kapazität zu thun." [5]

2 Als ein geschlossenes System von vier magnetischen Einheiten aufgestellt werden sollte, wurde 1894 das ~ als ↑CGS-Einheit des magnetischen Flusses vom American Institute of Electrical Engineers (AIEE) [dem heutigen IEEE = Institute of Electrical and Electronic Engineers] vorgeschlagen. Sie wurde jedoch 1900 vom Internationalen Elektrizitätskongress zu Paris in ↑*Maxwell* umbenannt. [6]

3 Der nächste Anlauf, den Namen ~ durchzusetzen, hatte Erfolg. Das kam so: Bei der Arbeitstagung der ↑IEC in Oslo 1930 war für die praktische Einheit des magnetischen Flusses die Benennung *pramaxwell* (gebildet aus der ersten Silbe von *pra*ktisch [↑Pra-] und dem Einheitennamen *Maxwell*) vorläufig angenommen worden. Da diese etwas gewaltsame Wortschöpfung, die erst im Laufe der Beratung aufgekommen war, in den Mitgliedsländern wenig Anklang gefunden hat, schlug 1933 das französische Komitee auf der IEC-Tagung in Paris vor, lieber den Namen eines Forschers zu wählen, und zwar den des deutschen Physikers Wilhelm Eduard WEBER. Hierzu schreibt der Berichter J. WALLOT:

„Es ist, vom Standpunkt der deutschen Wissenschaft und Technik aus beurteilt, außerordentlich erfreulich, daß jetzt die Vertreter aller in dem Ausschuß 1B vertretenen Staaten die Einführung des Namens ‚Weber' für die praktische Einheit des magnetischen Flusses einstimmig als erwünscht bezeichnet haben. Diese Meinungsäußerung kann wiederum *praktisch* als endgültige Annahme des französischen Vorschlags angesehen werden, wenn sie formal auch noch der Bestätigung durch die nächste Vollversammlung der IEC bedarf.“ [7]

Auf der IEC-Tagung 1935 in Scheveningen wurde unter Vorsitz von A. E. KENNELLY* der Einheitenname ~ angenommen (RM 118, S. 3).

Wortbenutzung 1944: V·s heißt auch „Weber“ (WALLOT-1944, S. 40); 1949: Wenn man die Luftinduktion B_l in Gauß rechnet, den Fluß Φ in Weber, dann ist […] (HUMBURG [8]).

Wortfamilie *Weber, Mikroweber, Milliweber.*

Fremdsprachige Entsprechungen Sprachen mit lateinischer Schrift: *weber*; mit anderer Schrift: (nGr) βέμπερ */bémper/* [Aussprache: ‘veber]; (Ru) вебер */veber/* (Einheitenzeichen: Вб /Vb/); (Zh) */wéibó/*; (Ja) */uēba/*.

Zur Person Der Einheitenname ~ wurde zu Ehren von Wilhelm Eduard WEBER (1804–1891) gewählt. Dieser war Professor der Physik an den Universitäten Halle, Göttingen, Leipzig und wieder in Göttingen. Mit Carl Friedrich GAUSS (↑Gauß) arbeitete er eng im „Göttinger Magnetischen Verein“ und bei erdmagnetischen Untersuchungen zusammen. Dabei erfanden beide den elektromagnetischen Telegraphen. WEBERS Hauptleistung sind die Aufstellung des elektrodynamischen Grundgesetzes und der Schaffung des absoluten elektrischen Maßsystems. Er war einer der „Göttinger Sieben“, die 1837 aus politischen Gründen ihrer Ämter enthoben wurden.

Biographien KNOTT, Robert, in: Allg. Deutsche Biographie. Bd. 41 (1896) S. 358–361; BEUERMANN, Gustav; GÖRKE, Roland: Der elektromagnetische Telegraph von GAUSS und WEBER aus dem Jahre 1833. In: Mitt. Gauß-Ges., Jhg. 20/21 (1983/84) S. 44–53; BALMER, Heinz, in: HERMANN-1987, S. 397–400; FRANKE, Martin, in: WUSSING-1992, S. 596–597; VOLKMANN-1994, S. 125–128; DITTMANN, Frank; LINDNER, Helmut, in: JÄGER-1996, S. 396–397.

Literatur [1] Ausführungsverordnung z. Gesetz üb. Einheiten i. d. F. v. 08.05.1981. BGBl. I S. 422. § 32; [2] NEESEN-1881, S. 401; [3] In: etz Bd. 5 (1884) S. 244–246, hier S. 244; [4] NEESEN-1881, S. 404–405; [5] HOPPE-1884, S. 483; [6] IEC 164-1964, S. 19; [7] WALLOT-1934, S. 189; [8] HUMBURG-1949, Bd. II, S. 63.

Wechselrichter

inverter

Worterklärung Einrichtung zum Umformen von Gleichstrom in ein- oder mehrphasigen Wechselstrom.

Wortgeschichte Der Reichsbahndirektor W. WECHMANN* schlug beim Diskussionsabend des Elektrotechnischen Vereins* zu Berlin am 9. Feb. 1932 neben ~ dabei gleichzeitig ↑*Umrichter* und als Oberbegriff ↑*Stromrichter* vor. Zu seinen Ausführungen vgl. ↑*Stromrichter.*

Wortbenutzung 1943: Arbeitet der Wechselrichter auf ein vorhandenes ‚taktgebendes‘ Netz (vgl. […]), so erhält man den *netzgeführten Wechselrichter* (KOSACK-1943, S. 202); 1964: Der Wechselrichter kann nur Wirkleistung aus dem Gleichstromnetz in das Wechselstromnetz übertragen (VDE 0555/12.1964 [1]); 1977: Wechselrichterkippung ist ein Kommunitierungsversager im Wechselbetrieb (DIN VDE 0558 Teil 1/8.77 [2]); 1990: Die Brücke arbeitet wie ein Wechselrichter (KLOSS-1990, S. 22).

Fremdsprachige Entsprechungen (En) *inverter;* (Nl) *wisselrichter, motorgenerator;* (Sv) *växelriktare;* (Es) *ondulador, inversor;* (Fr) *onduleur* (1948, ROBERT-1994); (It) *inverter;* (Ru) инвертор */invertor/;* (Pl) *falownik;* (Cs) *střídač;* (Ja) */inbāta/.*
Literatur [1] Zit. nach WARNER/ORTH-1984, S. 465; [2] Zit. nach WARNER/ORTH-1984, S. 537.

Wechselstromgrößen

a. c. quantities

Worterklärung Gesamtheit der physikalischen Größen, die die Erscheinungen in einphasigen und mehrphasigen Stromkreisen beschreiben.
Wortgeschichte Als gegen Ende der 19. Jahrhunderts Wechselströme technisch eingesetzt werden konnten, wurden parallel dazu die entsprechenden Rechenverfahren entwickelt; Beispiele: ↑e, ↑j. Wechselstrom sollte rechnerisch ähnlich wie Gleichstrom behandelt werden. Für die Effektivwerte von ↑Strom und ↑Spannung sollte ein dem ↑OHMschen Gesetz analoges „Gesetz für Wechselstrom" gefunden werden, das die Anwendung von Wechselstrom-Widerständen erlaubt. Die aus England über Amerika nach Europa gelangten Benennungen für Wechselstrom-Widerstände (↑*Impedanz,* ↑*Reaktanz, Resistanz*) und -Leitwerte (↑*Admittanz, Konduktanz, Suszeptanz*) wurden als „unschön und leicht zu verwechseln" angesehen. [1] Nach der Theorie der Wechselströme ist es anschaulich, ~ in zwei Komponenten zu zerlegen:
- in eine wirksame, d.h. Energie tragende Komponente, und
- in eine nichtwirksame Komponente.
- Die Summe beider Komponenten ist die Resultierende.

Um die Wende vom 19. zum 20. Jahrhundert ergab sich über die zugehörigen Benennungen folgendes Bild [2]:

Größe	Wirksame Komponente	Nichtwirksame Komponente	Resultierende
Strom	↑Wattstrom, Wattkomponente des Stromes Leistungsstrom	↑wattloser Strom wattlose Komponente des Stromes Querstrom	Strom
Spannung	Wattspannung Wattkomponente der Spannung Leistungsspannung	wattlose Spannung wattlose Komponente der Spannung Querspannung	Spannung
Leistung	wirkliche Leistung wirkliches Watt	– –	scheinbare Leistung scheinbares Watt Richtleistung
Widerstand	effektiver Widerstand ohmscher Widerstand Leistungswiderstand wahrer Widerstand	– – Querwiderstand	scheinbarer Widerstand resultierender Widerstand

Größe	Wirksame Komponente	Nichtwirksame Komponente	Resultierende
Widerstand (Fortsetz.)	Resistanz	↑Reaktanz induktive Reaktanz = Induktanz↑ kapazitive Reaktanz = Kondensanz↑ = Kapazitanz	↑Impedanz
Leitwert	Konduktanz	Suszeptanz	↑Admittanz Richtleitwert
AEF	Wirk-	Blind-	Schein-

Der ↑AEF* arbeitete bald nach seiner Gründung an einer leicht merkbaren Benennungsstruktur. Was er 1909 [1] und später [3] vorschlug, setzte sich durch. Die wirksame Komponente wird seitdem durch das Bestimmungswort ↑*Wirk-*, die andere durch ↑*Blind-* und die Resultierende durch *Schein-* (aus *scheinbar* verkürzt) gekennzeichnet. Alle Benennungen lassen sich in einem Strahlenbündel zusammenfassen:

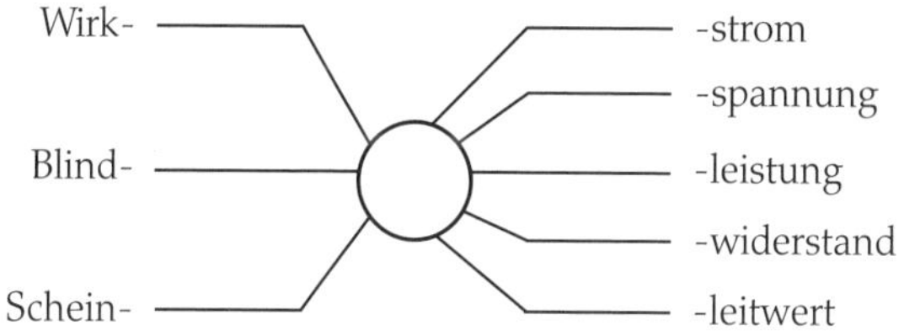

Diese Struktur ist ein wesentlicher Bestandteil der heutigen Norm DIN 40110 „Wechselstromgrößen", die in mehreren Entwurfsfassungen [1][3] zur Diskussion gestellt worden war und nach Klärung der Behandlung nicht-sinusförmiger Mehrphasenströme [4] erst im Okt. 1939 abgeschlossen werden konnte. Heute ist sie mit den Ausgaben Okt. 1975 und März 1994 (nur für Zweileiter-Stromkreise als Teil 1) gültig. Dennoch muss darauf hingewiesen werden, dass in den letzten Ausgaben die auf *-anz* endenden „internationalen" Benennungen der Widerstände und Leitwerte (außer *Induktanz, Kapazitanz* und *Kondensanz*) als daneben zugelassene Benennungen aufgenommen worden sind. Diese *anz*-Wörter gehörten eigentlich mit zu den Gründen, die 1909 zur Erarbeitung einer Norm für ~ führten, da sie keine Merkhilfe bieten. Ihre jetzige Wiedereinführung soll vermutlich deutschsprachigen Normbenutzern den Einstieg in die internationale Verständigung zu erleichtern.

Literatur [1] AEF: Wechselstromgrößen. Entwurf V [1. Fassung]. Mit Erläuterungen von J. Teichmüller u. M. Wien. In: etz Bd. 30 (1909) S. 861–862; Fleischmann, L.: Bericht über Entwurf V. In: etz Bd. 32 (1911) S. 480; [2] Weitgehend nach Wüster-1931, S. 173, Schlomann-1928 und Warner-1958, S. 325; [3] AEF: Wechselstromgrößen. Entwurf V [2. Fassung]. In: etz Bd. 34 (1913) S. 956–957; Stellungnahmen, in: etz Bd. 36 (1915)

S. 487–489; AEF: Entwurf V. Wechselstromgrößen. [3. Fassung]. Mit Bericht und Erläuterungen von J. TEICHMÜLLER und R. RICHTER. In: etz Bd. 41 (1920) S. 660–663, hier S. 662; WALLOT-1928, S. 39; [4] SCHERING, H[arald]: Die Definition der Schein- und Blindleistung sowie des Leistungsfaktors bei Mehrphasenstrom. In: etz Bd. 45 (1924) S. 710–712 [Gutachten im Auftrage des AEF]; vgl. ↑Entohmung.

Wehr

resistor

Worterklärung Verdeutschende Ersatzbenennung für ↑*Rheostat* und Benennung der »Verkörperung der Eigenschaft ↑Widerstand«.

Wortgeschichte Dieser 1916 vom Elektrotechnischen Verein* zu Berlin „auf Anregung aus Heereskreisen" gemachte Vorschlag [1] wurde von K. STRECKER* wie folgt erläutert:

„Für Rheostat war bisher kein deutsches Wort im Gebrauch; da die Anschauung von Flüssigkeitszuständen und -bewegungen von Anfang an die Quelle für die elektrische Namengebung gewesen ist, wird ein von dort entnommener, dem Begriff nach wenigstens befriedigend passender Name, das *Wehr*, vorgeschlagen (*Wehr, Wehrdraht, Wehrspule, Wehrkasten, Stöpselwehr, Schleifwehr* u.s.f.)." [2]

Darüber hinaus hat ~ den Vorteil, die »Verkörperung der Eigenschaft Widerstand« darzustellen, denn K. STRECKER weist darauf hin:

„Es wird leider häufig kein Unterschied gemacht, ob es sich um die elektrische Eigenschaft oder deren Verkörperung handelt. Man sagt: ich schalte eine Kapazität, einen Widerstand ein, [...] Das führt zu Sätzen wie: [...]; miß den Widerstand dieses Widerstandes! Es ist nötig, durch Wahl bequemer Namen dieser Undeutlichkeit zu steuern." [2]

Im Jahre 1931 konnte Eugen WÜSTER berichten, dass ~ „sich aber nicht eingebürgert" hat. [3]

Literatur [1] SCHÜLER-1916; [2] STRECKER-1916, S. 526–527; [3] WÜSTER-1966, S. 78.

Wellentelegraphie

wireless telegraphy

Worterklärung Ersatzbenennung für *drahtlose Telegraphie*.

Wortgeschichte Bei der Erläuterung seiner Wortschöpfung ↑*Funkentelegraphie* nimmt der deutsche Funkpionier Adolf SLABY* im Rahmen seines am 22. Dez. 1900 gehaltenen Vortrages über „Abgestimmte und mehrfache Funkentelegraphie" Stellung zu einer Alternativbenennung:

„Der von anderer Seite vorgeschlagene Ausdruck ‚Wellentelegraphie' ist für das Wesen der Sache nicht bezeichnend und unwissenschaftlich, denn jede elektrische Telegraphie, ebenso wie die Telephonie beruht auf elektrischen Wellen." [1]

Literatur [1] SLABY-1901, S. 73.

Werkner

engineer

Worterklärung Verdeutschende Ersatzbenennung für ↑*Ingenieur*.

Wortgeschichte Das Wort ~ wurde 1897 von Karl BRUNS aus Torgau mit folgender Begründung vorgeschlagen:

„Werkner ist ein ebenso allgemeines wie das Fremdwort lautendes Ersatzwort von edler Bedeutung, das Zusammensetzungen je nach dem betreffenden Fache zuläßt." [1]

Literatur [1] In: Ztsch. allg. dt. Sprachverein, Bd. 12 (1897) Spalte 191.

Wicklungsstrang

winding phase

Worterklärung Ersatzbenennung für *Phase*, wenn eine bestimmte Wicklung einer mehrphasigen Maschine (↑*Drehstrom*) gemeint ist. Auch: *Strang*.

Wortgeschichte Das Wort ~ wurde vom deutschen Elektromaschinen-Fachmann Rudolf Richter* geprägt und 1919 wie folgt begründet:

„Gewöhnlich bezeichnet man immer noch die *m* Wicklungsabteilungen einer Wicklung für *m*-Phasenstrom als die *m Phasen* der Wicklung. Auf die Unzweckmäßigkeit dieser Bezeichnung hat zuerst Görges etz Bd. 15 (1895) S. 291 [*] hingewiesen. Der Vorschlag, die Wicklungsabteilungen als *Zweige* zu bezeichnen [**], konnte sich nicht Geltung verschaffen, da jede Wicklungsabteilung im allgemeinen schon aus mehreren Wicklungszweigen besteht, die parallel oder in Reihe geschaltet werden können. Seit einigen Jahren bezeichne ich deshalb die den einzelnen Phasen des Mehrphasenstromes entsprechenden Abteilungen einer Wicklung als ‚*Wicklungsstränge*' und kann deshalb die Bezeichnung ‚Wicklungszweige' für die Unterabteilungen in den Wicklungssträngen verwenden. Gleichwertige Wicklungszweige können parallel geschaltet werden; die *Wicklungsstränge* können in Stern oder in Vieleck geschaltet werden. [1]

[*] Richtig muss es S. 751 heißen; dort sagt Hans Görges* u.a.:

„[...] Es ist nicht zu empfehlen, den Ausdruck ‚Phase' auch für die Wickelungsabtheilung oder für einen Zweig in einem Drehstromsystem zu gebrauchen, wie vielfach geschieht, weil dadurch leicht Missverständnisse hervorgerufen werden." [2]

[**] Hiermit ist auch Görges gemeint, der in einer Leserzuschrift im selben Jahrgang das Wort *Zweig* verwendet:

„Bei Sternschaltung bleiben die Verbindungen zweier Zweige genau wie sie waren, der dritte Zweig wird abgetrennt und hinter die beiden anderen geschaltet." [3]

Wortbenutzung 1922: Bei der Sternschaltung sind die Anfänge der drei Stränge in einem Sternpunkt aneinander gelegt und die Enden zu den Netzklemmen geführt (Thomälen-1922, S. 204); 1959: In jedem Wicklungsstrang wird eine Strangspannung induziert (Moeller/Werr-1959, S. 336); 1998: Die Klemmenspannungen U_1, U_2, U_3 der Generatorwicklungen werden als *Strangspannungen* (früher Phasenspannungen) bezeichnet (Kories/Schmidt-Walter-1998, S. 167).

Wortfamilie *Strangbelastung, Strangklemme, Strangpol, Strangspannung, Strangstrom, Strangverbinder, Strangzahl, Oberspannungsstrang.*

Fremdsprachige Entsprechungen (En) *winding phase, phase belt;* (Nl) *fazewikkeling, faze;* (Es) *arrollamiento de fases;* (Fr) *faisceau d'enroulement, enroulement à phases;* (It) *avvolgimento a fasi;* (Cs) *fáze vinutí.*

Literatur [1] Richter, R.: Die Bruchlochwicklungen (Teillochwicklungen) und ihr Entwurf. In: Arch. f. Elektrotechn., Bd. 8 (1919) S. 214; [2] Görges, Hans: Zur Theorie der Asynchronen Wechselstrommotoren". In: etz Bd. 16 (1895) S. 750–753, 768–770, 789–790 und 804–805, hier S. 751, in der Fußnote 1 (zu Spalte 2); [3] Görges, Hans, in: etz Bd. 16 (1895) S. 389–390, hier S. 390.

Widerstand[I]

resistance

Worterklärung Physikalische Größe als Quotient der elektrischen ↑Spannung zum elektrischen ↑Strom. Formelzeichen: ↑*R*. SI-Einheit: ↑Ohm. Auch: *Widerstandswert*, zuweilen: *Resistanz*.

Wortgeschichte Das Wort ~ führte in der Schriftform *Leitungswiderstand* 1826 der deutsche Physiker Georg Simon OHM* ein, um den Zusammenhang zwischen Spannung und Strom beschreiben zu können, was im Originalwortlaut des ↑OHMschen Gesetzes deutlich wird. [1] An anderer Stelle heißt es dagegen nur noch ~:

„Messen wir nun den Widerstand, welchen ein Metallpaar [...] dem elektrischen Strome entgegensetzt [...] und nennen wir die Länge, bei welcher er dem Strome einen Widerstand darbietet, der dem zu messenden völlig gleich ist, die *Widerstandslänge* des Metallpaares, so springt in die Augen, daß die Widerstandslänge aller *m* Paare die *m*-fache von der eines einzigen Paares sein werde." [2]

Wortbenutzung 1829: Zugleich geben die Versuchsreihen Bestätigungen der Gesetze, daß der Widerstand der flüssigen sowohl als festen Leiter wirklich direkt der Strecke derselben proportional ist (FECHNER, Gustav [3]); 1845: wo ω_1, ω_2, ... die Widerstände der Drähte [...] bezeichnen [Teilwortlaut der Regel 2, deren vollständiger Wortlaut unter ↑KIRCHHOFFsche Regeln zu finden ist]; 1902: Eine andere Methode der absoluten Widerstandsmessung beruht auf der Anwendung des Erdinductors (WALTENHOFEN-1902, S. 234); 1965: Der Widerstand *R* ist zu 150 Ω bestimmt worden, damit sich ein Gesamtwiderstand von 300 Ω ergibt, ein Wert, der dem Feldwellenwiderstand des freien Raumes $Z_0 = 377\ \Omega$ recht nahe kommt (WARNER-1965, S. 110).

Wortfamilie

1 Zusammensetzungen mit *Widerstands-* als Bestimmungswort: *Widerstandsabnahme, ~abstimmung, ~änderung, ~anpassung, ~ausgleich, ~beiwert, ~brücke, ~dämpfung, ~ebene, ~erhöhung, widerstandsfähig, ~gerade, ~instrument, ~kennlinie, ~koeffizient, ~linie, ~matrix, ~messer, ~messung, ~messbrücke, ~normal, ~-Normreihe, ~operator, widerstandsreziprok, ~rückkopplung, ~schwankung, ~toleranz, ~wandlung, ~wert, ~zunahme;*

2 Zusammensetzungen mit *-widerstand* als Grundwort: *Abschlusswiderstand, Anker~, Ankerzweig~, Anpassungs~, Antennen(strahlungs)~, Arbeits~, Ausbreitungs~, Ausgangs~, Batterie~, Blind~, Dunkel~, Eingangs~, Eingangsrausch~, Erdübergangs~, Erd(ungs)~, Feldwellen~, Gesamt~, Gittergleichstrom~, Gleich(strom)~, Grenz~, Hochfrequenz~, Innen~, Isolations~, Hell~, Kalt~, ↑Kern~, Kollektor~, Kontakt~, Kopplungs~, Körper~, Kurzschluss~, Lampen~, Längs~, Läufer~, Leitungs~, Lichtbogen~, Linearisierungs~, Oberflächen~, Quer~, Rausch~, Resonanz~, Rotor~, Sättigungs~, Schein~, Sperr~, Spulen~, Strahlungs~, Übergangs~, Wechselstrom~, Wellen~, Wirk~.*

3 Wortableitung: In der britischen Norm BS 3669 „Recommendations for the selection, formation and definition of technical terms" wird als Beispiel für die Ableitfähigkeit von Fachwörtern (En) *resistance* »Widerstand als Eigenschaft« mit *resistor* »Widerstand als Bauelement« und *resistivity* »spezifischer Widerstand« angegeben und dadurch herausgestellt, dass die entsprechende deutsche Benennung *Widerstand* keine vergleichbaren Benennungen vorweisen kann. [4] Dem ist jedoch entgegen zu halten, dass sprachlich gesehen *Widerständer* in Anlehnung an *Ständer* bzw. *Widerständigkeit* in Anlehnung an *Beständigkeit* gebildet werden könnte. Das ist für die elektrotechnische Fachsprache noch nicht versucht worden, obwohl GRIMMS Wörterbuch *widerständig, widerständigkeit* und *widerstander* verzeichnet. [5]

Fremdsprachige Entsprechungen [6] (En) *resistance;* (Nl) *weerstand;* (Sv) *resistans;* (Es) *resistencia;* (Fr) *résistance;* (It) *resistenza;* (nGr) αντίσταση /*antístasē*/; (Ru) сопротивление /*soprotivlenie*/; (Pl) *resystancja;* (Cs) *odpor;* (Ja) /*teikōti*/.

Literatur [1] In: SCHWEIGGERS Journal für Chemie u. Physik. Bd. 46 (1826) S. 137–166, zit. nach OHM-1996, S. 19; [2] Ebenda, S. 23–24; [3] Zit. nach OHM-1996, S. 32; [4] Ausgabe 1963. Abschnitt 10 f (iii), S. 15; [5] GRIMM-1991, Bd. 29, Spalte 1271; [6] Im Wesentlichen nach IEC-Wörterbuch; darunter: *Widerstandswert; Resistanz.*

Widerstand[II] resistor

Worterklärung Träger oder Verkörperung der Eigenschaft »Widerstand[I]«.

Wortgeschichte In der Anfangszeit der elektrischen Messungen benutzte man den ↑Rheostaten, um den Widerstand (als Eigenschaft) eines Stromkreises zu verändern; so z.B. 1845 KIRCHHOFF*. Später wurden sprachlich Eigenschaft und Verkörperung gleichgesetzt; so z.B. 1891 wie folgt:

„Da die Spannung einer Sammlerzelle annähernd 2V beträgt, so würde ohne Zuhülfenahme eines Widerstandes die Regulirung der Gebrauchsspannung in Sprüngen von ca. 2V geschehen. Da aber in den Zwischenstellungen des Schleifkontaktes *T* der Entladestrom diesen Widerstand zu durchfließen hat, so werden die obigen Abstufungen von 2V kleiner." [1]

Sprachbewusste Ingenieure wollten diesen Konflikt durch die Übernahme der Benennung ↑*Wehr* aus der Wasserbautechnik lösen. Obwohl die dort angeführten Argumente stichhaltig waren und noch sind, besteht der Konflikt heute weiter. Anders verhält es im englischen Sprachbereich, wo es etwa in den 1920er Jahren gelang, »Eigenschaft« und »Träger der Eigenschaft« eindeutig zu benennen [2]:
- Widerstand/Widerstand: *resistance/resistor*
- Kapazität/Kondensator: *capacitance/capacitor*
- Induktivität/Spule: *inductance/inductor.*

Im Falle von *resistor* begannen weitere Sprachen, diesem Beispiel zu folgen, wie es die „Fremdsprachigen Entsprechungen" zeigen.

Wortbenutzung 1891: In diesem Falle ist also der Widerstand *w* aus dem Stromkreise ausgeschlossen (MÜLLER, H. [1]); 1922: Die Magnetwicklung eines Motors liege unmittelbar an der festen Netzspannung, während der Anker mit Hilfe eines regelbaren Widerstandes an die Netzspannung angeschlossen ist (THOMÄLEN-1922, S. 139); 1943: Um die verschiedensten Widerstandswerte einstellen zu können, bedient man häufig der *Stöpselwiderstände* (KOSACK-1943, S. 12).

Wortfamilie

1 Zusammensetzungen mit *Widerstands-* als Bestimmungswort: *Widerstandsabgriff, ~ableiter, ~anlasser, ~belastung, ~bremse, ~bremsung, ~draht, ~element, ~ersatzschaltung, ~folie, ~heizung, ~kasten, ~körper, ~lampe, ~legierung, ~material, ~normal, ~ofen, ~pyrometer, ~rauschen, ~regelung, ~regler, ~säule, ~schaltung, ~schicht, ~schweißung, ~spule, ~streifen, ~stufe, ~thermometer, ~träger, ~verstärker, ~zelle, ~zweig;*

2 Zusammensetzungen mit *-widerstand* als Grundwort: *Ableit(ungs)widerstand, Abschluss~, Anlass(er)~, Anodenschutz~, Arbeits~, Ballast~, Begrenzungs~, Belastungs~, Bifilar~, Brems~, Dämpfungs~, Dekaden~, Doppel~, Doppelkurbel~, Draht~, Eich~, Einstell~, Entladungs~, Fest~, Foto~, Funkenlösch~, Funk-Entstör~, Gitter(ableitungs)~, Glättungs~, Gleit~, Grafit~, Heiz~, Hochlast~, Hochohm~, Keramik~, Kohleschicht~, Kohle(n)~, Masse~, Mess~, Metall~, Nebenschluss~, Normal~, NTC-~, Öl~, Parallel~, Präzisions~, Quer~, Re-*

gulier~, Schicht~, Schiebe~, Schutz~, Stell~, Stöpsel~, Streifen~, Strombegrenzungs~, Stufen~, Überbrückungs~, Vergleichs~, Vor(schalt)~, Zusatz~, Zuschalt~.
3 Wortableitung: vgl. ↑Widerstand^I^.
Fremdsprachige Entsprechungen (En) *resistor,* (veraltet:) *resistance;* (Nl) *weerstand;* (Sv) *resistor, motstånd;* (Es) *resistencia;* (Fr) *résistance;* (It) *resistore;* (Ru) резистор */rezistor/;* (Pl) *opornik, rezystor;* (Cs) *odpor;* (Ja) */teikōki/.*
Literatur [1] MÜLLER, Hermann: Ueber eine neue Anordnung eines Zellenschaltapparates. In: etz Bd. 12 (1891) S. 153; [2] WARNER-1958, S. 326.

Widerstandschlussmotor — resistor slip-ring motor

Worterklärung Ehemals vorgeschlagene Benennung des Oberbegriffs von *Schleifring(läufer)motoren* mit und ohne Schleifring.
Wortgeschichte Das Wort ~ geht auf den Motorenfachmann Leo SCHÜLER* zurück, der es 1927 der Maschinenkommission des ↑VDE zusammen mit ↑*Dauerschlussmotor* und ↑*Schaltschlussmotor* vorschlug. Seine Begründung lautet:

„Ein Sonderfall der Schaltschlußmotoren wären dann die *Widerstandschluß-Motoren,* bei denen während des Anlassens Widerstand in den Sekundärkreis geschaltet wird, und ein Sonderfall der Widerstandschluß-Motoren sind schließlich die Schleifringmotoren." [1]

Literatur [1] SCHÜLER-1927, S. 1176.

Wirbelstrom — eddy current

Worterklärung Ein elektrischer ↑Strom, der in einem Metallkörper großen Querschnitts in ungeordneten Bahnen, d.h. in Wirbeln, fließt, wenn dieser Körper einem magnetischen Wechselfeld ausgesetzt wird. Beispiele sind ↑Transformatoren und Elektromaschinen, sofern die kritischen Eisenteile nicht als Paket voneinander isolierter Eisenbleche gestaltet sind.
Wortgeschichte Das Wort ~ geht auf den Telegrapheningenieur und Fachübersetzer Carl GRAWINKEL* zurück, der 1888 dazu Folgendes sagte:

„Die in der Oberfläche eines Magnetkernes erzeugten Ströme müssen durchaus FOUCAULT-Ströme sein, weil FOUCAULT sie entdeckt hat; mit demselben Rechte könnte man die Induktionsströme FARADAY-Ströme nennen. Der Engländer bezeichnet die FOUCAULT-Ströme viel besser mit dem Namen *eddy currents, Wirbelströme,* und dies könnten wir auch ohne Nachtheil thun, es wird dadurch die Art der Ströme sogar besser bezeichnet". [1]

Das (En) *eddy* bedeutet ›Wirbel, Strudel‹.
Wortbenutzung 1922: Da Wirbelströme einen Verbrauch von elektrischer Energie bedeuten, so muß man den Anker einer Maschine aus Eisenblechen zusammensetzen (THOMÄLEN-1922, S. 64); 1944: Soweit Wirbelströme als unnütze Energieverbraucher unerwünscht sind, sucht man sie zu verringern, indem man die Metallmassen unterteilt (WALLOT-1944, S. 56); 1962: Eisenverluste entstehen durch Hysterese und durch Wirbelströme (HERHAHN [2]).
Wortfamilie Zusammensetzungen mit *Wirbelstrom-* als Bestimmungswort: *Wirbelstrombremse, ~dämpfung, ~effekt, ~fehler, ~frei, ~geschwindigkeitsmesser, ~glühprozess, ~heizung, ~koeffizient, ~kreis, ~läufer, ~ofen, ~phasenfehler, ~scheibenbremse, ~tachometer, ~verlust, ~wärme.*

Fremdsprachige Entsprechungen (En) *eddy current, Foucault current;* (Nl) *wervelstrom;* (Sv) *virvelström;* (Es) *corriente de Foucault, corriente parásita;* (Fr) *courant de Foucault;* (It) *corrente di Foucault;* (Ru) пазитный ток, ток Фуко */parazitnyj tok, tok Fuko/;* (Cs) *vířivý proud;* (Ja) */uzudenryū/.*

Literatur [1] GRAWINKEL-1888, S. 405; [2] HERHAHN, Albert: Elektrotechnik – kurz und Bündig. Würzburg: Kamprath, 1962. 84 S., hier S. 35.

Wirk- effective (quantity)

Worterklärung Bestimmungswort zur Angabe der wirksamen, d. h. Energie tragenden, Komponente einer ↑Wechselstromgröße. Ersatz für *Watt-* in der Wortverbindung ↑*Wattstrom.*

Wortgeschichte Es bedurfte einiger Anläufe, bis der ↑AEF die Mehrheit der Mitgliedsvereine für seinen Vorschlag eines Bestimmungswortes gewann. In der ersten Fassung des Entwurfs V (1909) war *Leistungs-* vorgeschlagen worden, was folgende Benennungen ermöglichte: *Leistungswiderstand, Leistungsstrom, Leistungsspannung,* was aber auch Widerspruch auslöste:

„Gegen das Wort ‚*Leistung*' wurde eingewandt, daß es besonders in der Verbindung ‚*Leistungsstrom*' unbequem auszusprechen sei, und daß es, zum mindesten im Druck, sehr leicht mit ‚*Leitung*' verwechselt werden könne." [1]

Die zweite Fassung des Entwurfs V brachte 1913 das Wort *Werk-*:

„‚*Werk*' ist an Stelle des früher vorgeschlagenen Vorwortes ‚*Leistung*' getreten; es erschien durch seinen Anklang an ‚wirksam', durch seine Kürze und durch die Tatsache, daß es neuerdings in der deutschen technisch-wissenschaftlichen Literatur mehr und mehr in ähnlicher Bedeutung verwendet wird, besonders geeignet." [1]

Der dritte und letzte Anlauf führte 1920 zu *Wirk-*:

„Gegen diese Vorsilbe [*Werk-*] ist geltend gemacht worden, daß sie in der Zusammensetzung *Werkspannung* und *Werkstrom* [von Fabriken] zu Zweideutigkeiten Anlaß gäbe. Das wird nun mit ‚*Wirk-*' vermieden, das sich zwanglos als Verkürzung von *wirksam* erklären läßt." [2]

Dieses Bestimmungswort wurde endgültig angenommen und ist bis heute in Gebrauch.

Wortbenutzung 1922: Anstatt des Wirkstromes und des Blindstromes kann man auch mit dem Wirkleitwert und dem Blindleitwert arbeiten (THOMÄLEN-1922, S. 188); 1944: Der zeitliche Mittelwert des schwingenden Anteils [...] ist natürlich gleich Null, so daß bei Betrachtung längerer Zeiträume nur die Wirkleistung zu berücksichtigen ist (WALLOT-1944, S. 66); 1965: Da sich in einem Leitungsnetz die Belastungsverhältnisse minütlich ändern, können für die Belastungswiderstände keine allgemein verbindlichen Werte nach Wirk- und Blindanteil bestimmt werden (WARNER-1965, S. 38); 1998: Mit dem Wirkstrom i_p berechnet sich die Wirkleistung P, mit dem Blindstrom i_Q die Blindleistung Q (GREHN/KRAUSE-1998, S. 267).

Wortfamilie Zusammensetzungen mit *Wirk-* als Bestimmungswort: *Wirkabgabe, ~anteil, ~aufnahme, ~komponente, ~last, ~leistung, ~leistungsmesser, ~leistungsrelais, ~leistungsschreiber, ~leitwert, ~spannung, ~spannungsanteil, ~spannungskomponente, ~strom, ~anteil, ~stromkomponente, ~strommesser, ~stromzähler, ~verbrauch, ~verbrauchszähler, ~verluste, ~widerstand, ~widerstands-Distanzrelais.*

Fremdsprachige Entsprechungen (En) *active, co-phase;* (Nl) *actief, werkzaam;* (Sv) *aktiv;* (Es) *activo;* (Fr) *actif;* (It) *attivo;* (Ru) **активный** */aktivnyj/;* (Pl) *czynny* ›tätig, aktiv‹; (Cs) *činný* ›tätig, aktiv‹.

Literatur [1] AEF: Wechselstromgrößen. Entwurf V. Mit Erläuterungen von J. TEICHMÜLLER und R. RICHTER. In: etz Bd. 34 (1913) S. 956–957; [2] AEF: Entwurf V. Wechselstromgrößen. [3. Fassung]. Mit Bericht und Erläuerungen von J. TEICHMÜLLER und R. RICHTER. In: etz Bd. 41 (1920) S. 660–663, hier S. 662; WALLOT-1928, S. 39.

Wirkungsquantum, elementares — Planck constant

Auch: Planck'sches Wirkungsquantum; ↑Planck'sche Konstante

Worterklärung Naturkonstante definiert als Proportionalitätsfaktor (Formelzeichen ↑*h*) zwischen einem Energieelement ε eines Hohlraumstrahlers und der Strahlungsfrequenz ν dieses Strahlers.

Wortgeschichte

1 Diese Naturkonstante wurde 1900 von Max PLANCK* bei der Aufstellung der Strahlungsgleichung für den Hohlraumstrahler entdeckt und berechnet. Der Wert beträgt nach dem heutigen Stand der Wissenschaft:

- in ↑CGS-Einheiten $h = 6{,}6260755 \cdot 10^{-27}$ erg·s [↑Erg × ↑Sekunde]
- in ↑SI-Einheiten $h = 6{,}6260755 \cdot 10^{-34}$ J·s [↑Joule × ↑Sekunde].

PLANCK sagt hierzu in seinem grundlegenden Beitrag „Zur Theorie des Gesetzes der Energieverteilung im Normalspektrum" [1] Folgendes:

> „Wir betrachten aber – und dies ist der wesentlichste Punkt der ganzen Berechnung – [die Energie] *E* als zusammengesetzt aus einer ganz bestimmten Anzahl endlicher gleicher Teile und bedienen uns dazu der Naturkonstanten $h = 6{,}55 \cdot 10^{-27}$ (erg·s). Diese Konstante mit der gemeinsamen Schwingungszahl ν der Resonatoren multipliziert ergibt das Energieelement ε in erg." [2]

2 Im weiteren Text spricht er nur von der *Konstanten h*. Erst in den 1906 erschienenen Vorlesungen (Wintersemester 1905/06) schreibt er:

> „Ich möchte dieselbe (nämlich die Konstante *h*) als ‚*elementares Wirkungsquantum*' oder als ‚*Wirkungselement*' bezeichnen, weil sie von derselben Dimension ist wie diejenige Größe, welcher das Prinzip der kleinsten Wirkung seinen Namen verdankt." [3]

Im Jahre 1910 bezieht er das ~ in einem Vortrag anläßlich der 82. Versammlung Deutscher Naturforscher und Ärzte in Königsberg (Ostpreußen) am 23. Sept. 1910 in die Aufzählung ein der

> „sogenannten universellen Konstanten: vor allem die Lichtgeschwindigkeit im Vakuum, die elektrische Ladung und die Ruhemasse eines Elektrons, das aus der Wärmestrahlung gewonnene ‚elementare Wirkungsquantum', welches wahrscheinlich auch bei chemischen Erscheinungen eine fundamentale Rolle spielt, die Gravitationskonstante, und wohl noch manche andere." [4]

3 Das ~ hat an Bedeutung in den Fachgebieten gewonnen, in denen quantenmäßige Betrachtungen (↑Quant) möglich sind, z.B.

- Feinstrukturkonstante $2\pi e^2/hc$ nach A. SOMMERFELD,
- BOHRsches ↑Magneton: $e\,h\,/(4\pi\, m\, c)$,
- BOHRsche Quantelungsbedingung: Drehimpuls $mvr = nh/2\pi$,
- SCHRÖDINGER-Gleichung,
- HEISENBERGsche Unschärferelation $\Delta q\ \Delta p \approx h/2\pi$ [5],

- JOSEPHSON-Konstante $K_J = h/2e$,
- VON-KLITZING-Konstante $R_K = h/e^2$ [6].

Wortbenutzung 1923: Hierin ist ν die Frequenz der emittierten Strahlung und *h* die *Planck*'sche Konstante, das elementare Wirkungsquantum (GERLACH [7]).

Fremdsprachige Entsprechungen (En) *Planck's constant, Planck constant;* (Fr) *constante de Planck; quantum d'action de Planck;* (Cs) *Planckovo účinkové kvantum, Planckova konstanta.*

Literatur [1] In: Verh. Deutsch. phys. Ges. Berlin, Bd. 2 (1900) S. 237, zit. nach HAAR-1969, S. 107–117; [2] Ebenda, S. 110; [3] Zit. nach GERLACH-1962, S. 60; [4] PLANCK-1922, S. 60; [5] SEGRÈ-1998, S. 612–635; [6] FELLER, Ulrich, in: Bull. SEV/VSE (2000) Nr. 3, S. 35–39; [7] GERLACH-1923, S. 107.

Wurzelzeichen root symbol

Worterklärung Zeichen zum Suchen der Zahl, die mit sich selbst multipliziert die gegebene Zahl ergibt. Mathematisches Zeichen $\sqrt{\ }$ nach DIN 1302-1994-04.

Wortgeschichte Von den vier im Mittelalter in Europa verwendeten Wurzelzeichen
- *R* (mit Komma im auslaufenden Teil): von (La) *radix* ›Wurzel‹,
- *l* von (La) *latus* ›Seite eines Quadrates‹,
- $\sqrt{\ }$,
- Bruchexponent

setzte sich das dritte Zeichen durch, das übrigens in Deutschland entstand. Schon der Schweizer Mathematiker Leonhard EULER* vermutete 1775, dass es ein verformtes *r* von *radix* ist. [1] Das wird bestätigt durch die bei CAJORI wiedergegebenen Faksimile-Seiten deutsch- oder lateinischsprachiger mathematischer Texte. Besonders aufschlussreich ist das 1525 in Strassburg erschienene Werk von Christoff RUDOLFF (1500?–1545?) „Behend vnnd Hubsch Rechnung durch die kunstreichen regeln Algebre so gemeinicklich die Coss geneñt werden". Dort heißt es:

„Haben auch je eine von kürtz wegen mit einem character : genomen von anfang des worts oder namens : also verzeichnet […] *ra* [verschnörkelt] *radix* […]". [2]

Später erscheint die Verschnörkelung als fetter Punkt mit aufsteigendem Strich, etwa wie eine Viertelnote der Musiknotation:

„dañ ✓4 ist 2. ✓9 ist 3." [3]

Als der Deutsche Michael STIFEL* 1553 das Werk „Coss" von RUDOLFF neu herausgibt, verändert er den fetten Punkt zu einem Strich und schafft somit die heutige Form des Wurzelzeichens $\sqrt{\ }$. [4]

Wortbenutzung 1637: […] il faut supposer y ∞ x $\sqrt{3}$, & multiplier par $\sqrt{3}$ la quantité connuë du second terme, qui est aussi $\sqrt{3}$ […] (DESCARTES-1954, S. 173 = S. 379 des Faksimile).

Literatur [1] CAJORI-1993, „Signs for roots": S. 360–379, hier S. 366; KROPP-1994, S. 64; [2] CAJORI-1993, S. 134, Bild 58; [3] Ebenda, S. 135, Bild 59; [4] Ebenda, S. 145–146, Bild 63a und 63b.

X/Y/Z

x, y, z • *X* • X-Strahlen

Y • Yokto- • Yotta-

Z

Zahlwörter für hohe Zahlen

Zenti- • Zepto- • Zetta-

Zitterkraft • zwang(s)läufig

Zweig • Zweigung

x, y, z ↑Buchstabenrechnung

X *X* (reactance)

Worterklärung Formelzeichen für die ↑Wechselstromgröße »Blindwiderstand (↑Blind-), ↑Reaktanz« nach DIN 1304-1:1994-03 entsprechend IEC 60027-1:1992-12. SI-Einheit: ↑Ohm.

Wortgeschichte Das *X* wurde zuerst 1897 vom deutsch-amerikanischen Elektroingenieur Charles P. STEINMETZ* in seinem Fachbuch über Wechselstromerscheinungen als Kleinbuchstabe wie folgt verwendet:

„Ohm's law assumes the form, $i = e/z$, where *z*, the apparent resistance, or *impedance* […]. It consists of two components, the resistance, *r*, and the reactance, *x*, or $z = \sqrt{r^2 + x^2}$. […] The reactance, *x*, does not represent the expenditure of power." [1]

Das Zeichen *X* lässt sich keiner Sprache zuordnen. Die 1906 gegründete ↑IEC übernahm 1914 das *X* als Großbuchstaben für ↑»Reaktanz« wie auch das ↑Z für ↑»Impedanz« in ihre „Tafel der festgesetzten Zeichen". [2] Der ↑AEF lehnte diese Zeichen im selben Jahr jedoch noch ab, „weil sie für Koordinaten vorbehalten bleiben sollen" [3]; später schloss er sich den internationalen Gepflogenheiten an, aber auch weil diese Zeichen in der deutschsprachigen Fachliteratur schon früh verwendet wurden, z.B. THOMÄLEN-1922, S. 184.

Siehe auch ↑j, ↑Widerstand, ↑*R*, ↑*Y*.

Literatur [1] STEINMETZ-1897, S. 2, § 2; [2] DETTMAR-1914; [3] STRECKER-1914, S. 681.

X-Strahlen X rays

Worterklärung Ursprünglich für ↑*Röntgenstrahlen*.

Wortgeschichte

1 Ein Manuskript mit dem Titel „Ueber eine neue Art von Strahlen (Vorläufige Mitteilung)" reichte der Würzburger Physiker Wilhelm Conrad RÖNTGEN* am 28. Dez. 1895 beim Sekretär der dortigen Physikalisch-medizinischen Gesellschaft ein. Darin beschreibt er seine Entdeckung vom 8. Nov. 1895 und benutzt die Benennung ~, die er mit folgender Fußnote einführt und danach erläutert:

„Der Kürze halber möchte ich den Ausdruck ‚Strahlen' und zwar zur Unterscheidung von anderen den Namen ‚*X-Strahlen*' gebrauchen". [1] „Die Berechtigung, für das von der Wand des Entladungsapparates ausgehende Agens den Namen ‚Strahlen' zu verwenden, leite ich zum Theil von der ganz regelmässigen Schattenbildung her, die sich zeigt, wenn man zwischen den Apparat und den fluorescirenden Schirm (oder die photographische Platte) mehr oder weniger durchlässige Körper bringt." [2]

RÖNTGENS Beitrag erschien in Bd. 137 (1895) S. 132–141 der Sitzungsberichte dieser Gesellschaft. Davon sind Sonderdrucke [3] und Übersetzungen in vielen Sprachen angefertigt worden.

2 Nach einem Vorschlag seines Wiener Kollegen Ludwig BOLTZMANN* bürgerte sich jedoch die Benennung ↑*Röntgenstrahlen* ein und setzte sich durch, während viele andere Sprachen auf die wörtliche Übersetzung von ~ zurückgriffen.

3 Auf Antrag des Vertreters der Niederlande wurde in Übereinstimmung mit einem Beschluss des Internationalen Radiologenkongresses 1953 an Stelle von *X-rays* der Ausdruck *Roentgen-rays* und an Stelle von *rayons X* der Ausdruck *rayons Roentgen* gesetzt. [4]

Wortbenutzung 1896: Über einige Eigenschaften der X-Strahlen (Winkelmann u. Straubell, Jena); 1907: Über die Leitung der Elektrizität in Kalkspat und über den Einfluß der X-Strahlen darauf (Röntgen [5]).

Fremdsprachige Entsprechungen (En) *X-rays;* (Es) *rayos X;* (Fr) *rayons X* (1896, Robert-1994); (It) *raggi X;* (Pt) *raios X;* (Ru) Х-лучи */X-luči/;* (Ja) */X sen/.*

Literatur [1] Fußnote 1 auf S. 2 des Sonderdrucks, zit. nach Otremba/Gerlach-1970, S. 36; [2] Abschnitt 14 auf S. 9 des Sonderdrucks, zit. nach Otremba/Gerlach, S. 43; [3] Faksimile der Sonderdrucke „Vorläufige Mitteilung" (S. 1–10) und „Fortsetzung" (S. 3–9) in: Otremba/Gerlach-1970, S. 35–51; Faksimile nur der „Vorläufigen Mitteilung" in: Fölsing-2002, S. 323–332; [4] Jaeger, R., in: etz-A Bd. 76 (1955) S. 86; [5] Sitzungsber. Bayer. Akad. Wiss. München Bd. 37 (1907) S. 113–121, zit. nach Fölsing-2002, S. 340.

Y — *Y* (admittance)

Worterklärung Formelzeichen für die ↑Wechselstromgröße »Scheinleitwert, Betrag der ↑Admittanz« nach DIN 1304-1:1994-03 entsprechend IEC 60027-1:1992-12. SI-Einheit: ↑Siemens.

Wortgeschichte Das *Y* wurde zuerst 1887 vom englischen Telegraphentheoretiker Oliver HEAVISIDE* in einem Beitrag im „Philosophical Magazine" wie folgt verwendet, wobei in eckigen Klammern die modernen Formelzeichen *U* für *V* und *I* für *C* eingesetzt werden:

„It is sometimes more convenient to make use of the converse method. Thus, let *Y* be the reciprocal of *Z*, so that $C = YV$ [$I = YU$.] […] The fundamental forms of *Z* and *Y* are: $Z = R + Lp$; $Y = K + Sp$ […] In the second case, it is a condenser of conductance *K* and permittance *S*." [1]

Wenn $p = \mathrm{j}\omega$ gesetzt wird, dann ist in moderner Schreibweise $Y = G + \mathrm{j}\omega C$ eigentlich die *komplexe Admittanz*. Das Zeichen *Y* lässt sich keiner Sprache zuordnen. Selbst in der Ausgabe 1931 der Publikation 27 der 1906 gegründeten ↑IEC fehlt das *Y* für ↑»Admittanz«. Dieses Zeichen wird aber in der deutschsprachigen Fachliteratur schon früh verwendet, z.B. THOMÄLEN-1922, S. 379 (als Kleinbuchstabe *y*) oder OBERDORFER-1944, S. 400. Wir finden es 1959 in DIN 1344 „Formelzeichen in der elektrischen Nachrichtentechnik".

Siehe auch ↑*G*, ↑j, ↑komplex, ↑Leitwert, ↑*Z*.

Literatur [1] In: Phil. Mag. (Dez. 1887) S. 479, zit. nach HEAVISIDE-1892, Bd. 2, S. 356.

Yokto — yocto

Worterklärung ↑Vorsatz (Präfixoid) [1] zum Bezeichnen des Quadrillionstels (10^{-24} oder 0,000 000 000 000 000 000 000 001) einer ↑SI-Einheit. ↑Vorsatzzeichen: y.

Wortgeschichte

1 ~ wurde 1990/1991 von der 19. Generalkonferenz (↑CGPM) in der Schriftform *Yocto-* beschlossen und durch die Einheitenverordnung vom 10. März 2000 in der Schriftform *Yokto-* in deutsches Recht eingeführt. [2]

2 Als in der analytischen Chemie Bruchteile eines *Attomols* (↑*Atto-*, ↑*Mol*) zu messen waren, schlug 1990 die IUPAC (International Union of Pure and Applied Chemistry) den Vorsatz *oco* nach (La) *octo* ›acht‹ vor. Das daraus abgeleitete Vorsatzzeichen „o" hätte jedoch mit dem Zahlzeichen „0" (Null) verwechselt werden können. Daher wurde das (La) *octo* zu *Yocto-* verfremdet, wodurch „y" als Vorsatzzeichen gewonnen werden konnte. [3]

3 Das Zahlwort (La) *octo* ›acht‹ bietet die Merkhilfe 3 × 8 = 24 und somit $(0{,}001)^8 = (10^{-3})^8 = 10^{-24}$.

Fremdsprachige Entsprechungen Sprachen mit lateinischer Schrift: *yocto-*; mit anderer Schrift: (nGr) γιοκτο /*giokto*/; (Ja) /*yokuto*/.

Literatur [1] VOLKMANN-1998, S. 150; [2] Zweite Verordnung zur Änderung der Einheitenverordnung vom 10.03.2000 (BGBl. I, 2000, S. 214 ff., 447); [3] MAYES-1994, S. 570.

Yotta- — yotta-

Worterklärung ↑Vorsatz (Präfixoid) [1] zum Bezeichnen des Quadrillionenfachen (10^{24} oder 1 000 000 000 000 000 000 000 000) einer ↑SI-Einheit. ↑Vorsatzzeichen: Y.

Wortgeschichte

1 ~ wurde 1990/1991 von der 19. Generalkonferenz (↑CGPM) beschlossen und durch die Einheitenverordnung vom 10. März 2000 in deutsches Recht eingeführt. [2]

2 ~ leitet sich von (It) *otto* ›acht‹ ab, da $3 \times 8 = 24$ und somit $(1000)^8 = (10^3)^8 = 10^{24}$. Es wurde analog zu ↑*Yocto-* gebildet. [3]

Fremdsprachige Entsprechungen Sprachen mit lateinischer Schrift: *yotta-*; mit anderer Schrift: (nGr) γιοττα /*giotta*/; (Ja) /*yota*/.

Literatur [1] Volkmann-1998, S. 150; [2] Zweite Verordnung zur Änderung der Einheitenverordnung vom 10.03.2000 (BGBl. I, 2000, S. 214 ff., 447); [3] Mayes-1994, S. 570.

Z

Z (impedance)

Worterklärung Formelzeichen für die ↑Wechselstromgröße »Scheinwiderstand, Betrag der ↑Impedanz« nach DIN 1304-1:1994-03 entsprechend IEC 60027-1:1992-12. SI-Einheit: ↑Ohm.

Wortgeschichte Das *Z* wurde zuerst 1887 vom englischen Telegraphentheoretiker Oliver HEAVISIDE* in einem Beitrag im „Philosophical Magazine" wie folgt verwendet, wobei in eckigen Klammern die modernen Formelzeichen *U* für *V* und *I* für *C* eingesetzt werden:

„Then, if $V = ZC$ [$U = Z\,I$] be the differential equation (ordinary, linear) connecting *U* and *I*, the resistance-operator is *Z*. [...] The resistance-operator *Z* is a function of the electrical constants of the combination and of d/d*t*, the operator of time-differentiation, which will in the following be denoted by *p* simply. [...] The fundamental forms of *Z* and *Y* are: $Z = R + Lp$ [...] In the first case, it is a coil of resistance *R* and inductance *L*." [1]

Wenn $p = \mathrm{j}\omega$ gesetzt wird, dann ist $Z = R + \mathrm{j}\omega L$; nach heutiger Schreibweise ist der resistance-operator *Z* eigentlich die *komplexe Impedanz*. Das Zeichen *Z* lässt sich keiner Sprache zuordnen. Die 1906 gegründete ↑IEC übernahm 1914 das *Z* für »Impedanz« wie auch ↑*X* für ↑»Reaktanz« in ihre „Tafel der festgesetzten Zeichen". [2] Der ↑AEF lehnte diese Zeichen im selben Jahr jedoch noch ab, „weil sie für Koordinaten vorbehalten bleiben sollen" [3]; später schloss er sich den internationalen Gepflogenheiten an, aber auch, weil diese Zeichen in der deutschsprachigen Fachliteratur schon früh verwendet wurden, z.B. THOMÄLEN-1922, S. 379.

Siehe auch ↑j, ↑komplex, ↑Widerstand, ↑*R*, ↑*Y*.

Literatur [1] In: Phil. Mag. (Dez. 1887) S. 479, zit. nach HEAVISIDE-1892, Bd. 2, S. 355–356; [2] DETTMAR-1914; [3] STRECKER-1914, S. 681.

Zahlwörter für hohe Zahlen

numerals for high numbers

Ausgehend von der Tatsache, dass der *Milliarde* (= 10^9) im deutschen und europäischen Zahlensystem die *billion* (= 10^9) im amerikanischem System entspricht, was häufig zu Irrtümern führt und schon 1947 bei den Reparationskonferenzen [1] bemerkt worden ist, schlug der schwedische Anglist Alvar ELLEGÅRD* 1980 in einem beachtenswerten Beitrag vor, oberhalb der *Milliarde/billion* neue Zahlwörter auf der Grundlage der internationalen Vorsätze (↑Vorsatz) zu verwenden:

- 10^{12} *Terillion* oder *Terion* (nach ↑Tera-),
- 10^{15} *Petillion* oder *Petion* (nach ↑Peta-),
- 10^{18} *Exillion* oder *Exion* (nach ↑Exa-).

Bei diesen Zahlwörtern wurde das *-a* des Vorsatzes weggelassen, um ihren Zahlwortcharakter besonders zu markieren und um sie von den Einheiten wie *Terawatt* unterscheiden zu können. [2] Nach seinem Muster würden sich bei Anwendung der 1990 angenommenen Vorsätze folgende neue Zahlwörter ergeben:

- 10^{21} *Zettillion* oder *Zettion* (nach ↑Zetta-)
- 10^{24} *Yottilion* oder *Yottion* (nach ↑Yotta-). [3]

Literatur [1] In: Die Welt, Nr. 74 vom 26.06.1947, TANNERT; Carl, in: Die Welt, vom 01.07.1947; [2] ELLEGÅRD, Alvar: Über Namen für hohe Zahlen. In: Sprachdienst Bd. 26 (1982) S. 134–138, hier S. 138; Übersetzung aus der schwed. Zeitschrift „Språkvård"

Nr. 2/1980, S. 12–15 durch Ursula RÖNN; Göteborg; [3] Von A. WARNER, der die auf *-llion* endenden Wortprägungen bevorzugt.

Zenti-

centi-

Worterklärung ↑Vorsatz (Präfixoid) zum Bezeichnen des Hundertstels (10^{-2} oder 0,01) einer ↑SI-Einheit. ↑Vorsatzzeichen: c.

Wortgeschichte

1 ~ wurde 1889 von der 1. Generalkonferenz (↑CGPM) in der Schriftform *centi-* beschlossen und 1960 so von der 11. Generalkonferenz erneuert.

2 *Zenti-/centi-* leitet sich von La *centesima* ›Hundertstel‹ ab.

3 Zur gemeinsamen Wortgeschichte mit Dezi- und ↑Milli- vgl. ↑ Dezi-.

Fremdsprachige Entsprechungen Sprachen mit lateinischer Schrift: *centi-*, außer (Pl) *centy*; mit anderer Schrift: (nGr) εκατοστο */ekatosto/* ›hundertstel‹; (Ru) санти */santi/*; (Ja) */senchi/*.

Zepto-

zepto-

Worterklärung ↑Vorsatz (Präfixoid) [1] zum Bezeichnen des Trilliardstels (10^{-21} oder 0,000 000 000 000 000 000 001) einer ↑SI-Einheit. ↑Vorsatzzeichen: z.

Wortgeschichte

1 Das Wort ~ wurde 1990/1991 von der 19. Generalkonferenz (↑CGPM) beschlossen und durch die Einheitenverordnung vom 10. März 2000 in deutsches Recht eingeführt. [2]

2 Als in der analytischen Chemie Bruchteile eines *Attomols* (↑*Atto-*, ↑*Mol*) zu messen waren, schlug 1990 die IUPAC (International Union of Pure and Applied Chemistry) den Vorsatz *sepo* nach (La) *septem* ›sieben‹ vor. Das daraus abgeleitete Vorsatzzeichen „s" hätte jedoch mit dem Einheitenzeichen „s" (↑Sekunde) verwechselt werden können. Daher wurde das (La) *septem* zu *Zepto-* verfremdet, wodurch „z" als Vorsatzzeichen gewonnen werden konnte. [3]

3 Das Zahlwort (La) *septem* ›sieben‹ bietet die Merkhilfe $3 \times 7 = 21$ und somit $(0{,}001)^7 = (10^{-3})^7 = 10^{-21}$.

Fremdsprachige Entsprechungen Sprachen mit lateinischer Schrift: *zepto-*; mit anderer Schrift: (nGr) ζεπτο */zepto/*; (Ja) */zeputo/*.

Literatur [1] VOLKMANN-1998, S. 150; [2] Zweite Verordnung zur Änderung der Einheitenverordnung vom 10.03.2000 (BGBl. I, 2000, S. 214 ff., 447); [3] MAYES-1994, S. 570.

Zetta-

zetta-

Worterklärung ↑Vorsatz (Präfixoid) [1] zum Bezeichnen des Trilliardenfachen (10^{21} oder 1 000 000 000 000 000 000 000) einer ↑SI-Einheit. ↑Vorsatzzeichen: Z.

Wortgeschichte

1 ~ wurde 1990/1991 von der 19. Generalkonferenz (↑CGPM) beschlossen und durch die Einheitenverordnung vom 10. März 2000 in deutsches Recht eingeführt. [2]

2 *Zetta-* leitet sich vom Zahlwort (It) *sette* ›sieben‹ ab, da $3 \times 7 = 21$ und somit $(1000)^7 = (10^3)^7 = 10^{21}$. Es wurde analog zu ↑*Zepto-* gebildet. [3]

Fremdsprachige Entsprechungen Sprachen mit lateinischer Schrift: *zetta-*; mit anderer Schrift: (nGr) ζεττα */zetta/*; (Ja) */zeta/*.

Literatur [1] VOLKMANN-1998, S. 150; [2] Zweite Verordnung zur Änderung der Einheitenverordnung vom 10.03.2000 (BGBl. I, 2000, S. 214–214, 447); [3] MAYES-1994, S. 570.

Zitterkraft electricity

Worterklärung Verdeutschende Ersatzbenennung für ↑*Elektrizität.*

Wortgeschichte In der 5. Auflage seines „Allgemeinen Fremdwörterbuchs […]“ stellte 1829 der Sprachforscher Joh. Chr. Aug. HEYSE* die Ersatzbenennungen in alphabetischer Reihenfolge dar: ↑*Bernsteinkraft,* ↑*Blitzfeuerkraft,* ↑*Reibfeuerkraft, Zitterkraft.* Aus ~ bildete er folgende Ableitungen:

zitternd elektrisch • *Zitterstoff* Elektrogen, das.

Das Bestimmungswort *Zitter* entstammt dem Namen von Fischen, die bei Gefahr elektrische Spannungsstöße zwischen 400 und 8000 ↑Volt aussenden, z. B. *Zitteraal* (Gymnotus electricus), *Zitterwels* (Malapterurus electricus) und *Zitterrochen* (Torpedo narce). In der 15. Aufl. von 1873 brachte der nachfolgende Bearbeiter die Ersatzbenennung ~ nicht mehr.

Literatur ↑Bernsteinkraft.

zwang(s)läufig geared

Worterklärung Adjektiv mit der Bedeutung »Ausschluss unerwünschter Bewegungen«, »automatisch«.

Wortgeschichte Vom Begründer der Getriebelehre und auch als „Vater der Kinematik“ genannten Franz REULEAUX* geprägter Fachausdruck, jedoch ohne Binde-s. In seinem Werk „Theoretische Kinematik“ gibt er 1875 dazu folgende Erklärung:

„Das ruhende Element hält […] das bewegliche gleichsam gefangen, ihm alle Bewegungen bis auf eine einzige verwehrend, es also bei überhaupt eintretender Bewegung zwingend, sich mit seinen Punkten in bestimmten Bahnen zu bewegen; das Körperpaar kann demnach als ein *zwangläufiges* bezeichnet werden.“ [1][2]

Schon auf S. 597 bemerkt er, dass der Ausdruck „rasch Aufnahme gefunden“ hat. [2] Lutz MACKENSEN beanstandet in einem lesenswerten geistesgeschichtlichen Beitrag die Übertragung des technischen Begriffs ~ in fremde Sachbereiche. [2]

Wortbenutzung 1904/1910: „Eine zwangsläufige, geschlossenene kinematische Kette, bei welcher ein Glied als festgestellt betrachtet wird, heißt ein Mechanismus“ (BURMESTER [3]); 1912: Eine einfache Maschine ist in der Regel z w a n g l ä u f i g, d. h. sie kann sich nur in einer bestimmten Bahn vor- oder rückwärts bewegen (OSTWALD [4]); 1929: Zwangsläufigkeit (DUDEN); 1996: „zwangläufig (Technik, nicht gewünschte Bewegungen ausschließend); vgl. aber zwangsläufig“; „Zwangläufigkeit, die; – (Technik); vgl. aber Zwangsläufigkeit;“ „zwangsläufig (automatisch, anders nicht möglich); vgl. aber zwangläufig;“ „Zwangsläufigkeit; vgl. aber Zwangläufigkeit“. (DUDEN).

Literatur [1] Braunschweig 1875, S. 90, zit. nach KLUGE-1967; [2] Ma. [= Mackensen, Lutz]: Zwang(s)läufig. In: VDI-Nachr. Bd. 12 (1958) Nr. 12, S. 5; [3] LUEGER-1904/1910, Bd. 5, S. 477; [4] OSTWALD, Wilhelm: Die Energie. 2. Aufl., Leipzig: Barth, 1912. 167 S., hier S. 25.

Zweig ↑Wicklungsstrang

Zweigung

parallel connection

Worterklärung Ersatzbenennung für *Nebeneinanderschaltung* oder ↑*Parallelschaltung*.

Wortgeschichte In seinem Bemühen, die Fachsprache der ↑Elektrotechnik von Schwerfälligkeiten zu befreien, schlägt 1933 Karl AMMON* vor, die siebensilbige *Neben-ein-an-der-schal-tung* oder schon kürzere *Parallelschaltung* durch *Zweigung* und die ↑Fachwendung *parallel schalten* durch *zweigen* zu ersetzen. Beispiel: *gezweigte Glühlampen*. [1]

Literatur [1] AMMON-1933, Spalte 10.

Anhang

Literaturverzeichnis

Es werden hier nur die Titel aufgeführt, auf die in mehr als einem Eintrag hingewiesen wird.

ADB. Allgemeine Deutsche Biographie. Hrsg.: Historische Commission bei der königlichen Akademie der Wissenschaften [in München]. Leipzig: Duncker & Humblot, 1875 (Bd. 1) bis 1912 (Bd. 56).

ADELUNG, Johann Christoph: Grammatisch-kritisches Wörterbuch der hochdeutschen Mundart. Elektronische Volltextedition nach der Ausgabe letzter Hand 1793–1801. Berlin: Directmedia, 2001. CD-ROM (Digitale Bibliothek Bd. 40).

AEF: Formelzeichen des AEF. In: etz Bd. 33 (1912) S. 467 (Entwurf XII), S. 963 (endgültig).

AINSWORTH, Robert: The English-Latin Dictionary; Dictionum liber secundus; Latinarum scilicet notationes variasque significationes [...]. Hrsg. von Thomas MORELL. London: Longman, Johnston, 1773. Vorwort XV S., Hauptteil nicht paginiert.

ALBERTI, Hans-Joachim von: Maß und Gewicht. Berlin: Akademie-Verlag, 1957. 580 S.

AMMON, Karl: Zur Sprache der Elektrotechnik. In: Muttersprache Bd. 48 (1933) Nr. 1, Spalte 8–10.

ASCHOFF, V[olker]: Geschichte der Nachrichtentechnik. 2 Bde. Berlin; Heidelberg: Springer, 1984 (Bd. 1, 255 S.), 1987 (Bd. 2, 261 S.).

ASIMOV, Isaac: Biographische Enzyklopädie der Naturwissenschaften und der Technik. 2. Aufl., Freiburg: Herder, 1974. 640 S.

BALL, W., W. ROUSE: A short account of the history of mathematics. New York: Dover Publ., 1960. Nachdruck der 4. Aufl. von 1908 mit bis 1922 aktualisierten bibliographischen Fußnoten. 522 S.

BARKHAUSEN, H[einrich]: Die Vakuumröhre und ihre technischen Anwendungen. In: Jahrb. drahtlose Telegraphie u. Telephonie, Bd. 14 (1919) S. 27–47.

BECKER, Heinrich (Hrsg.): Fremdwörterbuch. Leipzig: Bibliogr. Inst., 1954. 688 S.

BERTRAM, Mathias: Deutsche Literatur von Lessing bis Kafka. CD-ROM. Berlin: Directmedia, 1998. (Digitale Bibliothek Bd. 1).

BOLTZMANN, Ludwig: Vorlesungen über MAXWELLS Theorie der Elektrizität und des Lichtes. 2 Bde. Leipzig: Barth, 1891 (Bd. 1, 139 S.), 1893 (Bd. 2, 166 S.).

BRAUN, F[erdinand]: Electrische Schwingungen und drahtlose Telegraphie. NOBEL-Vortrag gehalten am 11. Dez. 1909 zu Stockholm [in deutscher Sprache]. In: Les conférences Nobel en 1909, Nr. 2, S. 1–18.

BREISIG, F[ranz]: Über das Nebensprechen in Fernsprechkreisen. In: etz Bd. 42 (1921) S. 933–936.

BRITISH ASSOCIATION FOR THE ADVANCEMENT OF SCIENCE: First Report of the committee for the selection and nomenclature of dynamical and electrical units. In: Brit. Ass. Rep. 1873, S. 222–225.

BRUNN, Albert von: Graphische Methoden zur Lösung von Wechselstromproblemen. 2. Aufl., Zürich: Leemann, 1964. 498 S. [1. Aufl.: 1938].

BUCKEL, Werner: Supraleitung; Grundlagen und Anwendungen. 2. Aufl., Weinheim: Physik-Verlag, 1977. 325 S.

Büchmann, Georg: Geflügelte Worte und Zitatenschatz. Neuausgabe. Stuttgart: Asmus, 1953. 444 S.

Cajori, Florian: A history of mathematical notations. Two volumes bound as one. New York: Dover Publ., 1993. XVI + 451 + XII + 367 S. [Reprint der Erstausgaben von 1928 bzw. 1929].

Chambers Dictionary of science and technology. 2 Bde. Edinburgh: Chambers, 1974. (Chambers Paperback Reference Books 1975) 1296 S.

Clark, Latimer; Bright, Sir Charles: Measurement of electrical quantities and resistance. In: The Electrician, Bd. 1 (Nov. 1861) S. 3–4.

Cohen, I. Bernard: Benjamin Franklin. Scientist and statesman. New York: Charles Scribner's, 1975. 95 S. (DSB Editions).

Curie, Eve: Madame Curie. Leben und Wirken. Stockholm: Bermann-Fischer, 1938. 408 S. [Von dieser Biographie gibt es eine Wiener Ausgabe mit denselben Titelangaben, jedoch mit einem Gesamtumfang von 458 S., was bei Textvergleich zu berücksichtigen ist.]

DBE. Deutsche Biographische Enzyklopädie. Hrsg.: Killy, Walther; Vierhaus, Rudolf. Bd. 1 bis Bd. 11/2. Darmstadt: Wissenschaftl. Buchgesellschaft, 1995–2000.

Delambre [Jean Baptiste Joseph]; Mèchain [Pierre François André]: Grundlagen des dezimalen metrischen Systems oder Messung des Meridianbogens zwischen den Breiten von Dünkirchen und Barcelona, ausgeführt im Jahre 1792 und in den folgenden von Méchain und Delambre. Redigiert von Delambre. In Auswahl übersetzt u. hrsg. v. Walter Block. Leipzig: Engelmann, 1911. 200 S. (Ostwalds Klassiker der exakten Wissenschaften, Bd. 181).

[Descartes, René]: The geometry of René Descartes. Translated from French and Latin by David Eugene Smith and Marcia L. Latham. New York: Dover Publ., 1954. 243 S. [Die „Geometrie" erschien 1637 als Anhang zum „Discours de la Methode" und begann auf Seite 297. Die vorliegende Ausgabe enthält auf der einen Seite das Faksimile der französischen Originalfassung von 1637, auf der gegenüberliegenden Seite die englische Übersetzung zusätzlich mit 248 Fußnoten.]

Dettmar, G[eorg]: Internationale Elektrotechnische Kommission (IEC). Einheits- und Formelzeichen. In: etz Bd. 35 (1914) S. 689–690.

Deutsches Museum (Hrsg.): Große Forscher und Erfinder, Leben und Werk. 2. Aufl., Düsseldorf: VDI-Verlag, 1978, 162 S.

DGD. Die großen Deutschen [DGD]. Deutsche Biographie. Hrsg.: Heimpel, Hermann; Heuss, Theodor; Reifenberg, Benno. 5 Bde. Gütersloh: Prisma, 1966. Ergänzungsband: Die großen Deutschen unserer Epoche. Hrsg.: Gall, Lothar. Berlin: Propyläen, 1985. 495 S.

DGW. Die Großen der Weltgeschichte [DGW]. Hrsg.: Fassmann, Kurt. 12 Bde. Zürich: Kindler, 1970/1975.

Dietrich, Paul; Endres, Werner: Lexikon der Nachrichtentechnik. Definitionen der Begriffe der Nachrichtentechnik in den NTG-Empfehlungen. Berlin; Offenbach: VDE-Verlag, 1986. 499 S. (VDE-Schriftenreihe Bd. 41).

DIN 1304. Allgemeine Formelzeichen. Ausg. März 1968; Feb. 1978; März 1989; März 1994.

DIN 1324. Elektrisches Feld; Begriffe. Ausg. Jan. 1964; Jan. 1972.

DIN 1325. Magnetisches Feld; Begriffe. Ausg. Jan. 1967; Jan. 1972.
DIN 1344. Formelzeichen der elektrischen Nachrichtentechnik. Ausg. Juni 1959; Dez. 1973.
DIN 5499. Logarithmierte Größenverhältnisse (Pegel, Maße). Ausg. August 1972.
DIN-Taschenbuch 22. Normen für Größen und Einheiten in Naturwissenschaft und Technik. (AEF-Taschenbuch). 5. Aufl., Berlin; Köln: Beuth, 1978.
DIN-Taschenbuch 22. Einheiten und Begriffe für physikalische Größen; Normen (AEF-Taschenbuch 1). 8. Aufl., Berlin; Wien; Zürich: Beuth, 1999. 539 S.
DOLIVO-DOBROWOLSKY, M[ichael] von: Kraftübertragung mittels Wechselströmen von verschiedener Phase (Drehstrom). In: etz Bd. 12 (1891) 149–153 u. 161–163.
DRUBBA, H.: On the origin of the word ‚radio'. In: Proc. Inst. Radio Eng. (IRE), Bd. 50 (1962) S. 1995–1996.
DÜRER, Albrecht: Vnderweysung der messung mit dem zirckel vñ richtscheyt […]. Nürnberg 1525. Reprint: Nördlingen: Uhl, 1983. 188 S.
DÜRRWANG, J[akob]: Radio-Technik. 5. Aufl., Basel: Wepf, 1947. 216 S.
ECCLES, W.H.: Nomenclature in wireless telegraphy. In: The electrician, Bd. 82 (Apr.–Mai 1919) S. 475, 499–500, 521; 2 Leserzuschriften S. 549.
ELOT: SI. Το Διεθνές Σύστημα Μονάδων / *To Diethnés Sústema Monádon*/ [Das Internationale Einheitensystem]. Athen: ELOT Hellenic Organization for Standardization, 1999. 82 S.
EMDE, Fritz: Über elektrotechnische Maßsysteme. In: etz Bd. 25 (1904) S. 432–440; Diskussion S. 440–442.
EMDE, Fritz: Bezeichnungen. In: etz Bd. 27 (1906) S. 509–511.
EMDE, Fritz: Die Geschichte des Spannungsbegriffs. Die Bedeutungswandlungen des Wortes Spannung in der Elektrizitätslehre. In: etz Bd. 42 (1921) S. 169–173.
ENDERS, Bernd: Lexikon Musikelektronik. 2. Aufl., Mainz: Schott, 1987; München: Piper, 1987. 281 S.
ENGEL, Eduard: Entwelschung. Verdeutschungswörterbuch. 3. Aufl., Leipzig: Hesse & Becker, 1918. 618 S.
Encyclopædia Britannica [Encycl. Brit.], CD-ROM, London 2001.
EULER, Karl-Joachim: Zur Geschichte des Bleiakkumulators. In: JÄGER, Kurt (Hrsg.): Gespeicherte Energie. Geschichte der elektrochemischen Energiespeicher. Berlin; Offenbach: VDE-Verlag, 1994. 241 S. (Geschichte der Elektrotechnik, Bd. 13).
EULER, Leonhard: Vollständige Anleitung zur Algebra. Leipzig: Reclam, o.J. (vermutl. 1884). 527 S. [Universal-Bibl. 1802/1805].
[EULER-1983] Leonhard Euler 1707–1783. Beiträge zu Leben und Werk. Gedenkband des Kantons Basel-Stadt. Buchkonzept und Realisation: Marcel JENNI. Basel: Birkhäuser, 1983. 555 S.
EULER, Leonhard: Briefe an eine deutsche Prinzessin über verschiedene Gegenstände aus der Physik und Philosophie. Braunschweig; Wiesbaden: Vieweg, 1986. 316 S. (Edition Vieweg Bd. 3) [Der Edition zum Geleit: Von Roman U. SEXL u. Karl von MËYENNE, S. VII–XV; Vorwort zur Neuausgabe. Von Karin REICH, S. XVI–XX; Einleitung. Von Andreas SPEISER, S. XXI–XLV; Briefe, S. 1–295 (Faksimile), Anhang, Literaturverzeichnis und Register S. 297–316].

EXNER, F[ranz] (Hrsg.): Repertorium der Physik. München; Leipzig: Oldenbourg. Bd. 19 (1883) 828 S., Bd. 20 (1884) 862 S.

FALK, Karl: Der Drehstrommotor; Ein Lexikon für die Praxis. Berlin; Offenbach: VDE-Verlag, 1997. 596 S.

FARADAY, Michael: Experimental-Untersuchungen über Elektricität. Deutsche Uebersetzung von S. KALISCHER. 3 Bde. Berlin: Springer, Bd. 1: 1889, 515 S., Bd. 3: 1889, 646 S. [Im Jahr 2004 als Bd. 292 bis 294 in der Reihe „OSTWALDS Klassiker der exakten Wissenschaften" des Verlags Harri Deutsch erschienen].

FELDHAUS, F[ranz] M.: Die Technik; Ein Lexikon der Vorzeit, der geschichtlichen Zeit u. der Naturvölker. Unveränderte Sonderausgabe der 1. Aufl. (1914). München: Moos, 1970. 1400 + 52 Spalten, 6 Seiten Korrekturen.

FIGALA, Karin: Isaac NEWTON, in DGW Bd. 6 (1975), S. 130–157.

FIGHIERA, R. (Hrsg.): Le système métrique décimal; sa création en France, son évolution, ses progrès. Paris: Gauthiers-Villars, 1930.

FIGUIER, Louis: Les merveilles de l'électricité. Textes choisis. Hrsg. von Fabienne CARDOT. Paris: Association pour l'histoire de l'électricité en France, 1985. 520 S.

FISCHER, Ernst Peter: ARISTOTELES, EINSTEIN & Co.; Eine kleine Geschichte der Wissenschaft in [26] Portraits. München: Piper, 2000. 446 S. (Serie Piper Bd. 3045).

FÖLSING, Albrecht: Wilhelm Conrad RÖNTGEN. Aufbruch ins Innere der Materie. München: dtv, 2002. 382 S. (dtv Bd. 30836).

FORD, Kenneth W[illiam]: Die Welt der Elementarteilchen. Aus dem Englischen übersetzt von Friedhold BAUMANN. Berlin; Heidelberg: Springer, 1966. 242 S. (Heidelberger Taschenbücher Bd. 9).

FRAUNBERGER, Fritz: Illustrierte Geschichte der Elektrizität. Köln: Aulis, 1985; Gütersloh: Prisma, 1985. 661 S.

GERICKE, Helmuth: Mathematik in Antike und Orient (Bd. 1); Mathematik im Abendland (Bd. 2). 4. Aufl., Wiesbaden: Fourier Verlag, 1996. Bd. 1 (XII + 292 S.), Bd. 2 (XIII + 352 S.) (Sonderausgabe in einem Band).

GERLACH, Walther: Materie. Elektrizität. Energie. Die Entwicklung der Atomistik in den letzten zehn Jahren. Dresden; Leipzig: Steinkopf, 1923. 195 S. (Wissenschaftl. Forschungsberichte; Naturwiss. Reihe, Bd. 7).

GERLACH, Walther: Die Sprache der Physik. Bonn: Dümmler, 1962. 80 S. (MNT Math.-Naturwiss. Taschenbücher, Bd. 5)

GERLACH, Walther: Wilhelm Conrad RÖNTGEN. In: DGW Bd. 9 (1970) S. 34–65.

GERLACH, Walther: Otto HAHN. Ein Forscherleben unserer Zeit. Ergänzt u. hrsg. v. Dietrich HAHN. Stuttgart: Wissenschaftl. Verlagsgesellschaft, 1984. 267 S. (Große Naturforscher, Bd. 45).

Gesetz über Einheiten im Meßwesen. Vom 22. Feb. 1985. In: Bundesgesetzblatt (BGBl.) Teil I (1985) Nr. 11, S. 408–410.

[GILBERT-1600, William] GILBERTUS, Guilielmus: De magnete, magnetisque corporibus, et de magno magnete tellure [...]. London: Petrus Short, 1600. 240 S. [Darmstadt: Universitäts- und Landesbibliothek: Sign. 33 A 372]

GILBERT, William: De magnete. Translated by P. Fleury MOTTELAY 1893. Republication. New York: Dover Publications, 1991. LIV + 368 S.

GILSON, Norbert; KAISER, Walter: Von der Nachrichtentechnik zur Informationstechnik; Zum 50-jährigen Bestehen der NTG/ITG. Frankfurt a.M.: ITG, 2004. 91 S.

GLEDITSCHENS (Hrsg.): Vollständiges Mathematisches Lexikon. Leipzig: Gleditschens, 1734. 1379 Spalten (+ 4 S. Literatur, 36 Kupfertafeln) [Bibliothek, Ges. dt. Sprache, Wiesbaden].

GLEICK, James: Richard FEYNMAN. Leben und Werk des genialen Physikers. München: Droemer Knaur, 1993. 712 S.

GLIOZZI, Mario: Storia di alcuni vocaboli di elettrologia. In: Lingua nostra (1947) S. 50–55.

GOEBEL, Gerhart: Das Fernsehen in Deutschland bis zum Jahre 1945. In: Archiv Post- u. Fernmeldewesen, Bd. 5 (1953) S. 259–393.

GOEBEL, Gerhart: Rudolf FRANKE zum 90. Geburtstag. In: Nachrichtentechn. Z. (ntz) Bd. 13 (1960) S. 361–362.

GÖRGES, [Hans]: Die dreifache Sprache des Ingenieurs. In: Z. VDI Bd. 58 (1914) S. 864–867.

GOEDECKE, Werner: Wörterbuch der Elektrotechnik, Fernmeldetechnik und Elektronik. 3 Bde: Bd. 1 (Dt-En-Fr, 826 S., 1964), Bd. 2 (Fr-En-Dt, 1009 S., 1966), Bd. 3 (En-Dt-Fr, 1252 S., 1967). Wiesbaden: Brandstetter, 1964/1967.

GRAETZ-Nachrichten (Hrsg.): Wörterbuch des Funklateins; Fachjargon der Rundfunktechnik. Pforzheim: Graetz, 1965. 31 S.

GRAWINKEL, C[arl]: Fremdwörter in der Elektrotechnik. In: etz Bd. 9 (1888) S. 405–406.

GREHN, Joachim; KRAUSE, Joachim: Metzler Physik. 3. Aufl., Hannover: Schroedel, 1998. 577 S.

GREISS, C.B.: Lehrbuch der Physik. Wiesbaden: Kreidel, 1853. 559 S.

GRIMM, Jacob u. Wilhelm: Deutsches Wörterbuch. Leipzig 1854–1971. Nachdruck: München: dtv, 1991. 33 Bde.

GRIMSEHL, E.: Lehrbuch der Physik. 3. Aufl., Bd. 2: Magnetismus und Elektrizität. Leipzig; Berlin: Teubner, 1916. 542 S.

GUERRIER, Woldemar: LEIBNIZ in seinen Beziehungen zu Russland und Peter dem Großen. Eine geschichtliche Darstellung dieses Verhältnisses [S. 1–196] nebst den darauf bezüglichen Briefen und Denkschriften [S. 1–372]. Reprint der Ausgabe St. Petersburg – Leipzig 1873. Hildesheim: Gerstenberg, 1975. XVIII + 196 + 372 S.

HAAR, D. ter: Quantentheorie; Einführung und Originaltexte. Berlin: Akademie-Verlag, 1969. 255 S. (Wissenschaftl. Taschenbücher Bd. 56).

HANSEN, Frank-Peter: Philosophie von PLATON bis NIETZSCHE. CD-ROM. 2. Ausg., Berlin: Directmedia, 2000. (Digitale Bibliothek Bd. 2).

HARDING, M.C.: Correspondance de H.C. ÖRSTED avec divers savants. 2 Bde., Kopenhagen: Aschehoug, 1920. Bd. 1: 367 S., Bd. 2: 663 S.

HARTMANN, Hans: Lexikon der Nobelpreisträger. Frankfurt a.M.: Ullstein, 1967. 434 S. (Ullstein Bd. 2610/2611).

HEAVISIDE, Oliver: Electrical Papers. 2 Bde. London: MacMillan, 1892.

HEAVISIDE Centenary Volume. London: The Institution of Electrical Engineers, 1950. 99 S.

HEAVISIDE, Oliver: Electromagnetic theory. The complete and unabridged edition of volumes I, II and III. Introduction by Ernst WEBER. London: Spon, 1951. 386 S. (§ 1–§ 543) [Volume I: 1893, II: 1899, III: 1912].

HEBER, Georg: Elektro-Auskunftei; Erklärendes Wörterbuch [...]. 2. Aufl., Leipzig: Paul Schulze, 1922. 754 S.

HEISENBERG, Werner: Quantentheorie und Philosophie. Vorlesungen und Aufsätze. Hrsg. v. J. BUSCHE. Stuttgart: Reclam, 1987. 125 S. (Universal-Bibliothek, Bd. 9948).

HELMHOLTZ, Hermann: Über die Erhaltung der Kraft. Einführung von Hans-Jürgen TREDER (S. 5–10); Transkription des handschriftlichen Textes bearbeitet von Christa KIRSTEN. Berlin: Akademie-Verlag, 1982. 67 S. Gesonderter Band: [Faksimile des handschriftlichen Textes]. 115 S., Anhang 8 S.

HERDER: Conversations-Lexikon. 2. Aufl., Freiburg: Herder, 1877. 4 Bde.

HERMANN, Armin: Lexikon Geschichte der Physik A–Z. 3. Aufl., Köln: Aulis-Verlag Deubner, 1987. 456 S.

HERTZ, Heinrich: Untersuchungen über die Ausbreitung der elektrischen Kraft. 2. Aufl., Leipzig: Barth, 1894. 295 S. (Gesammelte Werke, Bd. 2).

HEYDE, Johannes Erich: Zur Geschichte des Wortes „Technik". In: Humanismus und Technik, Bd. 9 (1963) Nr. 1, S. 25–43.

HÖSL, Alfred; AYX, Roland: Die neuzeitliche und vorschriftsmäßige Elektro-Installation. 12. Aufl., Heidelberg: Hüthig, 1986. 630 S.

HOPPE, Edmund: Geschichte der Elektrizität. Leipzig: Barth, 1884. 622 S.

HOPPE, Edmund: Zur Geschichte des Volta'schen Spannungsgesetzes. In: etz Bd. 9 (1888) S. 36–38.

HOPPE, Johannes: Johannes Kepler. 5. Aufl., Leizig: Teubner, 1987. 92 S.

HOPPMANN, Winfried: Die bestimmungsgerechte Elektroinstallations-Praxis. München: Pflaum, 1995. 422 S.

HORSTMANN, Erwin: 75 Jahre Fernsprecher in Deutschland. 1877–1952. Zeittafel von Erwin MÜLLER-FISCHER. Hrsg. v. Bundesministerium f. d. Post- und Fernmeldewesen. Bundesdruckerei, 1952. 346 S. [mit zahlreichen Originaltexten].

HOSPITALIER, Ed[ouard]: Notations, abréviations et symboles de l'électrotechnique. S. 59–66 (Vortrag), S. 66–76 (Diskussion), S. 90–97 (Beschlüsse). In: Internationaler Elektrotechniker-Kongress-1891; Hauptversammlung.

HUMBURG, Karl: Die Gleichstrommaschine. Berlin: de Gruyter, 1949. Bd. I, 100 S., Bd. II, 97 S. (Göschen Bd. 257 u. 881).

HUND, August: Die Glühkathodenapparate im hochgradigen Vakuum und ihre Verwendung in der Elektrotechnik. In: Jahrbuch d. drahtlosen Telegraphie u. Telephonie. Bd. 10 (1916) Heft 6, S. 521–542.

HUND, Friedrich: Geschichte der physikalischen Begriffe. Heidelberg; Berlin; Oxford: Spektrum Akad. Verlag, 1996. XXII, 212 + 248 S. Nachdruck der Ausgabe von 1989 (Teil I) und 1987 (Teil II).

HÜTER, W[ilhelm]: Die Ionosphäre. Methoden und Ergebnisse ihrer Erforschung. In: RINT, Curt (Hrsg.): Handbuch für Hochfrequenz- und Elektrotechniker. Bd. 3. Berlin: Verlag Radio-Foto-Kinotechnik, 1954. 744 S., hier S. 508–575.

IEC 27:1931: International symbols. First part: Letter symbols. Issued January 1914; revised March 1920. London: IEC, 1931. 11 S.

IEC 27-1:1992-12 (Neue Notation: 60027-1:1992-12): Letter symbols to be used in electrical technology; Part 1: General. Genf: IEC, 1992. 111 S.

IEC 164:1964 (Neue Notation: 60164:1964): Recommendations in the field of quantities and units used in electricity. Genf: IEC, 1964. 63 S.

[Internationaler Elektrizitäts-Kongress-1891]: Bericht über die Verhandlungen der Hauptversammlungen des Internationalen Elektrotechniker-Congresses zu Frankfurt am Main vom 7. bis 12. September 1891 nach den stenographischen Aufzeichnungen herausgegeben [...] von der Elektrotechnischen Gesellschaft zu Frankfurt am Main. [Jetzt: VDE Rhein-Main e.V.] Frankfurt a.M.: Joh. Alt, 1892. XXXIX + 142 S. [Signatur: Darmstadt: TUD/NTB 24.96]

[Internationaler Elektrizitäts-Kongress-1891]: Bericht über die Verhandlungen der Sections-Sitzungen des Internationalen Elektrotechniker-Congresses zu Frankfurt am Main vom 7. bis 12. September 1891 nach den stenographischen Aufzeichnungen herausgegeben [...] von der Elektrotechnischen Gesellschaft zu Frankfurt am Main. [Jetzt: VDE Rhein-Main e.V.] Frankfurt a.M.: Joh. Alt, 1892. 391 S. [Signatur: Darmstadt: TUD/NTB 24.96]

Itard, Jean; Bouveresse, Jacques; Sallè, Emile: Histoire des mathématiques. Paris: Larousse, 1977. 255 S. (Encyclopoche Larousse, Bd. 21).

Jäger, Kurt (Hrsg.): Lexikon der Elektrotechniker. Berlin; Offenbach: VDE-Verlag, 1996. 477 S.

Jerrard, Harold George; McNeill, Donald Burgess: Wörterbuch wissenschaftlicher Einheiten. Wiesbaden: Quelle & Meyer, 1994. 331 S. (UTB Bd. 1818)

Jordan/Lenz (Hrsg.): Die 100 des Jahrhunderts: Naturwissenschaftler. Reinbek: Rowohlt, 1994. 208 S. (Handbuch Bd. 6451)

Karrass, Th.: Geschichte der Telegraphie. Erster Teil. Braunschweig: Vieweg, 1909. 702 S.

Kind, Dieter: Zur Geschichte der elektrischen Einheiten im Internationalen Einheitensystem. In: etz-a Bd. 98 (1977) S. 800–803.

Kirchhoff, G[ustav]: Gesammelte Abhandlungen. Leipzig: Barth, 1882. 641 S.; Nachtrag 1891, 137 S.

Klein, Wilhelm: Grundlagen der Theorie elektrischer Schaltungen, Teil 1: Mehrtortheorie. 2. Aufl., Berlin: Akademie-Verlag, 1970. 171 S.

Kloss, Albert: Auf den Spuren der Leistungselektronik; Erfinder und Erfindungen der Stromrichtertechnik. Berlin; Offenbach: VDE-Verlag, 1990. 371 S.

Kloss (Kloß), Max: Zum 80. Geburtstag von Hans Görges. In: etz Bd. 60 (1939) S. 1105–1106.

Kluge, Friedrich: Etymologisches Wörterbuch der deutschen Sprache. 20. Aufl. bearb. v. Walther Mitzka. Berlin: de Gruyter, 1967. 915 S.

König, Wolfgang: 100 Jahre „Dr.-Ing." Festschrift des VDI zum 100-jährigen Jubiläum der Verleihung des Promotionsrechts durch den preußischen König Wilhelm II im Jahre 1899. Düsseldorf: Verein Deutscher Ingenieure VDI, Bereich Technikgeschichte, 1999. 54 S.

KOHLRAUSCH, F[riedrich]: Ueber die Messung starker elektrischer Ströme [...]. In: etz Bd. 5 (1884) S. 13–20.

KOHLRAUSCH, Friedrich: Lehrbuch der praktischen Physik. 13. Aufl., neu bearb. v. H. GEIGER u. a.; Leipzig: Teubner, 1921. XXVII, 724 S. [2. Aufl.: 1872].

KORIES, Ralf; SCHMIDT-WALTER, Heinz: Taschenbuch der Elektrotechnik. Grundlagen und Elektronik. 3. Aufl., Frankfurt a. M.: Harri Deutsch, 1998. 658 S. [1. Aufl., 1993, 622 S.].

KOSACK, Emil: Elektrische Starkstromanlagen. 9. Aufl., Berlin: Springer, 1943. 354 S.

KOSE, Volkmar: Die Bedeutung von Naturkonstanten für die Darstellung elektrischer Einheiten. In: Abh. braunschweig. wiss. Ges., Bd. 27 (1977) (GAUSS-Festschrift) S. 245–256.

KRAFFT, Fritz; MEYER-ABICH, Adolf (Hrsg.): Große Naturwissenschaftler; Biographisches Lexikon. Frankfurt a. M.: Fischer Bücherei, 1970. 399 S. (Fischer Handbücher Bd. 6010).

KRAFFT, Fritz (Hrsg.): Lexikon großer Naturwissenschaftler. Vorstoß ins Unbekannte. Wiesbaden: Fourier, 2003. 474 S.

KRONJÄGER, Wilhelm; PRESSLER, Hans; VOGT, Karl: 50 Jahre Rundfunk aus der Sicht der Deutschen Fernmeldeverwaltung. In: Archiv Post- u. Fernmeldewesen, Bd. 25 (1973) S. 411–831.

KROPP, Gerhard: Geschichte der Mathematik. Wiesbaden: Aula-Verlag, 1994. 230 S. (Sammlung Aula).

KUČERA, A[ntonin]; NAXEROVÁ, A. (Redaktion): Dt-tschech. und tschech.-dt Wörterbuch der Elektrotechnik und Elektronik. Prag: Verlag techn. Lit., 1965. 805 S.

KÜPFMÜLLER, Karl: Die Systemtheorie der elektrischen Nachrichtenübertragung. Stuttgart: Hirzel, 1949 (1. Aufl., 386 S.), 1952 (2. Aufl., 392 S.), 1968 (3. Aufl., 412 S.), 1974 (4. Aufl., 412 S.).

KULENKAMPFF, H[elmuth]: Röntgenstrahlen. In: Dt. Museum Bd. 16 (1948) H. 1, 36 S.

KURZWEIL, Ray: Homo sapiens. Leben im 21. Jahrhundert. Was bleibt vom Menschen? 3. Aufl., München: Econ Ullstein List, 2001. 509 S. (Econ Taschenbuch Bd. 75026), Copyright 1999 by Ray KURZWEIL.

KYSER, Herbert: Die elektrische Kraftübertragung. Bd. 1. Motoren, Umformer und Transformatoren. 2. Aufl., Berlin: Springer, 1920. 417 S.

LABASTILLE, Ricardo M.; WARNER, Alfred: Funk-Entstörung von elektrischen Betriebsmitteln und Anlagen. Erläuterungen zu DIN VDE 0875. 3. Aufl., Berlin; Offenbach: VDE-Verlag, 1991. 171 S. (VDE-Schriftenreihe Bd. 16).

LA COUR, J[ens] L[assen]; BRAGSTADT, O. S.: Theorie der Wechselströme. 2. Aufl., Berlin: Springer, 1910. 922 S.

LA COUR, Poul; APPEL, Jacob: Historisk fysik. Teil I bis VI in getrennter Paginierung. Kopenhagen; Kristiania [jetzt Oslo]: Gyldendal, 1906–1909. Insges. 992 S.

LAUE, Max von: Geschichte der Physik. 4. Aufl., Berlin: Ullstein, 1959. 165 S. (Ullstein Buch Nr. 222).

[LEIBNIZ:] Herrn von LEIBNIZ' Rechnung mit Null und Eins. Hrsg.: Siemens AG. Berlin; München: Siemens AG, 1966. 59 S. + 19 Faksimileseiten.

LEICHT, Hans: Wilhelm Conrad RÖNTGEN; Biographie. München: Ehrenwirth, 1994. 193 S.

LEMMERICH, Jost: Maß und Messen – Ausstellung aus Anlaß der Gründung der Physikalisch-Technischen Reichsanstalt vor 100 Jahren. Braunschweig: Physikalisch-Technische Bundesanstalt, 1987. 168 S.

LEMMERICH, Jost: Michael FARADAY. 1791–1867. Erforscher der Elektrizität. München. Beck, 1991. 255 S.

LICHTENBERG, Georg Christoph: Aphoristisches zwischen Physik und Dichtung. Hrsg.: Jürgen TEICHMANN. Braunschweig; Wiesbaden: Vieweg, 1983. 198 S. (Facetten der Physik; Bd. 13).

LICHTENBERG, Georg Christoph: Schriften und Briefe. Bd. 1 bis 4. Hrsg.: Wolfgang PROMIES. Frankfurt a.M.: Zweitausendundeins, 1994.

LIMANN, Otto: Funktechnik ohne Ballast. 9. Aufl., München: Franzis, 1967. 340 S.

LINDERS, Olof: Die für die Technik und Praxis wichtigsten physikalischen Größen in systematischer Darstellung. Leipzig: Jäh & Schunke, 1904. 396 S.

LUEGER, Otto (Hrsg.): Lexikon der gesamten Technik und ihrer Hilfswissenschaften. 2. Aufl., 8 Bde., Stuttgart; Leipzig: Deutsche Verlags-Anstalt: [1904–1910]; Ergänzungsband I (1914), II (1920).

MARQUET, Louis: Naissance du système métrique décimal; 1re norme dédiée à tous les temps, à tous les peuples. In: Enjeux (Paris), Nr. 101 (Juli 1989), S. 14–20.

MARX, Karl: Die technologisch-historischen Exzerpte. Historisch-kritische Ausgabe. Hrsg.: Hans-Peter MÜLLER. Frankfurt a.M.: Ullstein, 1982. (Ullstein Materialien Nr. 35131). [XVIII] + CXX + 169 + [244] Seiten.

MATHEWS, Mitford M.: A dictionary of americanisms. On historical principles. Chicago: Univ. of Chicago Press, 1951. Bd. 1: XVI + 976 S., Bd. 2: S. 977–1946.

MATSCHOSS, Conrad: Die Entwicklung der Dampfmaschine. 2 Bände. Berlin: Springer, 1908. Bd. 1: 834 S., Bd. 2: 732 S.

MAXWELL, James Clerk: Lehrbuch der Electricität und des Magnetismus. 2 Bände. Autorisirte deutsche Uebersetzung [nach der zweiten Auflage] von B. WEINSTEIN. Berlin: Springer, 1883. Bd. 1: 528 S., Bd. 2: 624 S.

MAXWELL, James Clerk: A treatise on electricity and magnetism. 3., unveränd. Aufl.: 1891; Nachdruck: New York: Dover Publ., 1954. Bd. 1 (Art. 1–370; XXXII, 506 S.); Bd. 2 (Art. 371–866; XXIV, 500 S.); [1. Aufl.: 1873; 2. Aufl.: 1881; Art. 1–9 noch durch MAXWELL gründlich überarbeitet, restliche Art. unverändert, jedoch mit Anmerkungen des Bearbeiters W. D. NIVEN in eckigen Klammern versehen; 3. Aufl.: 1891, unverändert, jedoch mit Anmerkungen des Bearbeiters J. J. THOMSON in geschweiften Klammern versehen.]

MAYER, Robert: Die Mechanik der Wärme; Zwei Abhandlungen (1842/1845). Hrsg.: A. von OETTINGEN. Thun; Frankfurt a.M.: Harri Deutsch, 1997. 90 S. (OSTWALDS Klassiker der Exakten Wissenschaften, Bd. 180)

MAYES, Victor: Unit prefixes for use in astronomy. Quarterly Journal of the Royal Astronomical Society (QJR astr. Soc., London), Bd. 35 (1994) S. 569–572.

MECENSEFFY, Emil von: Verdeutschungsbuch für die Größenlehre oder Mathematik. Berlin: Deutscher Sprachverein, 1936. 34 S.

MEGLA, Gerhard: Dezimeterwellentechnik. 3. Aufl., Leipzig: Fachbuchverlag, 1954. 352 S.

MEHL, Erwin: Auch das engl.-griech. Fremdwort „Elektrizität" erscheint sprachbewußten Völkern entbehrlich. In: Wiener Sprachblätter, Bd. 15 (1965) Nr. 2, S. 49–50.

MENGE, Hermann: Lateinisch-deutsches Schulwörterbuch mit besonderer Berücksichtigung der Etymologie. 3. Aufl., Berlin: Langenscheidt, 1916. 813 S.

MESCHKOWSKI, Herbert: Meyers Handbuch über die Mathematik. 2. Aufl., Mannheim: Bibliograph. Inst., 1972. 924 S.

METT, Rudolf: Von Königsberg nach Rom. Der Weg des Johannes Müller genannt Regiomontanus aus Königsberg in Franken. Hrsg.: Stadt Königsberg in Bayern. 2. Aufl., Hofheim/Unterfranken: Druck Josef Holl, 1983. 44 S.

[METTLER, Albert J.] A. M.: Two new SI prefixes. Metric Message (Kanada), Bd. 3 (Sept. 1975) Nr. 3, S. 3.

MEŸENN, Karl von (Hrsg.): Die großen Physiker. 2 Bde. München: C.H. Beck, 1997. Bd. 1: 562 S., Bd. 2: 528 S.

MEYER, Timm R. (Hrsg.): Sammlung Meßwesen. Bearbeitete Sammlung der Vorschriften des Bundes und der Länder mit amtlichen Begründungen [...] Berlin: Verlag Techn. Regelwerke, ab 1979 in Lieferungen.

MEYERS Großes Personenlexikon. Mannheim: Bibliograph. Inst., 1968. 1483 S.

MÖBUS, Willy: Wegbereiter der Funktechnik. München: Franzis, 1951. 64 S. (Radio-Praktiker-Bücherei Bd. 35).

MOELLER, Franz; WERR, Theodor: Leitfaden der Elektrotechnik. 10. Aufl., Stuttgart: Teubner, 1959. 371 S.

MÜLLER, Joh.: Grundriß der Physik und Meteorologie. 13. Aufl., bearb. v. E. REICHERT. Braunschweig: Vieweg, 1881. 713 S.

NEESEN, F.: Verhandlungen der ersten Sektion und der Kommission für die elektrischen Einheiten [beim 1. Internationalen Elektrizitäts-Kongress 1881 in Paris]. In: etz Bd. 2 (1881) S. 399–406.

NEIDHÖFER, Gerhard: Michael von DOLIVO-DOBROWOLSKY und der Drehstrom. Berlin, Offenbach: VDE-Verlag, 2004. 300 S. (Geschichte der Elektrotechnik, Bd. 19).

NESPER, Eugen: Ein Leben für den Funk. Wie der Rundfunk entstand. München: Oldenbourg, 1950. 168 S.

NEWTON, Sir Isaac: Opticks or A treatise of the reflections, refractions, inflections and colours of light. Based on the 4th edition London 1730. With a foreword by Albert EINSTEIN, an introduction by Sir Edmund WHITTAKER, a preface by I. Bernard COHEN [...]. New York: Dover Publication, 1979. CXXII + 406 S.

NIPKOW, P[aul]: Der Telephotograph und das elektrische Teleskop. In: etz Bd. 6 (Okt. 1885) S. 419–425.

OBERDORFER, Günther: Lehrbuch der Elektrotechnik. 4. Aufl., München; Berlin: Oldenbourg, 1944. Bd. I: 502 S., Bd. II: 414 S.

OHM, Georg Simon; FECHNER, Gustav Theodor: Das Grundgesetz des elektrischen Stromes. Drei Abhandlungen 1825 und 1826, 1829. Thun; Frankfurt a. M.: Harri Deutsch, 1996. 45 S. (OSTWALDS Klassiker der exakten Wissenschaften, Bd. 244).

OSTWALD, W.: Die Energie. 2. Aufl., Leipzig: Barth, 1912. 167 S.

OTREMBA, Heinz; GERLACH, Walther: Wilhelm Conrad Röntgen. Würzburg: Fränkische Ges.-Druckerei, 1970. 77 S.

PERUZZI, Giulio: MAXWELL. Begründer der Elektrodynamik. In: Spektrum der Wissenschaft; Biografie 2/2000, 105 S.

PFEIFER, Wolfgang (Hrsg.): Etymologisches Wörterbuch des Deutschen. München: dtv, 1995. 1665 S. (dtv Bd. 3358).

PILGRIM, E.: Entdeckung der Elemente mit Biographien ihrer Entdecker. Stuttgart: Mundus, 1950. 432 S.

PILS, Ernst Peter: Wörterbuch Bausteine der Elektronik. Stuttgart: Franckh, 1968. 161 S.

PLANCK, Max: Physikalische Rundblicke. Gesammelte Reden und Aufsätze. Leipzig: Hirzel, 1922. 168 S.

PLANCK, Max: Vorträge und Erinnerungen. 5. Auflage der Wege zur physikalischen Erkenntnis. Stuttgart: Hirzel, 1949. 380 S.

POHL, Robert Wichard: Einführung in die Elektrizitätslehre. 12. Aufl., Göttingen: Vandenhoeck & Ruprecht, 1946. 288 S.

PREITZ, Max: Verdeutschungsheft für Handel, Gewerbe und Amtsstellen. Hrsg.: Deutscher Sprachverein, Zweig Frankfurt a.M.; 10. Aufl.; Frankfurt a.M.: Selbstverlag, 1931. [1. Aufl. (1913) bis 9. Aufl. (1918) bearb. von H. ALBACH]

PSCHYREMBEL: Klinisches Wörterbuch. 258. Aufl., CD-ROM, Version 2, Berlin: de Gruyter, 1999.

QUADRO-BIBEL plus. Die vier großen deutschen Übersetzungen auf CD-ROM. Stuttgart: Dt. Bibelgesellschaft, 2000.

REICHENBACH: Allgemeines deutsches Conversations-Lexikon für die Gebildeten eines jeden Standes. 10 Bde. Leipzig: Reichenbach, 1839 bis 1841.

REULEAUX, F[ranz] (Hrsg.): Das Buch der Erfindungen, Gewerbe und Industrien. Band 2: Die Kräfte der Natur und ihre Benutzung. Physikalische Technologie. Von Julius ZÖLLNER. 8. Aufl., Leipzig; Berlin: Spamer, 1885. 580 S.

RICHLING, Christel; DREWITZ, Ingeburg: Wörterbuch der Kabeltechnik. Wiesbaden: Brandstetter, 1976. 610 S.

ROBERT, Paul: Le nouveau Petit Robert. Paris: Le Robert, 1994. 2467 S.

RÖMPP, Hermann: Chemie-Lexikon. 6. Aufl., bearb. v. Erhard ÜHLEIN. Stuttgart: Franckh, 1966. 4 Bände, ca. 7500 Textspalten.

RUDOLPH, Wilhelm: Einführung in DIN VDE 0100. Elektrische Anlagen von Gebäuden. 2. Aufl., Berlin; Offenbach: VDE-Verlag, 1999. 842 S. (VDE-Schriftenreihe Bd. 39).

RÜCKL, Eckhard: Energietransport beim Transformator. In: etz Bd. 117 (1996) Nr. 1–2, S. 28–32.

RÜHLMANN, Richard: Ueber sekundäre Generatoren, ein neues Vertheilungssystem der Elektrizität. In: etz Bd. 6 (1885) S. 249–251; [Fortsetzungen unter dem Titel]: Ueber sekundäre Generatoren und Transformatoren. In: etz Bd. 6 (1885) S. 290–294; 386–392.

SACHTLEBEN, R[udolf]; HERMANN, A[rmin]: Von der Alchemie zur Großsynthese. Große Chemiker. 3. Aufl., München: Battenberg, 1969. 178 S.

SACKLOWSKI, Alfred: Physikalische Größen und Einheiten. Einheitenlexikon. Stuttgart: DEVA, 1960. 218 S.

Sacklowski, Alfred; Drath, Peter: Einheitenlexikon. Berlin; Köln: Beuth, 1986. 132 S. (Beuth-Kommentare).

Sambursky, Shmuel (Hrsg.): Der Weg der Physik; 2500 Jahre physikalischen Denkens. Texte von Anaximander bis Pauli. München: dtv, 1978. 756 S. (dtv Bd. 60939)

Sarrazin, Otto: Beiträge zur Fremdwortfrage. Berlin: Ernst & Korn, 1887. 122 S. [Darin S. 37–41: „Perron und Coupé" = Kölnische Ztg. v. 18.07.1886; S. 41–49: Anmerkungen]

Sarrazin, Otto: Sprachliches zur „drahtlosen Telegraphie". In: Zsch. Allg. Dt. Sprachverein Bd. 29 (1914) Spalten 193–199.

Sarrazin, Otto: Verdeutschungs-Wörterbuch. 5. Aufl., Berlin: Ernst & Sohn, 1918. [1. Aufl. 1886]

Sartre, M. L.: Le Congrès international des Électriciens de 1881 et la métrologie électrique. In: Rev. Gén. Électr., Bd. 65, 40. Jahrgang (1956) S. 321–325, hier S. 322.

Savory, T[heodore] H.: Browsing among words of science. London: C.A. Watts, 1951. 94 S.

Savory, Theodore H.: The language of science. London: Andre Deutsch, 1953. 184 S.

Schaefer, Clemens: Einführung in die Maxwellsche Theorie der Elektrizität und des Magnetismus. 2. Aufl., Leipzig; Berlin: Teubner, 1922. 174 S. (Sammlung math.-physik. Lehrbücher Bd. 3).

Scheitz, Edgar: Russische Abkürzungen und Kurzwörter. Russisch/Deutsch. Berlin: Verlag Technik, 1961. 727 S.

Schellen, H.: Der elektromagnetische Telegraph. 6. Aufl. bearb. von Joseph Kareis. Braunschweig: Vieweg, 1888. 1238 S.

Schenkel, M.: Technische Grundlagen und Anwendungen gesteuerter Gleichrichter und Umrichter. In: etz Bd. 53 (1932) S. 761–770; Aussprache über vorstehenden Vortrag: S. 770–786.

Schimank, Hans: Epochen der Naturforschung. Leonardo / Keppler / Faraday. Berlin: Wegweiser, 1930. 320 S.

Schimank, Hans: Der Ingenieur; Entwicklungsweg eines Berufes bis Ende des 19. Jahrhunderts. Köln: Bund-Verlag, 1961. 56 S.

Schlomann, Alfred (Hrsg.): Illustrierte Technische Wörterbücher in sechs Sprachen. Dt-En-Ru-Fr-It-Es. Bd. 2. Elektrotechnik und Elektrochemie. Berlin: VDI-Verlag, 1928. 1304 S.

Schüler, L[eo]: Vorschläge des Elektrotechnischen Vereins zur Verdeutschung fremdsprachlicher Ausdrücke auf dem Gebiete der drahtlosen Telegraphie. In: etz Bd. 37 (1916) S. 524–525.

Schüler, L[eo]: Neue Namen für Drehstrommotoren. In: etz Bd. 48 (1927) S. 1176.

Schulz, Hans: Deutsches Fremdwörterbuch. Straßburg: Trübner, 1913. Bd. 1 (A–K).

Schulz, Hans; Basler, Otto: Deutsches Fremdwörterbuch. Bd. 2 (L–P). Berlin: de Gruyter, 1942. 748 S.

Schulze, F[ranz] A[rtur]: Große Physiker. 2. Aufl., Leipzig; Berlin: Teubner, 1917. 115 S. (Aus Natur und Geisteswelt Bd. 324).

Schwenk, Ernst: Mein Name ist Becquerel. Wer den Maßeinheiten die Namen gab. Von Ampère bis Watt. Mit zahlr. farbigen Abbildungen. München: dtv, 1993. 215 S. (dtv 30358)

SCHWENKHAGEN, H[ans] F[ritz]: Wörterbuch Elektrotechnik und Elektronik. Dt-En, En-Dt. 2. Aufl. bearb. v. Heinz MEINHOLD. Essen: Girardet, 1967. 909 S.

SIMONYI, K[ároly]: Kulturgeschichte der Physik. 2. Aufl.; Thun; Frankfurt a.M.: Harri Deutsch, 1995. 583 S.

SIRK, Hugo (Univ. Wien): Kiel estiĝis la metra sistemo? [Wie entstand das metrische System? Esperanto]. Scienca Revuo (Purmerend/NL) Bd. 7 (1955) S. 124–137.

SLABY, A[dolf]: Die Funkentelegraphie; Gemeinverständliche Vorträge. 2. Aufl., Berlin: Simion, 1901. 119 S.

STEINBUCH, Karl: Die informierte Gesellschaft; Geschichte und Zukunft der Nachrichtentechnik. Reinbek: Rowohlt, 1968. 248 S. (roro-Taschenbuch 6612/6613)

STEINHAUER, Anja: Sprachökonomie durch Kurzwörter; Bildung und Verwendung in der Fachkommunikation. Tübingen: Narr, 2000. 371 S. (Forum für Fachsprachenforschung Bd. 56).

STEINMETZ, Cha[rle]s Proteus: Die Anwendung complexer Grössen in der Elektrotechnik. In: etz Bd. 14 (1893) S. 597–599, 631–635, 641–643, 653–654.

STEINMETZ, Charles Proteus: Theory and calculation of alternating current phenomena. With the assistance of Ernst J. BERG. New York: Johnston, 1897. 431 S.

STEINMETZ, Charles Proteus: Theorie und Berechnung der Wechselstromerscheinungen. Deutsche, vom Verfasser autorisierte Ausgabe. (Übersetzer: Julius HAACKE). Berlin: Reuther, 1900. 512 S.

STILLE, Ulrich: Messen und Rechnen in der Physik; Grundlagen der Größeneinführung und Einheitenfestlegung. 2. Aufl., Braunschweig: Vieweg, 1961. XII + 470 S.; [1. Aufl. (1955) hat 416 S., in beiden Auflagen sind S. 1 bis 316 identisch].

STÖCKER, Horst (Hrsg.): Taschenbuch der Physik. Formeln, Tabellen, Übersichten. 3. Aufl., Thun; Frankfurt a.M.: Harri Deutsch, 1998. 1087 S.

STOLTENBERG, Hans L.: Deutsche Weisheitsprache. Ihr Weg und ihr Ziel. Lahr (Baden): Schauenburg, 1933. 86 S.

STRECKER, K[arl]: Einheitliche Formelzeichen. In: etz Bd. 27 (1906) S. 457–465.

STRECKER, K[arl]: Formel- und Einheitszeichen. In: etz Bd. 35 (1914) S. 18–19.

STRECKER, K[arl]: Einheitsnamen, Einheits- und Formelzeichen. In: etz Bd. 35 (1914) S. 680–681.

STRECKER, K[arl]: Erläuterungen zu dem Verdeutschungsvorschlag des Elektrotechnischen Vereins. In: etz Bd. 37 (1916) S. 525–527.

STRUIK, Dirk J.: A concise history of mathematics. 4. Aufl., New York: Dover Publ., 1987. 228 S.

SÜSSKIND, Charles: The origin of the term ‚electronics'. In: IEEE spectrum Bd. 3 (1966) S. 72, 77–79; Referat von Wa [= WARNER, A.] in etz-A Bd. 88 (1967) S. 511.

SUZUKI: Dictionary of electrotechnics. Tokyo: TKD, 1982. 379 S.

TELEFUNKEN (Hrsg.): Der Halbleiter. Fachausdrücke. Ulm: Telefunken, 1965. 341 S.

THOMÄLEN, Adolf: Kurzes Lehrbuch der Elektrotechnik. 9. Aufl., Berlin: Springer, 1922. 396 S.

THOMSON, William [Lord KELVIN]: Ueber elektrische Maasseinheiten. In EXNER-1884: S. 532–545 u. 598–612.

TROPFKE, Johannes: Geschichte der Elementar-Mathematik in systematischer Darstellung mit besonderer Berücksichtigung der Fachwörter. 3. Aufl., Berlin: de Gruyter: 1930 (Bd. 1), 1933 (Bd. 2, 266 S.), 1937 (Bd. 3).

ÜHLEIN, Erhard: RÖMPPs chemisches Wörterbuch. Stuttgart: Franck, 1969. 957 S.

VILBIG, Fritz: Lehrbuch der Hochfrequenztechnik. Bd. 1, 5. Aufl., Leipzig: Akad. Verlagsges., 1953. 908 S.

VO Funk. Vollzugsordnungen für den Funkdienst. Anlage zum Internationalen Fernmeldevertrag. Zusatzprotokoll, Entschließungen und Empfehlungen. Genf 1959. Hrsg.: Bundesministerium für das Post und Fernmeldewesen. Bundesdruckerei 1961, 669 S.

VOLKMANN, Peter: Technikpioniere; Namensgeber von Einheiten physikalischer Größen. 2. Aufl., Berlin; Offenbach: VDE-Verlag, 1994, 251 S.

VOLKMANN, Peter: Größen und Einheiten in Technik und fachbezogenen Naturwissenschaften. Berlin; Offenbach: VDE-Verlag, 1998. 176 S.

WAEBER, R.: Lehrbuch für den Unterricht in der Chemie. 16. Aufl., bearb. v. Ernst HEINZE u. R. PAPPENHEIM. Leipzig: Hirt, 1909. 240 S.

WAGNER, Karl Willy: Oliver HEAVISIDE. In: Elektr. Nachrichtentechnik (ENT), Bd. 2 (1925) S. 345–350.

WAGNER, Karl Willy: Einführung in die Lehre von den Schwingungen und Wellen. 2., unveränd. Aufl.; Wiesbaden: Dieterich, 1947. 640 S. [1. Auflage: 1943].

WALLOT, J[ulius]: Zur Definition der magnetischen Feldgrößen. In: etz Bd. 47 (1926) S. 1009–1014, Diskussion S. 1035–1036; Zuschriften von A. LINKER, BRION, W. OTTO und H. GÖRGES sowie Erwiderung von J. WALLOT, in: etz Bd. 48 (1927) S. 482–485;

WALLOT, J[ulius]: Verhandlungen des Ausschusses für Einheiten und Formelgrößen in den Jahren 1907 bis 1927. Berlin: Springer, 1928. 48 S.

WALLOT, J[ulius]: Elektrische und magnetische Größen und Einheiten. Bericht über eine Ausschußsitzung der Internationalen Elektrotechnischen Kommission am 5. u. 6. X. 1933 in Paris. In: etz Bd. 55 (1934) S. 189–190.

WALLOT, Julius: Einführung in die Theorie der Schwachstromtechnik. 4. Aufl., Berlin: Springer, 1944. 457 S.

WALLOT, Julius: Größengleichungen, Einheiten und Dimensionen. 2. Aufl., Leipzig: Barth, 1957. XII + 219 S.

WALTENHOFEN, A. v.: Die internationalen absoluten Maße, insbesondere die electrischen Maße für Studirende der Electrotechnik [...]. 3. Aufl., Braunschweig: Vieweg, 1902. 306 S.

WANKE, Jiři; HAVLIČEK, Miroslav; WARNER, Alfred: Englisch für Elektrotechniker und Elektroniker. 4. Aufl., Wiesbaden: Brandstetter; Berlin; Offenbach: VDE-Verlag, 1993. 719 S.

WARBURG, E[mil]: Ueber die magnetische Hysteresis. In: etz Bd. 10 (1889) S. 193–194.

WARNER, Alfred: Benennungen physikalischer Größen. In: Muttersprache Bd. 68 (1958) S. 321–329.

WARNER, Alfred: Der Begriff „Elektrizität" als Beispiel für die internationale Angleichung der inneren und äußeren Form. In: etz-A Bd. 80 (1959) S. 635–636.

WARNER, Alfred: Einheitenzeichen in russischen Veröffentlichungen. In: DIN-Mitt. Bd. 39 (1960) S. 268–269. [Reprint in VDE-Schriftenreihe Bd. 15 (1992) S. 63–66].

WARNER, Alfred: Taschenbuch der Funk-Entstörung. Berlin: VDE-Verlag, 1965, 203 S.

WARNER, Alfred: Internationale Angleichung fachsprachlicher Wendungen der Elektrotechnik. Versuch einer Aufstellung phraseologischer Grundsätze für die Technik. Berlin: VDE-Verlag, 1966. 55 S. Format DIN A4. (Beihefte der etz, 4-1966).

WARNER, Alfred: Die Sprachwissenschaft in der Dezimalklassifikation. In: Muttersprache, Bd. 77 (1967) S. 162–169.

WARNER, Alfred (Hrsg.): Einführung in das VDE-Vorschriftenwerk. Berlin; Offenbach: VDE-Verlag, 1983. 403 S. (VDE-Schriftenreihe Bd. 50).

WARNER, A[lfred]; ORTH, K[arl]-L[udwig]: Lexikon der Elektrotechnik; Definitionen des VDE-Vorschriftenwerks. Berlin; Offenbach: VDE-Verlag, 1984. 1260 S. (VDE-Schriftenreihe Bd. 40).

WARNER, Alfred: Jahrbuch zum VDE-Vorschriftenwerk [...] (1986 bis 1999). Berlin; Offenbach: VDE-Verlag, [...] (1986 bis 1999). (VDE-Schriftenreihe Bd. 86 bis Bd. 99). Zuletzt (1999) 846 S.

WARNER, Alfred: Tabellen und Diagramme für die Elektrotechnik. Aus dem VDE-Vorschriftenwerk ausgewählt. Berlin; Offenbach: VDE-Verlag, 1987. 936 S. (VDE-Schriftenreihe Bd. 51).

WARNER, Alfred: Kurzzeichen an elektrischen Betriebsmitteln. 4., erw. Aufl., Berlin; Offenbach: VDE-Verlag, 1992. 324 S. (VDE-Schriftenreihe Bd. 15).

WARNER, Alfred: Zur Geschichte der Formelzeichen in der Elektrotechnik. In: DIN-Mitt. Bd. 79 (2000) S. 903, 905–907.

WARNER, Alfred: Zur Wortgeschichte der dezimalen Vorsätze für Einheiten im Messwesen; Von Milli- bis Yotta- (10^{-3} bis 10^{24}). In: Muttersprache Bd. 111 (2001) S. 302–319; Korrigenda, in: Bd. 112 (2002) Nr. 1, S. 96.

WARNER, Alfred: Familiennamen deutscher Forscher für physikalisch-technische Maßeinheiten. OHM – SIEMENS – HERTZ – WEBER – GAUSS – RÖNTGEN – CLAUSIUS. In: Muttersprache Bd. 113 (2003) S. 341–358.

WEIHER, Sigfrid von: Tagebuch der Nachrichtentechnik. Von 1600 bis zur Gegenwart. Berlin: VDE-Verlag, 1980. 199 S.

WEIZSÄCKER, Carl Friedrich von: Die Sprache der Physik. S. 137–153 in: Joachim Jungius-Gesellschaft der Wissenschaften (Hrsg.): Sprache und Wissenschaft; Vorträge [...] Hamburg, 29./30. Okt. 1959. Göttingen: Vandenhoeck & Ruprecht, 1960. 168 S.

WESSEL, Horst A. (Hrsg.): Jahrhunderte der Hochspannung. Berlin; Offenbach: VDE-Verlag, 2004. 340 S. (Geschichte der Elektrotechnik Bd. 21).

WESTPHAL, Wilhelm H.: Physik. Ein Lehrbuch. 18./19. Aufl., Berlin; Göttingen; Heidelberg: Springer, 1956. 745 S.

WETZEL, Peter R.: Die Geschichte des Quecksilberdampf-Gleichrichters bei BBC Deutschland 1913–1963. Dr.-phil.-Diss. Univ. Stuttgart 2001, 365 S.

WHEATSTONE, Charles: An account of several new instruments and processes for determining the constants of a voltaic circuit. In: Philosophical Transactions (London), Bd. 133 (1843) S. 303–327.

WICKERT, Johannes: Albert EINSTEIN. In Selbstzeugnissen und Bilddokumenten. Reinbek: Rowohlt, 1972. 182 S. (Rowohlts Monographien, Bd. 162).
WIENER, Norbert: Kybernetik. Regelung und Nachrichtenübertragung in Lebewesen und Maschine. Reinbek: Rowohlt, 1971. 252 S. (Rowohlt deutsche Enzyklopädie Bd. 294).
WITTSTOCK, Otto: Latein und Griechisch im deutschen Wortschatz. Berlin: Volk und Wissen, 1988. 223 S.
WÖHNER, Hilmar: Ein Beitrag zum Thema „Sprache und Technik". In: Z. Post- und Fernmeldewesen Bd. 6 (1954) S. 291–294.
WÖHNER, Hilmar: Ein Beitrag zum Thema „Sprache und Naturwissenschaft". In: Z. Post- und Fernmeldewesen Bd. 7 (1955) S. 13–17.
WÜSTER, Eugen: Internationale Sprachnormung in der Technik, besonders in der Elektrotechnik. Berlin: VDI-Verlag, 1931. 429 S.; 2. Aufl. (= Reprint mit Ergänzungsbericht), Bonn: Bouvier, 1966. 470 S. 3. Aufl. (= 2. Aufl. mit Nachtrag), Bonn: Bouvier, 1970. 507 S. (Sprachforum, Beiheft Nr. 2).
WUSSING, Hans-Ludwig: Fachlexikon abc Forscher und Erfinder. Thun; Frankfurt a.M.: Harri Deutsch, 1992. 672 S.
XU Zhenmin (Hrsg.): Das neue chinesisch-deutsche Wörterbuch. Beijing 1988. 1164 S.
ZINKE, Otto; BRUNSWIG, Heinrich: Lehrbuch der Hochfrequenztechnik. 2. Aufl., Berlin; Heidelberg; New York: Springer, 1974. 384 S.
ZISCHKA, Anton: Pioniere der Elektrizität. Gütersloh: Bertelsmann, 1958. 317 S.

Wortschöpfer oder frühe Wortbenutzer

Bei Wörtern, die nicht selbst Stichwörter sind, verweist ein Pfeil (↑) auf den zugehörigen Eintrag. Sonstige Stichwörter sind in eckige Klammern gesetzt.

Abraham, Max (1875–1922), Physiker, Arbeiten über die Theorie der drahtlosen Telegraphie und über die Dynamik des Elektrons:
magnetische Feldstärke

AEF – Ausschuss für Einheiten und Formelgrößen (↑AEF):
AEF-Einheitensystem • Atta- (↑Exa-) • bis • Blind- • et/ip • Femta- (↑Peta-) • Giga- • Leitwert • Nano- • Piko- • Schein- • Tera- • Wirk- • [↑Wechselstromgrößen]

AEG – Allgemeine Elektrizitäts-Gesellschaft AG:
Magnetophon • Quecksilberdampf-Gleichrichter

American Institute of Electrical Engineers (jetzt: IEEE = Institute of Electrical and Electronic Engineers), Sitz New York:
Gauss • Gilbert • Henry • Ørsted • Weber

Ammon, Karl (geb. 1872), seit 1895 Beschäftigung mit Telegraphen- und Telephontechnik. Militärische Laufbahn bei der Feldtelegraphie und -telephonie. Im Ersten Weltkrieg Offizier einer Fernmeldeabteilung, zuletzt Oberstleutnant. Danach Patentingenieur bei Siemens &Halske in Berlin. Verfechter für Verdeutschung technischer Fachausdrücke, über die er in der überregionalen Presse schrieb. Gründungsmitglied der Technisch-Literarischen Gesellschaft e.V. (TELI), 1942 Ehrenmitglied der TELI (Biographie: Privatarchiv Hans Chr. FÖRSTER, Berlin-Mitte):
Berne (Bernbahn, bernen, verbernen) • Fessel (Fesselmacht, -wert, -mittel) • Reihung • Zweigung

Ampère, André Marie (1775–1836), französischer Physiker und Mathematiker, stellte die Grundformel der Elektrodynamik auf (Biographie: ↑Ampere):
courant (↑Strom, (elektrischer)) • cybernétique (↑Kybernetik) • électrodynamique (↑Elektrodynamik) • galvanomètre (↑Galvanometer) • rhéophore (↑Rheophor)

Anderson, Carl David (1905–1991), amerikanischer Professor für Physik, Physik-Nobelpreis 1936 (Biographie: JORDAN/LENZ-1994, S. 6–7):
Meson • Mesotron • Negatron • Positron

Appolonios von Perge (ca. 262–190 v. Chr.), griechischer Mathematiker (Geometer) in Alexandrien (Biographie: SCHLOTE, Karl-Heinz, in: WUSSING-1992, S. 21–22; The Oxford Classical Dict., 1957):
ἔλλειψις /*élleipsis*/ (↑Ellipse) • ὑπερβολή /*hyperbolḗ*/ (↑Hyperbel) • παραβολή /*parabolḗ*/ (↑Parabel)

Aristoteles (384–322 v. Chr.), griechischer Naturforscher und Philosoph, Schüler PLATONS, Gründer einer Schule (*Lykeion*) in Athen (Biographie: EHLERS, Dietrich, in: WUSSING-1992, S. 27–28; KRAFFT-2003, S. 26–31):
ἐνέργεια /*enérgeia*/ (↑Energie)

Aron, Hermann (1845–1913), Privatdozent für elektrische Maßsysteme an der Berliner Gewerbeakademie und Universität, Gründer einer Fabrik für Elektrizitätszähler (Biographie: JÄGER-1996, S. 24):
Coulombzähler • Elektrizitätszähler

Aston, Francis William (1877–1945), britischer Chemiker und Physiker, Chemie-Nobelpreis 1922 (Biographie: JORDAN/LENZ-1994):
Massenspektrograph

Ayrton, W. E. und J. Perry, britische Telegrapheningenieure:
secohm (↑Sekohm)

Barkhausen, Heinrich Georg (1881–1956), Dr. phil. Dr.-Ing. E.h. (1932, TH Darmstadt), Physiker, Professor der ↑Schwachstromtechnik (TH Dresden), Hauptarbeitsgebiete: Theorie der Elektronenröhren, Magnetisierung und Akustik (Biographie: ↑Barkhausen):
Durchgriff • Phon • Steilheit

BBC Brown, Boveri & Cie., Baden (Schweiz):
Mutator

Beckmann, Johann (1739–1811): Verfasser des Buches „Anleitung zur Technologie“:
Technologie

Becquerel, Henri (1852–1908), französischer Physiker, Professor an der École polytechnique in Paris, Entdecker der natürlichen ↑Radioaktivität des ↑Urans, Physik-Nobelpreis 1903 (Biographie: HARTMANN-1967, S. 36):
rayons uraniques (↑Uranstrahlen)

Bernoulli, Jakob (1654–1705) und Bernoulli, Johann (1667–1748), Stammväter der Mathematikerfamilie BERNOULLI, beide waren Professor der Mathematik an der Universität Basel (Biographie: FLECKENSTEIN, Joachim Otto, in: DGW Bd. 6, S. 314–333):
calculus integralis (↑Integralrechnung)

Bock, H., Dr.: Experte des Vermessungswesens (Persönliche Mitteilung der PTB):
Gon

Boltzmann, Ludwig (1844–1906), österreichischer Physiker, Professor der Physik zuletzt in München (Biographie: ↑BOLTZMANN-Konstante):
Guerikismus • Komplexion • Röntgen'sche Strahlen (↑Röntgenstrahlen)

Borda, Jean Charles (1733–1799), Physiker und Geodät, Mitglied der französischen Académie des Sciences und ihrer Kommission zur Aufstellung des dezimalen metrischen Systems:
mètre (↑Meter)

Born, Max (1882–1970), Ordinarius der Physik in Frankfurt a.M., Göttingen, zuletzt in Edinburgh, Begründer der Quantenmechanik, Ehrenbürger von Göttingen 1953, Physik-Nobelpreis 1954 (Biographie: HARTMANN-1967; HUND, Friedrich, in: DGD unserer Epoche, S. 246–254):
Quantenmechanik • Quantensprung

Branly, Édouard (1844–1940), Professor der Physik in Paris, Pionier der drahtlosen Telegraphie, Mitglied der Ehrenlegion (Biographie: ANSCHÜTZ, H., in: JÄGER-1996, S. 56; MÖBUS-1951, S. 25–27):
radioconducteur (↑Kohärer)

Bredow, Hans (1879–1959), Pionier des deutschen Rundfunks, Staatssekretär im Reichspostministerium (Biographie: KIRPAL, Alfred, in: JÄGER-1996, S. 58–59):
Rundfunk

Breisig, Franz (1868–1934), Physiker und Telegrapheningenieur:
Vierpol

Bright, Sir Charles und Latimer Joshua Clark: siehe unter CLARK

Brion, im Jahre 1927 Dozent in Freiberg (Sachsen):
Flußdichte (↑magnetische Flussdichte)

British Association for the Advancement of Science, britische Gesellschaft zur Förderung der Naturwissenschaften, gegründet 1831, vgl. ↑British Association:
Farad • Ohm • Volt

Browne, Sir Thomas (1605–1682), Dr., englischer Arzt und Philosoph:
electricity (↑Elektrizität)

Brunn, Albert von (1892–1966), Dipl.-Ing. der Elektrotechnik, Zürich:
Expedanz • Exzitanz

Bruns, Karl, Torgau:
Werkner

BSI – British Standards Institution, London:
picofarad (↑Piko-)

Bundesregierung: Bundesministerium für Arbeit und Sozialordnung:
technisches ↑Arbeitsmittel

Bunsen-Gesellschaft (Deutsche) für angewandte physikalische Chemie:
Leitfähigkeit

Campe, Joachim Heinrich (1746–1818), Pädagoge und Herausgeber zweier Wörterbücher der deutschen Sprache:
[↑Elektrizitäts-Verdeutschungen]

Čapek, Karel (1890–1938), tschechischer Dichter, Autor von Dramen, Komödien und Romanen (Werkbeschreibung in: KINDLERS Neues Literatur-Lexikon, Bd. 3, München 1996, S. 603–611):
robot (↑Roboter)

Carnot, Sadi (1796–1832), französischer Militäringenieur, Theoretiker der Wärmekraftmaschine (Biographie: FRANKE, M., in: WUSSING-1992):
calorie (↑Kalorie)

Celsius, Anders (1701–1744), schwedischer Astronom und Naturforscher, Professor an der Universität Uppsala (Biographie: Poggendorffs Hwb. Bd. 1, 1863):
100 Grad/0 Grad (↑Thermometer-Fixpunkt)

CGPM – Conférence Générale des Poids et Mesures (↑CGPM):
Pascal • Yocto- • Yotta- • Zepto- • Zetta-

Chadwick, James (1891–1974), englischer Kernphysiker, Forschungsarbeiten in Berlin und Cambridge, Entdecker des Neutrons, Physik-Nobelpreis 1935 (Biographie: HARTMANN-1967, S. 79–80; SEGRÈ-1998, S. 649–654):
Neutron

Chappe, Claude (1763–1805), französischer Geistlicher, Erfinder des optischen Telegraphen (Fr *télégraphe aérien*) (Biographie: ASCHOFF-1984, S. 160–163):
tachygraphe (↑Tachygraph) • télégraphe (↑Telegraph)

CIM – Commissione Italiana di Metrologia:
bes

Clark, Latimer Joshua (1822–1898), englischer Telegrapheningenieur, zahlreiche Erfindungen, u.a. CLARK-Zelle, Mitbegründer des ↑„Einheitensystems nach L. CLARK und C. BRIGHT" (Biographie: JÄGER-1996, S. 79):
Farad • Galvat • ohma (↑Ohm) • Volt

Clausius, Rudolf Julius Emanuel (1822–1888), Pionier der Thermodynamik und Gastheorie, Physikprofessor in Zürich, Würzburg und Bonn, Delegierter beim 1. Internationalen ↑Elektrizitäts-Kongress 1881 in Paris (Biographie: JAKUBOWSKI, P., in: WUSSING-1992):
Entropie

Crookes, Sir William (1832–1919), englischer Privatgelehrter, der sich mit Gasentladungen beschäftigte, Erfinder der nach ihm benannten ↑Röhren, 1897 zum Ritter geschlagen (Biographie: HERMANN-1987, S. 59):
forth state of aggregation (↑vierter Aggregatzustand)

Culmann:
[↑Formelzeichen-System nach CULMANN und L. FREYTAG]

Curie, Marie geb. SKŁODOWSKA (1867–1934), französische Chemikerin und Physikerin polnischer Abstammung, zuletzt Professorin an der Sorbonne, entdeckte ↑Polonium und ↑Radium, Physik-Nobelpreis 1903, Chemie-Nobelpreis 1911, verheiratet mit Pierre CURIE* (Biographie: CURIE-1938):
polonium (↑Polonium) • radioactivité (↑Radioaktivität) • radium (↑Radium)

Curie, Pierre (1859–1906), französischer Physiker, zuletzt Professor an der Sorbonne, entdeckte die ↑Piezoelektrizität, befasste sich mit der Temperaturabhängigkeit magnetischer Stoffe und mit Grundlagen der ↑Radioaktivität, Physik-Nobelpreis 1903, verheiratet mit Marie CURIE*-SKŁODOWSKA (Biographie: HOFFMANN, Dieter, in: WUSSING-1992, S. 140):
période d'un élément radioactif (↑Halbwertszeit) • piezoélectricité (↑Piezoelektrizität) • polonium (↑Polonium) • radium (↑Radium)

Dall, Theodor (1894–1960), Dr.-Ing., Leiter der VDE-Prüfstelle, Frankfurt a.M. (Biographie: In: etz-A Bd. 81 (1960) S. 313–314):
Funkschutzzeichen

Davy, Sir Humphry (1778–1829), englischer Chemiker, Professor an der Royal Institution, Mitglied der Royal Society und deren Präsident (Biographie: WIEDERKEHR, K.H., in: KRAFFT-2003, S. 115):
aluminum (↑Aluminium)

Demisiani (auch: DEMISCIANUS), Kenner der altgriechischen Sprache und Zeitgenosse von Galileo GALILEI:
telescopio (↑Teleskop)

Descartes, René (auch: CARTESIUS, Renatus) (1596–1650), französischer Mathematiker und Philosoph, Licentiat der Rechte, Begründer der analytischen Geometrie (Biographie: KROPP-1994, S. 92–97):

∞ (↑Gleichheitszeichen) • a^3 b^4 c^5 (Schreibweise) (↑Exponent) • imaginaire (↑imaginäre Zahl)

Dießelhorst, Hermann (1870–1961), Dr. phil., Professor der Physik an der TH Braunschweig, jetzt Universität (Biographie: In: etz Bd. 71 (1950) S. 666; JÄGER-1996):
Hertz • Induktionskonstante

Dolivo-Dobrowolsky, Michael (1861/1862–1919; Adelsprädkat *von* bis 1907, danach Schweizer Bürger), Studium in Riga, St. Petersburg und Darmstadt. Assistent der TH Darmstadt, Chefelektriker der AEG, „Vater der elektrischen Kraftübertragung mit Drehstrom", Erfinder des Drehstrommotors mit Käfiganker, stv. Mitglied des Vorstandes der AEG, Dr.-Ing. E.h. (1911, TH Darmstadt) (Biographie: ↑Dol):
Drehfeld • Drehstrom • Erregungsstrom (↑wattloser Strom) • Neutrale, die • Schlupf • Schlüpfung (↑Schlupf) • Schlussanker • wattloser Strom • Wattstrom

Dürer, Albrecht (1471–1528), deutscher Maler, Kupferstecher, Radierer, Zeichner (Biographie: MUSPER, Theodor, in: DGD Bd. 1, S. 364–367):
brenn lini (↑Parabel) • eyerlini (↑Ellipse) • eyerlini (↑Oval) • gabellini (↑Hyperbel) • Oval

Dufay, Charles, eigentlich: Charles François Cisternay du Fay (1698–1739), Militärkarriere, Chemiker und Physiker bei der französischen Akademie der Wissenschaften (Biographie: JÄGER-1996, S. 103–104):
electricitas resinosa (↑Harzelektrizität) • electricitas vitrea (↑Glaselektrizität) • isoler (↑isolieren)

Dushman, S. (1883–1954), Dr., aus Russland stammender Mitarbeiter von I. LANGMUIR*:
Kenetron

Eccles, W. H. (geb. 1875), englischer Ingenieur:
diode (↑Diode) • pentode (↑Triode) • tetrode (↑Triode) • triode (↑Triode)

Einstein, Albert (1879–1955), Dr. phil., Professor für theoretische Physik, zuletzt Universität Princeton (USA), Physik-Nobelpreis 1921 (Biographie: WICKERT-1972; HERNECK, F., in: WUSSING-1992, S. 169–171):
Energiequant (↑Quant) • Lichtquant (↑Quant)

Elektrotechnischer Verein [zu Berlin], jetzt: Elektrotechnischer Verein (ETV) e.V. Bezirksverein Berlin-Brandenburg im ↑VDE (Geschichte: 125 Jahre ETV, in: etz Bd. 125 (2004) Nr. 10, S. 72):
Flasche • *G* (Formelzeichen) • Schütz, das • Starkstrom/Schwachstrom • Verstärker • Wandler • Wehr, das

Ellegård, Alvar, Professor für Anglistik an der Universität Göteborg und Vorstandsmitglied der schwedischen Nomenklaturzentrale:
Exillion oder Exion (↑Zahlwörter für hohe Zahlen) • Petillion oder Petion (↑Zahlwörter für hohe Zahlen) • Terillion oder Terion (↑Zahlwörter für hohe Zahlen)

Ellicot, Uhrmacher in London, Hersteller eines Elektrometers:
electrometer (↑Elektrometer)

Emde, Fritz (1873–1951), Autodidakt, Dr.-Ing. E.h. (Breslau), Dr.sc. techn. h.c. (Zürich), o. Professor der Elektrotechnik, TH Stuttgart, Hauptarbeitsgebiet: Theoretische Grundlagen der ↑Starkstromtechnik (Biographie: BADER, W., in: etz Bd. 72 (1951) S. 511–513):
Durchflutung (↑Θ) • ε_0 (↑ε) • Entohmung • Induktivität • μ_0 (↑μ) • magnetischer Schwund

Engel, Eduard (1851–1938), Schriftsteller und Literaturhistoriker, Prof. Dr., Potsdam-Bornim:
elektern • [↑Elt] • ↑Elektrizitäts-Verdeutschungen

Escales, Richard (1863–1924), Dr. der Chemie, während erfolgreicher Industrietätigkeit begann er mit der Abfassung des 7-bändigen Werkes „Die Explosivstoffe" und der Gründung der „Zeitschrift für das gesamte Schieß- und Sprengstoffwesen", er war Gründer und Herausgeber der Zeitschriften „Kunststoffe" sowie „Faserstoffe und Spinnpflanzen" und „Edel-Erden und -Erze" (Biographie: Kunststoffe Bd. 14 (1924) S. 145–146):
Kunststoff

EU-Kommission, Brüssel:
CE-Kennzeichnung • Konformitätszeichen

Euler, Leonhard (1707–1783), Schweizer Mathematiker und Physiker, Professor und Direktor an den Akademien der Wissenschaften zu St. Petersburg (1727–1741 u. 1766–1783) und Berlin (1741–1766) (Biographie: FELLMANN, Emil A.: L. EULER, Reinbek: Rowohlt, 1995; Rowohlts Monographie Bd. 387, 156 S.):
e (mathematisches Zeichen) • f (x) (mathematisches Zeichen) • i (mathematisches Zeichen) • imaginäre Zahl • positive/negative Elektrizität

Everett, Professor am Queen's College in Belfast, Mitglied in Committes der ↑British Association for the Advancement of Science ab 1861:
dyne (↑Dyn) • erg (↑Erg)

Ewing, Sir James Alfred (1855–1935), schottischer Physiker, Professor für Maschinenbau und angewandte Mechanik in Tokio, Dundee und Cambridge. Hauptarbeitsgebiet: Magnetisierung von Eisen. 1911 zum Ritter geschlagen (Biographie: DITTMANN, Frank, in: JÄGER-1996, S. 114):
hysteresis (↑Hysterese)

Faraday, Michael (1791–1867), englischer Autodidakt, Laborgehilfe, Direktor der Royal Institution in London, einer der größten Experimentalwissenschaftler, Hauptarbeitsgebiete: elektromagnetische Induktion, Grundgesetze der Elektrochemie (Biographie: ↑Farad):
anion (↑Ion) • anode (↑Anode) • cathode (↑Kathode) • cation (↑Ion) • cisode (↑Anode) • electrode (↑Elektrode) • electrolyte (↑Elektrolyt) • electrolyze (↑Elektrolyt) • exode (↑Kathode) • field (↑Feld) • induction (↑Induktion[I]) • ion (↑Ion) • line of force (↑Kraftlinie) • [↑FARADAYS terminologische Genauigkeit]

Fermi, Enrico (1901–1954), italienischer Kernphysiker, Professor an der Universität Rom, Forschungsarbeiten in den USA, Physik-Nobelpreis 1938 (Biographie: HARTMANN-1967, S. 124–125; SEGRÈ-1998, S. 667–692):
Neutrino

Feynman, Richard (1918–1988), amerikanischer Physiker, Professor am California Institute of Technology (CALTEC), Arbeiten zur Quantenelektrodynamik, Physik-Nobelpreis 1965 (Biographie: GLEICK-1993):
Parton

Franke, Rudolf (1870–1962), Studium der Elektrotechnik und des Maschinenbaus, TH Hannover und Berlin, Dr. phil., Generaldirektor AG Mix & Genest, Telephon- und Telegraphenwerke Berlin, Inhaber des ersten deutschen Lehrstuhls für Fernmeldetechnik, TH Berlin (Biographie: In: etz-B Bd. 12 (1960) S. 403; GOEBEL-1960):
Fernmeldeanlage • Fernmeldetechnik

Franklin, Benjamin (1706–1790), amerikanischer Autodidakt, Naturforscher, Verleger, Schriftsteller, Staatsmann und Erfinder des ↑Blitzableiters (Biographie: WIEDERKEHR, Karl Heinrich, in: KRAFFT-2003; S. 155–157):
iron rod, lightning rod (↑Blitzableiter)

Friedrich, Karl, Justizrat Dr., Ilmenau:
Bernkraft • Bernstrom

Galilei, Galileo (1564–1642), italienischer Physiker, Mathematiker und Astronom (Biographie: JORDAN, P., in: DGW Bd. 5, S. 468–491):
perspicilli (↑Teleskop) • termoscopio (↑Thermometer)

Gaulard & Gibbs, London:
secondary generator (↑sekundärer Generator)

Gauß, Carl Friedrich (1777–1855), Professor für Astronomie der Universität Göttingen und Direktor der dortigen Sternwarte (Biographie: ↑Gauß):
komplexe Zahl

Gell-Mann, Muray (geb. 1929), amerikanischer Physiker, Professor für Elementarteilchenphysik, California Institute of Technology (CALTEC), Physik-Nobelpreis 1969 (Biographie: JORDAN/LENZ-1994):
quark (↑Quark)

Gerlach, Walther (1889–1979), Dr. rer. nat., Schöpfer des STERN-GERLACH-Experiments, Professor für Experimentalphysik, Universität München, Physikhistoriker und -terminologe, Biograph von O. HAHN, H. v. HELMHOLTZ, J.R. MAYER und W.C. RÖNTGEN, Mitglied der Friedensklasse des Ordens Pour le mérite (Biographie: SCHUMANN, W.O., in: etz-B Bd. 16 (1964) S. 689; STIERSTADT, Klaus, in: Phys. Blätter Bd. 36 (1980) Nr. 1, S. 18–19):
H-Strahl

GfdS – Gesellschaft für deutsche Sprache e. V., Wiesbaden:
Elektrifizierung der Eisenbahn (↑Elektrisierung der Eisenbahn) • Sperrloch-Steckdose

Gilbert, William (1540–1603), Naturforscher und Mediziner, zuletzt Leibarzt der Queen Elisabeth I., Verfasser von „De Magnete" 1600 (Biographie: GILBERT-1991, S. ix–xxvii):
electricus (↑elektrisch) • vis electrica (↑Bernsteinkraft)

Gmelin, Leopold (1788–1853), Professor der Chemie, Universität Heidelberg, Begründer des „Gmelins Handbuch der anorganischen Chemie" (Biographie: RÖMPP-1966, Bd. 2, Spalte 2481):
Ester, der

Goldstein, Eugen (1850–1930), Dr. phil., in Berlin und Potsdam arbeitender Astrophysiker, Erbauer des Physikalischen Kabinetts der Berliner Urania (Biographie: JÄGER-1996, S. 146–147):
Canalstrahlen (↑Kanalstrahlen) • Kathodenstrahlen

Görges, Hans (auch: Johannes) (1859–1946), Dr.-Ing. E.h. (1914, TH Berlin), o. Professor der Elektrotechnik, TH Dresden (Biographie: KLOSS, Max, in: etz Bd. 60 (1939) S. 1105–1106):
Anlasser • erden • Erdung • Schließe • Zweig (↑Wicklungsstrang) • [↑Ingenieursprachen]

Gordon, Jehuda Leb (1830–1892), hebräischer Dichter:
/chaschmal/

Goudsmith, Samuel (1902–1978) und George Uhlenbeck (1900–1988), 1925 in Leiden (Niederlande) forschende Physiker:
Spin

Grawinkel, Carl (1845–1894), deutscher Telegrapheningenieur, Dozent an der Telegraphenschule der Reichspost, Autor einiger Fachbücher (Biographie: Jäger-1996, S. 149–150):
Dauermagnet • Sammler • Stromwender • Wirbelstrom

Gunter, E., englischer Mathematiker, Autor des „Canon triangulorum" (London 1620):
cosine (↑Kosinus)

Güntherschulze, Adolf Günther Eugen August (geb. 1878), Elektroingenieur, Dr.-Ing., Mitglied der Physikalisch-Technischen Reichsanstalt, Professor der Elektrotechnik: TH Dresden (Biographie: Wagner, K.W., in: Arch. el. Übertrag. (AEÜ) Bd. 7 (1953) S. 359):
Urspannung

Hahn, Otto (1879–1968), deutscher Chemiker, Präsident der Max-Planck-Gesellschaft, Chemie-Nobelpreis 1944 (Biographie: Gerlach/Hahn-1984):
Kernphysik • Zerplatzen schwerer Kerne (↑Kernspaltung)

Hamilton, Sir William Rowan (1805–1865), erfolgreicher irischer Mathematiker, „Royal Astronomer of Ireland", u.a. Schöpfer der Rechnung mit Quaternionen, 1835 zum Ritter geschlagen (Biographie: Ball-1960, S. 472–473; Encycl. Brit.-2001):
scalar (↑Vektor) • vector (↑Vektor)

Hammel, C., Direktor der Rheinischen Bahngesellschaft, Düsseldorf:
Glees (Gleeswerk, begleesen)

Harder, Dell S., Ford Motor Company, Detroit, USA:
automation (↑Automation)

Harriot, Thomas (1560–1621), englischer Mathematiker, Autor des lateinisch verfassten Werks „Artis analyticae praxis" (London, 1631):
a, b, c (↑Buchstabenrechnung)

Heaviside, Oliver (1850–1925), englischer Telegrapheningenieur, zuletzt Privatgelehrter, Netzwerktheoretiker, Pionier der drahtlosen Telegraphie (↑Kennelly-Heaviside-Schicht), Fellow of the Royal Society (F.R.S., 1891), Dr. phil. h.c. (Universität Göttingen 1905) (Biographie: Wagner-1925; Heaviside-1951, S. XV–XVII):
admittance (↑Admittanz) • elastance (↑Heaviside-Matrix) • elastivity (↑Heaviside-Matrix) • electret (↑Elektret) • gaussage • hertzian waves (↑Hertz'sche Wellen) • impedance (↑Impedanz) • inductance (↑Heaviside-Matrix) • inductivity (↑Heaviside-Matrix) • mac • 0 (Null als Index) (↑μ) • permittivity (↑Permittivität) • reactance (↑Reaktanz) • reluctance (↑Heaviside-Matrix) • reluctivity (↑Heaviside-Matrix) • [↑Einheitennamen-Kritik von O. Heaviside]

Hecht, Heinrich (geb. 1880), deutscher Elektroakustiker, Dr. phil., Dr. rer. nat. h.c. (Universität Göttingen 1950), Mitbegründer der technischen Akustik, besonders der Elektroakustik. Inhaber der Firma Electroacustic GmbH in Kiel (Biographie: FISCHER, F.A., in: Arch. el. Übertrag. (AEÜ) Bd. 7 (1953) S. 83–84):
elektrischer Feldformant *D* (↑Feldformant) • magnetischer Feldformant *H* (↑Feldformant)

Helmholtz, Hermann von (1821–1894), Militärarzt, Professor der Physiologie in Königsberg, Bonn, Heidelberg, Professor der Physik in Berlin, „Reichskanzler der deutschen Physik," Begründer und erster Präsident der Physikalisch-Technischen Reichsanstalt (PTR) [jetzt: Bundesanstalt – PTB], geadelt 1882 (Biographie: GERLACH, Walther, in: DGD Bd. 3, 1978, S. 456–465; SCHREIER, Wolfgang, in: WUSSING-1992, S. 260–262):
elementares Quantum (↑Quantum) • λ (Formelzeichen) • Spannkraft • Warmheit • [↑AEF-Einheitensystem]

Helmont, Jan Baptista van (1577–1644), flämischer Arzt, Naturforscher und Philosoph (Biographie: KRAFFT-2003, S. 199–200):
Gas

Herschel, Sir John Frederick William (1792–1871), englischer Astronom (Biographie: ASIMOV-1974):
negative (↑Negativ) • positive (↑Positiv)

Hertz, Heinrich Rudolf (1857–1894), deutscher Physiker, Professor der Physik in Kiel, Karlsruhe und Bonn. Hauptarbeitsgebiet: elektromagnetische Wellen (Biographie: ↑Hertz):
ε (Formelzeichen) • elektrische Kraft

Heyse, Johann Christian August (1764–1829), Dr., Schuldirektor zu Magdeburg, Mitglied der Gelehrten-Vereine für deutsche Sprache zu Berlin und Frankfurt a.M., Sprachforscher, Verfasser von Fremdwörterbüchern:
Bernsteinkraft • Blitzkraft

Heyßl, Erich, Dr., Wien:
Elm (mit Ableitungen und Wortzusammensetzungen)

Hoffmann, Fritz, 1934 Mitarbeiter der Physikalisch-Technischen Reichsanstalt:
pondus (↑Pond)

Hopf, 1910 Direktor im Reichsamt des Innern:
Einheitenzeichen mit Blitzpfeil

Horst, W. van der:
Fluxistor

Hospitalier, Edouard (1853–1907), französischer Professor der Elektrotechnik und Chefredakteur verschiedener Fachzeitschriften (Biographie: In: etz Bd. 28 (1907), S. 489–490; JÄGER-1996, S. 180–181):
[↑Formelzeichen-Normung]

Hughes, David Edward (1831–1900), aus London stammender amerikanischer Professor der Physik und Mechanik am Bardstown College im US-Staat Kentucky, Erfinder des Typendrucktelegraphen und Kohlemikrophons (Biographie: H. ANSCHÜTZ, in: JÄGER-1996, S. 184):
microphone (↑Mikrophon/Mikrofon)

Hund, August, ehemals Mitarbeiter von I. LANGMUIR* im Research Laboratorium der General Electric Company, danach Departement of Physics and Electrical Engineering, University of Southern California, Los Angeles, USA:
Hochfrequenztechnik

Huth, Johann Sigismund Gottfried (1763–1808), Dr., Universitätsprofessor der Mathematik und Physik, zuletzt in Dorpat (Biographie: ASCHOFF-1984, S. 206):
Fernsprecher • Telephon

ICRU – International Commission on Radiological Units and Measurements:
kerma (↑Kerma)

IEC – Internationale Elektrotechnische Kommission (↑IEC):
pra- (↑Pra-) • tesla (↑Tesla) • var (↑Var)

Internationale Elektrizitätskongresse 1881 bis 1904:
ampère (↑Ampere) • Coulomb • Joule • Maxwell • Quadrant • Watt

Internationale Röntgen-Strahlungseinheits-Kommission:
Röntgen

IUPAC – International Union of Pure and Applied Chemistry / Internationale Union für Reine und Angewandte Chemie:
oco (↑Yocto-) • septo (↑Zepto-)

IUPAP – International Union of Pure and Applied Physics / Internationale Union für Reine und Angewandte Physik:
Atto- • Femto-

Jastrzebowski, Wojciech (1799–1882), Professor für Botanik, Physik, Zoologie und Gartenkunde an der Akademie für Landwirtschafts- und Forstkunde in Marymont, heute ein Stadtteil in Warschau (Polen), „Urvater" der Ergonomie (Biographie: J. BANKA; in:

Ergonomia Bd. 20 (1997) S. 183–1987):
ergonomija (↑Ergonomie)

Jones, William, Autor des mathematischen Werks „Synopsis palmariorum matheseos" (London 1706):
π (↑p)

Jónsson, Bergur (geb. 1934), Dipl.-Ing. der Elektrotechnik, TU München, Direktor i.R. des Isländischen Elektrotechnischen Prüfinstituts, Reykjavik, Vorsitzender des Isländischen Vereins der elektrotechnischen Diplom-Ingenieure:
skjár

Kammerlingh Onnes, Heike (1853–1926), niederländischer Professor der Physik, Physik-Nobelpreis 1913 (Biographie: HARTMANN-1967; KRAFFT/MEYER-ABICH-1970):
superconductive state (↑Supraleitung)

Kapp, Gisbert John Edward (1852–1922), österreichisch-schottischer Ingenieur, Pionier des elektrischen Maschinenwesens, Generalsekretär des ↑VDE (1894–1905), danach Professor der Elektrotechnik, Universität Birmingham, Dr.-Ing. E.h. (TH Dresden und TH Karlsruhe) (Biographie: DITTMANN, Frank, in: JÄGER-1996, S. 197):
Kerntransformator • Luftspalt • Manteltransformator

Karmarsch, Karl (1803–1879), österreichisch-deutscher Technologe, Direktor (seit Gründung 1831 bis 1875) der höheren Gewerbeschule zu Hannover, der späteren Polytechnischen Schule und TH, der heutigen Universität, Dr. h.c. (Göttingen 1856), Mitglied der Schwedischen Akademie der Wissenschaften (1864), Geheimer Regierungs-Rat (1869) (Biographie: ADB Bd. 15.1882, S. 400–409):
technische Universität (↑Technische Universität)

Kelvin: seit 1892: William Lord KELVIN OF LARGS, seit 1866: Sir William THOMSON (1824–1907), britischer Physikprofessor (Biographie: ↑Kelvin):
electrion • μ (Formelzeichen) • magnetic force (↑magnetische Feldstärke) • mho (↑Mho) • permeability (↑Permeabilität)

Kennelly, Arthur Edwin (1861–1939), amerikanischer Telegrapheningenieur britischer Abstammung, Mitarbeiter von Th. A. EDISON, Unternehmer, Professor, Harvard University und Massachusetts Institute of Technology (MIT), Schöpfer mathematischer Verfahren für Schaltkreise, Pionier der drahtlosen Telegraphie (↑KENNELLY-HEAVISIDE-Schicht), langjähriger Vorsitzender der IEC-Komitees „Elektrische und magnetische Größen und Einheiten" (↑Hertz, ↑Siemens, ↑Weber). 1936 Ehrendoktor der TH Darmstadt (jetzt: TU) (Biographie: JÄGER-1996, S. 199–200):
daraf • Versor /x

Kepler, Johannes (1571–1630), deutscher Astronom und Kaiserlicher Mathematicus (Biographie: W. Gerlach in DGW Bd. 5; Zinner, E., in DGD Bd. 1; Hoppe-1987):
eichen • focus (↑Fokus) • Satellit • [↑Keplers Wortschöpfungen]

Kirchhoff, Gustav Robert (1824–1887), deutscher Physiker, stellte als Student 1845 die Knoten- und Maschenregel zur Berechnung von Stromkreisen auf, Physikprofessor in Breslau, Heidelberg und Berlin, Entdecker der Spektralanalyse (zusammen mit R. Bunsen) (Biographie: Wiederkehr, Karl Heinrich, in: Krafft-2003, S. 244–245):
H (Formelzeichen) • Leitungsfähigkeit (↑Leitfähigkeit) • [↑Kirchhoffsche Regeln]

Klaproth, Martin Heinrich (1743–1817), Apotheker, erster Professor der Chemie (Biographie: Pilgrim-1950, S. 129–130):
Uranit (↑Uran)

Klein, Felix:
Präzisionsmathematik

Koehn, Theodor, Berlin-Grunewald:
Elektrisierung der Eisenbahn

Koelliker, (auch:) Kölliker, Rudolf Albert von (1817–1905), Anatom, Geheimrat, Professor, Würzburg:
Röntgenstrahlen

Kohlrausch, Friedrich (1840–1910), Professor der Physik u.a. in Darmstadt, zuletzt in Straßburg, Pionier des elektrischen Messwesens, Präsident der Physikalisch-Technischen Reichsanstalt (Biographie: Jäger-1996):
↯A, ↯Ø und ↯V (↑Ω) • Amper (↑Ampere) • [↑Einheitennamen-Kritik von F. Kohlrausch]

Kohnle, Oscar (1876–1967), Dipl.-Ing. der Elektrotechnik, Überlingen:
Elektrie

KtK – Kommission für den Ausbau des technischen Kommunikationssystems:
Abonnement-Fernsehen (↑Abonnenten-Fernsehen)

Küpfmüller, Karl (1897–1977), im Wechsel mit Industrie- und Lehrtätigkeit war er Professor für allgemeine und theoretische Elektrotechnik an der TH Danzig, TH Berlin, zuletzt TH Darmstadt als Professor für allgemeine Nachrichtentechnik, Dr.-Ing. E.h. (TH Danzig 1944; Universität Erlangen-Nürnberg 1976), Ehrenring und Ehrenmitglied des VDE (Biographie: Gundlach, F.W., in: etz-A Bd. 83 [1962] S. 759; Hölzler, in: ntz [1962] S. 483):
Nachrichteneinheit • Systemtheorie

Kurz, August Johann Philip (1835–1907), Dr. phil., Professor an der Maschinenbauschule (Industrieschule) Augsburg (Biographie: Poggendorffs Hwb Bd. 3 (1898), Bd. 4 (1904) u. Bd. 7a (1971) Suppl.):
Elektricum

Kurzweil, Ray (geb. 1948), Studium der Computerwissenschaften und Literatur am Massachusetts Institute of Technology (MIT), Pionier der künstlichen Intelligenz, zahlreiche Software-Erfindungen:
Nanobot

Langer, N., Mitarbeiter des in Berlin wirkenden Fernsehpioniers Dénes VON MIHÁLY:
television (↑Television)

Langmuir, Irving (1881–1957), amerikanischer Chemiker und Physiker, Promotion bei Walther NERNST in Göttingen, Leiter des Forschungslaboratoriums von General Electric; Nobelpreis für Chemie 1932 (Biographie: STOLZ, Rüdiger, in: WUSSING-1992, S. 346):
plasma (↑Plasma) • pleiotron (↑Pleiotron)

Leibniz, Gottfried Wilhelm (1646–1716), Philosoph, Jurist, Historiker, Mathematiker, Physiker, Techniker, Hofrat und Hofbibliothekar in Hannover, Begründer und Präsident der Berliner Akademie der Wissenschaften, Justizrat, Erfinder der ↑Infinitesimalrechnung und des ↑binären Zahlensystems (Biographie: MACKENSEN, Ludolf von, in: HERMANN-1987, S. 196–200, 443–444):
∫ (↑Integralrechnung) • arithmétique binaire (↑binäres Zahlensystem) • arithmétique dyadique (↑binäres Zahlensystem) • calculus differentialis (↑Differenzialrechnung) • calculus infinitesimalis (↑Infinitesimalrechnung) • calculus summatorius (↑Integralrechnung) • Chymia • coordinata (↑Koordinaten) • functio (↑Funktion) • magnetismus (↑Magnetismus)

Leurechon:
thérmomètre (↑Thermometer)

Lichtenberg, Georg Christoph (1742–1799), deutscher Experimalphysiker an der Universität Göttingen, Arbeiten am ↑Elektrophor, Aphoristiker; Namensgeber der Lichtenberg-Gesellschaft e.V., Ober-Ramstadt; Lichtenberg-Forschungsstelle, TU Darmstadt (Biographie: WIEDERKEHR, Karl Heinrich, in: KRAFFT-2003, S. 271–272; TEICHMANN, Jürgen, in: JÄGER-1996, S. 233–234):
+E, –E (↑ positive/negative Elektrizität)

Linders, Olof, Maschinen- und Elektroingenieur, Verfasser eines Buches über physikalische Größen (1904):
Einheitennamen-System nach O. LINDERS • Formelzeichen-System nach O. LINDERS • Newton

Lodge, Sir Oliver Joseph (1851–1940), britischer Professor der Physik, Universität Liverpool, zuletzt Birmingham, Pionier der drahtlosen Telegraphie, 1902 zum Ritter geschlagen (Biographie: Encycl. Brit.-2001; JÄGER-1996, S. 236):
coherer (↑Kohärer)

Löbl, Oskar (1888–1972), Prof. Dr.-Ing. Dr.-Ing. E.h. (TH Stuttgart 1965), Wissenschaftlicher Berater des Vorstandes des Rheinisch-Westfälischen Elektrizitätswerks (RWE), Honorarprofessor TH Aachen, VDE-Ehrenmitglied 1965 (Biographie: In: etz-B Bd. 24 (1972) S. 483):
elektrische Feldkonstante • magnetische Feldkonstante

Lorentz, Hendrik Antoon (1853–1928), niederländischer Physiker, Professor für mathematische Physik, Universität Leiden. Hauptarbeitsgebiete: physikalische Optik und ↑MAXWELLsche Gleichungen. Physik-Nobelpreis 1902 (Biographie: WIEDERKEHR, Karl Heinrich, in: KRAFFT-2003, S. 278–279):
Röntgenstrom

Lunckenbein, Mitarbeiter der Frankfurter Zeitschrift „Didaskalia. Blätter für Geist, Gemüth und Publicität" (1854):
Telephonie

Maiman, Theodore Harold, Dr., amerikanischer Physiker, Mitarbeiter (1960) des Research Laboratory, Hughes Aircraft Company, Malibu, Californien:
laser (↑Laser)

Malus, Étienne Louis (1775–1812), französischer Physiker, optische Experimente (Biographie: ASIMOV-1974, S. 204–205):
polarisation (↑Polarisation)

Maricourt, Pierre de, genannt Pierre Le PÈLERIN DE MARICOURT, latinisiert: Petrus PEREGRINUS (geb. 13. Jahrhundert), französischer Naturforscher und Philosoph, Verfasser der ersten Abhandlung zum Magnetismus aufgrund eigener Experimente:
polus borealis, polus arcticus (↑Nordpol) • polus (↑Pol, (magnetischer)) • polus australis (↑Südpol)

Maxwell, Herbert, Verfasser einer Lesezuschrift zu *television* im Jahre 1926:
teleoptics (↑Television)

Maxwell, James Clerk (1831–1879), schottischer Physiker, Professor in Aberdeen, London und Cambridge, entwickelte die mathematische Theorie des elektromagnetischen ↑Feldes (Biographie: ↑Maxwell):
B (Formelzeichen) • coefficient of self-induction (↑Selbstinduktionskoeffizient) • *D* (Formelzeichen) • induction (↑Induktion[II]) • *L* (Formelzeichen) • [↑MAXWELLsche Gleichungen]

Mayer, Julius Robert (1814–1878), Dr. med., Dr. phil. h.c. (Tübingen 1859), Dr. rer. nat. h.c. (Tübingen 1863), geadelt 1862, Sanitätsoffizier, Schiffsarzt, Oberamtswundarzt in Heilbronn, formuliert das Gesetz von der Erhaltung der Energie (Biographie: GERLACH, Walther, in: DGD Bd. 3, S. 327–335):
Wärmeeinheit

Mecenseffy, Emil von, Architekt, Dr.-Ing., o. Professor, TH München, Verfasser eines mathematischen Verdeutschungs-Wörterbuches (1936):
Erzlogert • Grundzahl • Hochbruch • Hochnehmen • Hochwert • Hochzeiger • Logert

Mélito, Miot de, Comte:
télégraphe (↑Telegraph)

Mettler, Albert J. (geb. 1926), kanadischer Verwaltungs- und Datenverarbeitungsexperte schweizerischer Herkunft, Mitbegründer und Secretary der Canadian Metric Association (CMA), die sich 2000 nach 30jähriger Einführungsarbeit auflöste:
exa- (↑Exa-) • hexa- (↑Exa-) • penta- (↑Peta-) • peta- (↑Peta-) • sexto- (↑Mikro-)

Mie, Gustav (1868–1957), theoretischer Physiker, Professor in Greifswald, Halle und Freiburg i.Br., Hauptarbeitsgebiet: Kurzwellen-Messungen (Biographie: JÄGER-1996, S. 254):
magnetische Erregung

Mitkievitch, russischer Professor der Elektrotechnik, Delegierter des Nationalen Komitees der Sowjetunion der ↑IEC 1930:
pra- (↑Pra-)

Mittelstraß, Ludwig (1914–1989), Dipl.-Ing. der Elektrotechnik, stv. Leiter der VDE-Prüfstelle (↑VDE), Offenbach am Main (Biographie: In: etz Bd. 110 (1989) S. 251):
Leitungsroller

Mohr, Otto (geb. 1908), Dr.-Ing., AEG-Forschungsinstitut Berlin, Professor für Allgemeine Elektrotechnik und Messtechnik, TU Berlin, Lehr- und Forschungsgebiet: Regelungs- und Steuerungstechnik (Biographie: In: etz-B Bd. 20 (1968) S. 291):
Transduktor

Molly, Alfred (1882–1964), Dipl.-Ing. der Elektrotechnik, Obering., Sachbearbeiter am Vorschriftenwerk des ↑VDE (Biographie: In: etz-B Bd. 16 (1964) S. 556):
Gerätesteckdose • Gerätestecker • Gerätesteckvorrichtung

Newton, Isaac (1642–1727), englischer Physiker und Mathematiker, Schöpfer der ↑Fluxionenrechnung, Begründer der theoretischen Physik (Biographie: ↑Newton):
fluens, fluentes (↑Fluxionenrechnung) • fluxio, fluxiones (↑Fluxionenrechnung)

Nipkow, Paul Julius Gottlieb (1860–1940), Ing. des Eisenbahnsignalwesens, Pionier der Fernsehtechnik, Ehrendoktor der Naturwissenschaften (Universität Frankfurt a.M. 1935) (Biographie: WAGNER, Bernhard, in: JÄGER-1996, S. 273–274):
elektrisches Teleskop

Nollet, Jean-Antoine (1700–1770), Priester, französischer Experimentalphysiker, Physiklehrer der königlichen Prinzen und Prinzessinen, zahlreiche Veröffentlichungen:
electroscope (↑Elektroskop) • electrometer (↑Elektrometer)

Ørsted, Hans Christian (1777–1851), Professor der Physik, Universität Kopenhagen, entdeckte die Ablenkung einer Magnetnadel durch elektrischen Strom, zahlreiche Ehrungen (Biographie: ↑Ørsted):
conflictus electricus (↑Konflikt, elektrischer)

Ohm, Georg Simon (1789–1854), deutscher Physiker, Entdecker des nach ihm benannten Gesetzes, Oberlehrer in Köln, Physikprofessor in Nürnberg, Ordinarius an der Universität München (Biographie: ↑Ohm):
Leitungsvermögen (↑Leitfähigkeit) • Leitungswert (↑Leitwert) • Widerstand • [↑OHMsches Gesetz]

Olsen, Dr. Harry F. und Herbert Belar, amerikanische Elektronikingenieure, Princeton Laboratories der Radio Corporation of America (RCA):
Synthesizer

Ostwald, Wilhelm (1853–1932), Chemiker, Mitbegründer der physikalischen Chemie, Professor Universität Leipzig, Chemie-Nobelpreis 1909 (Biographie: DUNSCH, Lothar, in: WUSSING-1992, S. 440–441):
Mol

Paracelsus, eigentlich: Theophrastus BOMBAST VON HOHENHEIM (1493/1494–1541), Schweizer Arzt und Naturforscher, Mentor von J.-B. van HELMONT* (Biographie: KRAFFT-2003, S. 324–326; SACHTLEBEN-1969, S. 14–15; DIEPGEN, Paul, in: DGD Bd. 1, S. 476–486):
Chaos »Luftgemisch« (↑Gas)

Paulus (gest. um 60 n. Chr.), Apostel, Missionar im Urchristentum, Verfasser der PAULUS-Briefe des Neuen Testaments (Biographie: PESCH, Rudolf, in: DGW Bd. 2, S. 278–293):
κυβερνήσεις */kybern'ēseis/* (↑Kybernetik)

Péclet, Eugène Jean-Claude (1793–1857), französischer Physiker, Autor des „Traité élémentaire de Physique", Erfinder eines ↑Galvanometers und ↑Kondensators (Biographie: Grand Larousse, Bd. 8 [1968] S. 278):
rhéomètre (↑Rheometer)

Pèlerin de Maricourt, Pierre Le: siehe oben MARICOURT, Pierre de

Physikalisch-Technische Reichsanstalt (PTR), jetzt: Bundesanstalt (PTB), Braunschweig und Berlin:
Amper • Pond

Pick, O., Übersetzer von ČAPEKS „R.U.R.“:
Roboter

Pierce, John R., Mitarbeiter der Erfinder des Transistors (1947):
transistor (↑Transistor)

Planck, Max (1858–1947), theoretischer Physiker, Professor in München und Berlin, einer der bedeutendsten Physiker des 19./20. Jahrhunderts, Entdecker des ↑Wirkungsquantums, Physik-Nobelpreis 1918 (Biographie: HERMANN, Armin: Max PLANCK in Selbstzeugnissen und Bilddokumenten, Reinbek: Rowohlt, 1973):
Energieelement • *h* (Formelzeichen) • *k* (Formelzeichen) • Komplexion • Wirkungsquantum, elementares

Planté, Gaston (1834–1889), auf vielen Gebieten erfolgreicher französischer Wissenschaftler, Erfinder des Bleiakkumulators (Biographie: EULER-1994, S. 17–21):
accumulateur (↑Akkumulator)

Platon (427–347 v. Chr.), einer der bedeutendsten griechischen Philosophen, gründete in Athen eine Schule, *Akademie* genannt (Biographie: KRAFFT-2003, S. 338–340):
ἤλεκτρον */'ēlektron/* (↑elektrisch)

Plinius, Gajus Secundus (23–79 n.Chr.), römischer Berufsoffizier, Flottenkommandant und Fachschriftsteller, Autor der „Historia Naturalis“, erschienen 77 (Biographie: KRAFFT-2003, S. 340–342; Kindlers neues Literatur-Lexikon, Bd. 13, München: Kindler, 1996. 1036 S., hier S. 453–455):
æs cyprium (↑Kupfer)

Plücker, Julius (1801–1868), deutscher Physiker und Mathematiker, zuletzt Professor in Bonn, Hauptarbeitsgebiete: analytische Geometrie und Gasentladungen (Biographie: ILGAUDS, Hans-Joachim, in: WUSSING-1992, S. 463–464):
GEISSLERsche Röhre (↑Röhre)

Poggendorff, Johann Christian (1796–1877), deutscher Physiker mit Beiträgen zur Elektrophysik und deren Messtechnik, Herausgeber der „Annalen der Physik und Chemie“ (1824–1877), Dr. phil. h.c. (Universität Berlin 1834) (Biographie: GIRNUS, Wolfgang, in: WUSSING-1992, S. 464):
OHMsches Gesetz • Rheochord

Pohl, Robert Wichard (1884–1976), Professor der Physik, Universität Göttingen (Biographie: HERMANN-1987, S. 301, 452):
Influenzkonstante

Poincaré, Henri (1854–1912), französischer Mathematiker und theoretischer Physiker, Professor an der Sorbonne (Biographie: LAITKO, Hubert, in: WUSSING-1992, S. 464–465):
courant de Röntgen (↑Röntgenstrom)

Poncellet, Jean Victor (1788–1867), französischer Militäringenieur und Mathematiker, Professor für technische Mechanik an der Universität Paris (Biographie: ILGAUDS, Hans-Joachim, in: WUSSING-1992, S. 466–467):
travail (↑Arbeit)

Porstmann, Walter (1886–1959), Dr. phil., Pionier der deutschen Normung, Initiator der Formatnormung, Träger des DIN-Ehrenrings (1944) (Biographie: In: DIN-Mitt. Bd. 35 [1956] S. 148):
fonen • Norm

Poulsen, Valdemar (1869–1942), dänischer Telefoningenieur, Dr. h.c., Pionier der magnetischen Tonaufzeichnung und des Rundfunks (Biographie: WAGNER, Bernhard, in: JÄGER-1996, S. 302–303):
Telegraphon

Preece, Sir William Henry (1834–1913), 1867 Ausbilder für Kadetten des Indian Telegraph Service am Hartley College (heute University of Southhampton), Chefelektriker der britischen Telegraphenverwaltung, Hauptarbeitsgebiet: Telegraphen-, Fernsprech- und Signalwesen, Pionier der drahtlosen Nachrichtenübermittlung (Biographie: In: etz Bd. 34 [1913] S. 1327):
Ω (Ohm)

Preitz, Max (1885–1971), Dr. phil., Oberstudienrat, langjähriger Vorsitzender des Deutschen Sprachvereins Frankfurt a.M., Zweigverein der Gesellschaft für deutsche Sprache e.V. (Biographie: In: Muttersprache Bd. 75 (1965) Nr. 12, S. 353):
elt- (eltisch, elten, eltigen, Eltner, Elte, Eltel) (↑Elt)

Ptolemäus, Claudius (100–180 n.Chr.), alexandrinischer Astronom, Mathematiker und Geograph, Verfasser des „Almagest“, Schöpfer des geozentrischen Weltbildes (Biographie: BALL-1960, S. 96–99):
° ′ ″ (↑Grad) • μοίρα */moíra/* (↑Grad) • »sinus« (↑Sinus)

RAL – Reichsausschuss für Lieferbedingungen und Gütesicherung im Reichskuratorium für Wirtschaftlichkeit (RKW); jetzt: RAL Deutsches Institut für Gütesicherung und Kennzeichnung e.V., Sankt Augustin:
Lampe • Leuchte

Ratheiser, Ludwig, Ing., verantwortlich für die Österreich-Ausgabe der Zeitschrift *Funkschau*, Wien:
Barkhausen

Recorde, Robert (1510?–1558), englischer Mathematiker, Autor des Buches „The Whetstone of Witte" (London, 1557):
= (↑Gleichheitszeichen)

Regiomontanus, eigentlich: Johannes MÜLLER (1436–1476), geboren in Königsberg in Franken, deutscher Mathematiker und Astronom, Förderer der Trigonometrie im 15. Jahrhundert, Päpstlicher Berater zur Kalenderreform (Biographie: METT-1983):
sinus (↑Sinus)

Regnault, Henri Victor (1810–1878), französischer Experimentalphysiker auf dem Gebiet der Messtechnik der Gase und Flüssigkeiten:
calorie (↑Kalorie)

Reichsministerium des Innern:
Waage

Reichstelegraphenverwaltung:
SOS

Reimarus, Johann Albert Heinrich (1729–1814), Dr. med., Arzt und Professor der Naturgeschichte in Hamburg:
Blitzableiter • Blitzableitung (↑Blitzableiter)

Reuleaux, Franz (1829–1905), deutscher Ingenieur, Professor der Maschinenbaukunde, Gründungsrektor der TH Berlin-Charlottenburg [jetzt TU] (Biographie: In: etz Bd. 102 [1981] S. 202; DBE Bd. 8 [1998]):
Fritter • Frittröhre (↑Fritter) • zwangläufig (↑zwang(s)läufig)

Richter, Heinz, Ing., radiotechnischer Fachschriftsteller, Herausgeber der „Fortschritte der Funktechnik/Radiotechnik" im Handbuch der Funktechnik:
Elektronentechnik

Richter, Rudolf (1877–1957), Professor der Elektrotechnik (TH Karlsruhe), Hauptarbeitsgebiet: Elektrische Maschinen, Dr.-Ing. E.h. (TH Stuttgart) (Biographie: JÄGER-1996, S. 313):
Θ (Formelzeichen) • Wicklungsstrang

Ritter, Johann Wilhelm (1776–1810), Autodidakt, deutscher Physiker, Hauptarbeitsgebiet: ↑Galvanismus, Mitbegründer der Elektrochemie, beamteter Mitarbeiter an der

Bayerischen Akademie der Wissenschaften (Biographie: Schreier, Wolfgang, in: Wussing-1992, S. 492–493; Hermann-1987, S. 328–330):
Ladungssäule • Pol (elektrischer)

Röntgen, Wilhelm Conrad (1845–1923), deutscher Experimentalphysiker, Professor u.a. in Würzburg und München, Entdecker der ↑X-Strahlen, Physik-Nobelpreis 1901 (Biographie: ↑Röntgen):
X-Strahlen

Roos, Samuel, finnischer Arzt, Schöpfer der finnischen Entsprechung von *Elektrizität* (1845):
sähkö

Roßmanith, Joseph, Landesoberbaurat in Troppau (Hauptstadt von Österreich-Schlesien von 1849 bis 1918, jetzt tschechisch Opava):
Ingner

Rost, R., Dr.-Ing., Autor des Buches „Kristallodentechnik" (1954):
Kristallode

Rupert, Heinrich, Österreich:
Elm (mit Ableitungen)

Rutherford, Ernest (1871–1937), Lord of Nelson (ab 1931), aus Nelson in Neuseeland stammender britischer Experimentalphysiker, Professor in Montreal (Kanada), dann in Manchester und Cambridge, Hauptarbeitsgebiet: Kernphysik (Biographie: Segrè-1998, S. 519–532, 575–590):
Proton

Sarrazin, Otto (1842–1921), Eisenbahningenieur, Dr.-Ing. E.h. (TH Berlin 1905), Dr. phil. h.c. (Universität Gießen 1907), Wirklicher Geheimer Oberbaurat, Vorsitzer des Allgemeinen Deutschen Sprachvereins 1900–1921 (Biographie: In: Zsch. Allg. dt. Sprachverein Bd. 36 [1921] Spalten 123–129):
Elt • funken

Savery, Thomas (1650–1715), englischer Ingenieur, Erfinder einer Dampfpumpe (Biographie: Matschoss-1908, S. 292):
horse (↑Pferdestärke)

Schenkel, M., Dr.-Ing. E.h., Berlin:
Stromtor

Schering, Harald (1880–1959), Dr. phil., Pionier der Hochspannungs-Messtechnik, Professor für Allgemeine und Theoretische Elektrotechnik und Hochspannungstechnik, TH

Hannover, 1954 Ehrenmitglied des ↑VDE, Dr.-Ing. E.h. (TH Braunschweig 1957) (Biographie: Jäger-1996):
[↑Dol]

Schnittger, Herbert (geb. 1910), Dr.-Ing. habil., Lehrbeauftragter TH Karlsruhe, und Dieter Weber, beide: Wissenschaftliche Mitarbeiter des Fernmeldetechnischen Zentralamtes (FTZ) der Deutschen Bundespost und Experten elektronischer Röhren:
Wanderfeldröhre

Schödler, Friedrich Karl Ludwig (1813–1884), Naturwissenschaftler, Assistent von Justus von Liebig und Mitarbeiter an dessen Handwörterbuch der Chemie, zuletzt Direktor der Realschule in Mainz (Biographie: ADB Bd. 32 [1891] S. 213):
technische Hochschule (↑Technische Hochschule)

Schöll, Ernst, Wien:
Glitz (glitzen, verglitzen)

Schott, Gaspar(d), Caspar, Kaspar (1608–1666), Professor für mathematische Wissenschaften, Universität Würzburg 1655–1666, Verfasser zahlreicher Schriften über technische Einrichtungen, Freund von Otto von Guericke (1602–1691), Briefwechsel mit den bedeutendsten Naturforschern seiner Zeit (Biographie: Schimank, H., in: DGD Bd. 1 [1978] S. 589, Heyde-1963, S. 32–39):
technica (↑Technik)

Schüler, Leo, Obering., Hauptarbeitsgebiet: Entwurf elektrischer Maschinen, 1912–1919 Generalsekretär des Elektrotechnischen Vereins* zu Berlin:
Dauerschlussmotor • Schaltschlussmotor • Widerstandschlussmotor

Schulz, Eberhard (gest. 1975?), Dipl.-Ing. der Nachrichtentechnik, Zentral-Laboratorium, Siemens AG, München:
Krachstörung

Schulze, Franz Artur (geb. 1872), Dr. phil., o. Professor der Theoretischen Physik, Universität Marburg, Verfasser von „Große Physiker" (1917) (Biographie: Poggendorffs Biblio- u. biographisches Handwb. Bd. VI 4):
Hertz'sche Telegraphie

Schwarz-Schilling, Christian (geb. 1930), Sinologe, Geschäftsführer einer Batteriefabrik, Bundesminister für Post und Telekommunikation:
Telekommunikation

SEV – Schweizerischer Elektrotechnischer Verein:
informationstechnisch (↑Informationstechnik)

Siemens, Werner von (1816–1892), preußischer Artillerie- und Ingenieuroffizier, zahlreiche elektrotechnische Erfindungen, Gründer einer Weltfirma, 1888 geadelt (Biographie: ↑Siemens):
Elektrotechnik • [↑Einheitennamen-Kritik von W. von SIEMENS]

Siemens, Sir William [Wilhelm] (1823–1883), jüngerer Bruder von Werner, leitete die britischen Tochtergesellschaften seines Bruders, Miterfinder des Siemens-Martin-Stahls, Präsident der British Association* for the Advancement of Science, am 60. Geburtstag zum Ritter geschlagen (Biographie: WEIHER, Sifrid von: Die englischen Siemens-Werke [...]. Berlin: VDE-Verlag, 1990; JÄGER-1996, S. 357):
Watt

Slaby, Adolf (1849–1913), Dr. phil., zuletzt Professor für Elektrotechnik an der TH Berlin-Charlottenburg, Gründungsvorsitzender des ↑VDE, Pionier der Funktechnik, Dr.-Ing. E.h. (TH Danzig) (Biographie: MÖBUS-1951, S. 34–36; WEDDING, in: etz Bd. 34 [1913] S. 429–430):
Funkentelegraphie

Smith, E. P., aus Rochester (USA):
telegram (↑Telegramm)

Soddy, Frederick (1877–1956), englischer Chemiker, Entdecker der Isotopie, Chemie-Nobelpreis 1921, Mitarbeiter von Prof. Sir William RAMSAY (1852–1916):
isotope (↑Isotop)

Sörensen, Sören Peter Lauritz (1868–1939), dänischer analytischer Chemiker, Enzymforscher, Leiter der Chemischen Abteilung des Carlsberg-Laboratoriums (Biographie: In: Die BASF Bd. 6 [1956] Nr. 6, S. 233–238):
pH • Wasserstoffionen-Exponent (↑pH) • [↑Sör]

Sowjetunion, IEC-Nationalkomitee der:
Lenz

Standard Elektrizitäts-Gesellschaft AG (jetzt Alcatel SEL AG), Stuttgart-Zuffenhausen:
Informatic (↑Informatik) • Informatik

Stark, Johannes (1874–1960), deutscher Experimentalphysiker, Professor an der TH Aachen, zuletzt in Würzburg, Entdecker des DOPPLER-Effekts bei Kanalstrahlen, Physik-Nobelpreis 1919, Präsident der Physikalisch-Technischen Reichsanstalt (1933–1939), Vertreter einer nationalsozialistisch geprägten „arischen" Physik (Biographie: HARTMANN-1967, S. 361–362; LEMMERICH-1987, S. 68–72):
Elektronik

Steinbuch, Karl (1917–2005), Dr.-Ing., Labor- und Entwicklungsleiter bei der Firma Standard Elektronik Lorenz AG in Stuttgart, o. Professor und Direktor des Instituts für Nachrichtenverarbeitung und -übertragung der TH Karlsruhe (jetzt: Universität Karlsruhe) (Biographie: STEINBUCH-1968, Vorsatzblatt; BIENER, Klaus: Karl STEINBUCH – Informatiker der ersten Stunde. Hommage zu seinem 80. Geburtstag. In: RZ-Mitt. Nr. 15 [Dez. 1997] S. 53–54; www.itiv.uni-karlsruhe):
Informatik • Rechne, die

Steinmetz, Charles Proteus [Karl] (1865–1923), deutsch-amerikanischer Elektroingenieur, Begründer der komplexen Wechselstromrechnung, Arbeiten über Wechselstrommaschinen, Dr. h.c. (Harvard 1902), Professor für Elektrotechnik (Biographie: JÄGER-1996, S. 366–367):
condensance (↑Kondensanz) • inductance (↑Induktanz) • j (mathematisches Zeichen) • *X* (Formelzeichen)

Stephan, Heinrich von (1831–1897), Organisator des deutschen Post- und Telegaphenwesens, Kaiserlicher General-Postmeister, Einführung des ↑Fernsprechers, mit Werner von SIEMENS Begründer des Elektrotechnischen Vereins* zu Berlin, 1885 geadelt (Biographie: BALKE, Siegfried: H. v. STEPHAN, in: DGD Bd. 3, S. 531–539):
elektrotechnisch • Fernsprecher

Stephan, Walther, Elektroingenieur, der 1890 zu Paul NIPKOWS Erfindung Stellung nimmt:
elektrischer Fernseher (↑Fernsehen)

Stifel, Michael (1487–1567), deutscher reformatorischer Theologe, Mathematiker, hielt in Jena mathematische Vorlesungen, veröffentlichte mathematische Werke:
Exponent • $\sqrt{\ }$ (↑Wurzelzeichen)

Stoltenberg, Hans L., Verfasser von „Deutscher Weisheitsprache“ (Lahr 1933):
Techner

Stoney, George Johnstone (1826–1911), britischer Physiker:
electromagnetic electrine (↑Elektron) • electron (↑Elektron)

Strecker, Karl (1858–1934), Prof. Dr. phil. Dr.-Ing. E.h., Obertelegraphen-Ing., Geheimer Postrat, Vorsitzender des ↑AEF (1907–1930) (Biographie: JÄGER-1996, S. 370):
Eichet, das • [↑Formelzeichen-Normung]

Swinden, Jan Hendrik van bzw. Jean Henri van (1746–1823), niederländischer Mathematiker, Professor der Naturwissenschaften (Biographie: REICHENBACH-1840, Bd. 9 und Grote Winkler Prins Encyclopedie, Amsterdam: Elsevier 1974, Bd. 18, S. 188):
[↑Vorsatzzeichen:] (MM, KM, HM, DM, M, dm, cm, mm)

Thomson, Sir William: siehe unter KELVIN

Townes, Charles Hard (geb. 1915), Professor am Massachusetts Institute of Technology (MIT), Physik-Nobelpreis 1964 (Biographie: HARTMANN-1967):
maser (↑Maser)

Tukey, J. W., Mitarbeiter des amerikanischen Informatikers Claude E. SHANNON (1916–2001):
bit (↑Bit)

VDE – Verband Deutscher Elektrotechniker e. V., jetzt VDE Verband der Elektrotechnik Elektronik Informationstechnik e.V. (↑VDE):
Bemessungs- • Bürde • Kilosin

Viehmann, Heinrich (1905–1974), Dipl.-Ing. der Elektrotechnik, Dr.-Ing., stv. Leiter der VDE-Vorschriftenstelle (Biographie: In: etz-B Bd. 26 [1974] S. 331):
Schutzklasse

Volta, Alessandro (1745–1827), ab 1810 Conte de l'Regno d'Italia; italienischer Physiker, Physiklehrer in Como, Physikprofessor in Pavia, Pionier der ↑Elektrophysik (Biographie: ↑Volt):
capacità (↑Kapazität) • condensatore (↑Kondensator) • électromoteur (↑Elektromotor) • force électromotrice (↑elektromotorische Kraft (EMK)) • galvanismo (↑Galvanismus)

Wagner, Karl Willy (1883–1953), Elektro-Ing., Dr. phil., Dr.-Ing. E. h., Professor TH Berlin, Leiter des Telegraphentechnischen Reichsamtes (Biographie: In: etz-A Bd. 74 [1953] S. 121–125; JÄGER-1996, S. 392–393):
KENNELLY-HEAVISIDE-Schicht • Speer

Wallot, Julius (1876–1960), Dr. phil., Dr.-Ing. E. h., Professor der Nachrichtentechnik, Vorsitzender des ↑AEF (1930–1955) (Biographie: In: etz Bd. 58 [1937] S. 336; JÄGER-1996, S. 394):
Kernleitwert • Kernwiderstand

Warner, Alfred (geb. 1931), Dipl.-Ing. der Nachrichtentechnik, Dr.-Ing., Honorarprofessor TU Darmstadt, Geschäftsführer i. R. des VDE Prüf- und Zertifizierungsinstituts in Offenbach am Main (Biographie: Kürschners Deutscher Gelehrten-Kalender 2005; in: etz Bd. 117 [1996] Nr. 15-16, S. 77; in: Sprachdienst Bd. 45 [2001] S. 189–191):
elektern • Fachwendung • H-Pegel • Knackrate • Sör • Wasserstoffionen-Pegel

Watt, James (1736–1819), schottischer Universitätsmechaniker, Ingenieur und Vervollkommner der Dampfmaschine (↑Watt):
horse power (↑Pferdestärke)

Watson-Watt, Sir Robert Alexander (1892–1973), schottischer Physiker, Hauptarbeitsgebiete: Reflexion der elektromagnetischen Wellen, Funkortung, Pionier des ↑Radars, 1942 zum Ritter geschlagen (Biographie: ASIMOV-1974, S. 512; JÄGER-1996, S. 396):
ionosphere (↑Ionosphäre)

Wechmann, Wilhelm Ferdinand Gustav (1876–1947), Ministerialdirigent im Reichsverkehrsministerium, Dr.-Ing. E.h. (TH Stuttgart 1929), Honorarprofessor als Lehrbeauftragter für „Elektrische Bahnen" an der TH Berlin (Biographie: In: Elektr. Bahnen Bd. 21 [1950] Nr. 1, S. 32):
Stromrichter • Umrichter • Wechselrichter • [↑Elektrisierung der Eisenbahn]

Weinstein, B., Dr., Übersetzer von: MAXWELL, James Clerk: „A treatise on electricity and magnetism" (1883):
Dielectricitätsconstante (↑Dielektrizitätskonstante) • magnetische Kraft (↑magnetische Feldstärke)

Weiss, Pierre (1865–1940), französischer Physiker, Hauptarbeitsgebiet: Magnetismus im Mikrokosmos, Ferromagnetismus und magnetokalorische Erscheinungen:
magnéton (↑Magneton)

Wheatstone, Sir Charles (1802–1875), Professor of Experimental Philosophy [Experimentalphysik] in King's College, London, Hauptarbeitsgebiete: Telegraphen- und Messtechnik, 1868 zum Ritter geschlagen (Biographie: WÜGER, Hans, in: JÄGER-1996, S. 403–404):
rheomotor (↑Rheomotor) • rheoscope (↑Rheoskop) • rheostat (↑Rheostat) • rheotome (↑Rheotom) • rheotrope (↑Rheotrop)

Wiener, Norbert (1894–1964), amerikanischer Mathematiker, Professor am Massachusetts Institute of Technology (MIT), Begründer der wissenschaftlichen Kybernetik (Biographie: ILGAUDS, H.J., in: WUSSING-1992, S. 608–610):
cybernetics (↑Kybernetik)

Wilhelm II. (1859–1941), Deutscher Kaiser und König von Preußen (1888–1918):
Diplom-Ingenieur • Doktor-Ingenieur • Doktor-Ingenieur Ehren halber

Winkler, Johann Heinrich (1703–1770), Physiker und Philosoph, Autor des ersten deutschsprachigen Buches über die Elektrizität (1744):
elektrisieren (↑Elektrizität) • Elektrizität

Wissenschaftsrat:
Technikwissenschaften

Witte, Eberhard (geb. 1928), Dr. rer. pol., o. Professor für Betriebswirtschaftslehre, Universität München, Vorsitzender der KtK (Kommission für den Ausbau des technischen Kommunikationssystems):
Abonnement-Fernsehen • Telekommunikation

Wöhler, Friedrich (1800–1882), deutscher Chemiker, Studium der Medizin und Chemie, Lehrer an den Gewerbeschulen in Berlin und Kassel, zuletzt Ordinarius für Chemie und Pharmazie in Göttingen (Biographie: Wiederkehr, K.H., in: Krafft-2003, S. 438–439):
Aluminium

Wöhner, Hilmar (1901–1992), Dipl.-Ing., Oberpostrat im Fernmeldetechnischen Zentralamt (FTZ); Vertreter der Deutschen Bundespost in Terminologie-Ausschüssen des ↑DIN:
Bleimantelkabel • Kunststoffmantelkabel • Unter-Erde-Kabel

Wolke, Christian Heinrich (1741–1825), deutscher Pädagoge und Sprachforscher, Direktor des Erziehungsinstituts „Philantropin" in Dessau, wirkte in St. Petersburg, Dresden und Berlin, er erarbeitete 1789 ein Universalwörterbuch für alle Kultursprachen „Telephrasie oder Fernsprechkunst" (Biographie: Reichenbach-1841, Bd. 10, S. 844; Feldhaus-1970, Spalte 299–300):
Fernsprecher

YASKAWA Electric Manufacture Co. Ltd., jetzt: YASKAWA Electric Corporation, Japan:
mechatronics (↑Mechatronik)

Young, Thomas (1773–1829), englischer Arzt, Physiker mit Hauptarbeitsgebiet: Wellentheorie des Lichts, Interferenz, mechanische Elastizität (Young's modulus), als Ägyptologe Vorarbeiten zur Entzifferung der Rosetta-Steintafel (Biographie: Wittig, Joachim, in: Wussing-1992, S. 622–623; Wiederkehr, Karl Heinrich, in: Krafft-2003, S. 442–443):
energy (↑Energie)

Zipernowsky (Zipernovszky), Károly (1853–1942), Miksa Déri (1854–1938) und Ottó Titusz Bláthy (1860–1939), ungarische Ingenieure, die in der Budapester Elektrofirma Ganz & Co. in Gemeinschaftsarbeit den Transformator erfunden und industriell verwertet haben (Biographien: Jeszenszky, Sándor, in: Jäger-1996, S. 415–416, 94–95, 46–47):
transformator (↑Transformator)

Zeittafel der Wortschöpfungen oder frühen Wortbenutzungen

Bei Wörtern, die nicht selbst Stichwörter sind, verweist ein Pfeil (↑) auf den zugehörigen Eintrag. Sonstige Stichwörter sind in eckige Klammern gesetzt.

340 v. Chr., ca.	ἤλεκτρον */'ēlektron/* (↑elektrisch)
334 v. Chr., ca.	ἐνέργεια */enérgeia/* (↑Energie)
220 v. Chr., ca.	ἔλλειψις */elleipsis/* (↑Ellipse) • ὑπερβολή */hyperbol'ē/* (↑Hyperbel) • παραβολή */parabolé/* (↑Parabel)
0	
50 n. Chr., ca.	κυβερνήσεις */kybern'ēseis/* (↑Kybernetik)
77 n. Chr.	æs cyprium (↑Kupfer)
150 n. Chr.	° ′ ″ (↑Grad)
1000	
12. Jh.	gradus (↑Grad) • minuta (↑Grad) • secunda (↑Grad)
1267	polus borealis, polus arcticus (↑Nordpol) • polus (↑Pol, (magnetischer)) • polus australis (↑Südpol)
1486	+/– (↑plus-Zeichen (+)/minus-Zeichen (–))
1496	sinus (↑Sinus)
1500	
1525	brenn lini (↑Parabel) • eyerlini (↑Ellipse) • eyerlini (↑Oval) • gabellini (↑Hyperbel)
1544	Exponent
1553	√ (↑Wurzelzeichen)
1557	= (↑Gleichheitszeichen)
1597	termoscopio (↑Thermometer)
1600	
1600	electricus (↑elektrisch) • vis electrica (↑Bernsteinkraft)
1604	focus (↑Fokus, vgl. 1611)
1605	Oval
1609	perspicilli (↑Teleskop)
1610	satellites (↑Satellit)

1611 focus (↑Fokus, vgl. 1604) • telescopio (↑Teleskop) • [↑KEPLERS Wortschöpfungen]

1620 cosine (↑Kosinus) • Gas

1624 thérmomètre (↑Thermometer)

1627 eichen

1631 a, b, c (↑Buchstabenrechnung)

1637 a^3 b^4 c^5 (Schreibweise) (↑Exponent) • imaginaire (↑imaginäre Zahl)

1646 electricity (↑Elektrizität)

1664 technica (↑Technik)

1665 calculus of fluxions (↑Fluxionsrechnung)

1671 magnetismus (↑Magnetismus)

1684 calculus differentialis (↑Differenzialrechnung) • calculus infinitesimalis (↑Infinitesimalrechnung) • calculus summatorius (↑Integralrechnung) • coordinata (↑Koordinaten)

1686 $\int$ (↑Integralrechnung)

1690 calculus integralis (↑Integralrechnung)

1694 functio (↑Funktion)

1700

1702 horse (↑Pferdestärke)

1705 arithmétique binaire (↑binäres Zahlensystem) • arithmétique dyadique (↑binäres Zahlensystem)

1706 π (mathematisches Zeichen) (↑p)

1714 32 Grad/222 Grad (↑Thermometer-Fixpunkt)

1721 microphone (↑Mikrophon, Mikrofon)

1729 e (mathematisches Zeichen)

1730 1000 Grad/1080 Grad (↑Thermometer-Fixpunkt)

1733 electricitas resinosa (↑Harzelektrizität) • electricitas vitrea (↑ Glaselektrizität) • isoler (↑isolieren)

1734 $f(x)$ (mathematisches Zeichen)

1742 100 Grad/0 Grad (↑Thermometer-Fixpunkt)

1744 elektrisieren (↑Elektrizität) • Elektrizität

1745 glaßhafte Electricität (↑Glaselektrizität) • hartzige Electricität (↑Harzelektrizität) • isoliren (↑isolieren)

1747 electrically positive/negative (↑positive/negative Elektrizität)

1749 electrometer (↑Elektrometer)

1750

1750 0 Grad/100 Grad (↑Thermometer-Fixpunkt)

1752 electroscope (↑Elektroskop)

1761 positive/negative Elektrizität

1766 imaginäre Zahl • Zahl, eingebildete

1777 i (mathematisches Zeichen) • Technologie[I]

1778 capacità (↑Kapazität) • Blitzableiter • Blitzableitung (↑Blitzableiter) • +E, –E (↑positive/negative Elektrizität

1782 condensatore (↑Kondensator)

1784 horse power (↑Pferdestärke)

1789 Uranit (↑Uran)

1791 centi- • deci- • deka- • hekto- • kilo- • milli- • myria- • [↑Vorsatz]

1792 mètre (↑Meter) • tachygraphe (↑Tachygraph) • télégraphe (↑Telegraph)

1795 Fernsprecher

1796 galvanismo (↑Galvanismus) • Telephon

1798 Pol (elektrischer)

1799 électromoteur (↑Elektromotor[I])

1800

1800 force électromotrice (↑elektromotorische Kraft (EMK))

1803 Ladungssäule

1808 polarisation (↑Polarisation)

1812 aluminum (↑Aluminium) • (MM, KM, HM, DM, M, dm, cm, mm) (↑Vorsatzzeichen)

1820 galvanomètre (↑Galvanometer) • conflictus electricus (↑Konflikt, elektrischer)

1822 courant (↑Strom, (elektrischer)) • électrodynamique (↑Elektrodynamik)

1823 rhéophore (↑Rheophor)

1826 Leitungsvermögen (↑Leitfähigkeit) • Leitungswert (↑Leitwert) • Widerstand

1827 Aluminium

1829 Bernsteinkraft • Blitzfeuerkraft • Reibfeuerkraft • travail (↑Arbeit) • Zitterkraft

1831 induction (↑Induktion[I]) • komplexe Zahl • line of force (↑Kraftlinie)

1834 anode (↑Anode) • cisode (↑Anode) • cathode (↑Kathode) • cybernetique (↑Kybernetik) • electrode (↑Elektrode)

1835 calorie (↑Kalorie)

1837 OHMsches Gesetz • rhéomètre (↑Rheometer)

1841 Rheochord

1843 rheomotor (↑Rheomotor) • rheoscope (↑Rheoskop) • rheostat (↑Rheostat) • rheotome (↑Rheotom) • rheotrope (↑Rheotrop)

1845 sähkö • Wärmeeinheit

1846 *H* (Formelzeichen)

1847 λ (Formelzeichen) • technische Hochschule (↑Technische Hochschule)

1848 *R* (Formelzeichen)

1850

1850 Ester

1851 field (↑Feld) • μ (Formelzeichen) • magnetic force (↑magnetische Feldstärke) • permeability (↑Permeabilität)

1852 telegram (↑Telegramm)

1854 Telephonie

1856 technische Universität (↑Technische Universität)

1857 ergonomija (↑Ergonomie) • GEISSLERsche Röhre (↑Röhre)

1861 Farad • Galvat (↑Ampere) • Ohma (↑Ohm) • Volt

1865 Entropie

1866 Formelzeichen-System nach CULMANN und L. FREYTAG

1867 Ω (Ohm)

1870er Jahre Trambahn (↑Straßenbahn)

1872 accumulateur (↑Akkumulator)

1873 *B* (Formelzeichen) • Blitzkraft • coefficient of self-induction (↑Selbstinduktionskoeffizient) • *D* (Formelzeichen) • dielectric constant (↑Dielektrizitätskonstante) • displacement (↑*D*) • dyne (↑Dyn) • erg (↑Erg) • induction (↑Induktion[II]) • *L* (Formelzeichen) • *M* (Formelzeichen) • [↑MAXWELLsche Gleichungen]

1874 electromagnetic electrine (↑Elektron)

1875

1875 Warmheit • zwang(s)läufig

1876 Kathodenstrahlen

1878 microphone (↑Mikrophon, Mikrofon) • Straßenbahn

1879 Elektrotechnik • elektrotechnisch • forth state of aggregation (↑vierter Aggregatzustand) • radio- (↑Radio-) • radiometer (↑Radio-)

1880 magnetische Feldstärke • piézoélectricité (↑Piezoelektrizität)

1881 Ampère (↑Ampere) • Coulomb • elementares Quantum (↑Quantum) • Farad • Ohm • seeing by electricity (↑Television) • Volt

1882 hysteresis (↑Hysterese) • Watt

1883 Dielectricitätsconstante (↑Dielektrizitätskonstante) • mho (↑Mho) • secondary generator (↑sekundärer Generator)

1884 Amper (↑Ampere) • Coulombzähler • Elektricum • elektrisches Teleskop • Elektrizitätszähler • [↑Einheitennamen-Kritik von F. KOHLRAUSCH] • [↑Einheitennamen-Kritik von W. von SIEMENS]

1885 conductivity (↑HEAVISIDE-Matrix) • Elektrizitätswerk • resistivity (↑HEAVISIDE-Matrix) • transformator (↑Transformator)

1886 Canalstrahlen (↑Kanalstrahlen) • [↑Einheitennamen-Kritik von O. HEAVISIDE]

1887 Kerntransformator • Luftspalt • Manteltransformator • permittivity (↑Permittivität) • secohm (↑Sekohm)

1888 Dauermagnet • reluctance (↑HEAVISIDE-Matrix) • Sammler • Starkstrom/Schwachstrom • Stromwender • Wirbelstrom

1889 Joule • Quadrant

1890 Dielektricitätsconstante (↑Dielektrizitätskonstante) • ε (Formelzeichen) • elektrische Kraft • elektrischer Fernseher (↑Fernsehen) • Mol

1891 Drehfeld • Drehstrom • electron (↑Elektron) • Erregungsstrom (↑wattloser Strom) • Gauss • Henry • Hertz'sche Wellen • Hintereinanderschaltung • Neutrale, die • 0 (Null als Index) (↑μ) • Parallelschaltung •

Schlupf (↑Schlüpfung) • Schlüpfung • Schlussanker • Starkstromtechnik (↑Starkstrom/Schwachstrom) • wattloser Strom • Wattstrom • Weber

1893 Amper • *G* (Formelzeichen) • reactance (↑Reaktanz) • Tramway (↑Straßenbahn)

1894 coherer (↑Kohärer) • Elektrophysik • Gilbert • Maxwell • Ørsted • Schwachstromtechnik (↑Starkstrom/Schwachstrom) • Versor /x

1895 X-Strahlen • Zweig (↑Wicklungsstrang)

1896 Becquerelstrahlen (↑Uranstrahlen) • polonium (↑Polonium) • rayons uraniques (↑Uranstrahlen) • Röntgen'sche Strahlen • Röntgenstrahlen • Uranstrahlen

1897 condensance (↑Kondensanz) • Funkentelegraphie • j (imaginäre Einheit) • Leitfähigkeit • radioconducteur (↑Kohärer) • *X* (Formelzeichen)

1898 radium (↑Radium) • [Gesetzliche Einheiten]: • Ampere • Ohm • Volt

1899 Diplom-Ingenieur • Doktor-Ingenieur • Doktor-Ingenieur Ehren halber • Trambahn (↑Tram) • Werkner

1900

1900 Energieelement • Fritter • Frittröhre (↑Fritter) • *h* (Formelzeichen) • *k* (Formelzeichen) • Komplexion • Telegraphon • Wellentelegraphie

1901 courant de Röntgen (↑Röntgenstrom) • [Gesetzliche Einheiten:] • Coulomb • Farad • Henry • Watt • [Gesetzliche Vorsätze:] • Kilo- • Mega- • Milli- • Mikro-

1902 electrion

1903 période d'un élément radioactif (↑Halbwertszeit)

1904 ε_0 (↑ε) • Formelzeichen-System nach O. Linders • magnetische Feldstärke • μ_0 (↑μ) • Newton • Röntgenstrom • télécommunication (↑Telekommunikation)

1905 Energiequant (↑Quant) • Lichtquant (↑Quant)

1906 Anlasser • erden • Erdung • Induktivität • SOS • Wirkungsquantum, elementares

1908 distant electric vision (↑Television) • Leitwert • Siemens

1909 pH • Quer- (↑Blind-) • Schein- • ↑Wechselstromgrößen

1910

1910 Einheitenzeichen mit Blitzpfeil • Elektrisierung der Eisenbahn • Flasche • Kunststoff • Quecksilberdampf-Gleichrichter

1911 Fernmeldetechnik • magnéton (↑Magneton) • superconductive state (↑Supraleitung)

1912 röntgenisieren

1913 Blind- • Hertz • isotope (↑Isotop) • Werk- (↑Wirk-)

1914 funken • [↑Ingenieursprachen] • Schließe

1915 Ingner • Kenetron • Pleiotron • Tram

1916 Eichet, das • Hochfrequenztechnik • Messwandler • Schütz, das • Spannungswandler • Stromwandler • Verstärker • Wandler • Wehr, das

1917 Durchgriff • Hertz'sche Telegraphie • Norm

1918 Bernkraft • Bernstrom • elektern • Eltwerk (↑Elt)

1919 diode (↑Diode) • Massenspektrograph • pentode (↑Triode) • tetrode (↑Triode) • triode (↑Triode) • Wicklungsstrang

1920

1920 Boltzmann(sche) Konstante • fonen • Gerätesteckdose • Gerätestecker • magnetischer Schwund • Proton • robot (↑Roboter) • Rundfunk • Θ (Formelzeichen) • Wirk-

1921 Bürde • Dol • Kilosin • Vierpol

1922 Fernmeldeanlage • Giga- • Nano- • Roboter • television (↑Television)

1923 AEF-Einheitensystem • H-Strahl • Radio(gerät)

1924 Quantenmechanik • Quantensprung

1925 röntgen • Spin

1926 Phon • picofarad (↑Piko-) • teleoptics (↑Television)

1927 Dauerschlussmotor • Flußdichte (↑magnetische Flussdichte) • Induktionskonstante • Influenzkonstante • Schaltschlussmotor • Waage • Widerstandschlussmotor

1928 Elm (elmisch, Elming, Elmwerk, beelmen) • Neper • Präzisionsmathematik • Röntgen

1929 Berne (Bernbahn, bernen, verbernen) • Glees (Gleeswerk, begleesen)

1930

1930 Entohmung • Gerätesteckvorrichtung • plasma (↑Plasma) • pra- (↑Pra-) • var (↑Var)

1931 Elm (mit Ableitungen) • elt- (eltisch, elten, eltigen, Eltner, Elte, Eltel) (↑Elt) • KENNELLY-HEAVISIDE-Schicht • Tera- • Umrichter

1932 ionosphere (↑Ionosphäre) • Kernleitwert • Kernwiderstand • Negatron • Neutron • Positron • Stromrichter • Stromtor • -tron • Wechselrichter

1933 Fessel (Fesselmacht, -wert, -mittel) • Glitz (glitzen, verglitzen) • Neutrino • Reihung • Techner • Zweigung

1934 Mutator • pondus (↑Pond)

1935 Expedanz • Magnetophon

1936 daraf • Erzlogert • Grundzahl • Hochbruch • Hochnehmen • Hochwert • Hochzeiger • Logert • Meson • Mesotron

1938 Exzitanz • Kernphysik • Zerplatzen schwerer Kerne (↑Kernspaltung)

1939 Pond • transductor (↑Transduktor)

1940

1940 automation (↑Automation) • Urspannung

1941 Lampe • Leuchte

1942 Radar

1947 Atommeiler

1948 bit (↑Bit) • cybernetics (↑Kybernetik) • -istor • transistor (↑Transistor)

1949 Gon • travelling wave tube (↑Wanderfeldröhre)

1950

1950 elektrischer/magnetischer Feldformant (↑Feldformant) • Elektronentechnik • ergonomics (↑Ergonomie)

1951 Elektrie • elektrische Feldkonstante • Kristallode • magnetische Feldkonstante

1952 TV

1953 bes

1954 Bleimantelkabel • Kunststoffmantelkabel • maser (↑Maser) • Unter-Erde-Kabel

1955 Elektrifizierung der Eisenbahn (↑Elektrisierung der Eisenbahn) • Informatic (↑Informatik) • Informatik • Synthesizer

1956 Automation • Barkhausen

1957 elektern • H-Pegel • Sör • Transduktor • Wasserstoffionen-Pegel (↑H-Pegel)

1958 Fachwendung

1959 et/ip • Funkschutzzeichen • Lenz

1960

1960 Atto- • Femto- • laser (↑Laser)

1962 informatique (↑Informatik) • kerma (↑Kerma) • Krachstörung

1963 quark (↑Quark)

1964 Synthesizer

1965 Knackrate • Schutzklasse

1966 technisches ↑Arbeitsmittel

1967 Fluxistor

1968 Rechne, die

1969 Atta- (↑Exa-) • exa- (↑Exa-) • Femta- (↑Peta-) • hexa- (↑Exa-) • mechatronics (↑Mechatronik) • Parton • penta- (↑Peta-) • peta- (↑Peta-)

1970

1970 Exa- • Hexa- (↑Exa-) • Peta- • Penta- (↑Peta-)

1971 Pascal

1972 bis • Permittivität

1973 Konformitätszeichen • skjár

1975 Telekommunikation

1976 Abonnement-Fernsehen (↑Abonnenten-Fernsehen) • Leitungsroller

1978 Technologie^{II}

1980

1980 Exillion oder Exion (↑Zahlwörter für hohe Zahlen) • Petillion oder Petion (↑Zahlwörter für hohe Zahlen) • Terillion oder Terion (↑Zahlwörter für hohe Zahlen)

1981 Bemessungs-

1984 informationstechnisch (↑Informationstechnik) • Technikwissenschaften

1990

1990 oco- (↑Yokto-) • septo- (↑Zepto-)

1991 Yotta- • Zetta-

1992 Hochtechnik

1993 CE-Kennzeichnung

1997 Bezahlfernsehen

1999 Nanobot

2000

2001 Sperrloch-Steckdose • [Gesetzliche Vorsätze] • Yokto- • Yotta- • Zepto- • Zetta-